Mago e Vidro

STEPHEN KING

A TORRE NEGRA

Mago e Vidro

TRADUÇÃO
Mário Molina

SUMA

Grafia atualizada segundo o Acordo Ortográfico da Língua Portuguesa de 1990, que entrou em vigor no Brasil em 2009.

p. 7: Trecho de William Shakespeare, *Romeu e Julieta*. Trad. de José Francisco Botelho. São Paulo: Penguin-Companhia das Letras, 2016, p. 99.
p. 9: Trecho de L. Frank Baum, *O Mágico de Oz*. Trad. de Sergio Flaksman. Rio de Janeiro: Zahar, 2013, p. 178.
p. 637: Trecho de Charles Dickens, *Uma canção de Natal*. Trad. de Rodrigo Lacerda. São Paulo: Penguin-Companhia das Letras, 2019, p. 125.

Título original
The Dark Tower IV: Wizard and Glass

Capa
Estúdio Nono

Ilustração de capa
Weberson Santiago

Ilustração de orelha
Estúdio Nono baseado em foto de Shane Leonard

Preparação
Stella Carneiro

Revisão
Nestor Turano Jr.
Renata Callari

Dados Internacionais de Catalogação na Publicação (CIP)
(Câmara Brasileira do Livro, SP, Brasil)

King, Stephen
Mago e vidro / Stephen King ; tradução Mário Molina. — 2ª ed. — Rio de Janeiro : Suma, 2025.

Título original: The Dark Tower IV : Wizard and Glass
ISBN 978-85-5651-171-3

1. Ficção de suspense 2. Ficção norte-americana. I. Título. II. Série.

25-291953 CDD-813

Índice para catálogo sistemático:
1. Ficção de suspense : Literatura norte-americana 813

Cibele Maria Dias – Bibliotecária – CRB-8/9427

EDITORA SCHWARCZ S.A.
Praça Floriano, 19, sala 3001 — Cinelândia
20031-050 — Rio de Janeiro — RJ
Telefone: (21) 3993-7510
www.companhiadasletras.com.br
www.blogdacompanhia.com.br
facebook.com/editorasuma
instagram.com/editorasuma

Este livro é dedicado a Julie Eugley e Marsha DeFilippo.
São elas quem cuidam da correspondência, e a maior parte
da correspondência dos últimos dois anos tem sido sobre
Roland de Gilead — o pistoleiro. Basicamente, Julie e Marsha
me perturbaram o juízo até eu voltar a escrever.
Julie, você perturbou com mais eficiência,
por isso o seu nome vem na frente.

ROMEU

Ah, juro pela lua consagrada,
Que pinta em prata as copas destas árvores…

JULIETA

Não jures pela lua — ela é cambiante,
De mês em mês mudando em sua órbita;
Que o teu amor não seja assim instável.

ROMEU

Como devo jurar?

JULIETA

Não jures nada,
Ou jura por ti mesmo; é o suficiente
— Pois és o deus da minha idolatria.
Isso basta.

William Shakespeare, *Romeu e Julieta*

No quarto dia, para grande alegria de Dorothy, Oz mandou chamá-la e, quando ela entrou na Sala do Trono, disse, em tom satisfeito:
— Sente-se, minha querida; acho que encontrei a maneira de levar você embora deste lugar.
— De volta para o Kansas? — perguntou ela, ansiosa.
— Bem, quanto ao Kansas não tenho certeza — disse Oz. — Não tenho a menor ideia de onde fica.

L. Frank Baum, *O Mágico de Oz*

Visão mais feliz, de outro tempo, eu quis saborear
Para ficar mais apto a encarar minha missão.
Pensar antes, lutar depois, eis do soldado o bordão:
Um vislumbre do passado pode a tudo acertar.

Robert Browning, "Childe Roland
à Torre Negra chegou"

ARGUMENTO

Mago e vidro é o quarto volume de uma longa história inspirada por "Childe Roland à Torre Negra chegou", um poema narrativo de Robert Browning.

O primeiro volume, *O pistoleiro*, conta como Roland de Gilead persegue e por fim consegue alcançar Walter, o homem de preto, que fingia ser amigo do pai de Roland mas que, na realidade, servia a Marten, um grande feiticeiro. Pegar o semi-humano Walter não é, porém, o objetivo de Roland, apenas um caminho até o seu propósito: Roland quer chegar à Torre Negra, onde acredita que a acelerada destruição do Mundo Médio possa ser detida, talvez até revertida.

Roland é uma espécie de cavaleiro, o último de sua estirpe, e quando pela primeira vez nos deparamos com ele, a Torre é sua obsessão, sua única razão de viver. Ficamos a par de que foi obrigado a se submeter a um teste prematuro de maturidade por Marten, que seduzira sua mãe. Marten esperava que Roland fracassasse no teste, fosse "mandado para Oeste" e despojado para sempre das armas do pai. Roland, contudo, contraria os planos de Marten ao passar no teste... devido, principalmente, à sábia escolha de sua arma.

Descobrimos que o mundo do pistoleiro e o nosso estão relacionados de um modo fundamental e terrível. O elo é revelado pela primeira vez quando Roland encontra Jake, um menino da Nova York de 1977, num abandonado posto de parada de diligências. Existem portas entre o mundo de Roland e o nosso; uma delas é a morte, e é por seu intermédio que Jake, depois de ser empurrado para o asfalto da rua 43 e atropelado por um carro, chega pela primeira vez ao Mundo Médio. Quem o empurrou foi um homem chamado Jack Mort... embora a coisa que se escondia dentro da cabeça de Mort e guiava suas mãos assassinas naquela ocasião fosse Walter, o antigo inimigo de Roland.

Antes de Jake e Roland alcançarem Walter, Jake torna a morrer... desta vez porque o pistoleiro, frente à angustiante necessidade de optar entre aquele filho simbólico e a Torre Negra, escolhe a Torre. As últimas palavras de Jake antes de mergulhar no abismo são "Vá então... há outros mundos além deste".

O confronto final entre Roland e Walter ocorre perto do mar Ocidental. Durante uma longa noite de conversas, o homem de preto revela o futuro de Roland com um estranho baralho de tarô. Três cartas — o Prisioneiro, a Dama das Sombras e a Morte ("mas não para você, pistoleiro") — serão as que definirão o caminho de Roland.

O segundo volume, *A escolha dos três*, começa à margem do mar Ocidental, não muito depois de Roland despertar do confronto com seu antigo nêmesis e descobrir que Walter está morto há bastante tempo, agora não mais do que um punhado de ossos num local já cheio de ossos. O exausto pistoleiro é então atacado por uma horda de "lagostrosidades" carnívoras e, antes que consiga escapar delas, é seriamente ferido, perdendo os primeiros dois dedos da mão direita. Roland é também envenenado pelas mordidas e assim, ao retomar a jornada para o norte, ao longo do mar Ocidental, já está adoecendo... talvez morrendo.

A certa altura da caminhada, ele vê três portas se erguendo com nitidez na praia. Elas se abrem para a nossa Nova York em três *quandos* diferentes. De 1987, Roland escolhe Eddie Dean, um prisioneiro da heroína. De 1964, escolhe Odetta Susannah Holmes, uma mulher que perdeu a parte de baixo das pernas num acidente no metrô... que não foi acidental. Ela é a Dama das Sombras, com uma segunda e sórdida personalidade oculta dentro da jovem negra ativista política que os amigos conhecem. Essa mulher escondida, a agressiva e astuciosa Detta Walker, se apega à determinação de matar tanto Roland quanto Eddie ao ser levada pelo pistoleiro para o Mundo Médio.

Entre a época desses dois, mais precisamente em 1977, Roland penetra na mente diabólica de Jack Mort, que tinha ferido Odetta/Detta não uma vez, mas duas. "Morte", o homem de preto dissera a Roland, "mas não para você, pistoleiro." Mas tampouco Mort é o terceiro profetizado por Walter; Roland impede Mort de assassinar Jake Chambers e pouco depois Mort morre sob as rodas do mesmo trem que levara as pernas de Odetta em 1959. Roland, então, não leva o psicopata para o Mundo Médio... Quem, pensa ele, ia querer ficar com tal criatura?

Contudo há um preço a ser pago pela rebelião contra um futuro profetizado; não é o que sempre ocorre? *Ka, verme*, poderia ter dito Cort, o antigo professor de Roland. *Assim é a grande roda, sempre girando. Não fiquem na frente dela ou serão esmagados, perdendo de vez seus estúpidos cérebros e inúteis invólucros de tripas e água.*

Roland acha que talvez com Eddie e Odetta a escolha dos três já tenha se dado, pois Odetta tem dupla personalidade. Quando, no entanto, Odetta e Detta emergem como uma só pessoa em Susannah (graças, em grande parte, ao amor e à coragem de Eddie Dean), o pistoleiro percebe que não é bem assim. Percebe ainda outra coisa: continuará sendo atormentado por lembranças de Jake, o garoto que, ao morrer, falara de outros mundos. Na realidade, metade da mente do pistoleiro acredita que jamais *houve* um garoto. Ao impedir que Jack Mort empurrasse Jake para a frente do carro que deveria matá-lo, Roland criara um paradoxo temporal que o estava dilacerando. E que, em nosso mundo, estava dilacerando também Jake Chambers.

As terras devastadas, o terceiro volume da série, começa com esse paradoxo. Após matar um urso gigantesco chamado Mir (pelo povo antigo que o temia) ou Shardik (pelos Grandes Anciãos que o construíram... pois a criatura acaba se revelando um ciborgue), Roland, Eddie e Susannah seguem o rastro do animal e descobrem o Caminho do Feixe. Há seis desses feixes correndo entre os doze portais que marcam os limites do Mundo Médio. No ponto onde os feixes se cruzam — no centro do mundo de Roland, talvez no centro de todos os mundos — o pistoleiro acredita que ele e seus amigos encontrarão por fim a Torre Negra.

Agora Eddie e Susannah já não são prisioneiros no mundo de Roland. Apaixonados um pelo outro e a caminho de se tornarem eles próprios pistoleiros, participam ativamente na busca e seguem o pistoleiro por vontade própria pelo Caminho do Feixe.

Num círculo falante não muito longe do Portal do Urso, o tempo é emendado, o paradoxo termina e o *verdadeiro* terceiro é finalmente escolhido. Jake torna a entrar no Mundo Médio na conclusão de um perigoso rito no qual todos os quatro — Jake, Eddie, Susannah e Roland — lembram os rostos de seus pais e se comportam com honra. Não muito depois, o quarteto vira um quinteto, quando Jake fica amigo de um billy-malhado. Os malhados, que parecem uma combinação de texugo, quati e cachorro, têm uma limitada capacidade de falar. Jake chama o novo amigo de Oi.

O caminho dos peregrinos os conduz para Lud, um deserto urbano onde os degenerados sobreviventes de duas antigas facções, Pubes e Grays, mantêm acesa a chama de um antigo conflito. Antes de chegar à a cidade, passam por um lugarejo chamado River Crossing, onde alguns antigos residentes ainda permanecem. Eles reconhecem em Roland um remanescente dos velhos tempos, antes de o mundo seguir adiante, e prestam honras a ele e a seus companheiros. Em seguida, aquele povo antigo lhes fala de um trem de monotrilho que talvez ainda corra de Lud para as terras devastadas, ao longo do Caminho do Feixe e em direção à Torre Negra.

Jake se assusta com isso, mas não chega a ficar surpreso; antes de ser tirado de Nova York, comprara dois livros em uma livraria cujo dono tinha o interessante nome de Calvin Tower. Um era um livro de adivinhações, mas com a página de respostas rasgada. O outro, *Charlie Chuu-Chuu*, era uma história infantil sobre um trem. Para a maioria talvez não passasse de uma historinha divertida... mas, para Jake, havia algo sobre Charlie que não era nada divertido. Algo assustador. Roland percebia outra coisa: na Língua Superior de seu mundo, a palavra *char* significava morte.

Tia Talitha, a matriarca da gente de River Crossing, dá a Roland uma cruz de prata e os viajantes retomam sua jornada. Antes de alcançar Lud, se deparam com um avião caído, um avião do nosso mundo, um caça alemão dos anos 1930. Imprensado na cabine está o cadáver mumificado de um homem gigantesco, quase certamente David Quick, um fora da lei meio mítico.

Ao cruzar a ponte deteriorada que se estendia pelo rio Send, Jake e Oi quase sofrem um acidente fatal. E enquanto Roland, Eddie e Susannah estão distraídos tentando ajudá-los, o grupo é emboscado por um bandido moribundo (e muito perigoso) chamado Gasher. Ele sequestra Jake e o leva através de túneis subterrâneos até o Homem do Tique-taque, último líder dos Grays. O verdadeiro nome de Tique-taque é Andrew Quick; o bisneto do homem que morrera tentando fazer pousar um avião vindo de outro mundo.

Enquanto Roland (ajudado por Oi) vai atrás de Jake, Eddie e Susannah encontram o Berço de Lud, onde o Mono Blaine desperta. Blaine, a última peça acima da terra do vasto sistema de computação que jaz sob a cidade de Lud, tem apenas um interesse: adivinhações. Promete levar os viajantes à parada final do monotrilho se eles conseguirem resolver uma adivinhação proposta por ele. Caso contrário, diz Blaine, a única viagem para eles será até a clareira onde o caminho termina... ou seja, para a morte. Nesse caso, terão bastante companhia, pois Blaine planeja liberar estoques de gases com efeito sob o sistema nervoso que matarão todos que sobraram em Lud: sejam Pubes, Grays ou pistoleiros.

Roland resgata Jake, deixando o Homem do Tique-taque à morte... mas Andrew Quick não morre. Meio cego, o rosto horrendamente desfigurado, é salvo por um homem que diz se chamar Richard Fannin. Este Fannin, contudo, também se identifica como o Estranho sem Idade, um demônio sobre o qual Walter tinha advertido Roland.

Roland e Jake se reúnem a Eddie e a Susannah no Berço de Lud, e Susannah — com uma pequena ajuda "daquela escrota" Detta Walker — consegue resolver a adivinhação de Blaine. Forçados a ignorar as sinistras advertências do subego saudável, mas letalmente enfraquecido de Blaine (uma voz que Eddie chama de Pequeno Blaine), eles conseguem entrar no monotrem, onde logo descobrem que Blaine pretende cometer suicídio com todos a bordo. O fato de a verdadeira mente que controla o monotrem encontrar-se em computadores que vão ficando cada vez mais para trás, funcionando sob uma cidade que virou uma carnificina, não fará diferença quando a bala cor-de-rosa descarrilar em algum ponto da linha numa velocidade superior a 1200 quilômetros por hora.

Existe uma única chance de sobrevivência: o amor de Blaine pelas adivinhações. Roland de Gilead faz então uma proposta desesperada. É com esta proposta que *As terras devastadas* terminam; é com esta proposta que *Mago e vidro* começa.

Prólogo
BLAINE

— ME DIGAM UMA ADIVINHAÇÃO — pediu Blaine.

— Vá se foder — disse Roland. Ele não ergueu a voz.

— O QUE VOCÊ FALOU? — Em sua evidente perplexidade, a voz do Grande Blaine ficou muito parecida com a voz de seu gêmeo oculto.

— Eu disse vá se foder — Roland repetiu calmamente —, mas se isso o confundiu, Blaine, posso deixar a coisa mais clara. Não. A resposta é não.

Durante um longo, longo tempo não houve reação de Blaine, e quando ele respondeu não foi com palavras. Em vez disso, as paredes, o chão e o teto começaram novamente a perder a cor e a solidez. Num espaço de dez segundos o Vagão do Baronato deixou mais uma vez de existir. Estavam agora disparando sobre a cadeia de montanhas que tinham visto no horizonte: picos num tom cinza metálico corriam para eles em velocidade suicida, depois se afastavam revelando vales estéreis por onde rastejavam besouros gigantescos como tartarugas presas à terra. Roland viu uma coisa que parecia uma enorme cobra sair da boca de uma caverna. O animal pegou um dos besouros e arrastou-o para a sua toca. Roland jamais vira animais assim, nem uma região como aquela, e a visão o encheu de temor. Talvez Blaine os tivesse transportado para algum outro mundo.

— TALVEZ EU DEVESSE NOS DESCARRILAR AQUI — disse Blaine. A voz era reflexiva, mas sob ela o pistoleiro sentiu uma raiva profunda, pulsante.

— Talvez devesse — disse o pistoleiro num tom de indiferença.

A cara de Eddie era de pânico. Ele sussurrou as palavras: O que você está FAZENDO? Roland o ignorou; estava bastante ocupado com Blaine e sabia perfeitamente bem o que estava fazendo.

— VOCÊ É GROSSEIRO E ARROGANTE — disse Blaine. — ESTAS QUALIDADES PODEM SER INTERESSANTES PARA VOCÊ, MAS NÃO SÃO PARA MIM.

— Ah, posso ser muito mais grosseiro do que tenho sido.

Roland de Gilead espalmou as mãos e foi ficando lentamente de pé. Ficou parado no que parecia ser nada, pernas afastadas, a mão direita na cintura e a esquerda no cabo de sândalo do revólver. Ficou como já ficara tantas vezes antes, nas ruas empoeiradas de uma centena de cidadezinhas esquecidas, em muitas zonas de matança em desfiladeiros rochosos, num sem-número de saloons escuros com seus cheiros de cerveja amarga e fritura. Era apenas mais uma exibição em mais uma rua deserta. Era só isso, e já era o bastante. Era khef, ka e ka-tet. Que esse tipo de exibição sempre ocorresse era o fato central de sua vida, o eixo em torno do qual o seu próprio ka revolvia. Que desta vez a batalha tivesse de ser travada com palavras e não com balas não fazia diferença; continuaria sendo uma batalha mortal. O fedor de morte no ar era tão nítido, tão inconfundível quanto o fedor de carniça se decompondo num pântano. Então o fervor da batalha se assentou sobre ele, como sempre acontecia… e era como se outra pessoa estivesse ali.

— Acho que você é uma máquina ridícula, tola, sem nada na cabeça. Acho que é uma criatura estúpida, insensata, cujo juízo não é mais sólido do que o som de um vento invernal numa árvore oca.

— PARE COM ISSO.

Roland continuou no mesmo tom sereno, ignorando Blaine por completo.

— Você é o que Eddie chama de "engenhoca". Se fosse mais do que isso, eu poderia até ser mais grosseiro.

— SOU MUITO MAIS DO QUE APENAS…

— Poderia chamá-lo de boqueteiro de merda, por exemplo, mas você não tem boca. Poderia dizer que é mais vil que o mais vil patife que já rastejou pelas vielas mais deploráveis da criação, mas até mesmo essa criatura seria melhor que você; você não tem joelhos para rastejar e não cairia com eles no chão se os tivesse porque não entende o conceito da fraqueza humana que é a misericórdia. Eu poderia até dizer que você foderia sua própria mãe, se tivesse uma.

Roland parou para respirar. Coisa que seus três companheiros tinham parado de fazer. Por todo lado, sufocante, havia o silêncio atônito do Mono Blaine.

— *Posso* dizer que é uma criatura ingrata, que deixou sua única companheira se matar, um covarde que tem se deliciado com a tortura dos tolos e a carnificina dos inocentes, um tosco e barulhento instrumento mecânico que…

— ORDENO QUE PARE OU VOU MATAR TODOS VOCÊS AQUI MESMO!

Os olhos de Roland brilharam com um clarão azul tão selvagem que Eddie recuou para longe dele. Vagamente, ele ouviu a arfada de ar de Jake e Susannah.

— *Mate se quiser, mas não me dê ordens!* — berrou o pistoleiro. — *Você esqueceu o rosto daqueles que o criaram! Comece a nos matar agora ou fique calado e escute o que eu, Roland de Gilead, filho de Steven, pistoleiro e senhor das terras antigas, tenho a dizer! Não atravessei tantos quilômetros durante tantos anos para dar ouvidos à sua baboseira infantil! Está entendendo? Agora é você quem vai* ME *ouvir!*

Outro momento de silêncio chocado. Ninguém respirava. Roland olhava inflexível para a frente, cabeça erguida, a mão na coronha do revólver.

Susannah Dean levou a mão à boca. Sentiu o sorrisinho que havia lá como uma mulher sentiria uma nova e estranha peça de roupa — um chapéu, talvez — para se certificar de que ainda está no lugar. Estava tensa achando que aquilo seria o fim da linha, mas a sensação que dominou seu coração naquele momento não foi medo, mas de orgulho. Deu uma olhada para a esquerda e viu Eddie contemplando Roland com um sorriso de assombro. A expressão de Jake era ainda mais simples: pura adoração.

— Diga a ele! — Jake cochichou. — Acaba com ele! Boa!

— É melhor prestar atenção, Blaine — Eddie fez eco. — Ele não se importa com porra nenhuma. Não é por acaso que o chamam de Cachorro Louco de Gilead.

Após uma longa, longa pausa, Blaine perguntou:

— É ASSIM QUE O CHAMAVAM, ROLAND, FILHO DE STEVEN?

— Podem ter chamado — Roland respondeu, calmamente pousado no ar rarefeito sobre as colinas.

— QUE UTILIDADE VOCÊS TÊM PARA MIM SE NÃO VÃO CONTAR ADIVINHAÇÕES? — Blaine perguntou. Agora parecia uma criança resmungona, emburrada, que deixaram ficar acordada até muito depois da sua hora de dormir.

— Eu não disse que não faríamos adivinhações — respondeu Roland.

— NÃO? — Blaine parecia espantado. — NÃO ESTOU ENTENDENDO, MAS O ANALISADOR VOCAL INDICA DISCURSO RACIONAL. POR FAVOR EXPLIQUE.

— Você disse que queria as adivinhações de *imediato* — respondeu o pistoleiro. — Era *isso* que eu estava recusando. Sua avidez tirou a sua razão.

— NÃO ESTOU ENTENDENDO.

— Ela o deixou grosseiro. Entende *isso*?

Houve um silêncio longo e meditativo. Haviam se passado séculos desde a última vez que o computador lidara com reações humanas diferentes da ignorância, da negligência ou da subserviência supersticiosa. Tinham transcorrido eternidades desde a última vez em que se deparara com uma atitude de coragem humana. Finalmente:

— SE O QUE EU DISSE LHE PARECEU GROSSEIRO, PEÇO QUE ME PERDOE.

— Está perdoado, Blaine. Mas há um problema maior.

— EXPLIQUE.

— Feche novamente o vagão e explicarei. — Roland se sentou tranquilo, como se uma negativa e a perspectiva da morte iminente fossem agora impensáveis.

Blaine fez o que ele pediu. As paredes se encheram de cor e a paisagem de pesadelo abaixo deles foi mais uma vez apagada. O ponto no mapa indicando a trajetória piscava agora ao lado do ponto denominado Candleton.

— Tudo bem — disse Roland. — A grosseria é perdoável, Blaine; foi o que me ensinaram quando eu era jovem. Mas também me ensinaram que a burrice não é.

— POR QUE ACHA QUE FUI BURRO, ROLAND DE GILEAD? — A voz de Blaine era suave e sinistra. Susannah imaginou um gato de tocaia na frente de um buraco de rato, a cauda se movendo de um lado para o outro, os olhos verdes brilhando com malevolência.

— Nós temos algo que você quer — disse Roland —, mas a única recompensa que nos oferece se a dermos a você é a morte. Isso é *muita* burrice.

Houve uma longa, longa pausa enquanto Blaine refletia sobre o assunto. Então:

— O QUE DIZ É VERDADE, ROLAND DE GILEAD, MAS A QUALIDADE DAS SUAS ADIVINHAÇÕES AINDA NÃO FOI PROVADA. EU NÃO OS RECOMPENSAREI COM SUAS VIDAS POR ADIVINHAÇÕES RUINS.

— Compreendo, Blaine — disse Roland, assentindo. — Agora escute e compreenda você o que eu digo. Já contei uma parte disso aos meus amigos. Quando eu era garoto, no Baronato de Gilead, havia sete Dias de Feira por ano... Inverno, Terra Ampla, Semeadura, Meados de Verão, Terra Plena, Colheita e Fim do Ano. As adivinhações eram uma parte importante de todos os Dias de Feira, mas eram o acontecimento mais importante do Dia de Feira da Terra Ampla e do da Terra Plena, pois se acreditava que as adivinhações propostas eram bons ou maus augúrios para o sucesso das safras.

— ISSO É SUPERSTIÇÃO SEM ABSOLUTAMENTE NENHUMA BASE NOS FATOS — disse Blaine. — ACHO ESSAS COISAS ABORRECIDAS E CONSTRANGEDORAS.

— Claro que é superstição — concordou Roland —, mas você se surpreenderia com o quanto as adivinhações previam bem as safras. E, aliás, me responda, Blaine: qual é a diferença entre uma avó e um celeiro?

— ESSA JÁ É MUITO CONHECIDA E MEIO SEM GRAÇA — disse Blaine, mas parecendo feliz por ter alguma coisa para resolver. — UMA NASCE PARENTE, BORN KIN; A OUTRA É UM DEPÓSITO DE GRÃO, CORN-BIN. É UMA ADIVINHAÇÃO BASEADA EM COINCIDÊNCIA FONÉTICA. OUTRA DO MESMO TIPO, CONTADA NO NÍVEL DAS ADIVINHAÇÕES DO BARONATO

DE NOVA YORK, ERA ASSIM: QUAL A DIFERENÇA ENTRE UM GATO E UMA FRASE COMPLEXA?

Jake respondeu:

— Eu sei. Um gato tem garras no final das patas e uma frase complexa tem pausa no final da oração.*

— Sim — concordou Blaine. — UMA ADIVINHAÇÃO ANTIGA E MUITO BOBA, QUE SÓ É INTERESSANTE PELA RIMA DAS PALAVRAS.

— Pelo menos nessa eu concordo com você, Blaine, meu velho — disse Eddie.

— NÃO SOU SEU AMIGO, EDDIE DE NOVA YORK.

— Nossa, cara. Fica de boa e vá para o céu.

— NÃO EXISTE CÉU.

Eddie não tinha resposta para isto.

— EU GOSTARIA DE OUVIR MAIS ADIVINHAÇÕES DOS DIAS DE FEIRA EM GILEAD, ROLAND, FILHO DE STEVEN.

— Ao meio-dia da Terra Ampla e da Terra Plena, o Salão dos Antepassados era aberto e lá se reuniam de dezesseis a trinta adivinhadores. Eram as únicas ocasiões do ano em que gente comum — tipo comerciantes, fazendeiros e camponeses — tinha permissão para entrar no Salão dos Antepassados, e nesses dias *todos* se apinhavam ali.

O pistoleiro tinha os olhos distantes e sonhadores; era a expressão que Jake vira em seu rosto naquela nebulosa outra vida, quando Roland lhe contara como ele e seus dois amigos, Cuthbert e Jamie, tinham um dia se escondido na sacada do tal Salão para assistir a uma espécie de festa com danças. Jake e Roland subiam as montanhas no rastro de Walter quando Roland lhe contara essa história.

Marten estava sentado ao lado de minha mãe e meu pai, dissera Roland. *Reconheci-os apesar de estar tão no alto — e minha mãe dançou uma vez com Marten, girando lentamente, enquanto as pessoas abriam uma clareira na pista de dança; elas aplaudiram quando a música acabou. Os pistoleiros não aplaudiram...*

Jake olhou com curiosidade para Roland, de novo se perguntando de onde aquele homem estranho teria vindo... e por quê.

— Colocavam um grande barril no meio da pista — prosseguiu Roland —, onde cada adivinhador jogava a tira de um papel feito de casca de árvore com adivinhações escritas. Muitas eram adivinhações antigas, que tinham escutado dos mais velhos... ou até, em alguns casos, tirado de livros... mas mui-

* Em inglês: "A cat has claws at the end of its paws, and a complex sentence has a pause at the end of its clause". (N. T.)

tas eram novas, pensadas especialmente para a ocasião. Três juízes, um deles sempre um pistoleiro, se pronunciavam sobre estas últimas, que eram lidas em voz alta; e só eram aceitas se os juízes as julgassem adequadas.

— SIM, AS ADIVINHAÇÕES TÊM QUE SER ADEQUADAS — concordou Blaine.

— Esse era o jogo — disse o pistoleiro. Um leve sorriso surgiu em sua boca com a lembrança daqueles dias, quando tinha a idade do menino ferido sentado na sua frente com o billy-malhado no colo. — O jogo se prolongava por horas a fio. Uma fila se formava no meio do Salão dos Antepassados. A posição da pessoa na fila era decidida pela sorte, e como era muito melhor ficar no fim do que no começo, todo mundo queria tirar um número alto. Cada concorrente devia responder corretamente a pelo menos uma adivinhação.

— MUITO JUSTO.

— Cada homem ou mulher... pois alguns dos melhores adivinhadores de Gilead eram mulheres... se aproximava do barril e pegava a primeira adivinhação, que era lida em voz alta. Se a adivinhação ainda não tivesse sido respondida depois que a areia escorresse numa ampulheta de três minutos, o concorrente tinha que deixar a fila.

— E A MESMA ADIVINHAÇÃO ERA PROPOSTA AO SEGUINTE DA FILA?

— Sim.

— ENTÃO QUEM VINHA DEPOIS TINHA MAIS TEMPO PARA PENSAR.

— Sim.

— ENTENDO. PARECE MUITO MANEIRO.

Roland franziu a testa.

— Maneiro?

— Ele quer dizer que parece divertido — disse Susannah em voz baixa.

Roland deu de ombros.

— Era divertido para quem assistia, imagino, mas os competidores levavam tudo muito a sério. Com frequência havia discussões e brigas depois que o prêmio era concedido e o concurso encerrado.

— QUAL ERA O PRÊMIO, ROLAND, FILHO DE STEVEN?

— O maior ganso do Baronato. E ano após ano meu professor, Cort, levava o ganso para casa.

— GOSTARIA QUE ELE ESTIVESSE AQUI — disse Blaine num tom de reverência. — DEVE TER SIDO UM GRANDE ADIVINHADOR.

— Sem dúvida foi — disse Roland. — E agora a minha proposta. Está pronto, Blaine?

— CLARO. VOU OUVI-LA COM GRANDE INTERESSE, ROLAND DE GILEAD.

— Que as próximas horas sejam nosso Dia de Feira. Você não vai nos propor adivinhações, pois quer ouvir apenas as que são novas, e não repetir algumas das milhões que já conhece…

— CORRETO.

— Não conseguiríamos resolver a maioria das que você diria, de qualquer maneira — Roland continuou. — Tenho certeza de que você conhece algumas que derrubariam até o Cort, se fossem retiradas do barril. — Não tinha nenhuma certeza disso, mas passara a hora de usar os punhos e chegara a de usar a pena.

— CLARO — Blaine concordou.

— Proponho que, em vez de um ganso, nossa vida seja o prêmio — disse Roland. — Vamos lhe propor adivinhações durante a viagem, Blaine. Se quando chegarmos a Topeka você tiver adivinhado todas, pode executar seu plano de nos matar. Este será o seu ganso. Mas se *nós* derrubarmos *você*… se houver uma adivinhação no livro de Jake ou que nós pensemos que você não conheça e não consiga responder… terá que nos levar a Topeka e depois nos libertar para seguirmos em nossa missão. Este é o *nosso* ganso.

Silêncio.

— Está entendendo?

— SIM.

— Está de acordo?

Mais silêncio do Mono Blaine. Eddie ficara imóvel, o braço em torno de Susannah, olhando o teto do Vagão do Baronato. Susannah deslocara a mão esquerda até a barriga, alisando o segredo que podia estar escondido ali. Jake afagava de leve o pelo de Oi, procurando não encostar nas crostas de sangue onde o billy-malhado fora esfaqueado. Esperavam, enquanto Blaine — o verdadeiro Blaine, agora muito lá atrás, vivendo uma semivida sob a cidade onde todos os habitantes tinham sido mortos por um ato seu — examinava a proposta de Roland.

— SIM — disse Blaine por fim. — CONCORDO. SE EU RESOLVER TODAS AS ADIVINHAÇÕES QUE VOCÊS ME PROPUSEREM, VOU LEVÁ-LOS ATÉ O FINAL DO CAMINHO. MAS SE UM DE VOCÊS APRESENTAR UMA ADIVINHAÇÃO QUE EU NÃO RESOLVA, POUPO A VIDA DE TODOS E OS DEIXO EM TOPEKA, DE ONDE PODEM, SE QUISEREM, CONTINUAR A BUSCA DA TORRE NEGRA. ENTENDI CORRETAMENTE OS TERMOS E LIMITES DE SUA PROPOSTA, ROLAND, FILHO DE STEVEN?

— Sim.

— MUITO BEM, ROLAND DE GILEAD.

"MUITO BEM, EDDIE DE NOVA YORK.

"MUITO BEM, SUSANNAH DE NOVA YORK.

"MUITO BEM, JAKE DE NOVA YORK.

"MUITO BEM, OI DO MUNDO MÉDIO."

Oi ergueu um instante o olhar ao som do seu nome.

— VOCÊS SÃO KA-TET; UM FEITO DE MUITOS. EU TAMBÉM. AGORA VAMOS TER QUE PROVAR QUAL KA-TET É O MAIS FORTE.

Fez-se um momento de silêncio, quebrado apenas pelo duro e constante pulsar das turbinas de levitação que os levavam pelas terras devastadas, que os levavam pelo Caminho do Feixe para Topeka, onde o Mundo Médio acabava e começava o Fim do Mundo.

— ENTÃO VAMOS — gritou a voz de Blaine. — JOGUEM AS REDES, VIAJANTES! PODEM ME FAZER AS PERGUNTAS, E QUE A DISPUTA COMECE.

PARTE UM
ADIVINHAÇÕES

1. SOB A LUA DO DEMÔNIO (I)

1

A cidade de Candleton era uma ruína cheia de veneno e irradiação, mas não estava morta; após tantos séculos ela ainda vibrava com tenebrosas formas de vida: besouros que não voavam e que eram do tamanho de tartarugas, pássaros que lembravam pequenos e disformes lagartos, alguns robôs meio trôpegos que entravam e saíam dos prédios destroçados como zumbis de aço inox, as juntas rangendo, os olhos atômicos piscando.

— Mostre o passe, por fa! — gritou o que estava instalado há duzentos e trinta e quatro anos num canto do saguão do Hotel dos Viajantes de Candleton. Tinha uma estrela de seis pontas incrustada no losango enferrujado da cabeça. Conseguira, durante todos aqueles anos, escavar uma rasa concavidade na parede revestida de ferro que bloqueava seu caminho, mas era só isso.

— Mostre o passe, por fa! Possibilidade de elevados níveis de radiação ao sul e leste da cidade! Mostre o passe, por fa! Possibilidade de elevados níveis de radiação ao sul e leste da cidade!

Um rato inchado e cego, arrastando as tripas atrás de si num saco que lembrava uma placenta podre, se debatia aos pés do robô vigia. Indiferente àquilo, o robô continuava batendo a cabeça de aço contra a parede de ferro.

— Mostre o passe, por fa. Possibilidade de elevados níveis de radiação, morte aos ratões e que a maldição dos deuses caia sobre eles! — No bar do hotel atrás do robô, as caveiras dos que tinham estado lá para um último trago antes de serem alcançados pelo cataclismo tinham os dentes arreganhados, como se aqueles homens e mulheres estivessem rindo na hora da morte. Talvez alguns estivessem mesmo.

Quando o Mono Blaine passou lá no alto, zunindo pela noite como uma bala disparada pelo cano de arma, vidros se partiram, poeira voou e muitos crânios se desintegraram como velhos vasos de cerâmica. Do lado de fora, um breve furacão de pó radioativo varreu a rua, e o poste de amarrar coleiras animais na frente do restaurante Elegante Filé e Lombo foi sugado como fumaça pela tempestuosa corrente de ar. Na praça da pequena cidade, a fonte de Candleton se partiu em dois sem derramar uma gota de água, apenas pó, serpentes, escorpiões mutantes e algumas das tartarugas-besouros que se arrastavam cegamente pelo chão.

Então a forma que passara ruidosamente sobre a cidade desapareceu como se nunca tivesse estado lá, e Candleton voltou ao estado de contínua putrefação que fora o que conhecia como vida nos últimos dois séculos e meio… e então o estrondo sônico a alcançou, derrubando seu trovão sobre a cidade pela primeira vez em sete anos, provocando vibração suficiente para fazer desabar o armazém de secos e molhados do outro lado da fonte. O robô vigia tentou dar voz a uma última advertência: "Possibilidade de elevados ní…", e então parou para sempre, olhos fixos no seu canto de parede como uma criança no canto de castigo.

A duzentas ou trezentas rodas dos limites de Candleton, ao longo do Caminho do Feixe, os níveis de radiação e concentração de DEP3 no solo começavam rapidamente a cair. Ali o trilho do monotrem ficava a menos de três metros do chão e uma corça, que parecia quase normal, saiu graciosamente do meio dos pinheiros para beber num regato onde três quartos da massa de água já haviam se purificado.

A corça *não* era normal — uma quinta pata pendia desajeitada do centro de seu baixo-ventre, como uma teta; uma pata sem ossos que oscilava de um lado para o outro enquanto o animal andava. Um terceiro olho cego espreitava brandamente do lado esquerdo do focinho. A corça, no entanto, era fértil, e seu DNA estava razoavelmente em ordem para uma mutante de décima segunda geração. Em seus seis anos de vida, ela havia parido três filhotes vivos. Dois deles tinham sido não apenas viáveis, mas normais — "um rebanho de primeira", teria dito tia Talitha de River Crossing. O terceiro, uma monstruosidade sem pele que não parava de balir, fora rapidamente morto pela corça.

O mundo — pelo menos aquela parte dele — começara a se curar.

A corça enfiou a boca na água e começou a beber. Logo, porém, estava erguendo a cabeça, os olhos arregalados, o focinho gotejando. Podia ouvir, ao longe, um som baixo e sussurrante. Pouco depois, uma tira de luz se juntava ao barulho. Um instinto de preservação soou nos nervos da corça, mas embora seus reflexos fossem rápidos e a luz, ao ser descoberta, ainda estivesse a muitas rodas de distância, no horizonte da campina desolada, ela nem chegou a ter a menor possibilidade de escapar. Antes que conseguisse se mover, a distante centelha já havia inchado e se transformado num holofote raiado, que inundava o regato e a clareira com sua luz. Com o clarão, veio o ronco enlouquecedor das turbinas de levitação do Blaine, funcionando a todo vapor. Um borrão rosado passou rente à mureta de concreto que margeava o trilho, deixando uma longa cauda de poeira, pedras, pequenos animais desmembrados e vegetação em redemoinho. A corça foi morta quase instantaneamente pela repercussão da passagem de Blaine. Grande demais para ser sugada pela esteira do monotrem, foi arrastada por quase setenta metros, ainda com a água escorrendo do focinho e dos cascos. Boa parte de seu couro (e a quinta perna desossada) foi arrancada de seu corpo e largada atrás de Blaine como uma peça de roupa descartada.

Houve um breve silêncio, frágil como pele nova ou como a primeira camada de gelo num lago no Fim do Ano. Então o estrondo sônico chegou em disparada como uma criatura barulhenta atrasada para um banquete de casamento. O barulho quebrou o silêncio, batendo em um solitário pássaro mutante — que talvez lembrasse um corvo — e fazendo-o cair morto.

O pássaro desabou como pedra e bateu de barriga no regato.

Ao longe, um olho vermelho cada vez mais fraco: a lanterna traseira de Blaine.

No céu, a lua cheia saiu de trás de um floco de nuvem, pintando a clareira e o regato com os tons cintilantes de uma loja de penhores. Havia um rosto na lua, mas nenhum que fosse agradável. Parecia a face descarnada de uma caveira, assim como as das pessoas no Hotel dos Viajantes de Candleton; uma face que, com lunática satisfação, contemplava os poucos seres ainda vivos que tentavam sobreviver naquele lugar. Em Gilead, antes que o mundo seguisse adiante, a lua cheia do Fim do Ano fora chamada de Lua do Demônio, e as pessoas achavam que dava azar olhar diretamente para ela.

Agora, contudo, isso não fazia mais diferença. Agora havia demônios por toda parte.

2

Susannah olhou para o mapa de viagem e viu que o ponto verde marcando a posição do trem estava a quase meio caminho entre Candleton e Rilea, a parada seguinte de Blaine. *Mas quem é que vai parar?*, pensou ela.

Do mapa de viagem, Susannah se virou para Eddie. O olhar dele continuava voltado para o teto do Vagão do Baronato. Ela também levantou a cabeça e viu um quadrado que só poderia ser de um alçapão (é claro que, no caso de uma porra futurista como um trem falante, Susannah achava que deveria chamar aquilo de escotilha ou algo ainda menos banal). O esquemático desenho vermelho ali gravado mostrava um homem atravessando a abertura. Susannah tentou imaginar como seria aceitar a sugestão e sair pela escotilha a mais de mil e duzentos quilômetros por hora. Teve a rápida mas nítida imagem da cabeça de uma mulher sendo arrancada do pescoço como uma flor de seu caule; viu a cabeça voando para trás por toda a extensão do Vagão do Baronato, talvez batendo uma vez no teto e sumindo no escuro, olhos arregalados e cabelo ondulando.

Afastou a imagem o mais rápido que pôde. Até porque a escotilha quase certamente estava trancada. O Mono Blaine não pretendia deixá-los escapar. Susannah achava que sair de lá não seria tão fácil assim, mesmo que conseguissem derrotar Blaine com uma adivinhação.

Lamento dizer isso, Blaine querido, mas você só está me parecendo mais um branco filho da puta, pensou, com uma voz interna que não chegava a ser a de Detta Walker. *Não confio nesse seu rabo mecânico. Você é capaz de ser mais perigoso derrotado do que com a fita de campeão atravessada nos seus bancos de memória.*

Jake estendia o amassado livro de adivinhações para o pistoleiro como se não quisesse mais a responsabilidade de carregá-lo. Susannah sabia como o garoto devia estar se sentindo; a vida deles poderiam estar naquelas páginas encardidas e muito folheadas. Ela não tinha certeza se gostaria de ter a responsabilidade de segurar aquilo.

— Roland! — murmurou Jake. — Quer ficar com isso?

— *Eique*! — latiu Oi, lançando contra o pistoleiro um olhar decidido. — Ficá com? — O malhado cravou os dentes no livro, tirou-o da mão de Jake e estendeu o pescoço desproporcionalmente comprido para Roland, oferecendo-lhe *O que É o que É! Charadas e Adivinhações Para Todos!*

Roland fitou o livro por um momento com ar distante, preocupado, e balançou a cabeça.

— Ainda não. — Concentrou-se no mapa de viagem. Como Blaine não tinha rosto, o mapa acabava servindo como ponto de referência. Agora o pontinho verde piscava próximo de Rilea. Susannah se perguntou por um instante que aparência teria a região que estavam atravessando, mas chegou à conclusão de que preferia não saber. Não depois do que tinha visto ao deixarem a cidade de Lud.

— Blaine! — Roland chamou.

— SIM.

— Pode sair um minuto? Precisamos conversar em particular.

Você perdeu o juízo se acha que ele vai fazer isso, Susannah pensou, mas a resposta de Blaine foi rápida e ansiosa.

— CLARO, PISTOLEIRO, VOU DESLIGAR TODOS OS MEUS SENSORES NO VAGÃO DO BARONATO. QUANDO A CONVERSA ESTIVER CONCLUÍDA E ESTIVEREM PRONTOS PARA DAR INÍCIO ÀS ADIVINHAÇÕES, EU VOLTAREI.

— É, você e o general MacArthur — sussurrou Eddie.

— O QUE VOCÊ DISSE, EDDIE DE NOVA YORK?

— Nada. Estou só falando sozinho.

— PARA ME CHAMAR, BASTA TOCAR NO MAPA DE VIAGEM — disse Blaine. — ENQUANTO O MAPA ESTIVER VERMELHO, MEUS SENSORES ES-

TÃO DESLIGADOS. ATÉ MAIS, GENTE BOA. ATÉ DAQUI A POUCO. — Uma pausa. Em seguida: — A VIDA É AZEITE, NÃO ÓLEO DE RÍCINO.

O retângulo do mapa de viagem na frente da cabine adquiriu um vermelho tão intenso que Susannah não conseguia olhar diretamente para ele.

— Azeite, não óleo de rícino? — perguntou Jake. — Que diabo significa *isso*?

— Não importa — disse Roland. — Não temos tempo a perder. O monotrem vai depressa rumo a seu ponto final, quer Blaine esteja conosco ou não.

— Você não acha mesmo que ele nos deixou sozinhos, não é? — perguntou Eddie. — Uma coisinha ardilosa como Blaine? Fala, sério. Ele está espiando, sem dúvida.

— Duvido muito — disse Roland, e Susannah descobriu que concordava com ele. Ao menos por enquanto. — Deu para perceber como ficou empolgado com a possibilidade de entrar de novo num jogo de adivinhações depois de todos esses anos. E...

— E ele está confiante — disse Susannah. — Acha que não terá grandes problemas lidando conosco.

— E vai ter? — perguntou Jake ao pistoleiro. — Alguma chance?

— Não sei — disse Roland. — Não tenho um Olho Vivo escondido na manga, se é o que você está perguntando. É um jogo aberto... mas pelo menos é um jogo que já joguei antes. *Todos* nós já jogamos, pelo menos até certo ponto. E temos isto. — Ele meneou a cabeça para o livro que Jake tomara de Oi. — Há *forças* em ação aqui, forças importantes, e nem todas trabalham para nos manter longe da Torre.

Susannah o ouvia, mas pensava em Blaine — Blaine que saíra para deixá-los sozinhos, como o garoto na brincadeira que tampa honestamente os olhos enquanto os colegas se escondem. E não era isso o que todos eles eram? Coleguinhas de Blaine? O pensamento chegava a ser pior do que a imagem de tentar escapar pela escotilha e ter a cabeça arrancada.

— Mas o que vamos fazer? — perguntou Eddie. — Você deve ter alguma ideia ou não o teria mandado sair.

— A grande inteligência de Blaine, combinada com seu longo período de solidão e inatividade forçada, talvez o tenha tornado mais humano do que ele imagina. Essa, pelo menos, é a minha esperança. Primeiro temos de definir uma espécie de geografia. Temos de descobrir, se conseguirmos, onde ele é fraco e onde é forte, onde está bem no jogo e onde não está. Adivinhações não têm a ver apenas com a esperteza de quem pergunta, não se enganem quanto a isso. Elas também têm a ver com os pontos cegos de quem está respondendo.

— E será que ele tem pontos cegos? — perguntou Eddie.

— Se não tiver — disse Roland calmamente —, vamos todos morrer neste trem.

— Eu adoro a sua sutileza quando estamos em situações difíceis — disse Eddie com um sorriso tenso. — É um dos seus muitos charmes.

— Para começar, vamos lhe propor quatro adivinhações — disse Roland. — Fácil, não tão fácil, difícil, muito difícil. Tenho certeza de que ele vai responder a todas as quatro, mas estaremos atentos ao modo *como* ele responde.

Eddie agora aquiescia, e Susannah experimentava uma pequena, quase relutante centelha de esperança. Parecia que estavam no caminho certo.

— Então o mandamos esperar de novo e conversamos mais uma vez — disse o pistoleiro. — Talvez tenhamos alguma ideia da melhor direção para onde apontar. Essas primeiras adivinhações podem vir de qualquer lugar, mas... — ele inclinou gravemente a cabeça na direção do livro — ... com base na história daquela livraria que Jake nos contou, a resposta de que realmente precisamos deve estar aí, não nas lembranças que eu possa ter das adivinhações dos Dias de Feira. Tem de estar aí.

— Pergunta — disse Susannah.

Roland olhou para ela, sobrancelhas erguidas sobre seus olhos desbotados, perigosos.

— O que estamos procurando é uma *pergunta*, não uma resposta — disse ela. — Desta vez são justamente as respostas que podem nos levar à morte.

O pistoleiro assentiu. Parecia intrigado — frustrado, até —, e aquela não era uma expressão que Susannah apreciava ver em seu rosto. Mas desta vez, quando Jake estendeu o livro, Roland o pegou. Segurou-o por um momento (a capa vermelha, surrada mas ainda com uma cor viva, parecia muito estranha naquelas grandes mãos queimadas de sol... especialmente na direita, com seus dois dedos a menos), depois passou-o para Eddie.

— Você é a fácil — disse Roland, virando-se para Susannah.

— Talvez — respondeu ela com um esboço de sorriso —, mas acho que isso não é uma coisa muito educada para se dizer a uma dama, Roland.

Ele se virou para Jake.

— Você vai em segundo lugar, com uma adivinhação não tão fácil. Eu venho em terceiro. E você por último, Eddie. Tire uma do livro que pareça difícil...

— As difíceis estão mais para o fim — informou Jake.

— ... mas nada de falar uma das suas besteiras. É um jogo de vida ou morte. A hora das besteiras passou.

Eddie olhou para Roland — um Roland velho, alto e feio, que fizera Deus sabe quantas coisas feias sob o pretexto de alcançar sua Torre — e se perguntou se ele fazia alguma ideia do quanto aquelas palavras o feriam. Aquela advertência casual para ele não se comportar como criança, sorrindo e fazendo piadas, agora que a vida de todos estava ameaçada.

Abriu a boca para dizer alguma coisa — uma tirada especial de Eddie Dean, algo que fosse ao mesmo tempo engraçado e mordaz, o tipo de comentário que sempre deixava seu irmão Henry puto da vida — e tornou a fechá-la. Talvez o sujeito velho, alto e feio tivesse razão; talvez fosse a hora de dispensar os gracejos e as piadinhas. Talvez finalmente tivesse chegado a hora de virar adulto.

3

Após mais três minutos de consulta em voz baixa e rápidas folheadas de *O que É o que É!*, para extrair as adivinhações de Eddie e Susannah (Jake tinha dito que já sabia que adivinhação queria propor a Blaine), Roland foi até a frente do Vagão do Baronato, pousou a mão naquele retângulo extremamente brilhante e o mapa de viagem reapareceu de imediato. Embora não houvesse sensação de deslocamento agora que o vagão fora fechado, o ponto verde estava mais perto de Rilea do que nunca.

— E AÍ, ROLAND, FILHO DE STEVEN! — disse Blaine. Eddie achou-o mais que animado; parecia quase eufórico. — O KA-TET DE VOCÊS ESTÁ PRONTO PARA COMEÇAR?

— Sim. Susannah de Nova York dará início à primeira rodada.

Roland se virou para ela, baixou um pouco a voz (mesmo sabendo que aquilo de nada serviria se Blaine quisesse realmente ouvir) e disse:

— Você não terá de dar um passo à frente como nós, por causa de suas pernas, mas deve falar com firmeza e chamá-lo pelo nome sempre que tiver de se dirigir a ele. Se… quando… ele responder corretamente à sua adivinhação, diga "Obrigada-sai, Blaine, você respondeu a verdade". Então Jake vai dar um passo à frente e terá a vez dele. Tudo certo?

— E se ele responder errado ou não conseguir adivinhar?

Roland sorriu sombriamente.

— Acho que ainda não temos que nos preocupar com esta hipótese. — Ele tornou a erguer a voz. — Blaine?

— SIM, PISTOLEIRO.

Roland respirou fundo.

— Começaremos agora.

— EXCELENTE!

Roland fez sinal para Susannah. Eddie apertou uma das mãos dela; Jake deu tapinhas na outra. Oi encarou-a intensamente com seus olhos contornados de dourado.

Susannah deu um sorriso nervoso e ergueu a cabeça para o mapa de viagem.

— Olá, Blaine.

— OLÁ, SUSANNAH DE NOVA YORK.

O coração dela batia forte, ela suava e havia uma coisa que descobrira quando ainda estava no ensino fundamental: o pior era começar. Não era fácil ficar parada na frente da turma e ser a primeira a cantar, contar a piada, fazer um relato de como havia passado as férias de verão... ou fazer adivinhações. Naquele momento, havia se decidido por uma adivinhação tirada da bizarra redação de inglês de Jake Chambers, a mesma que ele reproduzira quase palavra por palavra durante a longa conversa do grupo após o encontro com os antigos habitantes de River Crossing. A dissertação, intitulada "Como Compreendo a Verdade", continha duas adivinhações, uma das quais Eddie já fizera a Blaine.

— SUSANNAH? VOCÊ ESTÁ AÍ, MULHER-CAUBÓI?

Brincando de novo, mas desta vez a brincadeira parecia leve, amigável. Bem-humorada. Blaine sabia ser charmoso quando obtinha o que queria. Como certas crianças mimadas que Susannah conhecera.

— Sim, Blaine, estou aqui, e a minha adivinhação é a seguinte: o que é o que é que tem quatro rodas e moscas?*

Houve um estalo, como se Blaine estivesse reproduzindo o ruído de alguém fazendo a língua estalar no céu da boca. O estalo foi seguido por uma breve pausa. Quando Blaine respondeu, quase todo o tom de leveza desaparecera de sua voz.

— UMA CARROÇA DE LIXO, É CLARO. UMA ADIVINHAÇÃO INFANTIL. SE O RESTO DAS ADIVINHAÇÕES NÃO FOR MELHOR, VOU LAMENTAR EXTREMAMENTE TER POUPADO A VIDA DE VOCÊS, MESMO QUE POR UM CURTO PERÍODO.

O mapa de viagem cintilava, agora não vermelho, mas rosa-claro.

— Não o enfureçam — pediu a voz do Pequeno Blaine. Sempre que aquela voz se manifestava, Susannah imaginava um homem baixo e calvo, muito suado, que parecia estar sempre se retraindo. A voz do Grande Blaine vinha de

* A adivinhação em inglês diz: "What has four wheels and flies?". Flies é plural de fly, mosca, e 3ª pessoa do singular do verbo voar, que também é fly. A frase, então, pode ser lida de duas maneiras: "o que tem quatro rodas e moscas?"; "o que tem quatro rodas e voa?". (N. T.)

todos os lados (como a voz de Deus num filme de Cecil B. DeMille, Susannah pensou), mas a do Pequeno Blaine só saía de um lugar: o alto-falante localizado diretamente sobre suas cabeças. — *Por favor* não o deixem irritado, gente; ele já levou o mono até o vermelho em termos de velocidade e os batentes do trilho podem não aguentar. A instalação tem se deteriorado terrivelmente desde a última vez que passamos por este caminho.

Susannah, que em sua época já andara bastante em bondes desengonçados e trens barulhentos, não sentia nada — a viagem lhe parecia totalmente suave desde a primeira acelerada na saída do Berço de Lud —, mas acreditava plenamente no Pequeno Blaine. Achava que se *chegassem* a sentir qualquer baque, seria a última coisa que cada um deles teria oportunidade de sentir.

Roland cutucou-a com o cotovelo, trazendo-a de volta ao presente.

— Obrigada-sai — disse ela, e então, após pensar mais um pouco, deu três batidinhas rápidas na garganta com os dedos da mão direita. Era o que Roland tinha feito ao falar pela primeira vez com tia Talitha.

— OBRIGADO PELA GENTILEZA — disse Blaine. Parecia novamente satisfeito, e Susannah achou que aquilo era bom, mesmo que ele estivesse se divertindo à sua custa. — EMBORA EU NÃO SEJA MULHER. O SEXO QUE EU EVENTUALMENTE POSSA TER É MASCULINO.

Meio confusa, Susannah olhou para Roland.

— Para os homens é com a mão esquerda — disse Roland. — No esterno. — Bateu para demonstrar.

— Ah.

Roland se virou para Jake. O garoto se levantou, colocou Oi em sua poltrona (o que foi inútil; Oi pulou de imediato para o chão e foi atrás do garoto, que avançava pelo corredor encarando o mapa de viagem). Jake concentrou sua atenção em Blaine.

— Olá, Blaine, sou Jake. Você sabe, filho de Elmer.

— FAÇA SUA ADIVINHAÇÃO.

— O que pode correr mas nunca anda, tem boca mas nunca fala, tem leito mas nunca dorme, tem cabeça mas nunca chora?

— ATÉ QUE NÃO É MÁ! ESPERO QUE SUSANNAH APRENDA COM SEU EXEMPLO, JAKE, FILHO DE ELMER. A RESPOSTA COSTUMA SER ÓBVIA PARA QUALQUER UM QUE TENHA ALGUMA INTELIGÊNCIA, EMBORA ÀS VEZES EXIJA UM PEQUENO ESFORÇO. UM RIO.

— Obrigado-sai, Blaine, você respondeu a verdade. — Com os dedos da mão esquerda unidos, bateu três vezes no esterno e se sentou. Susannah pôs o braço em volta dele e deu um breve apertão. Jake olhou-a agradecido.

Agora era Roland quem ficava de pé.

— Hail, Blaine — disse.

— HAIL, PISTOLEIRO. — De novo Blaine parecia estar se divertindo... possivelmente com o cumprimento, que era novidade para Susannah. *Heil, o quê?*, ela se perguntava. A imagem de Hitler surgiu em sua mente, o que a fez pensar no avião que tinham encontrado nos arredores de Lud. Um Focke-Wulf, dissera Jake. Ela não conhecia marcas de fábrica, mas sabia que o aparelho conduzira um militar *bem* morto, ainda que o corpo, velho demais até para feder, continuasse lá. — DIGA SUA ADIVINHAÇÃO, ROLAND, E QUE ELA SEJA ESPIRITUOSA.

— O espirituoso pode ser um ponto de vista, Blaine. De qualquer modo, aí está: O que tem quatro pernas de manhã, duas pernas à tarde e três pernas à noite.

— ESTA É DE FATO ESPIRITUOSA — Blaine reconheceu. — SIMPLES, MAS AINDA ASSIM ESPIRITUOSA. A RESPOSTA É O SER HUMANO, QUE ENGATINHA COM AS MÃOS E JOELHOS NA INFÂNCIA, ANDA SOBRE DUAS PERNAS NA VIDA ADULTA E SE DESLOCA COM O AUXÍLIO DE UMA BENGALA QUANDO ESTÁ VELHO.

Blaine tinha um tom arrogante e de repente Susannah descobriu um fato razoavelmente interessante: odiava aquela coisinha presunçosa e homicida. Máquina ou não, *isso* ou *ele*, Susannah odiava Blaine. Acreditava que estaria sentindo a mesma coisa ainda que Blaine não os tivesse obrigado a apostar suas vidas num estúpido jogo de adivinhações.

Roland, entretanto, não revelava a menor impaciência.

— Obrigado-sai, Blaine, você respondeu a verdade. — Ele se sentou sem dar tapinhas no esterno e se virou para Eddie. Eddie se levantou e foi para o corredor.

— E aí, Blaine, meu parça? — ele perguntou. Roland balançou a cabeça, colocando brevemente a mutilada mão direita sobre os olhos.

Silêncio de Blaine.

— Blaine? Você está aí?

— SIM, MAS NÃO ESTOU NO CLIMA PARA FRIVOLIDADES, EDDIE DE NOVA YORK. DIGA SUA ADIVINHAÇÃO. SUSPEITO QUE SERÁ UMA DAS DIFÍCEIS, APESAR DA IMPRESSÃO DE TOLO QUE VOCÊ DEIXA PASSAR. ESTOU ANSIOSO À ESPERA.

Eddie olhou de relance para Roland, que sacudiu a mão (*Vá em frente, pelo amor de seu pai, vá em frente!*) e tornou a olhar para o mapa de viagem, onde o ponto verde acabara de ultrapassar o lugar com a inscrição Rilea. Susannah sentiu que Eddie desconfiava do mesmo que ela: Blaine estava plenamente ciente de que procuravam testar sua capacidade com uma gama de adivinhações. Blaine estava ciente... e gostava disso.

Susannah sentiu um aperto no coração quando qualquer esperança de que pudessem achar um meio rápido e fácil de sair de lá desapareceu.

4

— Bem — disse Eddie —, não sei até que ponto será difícil para você, Blaine, mas para mim é dureza.

Nem ele sabia a resposta, pois aquela seção de *O que É o que É!* fora rasgada, embora isso não fizesse diferença; pelas regras estabelecidas, eles não eram obrigados a conhecer as respostas.

— VOU OUVIR E RESPONDER.

— Antes quebrado do que falado. O que é?

— O SILÊNCIO. UMA COISA QUE VOCÊ CONHECE POUCO, EDDIE DE NOVA YORK — disse Blaine sem absolutamente nenhuma hesitação e Eddie sentiu o coração afundar um pouco. Não havia necessidade de consultar os outros; a resposta era evidente. E o fato de ela ter ocorrido a Blaine com tamanha rapidez era uma verdadeira proeza. Eddie jamais confessaria, mas abrigara a esperança (quase uma certeza secreta) de derrubar Blaine com uma única adivinhação, uma *ker-smash*: todos os cavalos do rei e todos os homens do rei não teriam como juntar novamente Blaine. A mesma segurança secreta que havia nutrido a cada vez que segurava um par de dados no jogo de merda no quarto dos fundos de algum vigarista, a cada vez que estava com dezessete pontos e pedia para pegar outra carta no vinte-e-um. Era aquela sensação de que você não tem como errar porque você era você, o melhor, o primeiro e único.

— Sim — disse ele com um suspiro. — Silêncio, uma coisa que não conheço muito bem. Obrigado-sai, Blaine, você respondeu a verdade.

— ESPERO QUE TENHAM DESCOBERTO ALGUMA COISA QUE POSSA AJUDÁ-LOS — disse Blaine, e Eddie pensou: *Sua máquina mentirosa do caralho.* O tom complacente voltara à voz de Blaine e Eddie achou quase que interessante o fato de uma máquina poder expressar tamanha gama de emoções. Teriam os Grandes Anciãos embutido isso nele ou o próprio Blaine havia criado, em algum momento de seu funcionamento, um arco-íris emocional para si próprio? Uma pequena diversidade de sentimentos com a qual atravessar as longas décadas e longos séculos? — VOCÊS QUEREM QUE EU TORNE A ME RETIRAR PARA QUE POSSAM CONVERSAR?

— Sim — disse Roland.

O vermelho vivo voltou a cintilar no mapa de viagem. Eddie se virou para o pistoleiro. Roland retomou rapidamente a compostura, mas antes que isso acontecesse Eddie viu uma coisa terrível: uma breve expressão de completa desesperança. Ele nunca vira tal expressão naquele rosto, nem mesmo quando Roland estava à beira da morte por causa das mordidas das lagostrosidades, nem mesmo quando Eddie pegou e voltou contra ele o revólver do pistoleiro, nem mesmo quando o hediondo Gasher levou Jake como prisioneiro e desapareceu em Lud com o garoto.

— O que vamos fazer agora? — Jake perguntou. — Mais uma rodada dos quatro?

— Acho que não teria grande utilidade — disse Roland. — Blaine deve conhecer milhares de adivinhações... talvez milhões... e isso não é bom. E pior, *muito* pior é o fato de ele saber *como* adivinhar... o fato de conhecer o ponto da mente onde a pessoa tem de ir tanto para propor quanto para resolver uma adivinhação. — Virou-se para Eddie e Susannah, sentando mais uma vez com os braços cruzados. — Não é? — ele perguntou. — O que vocês acham?

— Está certo — disse Susannah, e Eddie balançou relutantemente a cabeça. Não *queria* concordar... mas concordou.

— Então? — Jake perguntou. — O que *fazemos*, Roland? Quer dizer, tem que ter um jeito da gente sair disto... não é?

Não diga a verdade a ele, porra, Eddie disparou febrilmente na direção de Roland.

Roland, talvez ouvindo o pensamento, fez o melhor que pôde. Estendeu a mão reduzida e passou-a pelos cabelos de Jake.

— Acredito que sempre existe uma saída, Jake. A questão é se teremos tempo ou não de encontrar a adivinhação certa. Blaine disse que vai levar menos de nove horas para completar sua rota...

— Oito horas e quarenta e cinco minutos — Jake esclareceu.

— ... e isso não é muito tempo. Já estamos viajando há quase uma hora...

— E se o mapa estiver certo — disse Susannah com uma tensão na voz —, já estamos quase na metade do caminho para Topeka. Acham que nosso amiguinho mecânico pode estar mentindo sobre a extensão da rota? Para melhorar um pouco suas chances no jogo?

— É possível — Roland concordou.

— Então, o que faremos? — Jake repetiu. Roland respirou fundo, segurou o ar, deixou-o sair.

— Deixem que agora eu faça sozinho as adivinhações. Serão as mais difíceis, as piores que eu puder tirar da lembrança dos tempos dos Dias de Feira da minha juventude. Depois, Jake, se estivermos nos aproximando do ponto em que... isto é, se estivermos nos aproximando de Topeka a esta mesma velocidade e com Blaine ainda seguindo firme, acho que devia propor a ele as últimas adivinhações que há no seu livro. As mais complicadas. — Esfregou o lado do rosto distraidamente e olhou para a escultura de gelo. A gelada representação de sua imagem tinha agora derretido e se transformado numa forma irreconhecível. — Ainda acho que a resposta deve estar no livro. Por que outra razão, afinal, você teria sido atraído por ele antes de voltar para este mundo?

— E a gente? — Susannah perguntou. — O que eu e Eddie faremos?

— *Pensar* — disse Roland. — *Pensar*, pelo amor de seus pais.

— Eu não atiro com a mão — disse Eddie, de repente se sentindo muito distante, um estranho, até para si mesmo. Fora assim que se sentira ao ver, pela primeira vez, o estilingue e depois a chave na madeira, apenas à espera de sua talha para se libertarem... Ao mesmo tempo, no entanto, havia algo de muito diferente entre esta sensação e a outra.

Roland o olhava com ar atento.

— Sim, Eddie, isso é verdade. Um pistoleiro atira com a mente. No que estava pensando?

— Em nada. — Podia ter dado outra resposta, mas de repente uma estranha imagem... uma estranha *lembrança*... lhe ocorrera: Roland ao lado de Jake num dos pontos de parada a caminho de Lud. Os dois na frente de uma fogueira apagada. Roland em outra de suas demoradas lições. Era a vez de Jake acender a fogueira. Jake com a vara de pederneira, tentando iniciar o fogo. Centelha após centelha brotando e morrendo no escuro. E Roland tinha dito que ele estava sendo bobo. Que estava sendo simplesmente... bem... *bobo*.

— Não — disse Eddie. — Não foi isso que ele disse.

Pelo menos não para o garoto, não foi.

— Eddie? — perguntou Susannah. Parecendo preocupada. Quase assustada.

Bem, por que não pergunta a ele o que foi dito, maninho? Era a voz de Henry, a voz do Tremendo Sábio e Drogado de Primeira. Pela primeira vez em muito tempo. *Pergunte a ele, que está praticamente sentado do seu lado, fale com ele e pergunte o que foi dito. Pare de ficar batendo a cabeça como um bebê cagão.*

Só que não era uma boa ideia, porque não era assim que as coisas funcionavam no mundo de Roland. No mundo de Roland tudo era uma *adivinhação*, você não atirava com a mão mas com a *mente*, a porra da *mente*, e o que você diria para alguém que não está conseguindo fazer a centelha tocar o graveto? Aproxime mais a pedra, é claro, e foi isso que Roland tinha dito: *Aproxime mais a pedra e segure-a* firme.

Só que não era essa a questão. Era quase isso, sim, mas perto só conta em jogo de atirar ferraduras, como Henry Dean tinha o hábito de dizer antes de se tornar o Tremendo Sábio e Drogado de Primeira. A memória de Eddie não estava de todo precisa porque Roland o deixara sem jeito... o envergonhara... fizera uma piada à sua custa...

Provavelmente não de propósito, mas houve... *alguma coisa*. Algo que o deixou se sentindo da maneira como Henry costumava fazê-lo se sentir, devia ser isso, por que outro motivo Henry estaria ali após tanto tempo?

Agora todos olhavam para ele. Até Oi.

— Continue — ele disse a Roland, parecendo um tanto irritado. — Você queria que a gente pensasse, já estamos pensando.

Sem dúvida Eddie estava pensando com tanto empenho

(*atiro com a mente*)

Que a porra dos miolos estavam quase pegando fogo, mas ele não ia dizer isso para o sujeito velho, feio e alto demais.

— Tome a frente e faça algumas adivinhações para Blaine — disse Eddie. — Faça a sua parte.

— Como você fará, Eddie. — Roland levantou da poltrona, tomou a frente e pousou de novo a mão no retângulo escarlate. O mapa de viagem reapareceu de imediato. O ponto verde tinha se distanciado bastante de Rilea, mas estava nítido para Eddie que o monotrem havia diminuído significativamente a velocidade; ou obedecendo a algum programa instalado ou porque Blaine estivesse se divertindo demais para querer se apressar.

— SEU KA-TET ESTÁ PRONTO PARA CONTINUAR AS ADIVINHAÇÕES DE NOSSO DIA DE FEIRA, ROLAND, FILHO DE STEVEN?

— Sim, Blaine — disse Roland e Eddie achou a voz dele tensa. — Por algum tempo, apenas eu vou propor as adivinhações. Se você não tiver objeções.

— COMO *DINH* E PAI DE SEU KA-TET, VOCÊ ESTÁ NO SEU DIREITO. SERÃO ESTAS ADIVINHAÇÕES DE DIA DE FEIRA?

— Sim.

— ÓTIMO. — Odiosa satisfação nessa voz. — GOSTARIA DE OUVIR MAIS ALGUMAS DELAS.

— Está bem. — Depois de respirar fundo, Roland começou: — Alimente-me e viverei. Dê-me de beber e morro. Quem sou eu?

— O FOGO. — Sem hesitação. Só aquela arrogância insuportável, um tom que dizia: *Já conhecia essa quando sua avó era moça, mas tente de novo! Há séculos que eu não me divertia tanto, tente de novo!*

— Passo na frente do sol, Blaine, mas não faço sombra. Quem sou?

— O VENTO. — Nenhuma hesitação.

— Você respondeu a verdade, sai. Seguinte. É leve como pena, mas ninguém consegue segurar por muito tempo.

— A RESPIRAÇÃO. — Nenhuma hesitação.

Mas ele hesitou, Eddie pensou de repente. Jake e Susannah observavam Roland com angustiada concentração, punhos cerrados, querendo como se por força fazê-lo propor a Blaine a adivinhação certa, a insolúvel, aquela com o Passe Livre para a saída da porra da prisão escondido na manga; Eddie não conseguia olhar para eles — em particular para Suze — e manter a concentração. Baixou o olhar para as próprias mãos, que também estavam cerradas, e forçou-as a se abrirem em seu colo. Foi surpreendentemente difícil fazer isso. Ouvia Roland no corredor, expondo as melhores adivinhações da sua juventude.

— Responda esta, Blaine... Se me partir, não paro de trabalhar. Se conseguir me comover, conseguiu me tocar. Se me perder, tem logo depois de achar o meu toque. Quem sou eu?

A respiração de Susannah hesitou um instante e mesmo sem a olhar Eddie percebeu que ela estava pensando o mesmo que ele: aquela era boa, *muitíssimo* boa, talvez...

— O CORAÇÃO HUMANO — disse Blaine. Ainda sem qualquer vestígio de hesitação. — É UMA ADIVINHAÇÃO EM GRANDE PARTE BASEADA EM CONCEITOS POÉTICOS DOS HUMANOS; VEJA POR EXEMPLO JOHN AVERY, SIRONIA HUNTZ, ONDOLA, WILLIAM BLAKE, JAMES TATE, VERONICA MAYS E OUTROS. É NOTÁVEL QUANTOS SERES HUMANOS DEVOTAM A MENTE AO AMOR. UM SENTIMENTO QUE CONTINUA PASSANDO DE UM ANDAR A OUTRO DA TORRE, MESMO NESSES DIAS DEGENERADOS. CONTINUE, ROLAND DE GILEAD.

Susannah recuperou o fôlego. Eddie teve vontade de fechar novamente as mãos, mas não se permitiu. *Aproxime mais a pederneira*, pensou com a voz de Roland. *Aproxime mais a pederneira, pelo amor de seu pai!*

E o Mono Blaine corria, para sudeste, sob a Lua do Demônio.

2. AS CATARATAS DOS CÃES

1

Jake não sabia até que ponto Blaine acharia fácil ou difícil as últimas dez adivinhações de *O que É o que É!*, mas ao menos para ele pareciam bem complicadas. Mas claro que, Jake pensou, ele não era uma máquina pensante com uma rede de computadores do tamanho de uma cidade para auxiliá-lo. Só restava tentar; Deus odeia os covardes, Eddie costumava dizer. Se com as últimas dez não desse certo, tentaria a adivinhação de Sansão de Aaron Deepneau (*do comedor veio a carne e assim por diante*). Se isso também não desse certo, ele provavelmente... merda, não sabia *o que* faria ou como ia se sentir. *A verdade*, Jake pensou, *é que estou morto*.

E era de admirar? Atravessara, nas últimas oito horas, um extraordinário turbilhão de emoções. Primeiro o terror: ter certeza de que ia cair com Oi da ponte suspensa e morrer com ele no rio Send; terror de ser empurrado por Gasher pelo insano labirinto que era Lud; de ter que encarar os terríveis olhos verdes do Homem do Tique-taque e tentar responder a suas irrespondíveis perguntas sobre o tempo, os nazistas e a natureza dos circuitos transitivos. Ser questionado pelo Tique-taque fora como prestar uma prova no inferno.

Então a incrível alegria de ser resgatado por Roland (e Oi; sem Oi ele agora estaria quase certamente frito), o assombro com tudo que tinha visto sob a cidade, seu encanto com a maneira como Susannah resolvera a primeira adivinhação de Blaine e a desesperada corrida final para subir a bordo do monotrem antes que Blaine liberasse os estoques de gás letal guardados embaixo de Lud.

Depois de sobreviver a tudo isso, uma espécie de gloriosa segurança caíra sobre ele — *óbvio* que Roland derrotaria Blaine, que teria de cumprir sua parte no acordo, deixando-os sãos e salvos em sua parada final (fosse qual fosse o lugar que estivesse se fazendo passar por Topeka naquele mundo). Então encontrariam a Torre Negra, onde fariam o que precisasse ser feito, endireitando o que estivesse torto, consertando o que precisasse de conserto. E depois? Viveriam felizes para sempre, é claro. Como acontece com as pessoas num conto de fadas.

Só que...

Compartilhavam os pensamentos uns dos outros, Roland dissera; compartilhar o khef era parte do que o ka-tet significava. E o que estivera se destilando para a cabeça de Jake desde que Roland pisara no corredor e começara a testar Blaine com as suas adivinhações dos tempos de juventude foi uma sensação de condenação. E não estava vindo apenas do pistoleiro; Susannah mandava a mesma vibração sombria e tensa. Só Eddie não enviava aquele tipo de coisa, apenas porque ele parecia ter conseguido de alguma forma se desligar, estava perdido nos próprios pensamentos. A situação podia continuar sob controle, mas não havia garantias e...

... e Jake começou a ficar de novo assustado. Pior, sentiu-se desesperado, como uma criatura encurralada, empurrada cada vez mais para trás em seu último canto por um inimigo implacável. Seus dedos acariciavam sem cessar o pelo de Oi e, ao baixar os olhos, Jake percebeu uma coisa espantosa: a mão que Oi mordera para não cair da ponte parara de doer. Jake via os buracos que os dentes do malhado tinham feito e ainda havia crostas de sangue na palma e no pulso, mas a mão não doía mais. Ele a flexionou com cuidado. Houve apenas uma dormência, muito pequena e distante, nada que pudesse incomodar.

— Blaine, o que pode subir numa chaminé fechado, mas não pode descer por uma chaminé aberto?

— A SOMBRINHA DE UMA SENHORA — Blaine respondeu naquele tom de animada complacência que também Jake estava começando a odiar.

— Obrigado-sai, Blaine, de novo você respondeu a verdade. Seguinte...

— Roland?

O pistoleiro se virou para Jake e o ar de concentração se abrandou um pouco. Não chegou a sorrir, mas algo que deu alguns passos naquela direção, algo que Jake apreciou.

— O que é, Jake?

— Minha mão. Estava doendo demais e agora nem sinto!

— MAS, NOSSA — disse Blaine com a fala arrastada de John Wayne. — NÃO POSSO VER UM CÃO SOFRENDO COM UM MACHUCADO NA PATA, QUE DIRÁ UMA ÓTIMA MÃO DE ALPINISTA COMO A SUA. ENTÃO CONSERTEI.

— Como? — Jake perguntou.

— DÊ UMA OLHADA NO BRAÇO DE SUA POLTRONA.

Jake obedeceu e viu uma pequena rede de fios em forma circular. Lembrava um pouco o alto-falante do rádio transistor que tivera aos sete ou oito anos.

— OUTRA VANTAGEM DE VIAJAR NA CLASSE DO BARONATO — continuou Blaine em seu tom presunçoso. Passou pela mente de Jake que Blaine adoraria o Colégio Piper. O primeiro filhinho de papai com turbinas de levitação do mundo. — O SCANNER MANUAL AMPLIFICADOR DE ESPECTRO É UMA FERRAMENTA DE DIAGNÓSTICO TAMBÉM CAPAZ DE ADMINISTRAR A MEDICAÇÃO INCLUÍDA NOS PRIMEIROS SOCORROS, COMO FIZ COM VOCÊ. É TAMBÉM UM SISTEMA FORNECEDOR DE NUTRIENTES, UM DIS-

POSITIVO QUE REGISTRA OS PADRÕES CEREBRAIS, UM ANALISADOR DE ESTRESSE E UM ATIVADOR EMOCIONAL QUE PODE ESTIMULAR NATURALMENTE A PRODUÇÃO DE ENDORFINA. O SCANNER MANUAL TAMBÉM É CAPAZ DE CRIAR ILUSÕES E ALUCINAÇÕES BASTANTE CONVINCENTES. NÃO GOSTARIA DE TER SUA PRIMEIRA EXPERIÊNCIA SEXUAL COM UMA CÉLEBRE BELDADE DE UM DOS ANDARES DA TORRE, JAKE DE NOVA YORK? QUEM SABE MARILYN MONROE, RAQUEL WELCH OU EDITH BUNKER?

Jake riu. Achou que rir na frente de Blaine podia ser arriscado, mas daquela vez simplesmente não teve como evitar.

— Edith Bunker não existe — disse. — É apenas uma personagem num programa de TV. O nome da atriz é, hum, Jean Stapleton. Além disso, ela se parece com a sra. Shaw, que é nossa governanta. Simpática, mas não… você sabe… uma beldade.

Um longo silêncio de Blaine. Quando a voz do computador retornou, uma certa frieza substituíra o humor do antigo tom como-estamos-nos-divertindo-cara.

— PEÇO QUE ME DESCULPE, JAKE DE NOVA YORK. EU TAMBÉM RETIRO MINHA OFERTA DE EXPERIÊNCIA SEXUAL.

Isso vai me servir de lição, Jake pensou, erguendo a mão para ocultar um sorriso. Em voz alta (e no que esperava que fosse um tom de voz adequadamente humilde), ele disse:

— Tudo bem, Blaine. Acho que ainda sou um pouco criança para isso.

Susannah e Roland se entreolhavam. Susannah não sabia quem era Edith Bunker… *Tudo em família* ainda não tinha estreado na TV em seu quando. Mas ela entendeu o que se passava; Jake viu seus lábios formarem uma palavra silenciosa e enviá-la para o pistoleiro como uma mensagem numa bolha de sabão:

Erro.

Sim. Blaine havia cometido um erro. Pior. Jake Chambers, um garoto de onze anos, fora capaz de percebê-lo. E se Blaine errara uma vez, podia errar outra. Talvez, afinal, houvesse alguma esperança. Jake decidiu encarar essa possibilidade como encarara a *graf* de River Crossing e se permitir um pouco de descanso mental.

2

Roland balançou imperceptivelmente a cabeça para Susannah, depois tornou a se virar para a frente do vagão, possivelmente para continuar com as adivinhações. Antes que pudesse abrir a boca, Jake sentiu seu corpo empurrado para a frente. Era engraçado; não se sentia nada quando o monotrem estava em velocidade de cruzeiro, mas no instante em que começava a desacelerar, dava para sentir na hora.

— AQUI ESTÁ UMA COISA QUE VOCÊS REALMENTE DEVIAM VER — disse Blaine. Parecia novamente animado, mas Jake não confiava naquele tom; ele algumas vezes tinha ouvido o pai iniciar conversas ao telefone daquela maneira (geralmente com algum subordinado que tinha FLC, Fodido Legal as Coisas). No fim da conversa, Elmer Chambers já estaria de pé, curvado sobre a escrivaninha como um homem com dor no estômago e gritando com toda a força dos pulmões, as bochechas vermelhas como rabanetes e, debaixo dos olhos, olheiras roxas como berinjela. — DE QUALQUER MODO TENHO QUE PARAR AQUI. A PARTIR DESTE PONTO PASSO A SER MOVIDO POR BATERIAS, O QUE SIGNIFICA TER QUE CARREGÁ-LAS ANTES.

O mono parou com um solavanco quase imperceptível. As paredes em volta do grupo mais uma vez perderam a cor e ficaram transparentes. Susannah arfou de medo e espanto. Roland ficou de pé, estendendo a mão para sentir a parede do vagão e não bater de cabeça nela; depois se inclinou para a frente com as mãos nos joelhos e os olhos contraídos. Oi recomeçou a latir. Só Eddie parecia indiferente à esplêndida vista que lhes era fornecida pelo Vagão do Baronato. Olhou uma vez ao redor, a expressão preocupada, imersa em pensamentos, e voltou em seguida o olhar para as mãos. Depois de observá-lo com certa curiosidade, Jake voltou a se concentrar na paisagem.

Estavam no meio de uma grande ravina e pareciam flutuar numa atmosfera banhada pela lua. Em segundo plano, Jake viu um grande rio de águas agitadas. Não era o Send, a não ser que os rios, no mundo de Roland, conseguissem correr em direções opostas em diferentes trechos de seus cursos (Jake não sabia o bastante sobre o Mundo Médio para descartar essa possibilidade); o rio não era nada tranquilo, mas cheio de corredeiras, uma impetuosa torrente se lançando montanhas abaixo como algo que tivesse se irritado e agora quisesse se revoltar.

Por um instante, Jake ficou contemplando as árvores que cobriam as colinas íngremes nas margens do rio, registrando com alívio que não parecia haver nada de anormal com elas — lembravam o tipo de pinheiro que podia ser encontrado nas montanhas do Colorado ou, digamos, do Wyoming.

Então seus olhos foram atraídos para a borda da ravina. Ali a torrente se rompia e criava uma queda d'água larga e funda. Jake se lembrou de uma das três férias em família (as outras duas tinham sido interrompidas por chamadas urgentes do trabalho do pai). O Niágara, onde estivera com os pais, perto daquela queda virava uma cascata fajuta de um parque temático de terceira classe. A atmosfera que rodeava o semicírculo das quedas era engrossada por uma névoa flutuante que lembrava vapor; era nela que uma dúzia de arco-íris de lua brilhavam de forma quase excessiva, como peças entrelaçadas de joalheria. Jake achou-os parecidos com os anéis que simbolizam os Jogos Olímpicos.

Projetando-se do centro das quedas, talvez sessenta metros abaixo do ponto onde o rio começava a cair, havia duas enormes saliências de pedra. Embora Jake não fizesse ideia de como um escultor (ou uma equipe deles) poderia ter chegado àquele ponto, achou quase que impossível de acreditar que aquelas formas fossem apenas resultado da erosão. Pareciam as cabeças de enormes cães rosnando.

As Cataratas dos Cães, ele pensou. Havia mais uma parada além daquela — Dasherville — e depois Topeka. Última parada. Todos para o desembarque.

— UM MOMENTO — disse Blaine. — TENHO QUE AJUSTAR O VOLUME PARA DESFRUTAREM O EFEITO COMPLETO.

Houve um ruído entrecortado, sussurrante, breve — uma espécie de limpada mecânica de garganta — e então foram tomados por um grande rugido. Era água — um bilhão de galões por minuto, apostava Jake — se derramando pela beirada da ravina e mergulhando talvez seiscentos metros na profunda bacia de pedra na base da cachoeira. Torrentes de névoa passavam pelas expressões sem vida dos cães na pedra, como vapor saído das chaminés do inferno. O nível de ruído continuava aumentando. Agora toda a cabeça de Jake vibrava e, ao levar as mãos aos ouvidos, ele percebeu que Roland, Eddie e Susannah faziam o mesmo. Oi estava latindo, mas Jake não conseguia ouvi-lo. Os lábios de Susannah se moviam sem parar, ele pôde ler as palavras — *Pare com isso, Blaine, pare com isso!* —, mas, assim como os latidos de Oi, elas também não podiam ser ouvidas, embora Jake tivesse certeza de que Susannah gritava a plenos pulmões.

E Blaine ainda assim aumentou o som da queda de água. Quando sentiu os olhos estremecendo nas órbitas, Jake teve certeza de que seus ouvidos iam entrar em colapso, como alto-falantes estéreos com sobrecarga.

De repente acabou. Ainda flutuavam sobre a depressão cheia de névoa e luar, os arco-íris de luas continuavam fazendo suas lentas e etéreas rotações ante a cortina de água interminavelmente caindo, as faces de pedra, brutais e molhadas dos cães-guardiães, continuavam a brotar da torrente, mas o trovão de fim de mundo se fora.

Por um momento, Jake achou que o que ele temia tinha acontecido, que ficara surdo. Então percebeu que estava ouvindo Oi, ainda latindo, e Susannah chorando. A princípio esses sons pareceram distantes, abafados, como se os ouvidos tivessem sido entupidos com miolo de pão, mas as coisas foram ficando mais nítidas.

Eddie colocou o braço em volta dos ombros de Susannah e olhou na direção do mapa de viagem.

— Gente fina, o Blaine.

— EU SÓ ACHEI QUE VOCÊS IAM GOSTAR DE OUVIR O BARULHO DAS QUEDAS EM VOLUME MÁXIMO — disse Blaine. A voz retumbante parecia ao mesmo tempo risonha e magoada. — ACHEI QUE TALVEZ ISSO AJUDASSE A ESQUECER MEU LAMENTÁVEL EQUÍVOCO NA QUESTÃO DE EDITH BUNKER.

Minha culpa, Jake pensou. *Blaine pode ser apenas uma máquina, e uma máquina suicida, mas não quer dizer que aprecie que riam dele.*

Sentou-se ao lado de Susannah e colocou o próprio braço em volta dela. Ainda podia ouvir as Cataratas dos Cães, mas agora era um som distante.

— O que acontece aqui? — Roland perguntou. — Como você carrega as suas baterias?

— LOGO VAI SABER, PISTOLEIRO. ENQUANTO ISSO, DIGA UMA ADIVINHAÇÃO.

— Tudo bem, Blaine. Essa foi inventada pelo próprio Cort e foi muito repetida naquele tempo.

— ESTOU ESPERANDO COM GRANDE INTERESSE.

Roland, fazendo uma pausa talvez para organizar as ideias, ergueu os olhos para o lugar onde ficava o teto do vagão e onde, naquele momento, só se via uma extensão estrelada de céu noturno (Jake pôde identificar Aton e Lydia — o Velho Astro e a Velha Mãe —, e sentiu um certo conforto com a visão dos dois, sempre brilhando um para o outro de suas localizações). Então o pistoleiro se virou para o retângulo iluminado que funcionava como o rosto de Blaine.

— Somos criaturas muito pequenas; cada uma diferente da outra. Uma de nós é a primeira em jarro; outra, a segunda, não aparece em jato. Uma terceira você verá em sim, e uma quarta confirma oh, sim! Se com uuuh a última você chamar, essa quinta não conseguirá escapar. Quem somos nós?

— A, E, I, O, U — Blaine respondeu. — AS VOGAIS DA LÍNGUA SUPERIOR. — Ainda nenhuma hesitação, nem o menor vestígio. Apenas aquele tom zombeteiro, na beira de um riso; o tom de um garotinho cruel vendo insetos correrem de um lado para o outro em cima de uma superfície quente. — MAS OLHE QUE ESSA ADIVINHAÇÃO NÃO VEM DE SEU MESTRE, ROLAND DE GILEAD; CONHEÇO-A DE JONATHAN SWIFT, DE LONDRES... UMA CIDADE DO MUNDO DE ONDE VÊM SEUS AMIGOS.

— Obrigado-sai — disse Roland e este sai soou como um suspiro. — Você respondeu a verdade, Blaine, e sem dúvida o que diz sobre as origens da adivinhação também é verdadeira. Suspeitei durante muito tempo que Cort sabia da existência de outros mundos. Acredito que talvez ele tenha confabulado com o *manni* que vivia fora da cidade.

— NÃO GOSTO DOS *MANNI*, ROLAND DE GILEAD. FORAM SEMPRE UMA SEITA TOLA. DIGA OUTRA ADIVINHAÇÃO.

— Está bem. O que...

— ESPERE. ESPERE. A FORÇA DO FEIXE AUMENTA. NÃO OLHEM DIRETAMENTE PARA OS CÃES, MEUS INTERESSANTES NOVOS AMIGOS! E PROTEJAM OS OLHOS!

Jake desviou o olhar das colossais esculturas de pedra que brotavam da cachoeira, mas não ergueu a mão para proteger seu campo de visão. Com sua visão periférica viu aparecerem, naquelas cabeças amorfas, olhos de um azul extremamente brilhante. Faíscas denteadas de luz pularam deles em direção ao monotrem. Jake se deitou rapidamente no chão acarpetado do Vagão do Baronato, agora com as costas das mãos nos olhos fechados. Oi choramingava a seu lado, e o ouvido zumbia levemente. Mais nítido que Oi, ele ouvia o crepitar da eletricidade que se agitava ao redor do monotrem.

Quando Jake tornou a abrir os olhos, as Cataratas dos Cães tinham desaparecido; Blaine havia desativado a transparência da cabine. Ainda era possível, no entanto, ouvir o som do fluxo de eletricidade, uma força de alguma maneira extraída do Feixe e emitida através dos olhos nos focinhos de pedra. Blaine estava se alimentando disso. *Quando continuarmos*, Jake pensou, ele vai estar funcionando a base de bateria. *Então Lud realmente terá ficado para trás. Para sempre.*

— Blaine — disse Roland. — Como o poder do Feixe é estocado neste lugar? O que o faz sair dos olhos daqueles cães guardiões de pedra? Como você o utiliza?

Silêncio.

— E quem esculpiu os cães? — Eddie perguntou. — Foram os Grandes Anciãos? Não foram eles, não é? Houve pessoas aqui antes mesmo deles. Ou... *eram* mesmo pessoas?

Mais silêncio. E talvez isso fosse bom. Jake não tinha certeza do quanto queria saber sobre as Cataratas dos Cães ou do que se passava sob elas. Já estivera uma vez nos subterrâneos do mundo de Roland e tinha visto o suficiente para ter certeza de que a maior parte do que se crescia ali não era bom nem seguro.

— Melhor não perguntar essas coisas para ele — veio a voz do Pequeno Blaine de cima de suas cabeças. — Mais seguro.

— Não faça perguntas bobas, ele não vai participar de jogos bobos — disse Eddie. Aquele olhar distante, sonhador, brotara de novo em seu rosto, e quando Susannah disse seu nome, ele nem pareceu ouvir.

3

Roland sentou-se à frente de Jake e sua mão direita se levantou e coçou devagar a barba que espetava do lado do rosto, um gesto inconsciente que ele só parecia fazer quando estava em dúvida ou cansado.

— Estou ficando sem adivinhações — disse.

Jake olhou para ele, alarmado. O pistoleiro já tinha proposto pelo menos cinquenta adivinhações ao computador. Jake sabia que não era fácil tirar tanto material da cabeça de uma hora para outra, mas considerando que as adivinhações foram tão importantes no lugar onde Roland crescera...

Roland pareceu ler parte desta avaliação no rosto de Jake, pois um leve sorriso, um tanto amargo, tocou os cantos de sua boca, e ele assentiu como se o garoto tivesse falado em voz alta.

— Eu também não entendo. Se você me perguntasse ontem ou anteontem, eu diria que tinha pelo menos umas mil adivinhações guardadas na memória no fundo da mente. Talvez duas mil. Mas...

Sacudiu um dos ombros, balançou a cabeça, tornou a passar a mão pelo rosto.

— Não é como esquecer. É como se elas jamais estivessem estado lá. Imagino que o que está acontecendo com o resto do mundo está acontecendo comigo.

— Você está seguindo adiante — disse Susannah olhando para Roland com uma expressão de pena que Roland só pôde suportar um segundo ou dois; era como se fosse queimado por aquele olhar. — Como tudo o mais por aqui.

— Sim, receio que sim. — Virou-se para Jake, lábios contraídos, olhar atento. — Vai estar pronto com as adivinhações de seu livro quando eu o chamar?

— Sim.

— Ótimo. E se anime. A coisa não acabou ainda.

Do lado de fora, o vago crepitar da eletricidade cessou.

— ACABEI DE CARREGAR MINHAS BATERIAS E ESTÁ TUDO BEM — Blaine anunciou.

— Maravilhoso — disse Susannah secamente.

— Lhoso! — Oi concordou, recriando com exatidão o tom sarcástico de Susannah.

— TENHO DE CUMPRIR ALGUMAS FUNÇÕES DE REDISTRIBUIÇÃO DE ENERGIA. ISSO VAI LEVAR CERCA DE QUARENTA MINUTOS E É UM PROCESSO QUASE TOTALMENTE AUTOMÁTICO. ENQUANTO OCORRE A REDISTRIBUIÇÃO E É FEITA A CHECAGEM DE TODO O SISTEMA, DEVEMOS CONTINUAR NOSSA COMPETIÇÃO. ESTOU GOSTANDO MUITO DELA.

— É como quando você tem que passar da eletricidade para o diesel no trem de Boston — disse Eddie. Seu tom ainda era o de quem não estava inteiramente ali. — A coisa acontece em Hartford, New Haven ou num daqueles lugares onde ninguém com meio neurônio na porra da cabeça ia querer viver.

— Eddie? — Susannah chamou. — O que está…

Roland tocou no ombro dela e balançou a cabeça.

— NÃO IMPORTA, EDDIE DE NOVA YORK — disse Blaine em seu tom expansivo, tipo cara-isso-é-mesmo-engraçado.

— Isso mesmo, Blaine… — disse Eddie. — Não importa, Eddie de Nova York.

— ELE NÃO CONHECE BOAS ADIVINHAÇÕES, MAS VOCÊ CONHECE MUITAS, ROLAND DE GILEAD. ME DIGA OUTRA.

E enquanto Roland obedecia, Jake pensou em sua redação final. *Blaine é um saco*, ele escrevera. *Blaine é um saco, e essa é a verdade*. Era a verdade, sem dúvida.

Uma *senhora* verdade.

Pouco menos de uma hora depois, o Mono Blaine começou de novo a se mover.

4

Susannah observou com sombria fascinação o ponto cintilante se aproximar de Dasherville, ultrapassar o lugar e iniciar a arremetida para seu destino final. O movimento do ponto dizia que Blaine estava se deslocando um pouco mais devagar agora, quando passara a trabalhar com baterias, e ela teve a impressão de que as luzes do Vagão do Baronato estavam um pouco mais fracas, mas achou que, no final das contas, isso não ia fazer grande diferença. Blaine podia atingir o terminal em Topeka fazendo novecentos quilômetros por hora em vez de mil e duzentos, mas sua última carga de passageiros seria esmagada mesmo assim.

Roland também estava indo mais devagar, remexendo cada vez mais fundo naquele armazenamento mental para encontrar adivinhações. Contudo, sempre as encontrava e se recusava a desistir. Como sempre. Desde que começara a ensinar Susannah a atirar, ela desenvolvera um relutante sentimento de amor por Roland de Gilead, um sentimento que parecia uma mistura de admiração, medo e pena. Achou que jamais gostaria de verdade dele (e sua parte Detta Walker talvez o odiasse pela maneira como se apoderara dela e a arrastara, delirando, à tona), mas seu amor ainda assim era forte. Roland, afinal, salvara a vida e a alma de Eddie Dean; resgatara o homem que ela amava. Só por isso já amaria o pistoleiro. Mas o amava ainda mais, ela própria suspeitava, pelo fato de Roland jamais, jamais desistir. A palavra *retirada* não parecia fazer parte de seu vocabulário, mesmo nos momentos em que ficava desanimado... como sem dúvida estava se sentindo agora.

— Blaine, onde se encontram estradas sem carroças, florestas sem árvores, cidades sem casas?

— NUM MAPA.

— Você respondeu a verdade, sai. Próxima. Tenho cem pernas mas não posso ficar de pé, um pescoço comprido mas sem cabeça; ando com a criada. Quem eu sou?

— UMA VASSOURA, PISTOLEIRO. OUTRA VARIAÇÃO TERMINA: "DANÇO COM A CRIADA". ACHO A SUA MELHOR.

Roland ignorou o comentário.

— Não pode ser visto, não pode ser sentido, não pode ser ouvido, não pode ser cheirado. Fica atrás das estrelas e na sombra das colinas. Está no fim da vida e não mostra o riso. O que é, Blaine?

— O ESCURO.

— Obrigado, sai, você respondeu a verdade.

A reduzida mão direita subiu de novo para a face direita — o familiar gesto de ansiedade —, e o leve ruído de coçar produzido pelos calos na ponta dos dedos fez Susannah estremecer. Jake estava sentado no chão, de pernas cruzadas, contemplando o pistoleiro com uma espécie de febril intensidade.

— Uma coisa que gira, mas não pode andar, às vezes toca, mas não canta nunca. Não tem braços, tem hastes; não tem cabeça, mas tem janela de vidro. O que é, Blaine?

— UM RELÓGIO.

— Merda — Jake murmurou, lábios contraídos.

Susannah olhou para Eddie e sentiu uma pontada de irritação. Ele parecia ter perdido todo o interesse pelo que se passava ali; "dera uma viajada", em seu estranho jargão dos anos 1980. Pensou em despertá-lo com uma cotovelada, mas se lembrou de Roland balançando a cabeça e reprimiu o impulso. Era impossível dizer, ante o ar de apatia no rosto de Eddie, se tinha algum pensamento passando pela cabeça dele; mas quem sabe houvesse.

Nesse caso, é melhor se apressar um pouco, meu amor. O ponto no mapa de viagem ainda estava mais próximo de Dasherville que de Topeka, mas alcançaria a metade do caminho aproximadamente dentro dos próximos quinze minutos.

E o confronto continuava, Roland sacando os enigmas, Blaine devolvendo rapidamente as respostas.

O que constrói castelos, escorre pelas montanhas, cega alguns, ajuda outros a ver? AREIA.

Obrigado-sai.

O que vive no inverno, morre no verão e cresce com as raízes para cima? UM PINGENTE DE GELO.

Blaine, você respondeu a verdade.

O homem passa em cima; o homem passa embaixo; em tempo de guerra ele a faz em pedaços? UMA PONTE.

Obrigado-sai.

Uma sucessão aparentemente interminável de adivinhações se passava diante de Susannah, uma atrás da outra, até que ela perdesse qualquer senso de brincadeira e divertimento. Será que fora assim nos dias da juventude de Roland, durante os concursos de adivinhações da Terra Ampla e da Terra Cheia, quando Roland e seus amigos (embora ela desconfiasse que nem *todos* eram de fato amigos, não, com certeza que não) tinham competido pelo ganso do Dia de Feira? Ela achava que a resposta era provavelmente sim. O vencedor provavelmente seria aquele capaz de ficar o maior tempo possível de cabeça fria, capaz de manter arejados os pobres miolos submetidos a tal espancamento.

O mais terrível era o modo como, a cada vez, Blaine tinha a resposta tão na ponta da língua. Por mais difícil que a adivinhação pudesse parecer, Blaine devolvia a bola com um golpe certeiro, *ka-direto*.

— Blaine, o que é que tem olho, mas não vê?

— HÁ QUATRO RESPOSTAS — Blaine respondeu. — AGULHAS, TEMPESTADES, BATATAS E UM APAIXONADO.

— Obrigado-sai, Blaine, você respondeu...

— OUÇA, ROLAND DE GILEAD. OUÇA, KA-TET.

Roland se calou de imediato. Estreitou os olhos, levantou ligeiramente a cabeça.

— LOGO OUVIRÃO MEUS MOTORES ACELERAREM A ROTAÇÃO — disse Blaine. — ESTAMOS AGORA EXATAMENTE A SESSENTA MINUTOS DE TOPEKA. NESTE PONTO...

— Se já estamos viajando há sete horas ou mais, eu sou filho do King Kong — disse Jake.

Susannah olhou apreensiva para o lado, esperando algum novo terror ou pequeno ato de crueldade em resposta ao sarcasmo, mas Blaine apenas deu uma risadinha. Quando voltou a falar, a voz de Humphrey Bogart tinha voltado.

— O TEMPO É DIFERENTE AQUI, MEU QUERIDO. A ESSA ALTURA VOCÊ JÁ DEVE TER PERCEBIDO ISSO. MAS NÃO SE PREOCUPE; AS COISAS FUNDAMENTAIS VÃO SE AJUSTANDO À MEDIDA QUE O TEMPO PASSA. ACHA QUE EU MENTIRIA PARA VOCÊ?

— Acho — Jake murmurou.

Isso aparentemente foi hilário para Blaine, pois ele começou a rir novamente — uma risada louca e mecânica que fez Susannah pensar nas casas malucas de certos parques de diversão baratos, geralmente em beira de estrada. Quando as luzes começaram a pulsar em sincronia com o riso, ela fechou os olhos e tapou os ouvidos com as mãos.

— Pare com isso, Blaine! Pare com isso!

— PERDÃO, SENHORA — disse a voz arrastada e metálica de Jimmy Stewart. — LAMENTO REALMENTE MUITO SE ARRUINEI SEUS OUVIDOS COM MINHA APTIDÃO PARA O RISO.

— Arruíne isto — disse Jake, levantando o dedo médio para o mapa de viagem.

Susannah esperou que agora fosse a vez de Eddie dar uma risada — afinal, podia se contar com ele para sempre se divertir com qualquer tipo de vulgaridade, era o que ela achava —, mas Eddie simplesmente continuou de olhos baixos, a testa franzida, os olhos distantes, a boca ligeiramente caída e aberta. Lembrava demais o idiota da aldeia, e Susannah teve novamente de reprimir a vontade de lhe dar uma cotovelada para tirar aquele olhar estúpido de seu rosto. Ela não teria que se controlar por muito mais tempo; se fossem todos morrer no fim do trajeto de Blaine, queria os braços de Eddie ao seu redor quando a coisa acontecesse, os olhos de Eddie nos seus e a mente de Eddie sintonizada com a dela.

Mas, por ora, era melhor deixá-lo em paz.

— NESTE PONTO — Blaine retomou em seu tom normal — PRETENDO COMEÇAR O QUE GOSTO DE PENSAR COMO MINHA CORRIDA CAMICASE. ISTO VAI CONSUMIR RAPIDAMENTE MINHAS BATERIAS, MAS ACHO QUE

O TEMPO PARA ME CONSERVAR PASSOU, NÃO É? QUANDO EU ATINGIR A PLATAFORMA DE MANOBRAS NO FINAL DA LINHA ESTAREI VIAJANDO A MAIS DE MIL E QUATROCENTOS QUILÔMETROS POR HORA... UMA VELOCIDADE EQUIVALENTE A QUINHENTOS E TRINTA RODAS. VEJO VOCÊS MAIS TARDE, FAUNA RARA. MANDEM NOTÍCIAS! DIGO ISTO A VOCÊS NO ESPÍRITO DO JOGO JUSTO, MEUS INTERESSANTES E NOVOS AMIGOS. SE ESTAVAM DEIXANDO AS MELHORES ADIVINHAÇÕES PARA O FINAL, SERIA DE BOM-TOM USÁ-LAS AGORA.

A ganância evidente na voz de Blaine (seu franco desejo de ouvir e resolver as melhores adivinhações antes de matá-los) fez Susannah sentir-se velha e cansada.

— Talvez eu não tenha tempo de esgotar todo o meu repertório daquelas adivinhações realmente especiais — disse Roland num tom de voz pausado, mas casual. — Seria uma pena, não é?

Uma pausa (breve, mas uma hesitação que o computador não havia concedido a nenhuma das respostas às adivinhações de Roland) e então a risada de Blaine. Susannah detestava o som daquele riso insano, mas agora a risada revelava um cinismo frio que a deixou completamente arrepiada. Talvez porque parecesse um riso quase sensato.

— BOA, PISTOLEIRO. UM BRAVO ESFORÇO. MAS VOCÊ NÃO É SCHEHERAZADE, NEM TEMOS MIL E UMA NOITES PARA MANTER NOSSA CONVERSA.

— Não entendo. Não conheço essa Scheherazade.

— ESQUEÇA. SUSANNAH PODERÁ INFORMÁ-LO SE REALMENTE QUISER SABER. TALVEZ O PRÓPRIO EDDIE. O FATO, ROLAND, É QUE NÃO ME DEIXAREI SEDUZIR PELA PROMESSA DE MAIS ADIVINHAÇÕES. ESTAMOS COMPETINDO PELO GANSO. NA CHEGADA A TOPEKA ELE SERÁ CONCEDIDO, DE UM MODO OU DE OUTRO. ENTENDE ISSO?

Mais uma vez a mão reduzida subiu para o rosto de Roland; mais uma vez Susannah ouviu a silenciosa raspagem dos dedos contra o arame da barba a fazer.

— Disputamos a sério. Ninguém rói a corda.

— CORRETO. NINGUÉM RÓI A CORDA.

— Tudo bem, Blaine, disputamos a sério e ninguém rói a corda. Aí vai a próxima.

— COMO SEMPRE, ESPERO COM PRAZER.

Roland baixou os olhos para Jake.

— Fique preparado com as suas, Jake; as minhas estão no fim.

Jake assentiu.

Embaixo deles, as turbinas de levitação do monotrem continuavam a rodar — aquele bit-bit-bit que Susannah, mais que ouvir, sentia nas articulações do queixo, nas concavidades das têmporas, nos locais onde os pulsos latejavam.

Não conseguiremos a não ser que haja algo realmente muito bom no livro de Jake, ela pensou. *Roland não pode derrubar o Blaine e acho que sabe disso. Acho que já sabia disso uma hora atrás.*

— Blaine, ocorro uma vez num minuto, duas a cada momento, mas nenhuma em cem mil anos? O que sou?

E assim continuaria a disputa, Susannah percebeu, Roland perguntando e Blaine respondendo com aquela falta de hesitação cada vez mais terrível — como um deus vendo tudo, sabendo de tudo. Susannah se mantinha sentada com as mãos frias entrelaçadas no colo e observava a mancha brilhante de Topeka aproximando-se cada vez mais, o ponto terminal do serviço do monotrem, o lugar onde a trajetória de seu ka-tet se concluiria na clareira. Pensou nos Cães das Cataratas, em como se projetavam das trovejantes ondas brancas sob um céu escuro e cheio de estrelas; pensou nos olhos deles.

Nos olhos azuis elétricos.

3. O GANSO DO DIA DE FEIRA

1

Eddie Dean — que não sabia que Roland às vezes pensava nele como *ka-mai*, o tolo do ka — ouvia tudo aquilo e não ouvia nada; via tudo aquilo e não via nada. A única coisa que chegou a tirá-lo do transe em que estava assim que o jogo começou foi o fogo saindo dos olhos de pedra dos Cães; ao levantar a mão para proteger os olhos daquele clarão de raio, lembrou-se do Portal do Feixe na Clareira do Urso, como encostara a orelha nele e ouvira o rugido distante, vago de um maquinismo.

Vendo os olhos dos Cães se iluminarem, ouvindo Blaine trazer para suas baterias a corrente que abastecia o monotrem para o mergulho final através do Mundo Médio, Eddie pensara: *Nem tudo é silêncio nos salões dos mortos e nos espaços em ruína. Mesmo agora algumas coisas que os Grandes Anciãos deixaram ainda funcionam. E isso é realmente o horror da coisa, você não concordaria? Sim. O exato horror da coisa.*

Por um breve tempo depois da carga nas baterias, Eddie estivera mental e fisicamente com seus amigos, mas logo tornara a ficar imerso em seus pensamentos. *Eddie viajou*, Henry teria dito. *Deixem-no em paz.*

Era a imagem de Jake esfregando a vara de pederneira que continuava voltando; Eddie permitia que sua mente lidasse um segundo ou dois com ela, como uma abelha pousando numa flor adocicada; depois ele tornava a decolar. Porque essa memória não era bem o que estava querendo; era apenas o caminho para o que precisava, outra porta como as da praia do mar Ocidental ou como aquela que rabiscara na terra do círculo falante antes de puxarem Jake... Só que agora a porta estava em sua mente. O que ele queria estava atrás dela; o que ele estava fazendo era uma espécie de... bem... mexer na fechadura.

Viajando, na gíria de Henry.

O irmão passava a maior parte do tempo acabando com Eddie (porque Henry tinha medo e ciúmes dele, como Eddie finalmente acabara percebendo), mas se lembrava de um dia em que Henry o surpreendera dizendo alguma coisa boa a seu respeito. *Melhor* do que boa; chocante.

Uma galera estava no beco atrás do Dahlie's, alguns comendo Popsicles e Hoodsie Rockets, outros fumando os Kents do maço que Jimmie Polino (isto é, Jimmie Pólio, como todos os chamavam, porque ele tinha aquele defeito bizarro, aquele pé torto) tinha surripiado da gaveta da cômoda de sua mãe. Henry, obviamente, era um dos que fumavam.

Havia certos jeitos de falar das coisas na gangue de que Henry fazia parte (e de que Eddie, como irmão caçula, também participava): era o jargão daquele pequeno e miserável ka-tet. Na gangue de Henry, você nunca batia em ninguém; *você despachava o cara com uma porra quebrada*. Você nunca ficava com uma garota; *você fodia a porra da guria até ela berrar*. Você nunca ficava chapado; *você entrava numa trincada do caralho*. E você nunca criava problema com outra gangue; *você peitava a porra dos merdas*.

A discussão naquele dia fora sobre quem você ia querer junto se você resolvesse peitar a porra da turma adversária. Jimmie Pólio (que pôde falar primeiro porque fornecera os cigarros, que os afiliados a Henry chamavam de *palitos cancerígenos do caralho*) optou por Skipper Brannigan, pois, segundo ele, Skipper não tinha medo de ninguém. Certa vez, disse Jimmie, Skipper ficou furioso com um professor — num evento do colégio, sexta-feira à noite — e resolveu atacá-lo. Mandou A PORRA DO PALHAÇO para casa com uma rasgo da porra, se é que você entende. Esse era o parceiro Skipper Brannigan.

Todos prestaram solene atenção ao relato, assentindo enquanto comiam seus Rockets, chupavam os Popsicles ou fumavam os Kents. Todos sabiam que Skipper Brannigan era um covarde da porra e Jimmie estava inventando tudo, mas ninguém falou isso em voz alta. Nossa, não. Se não fingissem acreditar nas mentiras malucas de Jimmie Pólio, ninguém fingiria acreditar nas mentiras deles.

Tommy Fredericks optou por John Parelli. Georgie Pratt quis Csaba Drabnik, também conhecido na área como Húngaro Maluco da Porra. Frank Duganelli designou Larry McCain, embora Larry estivesse no Centro de Detenção Juvenil; Larry era *mesmo* do caralho, disse Frank.

Então chegou a vez de Henry Dean, que depois de conceder ao problema a grave consideração que ele merecia, colocou o braço em volta dos ombros de seu espantado irmão. *Eddie*, disse. *Meu maninho. Ele é o cara*.

Todos os encararam, atônitos — e ninguém mais atônito do que Eddie. Seu queixo tinha caído quase até a fivela do cinto. E então Jimmie Pólio disse: *Sério, Henry, para com essa porra. Isto é uma parada séria. Quem você ia querer na tua cola se desse merda?*

Estou falando sério, Henry respondera.

Por que Eddie?, Georgie Pratt havia perguntado, dando voz à interrogação que estava na mente do próprio Eddie. *Ele não conseguiria escapar nem de um saco de papel. Um saco molhado. Então que merda é essa?*

Henry pensou mais um pouco — não porque não soubesse a resposta, Eddie sabia, mas porque tinha de achar um modo de verbalizá-la. Então

Henry disse: *Porque quando Eddie entra no modo dele, é capaz de convencer o diabo a tocar fogo no próprio corpo.*

A imagem de Jake voltou, uma lembrança puxando a outra. Jake esfregou a vara de pederneira, lançando centelhas nos gravetos da fogueira, centelhas precárias que morriam antes de acender o fogo.

É capaz de convencer o diabo a tocar fogo no próprio corpo.

Aproxime mais a pederneira, Roland disse, e agora havia uma terceira lembrança: a imagem de Roland na porta que tinham atingido no final da praia, Roland ardendo em febre, próximo da morte, tremendo como maraca, tossindo, o azul dos olhos calculistas fixo em Eddie, Roland dizendo: *Aproxime-se um pouco mais*, Eddie... *Aproxime-se um pouco mais pelo amor de seu pai!*

Porque ele queria me agarrar, pensou Eddie. Vagamente, quase como um som vindo de algum outro mundo através de uma daquelas portas mágicas, ouviu Blaine dizendo que o último estágio do jogo havia começado; se estivessem deixando para o final as adivinhações melhores, o momento era aquele. Tinham uma hora.

Uma hora! Só uma hora!

Sua mente tentou se concentrar nisto e o próprio Eddie afastou a ideia. Alguma coisa estava acontecendo dentro dele (pelo menos rezava para que estivesse), algum desesperado jogo de associação, e não podia deixar a mente ficar fodida de preocupação com prazo-limite, resultados e toda essa porra; se o fizesse, não teria mais nenhuma chance. Era, de certo modo, como descobrir alguma coisa incrustada num cepo de madeira, algo que poderia ser talhado — um arco, um estilingue, talvez uma chave para abrir alguma porta inimaginável. Você não podia olhar tempo demais, no entanto, ao menos de início. Você perderia a coisa se agisse assim. Era quase como se você tivesse de começar talhando de costas.

Podia sentir os motores de Blaine ganhando força debaixo do piso. O olho de sua mente via a pederneira chamejar contra o ferro e a orelha de sua mente ouvia Roland mandando Jake aproximar a pederneira. *Não bata com a pederneira, Jake; esfregue-a.*

Por que estou aqui? Se isto não é o que eu quero, por que minha mente continua me trazendo para este lugar?

Porque é o mais próximo que posso chegar sem penetrar na zona da dor. Só uma dor de tamanho médio, na verdade, mas ela me faz pensar em Henry. Em ser diminuído por Henry.

Henry disse que você podia convencer o diabo a tocar fogo no próprio corpo.

É. Sempre o amei por isso. Aquilo foi incrível.

E agora Eddie via Roland movendo as mãos de Jake, uma segurando o sílex e a outra o ferro, para mais perto da fogueira. Jake estava nervoso. Eddie percebia isso; Roland também percebera. E para acalmar os nervos do garoto, desviar sua mente da responsabilidade de acender o fogo, Roland tinha...

Tinha feito uma adivinhação para o garoto.

Eddie Dean aplicou mais um sopro no buraco de fechadura de sua memória. E desta vez a lingueta se moveu.

2

O ponto verde estava chegando cada vez mais perto de Topeka e pela primeira vez Jake sentiu a vibração... como se o trilho embaixo deles tivesse se deteriorado a tal ponto que os compensadores de Blaine já não conseguiam contornar integralmente o problema. Depois da sensação de vibração veio enfim uma sensação de velocidade. As paredes e o teto do Vagão do Baronato ainda estavam opacos, mas Jake achou que não precisava ver os campos passando borrados para imaginá-los. Blaine estava rodando a toda velocidade, enchendo com um último estrondo sônico as terras devastadas, levando o barulho até o ponto onde o Mundo Médio acabava; Jake conseguia imaginar os batentes de aço no final do monotrilho. Estariam pintados em listas diagonais de amarelo e preto. Não sabia como sabia disso, mas sabia.

— VINTE E CINCO MINUTOS — disse Blaine num tom complacente. — NÃO QUER ME PROPOR OUTRA ADIVINHAÇÃO, PISTOLEIRO?

— Acho que não, Blaine. — Roland parecia exausto. — Encerrei com você; você me derrotou. Jake?

Jake ficou de pé e encarou o mapa de viagem. No seu peito, a batida do coração pareceu ter ficado muito lenta, mas muito forte, cada pulsação era como um punho batendo num tambor. Oi estava agachado entre os pés dele, erguendo ansioso o focinho para seu rosto.

— Olá, Blaine — disse Jake, molhando os lábios.

— OLÁ, JAKE DE NOVA YORK. — Era um tom suave... talvez o tom de um cara simpático com o hábito de molestar as crianças que de vez em quando levava para o mato. — NÃO QUER ME TESTAR COM ALGUMAS ADIVINHAÇÕES DE SEU LIVRO? O TEMPO QUE PASSAREMOS JUNTOS ESTÁ CHEGANDO AO FIM.

— Sim — disse Jake. — Gostaria de testá-lo com essas adivinhações. Mostre que compreende a verdade contida em cada uma delas, Blaine.

— MUITO BEM DITO, JAKE DE NOVA YORK. VOU FAZER O QUE ESTÁ PEDINDO.

Jake abriu o livro na página que estivera marcando com o dedo. Dez adivinhações. Onze, contando a de Sansão, que estava deixando por último. Se Blaine respondesse a todas (como Jake agora achava provável que acontecesse), ele se sentaria ao lado de Roland, colocaria Oi no colo e esperaria pelo fim. Havia, afinal, outros mundos além daqueles.

— Escute, Blaine: num túnel de escuridão jaz uma besta de ferro. Que só pode atacar quando puxada para trás. O que é?

— UMA BALA. — Nenhuma hesitação.

— Ande nas vivas, elas nem sussurram. Ande nas mortas, elas murmuram e chiam. O que são?

— FOLHAS CAÍDAS. — Nenhuma hesitação, e se Jake sabia que o jogo estava perdido, por que tanto desespero, tanta amargura, tanta raiva?

Porque ele é um pé no saco, por isso. Blaine é realmente um GRANDE *pé no saco, e eu gostaria muito de amassar a cara dele, só uma vez. Acho inclusive que fazê-lo parar de andar vem depois disso em minha lista de desejos.*

Jake virou a página. Agora estava bem perto da seção de respostas de *O que É o que É!*; podia senti-la embaixo do dedo, uma espécie de relevo recortado. Bem próximo do fim do livro. Pensou em Aaron Deepneau no Restaurante da Mente em Manhattan, Aaron Deepneau convidando-o a voltar qualquer dia para uma partidinha de xadrez e, ah, só para não esquecer, o cara ali sabia preparar um café bastante decente. Uma enorme onda de saudade passou sobre ele. Jake sentiu que seria capaz de vender sua alma para dar uma simples olhada em Nova York; diabo, teria vendido a alma por uma simples respiração profunda do ar da rua 42 na hora do rush.

Reprimiu essas ideias e passou à próxima adivinhação.

— Sou esmeralda e diamantes perdidos pela lua. Sou encontrado pelo sol e logo recolhido. O que sou?

— ORVALHO.

Ainda preciso. Ainda sem hesitação.

O ponto verde faiscava cada vez mais perto de Topeka, concluindo o último trecho da trajetória marcada no mapa de viagem. Jake foi propondo uma adivinhação atrás da outra; uma atrás da outra Blaine foi respondendo. Quando chegou na última página, Jake viu uma mensagem do autor, editor ou quem quer que seja que trabalhasse em livros como aquele: *Esperamos que tenha gostado da singular combinação de imaginação e lógica conhecida como* ADIVINHAÇÃO!

Não gostei, Jake pensou. *Não gostei nem um pouco e espero que você morra.* Contudo, ao ler a adivinhação sobre a mensagem, Jake experimentou uma pontada de esperança. Pareceu-lhe que, ao menos naquele caso, o melhor *tinha* sido realmente deixado para o fim.

No mapa de viagem, o ponto verde estava a não mais de um dedo de Topeka.

— Depressa, Jake — Susannah murmurou.

— Blaine?

— SIM, JAKE DE NOVA YORK.

— Não tenho asas, mas voo. Não tenho olhos, mas vejo. Não tenho braço, mas subo. Assusto mais que qualquer animal e sou mais forte que qualquer adversário. Sou astuta, cruel e elevada; no final das contas, governo tudo. O que sou?

O pistoleiro tinha levantado a cabeça, um brilho nos olhos azuis. O rosto de Susannah, tomado pela expectativa, começou a se virar de Jake para o mapa de viagem. A resposta de Blaine, no entanto, foi rápida como sempre:

— A IMAGINAÇÃO DO HOMEM E DA MULHER.

Por um instante, Jake considerou contestar, mas depois pensou: *Por que perder tempo?* Como sempre a resposta de uma adivinhação, estando certa, parecia quase óbvia.

— Obrigado-sai, Blaine, você respondeu a verdade.

— E O GANSO DO DIA DE FEIRA É QUASE MEU, ESTOU CIENTE. DEZENOVE MINUTOS E CINQUENTA SEGUNDOS PARA A CONCLUSÃO. GOSTARIA DE DIZER MAIS ALGUMA COISA, JAKE DE NOVA YORK? SENSORES VISUAIS INDICAM QUE CHEGOU AO FINAL DO SEU LIVRO, QUE ALIÁS NÃO ERA TÃO BOM QUANTO EU ESPERAVA.

— Todo mundo adora criticar o trabalho dos outros — disse Susannah em voz baixa, enxugando uma lágrima no canto do olho. Sem olhar diretamente para ela, o pistoleiro pegou sua mão livre. A mão se fechou com força na dele.

— Sim, Blaine, tenho mais uma — disse Jake.

— EXCELENTE.

— Do comedor veio a carne, e do forte veio a doçura.

— ESTA ADIVINHAÇÃO VEM DO LIVRO SAGRADO CONHECIDO COMO "VELHO TESTAMENTO, BÍBLIA DO REI JAMES". — Blaine parecia estar se divertindo e Jake sentiu o resto de sua esperança sumir. Achou que ia chorar... não tanto de medo quanto de frustração. — É UMA ADIVINHAÇÃO DE SANSÃO, O FORTE. O COMEDOR É UM LEÃO; A DOÇURA É MEL, FEITO PELAS ABELHAS QUE TÊM A COLMEIA NA CAVEIRA DO LEÃO. PRÓXIMA? AINDA FALTAM UNS DEZOITO MINUTOS, JAKE.

Jake balançou a cabeça. Largou *O que É o que É!* e sorriu quando Oi pegou-o cuidadosamente com os dentes e estendeu o pescoço comprido para Jake, para que ele tornasse a pegar o livro.

— Disse todas as adivinhações. Acabei.

— QUE PENA, ESTOU CHEGANDO DEVAGAR, É VERGONHA DESISTIR — disse Blaine. Jake achou a imitação da fala arrastada de John Wayne realmente insuportável naquelas circunstâncias. — PARECE MESMO QUE VOU GANHAR AQUELE TAL GANSO, A NÃO SER QUE HAJA MAIS ALGUÉM DISPOSTO A FALAR. QUE TAL VOCÊ, OI DO MUNDO MÉDIO? BRINQUE DE ADIVINHAÇÕES, MEU AMIGUINHO MALHADO.

— Oi! — respondeu o malhado, a voz abafada pelo livro. Ainda sorrindo, Jake pegou o livro e sentou-se ao lado de Roland, que colocou um braço em volta dele.

— SUSANNAH DE NOVA YORK?

Ela balançou a cabeça, sem erguê-la. Tinha virado a mão de Roland dentro da sua e alisava os tocos cicatrizados onde os primeiros dois dedos do pistoleiro haviam existido.

— ROLAND, FILHO DE STEVEN? NÃO SE LEMBRA DE MAIS ADIVINHAÇÕES FEITAS NOS DIAS DE FEIRA DE GILEAD?

Roland também balançou a cabeça... e então Jake viu que Eddie Dean estava erguendo a dele. Havia um sorriso estranho no rosto de Eddie, um brilho estranho nos olhos de Eddie, e Jake descobriu que ainda não perdera as esperanças. De repente ela tornou a florescer também em sua mente — vermelha, quente, muito nítida. Como... bem, como uma rosa. Uma rosa no auge de seu verão.

— Blaine? — Eddie perguntou em tom baixo. Jake achou que a voz dele parecia estranhamente embargada.

— SIM, EDDIE DE NOVA YORK. — Inconfundível desprezo.

— *Eu* tenho algumas adivinhações — disse Eddie. — Só para matar o tempo daqui até Topeka, sabe.

Não, Jake percebeu, Eddie não estava com a voz embargada; a impressão que dava é que tentava segurar o riso.

— FALE, EDDIE DE NOVA YORK.

3

Sentado, ouvindo Jake dizer suas últimas adivinhações, Eddie refletira sobre a história que Roland contara do ganso do Dia de Feira. Daí sua mente retornara a Henry, viajando do Ponto A ao Ponto B através da mágica do pensamento associativo. Ora, se você quer chegar ao estado zen via Transpássaros Airlines vá do ganso ao pássaro da noite da privação. Um dia ele e Henry conversaram sobre a possibilidade de se livrarem da heroína. Henry dissera que enfrentar a fissura não era a única maneira; haveria também, segundo ele, uma espécie de *fissurinha*. Eddie perguntara a Henry como se dizia de alguém que se dava um pico fatal e, sem pensar, Henry tinha dito: *você diz que o cara foi fissurado.* Como tinham rido... mas agora, passado tanto e tão estranho tempo, parecia que a piada era o irmão Dean caçula, para não mencionar os novos amigos do irmão Dean caçula. Sem dúvida não ia demorar muito para que todos ficassem fissurados.

A não ser que você possa nos tirar da zona de perigo.

Sim.

Então faça isso, Eddie. Era de novo a voz de Henry, aquela velha moradora de sua cabeça, só que agora Henry parecia sóbrio e bastante lúcido. Henry soava como seu amigo, não como seu inimigo, como se todos os antigos conflitos tivessem finalmente se resolvido, os antigos ressentimentos resolvidos. *Vai... faça o diabo tocar fogo no próprio corpo. Talvez seja um pouco difícil, mas você já enfrentou coisas piores. Porra, eu mesmo já lhe causei muitos problemas e você sobreviveu. Sobreviveu muito bem. E agora sabe para onde olhar.*

É claro. Conversando com o pistoleiro sobre a fogueira, Jake conseguira finalmente acender o fogo. Roland fizera uma adivinhação, para deixar o garoto mais relaxado. Depois que Jake conseguiu provocar um início de labareda num graveto, sentaram-se todos ao redor do fogo, conversando. Conversando e fazendo adivinhações.

Eddie também percebeu outra coisa. Blaine tinha dado resposta a centenas de adivinhações enquanto avançavam para sudeste pelo Caminho do Feixe, e os outros acharam que ele havia respondido a cada uma sem a menor hesitação. Eddie tinha achado o mesmo... mas agora, lembrando do início da disputa, Eddie percebia uma coisa interessante: Blaine *havia* hesitado.

Uma vez.

Ele também ficou irritado. Irritado como Roland.

O pistoleiro, embora ficasse muitas vezes de saco cheio com Eddie, só uma vez deixara transparecer uma verdadeira raiva com relação a ele. Fora depois do entalhe da chave, quando Eddie quase não conseguira. Roland tentara disfarçar a profundidade dessa raiva — fazê-la parecer como um simples adicional de exasperação —, mas Eddie sentira o que havia por baixo. Tinha morado um longo tempo com Henry Dean e continuava extremamente sensível a todas as emoções negativas. Aquilo o machucara — não a raiva de Roland propriamente dita, mas o desprezo com que ela fora manifestada. O desprezo sempre fora uma das armas favoritas de Henry.

Por que o bebê morto atravessou a estrada?, Eddie havia perguntado. *Porque estava grudado na galinha!*

Depois, quando Eddie tentou defender sua adivinhação, argumentando que era de mau gosto mas não sem sentido, a resposta de Roland fora estranhamente parecida com a de Blaine: Eu pouco estou ligando para gosto. Não tem sentido nem solução, e é isso que a torna tola. Uma boa adivinhação não tem nenhuma dessas falhas.

Mas, quando acabaram as adivinhações de Jake para Blaine, Eddie percebeu algo esplêndido, libertador: a palavra *boa* estava para jogo. Sempre estivera, sempre estaria. Mesmo se fosse usada por um homem com mil anos de idade, capaz de atirar como Buffalo Bill, aquela palavra continuaria estando para jogo. O próprio Roland tinha admitido que nunca fora muito bom com adivinhações. Seu tutor dizia que Roland pensava demais; o pai achava que tinha falta de imaginação. Independentemente da verdadeira razão, Roland de Gilead jamais vencera o jogo adivinhatório de um Dia de Feira. Sobrevivera a todos os seus contemporâneos, o que sem dúvida era um tipo de prêmio, mas nunca levara para casa o ganso. *Sempre pude sacar uma arma mais rápido do que meus companheiros, mas nunca fui muito bom em pensar além do óbvio.*

Eddie se lembrava de ter tentado explicar a Roland que as piadas eram adivinhações que ajudavam a desenvolver esse frequentemente desprezado talento, mas Roland o ignorou. Eddie pensou: tal como uma pessoa daltônica ignoraria a descrição que alguém faz de um arco-íris.

Eddie achou que Blaine também poderia ter dificuldade para pensar além do óbvio.

Ouviu Blaine perguntando se ninguém tinha outras adivinhações — perguntando inclusive a Oi. Ouviu o tom de zombaria na voz de Blaine, ouviu muito bem. Certamente que ouviu. Pôde ouvir porque estava voltando. Voltando daquela famosa região. Voltando para ver se poderia convencer o diabo a se atirar no fogo. Desta vez nenhuma arma podia ajudar e talvez tudo bem. Talvez tudo bem porque...

Porque eu atiro com minha mente. Minha mente. Deus me ajude a derrubar esta máquina de calcular melhorada com a mente. Me ajude a derrotá-la além do óbvio.

— Blaine? — disse ele, e então, quando o computador o reconheceu:

— Eu tenho algumas adivinhações. — Enquanto falava, Eddie descobriu uma coisa maravilhosa: estava lutando para conter o riso.

4

— FALE, EDDIE DE NOVA YORK.

Sem tempo para mandar os outros ficarem alertas, porque alguma coisa podia acontecer, mas, pelo olhar deles, não havia nenhuma necessidade de fazer isso. Eddie esqueceu-os e concentrou toda a sua atenção em Blaine.

— O que tem quatro rodas e moscas?

— A CARROÇA DE LIXO, COMO EU JÁ DISSE. — Desagrado... e antipatia? Sim, provavelmente... Coisas se destilando nitidamente daquela voz. — SERÁ QUE É TÃO ESTÚPIDO OU DESATENTO A PONTO DE NÃO SE LEMBRAR? FOI A PRIMEIRA ADIVINHAÇÃO QUE ME PROPÔS.

Sim, Eddie pensou. *E o que ninguém se deu conta... porque estávamos concentrados em acabar com ele com algum demolidor cerebral do passado de Roland ou do livro de Jake é que a disputa quase terminou ali mesmo.*

— Você não gostou dessa, não foi, Blaine?

— ACHEI-A TREMENDAMENTE ESTÚPIDA — Blaine concordou. — TALVEZ SEJA POR ISTO QUE A ESTÁ DIZENDO DE NOVO. OS SEMELHANTES SE ATRAEM, EDDIE DE NOVA YORK, NÃO É ASSIM?

Um sorriso iluminou o rosto de Eddie; ele balançou o dedo para o mapa de viagem.

— Paus e pedras podem quebrar meus ossos, mas palavras nunca me feriram. Ou, como costumávamos dizer lá no bairro: "Você pode me colocar mais baixo que os cães, mas nem por isso vou perder a tesão que uso pra foder a tua mãe."

— Ande logo! — Jake murmurou. — Se pode fazer alguma coisa, *faça* agora!

— Ele não gosta de perguntas tolas — disse Eddie. — Não gosta de jogos tolos. E nós sabemos disso. Sabemos *desde Charlie Chuu-Chuu*. Como podemos ser tão estúpidos? Porra, *esse* era o livro com as respostas, não *O que É o que É!*, mas não percebemos isso!

Eddie procurou a outra adivinhação que entrara na redação final de Jake, encontrou-a e perguntou:

— Blaine: quando é que uma porta não é uma porta?

De novo, e pela primeira vez desde que Susannah tinha perguntado a Blaine o que tinha quatro rodas e moscas, houve um estranho estalido, como alguém fazendo a língua saltar no céu da boca. A pausa foi mais breve que a que havia se seguido à adivinhação de abertura de Susannah, mas se repetira... Eddie a ouviu.

— QUANDO É UMBRAL, É CLARO — disse Blaine, que parecia rabugento, infeliz. — FALTAM TREZE MINUTOS E CINCO SEGUNDOS PARA A CONCLUSÃO, EDDIE DE NOVA YORK... GOSTARIA DE MORRER COM ADIVINHAÇÕES TÃO ESTÚPIDAS NA BOCA?

Eddie aprumou o corpo encarando o mapa de viagem e embora pudesse sentir gotas quentes de suor escorrendo pelas costas, o sorriso no rosto se alargou.

— Pare de ser chato, cara. Se quiser ter o privilégio de espalhar nossas tripas pela paisagem, vai precisar enfrentar algumas adivinhações que não estão de todo afinadas com seus padrões de lógica.

— NÃO DEVE FALAR COMIGO DESSA MANEIRA.

— Ou o quê? Vai me matar? Fala sério. Apenas jogue. Concordou com o jogo; então jogue.

Uma fina luz rosa brilhou por um instante fora do mapa de viagem.

— Está conseguindo irritá-lo — queixou-se o Pequeno Blaine. — Ah, está conseguindo deixá-lo *muito* irritado.

— Se manda, moleque! — disse Eddie, mas sem muita severidade, e quando o brilho rosado sumiu e de novo apareceu um cintilante ponto verde quase em cima de Topeka, Eddie continuou: — Responda esta, Blaine: o grande idiota e o pequeno idiota estão parados na ponte sobre o rio Send. O grande idiota caiu. Por que o pequeno idiota também não caiu?

— ESTA É INDIGNA DE NOSSA DISPUTA. NÃO VOU RESPONDER.

Na última palavra a voz de Blaine adquirira um registro mais baixo, lembrando o tom de um adolescente de catorze anos passando pela puberdade.

Agora os olhos de Roland não estavam apenas brilhando, mas faiscando.

— O que está dizendo, Blaine? Não entendi bem. Está querendo roer a corda?

— NÃO! É CLARO QUE NÃO! MAS...

— Então responda, se puder. Responda à adivinhação.

— NÃO É UMA ADIVINHAÇÃO! — Blaine quase berrou. — É UMA PIADA, ALGO PARA DIVERTIR CRIANÇAS BURRAS NO RECREIO!

— Responda agora ou declare a disputa encerrada e nosso ka-tet como vencedor — disse Roland. Falava no tom seco e confiante de uma autoridade, um tom que Eddie ouvira pela primeira vez na cidadezinha de River Crossing. — Precisa responder, já que você se queixa de estupidez e não de transgressão das regras sobre as quais ficamos de comum acordo.

Outro daqueles barulhos de estalo, mas desta vez muito mais alto... de fato tão alto que Eddie estremeceu. Oi achatou as orelhas contra a cabeça. E aquilo foi seguido pela mais longa das pausas; pelo menos três segundos. Então:

— O PEQUENO IDIOTA NÃO CAIU PORQUE ESTAVA UM POUCO MAIS EM CIMA* — disse Blaine num tom de mau humor. — MAIS COINCIDÊNCIA FONÉTICA. A SIMPLES RESPOSTA A UMA QUESTÃO TÃO DESPREZÍVEL ME PARECE UMA DESONRA.

Eddie levantou a mão direita, esfregando o polegar contra o indicador.

— O QUE ISTO SIGNIFICA, TOLA CRIATURA? — perguntou Blaine.

— É o menor violino do mundo, tocando "Meu Coração Bombeia uma Urina Roxa pra Você" — disse Eddie. Jake caiu num incontrolável acesso de riso. — Mas esqueça o humor barato nova-iorquino; de volta à disputa. Por que os homens da polícia usam cintos?

As luzes no Vagão do Baronato começaram a piscar. Algo estranho acontecia também com as paredes; elas começavam a sumir e a voltar, em geral fora de encaixe; de repente ficavam transparentes e depois novamente opacas. Ver aquela coisa, mesmo que pelo canto do olho, deixou Eddie um pouco atordoado.

— Blaine? Responda.

— Responda — interveio Roland. — Responda ou declaro a contenda encerrada e exijo o cumprimento de sua promessa.

Algo encostou no cotovelo de Eddie, que baixou os olhos e viu a mão pequena e graciosa de Susannah. Ele a pegou, apertou, sorriu. Torceu para o sorriso transmitir mais confiança do que ele mesmo sentia. Iam vencer a disputa — tinha quase certeza disso —, mas não fazia ideia do que Blaine faria se e quando isso acontecesse.

— PARA... PARA SEGURAR AS CALÇAS? — A voz de Blaine se firmou e repetiu a pergunta como afirmativa. — PARA SEGURAR AS CALÇAS. UMA ADIVINHAÇÃO BASEADA NA EXAGERADA SIMPLICIDADE DE RACIOC...

— Certo. Boa resposta, Blaine, mas não procure ganhar tempo... não vai dar certo. Próxima...

— INSISTO QUE PARE DE FAZER ESSAS TOLAS...

— Então pare o monotrem — disse Eddie. — Se ficou tão transtornado, pare aqui mesmo e eu também paro.

— NÃO.

— Tudo bem, então, lá vai. O que é irlandês e fica nos fundos da casa, mesmo quando chove?

Houve outro daqueles cliques, desta vez tão alto que deu a sensação de um cravo pontudo espetando o tímpano. Uma pausa de cinco segundos. Agora

* Há um jogo fonético em inglês: "The little moron did not fall off because he was a little more on". (N. T.)

o pontinho verde no mapa de viagem estava tão perto de Topeka que a cada piscada iluminava o nome do lugar como um letreiro de neon. Então:

— ARROZ OU MOBÍLIA.*

Resposta correta para uma adivinhação-piada que Eddie ouvira pela primeira vez na viela atrás do Dahlie's ou em algum ponto de encontro parecido, mas Blaine, ao que parece, pagara um preço por forçar a mente a penetrar num canal onde pudesse encontrar a solução: as luzes do Vagão do Baronato estavam piscando mais forte do que nunca e Eddie pôde ouvir um zumbido baixo saindo de dentro das paredes — o tipo de som que seu amplificador estéreo faz pouco antes de explodir.

Uma luz rosada oscilou no mapa de viagem.

— Pare! — gritou o Pequeno Blaine, a voz trêmula como a voz de um personagem de um antigo desenho animado da Warner Bros. — Pare com isso, está acabando com ele!

E o que você acha que ele está tentando fazer conosco, moleque?, Eddie pensou.

Pensou em mandar para Blaine uma adivinhação que ele fizera quando estavam todos sentados, certa noite, em volta de uma fogueira (O que é verde, pesa cem toneladas e vive no fundo do mar? Resposta: Moby Snot, a grande baleia verde!), mas não o fez. Queria pressionar as fronteiras da lógica com mais força do que aquela adivinhação permitia... e podia fazer isso. Achava que não precisaria ir muito além do nível de surreal aceito por um garoto do ensino fundamental. Bastava, sem dúvida, uma coleção mediana de anedotas e trocadilhos para foder régia... e definitivamente Blaine. Porque, a despeito da carga de emoções que seus fantásticos circuitos dipolares lhe permitiam reproduzir, ele continuava não passando disso — um computador. Só para seguir Eddie até aquela soleira do Além da Imaginação no mundo dos quebra-cabeças, Blaine precisara pôr em risco a própria sanidade.

— Por que as pessoas vão para a cama, Blaine?

— PORQUE... PORQUE... MALDIÇÃO, PORQUE...

Uma estranha comoção começou debaixo deles e, de repente, o Vagão do Baronato sacudiu com violência da direita para a esquerda. Susannah gritou. Jake foi atirado no colo dela. O pistoleiro agarrou-se aos dois.

— PORQUE A CAMA NÃO VAI ATÉ ELAS, MALDIÇÃO! NOVE MINUTOS E CINQUENTA SEGUNDOS!

* Paddy o'furniture no original. Paddy é gíria para arroz, principalmente arroz com casca, e é também uma denominação dada aos irlandeses. O' vem antes de sobrenomes irlandeses (O'Connor, por exemplo) e significa "descendente de". (N. T.)

— Desista, Blaine — disse Eddie. — Pare antes que eu precise destruir a sua mente. Se não desistir, é o que vai acontecer. Nós dois sabemos disso.

— NÃO!

— Tenho um milhão delas. Passei a vida inteira ouvindo adivinhações desse tipo. Grudaram na minha mente como as moscas grudam em papel de moscas. Às vezes saem da minha boca até sem eu querer. Então o que me diz? Quer desistir?

— NÃO! NOVE MINUTOS E TRINTA SEGUNDOS!

— Tudo bem, Blaine. Você pediu. Aí vai o meteoro. Por que o bebê morto atravessou a estrada?

O monotrem deu outro gigantesco solavanco; Eddie não entendeu como ele conseguiu ficar no trilho depois disso, mas de algum modo ficou. O guincho embaixo deles se tornou mais alto; as paredes, piso e teto do vagão começaram a oscilar loucamente entre opacidade e transparência. Num momento o carro parecia fechado, segundos depois eles pareciam estar voando na paisagem de um dia escuro que se estendia monótona e uniformemente até um horizonte estendido em linha reta nos limites do mundo.

A voz que vinha dos alto-falantes era agora a de uma criança em pânico:

— EU SEI, ESPERE UM POUCO, EU SEI, REPARAÇÃO EM PROGRESSO, TODOS OS CIRCUITOS LÓGICOS EM USO...

— Responda — disse Roland.

— PRECISO DE MAIS TEMPO! TÊM QUE ME DAR MAIS TEMPO! — Agora havia uma espécie de tom esganiçado naquela voz rachada. — NÃO FORAM ESTABELECIDOS LIMITES TEMPORAIS PARA AS RESPOSTAS, ROLAND DE GILEAD, ODIOSO PISTOLEIRO DE UM PASSADO QUE DEVIA TER CONTINUADO MORTO!

— Não — Roland concordou —, não foram estabelecidos limites de tempo, tem toda razão. Mas você não pode nos matar com uma adivinhação com resposta pendente, Blaine, e Topeka está cada vez mais perto. Responda!

O Vagão do Baronato tornou a se precipitar na invisibilidade e Eddie viu o que pareceu ser um elevador de grãos, alto e enferrujado, passar em disparada; o tempo que ficou à vista mal foi suficiente para que ele o identificasse. Agora ele pôde avaliar mais completamente a velocidade insana em que estavam viajando; no mínimo uns quatrocentos quilômetros mais rápido que um jato comercial em velocidade de cruzeiro.

— Deixe-o em paz! — gemeu a voz do Pequeno Blaine. — Está acabando com ele, consigo sentir! *Acabando com ele!*

— Mas não era isso que Blaine queria? — perguntou Susannah com a voz de Detta Walker. — Morrer? Foi ele mesmo que disse. Bem, não nos interessa o que ele queria ou não. Você não é tão mau, Pequeno Blaine, mas mesmo um mundo como este pode ficar um pouco menos fodido depois da morte do teu mano mais velho. A única coisa a que fizemos objeção foi ele querê nos levá junto.

— Última chance — disse Roland. — Responda ou desista do ganso, Blaine.

— EU... EU... VOCÊ ... DEZESSEIS LOG TRINTA E TRÊS... TODO COSSENO SUBSCRITO... ANTI... ANTI... EM TODOS ESSES ANOS... FEIXE... ENCHENTE... PITAGÓRICO... LÓGICA CARTESIANA... POSSO... TENHO CORAGEM... UM PÊSSEGO... COMER UM PÊSSEGO... ALLMAN BROTHERS... PATRÍCIA... CROCODILO E SORRISO NO CHICOTE... RELÓGIO DE MOSTRADORES... TIQUE-TAQUE, ONZE HORAS, O HOMEM ESTÁ NA LUA E PRONTO PARA AGITAR... INCESSAMENT... INCESSAMENT, MON CHER... AH MINHA CABEÇA... BLAINE... BLAINE TEM CORAGEM... BLAINE VAI RESPONDER... EU...

Blaine, agora gritando com a voz de um menino, caiu em alguma outra linguagem e começou a cantar. Eddie achou que era francês. Não conhecia nenhuma daquelas palavras, mas quando a bateria entrou, reconheceu a música perfeitamente bem: "Velcro Fly", do Z. Z. Top.

O vidro que cobria o mapa de viagem estourou. Pouco depois, o próprio mapa de viagem saltou de seu encaixe, revelando luzes que piscavam e uma rede de placas com circuitos eletrônicos. As luzes pulsavam no ritmo da bateria. De repente brotou um fogo azul, chiando ao redor do buraco na parede onde o mapa estivera e tudo chamuscando. Do fundo daquela parede, na região central dos comandos de Blaine, de uma saliência em forma de bala, veio um rangido grosso.

— O bebê morto atravessou a estrada porque estava grudado na galinha, seu escroto do caralho! — Eddie gritou ficando em pé e começando a se aproximar do buraco enfumaçado onde o mapa de viagem estivera. Susannah agarrou-o pelas costas da camisa, mas Eddie mal sentiu. Na verdade, mal sabia onde estava. O fogo da batalha tinha caído sobre ele, queimando cada parte sua com um calor justiceiro, tornando sua visão febril, fritando os neurônios e assando o coração num clarão sagrado. Eddie tinha Blaine em sua mira, e embora a coisa atrás da voz já estivesse mortalmente ferida, ele não conseguia parar de apertar o gatilho: *Eu atiro com a mente.*

— Qual a diferença entre uma carga de bolas de boliche e uma carga de cadáveres de marmotas? — Eddie disparava. — Você não pode descarregar uma carga de bolas de boliche com um forcado!

Um terrível grito de raiva misturada com agonia saiu do buraco onde o mapa de viagem estivera. Foi seguido por uma rajada de fogo azul, como se em algum lugar da parte dianteira do Vagão do Baronato um dragão elétrico tivesse soprado com violência. Jake gritou uma advertência, mas Eddie não precisava dela; agora seus reflexos estavam afiados como lâminas de navalha. Ele mergulhou e a rajada de eletricidade passou por cima de seu ombro direito, deixando em pé o cabelo daquele lado da nuca. Sacou o revólver que tinha na cintura — um .45, pesado, com um cabo meio gasto de madeira de sândalo, um dos dois revólveres que Roland trouxera das ruínas do Mundo Médio. Eddie continuava andando, gesticulando para a frente do vagão... e claro que continuava falando. Roland tinha dito que Eddie morreria falando. Como seu velho amigo Cuthbert, Eddie achava que havia maneiras muito piores de morrer e apenas uma melhor do que essa.

— Vamos lá, Blaine, seu merda deprimente e sádico! Já que estamos falando de adivinhações, qual é a maior adivinhação do Oriente? Muitos homens fumam mas poucos Fu Manchu! Sacou? Não? Tão tola, Mestre! E que tal essa outra? Por que a mulher chamou o filho de Coelho? Porque tirou o nome de dentro de uma cartola!

Tinham atingido o quadrado pulsante. Ele ergueu o revólver de Roland e o Vagão do Baronato se encheu de repente com seu trovão. Enfiou todas as seis balas no buraco, manejando o gatilho com a palma da mão, do jeito que Roland ensinara. Eddie só sabia que era certo, era justo fazer aquilo... aquilo era ka, maldição, era a porra do ka, era o modo como você concluía as coisas se fosse um pistoleiro. Ele era da tribo de Roland, sem dúvida, sua alma estava provavelmente condenada ao mais fundo abismo do inferno, e ele não teria trocado isso por toda a heroína da Ásia.

— EU TE ODEIO! — Blaine gritou com sua voz infantil. O timbre rachado, no entanto, já não existia; a voz parecia cada vez mais mole, pastosa. — VOU ODIÁ-LO ETERNAMENTE!

— Não é a morte que o preocupa, certo? — Eddie perguntou. As luzes no buraco onde ficava o mapa de viagem estavam enfraquecendo. Mais fogo azul faiscava, mas Eddie quase não precisava fazer a cabeça recuar para evitá-lo; a chama era pequena e fraca. Logo Blaine estaria morto como todos os Pubes e Grays de Lud. — O que o desagrada é *perder*.

— ODEIO... ETERRRRnnnmm...

A palavra degenerou num rumor. O rumor tornou-se uma espécie de trovejar entrecortado. Depois sumiu.

Eddie olhou em volta. Roland estava lá, segurando Susannah com um braço curvado em volta de sua nádega, como se estivesse segurando uma criança. As coxas delas se agarravam na cintura dele. Jake estava parado do outro lado do pistoleiro, com Oi no calcanhar.

Um cheiro de queimado peculiar, estranhamente não de todo desagradável, saía do buraco onde havia estado o mapa de viagem. Eddie achava que era o cheiro de folhas queimando em outubro. Exceto isso, o buraco estava morto e escuro como um olho de cadáver. Todas as luzes lá dentro tinham se apagado.

Seu ganso queimou na panela, Blaine, Eddie pensou, *mas o pássaro da morte está no ponto para recebê-lo. Feliz partida.*

5

O guincho que vinha de baixo do monotrem cessou. Houve um áspero baque final saído da frente e do alto do trem e então os outros sons também cessaram. Roland sentiu as pernas e os quadris serem suavemente impelidos para a frente e estendeu sua mão livre para manter o equilíbrio. O corpo soube antes da cabeça o que havia acontecido: os motores de Blaine tinham parado. Estavam agora simplesmente deslizando para a frente ao longo da trilha. Mas...

— Para trás — disse ele. — O mais que puderem. Estamos avançando no impulso. Se estivermos perto demais do ponto terminal de Blaine ainda podemos bater.

Cruzou com os outros os restos empilhados da escultura de gelo de boas-vindas de Blaine. Foram todos para a traseira do vagão.

— E fiquem longe dessa coisa — disse ele, apontando para o instrumento que parecia algo entre um piano e um cravo. Estava numa pequena plataforma. — Isso pode mudar a direção. Deuses, gostaria de saber onde estamos! Deitem. Coloquem os braços sobre as cabeças.

Fizeram o que Roland mandava. E ele fez o mesmo. Deitou-se apoiando o queixo no pelo do carpete azul-real, olhos fechados, pensando no que podia acontecer.

— Peço seu perdão, Eddie — disse. — Incrível como gira a roda do ka! Um dia tive de pedir as mesmas desculpas a meu amigo Cuthbert... e pela mesma razão. Há uma espécie de cegueira em mim. Uma cegueira *arrogante*.

— Não acho que seja preciso se desculpar — disse Eddie num tom constrangido.

— Mas é. Eu desprezei as suas piadas. Agora elas salvaram nossa vida. Peço seu perdão. Esqueci o rosto de meu pai.

— Não precisa pedir nenhum perdão nem esquecer o rosto de ninguém — disse Eddie. — Você não pode ir contra sua natureza, Roland.

O pistoleiro pensou cuidadosamente neste comentário e descobriu uma coisa que era ao mesmo tempo maravilhosa e terrível: essa ideia jamais havia lhe ocorrido. Nem uma só vez em toda a sua vida. Que era prisioneiro do ka... era algo que sabia desde a mais tenra infância. Mas de sua *natureza*... de sua própria *natureza*...

— Obrigado, Eddie. Acho que...

Antes que Roland pudesse dizer o que pensara, o Mono Blaine executou uma derradeira e brutal parada. Os quatro foram violentamente atirados pelo corredor central do Vagão do Baronato, Oi nos braços de Jake e latindo. A parede frontal da cabine vergou e Roland atingiu-a primeiro com o ombro. Mesmo com o enchimento (a parede era almofadada e parecia ter sido também recheada com uma camada de alguma substância elástica), o golpe foi forte o suficiente para deixá-lo atordoado. O lustre foi jogado para a frente e desprendeu-se do teto, crivando-os de pingentes de vidro. Jake rolou para o lado, escapando por pouco da aterrissagem do lustre. O piano e o cravo, saltando de seus encaixes, bateram num dos sofás e emborcaram, não antes de encerrar o tombo com um dissonante som de *brrrannnggg*. O mono se inclinou para a direita e o pistoleiro se preparou, querendo proteger Jake e Susannah com o próprio corpo se o vagão chegasse mesmo a capotar. Mas o vagão ficou imóvel, o piso ainda um pouco tombado, mas parado.

A viagem terminara.

O pistoleiro se levantou. O ombro continuava dormente, mas o braço suportou seu peso, o que era um bom sinal. À sua esquerda, sentado, com um ar meio atordoado, Jake recolhia as contas de vidro caídas em seu colo. À sua direita, Susannah passava a mão num corte embaixo do olho esquerdo de Eddie.

— Tudo bem — disse Roland. — Quem está feri...

Houve uma explosão acima deles, *Pam!*, um barulho abafado que fez Roland se lembrar das bombinhas que Cuthbert e Alain às vezes acendiam e atiravam nos ralos ou nos banheiros atrás da cantina. E um dia Cuthbert havia atirado algumas bombas com seu estilingue. Não fora brincadeira, não fora uma travessura infantil. Fora...

Susannah deixou escapar um grito breve... mais de surpresa do que de medo, o pistoleiro pensou... e então a luz de um dia enevoado estava brilhando em seu rosto. Aquilo parecia bom. O gosto do ar que entrava pela saída de emergência que saltara da parede era ainda melhor — impregnado do aroma de chuva e terra úmida.

Houve um chocalhar de ossos e uma escada — que parecia estar equipada com degraus feitos de arame trançado — caiu de uma abertura no alto.

— Primeiro atiram o lustre na sua cabeça, depois mostram a você a porta da rua — disse Eddie. Depois de ficar de pé com esforço, ele ergueu Susannah.

— Tudo bem, sei quando chegou a minha hora de ir embora. Vamos imitar as abelhas e zumbir em outra freguesia.

— Me parece uma boa ideia — disse Susannah, estendendo novamente a mão para o corte no rosto de Eddie. Eddie pegou os dedos dela, beijou-os e mandou que ela parasse de mexer com a *moichandise*.

— Jake? — o pistoleiro perguntou. — Tudo bem?

— Sim — disse Jake. — E você, Oi?

— Oi!

— Acho que ele está bem — disse Jake erguendo a mão ferida e examinando-a com ar sério.

— Voltou a doer, é? — perguntou o pistoleiro.

— Sim. O que Blaine fez com ela, seja lá o que for, está perdendo o efeito. Mas não faz mal... Estou muito contente por ainda estar vivo.

— Sim. A vida é boa. E *asmina* também. Ainda sobrou um pouco.

— Está querendo dizer aspirina.

Roland balançou a cabeça. Uma pílula de propriedades mágicas, mas uma das palavras do mundo de Jake que jamais conseguiria pronunciar de forma correta.

— Nove entre dez médicos receitam Anacin, querido — disse Susannah, e logo, quando Jake a encarou com ar curioso: — Bem, acho que não usam mais Anacin em seu quando, hein? Não importa. Estamos aqui, docinho, inteiros neste lugar, e é isso que tem importância. — Puxou Jake para seus braços e deu-lhe um beijo entre os olhos, no nariz e um selinho na boca. Jake riu e ficou muito vermelho. — É isso que importa. E ao menos por enquanto é a única coisa no mundo que importa.

6

— Os primeiros socorros podem esperar — disse Eddie colocando o braço em volta dos ombros de Jake e conduzindo o garoto para a escada. — Consegue usar a mão para subir?

— Consigo. Mas não dá para levar Oi. Você leva, Roland?

— Claro. — Roland pegou Oi e enfiou-o na camisa como tinha feito ao descer por um poço sob a cidade no encalço de Jake e Gasher. Oi olhava para Jake com seus brilhantes olhos dourados. — Suba primeiro.

Jake subiu. Roland seguiu rente o bastante para que Oi, esticando o longo pescoço, pudesse farejar os calcanhares do garoto.

— Suze? — Eddie chamou. — Precisa de uma força?

— E ver você passando as mãos sujas na minha bunda? Esqueça isso, branquelo! — Então Susannah deu uma piscada para ele e começou a subir, impelindo-se com facilidade com os braços musculosos e equilibrando-se com os tocos das pernas. Foi rápida, mas não o suficiente para Eddie, que acabou estendendo a mão e lhe dando um leve beliscão no lugar onde o beliscão teria efeito. — Olha a minha castidade! — disse Susannah rindo e revirando os olhos. Então desapareceu pela passagem. Só Eddie sobrou, parado no pé da escada e dando mais uma olhada no luxuoso vagão que por pouco não servira de caixão para todo o ka-tet.

Conseguiu, moleque, disse Henry. *Fez ele se jogar no próprio fogo. Sabia que ia conseguir, caralho. Lembra quando eu disse isso para aqueles escrotos atrás do Dahlie's? Jimmie Pólio e os outros caras? E como eles riram? Mas você conseguiu. Mandou o sujeito para casa com uma fodido.*

Bem, sem dúvida a coisa funcionou, Eddie pensou, tocando o cabo do revólver de Roland sem ter sequer consciência disso. *Funcionou bem o bastante para nos pôr de novo a caminho.*

Depois de subir dois degraus, tornou a olhar para trás. O Vagão do Baronato já parecia morto. Morto há muito tempo, aliás, só mais um artefato de um mundo que seguira adiante.

— Adiós, Blaine — disse Eddie. — Até mais, parceiro.

E cruzando a saída de emergência que havia no teto, foi atrás dos amigos.

4. TOPEKA

1

Jake parou no teto ligeiramente inclinado do Mono Blaine, olhando para sudeste ao longo do Caminho do Feixe. O vento agitava seu cabelo (agora bastante comprido e decididamente fora de moda), levantando mechas das têmporas e da testa. Tinha os olhos arregalados de espanto.

Não sabia o que esperava ver — talvez uma versão menor e mais provinciana de Lud —, mas o que *não* havia esperado era o que despontava sobre as árvores de um estacionamento próximo. Era uma placa verde de estrada (contra o cinza mortiço de um céu de outono, o colorido da placa se destacava muito) com inscrições em azul:

Roland juntou-se a ele, tirou cuidadosamente Oi de dentro da camisa e colocou-o no chão. O malhado cheirou a superfície rosada do teto de Blaine, depois olhou para a frente do monotrem. Ali o liso formato de bala do trem era interrompido por metal amassado e cortado em tiras irregulares. Dois talhos escuros, que começavam na ponta do monotrem e se estendiam até cerca de dez metros de onde Jake e Roland se encontravam, seccionavam o teto em linhas paralelas. No final de cada uma havia um largo mastro de metal liso pintado com listras amarelas e pretas. Os mastros pareciam se projetar do alto do monotrem, num ponto logo à frente do Vagão do Baronato. Para Jake lembravam um pouco balizas de futebol.

— Aquelas são as traves do terminal onde ele dizia que ia bater — Susannah murmurou.

Roland assentiu.

— Tivemos muita sorte, sabem disso? — ele disse. — Se esta coisa estivesse indo um pouco mais depressa…

— Ka — disse Eddie atrás deles. Parecia estar sorrindo.

— Exatamente — Roland assentiu. — Ka.

Sem dar importância aos batentes do terminal, Jake tornou a se virar para a placa. Estava quase convencido que ela já não estaria lá quando olhasse de novo ou que estaria indicando alguma outra coisa (Mundo Médio — Via Expressa, por exemplo, ou Cuidado, Demônios na Pista), mas a placa continuava lá e continuava dizendo a mesma coisa.

— Eddie? Susannah? Estão vendo isso?

Seguiram o dedo que ele apontava. Por um momento — suficientemente demorado para Jake achar que estava tendo alguma alucinação — ninguém disse nada. Então, baixinho, Eddie se manifestou:

— Cacete. Voltamos pra casa? Se voltamos, onde está todo mundo? E se uma coisa como Blaine realmente andou fazendo paradas em Topeka... a *nossa* Topeka, Topeka, no Kansas... como não vi nada sobre isso no *Sixty Minutes*?

— O que é *Sixty Minutes*? — Susannah perguntou com a mão protegendo os olhos que miravam a sudeste, na direção da placa.

— Um programa de TV — disse Eddie. — Ainda tem uns cinco ou dez anos para estrear no seu quando. Coroas brancos de gravata. Deixa pra lá. Aquela placa...

— É o Kansas, mesmo — disse Susannah. — *Nosso* Kansas. Eu acho. — Ela havia visto outra placa, que mal era visível sobre as árvores. Ficou apontando até Jake, Eddie e Roland verem também:

— Existe um Kansas em seu mundo, Roland?

— Não — Roland respondeu, observando as placas. — Estamos muito longe das fronteiras do mundo que conheci. Aliás, eu já estava muito longe do mundo que conheci bem antes de ter encontrado vocês três. Este lugar...

Parou e inclinou a cabeça para o lado, como se estivesse ouvindo um som quase distante demais para ser ouvido. E a expressão em seu rosto... Jake não gostou muito dela.

— E aí, garotos! — disse Eddie num tom animado. — Hoje estamos estudando Geografia Pirada do Mundo Médio. Como estão vendo, criançada, no Mundo Médio a gente começa em Nova York, viaja para sudeste até chegar ao Kansas e continua seguindo o Caminho do Feixe até a Torre Negra... que por acaso fica bem no meio de tudo. Primeiro a batalha contra as lagostas gigantes! Depois a viagem no trem lunático! E aí, após uma parada na cafeteria para um ou dois popquins...

— Estão ouvindo alguma coisa? — Roland interrompeu. — Algum de vocês está?

Jake prestou atenção. Escutou o vento passando entre as árvores do vale (as folhas tinham começado a se agitar) e ouviu o barulho das unhas das patas de Oi que voltava para perto deles pelo teto do Vagão do Baronato. Então Oi parou, assim mesmo o barulho das unhas...

A mão de alguém agarrou o braço de Jake, fazendo-o se sobressaltar. Era Susannah com a cabeça empinada, os olhos arregalados. Eddie também prestava atenção. Oi também; tinha as orelhas levantadas e um ganido no fundo da garganta.

Jake sentiu os pelos dos braços se arrepiarem. Sentiu também a boca se contrair numa careta. O som, embora muito fraco, era a versão amplificada de dar uma mordida num limão. E não era a primeira vez que ouvia aquela coisa. Tempos atrás, quando ele não tinha mais do que cinco ou seis anos, havia um sujeito maluco no Central Park que se considerava músico... bem, havia centenas de malucos no Central Park que se consideravam músicos, mas aquele foi o único que Jake viu tocando um instrumento experimental. O sujeito tinha uma placa ao lado do chapéu virado no chão que dizia: O MAIOR TOCADOR DE SERROTE DO MUNDO! PARECE UMA COISA HAVAIANA, NÉ! POR FAVOR CONTRIBUA PARA MEU BEM-ESTAR!

Greta Shaw estava com Jake da primeira vez que ele viu o tocador de serrote, e Jake se lembrava de como tinham andado mais depressa ao passar pelo sujeito. O homem estava simplesmente lá sentado como um violoncelista numa orquestra sinfônica, só que com um serrote enferrujado em cima das pernas abertas; Jake se lembrava da expressão cômica de horror na cara da sra. Shaw e no tremor de seus lábios contraídos, como se... sim, como se ela tivesse acabado de dar uma mordida num limão.

O som daquele momento não era *exatamente* igual ao

(PARECE UMA COISA HAVAIANA, NÉ)

que o cara no parque fazia ao vibrar a lâmina do serrote, mas chegava perto: um som ondulante, trêmulo, metálico, que deixava a pessoa se sentindo como se estivesse tendo um ataque brabo de sinusite e logo os olhos começariam a lacrimejar. Estava vindo da frente deles? Jake não saberia dizer. Parecia estar vindo de todos os lados e de parte alguma; ao mesmo tempo, era tão baixo que ele poderia até achar que a coisa toda não passava de fruto da sua imaginação, se os outros não tivessem...

— Cuidado! — Eddie gritou. — Me ajudem, gente! Acho que ele vai desmaiar!

Jake se virou para o pistoleiro e viu que o rosto dele, sobre o poeirento descolorido da camisa, ficara branco como ricota. Os olhos arregalados encaravam o vazio. Um canto da boca se retorcia espasmodicamente, como se um anzol invisível estivesse enterrado ali.

— Jonas, Reynolds e Depape — disse ele. — Os Grandes Caçadores de Caixões. E *ela*. Os Cöos. Foram eles. Foram eles que...

De pé no teto do monotrem, as botas sujas e gastas, Roland oscilava. Em seu rosto estava expresso o mais terrível ar de angústia que Jake já vira.

— Ah, Susan — disse. — Ah, minha querida.

2

Aproximaram-se, formaram um anel protetor em torno dele e o pistoleiro sentiu-se coberto de culpa e autoaversão. O que fizera para merecer protetores tão bons? O que, além de arrancá-los de suas vidas familiares e comuns tão implacavelmente quanto um homem tirando mato do jardim?

Tentou dizer que estava bem, que podiam ficar tranquilos, ele estava ótimo, mas não conseguiu pronunciar nada; aquele terrível som ondulante o transportara para o desfiladeiro retangular a oeste de Hambry tantos e tantos anos atrás. Depape, Reynolds e o velho coxo Jonas. Acima de tudo, no entanto, era a mulher da colina que ele odiava, e das profundezas mais sombrias de sentimentos que só um homem muito jovem podia atingir. Ah, mas como poderia ter feito outra coisa a não ser odiá-los? Seu coração fora partido. E agora, tantos e tantos anos mais tarde, parecia-lhe que o fato mais horrível da existência humana era que corações partidos saram.

Primeiro pensei: ele mentiu a cada sentença, o coxo encanecido, com olhos cheios de malícia...

Quais palavras? De quem era o poema?

Não sabia, mas sabia que as mulheres podiam mentir, também; mulheres que dançavam, riam e viam demais pelo canto de seus olhos velhos e remelentos. Não importava quem havia escrito os versos do poema; as palavras eram palavras verdadeiras, e era só isso que tinha importância. Nem Eldred Jonas nem a velha bruxa na colina tinham sido da estatura de Marten — nem mesmo da de Walter — no que se referia ao mal, mas eram maus mesmo assim.

Então, depois... no desfiladeiro retangular a oeste da cidade... aquele som... aquilo, e os gritos dos homens e cavalos feridos... por uma vez na vida, mesmo o tagarela Cuthbert fora reduzido ao silêncio.

Mas tudo aquilo acontecera muito tempo atrás, em outro *quando*; no aqui e agora, o som desaparecera ou caíra temporariamente abaixo do limiar da audição. Iam, porém, ouvi-lo de novo. Roland sabia disso tão bem quanto sabia que estava seguindo uma trilha que levava à danação.

Levantou a cabeça e conseguiu sorrir. O tremor no canto da boca havia desaparecido, o que já era alguma coisa.

— Estou bem — disse. — Mas escutem com atenção: estamos muito próximos do ponto onde o Mundo Médio acaba, muito próximos de onde começa o Fim do Mundo. O primeiro grande trecho da nossa jornada está concluído. Fomos bem; não esquecemos os rostos dos nossos pais; nos mantivemos juntos e fomos leais uns com os outros. Mas agora chegamos a uma lúmina. Precisamos ter muito cuidado.

— Uma lúmina? — perguntou Jake, olhando nervoso em volta.

— Lugares onde o tecido da existência está quase inteiramente roto. Há outros além deste, pois a força da Torre Negra começou a declinar. Estão lembrados do que vimos abaixo de nós quando deixamos Lud?

Eles assentiram gravemente, recordando o solo que tinha virado uma espécie de vidro escuro, canos antigos que brilhavam com uma estranha luz turquesa, pássaros disformes com asas que pareciam grandes velas de couro. De repente Roland não pôde suportar vê-los agrupados em torno dele daquela maneira, observando-o como as pessoas podiam observar um bêbado que tivesse sido derrubado numa briga de bar.

Ergueu as mãos para seus amigos — seus novos amigos. Eddie pegou-as e ajudou Roland a se levantar. O pistoleiro concentrou sua enorme força de vontade em manter o corpo firme.

— Quem era Susan? — perguntou Susannah. A ruga no meio de sua testa sugeriu que estava abalada, porque provavelmente havia ali mais que uma simples coincidência de nomes.

Roland olhou-a, depois olhou para Eddie, depois para Jake, que, apoiado num joelho, coçava as orelhas de Oi.

— Vou contar — disse ele —, mas este não é o lugar nem o momento adequado.

— Não é a primeira vez que diz isso — observou Susannah. — Espero que não esteja querendo nos enrolar, não é?

Roland balançou a cabeça.

— Vai ouvir minha história… pelo menos esta parte dela… mas não em cima desta carcaça morta de metal.

— Pois é — disse Jake. — Estar aqui em cima é como brincar num esqueleto de dinossauro ou coisa parecida. Continuo tendo a impressão de que Blaine vai voltar à vida e, sei lá, vai começar de novo a mexer com nossas cabeças.

— Aquele ruído parou — disse Eddie. — A coisa que soava como um pedal de amolador.

— Ele me fez lembrar de um cara velho que eu costumava ver no Central Park — disse Jake.

— O homem do serrote? — Susannah perguntou. Jake ergueu a cabeça, olhos arregalados de espanto, e ela assentiu. — Só que ele não era velho quando o conheci. Não é só a geografia que pirou por aqui. O tempo também ficou engraçado.

Eddie colocou um braço em volta dos ombros dela e apertou-a.

— Pode crer.

Susannah se virou para Roland. Não era um olhar acusador, mas havia uma franqueza e uma análise naqueles olhos que o pistoleiro não pôde deixar de admirar.

— Vou cobrar sua promessa, Roland. Quero saber sobre essa moça que tem o meu nome.

— Vai saber — Roland repetiu. — Mas por ora vamos sair das costas deste monstro.

3

Era mais fácil falar do que fazer. Blaine acabara parando ligeiramente de lado numa versão ao ar livre do Berço de Lud (uma trilha desordenada de metal rosado rompido marcava o último trecho da última viagem de Blaine) e do teto do Vagão do Baronato ao cimento havia pelo menos uns oito metros. Se tivesse havido alguma escada para descer, como a que saltara convenientemente na saída de emergência, ela teria sido esmagada quando o monotrem fez sua parada brutal.

Roland soltou sua bolsa, revirou-a e tirou de lá os arreios de pele de corça que usavam para carregar Susannah quando o caminho ficava acidentado demais para a cadeira de rodas. A cadeira, pelo menos, não seria mais algo a ser considerado, o pistoleiro pensou; tinha sido deixada para trás na correria insana para subir a bordo de Blaine.

— Para que vai querer isso? — Susannah perguntou num tom truculento. Sempre ficava truculenta quando via os arreios. *Odeio esses brancos filhos da puta lá do Mississippi mais do que odeio os arreios*, um dia ela disse a Eddie com a voz de Detta Walker, *mas às vezes odeio os dois quase igual, docinho.*

— Relaxe, Susannah Dean — disse o pistoleiro com um início de sorriso. Desemaranhou a teia de correias dos arreios, separou o assento e amarrou as pontas das correias. Uniu isto a seu último rolo de corda utilizável com um antiquado nó em xadrez. Enquanto trabalhava, prestava atenção ao rumor da lúmina… assim como os quatro tinham prestado atenção aos tambores-deuses; assim como ele e Eddie tinham prestado atenção quando as lagostrosidades começaram a fazer seus questionamentos ("*Chic? Chum? Cham?*") quando, a cada noite, saíam aos trambolhões das ondas.

O ka é uma roda, pensou. Ou, como Eddie gostava de dizer, qualquer coisa que sai rodando chega rodando.

Quando a corda acabou, ele fez um laço no fundo da parte trançada. Jake pôs o pé ali com naturalidade, agarrou a corda com uma das mãos e instalou Oi no gancho de seu outro braço. Oi olhou em volta, nervoso, ganiu, esticou o pescoço, lambeu a cara de Jake.

— Você está com medo? — Jake perguntou ao malhado.

— Mido — Oi concordou, mas ficou realmente quieto enquanto Roland e Eddie ajudavam Jake a descer pelo lado do Vagão do Baronato. A corda não era comprida o bastante para levá-lo até o chão, mas Jake não teve dificuldades em tirar os pés da corda e pular o último metro e meio. Colocou Oi no chão. O malhado saiu trotando, farejando e levantando a pata contra a parede do prédio do terminal. O lugar estava longe de ser grandioso como o Berço de Lud, mas tinha uma aparência antiquada de que Roland gostava — paredes brancas, beirais salientes, janelas estreitas, altas, com vidraças que lembravam superfícies de ardósia. Era uma atmosfera de western. Gravada em letras douradas numa placa estendida sobre a fileira de portas do terminal havia esta mensagem:

ATCHISON, TOPEKA E SANTA FÉ

Cidades, Roland deduziu, e a última lhe pareceu familiar; não tinha havido uma Santa Fé no Baronato de Mejis? Mas isso o levou de volta a Susan, à bela Susan na janela com o cabelo solto e caído nas costas, seu cheiro de jasmim, rosa, madressilva e feno velho e doce, cheiros dos quais o oráculo nas montanhas só conseguira fazer a mais pálida imitação. Susan recostada, erguendo solenemente os olhos para ele, depois sorrindo e colocando as mãos atrás da cabeça para que os seios se erguessem, como se ansiassem por suas mãos.

Se você me ama, Roland, então me ame... como pássaro, urso, lebre e peixe...

— ... a próxima?

Olhou para Eddie, precisando toda a sua força de vontade para voltar do quando de Susan Delgado. Havia mesmo lúminas ali em Topeka, e de muitos tipos.

— Minha mente estava viajando, Eddie. Peço que me desculpe.

— Susannah é a próxima? Foi o que perguntei.

Roland balançou negativamente a cabeça.

— Agora é você, depois Susannah. Desço por último.

— Não vai ter problemas? Com essa sua mão e o resto?

— Vou descer bem.

Eddie aquiesceu e enfiou o pé no laço. Quando Eddie entrou pela primeira vez no Mundo Médio, Roland poderia tê-lo baixado facilmente, estivesse ou não com dois dedos a menos na mão, mas Eddie estava há meses sem a droga e ganhara cinco ou sete quilos de músculo. Roland aceitou com satisfação a ajuda de Susannah e, juntos, o ajudaram a descer.

— Agora a senhora — disse Roland, sorrindo para ela. Parecia mais natural sorrir ultimamente.

— Está bem. — Mas por algum tempo ela ficou simplesmente parada, mordendo o lábio inferior.

— O que houve?

A mão de Susannah foi até o estômago e o esfregou, como se estivesse sentindo alguma dor ou aperto. Roland achou que ela ia falar, mas Susannah se limitou a balançar a cabeça e a dizer:

— Não é nada.

— Não acredito. Por que esfregou a barriga? Está sentindo alguma dor? Estava sentindo alguma dor quando paramos?

Ela tirou a mão da túnica como se a carne logo abaixo do umbigo estivesse pegando fogo.

— Não. Estou bem.

— Está mesmo?

Susannah pareceu refletir muito cuidadosamente sobre a pergunta.

— Vamos conversar — disse, por fim. — Vamos *confabular*, se prefere a palavra. Mas você tem razão, Roland... Este não é o lugar nem o momento adequados.

— Vamos confabular nós quatro ou apenas eu, você e Eddie?

— Só eu e você, Roland — disse ela, passando o toco de sua perna pelo laço. — Só uma galinha e um galo, ao menos para começar. E agora pode me descer, por favor.

E foi o que Roland fez, torcendo de todo o coração para que sua primeira ideia — a que chegara à sua mente assim que ele viu aquela mão inquieta esfregando — estivesse errada. Porque Susannah estivera no círculo falante e o demônio que ali fazia sua toca estivera a sós com ela enquanto Jake tentava passar entre os mundos. Às vezes — *frequentemente* — um contato demoníaco mudava muita coisa.

Nunca para melhor, na experiência de Roland.

Ele puxou a corda depois de Eddie pegar Susannah pela cintura e ajudá-la a subir na plataforma. O pistoleiro avançou para um dos batentes que tinham rasgado o teto em forma de bala do trem, dando um laço apertado na ponta da corda enquanto andava. Atirou o laço sobre o batente, deu um puxão (tomando o cuidado de não torcer a corda para a esquerda) e foi descendo para a plataforma curvado até a cintura e deixando marcas de botas na parede rosada de Blaine.

— Uma pena perder a corda e os arreios — Eddie comentou quando Roland estava ao lado deles.

— *Eu* não tenho pena dos arreios — disse Susannah. — Preferia rastejar pelo pavimento até virar uma goma de mascar dos dedos aos cotovelos.

— Não perdemos nada — disse Roland, pegando o laço da corda onde apoiara o pé e atirando-o com força para a esquerda. A corda escorregou pelo batente e Roland a foi recolhendo quase tão rápido quanto ela caía.

— Belo truque! — disse Jake.

— Elo! Uque! — Oi concordou.

— Cort? — Eddie perguntou.

— Cort — Roland respondeu, sorrindo.

— O sargento instrutor do inferno — disse Eddie. — Antes você do que eu. Antes você do que eu, Roland.

4

Enquanto avançavam para as portas que levavam à estação, aquele som baixo, líquido, trinado começou de novo. Roland achou divertido ver todos os membros de seu grupo torcerem ao mesmo tempo o nariz e os cantos da boca; pareciam parentes consanguíneos, não apenas ka-tet. Susannah apontou para um estacionamento. Despontando sobre as árvores, as placas ondulavam um pouco, como as coisas parecem fazer sob ondas de calor.

— Isso vem da lúmina? — Jake perguntou.

Roland assentiu.

— Vamos conseguir atravessá-la?

— Sim. Lúminas não são mais perigosas do que aqueles pântanos cheios de areia movediça e saligues. Conhecem essas coisas?

— Conhecemos areia movediça — disse Jake. — E se saligues são coisas verdes e compridas com grandes dentes, conhecemos também.

— É isso que são.

Susannah se virou e deu uma última olhada em Blaine.

— Nem perguntas nem jogos tolos — disse. — O livro estava certo quanto a isso. — De Blaine ela voltou os olhos para Roland. — E o que me diz de Beryl Evans, a mulher que escreveu *Charlie Chu-Chu*? Acha que ela é parte disso? Que podemos encontrá-la? Gostaria de lhe agradecer. Eddie que descobriu a solução, mas...

— É possível, eu acho — disse Roland —, mas não sei até que ponto. Meu mundo é como um enorme navio que afundou suficientemente perto da costa para a maioria dos destroços ir dar na praia. Muito do que achamos é fascinante; alguma coisa, se o ka permitir, pode ser útil, mas tudo continua sendo destroço. Destroço sem sentido. — Olhou em volta. — Como este lugar, eu acho.

— Eu não chamaria isto aqui exatamente de destroço — disse Eddie. — Veja a pintura da estação... Está um pouco suja por causa das goteiras que caem dos beirais do telhado, mas parece que não está descascada em parte alguma. — Parado diante das portas, Eddie passou os dedos por uma das vidraças. Eles deixaram quatro marcas bastante nítidas. — Poeira, muita poeira, mas sem rachaduras. Eu diria que este prédio está sem manutenção no máximo desde... desde o início do verão, o que acham?

Olhou para Roland, que deu de ombros e assentiu. Só estava ouvindo com metade de uma orelha e só prestava atenção com metade da mente. O resto dele estava fixado em duas coisas: o trinado da lúmina e manter afastadas as recordações que queriam dominá-lo.

— Lud demorou *séculos* para chegar à completa ruína — disse Susannah. — Este lugar... pode ser ou não Topeka, mas o que realmente me lembra é uma daquelas cidadezinhas sinistras de *Além da Imaginação*. Provavelmente vocês dois não se lembram, mas...

— Eu lembro — disseram Eddie e Jake em perfeito uníssono, olhando um para o outro e rindo. Eddie estendeu a mão e Jake bateu nela.

— Ainda estão reprisando — disse Jake.

— É, o tempo todo — Eddie acrescentou. — Geralmente patrocinados por advogados falidos parecidos com terriers de pelo curto. E você está certa. Este lugar *não é* como Lud. Por que haveria de ser? Não é o mesmo *mundo* que Lud. Não sei onde atravessamos de um lado para outro, mas... — Tornou a apontar para o azul da placa Interestadual 70, como se aquilo provasse seu argumento, afastando qualquer sombra de dúvida.

— E se é Topeka, onde estão as pessoas? — Susannah perguntou.

Eddie deu de ombros e ergueu as mãos... quem poderia saber?

Jake colocou a testa no vidro da porta do centro, fazendo concha com as mãos dos lados do rosto, e espreitou. Depois de observar por vários segundos, viu algo que o fez rapidamente recuar.

— Nossa — disse. — Não é de admirar que a cidade esteja tão silenciosa.

Atrás de Jake, Roland avançou um passo e espiou sobre a cabeça do garoto, também fazendo concha com as mãos para reduzir os reflexos. O pistoleiro tirou duas conclusões antes mesmo de observar o que Jake havia visto. A primeira foi que embora aquilo fosse com toda a certeza uma estação *ferroviária*, não era uma estação do *Blaine*... não era um berço. A outra era que a estação realmente pertencia ao mundo de Eddie, Jake e Susannah... mas talvez não a seus *onde*.

É a lúmina. Precisamos ter cuidado.

Havia dois cadáveres, um ao lado do outro, num dos compridos bancos que preenchiam a maior parte do salão; mas a julgar pelo rosto enrugado e inchado de cada um deles, e pelas mãos sujas, podiam ter sido arruaceiros que haviam caído no sono na estação após uma festa intensa e perdido o último trem para casa. No muro atrás deles havia uma placa, PARTIDAS, com os nomes das cidades, vilas e baronatos que se sucediam na linha. DENVER lia-se em uma. WICHITA, em outra. OMAHA em uma terceira. Roland conhecera um dia um jogador caolho chamado Omaha; ele havia morrido com uma faca na garganta durante uma rodada de Olho Vivo. Chegara na sua clareira de final de caminho com a cabeça atirada para trás e a última respiração borrifara sangue do chão até o teto. Pendendo do teto daquela sala (que a mente estúpida e preguiçosa de Roland insistia em pensar como sendo um posto de parada de diligências em alguma estrada semiesquecida, como aquele que o tinha levado a Tull) havia um bonito relógio de quatro faces. Os ponteiros tinham parado às 4h14 e Roland achou que jamais tornariam a se mover. Era um pensamento triste... mas aquele era um mundo triste. Não via outros cadáveres, mas a experiência sugeria que onde havia dois mortos à vista, provavelmente haveria mais quatro fora de vista. Ou quatro dúzias deles.

— Será que devíamos entrar? — Eddie perguntou.

— Por quê? — O pistoleiro se opôs. — Não temos nada a fazer aí; isso não faz parte do Caminho do Feixe.

— Você daria um ótimo guia turístico — disse Eddie azedamente. — Todo mundo andando, e por favor não comecem a ir para onde...

Jake o interrompeu com um pedido que Roland não entendeu.

— Alguém aí tem uma moeda de vinte e cinco centavos? — O garoto estava olhando para Eddie e Susannah. Ao lado dele havia uma caixa quadrada de metal. Nela havia escrito em azul:

O GRANDE DIÁRIO DE TOPEKA!
A MELHOR COBERTURA DO KANSAS!
O JORNAL DA SUA CIDADE!
LEIA TODO DIA!

Eddie balançou a cabeça, achando engraçado.

— Perdi minhas moedas em algum lugar. Provavelmente subindo numa árvore, pouco antes de você se juntar a nós. Foi um esforço intenso para não virar fast-food de urso robô. Desculpe.

— Espere um instante... espere um instante... — Susannah abrira a bolsa e a revistava de um modo que fez Roland dar um grande sorriso apesar de todas as suas preocupações. Aquilo parecia tão incrivelmente feminino... Susannah pegou os lenços de papel espalhados, sacudiu-os para se certificar de que não havia nada dentro deles, pescou um estojo de maquiagem, examinou-o, tornou a jogá-lo na bolsa, apareceu com um pente, tornou a jogar esse pente lá dentro...

Estava absorvida demais para erguer a cabeça quando Roland passou por ela e tirou o revólver do coldre improvisado em sua roupa. Atirou uma única vez. Susannah deixou escapar um pequeno grito, soltando a bolsa e batendo no coldre vazio logo abaixo do seio esquerdo.

— Porra, foi como tirar um pedaço do meu coração!

— Tome mais cuidado com a arma, Susannah, ou da próxima vez que alguém tirá-la de você, vai sentir o pedaço tirado do meio dos olhos em vez de... o que é isso, Jake? Uma engenhoca que conta as notícias? Ou é algo que tem papel?

— As duas coisas. — Jake parecia sobressaltado. Oi tinha se distanciado um pouco na plataforma e olhava desconfiado para Roland. Jake colocou o dedo no buraco de bala no centro da tranca da caixa de jornais. Um fio de fumaça saía lá de dentro.

— Vamos — disse Roland. — Abra.

Jake puxou a alça. Ela ofereceu alguma resistência, mas logo uma peça de metal tilintou em algum lugar e a portinhola se abriu. A caixa estava vazia; a inscrição na parede dos fundos dizia: QUANDO NÃO HOUVER MAIS JORNAIS, LEVE, POR FAVOR, O EXEMPLAR DO MOSTRUÁRIO. Jake tirou o jornal de seu suporte e todos se aproximaram para ler.

— Pelo amor de Deus, o quê...? — O murmúrio de Susannah foi ao mesmo tempo de horror e de acusação. — O que isso significa? Pelo amor de Deus, o que *aconteceu*?

Abaixo do nome do jornal, ocupando a maior parte da metade superior da primeira página, havia berrantes letras pretas:

SUPERGRIPE "CAPITÃO VIAJANTE"
SE ALASTRA SEM CONTROLE

LÍDERES DO GOVERNO PODEM TER FUGIDO DO PAÍS

HOSPITAIS DE TOPEKA REPLETOS DE DOENTES E MORIBUNDOS

MILHÕES REZAM PELA CURA

— Leia em voz alta — disse Roland. — As letras são as da língua de vocês. Não consigo entender todas elas e gostaria de ficar realmente a par dessa história.

Jake olhou para Eddie, que assentiu com impaciência.

Jake abriu o jornal, revelando uma detalhada gravura (Roland já tinha visto gravuras como aquela; chamavam-se "fotograffs") que chocou a todos: mostrava uma cidade à beira de um lago com seus edifícios em chamas. CLEVELAND EM CHAMAS, dizia a legenda da foto.

— Leia, garoto! — Eddie disse. Susannah não disse nada; já estava lendo a matéria (a única da primeira página) sobre o ombro do garoto. Jake pigarreou, como se a garganta de repente tivesse ficado seca, e começou.

5

— A matéria tem uma reportagem de John Corcoran e equipe de redação, mais informes da AP. O que significa que pessoas muito diferentes trabalharam nela, Roland. Ok. Aí vai.

"'A maior crise da América — e talvez do mundo — se aprofundou durante a noite quando a chamada supergripe, conhecida como Pescoço Entubado no Meio-Oeste e Capitão Viajante na Califórnia, continua a se espalhar.

"'Embora o número de mortes possa apenas ser estimado, peritos médicos dizem que o total de vítimas já é mais terrível do que podemos imaginar: vinte a trinta milhões de mortos apenas nos Estados Unidos é a estimativa do dr. Morris Hackford, do St. Francis Hospital e do Centro Médico de Topeka. De Los Angeles, na Califórnia, a Boston, em Massachusetts, os corpos estão sendo incinerados em crematórios, fornalhas de fábricas e aterros sanitários.

"'Aqui em Topeka, os familiares que ainda estão saudáveis e suficientemente fortes para fazê-lo são instados a levar seus mortos para um dentre três locais: o depósito de lixo ao norte de Oakland Billard Park; o fosso junto à trilha de corridas do Heartland Park; ou o aterro sanitário na rua 61 Sudeste, a leste de Forbes Field. Quem vai usar o aterro deve seguir pela avenida Berryton; a Califórnia está bloqueada por destroços de automóveis e de pelo menos um avião de transporte da Força Aérea acidentado, fontes nos informam.'"

Jake ergueu a cabeça para os amigos, assustado. Depois de dar uma olhada para trás, para o silêncio da estação ferroviária, voltou a se concentrar no jornal.

— "A dra. April Montoya, do Centro Médico Regional Stormont-Vail, destaca que o número de mortes, por mais apavorante que possa ser, constitui só uma parte da terrível história. 'Para cada pessoa que morreu até agora como resultado dessa nova epidemia de influenza', disse Montoya, 'há outras seis que continuam acamadas em suas casas, talvez até mesmo outras doze. E pelo que temos sido capazes de determinar, a taxa de recuperação é zero.' Tossindo, ela contou a este repórter: 'Falando por mim mesma, não estou fazendo planos para o fim de semana.'

"'Quanto a outros desdobramentos locais da situação:

"'Todos os voos comerciais saindo dos aeroportos Forbes e Phillip Billard foram cancelados.

"'Todas as saídas dos trens da Amtrak foram suspensas, não só em Topeka, mas em todo o território do Kansas. A estação Gage Boulevard Amtrak foi fechada até segunda ordem.

"'Todas as escolas de Topeka também foram fechadas até segunda ordem. Isso inclui as escolas públicas distritais 437, 345, 450 (em Shawnee Heights), 372 e 501 (metrô Topeka). A Topeka Lutheran e o Topeka Technical College também foram fechados, assim como a Universidade do Kansas, em Lawrence.

"'Os habitantes de Topeka devem esperar cortes parciais de energia elétrica ou mesmo apagões nos dias e semanas à frente. A Kansas Power and Light anunciou uma 'gradual paralisação' da Usina Nuclear de Kaw River, em Wamego. Embora ninguém do departamento de relações públicas da usina tenha respondido às chamadas telefônicas feitas por este jornal, uma mensagem gravada adverte que não existe qualquer situação de emergência na usina e que a paralisação é apenas uma medida de segurança. A usina Kaw voltará à plena atividade, conclui a mensagem, 'quando a atual crise passar'. Qualquer conforto transmitido por esta declaração, no entanto, é em grande parte negado pelas palavras finais da gravação, que não dizem 'Até logo' ou 'Obrigado pela ligação', mas 'Deus nos ajudará a superar nosso tempo de provação'."

Jake fez uma pausa ao passar à página seguinte, onde a matéria continuava com mais fotos: um caminhão basculante virado e incendiado nos degraus do Museu de História Natural do Kansas; o tráfego na ponte Golden Gate, em San Francisco, congestionado e lotado de carros; pilhas de cadáveres na Times Square. Um dos corpos, Susannah observou, pendia enforcado de um poste de rua, o que trouxe lembranças sinistras da jornada para o Berço de Lud que ela e Eddie tinham feito após se separarem do pistoleiro; recordações de Luster, Winston, Jeeves e Maud. *Era Spanker, mas quando começaram os tambores divinos desta vez, foi a pedra do Spanker que saiu do chapéu*, dissera Maud. *E a gente pôs ele para dançar*. Exceto, é claro, que o que ela quisera dizer é que o *enforcariam*. Como tinham enforcado algumas pessoas, ao que parecia, na boa e velha Nova York. Quando as coisas ficam estranhas demais, alguém sempre acha um bode expiatório.

Ecos. Tudo agora ecoava. Os ecos saltavam de um lado para outro, de um mundo para outro, nunca se enfraquecendo como fazem os ecos comuns, mas crescendo e se tornando mais terríveis. *Como os tambores divinos*, Susannah pensou, estremecendo.

— "Em termos de desdobramentos nacionais" — Jake continuou a ler —, "continua a se desenvolver a convicção de que, após negar a existência da supergripe durante seus primeiros dias, quando medidas de quarentena ainda podiam ter tido algum efeito, líderes nacionais fugiram para abrigos subterrâneos que haviam sido criados como refúgios para a nossa elite intelectual no caso de guerra nuclear. O vice-presidente Bush e membros de primeiro escalão do gabinete Reagan não foram vistos nas últimas 48 horas. Não temos conseguido localizar o próprio Reagan desde a manhã de domingo, quando ele esteve presente ao culto da igreja metodista Green Valley, em San Simeon.

"'Foram para os bunkers como Hitler e os demais ratos de esgoto nazistas no fim da Segunda Guerra Mundial', disse o senador Steve Sloan. Quando perguntado se fazia alguma objeção a ser citado pelo nome, este representante do Kansas, um republicano, riu e disse: 'Por que faria? Eu mesmo já estou com os sintomas. A essas horas, daqui a uma semana, não vou passar de poeira no vento.'

"'Incêndios, muito provavelmente criminosos, continuam a se alastrar em Cleveland, Indianapolis e Terre Haute.

"'Uma gigantesca explosão, situada perto do Riverfront Stadium, em Cincinnati, aparentemente não foi de natureza nuclear, como a princípio se temeu, mas ocorreu como resultado da explosão de um reservatório de gás natural causada pela falta de supervisão no...'"

Jake deixou o jornal cair de suas mãos. Uma rajada de vento o pegou, arrastando-o por toda a extensão da plataforma, as poucas folhas se soltando umas das outras. Oi esticou o pescoço e conseguiu abocanhar uma delas. Depois correu para Jake com o pedaço de jornal na boca, obediente como um cachorro com um pedaço de pau.

— Não, Oi, não quero — disse Jake com uma voz fraca e atordoada.

— Pelo menos sabemos onde as pessoas estão — disse Susannah, se curvando e tirando o jornal da boca de Oi. Eram as duas últimas páginas. Estavam repletas de obituários com as menores letras que ela já vira. Não havia fotos, nem menção às causas das mortes, nem comunicado de serviços fúnebres. Só este morreu, pai e irmão de beltrano e fulano, a outra faleceu, mãe e irmã, uma terceira passou, querida de uns, amada de outros. Tudo naquela fonte minúscula e não inteiramente uniforme. Mas foi a imprecisão da fonte que convenceu Susannah de que tudo aquilo era real.

Mas como tentaram honrar seus mortos, mesmo no fim, ela pensou, e um nó pareceu lhe subir à garganta. *Como tentaram*.

Dobrou a folha e deu uma olhada atrás — a última página do *Grande Diário*. Ela estampava uma gravura de Jesus Cristo, olhos tristes, mãos estendidas, testa marcada pela coroa de espinhos. Abaixo dele, três palavras severas em fonte enorme:

ORAI POR NÓS

Ela se virou para Eddie, olhos acusadores. Depois passou-lhe o jornal, um dedo marrom batendo na data que havia no alto. Era 24 de junho de 1986. Eddie fora trazido para o mundo do pistoleiro um ano mais tarde.

Ele ficou um longo tempo segurando a folha, os dedos deslizando pela data, de um lado para o outro, como se a passagem daquele dedo tivesse, de alguma forma, o poder de alterá-la. Então Eddie ergueu os olhos e balançou a cabeça.

— Não. Não tenho explicação para esta cidade, este jornal ou as pessoas mortas nesta estação, mas posso lhe garantir pelo menos uma coisa... tudo estava tranquilo em Nova York quando parti. Não é, Roland?

O pistoleiro pareceu um tanto amargo.

— Não achei nada muito tranquilo em sua cidade, mas as pessoas que moravam lá não pareciam sobreviventes de uma praga como esta, isso não.

— Havia uma coisa chamada doença dos legionários — disse Eddie. — E a aids, é claro...

— Essa é a sexual, não é? — Susannah perguntou. — Transmitida por bichas e viciados em drogas?

— Sim, mas chamar gays de bichas já não era hábito em meu quando — disse Eddie. Tentou sorrir, mas em seu rosto o sorriso pareceu rígido, artificial, e ele abriu mão.

— Então isto… isto nunca aconteceu — disse Jake, tocando hesitantemente o rosto do Cristo no verso da página do jornal.

— Mas aconteceu — disse Roland. — Aconteceu em junho-semeadura do ano 1986. E aqui estamos nós, depois da chegada dessa praga. Se Eddie estiver certo sobre a extensão de tempo que transcorreu, a praga dessa "supergripe" foi nessa última semeadura de junho. Estamos em Topeka, Kansas, na Colheita de 1986. Esse é o *quando* da coisa. Quanto ao *onde*, tudo que sabemos é que não é o de Eddie. Pode ser o seu, Susannah, ou o seu, Jake, porque vocês deixaram seu mundo antes de isso chegar. — Ele bateu com o dedo na data do jornal, depois olhou para Jake. — Um dia você me disse uma coisa interessante. Duvido que ainda se lembre, mas eu não esqueci; foi uma das coisas mais importantes que já ouvi de alguém: "Vá, então, há outros mundos além deste".

— Mais adivinhações — disse Eddie, franzindo a testa.

— Não é um fato que Jake Chambers morreu uma vez e agora está na nossa frente, vivo e bem? Ou não acreditaram na minha história da morte de Jake sob as montanhas? Sei que, de vez em quando, vocês têm duvidado da minha sinceridade. E acho que têm suas razões.

Depois de pensar um pouco, Eddie balançou a cabeça.

— Você mente quando a mentira serve a seus objetivos, mas acho que quando nos falou de Jake estava fodido demais para conseguir dizer alguma coisa que não fosse verdade.

Roland ficou surpreso ao se sentir magoado pelo que Eddie tinha dito — *Você mente quando a mentira serve a seus objetivos* —, mas continuou. Afinal, aquilo era essencialmente verdadeiro.

— Voltamos ao lago do tempo — disse o pistoleiro — e puxamos Jake antes que ele se afogasse.

— Você o puxou — Eddie corrigiu.

— Todos ajudaram — disse Roland —, nem que fosse apenas me mantendo vivo, mas vamos deixar isso de lado. Não é o que nos importa. O que temos de reter é que existem muitos mundos possíveis e uma infinidade de portas levando a eles. Este é um desses mundos; a lúmina que podemos ouvir é uma dessas portas… só que muito maior do que aquelas que encontramos na praia.

— Até que ponto maior? — Eddie perguntou. — Maior como a porta de carga e descarga de um depósito de mercadorias ou do tamanho do próprio depósito?

Roland balançou a cabeça e levantou as palmas das mãos para o céu... *quem sabe*?

— Esta lúmina — disse Susannah. — Não estamos apenas *perto* dela, não é? Nós a *atravessamos*. Foi como chegamos aqui, a esta versão de Topeka.

— Pode ter sido — Roland admitiu. — Algum de vocês sentiu alguma coisa estranha? Uma sensação de vertigem ou um momento de náusea?

Todos balançaram a cabeça. Desta vez Oi, que observava atentamente Jake, também balançou o focinho.

— Eu também não senti nada — disse Roland, como se já estivesse esperando a resposta. — Bem, estávamos nos concentrando nas adivinhações...

— Estávamos nos concentrando em não sermos mortos — Eddie resmungou.

— Sim. Então talvez tenhamos atravessado sem estarmos conscientes disso. Seja como for, as lúminas não são naturais... São feridas na pele da existência, capazes de existir porque há coisas dando errado. Coisas em *todos* os mundos.

— Porque as coisas não vão bem na Torre Negra — disse Eddie.

Roland assentiu.

— E mesmo se este lugar aqui... este quando, este onde... não é o ka de seu mundo agora, ele pode se tornar esse ka. Essa praga... ou outras ainda piores... poderiam se espalhar. Exatamente como as lúminas continuarão a se espalhar, aumentando em tamanho e número. Vi talvez uma meia dúzia em todos os meus anos de busca da Torre e soube talvez da existência de mais duas dúzias. A primeira... a primeira que encontrei foi quando eu ainda era muito jovem. Foi perto de uma cidade chamada Hambry. — Esfregou de novo a mão pelo rosto e não se surpreendeu ao encontrar suor entre os pelos da barba. *Me ame, Roland. Se você me ama, então me ame.*

— Seja o que for que tenha nos acontecido nos tirou do seu mundo, Roland — disse Jake. — Saímos do Feixe. Olhe.

Ele apontou para o céu. As nuvens se moviam lentamente sobre eles, mas já não na direção para onde apontava o nariz quebrado de Blaine. O sudeste continuava sudeste, mas os sinais do Feixe que eles tinham ficado tão acostumados a seguir haviam sumido.

— Isso tem importância? — Eddie perguntou. — Quero dizer... o *Feixe* pode ter sumido, mas a *Torre* existe em todos os mundos, não é?

— Sim — disse Roland —, mas talvez não seja *acessível* de todos os mundos.

Um ano antes de dar início à sua maravilhosa e gratificante carreira de viciado em heroína, Eddie tivera um breve e não muito bem-sucedido emprego como mensageiro de bicicleta. Agora se lembrava de certos elevadores de prédios comerciais onde fizera entregas, prédios ocupados em geral por bancos ou empresas de investimento. Havia alguns andares onde você não podia parar e descer a não ser que tivesse um cartão especial para enfiar no escaninho sob os números. Quando o elevador chegava àqueles andares reservados, o número na janelinha de vidro era substituído por um X.

— Acho — disse Roland — que precisamos encontrar novamente o Feixe.

— Tenho certeza — disse Eddie. — Vamos lá, vamos continuar. — Depois de dar alguns passos, ele se voltou para Roland com uma sobrancelha erguida. — Para onde?

— Pelo mesmo caminho que estávamos seguindo — disse Roland, como se aquilo fosse óbvio. E ultrapassando Eddie com suas botas cortadas e cheias de poeira tomou o rumo do estacionamento do outro lado da estrada.

5. ESTRADA TRINCADA

1

Roland andou até o fim da plataforma, chutando pedaços de metal rosado para tirá-los do caminho. Na escada, fez uma pausa e, com ar sombrio, olhou para o grupo que vinha atrás.

— Mais mortos. Estejam preparados.

— Não viraram… hum… uma pasta, viraram? — Jake perguntou.

Depois de uma testa franzida, a expressão de Roland se desanuviou com a compreensão do que Jake queria dizer.

— Não. Pasta nenhuma. Estão secos.

— Então tudo bem — disse Jake, mas estendeu a mão para Susannah, que naquele momento era carregada por Eddie. Ela sorriu para o garoto e dobrou os dedos em volta dos dele.

No pé da escada que levava ao estacionamento ao lado da estação, meia dúzia de cadáveres jazia juntos como espigas de milho caídas. Dois eram mulheres, três eram homens. O sexto era uma criança num carrinho. Um verão no sol, no calor e na chuva (sem falar do fato de estarem à mercê de gatos de rua, guaxinins ou marmotas de passagem) dera à criança um ar de antiga sabedoria e mistério, como uma múmia infantil descoberta em uma pirâmide inca. Pelo traje azul desbotado que usava, Jake deduziu que fosse um menino, mas era impossível ter certeza. Sem olhos, sem lábios, com a pele reduzida a um cinza-escuro, seu gênero não era identificável. Por que o bebê morto atravessou a estrada? Porque estava grudado na supergripe.

Mesmo assim, a criança parecia ter viajado pelos vazios meses pós-praga de Topeka melhor do que os adultos à sua volta, que eram pouco mais que esqueletos com cabelo. Numa esquelética penca de ossos sem pele que um dia haviam sido dedos, um dos homens segurava a alça de uma maleta que lembrava as pastas Samsonite que os pais de Jake usavam. Assim como a criança (assim como *todos* eles), estava sem olhos; enormes órbitas escuras encaravam Jake. Abaixo delas, dentes sem cor se projetava num sorriso belicoso. *Por que demorou tanto, moleque?*, o morto que ainda segurava a maleta parecia estar perguntando. *Estive esperando por você, e o verão foi longo e quente!*

Para onde vocês todos pretendiam ir?, Jake se perguntou. *Onde acham que ainda poderia haver um lugar seguro, longe de toda essa cagada? Des Moines? Sioux City? Fargo? A lua?*

Desceram a escada, Roland na frente, os outros atrás, Jake ainda segurando a mão de Susannah com Oi nos calcanhares. O malhado, corpo comprido, parecia descer cada degrau em duas etapas, como um trailer duplo descendo uma serra.

— Calma, Roland — disse Eddie. — Quero checar os espaços defiças antes de continuarmos. Podemos dar sorte.

— Espaços defiças? — disse Susannah. — O que é isso?

Jake deu de ombros. Ele não sabia. Nem Roland.

Susannah voltou sua atenção para Eddie.

— Só pergunto, querido, porque a coisa soa um pouco não agradável. Você sabe, é como chamar negros de "pretos" ou gays de "bichas". Sei que não passo de uma pobre ignorante saída das trevas de 1964, mas...

— Ali. — Eddie apontou para uma fileira de placas marcando as vagas de estacionamento mais próximas da estação. Havia na realidade duas placas em cada baliza, o topo de cada par era azul e branco, o fundo vermelho e branco. Quando chegaram um pouco mais perto, Jake viu que a placa no alto era um símbolo com cadeira de rodas. A que havia no fundo era uma advertência:

MULTA DE 200 DÓLARES
PELO USO IMPRÓPRIO
DE VAGAS DE ESTACIONAMENTO
RESERVADAS A DEFICIENTES.
APLICAÇÃO ESTRITA
PELO DEPARTAMENTO DE POLÍCIA DE TOPEKA.

— Mas olha só! — disse Susannah num tom triunfante. — Deviam ter feito isso há muito tempo! No meu quando, nossa, mas vocês tinham sorte se conseguissem passar com a cadeira de rodas pelas portas de qualquer coisa menor que a Shop'n Save. Diabo, teriam sorte até se conseguissem passar com ela pelos meios-fios! E vaga especial para estacionar? Jamais, docinho!

O estacionamento estava praticamente lotado, mas mesmo com o fim do mundo tão iminente, só dois carros que não tinham pequenos símbolos com cadeiras de rodas em suas placas estavam estacionados na fileira que Eddie havia chamado de "espaços defiças".

Jake imaginou que respeitar os "espaços defiças" era uma daquelas coisas que exercia um misterioso poder eterno de coação sobre as pessoas, como pôr o código postal em cartas, repartir o cabelo ou escovar os dentes antes do café da manhã.

— E aí está! — gritou Eddie. — Segurem suas cartas, pessoal, mas acho que temos um Bingo!

Ainda carregando Susannah no quadril — coisa que, um mês atrás, teria sido incapaz de fazer por qualquer período de tempo mais longo —, Eddie correu para o capô de um Lincoln. Amarrada na capota havia uma bicicleta de corrida de aparência complicada; brotando da mala semiaberta havia uma cadeira de rodas. E aquela não era a única; examinando a fileira de "espaços defiças", Jake viu pelo menos mais quatro cadeiras de rodas, em geral amarradas em bagageiros nas capotas, embora houvesse algumas dobradas nas traseiras de vans ou caminhonetes, uma delas (que parecia antiga e assustadoramente pesada) jogada no baú de uma picape.

Eddie colocou Susannah no chão e se curvou para examinar o suporte que amarrava a cadeira que despontava da mala. Havia uma porção de cordas elásticas em xadrez, assim como também uma espécie de tranca de ferro. Eddie sacou o Ruger que Jake havia tirado da gaveta da escrivaninha do pai.

— Mandando bala — ele disse com entusiasmo, e antes que desse tempo de alguém ao menos pensar em tapar as orelhas, puxou o gatilho e estourou a fechadura da trave de segurança. O som foi rolando para o silêncio, depois voltou como eco. O som cantante da lúmina retornou com ele, como se o tiro o tivesse despertado. *Parece uma coisa havaiana, não é?*, Jake pensou com uma careta de aversão. Meia hora antes, não teria acreditado que um som pudesse ser tão perturbador em termos físicos quanto... digamos, quanto um cheiro de carne podre, mas agora já acreditava. Ergueu os olhos para as placas do pedágio. Daquele ângulo só podia ver seus topos, mas isso foi suficiente para confirmar que estavam brilhando. *Irradiam uma espécie de campo*, Jake pensou. *Assim como liquidificadores e aspiradores produzem estática no rádio ou na TV ou assim como aquele tal de cyclotron fez os pelos dos meus braços se arrepiarem quando o sr. Kingery trouxe a máquina para a sala de aula e pediu que alguns voluntários se aproximassem e se colocassem ao lado do cyclotron.*

Eddie deslocou a tranca de ferro para o lado e usou a faca de Roland para cortar os cordões elásticos. Depois tirou a cadeira de rodas da mala, examinou-a, abriu-a e encaixou o suporte que corria pelas costas no nível do assento.

— Voilà! — disse.

Susannah tinha se apoiado numa das mãos (Jake achou-a um pouco parecida com a mulher que havia numa pintura de Andrew Wyeth que ele gostava, *Christina's World*) e examinava a cadeira com admiração.

— Meu senhor do céu, parece tão pequena e tão leve!

— O melhor da tecnologia moderna, querida — disse Eddie. — Foi para isso que lutamos no Vietnã. Sobe aí.

Ele se curvou para ajudá-la. Ela não resistiu, mas tinha o rosto tenso e franzido quando Eddie a colocou no assento. Como se esperasse que a cadeira fosse desabar sob seu peso, Jake pensou. À medida, no entanto, que Susannah foi passando as mãos pelos braços do novo veículo, sua expressão relaxou.

Jake se distanciou um pouco, avançando por outra fileira de carros, correndo os dedos pelos capôs, deixando marcas na poeira. Oi trotava atrás dele, parando uma vez para levantar a perna e molhar um pneu, como se tivesse passado a vida inteira fazendo aquilo.

— Com saudades de casa, querido? — Susannah perguntou atrás de Jake. — Talvez tenha achado que jamais voltaria a ver um bom e honesto carro americano, não é?

Jake pensou um pouco e concluiu que ela *não* tinha razão. Jamais passara em sua mente a ideia de ficar para sempre no mundo de Roland; ou jamais voltar a ver um carro. Achava que não se importaria tanto assim com isso, mas também não achava que seria esse o seu destino. Pelo menos ainda não. Havia um certo terreno baldio em Nova York quando ele saiu de lá. Ficava na esquina da Segunda Avenida com a rua 46. Já tinha existido uma lanchonete ali — Tom e Jerry, Especialidade da Casa: Bandejas para Bufês —, mas agora tudo era apenas entulho, mato, vidro quebrado e...

... e uma rosa. Só uma simples rosa selvagem crescendo num terreno baldio onde prédios de um condomínio estavam programados para serem construídos, mas Jake achava que em nenhum outro ponto da Terra crescia algo exatamente semelhante àquela rosa. E talvez também não em nenhum daqueles outros mundos que Roland havia mencionado. Havia rosas quando a pessoa se aproximava da Torre Negra; rosas aos bilhões, segundo Eddie, grandes e fantásticos alqueires delas. Eddie as vira num sonho. Contudo, Jake suspeitava que sua rosa era diferente até mesmo daquelas... e que até seu destino estar decidido, de um modo ou de outro, ele não estava quite com o mundo de carros, televisões e policiais que queriam saber se você tinha alguma identificação e quais os nomes de seus pais.

E falando em pais, posso também ainda não estar quite com eles, Jake pensou. A ideia fez seu coração bater mais forte com uma mistura de esperança e tensão.

Pararam no meio da fileira de carros, Jake olhando sem expressão para uma rua bem larga (Gage Boulevard, ele presumiu) enquanto pensava nessas coisas. Agora Roland e Eddie os alcançavam.

— Esta belezinha vai ser uma maravilha para empurrar a dama de ferro — disse Eddie com um sorriso. — Aposto que uma pessoa poderia empurrá-la apenas com o sopro. — Para demonstrar, soprou profundamente na parte de trás da cadeira de rodas. Jake pensou em dizer a Eddie que provavelmente havia cadeiras com motor nos "espaços defiças", mas percebeu o que Eddie deve ter deduzido na mesma hora: as baterias estariam gastas.

Naquele momento, Susannah estava ignorando Eddie; era em Jake que estava interessada.

— Não me respondeu, docinho. Todos esses carros não dão saudade de casa?

— Não. Mas fiquei curioso para saber se cheguei a conhecer todos os carros que estão aqui. Achei que talvez... se esta linha de 86 foi desenvolvida de um mundo diferente do meu 1977 haveria um meio de descobrir. Mas não tenho *como* saber. Porque as coisas mudam tão depressa. Mesmo em nove anos... — Deu de ombros e olhou para Eddie. — Mas você poderia ser capaz de dizer. Quero dizer, você realmente viveu em 1986.

Eddie resmungou.

— Passei por esse tempo, mas não cheguei exatamente a *observá-lo*. Estava a maior parte do tempo fodido até a raiz dos cabelos. Mesmo assim... acho...

Eddie recomeçou a empurrar Susannah pelo asfalto liso do estacionamento, apontando para os carros pelos quais iam passando.

— Ford Explorer... Chevrolet Caprice... e este aqui é um velho Pontiac, dá pra ver a partir da grade dividida...

— Pontiac Bonneville — disse Jake, divertido e um tanto comovido pelo espanto nos olhos de Susannah... A maioria daqueles carros devia parecer tão futurista para ela quanto as naves-patrulha do Buck Rogers. Jake pensou sobre como tudo aquilo pareceria para Roland e olhou para o lado.

O pistoleiro não revelava o menor interesse pelos carros. Concentrava o olhar para o outro lado da rua, no final do estacionamento, nos arredores do pedágio... só que Jake não achava que estivesse de fato olhando para nenhuma dessas coisas. Jake desconfiava que Roland estava simplesmente contemplando os próprios pensamentos. Se fosse mesmo isso, a expressão em seu rosto sugeria que não estava encontrando nada de bom neles.

— Este é um daqueles pequenos Chrysler Ks — disse Eddie, apontando — e este é um Subaru. Mercedes SEL 450, excelente, o carro dos campeões... Mustang... Chrysler Imperial, bom estado, mas deve ser mais velho do que Deus...

— Olha como fala, hein — disse Susannah com um toque do que Jake achou ser real aspereza na voz. — Este eu reconheço. Parece novo para mim.

— Desculpe, Suze. De verdade. Este é um Cougar... outro Chevy... e mais um... Topeka curte muito a General Motors, zero surpreendentemente... o Honda Civic... um VW Rabbit... um Dodge... um Ford... um...

Eddie parou, olhando para um carrinho perto do final da fileira, um carrinho branco com frisos vermelhos.

— Um Takuro — disse ele, quase que para si mesmo. Fez a volta para dar uma olhada na mala. — Um Takuro *Spirit*, para ser exato. Já ouviu falar desta marca e modelo, Jake de Nova York?

Jake balançou a cabeça.

— Eu também não — disse Eddie. — Nunca ouvi falar dessa porra.

Eddie começou a empurrar Susannah para o Gage Boulevard (Roland com eles, mas ainda muito isolado em seu mundo particular, andando quando eles andavam, parando onde paravam). Junto ao acesso automatizado do estacionamento. (PARE — PEGUE SEU TÍQUETE), Eddie parou.

— A esta velocidade vamos estar velhos antes de conseguirmos ultrapassar o estacionamento e mortos antes de passarmos no pedágio — disse Susannah.

Desta vez Eddie não se desculpou, não pareceu sequer ouvi-la. Estava olhando para um adesivo no para-choque dianteiro de um velho AMC Pacer cheio de ferrugem. O adesivo era azul e branco, como os desenhos da pequena cadeira de rodas marcando os "espaços defiças". Jake se agachou para ver melhor, e quando Oi baixou o focinho sobre seu joelho, o menino o acariciou com ar distraído. Estendendo a outra mão, tocou o adesivo, como se precisasse conferir que era real. KANSAS CITY MONARCHS, dizia o adesivo. E o O dos Monarchs era uma bola de beisebol com marcas de velocidade em cima e embaixo, como se estivesse rolando para fora do estacionamento.

— Me diga se estou enganado — disse Eddie —, mas conheço quase tudo sobre beisebol a oeste do Yankee Stadium e o adesivo não deveria dizer Kansas City *Royals*? Você sabe, aquela equipe com George Brett e os outros.

Jake assentiu. Conhecia os Royals e conhecia Brett, embora Brett fosse um jogador ainda jovem no quando de Jake e já devesse ser razoavelmente velho no quando de Eddie.

— Kansas City *Athletics*, você quer dizer — interveio Susannah, parecendo confusa. Roland ignorava tudo aquilo; continuava cruzando sua própria camada pessoal de ozônio.

— Não em 86, querida — disse Eddie num tom gentil. — Em 86 os Athletics já tinham ido para Oakland. — Seus olhos passaram do adesivo no para-choque para Jake. — Um time da segunda divisão, talvez? — perguntou. — Triple A?

— Os Triple A Royals continuam sendo os Royals — disse Jake. — Jogam em Omaha. Vamos, vamos em frente.

E embora não soubesse do estado dos outros, Jake continuou com o coração mais leve. Talvez fosse bobagem, mas estava aliviado. Não acreditava que aquela terrível praga estivesse à espera no seu mundo, pois nele não existiam os Kansas City Monarchs. Talvez essa informação fosse insuficiente para servir de base a uma conclusão, mas a conclusão parecia verdadeira. E foi um enorme alívio ser capaz de acreditar que sua mãe e seu pai não estavam condenados a morrer de um vírus que as pessoas chamavam de Capitão Viajante e serem queimados num… aterro sanitário, ou coisa parecida.

Só que isso não era uma coisa de todo segura, mesmo que aquilo não fosse uma versão 1986 de seu mundo 1977. Porque mesmo que aquela terrível praga tivesse acontecido num mundo onde havia carros chamados Takuro Spirits e George Brett jogava para o K. C. Monarchs, Roland dizia que a perturbação estava se espalhando… que coisas como a supergripe estavam corroendo o tecido da existência como o ácido de uma bateria podia corroer uma peça de roupa.

O pistoleiro havia falado do lago do tempo, uma frase que Jake, a princípio, achara romântica e charmosa. Mas e se o lago estivesse ficando salobro, pantanoso? E se as coisas tipo Triângulo das Bermudas, que Roland chamava de lúminas, outrora muito raras, estivessem se tornando regra e não exceção? Suponhamos — ah, e aqui estava um pensamento terrível, com certeza capaz de mantê-lo acordado até bem depois das três — que toda a realidade estivesse cedendo à medida que as fraquezas estruturais da Torre Negra cresciam? Suponhamos que houvesse um colapso, com um andar caindo no de baixo… e no de baixo… e no de baixo… até…

Quando Eddie agarrou-lhe o ombro e apertou, Jake teve de morder a língua para reprimir um grito.

— Está criando os seus próprios fantasmas — disse Eddie.

— E o que você tem a ver com isso? — Jake perguntou. Soava rude, mas ele estava irritado. Por estar assustado ou por ser flagrado com medo? Não sabia. Também não se importava muito.

— Quando se trata de fantasmas, eu tenho experiência — disse Eddie. — Não sei exatamente o que está se passando na sua cabeça, mas seja lá o que for, acho que esta é uma excelente hora para parar de pensar no assunto.

Provavelmente, aquele era um bom conselho, Jake concluiu. Atravessaram a rua juntos. Na direção do Gage Park e de um dos maiores choques da vida de Jake.

2

Passando sob o arco de ferro trabalhado com a inscrição GAGE PARK em antiquadas letras cheias de floreios, viram-se numa trilha de lajotas seguindo através de um jardim que era metade parque inglês e metade selva equatoriana. Sem ninguém para tomar conta durante o quente verão do Meio-Oeste, o parque mergulhara na desordem; sem ninguém para tomar conta dele naquele outono, começara a se deteriorar. Uma placa logo após o arco proclamava que estavam no Reinisch Rose Garden, e havia rosas, sem dúvida; rosas por toda parte. A maioria já havia morrido, mas algumas das silvestres ainda floresciam, fazendo Jake se lembrar da rosa no terreno baldio da rua 46 com a Segunda Avenida e sentir uma saudade tão profunda que chegava a doer.

Em um dos lados do parque havia um bonito e antigo carrossel, os empertigados corcéis e garanhões agora imóveis em seus postos. Muito silencioso, com as luzes que piscavam e a ondulante música de realejo desligadas para sempre, o carrossel deixou Jake arrepiado. Pendurada no pescoço de um cavalo, pendendo de uma correia de couro, havia a luva de beisebol de algum garoto. Jake mal conseguiu olhar para ela.

Além do carrossel, a folhagem ficava ainda mais densa, fechando boa parte da trilha e obrigando os passantes a seguir em fila indiana, como crianças perdidas num bosque de conto de fadas. Espinhos de grandes arbustos floridos e não podados agarravam-se nas roupas de Jake. Ele tinha se adiantado (talvez por Roland continuar profundamente mergulhado em seus pensamentos) e assim foi o primeiro a ver Charlie Chuu-Chuu.

Seu único pensamento ao se aproximar dos trilhos de bitola estreita que cruzavam a trilha (sem dúvida pouco mais do que trilhos de brinquedo) foi a imagem do pistoleiro dizendo que o ka era como uma roda, sempre tornando a girar para o mesmo lugar. *Estamos sendo assombrados por rosas e trens*, ele pensou. *Por quê? Não sei. Acho que é apenas outra adiv...*

Então se virou para a esquerda e um "Meusenhoramado" saiu de sua boca, tudo numa só palavra. A força abandonou suas pernas e ele teve que se sentar. Sua voz parecia trêmula e distante de seus próprios ouvidos. Não chegou a desmaiar, mas o mundo foi perdendo as cores até as folhagens do lado oeste do parque ficarem quase tão cinzentas quanto o céu de outono lá no alto.

— Jake! Jake, o que aconteceu? — Era Eddie, e Jake pôde ouvir a genuína preocupação na voz dele, mas parecia estar chegando de uma antiga conexão telefônica de longa distância. Chegando de Beirute, digamos, ou talvez de Urano. E pôde sentir a mão de Roland se firmando em seu ombro, mas era tão distante quanto a voz de Eddie.

— Jake! — Susannah. — Qual é o problema, querido? O quê...

Então ela viu e parou de falar. Eddie viu e também parou de falar. A mão de Roland escorregou. Estavam todos de pé, imóveis, olhando... exceto Jake, que estava sentado, imóvel, olhando. Achava que a energia e as sensações acabariam retornando a suas pernas e ele se levantaria, mas naquele momento as pernas pareciam macarrão mole.

O trem estava parado a uns quinze metros de distância, junto a uma estação de brinquedo que parodiava a que havia do outro lado da rua. Pendendo dos beirais de seu telhado, uma placa dizia Topeka. O trem era Charlie Chuu-Chuu, com limpa-trilhos e tudo; uma locomotiva Big Boy Steam 402. E, Jake sabia, se conseguisse reunir força suficiente para se levantar e ir até lá, encontraria uma família de camundongos aninhada no assento onde o engenheiro (cujo nome teria sido sem a menor dúvida Bob Alguma Coisa) havia um dia se sentado. Haveria outra família, agora de andorinhas, escondida na chaminé.

E as lágrimas pretas, gordurosas, Jake pensou, vendo o minúsculo trem parado na frente da minúscula estação e sentindo a pele se arrepiando por todo o corpo, as bolas duras e um nó no estômago. *À noite ele chora aquelas lágrimas pretas, gordurosas, que estão enferrujando até a alma o ótimo aro do farol Stratham. Mas no seu tempo, Charlie, meu garoto, você levou sua cota de crianças, não foi? De um lado para outro do Gage Park você rodava e as crianças riam, só que algumas não estavam rindo* de verdade; *algumas, aquelas que percebiam o seu jogo, estavam gritando. Do modo como eu gritaria agora, se tivesse forças.*

Mas suas forças estavam voltando, e quando Eddie pôs a mão sob um de seus braços e Roland pôs a mão sob o outro, Jake conseguiu se levantar. Ficou firme depois de cambalear uma vez.

— Só para constar, eu entendo você — disse Eddie. Tinha a voz sombria; assim como o rosto. — Eu mesmo fiquei mal das pernas. Esse é o do seu livro, em carne e osso.

— Então agora sabemos de onde a srta. Beryl Evans tirou a ideia para *Charlie Chuu-Chuu* — disse Susannah. — Ou ela morava aqui, ou em algum momento antes de 1942, quando a maldita coisa foi publicada, ela visitou Topeka...

— ... e viu o trenzinho infantil que circulava pelo Reinisch Rose Garden e pelo Gage Park — disse Jake. Estava superando o susto e tendo sido não apenas um filho único, mas, na maior parte da vida, um menino solitário, sentiu uma onda de amor e gratidão por seus amigos. Tinham visto o mesmo que ele, tinham compreendido a fonte de seu terror. É claro... eles eram ka-tet.

— Ninguém vai responder a perguntas tolas, ninguém vai entrar em jogos tolos — disse Roland num tom pensativo. — Consegue continuar caminhando, Jake?

— Consigo.

— Tem certeza? — Eddie perguntou, e quando Jake assentiu, Eddie voltou a empurrar Susannah e ultrapassou os trilhos. Roland foi em seguida. Jake ainda ficou um instante parado, recordando um sonho que tivera: estava com Oi num cruzamento de estrada de ferro e de repente o malhado saltava para os trilhos, latindo freneticamente para o farol que se aproximava.

Jake se curvou e pôs Oi nos braços. Contemplou o trem enferrujado, estacionado em silêncio na estação, o farol escuro lembrando um olho morto.

— Não tenho medo — disse em voz baixa. — Não tenho medo de você.

Então o farol se acendeu e piscou, um clarão breve, mas enfático, brilhante: *Eu sei que não é bem assim; eu sei que não é bem assim, garotinho.*

Aí se apagou.

Nenhum dos outros tinha visto. Jake deu mais uma olhada no trem, achando que o farol poderia acender de novo — achando que a maldita coisa podia realmente começar a andar e avançar na sua direção —, mas nada aconteceu.

Com o coração batendo forte no peito, Jake se apressou atrás de seus companheiros.

3

O zoológico de Topeka (o *Mundialmente Famoso* zoológico de Topeka, segundo as placas) estava cheio de jaulas vazias e animais mortos. Alguns dos animais libertados tinham sumido, mas outros haviam morrido por perto. Os gorilas continuavam na área com a placa Habitat do Gorila, e pareciam ter morrido de mãos dadas. O que deixou Eddie com uma certa vontade de chorar. Desde que o último vestígio de heroína lhe saíra do sistema nervoso, as emoções pareciam sempre à beira de explodir num ciclone. Seus antigos amigos teriam achado graça.

Atrás do Habitat dos Gorilas, um lobo cinzento jazia morto na trilha. Oi aproximou-se com cuidado, cheirou, depois esticou o pescoço comprido e começou a rosnar.

— Tire Oi de lá, Jake, está me ouvindo? — disse Eddie com aspereza, percebendo de repente que estava sentindo o cheiro dos animais em decomposição. O odor era fraco, pois grande parte dele se evaporara nos dias quentes do verão que acabara de passar, mas o que sobrou ainda deixava Eddie enjoado. Não que ele fosse capaz de lembrar direito da última vez que havia comido.

— Oi! Aqui!

Oi rosnou uma última vez e voltou para Jake. Parou junto aos pés do garoto, ergueu a cabeça com aqueles sinistros olhos que lembravam duas alianças de casamento. Jake suspendeu-o, descreveu um círculo contornando o lobo e tornou a pousá-lo na trilha de lajotas.

O caminho levou-os a uma escada íngreme (o mato já começara a fazer pressão no encaixe das pedras) e no topo Roland olhou de volta para o zoo e os jardins. De lá podiam ver com facilidade o circuito que os trilhos do trenzinho faziam, permitindo que os passageiros de Charlie cumprissem um tour por todo o perímetro do Gage Park. Mais além, folhas caídas deslizavam pelo Gage Boulevard devido a uma rajada de vento frio.

— Assim caiu Lorde Perth — murmurou Roland.

— E o campo balançou com aquele trovão — Jake concluiu.

Roland olhou-o com surpresa, como alguém acordando de um sono profundo. Depois sorriu e colocou um braço em volta dos ombros de Jake.

— Fiz o papel de Lorde Perth na minha época — disse ele.

— É mesmo?

— Sim. Logo você vai saber.

4

Além da escada havia um aviário cheio de pássaros exóticos mortos; depois do aviário, uma lanchonete com a placa (talvez cruel, dada a localização): O MELHOR BUFALOBÚRGUER DE TOPEKA; depois da lanchonete havia outro arco de ferro trabalhado com uma placa: VOLTE EM BREVE AO GAGE PARK! Depois disto havia o aclive em curva de uma rampa de acesso controlado para os carros. Acima da rampa, as placas verdes que eles tinham identificado do outro lado da estrada apareciam nítidas.

— Estrada trincada — disse Eddie numa voz quase baixa demais para ser ouvida. — Droga. — E suspirou.

— O que é estrada trincada, Eddie?

Jake não achou que Eddie fosse responder. Quando Susannah esticou o pescoço, virou a cabeça e olhou para Eddie, que tinha as mãos cerradas em volta das alças da nova cadeira de rodas, Eddie virou o rosto. Depois voltou a olhar para a frente, primeiro para Susannah, em seguida para Jake.

— Não é uma coisa bonita. Pouca coisa é bonita na vida que levei antes do Gary Cooper aqui me fazer atravessar a Grande Fronteira.

— Você precisa...

— Mas também não é grande coisa. Um grupinho nossos se reunia... eu, meu irmão Henry, geralmente Bum O'Hara, porque ele tinha um carro,

Sandra Corbitt e talvez aquele amigo do Henry que chamávamos de Jimmie Pólio… e colocávamos os nossos nomes num chapéu. Aquele que sorteávamos era o… o guia de viagem, como Henry costumava dizer. Ele… ou ela, se fosse a Sandi, tinha que se manter careta. Pelo menos até certo ponto. Todos os demais ficavam chapados até não poder mais. Então a gente se espremia no Chrysler do Bum e subíamos a I-95 para Connecticut, ou talvez tomássemos a Taconic Parkway no estado de Nova York… só que chamávamos a estrada de Parkway Catatônica. Íamos ouvindo Creedence, Marvin Gaye ou *Os maiores sucessos de Elvis* no toca-fitas.

E ele continuou:

— Era melhor à noite, melhor ainda quando era lua cheia. Andávamos às vezes horas com as cabeças pra fora das janelas como fazem os cachorros quando andam de carro. Olhávamos para a lua e procurávamos estrelas cadentes. Chamávamos isto de "estrada trincada". — Eddie sorriu, com esforço. — Uma vida fascinante, pessoal.

— Parece bem divertido — disse Jake. — Não a parte da droga, é claro, mas rodar com seus amigos à noite, olhando a lua e ouvindo música… Isso parece ótimo.

— E realmente era — disse Eddie. — Mesmo que às vezes a gente ficasse tão chapados que chegávamos a mijar no sapato achando que era no mato, mesmo assim era ótimo. — Fez uma pausa. — Mas isso que torna tudo ainda pior, não é?

— Estrada trincada — disse o pistoleiro. — Vamos segui-la um pouco.

Deixaram o Gage Park e cruzaram a estrada até a entrada da rampa.

5

Alguém tinha usado o spray nas duas placas que indicavam a curva ascendente da rampa. Na que continha ST LOUIS 215, alguém borrifara

CUIDADO COM O TIPO QUE ANDA

em preto. Na outra, indicando PRÓXIMA ÁREA DE PARADA, 16 KM:

TODOS SALVEM O REI RUBRO!

tinha sido escrito em grandes letras vermelhas. A cor continuava suficientemente brilhosa para permanecer chamativa mesmo depois de um verão inteiro. Cada inscrição fora decorada com um símbolo

— Você sabe o que essas coisas significam, Roland? — Susannah perguntou.

Roland balançou a cabeça, mas parecia inquieto e o ar de introspecção continuava em seus olhos.

Seguiram adiante.

6

No ponto onde a rampa se incorporava ao pedágio, os dois homens, o garoto e o malhado se agruparam ao redor de Susannah, instalada em sua nova cadeira de rodas. Todos olhavam para leste.

Eddie não sabia como estaria o tráfego quando deixassem Topeka, mas ali todas as pistas, tanto as que seguiam para oeste quanto as do lado deles, que rumavam para leste, estavam apinhadas de carros e caminhões. A maioria dos veículos estava cheia até o topo de trastes pessoais que enferrujavam após a chuva do verão.

Mas o tráfego era a menor preocupação deles, ali parados, olhando em silêncio para leste. Por cerca de um quilômetro para um lado e para o outro a cidade continuava... Podiam ver torres de igreja, uma fileira de fast-foods (Arby's, Wendy's, McDonald's, Pizza Hut e um de que Eddie jamais ouvira falar: Boing Boing Burgers), concessionárias, o teto de uma pista de boliche chamada Heartland Lanes. Havia outro trevo de saída à frente, na placa junto à rampa dizendo Hospital Estadual de Topeka e S.W. 6th. Na saída do trevo brotava o vulto maciço de um velho edifício de tijolo vermelho com janelas minúsculas, que espreitavam como olhos desesperados entre a hera que subia pelas paredes. Eddie imaginou que um lugar tão parecido com Attica *tinha* que ser um hospital, provavelmente o tipo de purgatório da rede pública onde gente pobre ficava sentada horas sem-fim em cadeiras de plástico vagabundas, tudo para que algum médico pudesse olhar para elas como se fossem menos do que humanas.

Além do hospital, a cidade terminava abruptamente e a lúmina começava.

Para Eddie, era como ver água estagnada num vasto pântano cheio de gases. Ela se achatava contra as saídas da I-70, envolvendo de ambos os lados a estrada, prateada e cintilante, fazendo as placas, as grades de proteção e os carros parados ondularem como miragens; desprendia aquele zumbido murmurante e líquido como um mau cheiro.

Susannah colocou as mãos nos ouvidos, a boca franzida.

— Não sei como vou conseguir suportar isto. Não pretendo ser desmancha-prazeres, mas já estou sentindo vontade de vomitar e hoje ainda nem comi nada.

Eddie se sentia do mesmo jeito. Contudo, por pior que se sentisse, mal podia tirar os olhos da lúmina. Era como se a irrealidade tivesse recebido... o quê? Um rosto? Não. O vasto e cantante brilho prateado à frente deles não tinha rosto, era, de fato, a própria antítese de um rosto, mas tinha um corpo... uma aparência... uma presença.

Sim; a última era a melhor. Tinha uma presença, como o demônio que se aproximara do círculo das pedras enquanto eles tentavam puxar Jake tivera uma *presença*.

Roland, enquanto isso, estava remexendo nas profundezas de sua bolsa. Pareceu ter que cavar realmente até o fundo para achar o que queria: um punhado de balas. Puxou a mão direita de Susannah do braço da cadeira e colocou duas balas em sua palma. Depois pegou mais duas e enfiou-as, pelas pontas de trás, nos ouvidos. Susannah pareceu primeiro espantada, depois achar graça, depois em dúvida. No final, seguiu o exemplo dele. Quase de imediato uma expressão de alívio intenso tomou conta de seu rosto.

Eddie tirou a mochila do ombro e puxou de lá a caixa de munições de .44, cheia pela metade, que viera com a Ruger de Jake. O pistoleiro balançou a cabeça e estendeu a mão, onde ainda havia quatro balas, duas para Eddie e duas para Jake.

— Algum problema com as minhas? — perguntou Eddie, tirando agora duas cápsulas da caixa que estivera atrás do fichário na gaveta da mesa de Elmer Chambers.

— São do seu mundo e não conseguirão bloquear o som. Não me pergunte como sei disso; simplesmente sei. Se quiser, tente usá-las, mas não vai funcionar.

Eddie apontou para as balas que Roland estava oferecendo.

— Essas também são do nosso mundo. A loja de armas na esquina da Sétima com a 49. Clements', não é esse o nome?

— Estas não vêm de lá. Estas são minhas, Eddie, recarregadas muitas vezes mas originalmente trazidas da terra verde. De Gilead.

— Está se referindo às *molhadas*? — Eddie perguntou num tom de incredulidade. — As últimas balas molhadas da praia? As que ficaram realmente ensopadas?

Roland assentiu.

— Mas você falou que elas jamais voltariam a detonar! Por mais secas que ficassem! Que a pólvora tinha ficado... como foi que você disse? "Choca."

Roland tornou a concordar com a cabeça.

— Então, por que as conservou? Por que andar com um bando de balas inúteis?

— O que o ensinei a dizer após o abate de um animal, Eddie? Para manter sua mente concentrada?

— Pai, guie minhas mãos e meu coração para que nenhuma parte do animal seja desperdiçada.

Roland assentiu uma terceira vez. Jake pegou duas cápsulas e colocou-as nos ouvidos. Eddie pegou as duas últimas, mas primeiro experimentou as que tirara da caixa. Elas abafaram o som da lúmina, mas ainda estava lá, presente, vibrando no centro da testa de Eddie, fazendo os olhos lacrimejarem como se ele estivesse com um resfriado, dando a sensação de que a ponte do nariz ia explodir. Eddie substituiu-as pelas maiores — aquelas dos antigos revólveres de Roland. *Colocando balas nos ouvidos*, pensou. *Mamãe iria surtar*. Mas isso não vinha ao caso. O som da lúmina se fora (ou pelo menos se reduzira a um zumbido distante), e era o que importava. Quando se virou e se dirigiu a Roland, Eddie acreditou que sua própria voz pareceria abafada, como acontecia quando a pessoa estava usando fones de ouvido, mas percebeu que podia se ouvir perfeitamente bem.

— Existe alguma coisa que você *não* saiba? — ele perguntou a Roland.

— Existe — disse Roland. — Muita coisa.

— E Oi? — Jake perguntou.

— Oi vai ficar bem, eu acho — disse Roland. — Vamos, vamos andar alguns quilômetros antes de escurecer.

7

Oi não parecia incomodado pelo trinado da lúmina, mas passou toda a tarde grudado em Jake Chambers, olhando desconfiado para a massa de carros que obstruía as pistas da I-70. E, no entanto, percebeu Susannah, os carros não atravancavam completamente a rodovia. A retenção diminuía à medida que os viajantes iam deixando para trás o centro da cidade, mas mesmo no ponto aonde o tráfego fora mais pesado, alguns veículos tinham encostado num lado ou no outro; outros haviam sido empurrados completamente para fora da rodovia ou colocados sobre a divisória central, que era inteiramente de concreto na área metropolitana e virava um canteiro de grama na saída da cidade.

Acho que alguém andou por aqui com um guincho, Susannah pensou. A ideia a reconfortava. Ninguém iria se dar ao trabalho de abrir um caminho no meio da rodovia se a praga ainda estivesse à solta; e se alguém tinha feito isso depois da praga (se houvera alguém *por ali* para limpar o caminho), então a praga não levara a todos; as páginas de jornal apinhadas de obituários não estariam contando a história toda.

Havia cadáveres em alguns carros, mas estavam secos, como os encontrados embaixo da escada da estação, não pastosos... Eram múmias, em geral usando cintos de segurança. A maioria dos carros estava vazia. Muitos motoristas e passageiros presos no trânsito congestionado haviam provavelmente tentado escapar da área da praga, mas Susannah achava que não fora apenas por isso que tinham resolvido fugir a pé.

Susannah achava que precisaria estar acorrentada a um volante para se manter dentro do carro se começasse a sentir os sintomas de alguma doença fatal; se ia morrer, que fosse sob o ar livre. Uma colina, algum local com uma pequena elevação, seria o melhor lugar, mas mesmo um trigal serviria, serviria até muito bem. Qualquer coisa seria melhor do que desperdiçar seu último estoque de fôlego cheirando o purificador de ar pendurado no retrovisor.

Susannah pensou que em outro momento teria sido possível ver os muitos cadáveres das pessoas que fugiram, mas não agora. Por causa da lúmina. Estavam se aproximando dela, e Susannah soube exatamente quando a adentraram. Um tremor e uma espécie de formigamento correram pelo seu corpo, fazendo-a encolher as pernas já abreviadas; e a cadeira de rodas ficou um momento parada. Quando virou a cabeça, viu Roland, Eddie e Jake colocando as mãos nas barrigas e fazendo caretas. Era como se todos tivessem sido atingidos ao mesmo tempo por alguma cólica. Então Eddie e Roland endireitaram o corpo. Jake se curvou para fazer carinho em Oi, que o observava com ar ansioso.

— Tudo bem com vocês, rapazes? — Susannah perguntou. A pergunta veio na voz meio belicosa, meio divertida de Detta Walker. Ela nunca planejava conscientemente em usar esta voz; era algo que simplesmente acontecia.

— Sim — disse Jake. — Mas é como se eu tivesse uma bolha na garganta. — Olhava inquieto para a lúmina. A brancura prateada estava agora por toda parte, como se o mundo inteiro tivesse se transformado, ao amanhecer, numa planície pantanosa de Norfolk. Nos arredores, despontavam árvores daquela superfície prateada, lançando reflexos disformes que nunca pareciam estar inteiramente imóveis ou inteiramente em foco. Um pouco mais adiante, Susannah viu uma torre de estocagem de grãos, que parecia flutuar. As palavras ALIMENTOS DO GADDISH estavam escritas ao lado em letras rosadas, que poderiam ter sido vermelhas em condições normais.

— Estou me sentindo como se tivesse uma bolha na *mente* — disse Eddie. — Cara, olha só aquela porra brilhando.

— Ainda consegue ouvir a lúmina? — Susannah perguntou.

— Sim. Mas fracamente. Dá pra aguentar. Você consegue?

— Aham. Vamos.

Era como pilotar um avião de cabine aberta por entre nuvens fragmentadas, Susannah concluiu. Pelo que pareceu ser um trecho de muitos quilômetros, avançaram por aquela cintilação murmurante que não era de todo neblina nem de todo água. Às vezes divisavam formas (um celeiro, um trator, um cartaz da Stuckey) saindo da lúmina, depois não viam mais nada além da estrada, que seguia sólida sobre a brilhante mas um tanto vaga superfície da lúmina.

Então, de um momento para o outro, se viram num local mais claro. O murmurar se reduziu a um zumbido fraco; era possível até liberar os ouvidos e não se sentir tão mal assim, pelo menos até a pessoa se aproximar do outro lado da brecha. Mais uma vez havia panoramas...

Bem, não, isto um exagero, Kansas não *tinha* exatamente panoramas, mas havia campos abertos e algum eventual agrupamento de árvores de outono circundando uma fonte ou um pequeno lago assoreado. Nenhum Grand Canyon ou arrebentação de ondas num Farol de Portland, mas pelo menos a pessoa podia ver um *horizonte* que fosse à distância e perder um pouco daquela sensação desagradável de sepultamento. E, então, se voltava ao buraco. Para Susannah, Jake foi quem chegou mais perto de descrever a coisa quando disse que estar na lúmina era como finalmente atingir a brilhante miragem de água ondulante que se podia avistar, em dias quentes, no horizonte das rodovias.

Seja lá como fosse, a despeito de qualquer descrição, estar no interior da lúmina era claustrofóbico, purgatorial; nada mais se via lá além das divisórias da estrada e as montanhas de carros, carros que eram como navios encalhados e abandonados num oceano de gelo.

Por favor nos ajude a sair disto, pediu Susannah a um Deus em quem não mais chegava exatamente a acreditar... ainda acreditava em *alguma coisa*, mas desde que despertara para o mundo de Roland na praia do mar Ocidental seu conceito do mundo invisível mudara consideravelmente. *Por favor nos ajude a encontrar novamente o Feixe. Por favor nos ajude a escapar deste mundo de silêncio e morte.*

Depararam-se com o maior espaço aberto que já tinham visto ao se aproximarem de uma placa de sinalização que dizia BIG SPRINGS, 3 km. Atrás deles, no oeste, o sol poente brilhou através de uma breve fenda nas nuvens, lançando faíscas escarlates no topo da lúmina, realçando, em tonalidades de fogo, as janelas e as lanternas dos carros. De ambos os lados se estendiam campos vazios. *A Terra Plena veio e se foi*, pensou Susannah. *A Colheita também veio e se foi. Isto é o que Roland chama de fechar o ano.* O pensamento a fez estremecer.

— Vamos acampar aqui para passar a noite — disse Roland logo depois que ultrapassaram a rampa de saída de Big Springs. À frente viam outra vez a lúmina, além dos limites da estrada e a quilômetros de distância; era possível ver tremendamente longe nas planícies do leste do Kansas, como Susannah estava descobrindo. — Podemos encontrar lenha sem chegar muito perto da lúmina e o som não será tão ruim. Talvez possamos até dormir sem precisar de balas enfiadas nos ouvidos.

Eddie e Jake subiram nas grades de proteção, desceram o barranco e seguiram o leito seco de um riacho à procura de lenha, conservando-se sempre juntos como Roland os advertira. Quando voltaram, as nuvens tinham novamente engolido o sol e um crepúsculo muito cinzento e apático começava a surgir sobre o mundo.

O pistoleiro escolheu os gravetos para iniciar o fogo e cercou os menores com uma paliçada dos maiores, construindo uma espécie de chaminé de madeira no meio da estrada. Nesse meio-tempo, Eddie tinha ido para o canteiro divisor no meio da rodovia e estava parado lá, mãos nos bolsos, olhando para leste. Pouco depois Jake e Oi se juntaram a ele.

Roland puxou a vara de pederneira, para acender o fogo de sua chaminé, e logo a pequena fogueira ardia.

— Roland! — Eddie gritou. — Suze! Venham aqui! Vejam isto!

Susannah começara a rodar sua cadeira para Eddie quando Roland — após dar uma última olhada no fogo — pegou as alças do encosto e empurrou-a.

— Ver o quê? — Susannah perguntou.

Eddie apontou. A princípio Susannah não viu nada, só a estrada, que continuava perfeitamente visível mesmo além do ponto onde a lúmina tornava a se fechar, talvez uns cinco quilômetros à frente. Então... sim, podia ver alguma coisa. Talvez. Uma espécie de forma, na orla mais distante da visão. Se não fosse o dia estar escurecendo...

— É um prédio? — Jake perguntou. — Nossa, parece ter sido construído bem em cima da estrada!

— O que acha disso, Roland? — Eddie perguntou. — Seus olhos são os melhores do universo.

Durante algum tempo o pistoleiro não disse nada, se limitando a olhar para a divisória da estrada com os polegares presos no cinturão.

— Vamos ver melhor — disse por fim — quando chegarmos mais perto.

— Ah, vamos lá! — disse Eddie. — Fala sério! Sabe o que é ou não?

— Vamos ver melhor quando chegarmos mais perto — repetiu o pistoleiro... o que significava, é claro, não responder em absoluto. Ele retrocedeu pela pista da direita para checar a fogueira, os saltos das botas estalando no asfalto. Susannah olhou para Jake e Eddie. Deu de ombros. Eles repetiram o gesto... e então Jake explodiu numa risada. Em geral, Susannah pensou, o garoto agia mais como um garoto de dezoito anos do que como um de onze, mas aquele riso o deixava mais como um menino, algo que Susannah achava até bom.

Ela baixou os olhos para Oi, que os observava com avidez, mexendo o lombo sobre as patas dianteiras como se estivesse tentando dar de ombros.

8

Chegando mais perto do fogo, comeram aquelas iguarias cozinhadas em cima de folhagens que Eddie chamava de burritos do pistoleiro. Alimentaram o fogo com mais lenha quando a escuridão ficou mais pronunciada. Em algum ponto, ao sul, um pássaro gritou — talvez o som mais solitário que Eddie já ouvira. Nenhum deles falou muito e ocorreu a Eddie que dificilmente alguém costumava jogar conversa fora nas horas do crepúsculo. O momento em que a terra trocava o dia pela noite continuava sendo especial, algo que de alguma forma conseguia romper certos laços da poderosa irmandade que Roland chamava ka-tet.

Jake deu a Oi alguns pedacinhos da carne de corça de seu último burrito recheado. Sentada em sua cadeira, pernas cruzadas sob a barra da roupa, Susannah olhava sonhadora para o fogo, enquanto Roland, que se recostara apoiando-se nos cotovelos, erguia a cabeça para o céu, onde as nuvens tinham começado a se separar das estrelas e a se dissolver. Olhando também para o alto, Eddie viu o Velho Astro e a Velha Mãe desaparecerem, dando vez à Estrela Polar e à Ursa Maior. Aquele poderia não ser o mundo de Eddie (carros Takuro, o Kansas City Monarchs e um fast-food chamado Boing Boing Burgers, tudo sugeria que não era), mas se aproximava bastante para deixar Eddie incomodado. *Talvez*, Eddie pensou, *fosse o mundo vizinho*.

Quando o pássaro tornou a gritar lá longe, ele endireitou a cabeça e olhou para Roland.

— Você tinha alguma coisa para nos contar — disse. — Uma história eletrizante de sua juventude, eu acho. Susan... era esse o nome dela, não era?

O pistoleiro continuou por mais alguns instantes olhando para o céu (agora era Roland quem devia estar se sentindo à deriva nas constelações, Eddie considerou), para então voltar o olhar para seus amigos. Parecia estranhamente inquieto e tinha no rosto uma expressão esquisita de quem se desculpava.

— Vão achar que estou enrolando vocês — disse —, se eu pedir mais um dia para pensar nessas coisas? Ou talvez o que eu realmente queira seja uma noite para sonhar com elas. São coisas antigas, coisas mortas, mas... — Ergueu as mãos num gesto de aparente confusão. — Certas coisas não descansam em paz mesmo quando estão mortas. Os ossos ficam gritando de dentro da terra.

— São fantasmas — disse Jake, e Eddie viu em seus olhos uma sombra do horror que ele devia ter sentido dentro da casa em Dutch Hill. O horror que devia ter sentido quando o porteiro saiu da parede e estendeu a mão para ele. — Às vezes há fantasmas e às vezes eles voltam.

— Sim — disse Roland. — Às vezes estão lá e às vezes retornam.

— Talvez seja melhor não remoer — disse Susannah. — Às vezes... principalmente quando se sabe que o assunto vai nos machucar... às vezes o melhor é subir logo no cavalo e cavalgar.

Roland pesou cuidadosamente as palavras dela, depois ergueu os olhos para contemplá-la.

— Junto à fogueira que vamos acender amanhã à noite, vou contar a história de Susan — disse. — É uma promessa que faço em nome de meu pai.

— Acha que precisamos mesmo ouvir a história? — Eddie perguntou abruptamente, quase que chocado de escutar a si mesmo perguntando isso; afinal, ninguém tinha mais curiosidade do que ele em conhecer o passado do pistoleiro. — Quero dizer, se a coisa realmente machuca, Roland... se machuca demais... talvez...

— Não sei se precisam mesmo ouvir a história, mas acho que preciso contá-la. Nosso futuro é a Torre e, para continuar seguindo em direção a ela com meu coração totalmente aberto, tenho que ajustar as contas com meu passado. Seria impossível contar tudo que aconteceu nele... no meu mundo, mesmo o passado está em movimento, reformando-se em muito do que lhe é essencial... mas esta história, em particular, pode dar uma ideia de todo o resto.

— É um lance de faroeste? — Jake perguntou de repente. Roland olhou-o, confuso.

— Não entendo o que quer dizer, Jake. Gilead é um Baronato do mundo do oeste, sim, e Mejis também, mas...

— Será um faroeste — disse Eddie. — Todas as histórias de Roland, quando você as observa mais de perto, viram faroestes. — Ele se recostou e puxou o cobertor. Fracamente, vindo ao mesmo tempo de leste e oeste, ouvia o murmurar da lúmina. Remexeu o bolso atrás das balas que Roland lhe dera e assentiu satisfeito quando conseguiu senti-las. Achou que poderia dormir sem elas naquela noite, mas com certeza ia querê-las de novo no dia seguinte. Ainda não tinham concluído a estrada trincada, ainda não.

Susannah se inclinou sobre ele, beijou-lhe a ponta do nariz.

— Fechado para a noite, docinho?

— Estou — disse Eddie, entrelaçando as mãos atrás da cabeça. — Não é todo dia que viajo no trem mais rápido do mundo, destruo o computador mais inteligente do mundo e descubro que todo mundo morreu de gripe. Tudo antes do jantar, é claro. Uma porra dessas deixa um sujeito meio cansado. — Eddie sorriu e fechou os olhos. Ainda sorria quando o sono tomou conta dele.

9

Em seu sonho, estavam todos parados na esquina da Segunda Avenida com a rua 46, observando o terreno baldio cheio de mato que havia atrás de uma baixa cerca divisória. Usavam as roupas do Mundo Médio — uma combinação aleatória de couro de corça com camisas velhas, quase tudo unido por laços e cordões —, mas nenhum dos pedestres que seguiam apressados pela Segunda Avenida parecia reparar. Ninguém reparou no malhado nos braços de Jake nem na artilharia que carregavam.

Porque somos fantasmas, Eddie pensou. *Somos fantasmas e não descansamos em paz.*

Havia cartazes na cerca — um dos Sex Pistols (uma turnê de reunião, segundo o cartaz, o que Eddie achou hilário — os Pistols eram uma banda que *nunca* ia voltar), outro para o stand-up de um comediante, Adam Sandler, de quem Eddie jamais ouvira falar, um terceiro para um filme chamado *Jovens bruxas*, sobre bruxas adolescentes. Ao lado deste, escrito em letras que imitavam o tom rosado e poeirento de flores de verão, havia o seguinte:

Veja o URSO assustador e grandão!
Em seus olhos o MUNDO cabe dentro.
O TEMPO é vago, o passado uma adivinhação;
E a TORRE o aguarda no centro.

— *Ali* — disse Jake, apontando. — *A rosa. Vejam como nos espera, ali no centro do terreno.*

— *Sim, é muito bonita* — disse Susannah. Então ela apontou para a placa fincada perto da rosa, de frente para a Segunda Avenida. Sua voz e seus olhos pareciam abalados. — *Mas o que acham disso?*

Segundo a placa, dois empreendedores — Construtora Mills e a Imobiliária Sombra — iam se combinar em algo chamado Condomínios de Luxo Baía da Tartaruga, que seria erguido exatamente ali. Quando? EM BREVE era tudo o que a placa anunciava.

— *Eu não me preocuparia com isso* — disse Jake. — *Essa placa já estava aqui antes. Provavelmente é tão velha quanto o...*

Nesse momento, a aceleração de um motor rasgou o ar. De trás da cerca, no lado em que o terreno dava para a rua 46, descargas de uma fumaça suja de escapamento subiram como sinais de fumaça trazendo más notícias. De repente, as tábuas daquele lado da cerca explodiram e uma enorme retroescavadeira vermelha surgiu pela abertura. A própria lâmina de terraplenagem era vermelha, embora as palavras talhadas em sua pá — TODOS LOUVEM O REI RUBRO — estivessem escritas num amarelo brilhante como o pânico. Sentado no banco de comando, com um rosto em decomposição a observá-los de esguelha sobre os controles, estava o homem que sequestrara Jake na ponte sobre o rio Send: o bom e velho Gasher. Na frente de um boné virado para trás, havia, em preto, as palavras FUNDIÇÃO LAMERK. Sobre elas fora pintado um único olho que os encarava.

Gasher baixou a lâmina da máquina. Ela foi cortando o terreno em diagonal, esmagando tijolos, reduzindo a cacos brilhantes garrafas de soda e cerveja, tirando centelhas das pedras. Diretamente no caminho da pá, a rosa inclinava seu delicado botão.

— *Vamos ver se agora vão fazer alguma daquelas perguntas tolas!* — a nada bem-vinda aparição gritava. — *Perguntem o que quiserem, meus queridos vermezinhos, por que não? Gasher, o velho camarada de vocês, também gosta muito de adivinhações! Desde que compreendam isso, não importa o que perguntem, eu vou acabar com essa coisa nojenta, achatá-la e moê-la, ah, é o que vou fazer! Rolar de um lado para o outro em cima dela! Cortar pela raiz, meus queridos vermezinhos! Ah, cortar pela raiz!*

Susannah gritou quando a lâmina da retro escarlate caiu sobre a rosa e Eddie se agarrou à cerca. Teve vontade de saltar sobre ela, se atirar sobre a rosa para tentar protegê-la...

... só que já era tarde. E Eddie sabia disso.

Ele se virou para a coisa que cacarejava no assento do maquinista da retro e viu que Gasher não estava mais lá. Agora quem estava nos controles era o Engenheiro Bob, do *Charlie Chuu-Chuu*.

— *Pare!* — Eddie gritou. — *Pelo amor de Deus, pare!*

— *Não posso, Eddie. O mundo seguiu adiante e não posso parar. Preciso seguir adiante com ele.*

E quando a sombra da retroescavadeira caiu sobre a rosa, quando a lâmina cortou uma das pilastras que seguravam a placa (o em breve se transformará em AGORA), Eddie percebeu que o homem nos controles também não era o Engenheiro Bob.

Era Roland.

10

Eddie sentou-se no acostamento da rodovia, ansiando pelo fôlego que podia ver como uma nuvem no ar e com o suor já esfriando na pele quente. Tinha certeza de que havia gritado, tinha de ter gritado, mas Susannah ainda dormia a seu lado com uma pequena ponta de cabeça despontando da coberta que compartilhavam e Jake ressonava baixo à sua esquerda, um braço fora de seu próprio cobertor abraçando Oi. O malhado também dormia.

Roland não. O pistoleiro estava calmamente sentado do outro lado da fogueira apagada. Limpava os revólveres à luz das estrelas e observava Eddie.

— Pesadelos. — Não era uma pergunta.

— Sim.

— Uma visita de seu irmão?

Eddie balançou a cabeça.

— A Torre, então? O campo de rosas e a Torre?

O rosto de Roland se mantinha impassível, mas Eddie percebeu a sutil impaciência que sempre surgia em sua voz quando o assunto era a Torre Negra. Um dia Eddie chamara o pistoleiro de viciado na Torre e Roland não negara que fosse.

— Não desta vez.

— O que foi, então?

— Está frio. — Eddie tremia.

— Sim. Mas graças aos seus deuses que pelo menos não há chuva. A chuva de outono é um mal que sempre que possível devemos evitar. Como foi o seu sonho?

Eddie, no entanto, hesitava.

— Nunca nos trairia, não é, Roland?

— Ninguém pode responder com certeza a uma coisa dessas, Eddie, e já estive mais de uma vez no papel de traidor. Para minha vergonha. Mas... acho que aqueles dias estão encerrados. Somos um só; ka-tet. Se eu trair a algum de vocês, incluindo talvez o amiguinho peludo de Jake, traio a mim mesmo. Por que pergunta?

— E você jamais trairia a sua jornada.

— Renunciar à Torre? Não, Eddie. Isso não, jamais. Me conte seu sonho.

Eddie obedeceu, nada omitindo. Quando acabou, Roland contemplava seus revólveres de testa franzida. Eles pareciam ter-se montado sozinhos enquanto Eddie falava.

— Então o que significa eu ver você dirigindo aquela máquina no final do sonho? Que ainda não confio em você? Que subconscientemente...

— É aquela ciência da psique? A cabala de que ouvi você e Susannah falarem?

— Sim, pode ser.

— É bobagem — disse Roland num tom de desprezo. — Atoleiros da mente... Os sonhos ou nada querem dizer ou querem dizer tudo... e quando querem dizer tudo, quase sempre vêm como mensagem da... bem, como mensagem de outros andares da Torre. — Encarou Eddie com uma expressão enfática. — E nem todas as mensagens são mandadas por amigos.

— Alguém ou alguma coisa está fodendo com a minha cabeça? É isso que está querendo dizer?

— Acho que é possível. O que não significa que não deva ficar de olho em mim. Aliás, é bom ficar atento comigo, como você bem sabe.

— Confio em você — Eddie falou e o próprio constrangimento com que falou deu sinceridade às suas palavras. Roland pareceu grato, quase comovido, e Eddie não entendeu como um dia poderia ter visto naquele homem um robô desprovido de emoções. Roland podia não ter muita imaginação, mas sem dúvida tinha sentimentos.

— Há uma coisa que me preocupa bastante nesse seu sonho, Eddie.

— A retroescavadeira?

— A máquina, sim. A ameaça feita à rosa.

— Jake viu a rosa, Roland. Estava segura.

Roland assentiu.

— No quando de Jake, no quando daquele dia em particular, a rosa estava florescendo. Mas isso não significa que vá continuar assim. Se a construção de que a placa falava for realizada... Se a *retroescavadeira* chegar...

— Há outros mundos além destes — disse Eddie. — Lembra?

— Algumas coisas podem existir em apenas um deles. Num determinado *onde*, num determinado *quando*. — Roland se deitou e olhou para as estrelas. — Temos de proteger aquela rosa — disse. — Temos de protegê-la, custe o que custar.

— Você acha que ela é outra porta, não é? Uma porta que se abre para a Torre Negra?

O pistoleiro contemplou-o com olhos que tinham o brilho das estrelas.

— Acho que ela pode *ser* a Torre — disse. — E se for destruída...

Seus olhos se fecharam. Não falou mais nada.

Eddie ficou acordado até tarde.

11

O novo dia surgia claro, brilhante, frio. No forte sol da manhã a coisa que Eddie avistara na noite anterior estava mais nitidamente visível... mas ele ainda não conseguia dizer o que era. Outra adivinhação, e Eddie estava ficando realmente de saco cheio delas.

Estreitou os olhos, usando a mão para protegê-los do sol. De um lado estava Susannah, do outro, Jake. Roland estava atrás da fogueira, ainda cuidando do que chamava seus *trabucos*, uma palavra que parecia resumir todos os seus bens terrenos. Parecia não estar preocupado com a coisa à frente, nem em descobrir o que era.

A que distância estaria? Cinquenta quilômetros? Oitenta? Para calcular seria preciso saber qual era a distância que o olho nu de uma pessoa conseguia ver naquela planície, e Eddie não sabia a resposta. Não tinha, no entanto, a menor dúvida de que Jake acertara em pelo menos dois pontos: era uma espécie de edifício e se espalhava por todas as quatro pistas da rodovia. Tinha que ser algo grande; de outra forma como conseguiriam ver? Se não teria se perdido na lúmina, não é?

Talvez esteja localizado num daqueles trechos abertos — o que Susannah chama "buracos nas nuvens". Ou talvez a lúmina termine antes de chegarmos tão longe. Ou talvez seja a porra de uma alucinação. Seja como for, não tem motivo para se estressar com isso por enquanto. Tinham um pouco mais de estrada trincada pela frente.

Mas o prédio o fascinava. Parecia um produto etéreo em azul e dourado das *Mil e uma noites*... só que Eddie achava que o azul fora tirado do céu e o dourado do sol que há pouco se erguera.

— Roland, chega aqui um instante!

A princípio, achou que o pistoleiro não viria, mas Roland apertou um laço de couro na mochila de Susannah, levantou-se, colocou as mãos atrás das costas, se espreguiçou e caminhou até eles.

— Deuses, será que sou a única pessoa neste grupo capaz de resolver tudo? — disse Roland.

— Vamos ajudar — Eddie respondeu —, sempre ajudamos, não é? Mas antes dê uma olhada nessa coisa.

Roland olhou, mas com um olhar muito rápido, como se não estivesse muito interessado em identificar o que via.

— É vidro, não é? — Eddie perguntou.

Roland deu mais uma olhada rápida.

— Eventualmente — respondeu, uma expressão que parecia significar *pode ser que sim, parceiro.*

— Temos muitos edifícios de vidro no lugar de onde eu vim, mas a maioria deles são prédios comerciais. Isso lá na frente lembra mais alguma coisa tirada da Disney. Você sabe o que é?

— Não.

— Então por que não quer olhar para lá? — Susannah perguntou.

Roland realmente *deu* outra olhada naquele brilho distante de luz sobre vidro, mas continuou sendo uma olhada rápida — pouco mais do que uma espiada.

— Porque é encrenca — disse Roland — e está na nossa estrada. Vamos chegar lá quando for a hora. Não é preciso viver o problema antes de o problema começar.

— Chegaremos hoje lá? — Jake perguntou. Roland abanou os ombros, a cara ainda fechada.

— Haverá água se Deus quiser — disse.

— Sério, você ganharia uma fortuna escrevendo aqueles bilhetes chineses da sorte — disse Eddie. Esperou pelo menos um sorriso, mas não recebeu nenhum. Roland simplesmente virou as costas, voltou ao ponto onde estava, se abaixou com um joelho no chão, pegou a bolsa, a mochila, colocou-as nos ombros e ficou à espera dos outros. Quando todos estavam prontos, o grupo retomou seu caminho para leste, seguindo a Interestadual 70. O pistoleiro foi na frente, andando de cabeça baixa e com os olhos nos bicos das botas.

12

Roland permaneceu o dia todo calado e, quando a construção na frente deles ficou mais perto (*encrenca, e está na nossa estrada*), Susannah percebeu que Roland não se achava exatamente preocupado ou emburrado com o que viam lá na frente, mas com o que teria que fazer naquela noite. Estava pensando na história que prometera contar e estava muito mais do que meramente preocupado.

Ao pararem para a refeição do meio-dia, podiam ver claramente o prédio à frente: um palácio de muitas torres que parecia feito inteiramente de vidro espelhado. A lúmina o cercava de perto, mas o palácio se erguia serenamente acima de tudo, com todas as suas torres estiradas para o céu. Sem dúvida era muito estranho encontrar aquilo nas planícies do leste do Kansas, mas Susannah achou que era a mais bela construção que já tinha visto na vida; mais bonita até que o prédio da Chrysler, e isso não era dizer pouco.

À medida que chegavam mais perto, ela foi achando cada vez mais difícil desviar o olhar. Ver os reflexos das nuvens infladas navegando pelos vãos azul-celeste e paredes do castelo de vidro era como contemplar alguma esplêndida miragem... ainda que ali também houvesse uma solidez. Uma impenetrável materialidade. Alguma coisa na construção era provavelmente apenas sombra da construção propriamente dita (miragens, pelo que Susannah sabia, não projetavam sombras), mas não tudo. Ela simplesmente *existia*. Susannah não fazia ideia do que algo tão fabuloso estava fazendo ali, na terra do Stuckey's e do Hardee's (para não mencionar o Boing Boing Burgers), mas estava lá. E achou que com o tempo saberia do resto da história.

13

Acamparam em silêncio. Roland montou em silêncio a chaminé de madeira que seria a fogueira e todos se sentaram em silêncio diante dela, vendo o pôr do sol transformar o enorme edifício de vidro à frente num castelo de fogo. As torres e ameias brilharam primeiro com um vermelho febril, depois com um tom laranja, depois com um dourado que esfriou rapidamente numa tonalidade ocre quando a Velha Estrela apareceu no firmamento sobre eles...

Não, Susannah pensou na voz de Detta. *Num é a merma estrela, garota. Bisolutamente num é. Essa é a Estrela do Norte. A merma que tu via em casa, sentada no cólu do teu papai.*

Mas era a Velha Estrela que ela queria ver. A Velha Estrela e a Velha Mãe. Ficou espantada ao perceber que estava com saudades do mundo de Roland, mas logo se perguntou por que estava tão surpresa. Era um mundo, afinal, onde ninguém a chamara de crioula puta (pelo menos ainda não), um mundo onde encontrara alguém para amar... e onde também fizera bons amigos. Essa última ideia deixou-a com uma certa vontade de chorar e ela se abraçou a Jake. Ele se deixou abraçar, sorridente, olhos meio fechados. A alguma distância, desagradável, mas suportável mesmo sem as balas servindo de fones de ouvido, a lúmina murmurava sua canção chorosa. Quando os últimos traços de amarelo começaram a se dissipar no castelo estrada acima, Roland deixou-os para se sentar na pista da direita da estrada e retornar à sua fogueira. Cozinhou mais carne de corça recheando-a com folhagens e serviu a comida. Comeram em silêncio (Roland, na realidade, não comeu quase nada, constatou Susannah). Quando terminaram, puderam ver a Via Láctea se espalhando pelos muros do castelo à frente deles, intensos pontos de reflexo que ardiam como chamas saindo de água parada.

Foi Eddie quem finalmente rompeu o silêncio.

— Não precisa contar nada — disse. — Está desculpado. Ou absolvido. Ou seja o que for a maldita coisa que esteja precisando para tirar essa expressão da cara.

Roland o ignorou. Bebia água, levantando o cotovelo e o cantil como um caipira tomando aguardente de uma moringa, a cabeça jogada para trás, o olhar nas estrelas. Cuspiu para o lado da estrada o último gole.

— Vida para a colheita — disse Eddie, mas não sorriu.

Roland não disse nada. Tinha o rosto pálido como se tivesse visto um fantasma. Ou ouvido um.

14

O pistoleiro virou-se para Jake, que o encarou com ar sério.

— Passei pelo ritual da maioridade com catorze anos de idade. Fui o mais novo a fazer o ritual no meu ka-tet... e também na minha turma... Talvez nunca ninguém tenha feito o ritual tão cedo. Já lhe contei um pouco da história, Jake. Está lembrado?

Já contou a todos nós parte da história, Susannah pensou, mas manteve a boca fechada e, com um olhar, advertiu Eddie a fazer o mesmo. Roland estivera meio fora de si durante aquele relato; com Jake ao mesmo tempo morto e vivo dentro de sua cabeça, estivera lutando contra a loucura.

— Está se referindo àquela vez em que estávamos perseguindo Walter — disse Jake. — Depois do posto de parada mas antes que eu... que eu caísse.

— Sim.

— Eu me lembro um pouco daquilo, mas não muito. É como se lembrar de um sonho.

Roland fez que sim com a cabeça.

— Agora escute. Desta vez vou lhe contar um pouco mais, Jake, porque já está mais velho. Acho que todos nós estamos.

Susannah não achou a história menos fascinante ao escutá-la pela segunda vez: ouvir como Roland, garoto, encontrara por acaso Marten, conselheiro do pai (*mago* do pai) no aposento particular de sua mãe. Só que, no fundo, nada daquilo acontecera por acaso, é claro; o garoto teria passado e no máximo olhado de relance para a porta da mãe se Marten não a tivesse aberto e o convidado a entrar. Marten dissera a Roland que a mãe queria vê-lo, mas uma olhada no sorriso pesaroso da mãe, e na maneira como ela desviou o olhar quando se sentou na cadeira de encosto baixo, informou ao garoto que ele era a última pessoa no mundo que Gabrielle Deschain queria ver naquele momento.

O seu rosto corado e a marca do lado do pescoço dela lhe disseram o resto.

Assim fora ele incitado por Marten a se lançar numa prova prematura de maturidade. Mas empregando uma arma com a qual seu mestre não havia contado (David, seu falcão), Roland derrotara Cort, tomara-lhe o bastão... e transformara Marten Broadcloak num inimigo para a vida inteira.

Depois de sofrer uma terrível derrota, com o rosto muito inchado transformado numa espécie de máscara infantil de duende, entrando em estado de coma, Cort resistira à perda de consciência por tempo suficiente para dar um conselho de pistoleiro a seu antigo aprendiz: para que não fosse ainda atrás de Marten.

— Pediu também que eu deixasse o relato de nossa batalha virar uma lenda — disse o pistoleiro a Eddie, Susannah e Jake. — E que esperasse até minha sombra ter pelo na cara para começar a assombrar os sonhos de Marten.

— Seguiu os conselhos dele? — Susannah perguntou.

— Nunca tive oportunidade de segui-los — disse Roland, um sorriso triste e doloroso surgindo em seu rosto. — Pretendia pensar neles, e seriamente, mas antes mesmo de começar a pensar as coisas... mudaram.

— Elas têm uma mania de fazer isso, não é? — disse Eddie. — Por Deus, como têm.

— Enterrei meu falcão, a primeira arma que manejei e talvez a melhor. Então... e tenho certeza de que não lhe contei esta parte, Jake... fui para a cidade baixa. O calor daquele verão desaguava em tempestades cheias de trovão e granizo, e no sobrado de um dos bordéis onde Cort tinha o costume de se divertir, me deitei com uma mulher pela primeira vez.

Cutucou pensativamente o fogo com um graveto, mas pareceu tomar consciência do inconsciente simbolismo do que estava fazendo e jogou fora o graveto com um sorriso torto. O graveto caiu em brasa junto do pneu de um Dodge Aspen abandonado ali e se apagou.

— Foi bom. O sexo foi bom. Não tudo aquilo que eu e meus amigos pensávamos tanto, que era objeto de tantas conversas e questionamentos, é claro...

— Acho que o serviço das prostitutas tende a ser superestimado pelos jovens, docinho — disse Susannah.

— Adormeci ouvindo os bêbados no andar de baixo cantando com o piano acompanhando e o granizo batendo na janela. Acordei no dia seguinte em... bem... vamos dizer que acordei de um modo que eu jamais teria esperado acordar em tal lugar.

Jake jogou mais lenha no fogo, que se inflamou um pouco mais, fazendo brilhar o rosto de Roland, pintando meias-luas sombreadas sob suas sobrancelhas e embaixo do lábio. E enquanto ele falava, Susannah achou que quase podia ver o que tinha acontecido naquela manhã, tanto tempo atrás, que devia ter um cheiro de pedras molhadas na rua e calor de verão abrandado pela chuva; o que tinha acontecido no cubículo de uma prostituta no andar de cima de uma taberna na cidade baixa de Gilead, sede do Baronato de Nova Canaã, um pequeno lote de terra situado nas regiões ocidentais do Mundo Médio.

Um garoto, ainda dolorido da batalha do dia anterior e recentemente instruído nos mistérios do sexo. Um garoto, agora parecendo ter doze em vez de catorze anos, as pestanas batendo rápido, as pálpebras tapando aqueles extraordinários olhos azuis; um garoto com a mão envolvendo com cuidado o seio de uma prostituta, o pulso machucado por um falcão pousado na colcha. Um garoto nos instantes finais do último bom sono de sua vida, um garoto que estará em breve em movimento, que estará caindo como uma pedra deslocada cai pela íngreme e acidentada encosta de um precipício; uma pedra caindo que empurra outra, e outra, e outra, e cada uma delas empurrando muitas mais, até que toda a encosta entra em agitação e a terra estremece com o som do deslizamento.

Um garoto, uma pedra numa encosta cheia de pedras soltas e prontas para deslizar.

O nódulo de um galho explodiu na fogueira. Em algum lugar naquele sonho passado no Kansas, um animal ganiu. Susannah viu os clarões rodopiarem pelo rosto incrivelmente antigo de Roland e viu naquele rosto o garoto adormecido de uma manhã de verão, deitado na cama de uma mulher da vida. E então viu a porta se abrir de repente, dando fim ao último sonho inquieto de Gilead.

15

O homem que entrou a passo largo, cruzando o quarto e se aproximando da cama antes que Roland pudesse abrir os olhos (e antes que a mulher a seu lado tivesse sequer começado a registrar o som), era alto, magro e usava uma calça de brim desbotado e uma camisa de cambraia azul. Em sua cabeça havia um chapéu cinza-escuro com uma tira de pele de cobra. Amarrados bem embaixo de sua cintura havia dois velhos coldres de couro. Despontando deles, os cabos de sândalo dos revólveres que um dia o garoto levaria para terras das quais aquele homem de expressão irritada e furiosos olhos azuis jamais sonharia existir.

Roland estava em movimento antes mesmo de abrir os olhos, rolando para a esquerda, a mão tateando embaixo da cama para pegar o que estava lá. Foi rápido, de uma rapidez assustadora, mas — e Susannah viu isto também, viu claramente — o homem com a calça desbotada foi mais rápido ainda. Agarrou o ombro do garoto e puxou, fazendo-o rolar nu para fora da cama. Assim que caiu no chão, rápido como um relâmpago, o garoto estendeu novamente a mão para o que estava embaixo da cama. O homem com a calça de brim pisou em seus dedos antes que ele pudesse pegar o que quer que fosse.

— Canalha! — disse o garoto num tom ofegante. — Ah, seu ca...

Mas agora seus olhos estavam abertos. Roland ergueu o olhar e viu que o canalha invasor era seu pai.

A prostituta havia se sentado, os olhos inchados, a expressão indolente, petulante.

— Escute aqui! — ela gritou. — Escute bem! Não pode vir invadindo assim, não pode mesmo! Se eu agora começasse a gritar e...

Ignorando-a, o homem colocou a mão embaixo da cama e puxou dois cinturões. Na ponta de cada um havia um coldre com um revólver. Eram armas grandes, impressionantes naquele mundo de tão poucas armas, mas não tão grandes quanto os revólveres usados por ele, e os cabos eram placas de metal amassadas, não madeira trabalhada. Quando a prostituta viu os revólveres na cintura do invasor e os que agora estavam em suas mãos — aqueles que o jovem freguês que chegara na noite anterior estava portando até que ela o levasse para o andar de cima e o despojasse de todas as armas salvo daquela com a qual ela estava mais familiarizada —, a expressão de sonolenta petulância deixou seu rosto. O que a substituiu foi o olhar astuto de alguém acostumado a sobreviver. Ela estava de pé, longe da cama, cruzando o quarto e a porta antes que sua nádega nua pudesse brilhar mais do que um breve instante no sol da manhã.

Nem o pai parado junto da cama nem o filho caído nu aos seus pés chegaram sequer a se virar para ela. O homem de calça de brim estendia os cinturões que Roland tirara do depósito sob o alojamento dos aprendizes na tarde anterior, usando a chave de Cort para abrir a porta do arsenal. O homem sacudia os cinturões diante do nariz de Roland como se sacudiria uma roupa rasgada diante do focinho do filhote bagunceiro de cachorro que a tivera na boca. Sacudiu-os com tanta força que um dos revólveres caiu. Apesar de seu espanto, Roland pegou-o no ar.

— Achei que estava no oeste — disse Roland. — Em Cressia. Depois que Farson e seu…

O pai de Roland esbofeteou-o com força suficiente para fazer o rapaz ser jogado pelo quarto e bater num canto com o sangue escorrendo do canto da boca. O primeiro apavorante instinto de Roland foi apontar o revólver que ainda segurava.

Steven Deschain o encarava, mãos na cintura, lendo seu pensamento antes mesmo que ele o tivesse plenamente formado. Os lábios recuaram num sorriso particularmente sombrio, um sorriso que mostrou todos os seus dentes e a maior parte das gengivas.

— Atire em mim se quiser. Por que não? Leve este aborto até o fim. Ah, deuses, isto seria bem-vindo!

Roland pousou o revólver no chão e, com as costas da mão, empurrou-o para o lado. Naquele momento quis ter os dedos o mais longe possível do gatilho de uma arma. Eles não estavam mais de todo sob seu controle, aqueles dedos. Roland havia descoberto isso na noite anterior, mais ou menos na hora em que quebrara o nariz de Cort.

— Pai, ontem passei no ritual. Peguei o bastão de Cort. Venci. Sou um homem.

— É um idiota — disse o pai, cujo sorriso desaparecera. Ele agora parecia velho, abatido. Desabou na cama da prostituta, contemplou os cinturões que ainda segurava e jogou-os entre os pés. — Um idiota de catorze anos, o que é o pior; o tipo mais infeliz de idiota. — Ergueu os olhos, de novo extremamente furioso, mas Roland não se importou; a raiva era melhor do que o olhar anterior de fraqueza. O olhar anterior de cansaço. — Desde que você começou a andar, soube que não era um gênio, mas só ontem à noite descobri que é um idiota. Deixar que ele o conduzisse como uma vaca numa travessia de rio! Deuses! Você esqueceu o rosto de seu pai! Admita isso!

E isso despertou a raiva do próprio garoto. Tudo que fizera na véspera fora feito com o rosto do pai muito bem fixado na mente.

— Não é verdade! — gritou de onde estava sentado, o traseiro nu no chão áspero junto à cama desarrumada da prostituta e as costas apoiadas na parede, o sol passando pela janela e tocando a penugem da barba na cara lisa, sem cicatrizes.

— É verdade, guri! Guri tolo! Quero que se retrate ou vou lhe tirar o pelo sem sequer...

— Os dois estavam juntos! — Roland explodiu. — Sua esposa e seu ministro... seu mago! Vi a marca da boca no pescoço dela! *No pescoço de minha mãe!* — Estendeu a mão para o revólver e segurou-o, mas mesmo em sua fúria e vergonha teve o cuidado de não deixar os dedos se aproximarem do gatilho; agarrava sua arma de aprendiz pelo metal liso, sem ornamentos, do cano. — Hoje darei um fim à traiçoeira vida de sedutor do sujeito com isto e, se o senhor não é bastante homem para me ajudar, pelo menos fique de lado e me deixe...

Um dos revólveres que Steven trazia na cintura estava fora do coldre antes que os olhos de Roland vissem qualquer movimento. Houve um único tiro, ensurdecedor como trovão no pequeno quarto; e se passou um minuto inteiro antes de Roland conseguir ouvir o alvoroço de perguntas, a comoção no andar de baixo. Sua arma de aprendiz, no entanto, estava longe, arrancada de sua mão com um tiro e só deixando uma espécie de coceira e vibração. A arma voara pela janela, caíra lá fora, o cabo transformado num destroço de metal amassado. A acusação pairava no ar com a fala incompleta de Roland.

Chocado, atônito, ele olhava para o pai. Steven sustentava o olhar, sem falar nada durante um bom tempo. Mas agora, porém, mostrava o rosto que Roland se lembrava de ter conhecido nos primeiros anos de infância: calmo e seguro. A fraqueza e o ar de fúria quase descontrolada tinham se dissipado como os trovões da noite anterior.

Por fim o pai falou.

— Errei no que disse e peço perdão. Você não esqueceu o meu rosto, Roland. Mas continua sendo um idiota. Deixou-se manipular por outro idiota, só que muito mais velho do que você jamais conseguirá ser em toda a sua vida. Só pela graça dos deuses e pela ação do ka não foi mandado para o oeste, mais um pistoleiro verdadeiro tirado do caminho de Marten... tirado do caminho de John Farson... e tirado do caminho que leva à criatura que comanda os dois. — Ele parou e estendeu os braços. — Se eu o tivesse perdido, Roland, teria morrido.

Roland ficou de pé e se aproximou sem roupa do pai, que o abraçou com força. Quando Steven Deschain o beijou primeiro numa face, depois na outra, Roland começou a chorar. Então, no ouvido de Roland, Steven Deschain sussurrou seis palavras.

16

— Quais? — Susannah perguntou. — Que seis palavras?

— "Há dois anos eu sabia disso" — disse Roland. — Foi o que ele sussurrou.

— Santo Deus — disse Eddie.

— Meu pai me disse que eu não podia voltar ao palácio. Se o fizesse, seria morto ao cair da noite. Ele disse: "Você nasceu para seguir seu destino, não importa quanto Marten tenha tentado impedir; mas ele jurou matá-lo antes que você se transforme num problema. Parece que, tendo ou não sido vencedor no ritual, deve partir de Gilead. Ainda que só por algum tempo. E irá para o leste em vez do oeste. Mas não quero que vá embora sozinho, nem sem um objetivo". Então, quase que distraidamente, ele acrescentou: "Ou apenas com um par de 'revólveres de aprendiz' fajutos".

— Que objetivo? — Jake perguntou, nitidamente fascinado pela história; seus olhos estavam quase tão brilhantes quanto os de Oi. — E com que amigos?

— Chegou a hora de saberem sobre essas coisas — disse Roland —, e como irão me julgar eu saberei com o tempo.

Roland exalou um suspiro — o suspiro profundo de um homem que conclui um trabalho árduo — e atirou lenha nova na fogueira. Quando as chamas subiram, fazendo as sombras recuarem um pouco, voltou a falar. Ia falar por toda aquela noite estranhamente longa. Não concluiria a história de Susan Delgado antes que o sol estivesse subindo no leste, derramando sobre o castelo de vidro, que permanecia ao longe, todos os brilhantes matizes de um novo dia e mostrando a estranha tonalidade de luz esverdeada que era a verdadeira cor da construção.

PARTE DOIS
SUSAN

1. SOB A LUA DO BEIJO

1

Um perfeito disco de prata — a Lua do Beijo, como a chamavam na Terra Plena — pendia sobre a acidentada colina oito quilômetros a leste de Hambry e dezesseis quilômetros ao sul da Garganta do Parafuso. Embaixo da colina, o calor do final do verão persistia, sufocante, apesar de já passadas duas horas do pôr do sol, mas no alto do Cöos era como se a Colheita já tivesse chegado, com suas fortes brisas e ar congelante. Para a mulher que vivia ali, tendo como única companhia uma cobra e um velho gato vira-lata, aquela ia ser uma longa noite.

Mas não importava; não importava, meu caro. Mãos ocupadas são mãos felizes. Era como estavam as dela.

Esperou até o barulho dos cascos dos cavalos de seus visitantes cessar por completo. Estava sentada tranquila junto à janela, no aposento maior da cabana (havia apenas mais um cômodo, um quarto, pouco maior do que um armário). Musty, o gato de seis pernas, estava em seu ombro. O colo da mulher estava banhado pelo luar.

Três cavalos, levando embora três homens. Os Grandes Caçadores de Caixões, como chamavam a si próprios.

Ela deu uma risada. Os homens eram engraçados, sim, é claro que eram, e o que havia de mais divertido era que praticamente eles não tinham a menor consciência disso. Homens, com nomes que lhes pareciam tão valentes, tão capazes de impor respeito. Homens, tão orgulhosos de seus músculos, suas aptidões para a bebida, suas aptidões para a comida; tão incessantemente orgulhosos de suas picas. Sim, mesmo naqueles tempos em que um número imenso deles não conseguia soltar nada além do sêmen estranho e corrompido que produzia crianças que só serviam para ser afogadas no poço mais próximo. Ah, mas a culpa jamais era deles, certo, meu caro? Não, era sempre a mulher — útero dela, falha dela. Homens eram tão covardes. Tão orgulhosos de sua covardia. Aqueles três não eram exceção. O velho que mancava podia ser bom ficar de olho — sim, seria bom, tinha um par de olhos argutos e curiosos demais e que a encarara —, mas a mulher não viu nada naqueles olhos com que não soubesse lidar, a verdade foi essa.

Homens! Não conseguia entender por que tantas mulheres os temiam. Não tinham os deuses criado os homens com a parte mais vulnerável de seus órgãos pendendo fora dos corpos, como um pedaço deslocado de tripa? Chutem aquilo e eles se curvarão como caracóis. Acariciem aquilo e seus cérebros se derreterão. Qualquer um que duvidasse disso precisaria apenas ver qual seria a sua segunda tarefa da noite, o que ainda tinha pela frente. Thorin! Prefeito de Hambry! Chefe da Guarda do Baronato! Nenhum tolo era pior do que um tolo velho!

Contudo, nenhum destes pensamentos tinha qualquer poder real ou produziria qualquer malefício real contra eles, pelo menos não agora; os três homens que se autodenominavam os Grandes Caçadores de Caixões tinham lhe trazido uma maravilha e ela saberia contemplá-la; claro, encheria os olhos com ela, faria isso.

O coxo, Jonas, insistira para que guardasse a maravilha — fora informado de que ela possuía um lugar para guardar essas coisas, não, é claro, que ele quisesse vê-lo, não queria conhecer *nenhum* de seus lugares secretos, que Deus o livrasse (neste ponto Depape e Reynolds tinham começado a rir como dois malucos). Ela a guardara, e agora que o barulho dos cascos dos cavalos já fora engolido pelo vento, faria o que bem entendesse. A moça cujas tetas tinham roubado o pouco que Hart Thorin ainda possuía de cérebro não chegaria por mais uma hora (a velha mulher insistira para que viesse a pé da cidade, mencionando o valor purificador de tal caminhada ao luar, mesmo que quisesse apenas garantir um seguro intervalo de tempo entre seus dois encontros), e durante essa hora ela faria o que bem entendesse.

— Ah, é bonita, tenho certeza que é — sussurrou.

Será que não sentiu um certo calor naquele lugar onde as pernas velhas e tortas se juntavam? Uma certa umidade na fenda seca que ali se escondia? Deuses!

— Ié, mesmo com ela fechada naquela caixa sinto sua força. Bela, Musty, como você. — Tirou o gato do ombro e segurou-o na frente dos olhos. O velho bichano ronronou e esticou o focinho de pugilista em sua direção. A mulher o beijou no nariz. O gato fechou os olhos mansos, cinza-esverdeados, em êxtase. — Bela como você... não é, não é? E aí?

Colocou o gato no chão. Ele caminhou devagar para a lareira, onde um resto de fogo consumia, agitado, uma última tora. A cauda de Musty, repartida na ponta, lembrando o forcado na cauda de um demônio num velho desenho, oscilava de um lado para o outro na tênue atmosfera alaranjada do aposento. As pernas extras, projetando-se pelos lados do corpo, contorciam-se sonhadoramente. A sombra que se estendia pelo chão e subia pela parede era pavorosa: parecia um cruzamento de gato com aranha.

A velha se levantou e foi para o cubículo onde dormia, para onde tinha levado a coisa que Jonas lhe dera.

— Perca isso e perderá sua cabeça — ele tinha dito.

— Fique tranquilo, meu bom amigo — a mulher respondera virando-se para trás com um sorriso tímido e servil. *Homens!*, pensava ela. *Que criaturas arrogantes e tolas!*

Ela se aproximou dos pés da cama, ajoelhou-se e passou as mãos sobre o chão de terra. Apareceram marcas na terra dura quando ela o fez. Formavam um quadrado. Usando os dedos, ela empurrou uma dessas marcas, que cedeu sob seu toque. Ergueu a portinhola oculta (oculta de tal forma que ninguém sem o toque certo conseguiria descobrir), revelando um compartimento de talvez uns trinta centímetros quadrados e uns setenta centímetros de profundidade. Lá dentro havia uma caixa de carvalho. Enroscada no alto da caixa havia uma fina cobra verde. Quando a mulher encostou a mão na cobra, o animal levantou a cabeça. A boca se abriu com um silvo silencioso, exibindo quatro pares de presas — dois no alto, dois embaixo.

Ela pegou a serpente, murmurando alguma coisa. Quando aproximou do rosto o focinho chato da cobra, o animal abriu ainda mais a boca e o silvo tornou-se audível. A mulher abriu a própria boca e enfiou a língua amarelada, fedorenta da cobra no meio dos lábios cinzentos e franzidos. Caíram duas gotas de veneno, suficientes para matar todos os convidados de um banquete se misturadas à bebida. Ela engoliu o veneno, sentindo a boca, a garganta e o peito arderem, como se tivesse tomado uma forte aguardente. Por um momento o quarto saiu de foco e ela ouviu vozes cochichando no ar malcheiroso da cabana — as vozes daqueles que chamava de "amigos invisíveis". Seus olhos derramaram um líquido viscoso pelas cavidades que o tempo lhe cavara no rosto. Então ela respirou fundo e o quarto voltou ao normal. As vozes cessaram.

Beijou Ermot entre os olhos sem pálpebras *(tempo da Lua do Beijo, não é mesmo*, ela pensou) e colocou-a de lado. A cobra resvalou para baixo da cama, enroscou-se e viu a mulher passar as palmas das mãos sobre a tampa da caixa de carvalho. A mulher podia sentir os músculos tremerem em seus antebraços e aquele calor no ventre ficou mais pronunciado. Tinham se passado anos desde a última vez que sentira o apelo do sexo, mas voltava a senti-lo agora, sem dúvida, e não era o efeito da Lua do Beijo, ou pelo menos era muito mais que isso.

A caixa estava trancada e Jonas não lhe dera nenhuma chave, mas isso nada significava para ela, que já vivera muito tempo, estudara demais e lidara com criaturas de quem a maioria dos homens, apesar de toda a conversa arrogante e do jeito pedante, correria como se estivesse em chamas se chegasse a vê-las, mesmo que de relance. Estendeu a mão para a fechadura onde estava incrustada a forma de um olho e uma inscrição na Língua Superior: VEJO

QUEM ME ABRE. Depois puxou a mão. De imediato pôde cheirar o que o nariz, em condições normais, já não percebia: mofo, pó, um colchão sujo e as migalhas da comida consumida na cama; o fedor misturado de cinzas e incenso antigo; o odor de uma velha mulher com olhos úmidos e (habitualmente, pelo menos) uma vagina seca. Não abriria a caixa ali dentro para contemplar a maravilha; ia sair da cabana para onde o ar era limpo e os únicos cheiros vinham da artemísia e do algarobo.

Contemplaria o luar da Lua do Beijo.

Rhea, da colina Cöos, tirou a caixa de seu buraco com um resmungo de esforço, ficou de pé com outro resmungo (este provocado pelas regiões mais baixas do corpo), colocou a caixa embaixo do braço e saiu do quarto.

2

A cabana ficava suficientemente abaixo do ponto mais alto da colina para não ser atingida pelas rajadas mais fortes do vento do inverno que, naquelas terras altas, soprava quase sem parar da Colheita até o fim da Terra Ampla. Uma trilha levava ao ponto mais alto da encosta; sob a lua cheia, parecia uma vala prateada. A velha avançou por ela, ofegante, o cabelo branco envolvendo sua cabeça em mechas sujas, as tetas sacudindo de um lado para o outro sob o vestido preto. O gato seguia em sua sombra, sempre soltando, como um cheiro ruim, o ronronado fraco.

No topo da colina, o vento tirou o cabelo das rugas de seu rosto e trouxe até ela o lamento sussurrante da lúmina que abrira caminho para a extremidade da Garganta do Parafuso. Poucos simpatizavam com aquele som, Rhea sabia, mas ela o amava; para Rhea do Cöos, soava como uma canção de ninar. Lá no alto a lua seguia, as sombras na superfície brilhante esboçando as faces de amantes se beijando... se a pessoa, é claro, acreditasse na visão dos tolos da cidade. Os tolos da cidade encontravam um rosto ou um conjunto de rostos diferentes em cada lua cheia, mas a bruxa sabia que só existia uma: o rosto do Demônio. O rosto da morte.

Ela, no entanto, jamais se sentira tão viva.

— Ah, que beleza — sussurrou, tocando a fechadura com os dedos retorcidos. Um fraco brilho de luz vermelha apareceu entre as juntas dos nós dos dedos e houve um clique. Respirando forte, como quem tivesse disputado uma corrida, pousou a caixa e abriu-a.

Uma luminosidade rosada, menos intensa que a emitida pela Lua do Beijo mas infinitamente mais bonita, brotou de lá. Tocou a face encarquilhada sobre a caixa e, por um momento, transformou-a de novo no rosto de uma jovem.

Musty fungou, a cabeça esticada para a frente, as orelhas para trás, os velhos olhos refletindo aquela luz rosada. Rhea ficou instantaneamente enciumada.

— Saia daqui, tolo, isto não é para coisas como você!

Deu um tapa no gato. Musty se afastou, assobiando como uma chaleira, avançando ressentido para a saliência que marcava a verdadeira extremidade da colina Cöos. Parou lá, simulando desprezo, lambendo a pata, deixando o vento passar pelo seu pelo.

Dentro da caixa havia um globo de vidro. Cheio daquela luz rosa que dele fluía num pulsar suave, como a batida de um coração satisfeito.

— Ah, meu querido — ela murmurou, puxando o globo. Segurou-o na frente do rosto; deixou a radiância pulsante se derramar como chuva pela cara franzida. — Ah, você vive, sim, está vivo!

De repente a cor dentro do globo escureceu, adquirindo um tom escarlate. E ela sentiu o globo vibrar em suas mãos como um motor tremendamente possante e de novo sentiu aquela incrível umidade entre as pernas, aquela onda de excitação que Rhea acreditava já ter ficado há muito tempo para trás.

Então a vibração cessou e a luminosidade no globo pareceu se desdobrar em três pétalas. Da antiga luz restava apenas uma sombra rosada... de onde saíam três cavaleiros. A princípio ela achou que fossem os homens que lhe tinham trazido o globo — Jonas e os outros. Mas não, eram mais jovens, até mais jovens do que Depape, que tinha em torno de vinte e cinco anos. O que vinha à esquerda do trio parecia ter uma caveira de pássaro encaixada na frente de sua sela — estranho, mas era isso.

Então esse e o que seguia à direita desapareceram, de alguma forma obscurecidos entre os reflexos do vidro, ficando apenas o do meio. Ela observou a calça de brim e as botas que ele usava, o chapéu de aba caída que escondia a metade superior do rosto, a facilidade com que montava o cavalo e seu primeiro e alarmado pensamento foi: *Um pistoleiro! Chegando dos Baronatos Interiores, ié, talvez da própria Gilead!* Mas não precisou ver a metade superior da face do cavaleiro para saber que ele era pouco mais que uma criança, e que não havia revólveres em sua cintura. Contudo, não achava que o jovem vinha desarmado. Se ela pudesse olhar um pouquinho mais de perto...

Quase encostou o vidro na ponta do nariz e sussurrou:

— Mais perto, querido! Chegue mais perto!

Não sabia o que esperar (e talvez o mais lógico fosse não esperar absolutamente nada), mas dentro do escuro círculo de vidro o vulto chegou mais perto. Praticamente *flutuou* para mais perto, como um cavalo e um cavaleiro sob a água, e ela reparou que hastes de flechas se agitavam nas suas costas. Diante dele, na cabeça da sela, não havia uma caveira mas um pequeno arco. E do lado direito da sela, onde um pistoleiro normalmente carregaria um rifle num estojo, havia o contorno ornado das penas de uma lança. Ele não era alguém do Povo Antigo, o seu rosto não tinha nada a ver com eles... mas Rhea também não achava que fosse do Arco Exterior.

— Quem *é* você, tolo? — ela sussurrou. — E como vou poder conhecê-lo? Tem a aba do chapéu tão embaixo que não consigo ver esses olhos de Deus, não consigo! Pelo cavalo, talvez... ou talvez pelo... saia daqui, Musty! Por que não para de me perturbar? Arre!

O gato retornara de seu posto de vigia e agora ondulava de um lado para outro entre os velhos e inchados tornozelos da mulher. Uivava para ela com uma voz ainda mais trêmula que a do ronronar. Quando a mulher tentou chutá-lo, Musty se esquivou e se distanciou alguns passos... mas voltou imediatamente e recomeçou a carícia, contemplando a mulher com olhos banhados pelo luar e dando aqueles uivos suaves.

Rhea tornou a chutá-lo, um chute tão no vazio quanto o outro, depois tornou a olhar para o globo de vidro. O cavalo e seu curioso e jovem cavaleiro haviam desparecido. A luz rosada também sumira. A coisa já não passava de uma inerte bola de vidro que ela continuava segurando. A única luz era um reflexo provocado pelo luar.

O vento soprava, achatando o vestido contra a ruína que era seu corpo. Musty, sem se assustar com os débeis chutes de sua dona, deu um salto para a frente e recomeçou a ondular em volta das pernas dela, o tempo todo gritando para ela.

— Viu, está vendo o que você fez, seu maldito saco de doenças e pulgas? A luz desapareceu do globo, sumiu justo quando eu...

Então ela ouviu um barulho na trilha de carroças que levava para sua cabana e compreendeu por que Musty estava cada vez mais agitado. Era uma canção o que ela estava ouvindo. Era a moça o que ela ouvia. A moça estava adiantada.

Fazendo uma careta terrível — odiava ser apanhada de surpresa e a mocinha que vinha lá embaixo pagaria pela insolência —, ela se curvou e tornou a colocar o globo na caixa. No interior da caixa havia um forro de seda e o globo se ajustava nele com a perfeição de um ovo na pequena xícara que um lorde usava no café da manhã. E, sem parar, chegava da subida da colina (se o maldito vento não estivesse tão forte, teria ouvido a coisa há mais tempo), o som da moça cantando, cada vez mais perto:

Amor, ah amor, ah descuidado amor,
Não vê o que fez o amor descuidado?

— Vou lhe mostrar esse amor descuidado, virgem de merda — disse a velha. Podia sentir o fedor ácido do suor embaixo dos braços, mas aquela outra umidade tinha de novo secado. — Vou lhe dar a recompensa por chegar tão cedo à casa da velha Rhea, pode apostar!

Passou os dedos pela fechadura na frente da caixa, mas ela não fechou. Desconfiou que, na ânsia de abri-la, quebrara alguma coisa ao usar o toque. O olho e a inscrição pareciam zombar dela: VEJO QUEM ME ABRE. A coisa podia ser consertada, e num instante, mas naquele momento mesmo um instante era mais do que tinha.

— Escrota do caralho! — ela se queixou, erguendo brevemente a cabeça para a voz cada vez mais próxima (já quase lá, pelos deuses, e quarenta e cinco minutos antes da hora!). Então fechou a tampa da caixa. Sentiu angústia ao fazê-lo, pois o vidro ganhara vida de novo, enchendo-se daquele brilho rosado, mas não dava tempo para olhar ou ficar sonhando com aquilo. Mais tarde, talvez, depois que o objeto da indecorosa putaria da última fase da vida de Thorin tivesse se mandado.

Mas você deve se segurar para não fazer nada de muito terrível à moça, advertiu a si própria. *Lembre que ela está aqui por causa de Thorin e não é uma daquelas garotinhas já com um rebento a caminho e com um namorado tentando fugir de se casar com ela. É coisa de Thorin, é nela que ele pensa depois que a sua esposa velha e feia vai dormir e ele pega seu instrumento na mão e começa a ordenha noturna; é coisa de Thorin, a antiga lei está do lado dele e o homem tem poder. Além do mais, o que há naquela caixa foi trazido por um de seus homens, e se Jonas descobre que olhei lá dentro... que usei a bola...*

Sim, mas nenhum motivo para se preocupar com isso. E, aliás, a posse significava estar em nove décimos com a lei, era verdade ou não?

Ela colocou a caixa embaixo do braço, levantou as saias com a mão livre e correu pela trilha de volta à cabana. Ainda conseguia correr quando era preciso, sim, embora pouca gente fosse capaz de acreditar nisso.

Musty foi em seu encalço, a cauda fendida no ar e as pernas extras batendo de um lado para o outro sob o luar.

2. PROVANDO A CASTIDADE

1

Rhea disparou para a cabana, passou correndo pelo resto de fogo na lareira e, passando a mão no cabelo num gesto distraído, parou na porta de seu minúsculo quarto. A escrota não a vira fora da cabana (certamente teria parado com um grito se a tivesse visto ou, pelo menos, ficaria sem saber o que fazer), o que era bom, mas o maldito esconderijo tinha se fechado outra vez, o que era ruim. Não dava tempo para abri-lo de novo. Rhea correu para a cama, ajoelhou-se e empurrou a caixa bem para o fundo das sombras que havia lá embaixo.

Isso vai dar; até Susy Greengown ir embora, aquilo estava ótimo. Sorrindo pelo lado direito da boca (o esquerdo estava quase todo paralisado), Rhea se levantou, sacudiu o vestido e foi ao encontro da sua segunda tarefa da noite.

2

Atrás dela, a tampa não trancada da caixa deu um clique e se abriu. A tampa subiu menos de dois centímetros, mas foi o bastante para permitir que uma réstia de pulsante luz colorida de rosa brilhasse.

3

Susan Delgado parou a uns quarenta metros da cabana da feiticeira, o suor provocando a sensação de frio nos braços e na nuca. E não acabara de surpreender uma velha (sem dúvida aquela que tinha vindo ver) correndo pelo último trecho do caminho que vinha do alto da colina? Achava que sim.

Não pare de cantar... quando uma velha senhora corre daquele jeito é que não quer ser vista. Se você parar de cantar, ela provavelmente vai saber que a viram.

Por um momento, Susan achou que de qualquer modo ia parar... que sua memória ia se fechar como uma mão tensa e negar-lhe qualquer outro verso da melodia que cantava desde quando ainda era muito nova. Mas o próximo verso lhe ocorreu sem problemas e ela continuou (com os pés e também com a voz):

Outrora meus cuidados eram muito poucos,
Sim, outrora meus cuidados eram muito poucos.
Agora meu amor se afastou de mim
E a angústia está no meu coração para ficar.

Uma canção imprópria para uma noite como aquela, talvez, mas seu coração agia à sua própria maneira, sem muito interesse pelo que a cabeça pensava ou queria; ele sempre fora assim. Ela estava assustada em estar lá fora sob o luar, quando se dizia que os lobisomens gostavam de andar, estava assustada com o que vinha fazer e estava assustada com o que aquilo pressagiava. Contudo, quando chegara à Grande Estrada fora de Hambry e seu coração lhe exigira que corresse, ela havia corrido... Sob a luz da Lua do Beijo e com a saia suspensa acima dos joelhos, ela havia galopado como um pônei, sua sombra galopando bem ao lado. Correra um ou dois quilômetros, até cada músculo do corpo formigar e o ar que tragava pela garganta ganhar o sabor de um líquido doce, quente. E ao entrar na trilha que avançava para esta colina sinistra, começara a cantar. Porque seu coração exigira isso. E ela achava que sem dúvida a ideia não fora ruim; na pior das hipóteses, a canção manteria sob controle seus piores medos. Pelo menos para isso cantar seria bom.

Agora avançava para o final da trilha, cantando o refrão de "Descuidado Amor". Quando se aproximou da fraca luminosidade que passava pela porta aberta e banhava os degraus de acesso, uma voz áspera de gralha falou das sombras:

— Pare com esse berreiro, senhorita... Ele entra no meu cérebro como um anzol!

Susan, que toda a sua vida ouvira dizer que tinha uma bela voz para cantar, um dom recebido da avó, ficou de imediato em silêncio, envergonhada. Continuou parada diante da porta com as mãos entrelaçadas na frente do avental. Sob o avental usava seu segundo melhor vestido (ela só tinha dois). Sob ele, o coração batia com muita força.

Um gato — uma coisa hedionda com duas pernas extras se projetando do lombo como um garfo de carne — chegou primeiro à entrada da porta. O animal ergueu os olhos para ela, parecendo avaliá-la, depois contorceu o focinho adquirindo uma expressão sinistramente humana: era um ar de desprezo. O gato sibilou para ela.

Bem, boa-noite para você também, Susan pensou.

A velha que a tinham mandado visitar parou no umbral da porta. Olhou para Susan de cima a baixo com a mesma expressão do gato, um mortiço olhar de desprezo. Depois recuou para lhe dar passagem.

— Entre. E bata bem a porta. O vento tem a mania de escancará-la, entende?

Susan entrou. Não queria ficar fechada naquele cômodo fedido com a mulher, mas quando não havia alternativa, a hesitação era sempre um erro. Assim seu pai costumava dizer, quer o assunto em pauta fosse somas e subtrações ou como uma moça devia tratar os rapazes em danças, quando as mãos deles se tornavam ousadas demais. Susan puxou a porta com firmeza e ouviu-a trancar.

— E aqui está você — disse a velha, mostrando um grotesco sorriso de boas-vindas. Um sorriso que sem dúvida faria até mesmo uma garota corajosa se lembrar das histórias que ouvira nos tempos de criança: contos passados no inverno, com velhas que tinham dentes quebrados e caldeirões ferventes com um repugnante líquido verde. Naquele cômodo não havia caldeirão no fogo (nem o fogo que havia lá era dos melhores, na opinião de Susan), mas a moça achou que podia ter havido algum no passado, e coisas dentro dele nas quais talvez fosse melhor não pensar. Que aquela mulher era uma verdadeira feiticeira e não apenas uma velha senhora querendo se passar por bruxa era algo de que Susan teve certeza desde o momento em que vira Rhea correndo para a cabana com o gato deformado nos calcanhares. Era algo que a pessoa podia quase cheirar, como o desagradável odor que emanava da pele da megera.

— Sim — disse a garota sorrindo. Tentou mostrar um bom sorriso, caloroso e destemido. — Aqui estou.

— E chegou muito cedo, meu docinho. Cedo demais! Pois é!

— Fiz um trecho do caminho correndo. A lua entrou no meu sangue, eu acho. É o que teria dito meu pai.

O horrendo sorriso da mulher se ampliou, transformando-se em algo que fez Susan pensar na maneira como as enguias pareciam às vezes sorrir após a morte e pouco antes da panela.

— Sim, mas está morto, morto há cinco anos, Pat Delgado do cabelo e da barba ruivos, a vida lhe foi tirada pelo próprio cavalo, ié, e ele chegou à clareira no fim do caminho com a música de seus próprios ossos estalando nos ouvidos, foi mesmo!

O sorriso nervoso sumiu do rosto de Susan, como se enxotado por uma bofetada. Ardendo atrás dos olhos, ela sentiu as lágrimas, que sempre se aproximavam à simples menção do nome do pai. Mas não as deixaria correr. Não na frente daquela gralha sem coração, não.

— Vamos logo tratar do que temos a tratar — disse numa voz seca bem distante de seu tom habitual, um tom geralmente simpático, alegre, pronto para o riso. Mas ela era a filha de Pat Delgado, filha do melhor tropeiro que já existiu na Baixa Ocidental e se lembrava muito bem de seu rosto; podia mostrar um temperamento mais forte se fosse necessário, como agora obviamente era. A mulher tivera a intenção de machucar o mais forte que pudesse e, quanto mais achasse que seus esforços estavam sendo bem-sucedidos, mais fundo ia querer chegar.

A megera também continuava a observar Susan com ar astuto. Tinha as mãos, com aqueles nós dos dedos tão salientes, plantadas na cintura enquanto o gato serpenteava em volta de seus tornozelos. Os olhos estavam remelentos, mas Susan via o bastante deles para perceber que tinham o mesmo tom cinza-esverdeado dos olhos do gato e se perguntou que tipo de magia podia ser aquilo. Sentiu um ímpeto — bastante forte — de baixar a cabeça, mas não o fez. Nenhum problema em ter medo, mas podia ser uma péssima ideia deixar isso transparecer.

— Parece atrevida, mocinha — Rhea disse por fim, o sorriso aos poucos se dissolvendo num carranca petulante.

— Não, velha mãe — Susan respondeu calmamente. — Sou só alguém que deseja tratar do assunto para que veio e ir embora. Vim até aqui a pedido de Meu Senhor, prefeito de Mejis, e de minha tia Cordelia, irmã de meu pai. Meu *querido* pai, de quem nunca ouvi ninguém falar mal.

— Falo do meu jeito — disse a velha mulher. Eram palavras de desprezo, mas havia também um traço de bajulação e servilismo na voz da megera. Susan não deu importância àquilo; era um tom que uma coisa como aquela provavelmente adotara a vida inteira e que brotava automaticamente. — Há muito moro sozinha, sendo inteiramente senhora de mim, e minha língua, quando começa a se mover, vai sempre aonde quer.

— Então às vezes talvez seja melhor não deixá-la dar o primeiro passo.

Os olhos da velha faiscaram sinistramente.

— Preste atenção no que diz, menina afoita, para que ninguém resolva ordenar que as palavras morram na sua boca e depois apodreçam, fazendo o prefeito pensar duas vezes antes de beijá-la por causa do fedor, ié, pensar duas vezes mesmo sob uma lua como esta!

O coração de Susan se encheu de angústia e perplexidade. Fora até lá com um único objetivo: acabar com aquilo o mais depressa possível, executar um rito que ela nem sabia qual seria e que poderia ser doloroso e certamente seria constrangedor. Agora aquela velha a olhava com um ódio franco, direto. Como poderiam as coisas ter dado errado tão depressa? Ou seria sempre assim com as feiticeiras?

— Começamos mal, senhora... Podemos tentar de novo? — Susan perguntou de repente, estendendo a mão.

A megera pareceu sobressaltada, embora tenha também estendido a mão e feito um breve contato, as pontas retorcidas dos dedos tocando as unhas de corte rente da moça. Aos dezesseis anos, com um brilho no rosto de pele clara e o cabelo comprido penteado em tranças que lhe caíam pelas costas, Susan precisou fazer um esforço genuíno para não reagir com uma careta ao toque, por mais breve que fosse, da mulher. Os dedos eram frios como os de um cadáver, embora não fosse a primeira vez que Susan tocava em dedos gelados ("Mãos frias, coração quente", tia Cord às vezes dizia). A verdadeira sensação ruim vinha da *textura*, da sensação de carne esponjosa, solta nos ossos, como se a mulher que a cumprimentava tivesse se afogado e ficado por muito tempo submersa num lago.

— Naum, naum, nada de tentar de novo — disse a velha mulher. — Mas talvez consigamos prosseguir melhor do que começamos. Você tem um poderoso amigo no prefeito e eu não gostaria de transformá-lo em meu inimigo.

Pelo menos é direta, Susan pensou, depois acabou pensando melhor. Aquela mulher só seria direta quando não tivesse nenhuma outra saída; se pudesse agir como quisesse, mentiria acerca de tudo — do tempo, das safras, do voo dos pássaros chegados para a Colheita.

— Veio antes do que eu esperava e isso sempre me deixa irritada, é verdade. Trouxe alguma coisa para mim, mocinha? Aposto que sim, estou certa? — Os olhos tornaram a brilhar, mas desta vez não brilhavam de raiva.

Susan pôs a mão embaixo do avental (uma idiotice precisar usar um avental para cumprir uma missão nos confins do nada, mas era o que pedia o costume) e remexeu no bolso. Ali, amarrada num cordão para que não se perdesse com facilidade (por obra, por exemplo, de moças que de repente resolvessem correr sob o luar), havia uma bolsa de pano. Susan arrebentou o cordão e suspendeu a bolsa. Pousou-a na mão estendida à sua frente, a palma tão gasta que as linhas eram pouco mais que sombras. Susan teve o cuidado de não encostar novamente em Rhea... embora a velha mulher fosse precisar tocá-la outra vez, e muito em breve.

— É o barulho do vento que a faz tremer, mocinha? — Rhea perguntou, embora Susan tivesse certeza que sua mente estava concentrada na pequena bolsa; os dedos, agitados, soltavam o nó dos cordões.

— Sim, é o vento.

— E não sem razão. São as vozes dos mortos que se ouvem no vento e quando eles gritam assim é porque têm algo a lamentar... ah!

O nó cedeu. A mulher soltou o cordão e duas moedas de ouro caíram na sua mão. Eram toscas, irregularmente cunhadas — há gerações não eram fabricadas —, mas pareciam pesadas e as águias gravadas nas faces tinham um certo poder. Rhea levou uma à boca, contraiu os lábios revelando alguns dentes horríveis e mordeu. A megera contemplou as marcas leves que os dentes haviam deixado no ouro. Ficou vários segundos observando aquilo, extasiada, depois apertou com força os dedos ao redor das moedas.

Enquanto a atenção de Rhea estava distraída pelas moedas, Susan olhou por acaso pela porta aberta à sua esquerda e encontrou o que presumiu ser o quarto de dormir da bruxa. E ali viu uma coisa estranha e inquietante: uma luz embaixo da cama. Uma luz rosada, pulsante. Parecia estar saindo de uma espécie de caixa, embora ela não pudesse de todo...

A feiticeira ergueu a cabeça e Susan desviou rapidamente o olhar para um canto da sala, onde havia uma rede, com três ou quatro estranhas frutas brancas, pendurada num gancho. Então, quando a mulher se moveu e sua enorme sombra deslizou pesadamente para longe daquele trecho de parede, Susan viu que não eram frutas, mas caveiras. Sentiu um angustiante peso no estômago.

— O fogo precisa ser alimentado, mocinha. Faça a volta pelo lado da casa e me traga um punhado de lenha. Estou precisando de toras de bom tamanho e não me venha reclamar sobre não conseguir arrastá-las. Você é uma garota alta e forte, sem dúvida que é!

Susan, que deixara de reclamar das tarefas que lhe eram exigidas mais ou menos na época em que deixara de urinar nas fraldas, não disse nada... embora *tenha* realmente passado em sua cabeça a ideia de perguntar a Rhea se todos que lhe traziam ouro eram também convidados a arrastar sua lenha. Na verdade, ela não se importava; o ar lá fora teria um sabor de vinho após o fedor da cabana.

Tinha quase alcançado a porta quando seu pé esbarrou em alguma coisa quente e molenga. O gato uivou. Susan tropeçou e quase caiu. Atrás dela, a velha emitiu uma série de ruídos arquejantes, sufocados, que Susan acabou identificando como uma risada.

— Cuidado com o Musty, docinho! Ele é brincalhão! E às vezes traiçoeiro, é mesmo! Pois é! — E a mulher explodiu em outra gargalhada.

O gato ergueu o focinho para Susan, orelhas recuadas, os olhos cinza-esverdeados muito abertos. O bicho sibilou. E Susan, só percebendo o que estava fazendo depois de ter feito, sibilou de volta. Como aquela expressão de desprezo, o olhar de espanto de Musty foi estranhamente — e, neste caso, comicamente — humano. Musty virou as costas e fugiu para o quarto de Rhea, a cauda fendida açoitando o ar. Susan empurrou a porta e saiu para pegar a lenha. Tinha a impressão de já estar ali há mil anos e de que talvez ainda se passassem outros mil antes de poder voltar para casa.

4

O ar era doce como ela havia previsto, talvez mais doce ainda e, por um instante, ficou parada diante da porta, respirando fundo, tentando limpar os pulmões... e a cabeça.

Após cinco boas inspirações, pôs-se em movimento. Seguiu pelo lado da casa... mas devia ser o lado errado, pois não encontrou nenhum monte de lenha. Havia, no entanto, meio escondida atrás de uma trepadeira feia e seca, uma fenda muito estreita que se fazia passar por janela. Ficava mais ou menos nos fundos da casa e devia dar para o cubículo onde a mulher dormia.

Não olhe por aí; o que há debaixo da cama, seja lá o que for, não é da sua conta, e se ela a pegar espiando...

Apesar das advertências, aproximou-se da janela e deu uma espiada. Era improvável que Rhea conseguisse ver o rosto de Susan atrás da hera espessa, mesmo que a velha bruxa estivesse olhando naquela direção — e não estava. Estava ajoelhada. Com a bolsa de cordão presa num dente, esticava a mão sob a cama.

Puxou uma caixa e abriu a tampa, que já estava entreaberta. O rosto da mulher foi inundado por um suave brilho rosado e Susan ofegou. Por um momento foi o rosto de uma jovem... mas cheio de crueldade assim como de juventude, o rosto de uma criança teimosa determinada a aprender todas as coisas erradas por todas as razões erradas. Talvez o rosto da garota que a megera fora um dia. A luminosidade parecia estar vindo de uma espécie de bola de vidro.

A velha contemplou a bola por algum tempo, olhos arregalados, fascinados. Os lábios se moveram como se estivesse falando com a coisa ou talvez até cantando para ela; a bolsinha que Susan trouxera da cidade, com o cordão ainda preso no dente, balançava para cima e para baixo enquanto a mulher falava. Então, aparentemente como resultado de uma grande força de vontade, a mulher fechou a caixa, tapando a luz rosada. Susan sentiu-se aliviada... Havia algo ali que não parecia certo.

A velha fechou uma das mãos na fechadura de prata que havia no meio da tampa e uma luz escarlate escapou entre seus dedos. Tudo isto com a bolsa de cordão pendendo da boca. Então colocou a caixa na cama, ajoelhou-se e começou a passar as mãos pelo chão sob a beirada da cama. Embora as palmas das mãos só se aproximassem do solo, iam aparecendo linhas, como se ela estivesse usando uma ferramenta de desenho. As linhas escureceram, transformando-se numa espécie de entalhe.

A lenha, Susan! Pegue a lenha antes que ela perceba quanto tempo está demorando! Pelo amor de seu pai!

Susan puxou a saia até a cintura — não queria que a mulher visse sujeira ou folhas em sua roupa quando voltasse para dentro, não queria responder às perguntas que a visão dessas coisas poderia provocar — e rastejou sob a janela com a calcinha branca de algodão cintilando ao luar. Assim que ultrapassou a janela, ficou novamente em pé e recomeçou a contornar, rápida e silenciosamente, a extremidade da cabana. Acabou encontrando a pilha de lenha sob um velho couro de animal cheirando a mofo. Pegou meia dúzia de ripas de bom tamanho e voltou para a frente da casa com elas nos braços.

Quando entrou, virando de lado para passar com a lenha pela porta sem deixar cair nenhuma ripa, encontrou a velha de novo na sala. Olhava rabugenta para a lareira, onde praticamente só havia brasas. Não havia sinal da bolsa de cordões.

— Demorou bastante, mocinha — disse Rhea. Continuava a olhar para a lareira, como se Susan não tivesse a menor importância... mas um pé batia no chão sob a bainha suja do vestido e as sobrancelhas tinham se aproximado numa carranca.

Susan atravessou a sala, espreitando entre a pilha de lenha que trazia nos braços para observar por onde andava. Não a surpreenderia em nada ver o gato de tocaia por perto, esperando o momento mais adequado para fazê-la tropeçar.

— Vi uma aranha — disse ela. — Bati nela com o avental para ver se corria. Não suporto ver aranhas, detesto.

— Muito em breve vai encontrar uma coisa que gostará ainda menos de ver — disse Rhea, mostrando seu peculiar sorriso de um lado só. — Ela sairá do camisão de dormir do velho Thorin, dura como um bastão e vermelha como ruibarbo! Pois é! Espere um instante, garota; pelos deuses, trouxe o suficiente para o acampamento de um Dia de Feira.

Rhea tirou duas ripas grandes da pilha de Susan e atirou-as com ar distraído sobre os carvões. Chamas fracas desenharam espirais na escuridão e crepitaram no cano da chaminé. *Você espalhou o que resta do seu fogo, sua velha tola, e provavelmente vai ter de acender desde o primeiro graveto*, Susan pensou. Então Rhea estendeu para a lareira a mão espalmada, proferiu uma palavra rouca e as toras começaram a arder como se estivessem ensopadas de azeite.

— Coloque o resto ali — disse apontando para a caixa de lenha. — E cuidado para não espalhar nada no chão, mocinha.

E sujar esta casa tão limpinha?, Susan pensou mordendo as bochechas por dentro para sufocar o sorriso que queria surgir em seu rosto.

Rhea, no entanto, talvez tenha percebido a coisa; quando Susan se recompôs, a velha a contemplava com uma expressão severa, inteligente.

— Está bem, minha senhora — disse Rhea —, vamos logo tratar de nosso assunto. Sabe por que está aqui?

— Vim a mando do prefeito Thorin — Susan repetiu, sabendo que era uma resposta vazia. Agora estava assustada... mais assustada do que quando olhara pela janela e vira a mulher murmurando para a bola de cristal. — A esposa dele se mostrou ser estéril e chegou ao fim do seu período de ter uma criança. Ele deseja ter um filho antes que fique também incapaz de...

— Calada, me poupe das bobagens e palavras finas. Ele quer peitos e bunda que não sejam murchos no seu toque e uma entrada que vai apertar o que ele empurrar para lá. Se, é claro, ainda for homem para empurrar. Se sair um filho disso, ié, muito bom, ele dará a criança para você criar e educar até que tenha idade suficiente para a escola; depois disso você não o verá mais. Se sair uma filha, provavelmente vai tirá-la logo de você e entregá-la a seu novo capitão, aquele com o cabelo de mulher e a perna manca, que vai afogá-la no charco mais próximo.

Susan arregalou os olhos, chocada.

A velha viu o olhar e riu.

— Não gosta de como soa a verdade, não é? Poucos gostam, mocinha. Mas isso não importa. A sua tia sempre foi uma mulher inteligente que vai se dar bem com Thorin e com o tesouro de Thorin. O ouro que *você* vê não é meu... e não será seu também, se não ficar esperta! Pois é! Tire esse vestido!

Não vou tirar, foi o que começou a brotar nos lábios de Susan, mas para que dizer aquilo? Para ser expulsa da cabana (e ser expulsa exatamente como tinha vindo, não como um lagarto ou uma rã saltitante seria provavelmente o destino mais piedoso que poderia esperar) e mandada para oeste com a roupa do corpo, sem ao menos as duas moedas de ouro que levara para lá? E isso era apenas o menos pior de tudo. A outra parte era que ela tinha dado sua palavra. A princípio havia resistido, mas quando tia Cord invocara o nome de seu pai, Susan cedera. Como sempre cedia. Na realidade não tinha opção. E quando não há alternativa, a hesitação é sempre um erro.

Susan sacudiu a frente do avental, onde lascas de madeira tinham se grudado, depois desamarrou-o e tirou-o. Dobrou o avental, estendeu-o numa almofada pequena e encardida perto da lareira e desabotoou o vestido até a cintura. Depois sacudiu os ombros, fez o vestido cair e saiu de dentro dele. Dobrou-o e estendeu-o sobre o avental, tentando ignorar o modo voraz com que Rhea, da colina Cöos, a observava à luz do fogo. O gato serpenteou com volúpia pelo assoalho, sacudindo o grotesco par de pernas extras, e sentou-se aos pés de Rhea. Do lado de fora, o vento soprava com força. Fazia calor perto da lareira, mas Susan continuava sentindo o mesmo frio, como se, de alguma forma, o vento tivesse conseguido entrar nela.

— Depressa, garota, pelo amor de seu pai!

Susan puxou a camisa pela cabeça, dobrou-a sobre o vestido e ficou parada de calcinha no meio da sala, os braços dobrados sobre os seios. O fogo jogava luzes alaranjadas em suas coxas; deixava círculos de sombras escuras nas tenras dobras atrás dos joelhos.

— E ainda não está nua! — riu a velha gralha. — Se bem que não falta muito! Bem, aqui vamos nós, muito bom! Tire essa calcinha, minha senhora. Fique como saiu de dentro de sua mãe! Se bem que na época ainda não tinha certos dotes capazes de atender aos gostos de Hart Thorin, não é? Pois é!

Sentindo-se presa num pesadelo, Susan fez como lhe era mandado. Com seu sexo e pelos a descoberto, os braços cruzados pareciam pura tolice. Deixou-os cair ao lado do corpo.

— Ah, não admira que ele queira você! — disse a velha. — Você é tão bonita, verdade! Não é, Musty?

O gato *uivou* um miado.

— Seus joelhos estão sujos — Rhea disse de repente. — Como aconteceu?

Susan teve um horrível momento de pânico. Levantara a saia para rastejar embaixo da janela da megera... e sujara os joelhos.

Então uma resposta acudiu aos seus lábios e ela conseguiu falar com bastante calma.

— Quando vi a cabana pela primeira vez, fiquei amedrontada. Me ajoelhei para rezar e levantei a saia para não sujá-la.

— Estou comovida... Se preocupar de estar com o vestido limpo para me encontrar! Como é gentil! Não concorda, Musty?

O gato uivou seu miado e começou a lamber uma das patas.

— Vamos continuar — disse Susan. — Você foi paga e estou lhe obedecendo, mas pare de zombar de mim e faça o que tem de fazer.

— E a senhora sabe o que eu tenho de fazer?

— *Não sei* — disse Susan. As lágrimas estavam perto de novo, ardendo no fundo de seus olhos, mas não as deixaria cair. *Não ia deixar*. — Faço uma ideia, mas quando perguntei à tia Cord se eu estava certa ela disse que você trataria de me instruir a esse respeito.

— Tia Cord não sujaria a boca com certas palavras, não é? Bem, não faz mal. Só que sua tia Rhea não é tão boazinha para não dizer o que tia Cordelia não quis dizer. Mas posso atestar que está física e espiritualmente intacta, mocinha. Os mais velhos chamavam isto de "provar a castidade" e é um nome bom o suficiente. Então é isso. Venha até aqui.

Susan avançou dois passos relutantes, quase tocou com a ponta dos pés os chinelos da velha e seus seios nus quase tocaram o vestido da outra.

— Se algum espírito ou demônio poluiu seu espírito e possa corromper a criança que você venha a gerar, haverá certamente uma marca física. Na maioria das vezes é uma marca de chupão ou mordida de amor, mas há outras... Abra a boca!

Susan obedeceu e quando a velha se inclinou para espiar, o mau cheiro foi tão forte que a moça sentiu o estômago revirar. Prendendo a respiração, rezou para que aquilo não demorasse.

— Coloque a língua para fora.

Susan pôs a língua de fora.

— Agora sopre na minha cara.

Susan exalou o ar que havia prendido. Rhea cheirou-o e então, misericordiosamente, afastou um pouco o rosto. Chegara suficientemente perto para Susan ver os piolhos saltando no cabelo.

— Bastante doce — disse a velha. — Sim, um bom petisco. Agora vire-se.

Susan obedeceu e sentiu os dedos da velha bruxa descerem por suas costas até as nádegas. As pontas dos dedos eram frias como lodo.

— Curve-se e abra as pernas, mocinha, naum seja tímida. Não é o primeiro cu que Rhea vai ver!

Com o rosto muito vermelho — ela podia sentir a batida do coração no centro da testa e nas cavidades das têmporas —, Susan fez o que lhe mandavam. E então sentiu um daqueles dedos que pareciam de cadáver abrindo caminho em seu ânus. Susan mordeu os lábios para não gritar.

A invasão foi piedosamente breve... mas Susan temia que haveria outra.

— Vire.

Ela virou. A velha passou as mãos sobre os seios de Susan, examinou-os cuidadosamente por baixo e tocou de leve nos mamilos com os polegares. Rhea deixou um dedo deslizar para dentro do umbigo da moça, depois puxou a própria saia para cima e caiu de joelhos com um gemido de esforço. Passou as mãos pelas pernas de Susan, primeiro pela frente, depois por trás. Pareceu especialmente interessada na área logo abaixo da barriga das pernas, onde os tendões se juntavam.

— Levante o pé direito, moça.

Susan obedeceu e deixou escapar um riso nervoso, estridente, quando Rhea foi passando a unha do polegar por trás do joelho na direção do calcanhar. Em seguida a velha foi abrindo os dedos dos pés, olhando entre cada par.

Depois de repetir o processo no outro pé, a mulher — ainda de joelhos — disse:

— Sabe o que vem agora?

— Sei. — A palavra saiu num sussurro trêmulo da boca de Susan.

— Continue parada, mocinha. Todo o resto está bom, limpo como uma folha de salgueiro, sem dúvida, mas agora chegamos ao recanto aconchegante que é exatamente o que interessa a Thorin; chegamos ao ponto onde a castidade precisa ser realmente provada. Então continue parada!

Susan fechou os olhos e pensou nos cavalos correndo pela Baixa — em nome eram cavalos do Baronato, inspecionados por Rimer, chanceler de Thorin e ministro do Inventário do Baronato, mas os cavalos não sabiam disso; achavam que eram livres e, quando estamos mentalmente livres, nada mais importa.

Deixe-me ser mentalmente livre, livre como os cavalos na Baixa, e não deixe que ela me machuque. Por favor, não deixe que ela me machuque. E se ela o fizer, por favor me ajude a suportar num silêncio digno.

Dedos frios entreabriram o pelo macio abaixo da sua barriga; houve uma pausa e, então, dois dedos frios deslizaram para dentro dela. *Houve* dor, mas só por um instante, e não foi grande; sentia mais dor quando dava uma topada ou uma canelada a caminho do banheiro no meio da noite. A humilhação era a parte ruim, e a repulsa ante o velho contato de Rhea.

— Está bem apertada, sem dúvida! — Rhea gritou. — No seu melhor estado! Mas Thorin vai cuidar disso, se vai! Quanto a você, minha menina, vou lhe contar um segredo que essa sua tia fresca com aquele nariz comprido, a mão fechada e aquelas tetinhas minúsculas nunca soube: mesmo uma menina que está intacta pode muito bem ter prazer de vez em quando, se souber como!

Os dedos da megera recuaram e se fecharam suavemente em volta do pedacinho de carne na entrada da fenda de Susan. Por um terrível segundo, Susan achou que ela ia beliscar aquele ponto tão sensível, que às vezes a fazia respirar fundo quando roçava contra a escora da sela durante uma cavalgada, mas em vez disso os dedos fizeram uma carícia... depois apertaram... e a moça ficou horrorizada ao sentir um calor na barriga que estava longe de ser desagradável.

— Como um pequeno botão de seda — a velha cantarolou e os dedos intrometidos moveram-se mais depressa. Susan sentiu os quadris se projetarem para a frente, como se tivessem vida e vontade própria, e então pensou na expressão ávida, obstinada da mulher se debruçando sobre aquela caixa guardada no quarto, um rosto vermelho como o de uma prostituta sob um lampião de gás; pensou na bolsa de cordões com as moedas de ouro pendendo da boca franzida como alguma desmembrada peça de carne, e o calor que sentia se dissipou. Ela recuou tremendo, os braços, a barriga e os seios ficando arrepiados.

— Já concluiu aquilo para que foi paga — disse Susan. A voz era seca e áspera.

A cara de Rhea se contorceu.

— Não é você quem tem de me dizer, não, não é, menina malcriada e arrogante! Eu sei quando terminei, eu, Rhea, a Feiticeira de Cöos, e...

— Cale a boca e fique de pé antes que eu a jogue com um chute na lareira, sua aberração.

Os lábios da velha recuaram dos poucos dentes que lhe sobravam num rosnado e agora, Susan percebeu, ela e a bruxa estavam de volta ao ponto onde tinham estado no início: cada uma pronta para pôr as garras nos olhos da outra.

— Levante a mão ou o pé para mim, sua putinha, e o que sair da minha casa sairá sem mãos, sem pés e cega de um olho.

— Não tenho nenhuma dúvida de que possa fazer isso, mas Thorin ficaria muito irritado — disse Susan. Era a primeira vez na vida que invocava o nome de um homem em busca de proteção. A percepção disto lhe deu uma sensação de vergonha... mesmo que passageira. Não entendia o motivo de se sentir assim, ainda mais porque fora ela mesma quem concordara em dividir a cama com ele e gerar seu filho, mas se sentia.

A velha a encarava, a face manchada se contorcendo até se vergar numa paródia de sorriso que foi pior do que o rosnado. Bufando e se apoiando no braço de uma cadeira, Rhea conseguiu ficar de pé. Nesse momento, Susan começou rapidamente a se vestir.

— Sim, ele ficaria irritado. Acho que no fundo você tem razão, mocinha; tive uma noite estranha, que despertou partes de mim que deviam ter continuado adormecidas. O que mais possa ter acontecido aqui, considere como um elogio a sua juventude e sua pureza... e também por sua beleza. Sim. É uma coisinha bela, não há dúvidas. E seu cabelo... quando o deixa solto, como fará na frente de Thorin, eu sei, ao se deitar com ele... brilha como o sol, não é?

Até certo ponto aquele estado de espírito da megera agradava a Susan, mas ela também não queria encorajar tal tipo de adulação. Principalmente porque ainda podia ver a raiva nos olhos remelentos de Rhea e sentir o toque da mulher rastejando como um besouro em sua pele. Sem dizer nada, Susan se limitou a entrar no vestido, puxando-o para os ombros e começando a abotoá-lo na frente.

Talvez Rhea tenha compreendido a direção que seguiam os pensamentos da garota, pois o sorriso sumiu de seu rosto e seus modos se tornaram formais. Susan observou a transformação com grande alívio.

— Bem, não importa. Sua castidade está provada; pode acabar de se vestir e ir embora. Mas, veja bem, nem uma palavra a Thorin do que se passou entre nós! As palavras que as mulheres trocam não precisam perturbar os ouvidos de um homem, principalmente alguém com a grandeza de Thorin. — Neste ponto, Rhea não pôde conter um certo esgar de repulsa. Susan não saberia dizer se ela teria ou não consciência disso. — Estamos de acordo?

De acordo com qualquer coisa, qualquer coisa, desde que eu possa estar fora e longe daqui.

— Então me declara casta?

— Sim, Susan, filha de Patrick. Faço isso. Mas não é o que eu *digo* que importa. Agora... espere... em algum lugar aqui...

Tateou pelo console da lareira, empurrando tocos de velas grudados em pires rachados de um lado ou de outro, levantando primeiro um lampião de querosene, depois uma lanterna de pilhas, fixando um instante os olhos no desenho de um menino e o afastando.

— Onde... onde... arrrrr... aqui!

Agarrou um bloco de papel com uma capa raiada (CITGO estampado em antigas letras douradas) e um toco de lápis. Precisou folhear o bloco quase até o fim para encontrar uma folha em branco. Depois de rabiscar alguma coisa, soltou a folha da espiral de arame no alto do bloco. Estendeu o papel para Susan, que o pegou e deu uma olhada. Era uma palavra que a princípio ela não entendeu:

CASTA

Abaixo havia um símbolo:

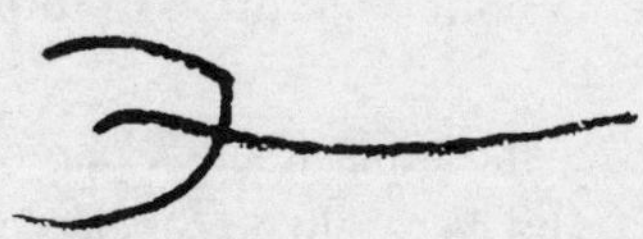

— O que é isto? — Susan perguntou, batendo com o dedo no pequeno desenho.

— A marca de Rhea. Conhecida num círculo de seis Baronatos, pois é, e que não pode ser copiada. Mostre este papel a sua tia. Depois a Thorin. Se sua tia quiser ficar com o papel para mostrá-lo a Thorin... eu a conheço, acredite, e conheço seu jeito autoritário... diga que não, diga que Rhea diz que não, o papel não deve ficar com ela.

— E se Thorin quiser guardá-lo?

Rhea deu de ombros sugerindo que não tinha importância.

— Deixe Thorin guardá-lo, tocar fogo nele ou limpar a bunda com ele, isso já não me diz respeito. E o papel também nada significará para você, pois você sempre soube que era virgem. Não é verdade?

Susan assentiu. Um dia, voltando a pé para casa depois de um baile, deixara um rapaz pôr a mão por dentro de sua blusa por um momento ou dois, mas e daí? Era uma garota pura. E em mais sentidos do que aquela criatura nojenta poderia perceber.

— Mas não perca o papel. A não ser que queira me visitar outra vez e se submeter pela segunda vez ao mesmo trato.

Que os deuses jamais permitam isso, Susan pensou, mas conseguiu não estremecer. Colocou o papel no bolso, onde estivera a bolsinha com cordão.

— Agora venha até a porta, mocinha. — Rhea fez o gesto de quem ia agarrar o braço de Susan, mas pareceu pensar melhor e as duas caminharam lado a lado até a porta. O cuidado que tomaram para não se tocarem fez o andar das duas parecer desajeitado. Mas uma vez lá, Rhea pegou no braço de Susan. Então, com a outra mão, apontou para o brilhante disco prateado que pairava sobre os altos da colina Cöos.

— A Lua do Beijo — disse Rhea. — São os Meados de Verão.

— Sim.

— Diga a Thorin que ele não deve levá-la para a cama... ou para um monte de feno, o chão da copa ou qualquer outro lugar... antes que a Lua do Demônio se mostre inteiramente no céu.

— Então não antes da Colheita?

Três meses... uma eternidade, ela achava. Susan tentou não mostrar sua satisfação com este adiamento. Achara que Thorin poria fim à sua virgindade quando a lua aparecesse na noite seguinte. Era impossível ignorar o modo como ele a olhava.

Rhea, enquanto isso, contemplava a lua, parecendo calcular. Sua mão foi para a longa cauda do rabo de cavalo do cabelo de Susan e alisou-a. Susan suportou aquilo o mais que pôde e, no momento em que sentiu que já não poderia aguentar, Rhea deixou a mão cair e concordou com a cabeça.

— Sim, não apenas a Colheita, mas o verdadeiro fim de ano, na Noite da Feira, diga isso a ele. Diga que pode possuí-la após a fogueira. Entendeu bem?

— Verdadeiro fim de ano, sim. — Ela mal conseguia conter sua alegria.

— Quando o fogo no Coração Verde queimar baixo e os últimos homens de mãos vermelhas tiverem virado cinzas — disse Rhea. — *Só então* e não antes disso. Tem de dizer isto a ele.

— Direi.

A mão apareceu e voltou a alisar seu cabelo. Susan suportou-a. Após aquelas boas-novas achou que seria mesquinharia agir de outro modo.

— Use o tempo entre agora e a Colheita para meditar e acumular forças para gerar o filho homem que o prefeito quer… ou talvez apenas para cavalgar pela Baixa e colher as últimas flores de seu tempo de virgindade. Entendeu bem?

— Sim. — Ela fez uma mesura. — Obrigada-sai.

Rhea repeliu aquilo com um aceno, como se considerasse o gesto pura bajulação.

— Mas, olhe, não fale do que se passou entre nós. É algo que não interessa a mais ninguém.

— Não vou falar. E nosso assunto está resolvido?

— Bem… talvez haja mais uma *pequena* coisa… — Depois de sorrir para mostrar que era realmente pequena, Rhea colocou a mão esquerda na frente dos olhos de Susan com três dedos juntos e um separado. Brilhando no intervalo havia um medalhão prateado, que parecia ter saído do nada.

De imediato os olhos da moça se fixaram nele. Até Rhea falar uma única palavra rouca eles ficaram assim.

Depois se fecharam.

5

Rhea contemplou a moça adormecida ao luar, nos degraus à entrada da casa. Quando tornou a guardar o medalhão dentro da manga (seus dedos eram velhos e cheios de calombos, mas se moviam com bastante habilidade quando era preciso, ah, sim), a expressão formal deixou seu rosto e foi substituída por um ar de extrema fúria. *Me chutar para a lareira, não era, sua estúpida? Fazer intriga com Thorin?* Mas o pior não tinham sido as ameaças nem a insolência. O pior fora o ar de repulsa quando ela rejeitou o toque de Rhea.

Boa demais para Rhea, era mesmo! E também devia se achar boa demais para Thorin, sem dúvida, ela com dezesseis anos e aquele belo cabelo loiro descendo da cabeça, o cabelo onde Thorin sem dúvida sonhava mergulhar as mãos ao mesmo tempo em que atacasse e mergulhasse um pouco mais abaixo.

Não podia machucar a garota, por mais que o quisesse e por mais que a moça merecesse; Thorin ia no mínimo lhe tirar a bola de cristal e Rhea não poderia suportar isso. Pelo menos, ainda não. Então, não podia machucar a garota, mas *podia* fazer algo que estragaria o prazer de Thorin com ela, ao menos por algum tempo.

Rhea se inclinou sobre a moça, agarrou a trança comprida que lhe caía pelas costas e começou a passá-la no pulso, desfrutando aquela suavidade tão sedosa.

— Susan — murmurou. — Está me ouvindo, Susan, filha de Patrick?

— Sim. — Os olhos não se abriram.

— Então escute. — A luz da Lua do Beijo desceu sobre o rosto de Rhea, transformando-o numa caveira prateada. — Me escute bem e lembre-se. Lembre-se nas profundezas onde sua mente jamais penetra quando está desperta.

Não parava de passar a trança na mão. Sedosa e suave. Como o pequeno botão entre as pernas da garota.

— Lembrar — disse a moça na entrada da porta.

— Sim. Há algo que fará depois que ele tirar sua virgindade. Fará de imediato, sem nem mesmo pensar no assunto. Escute o que estou dizendo, Susan, filha de Patrick, escute com muita atenção.

Ainda alisando o cabelo da moça, Rhea pôs os lábios franzidos na suave concha da orelha de Susan e sussurrou alguma coisa sob o luar.

3. UM ENCONTRO NA ESTRADA

1

Nunca tivera na vida uma noite tão estranha e provavelmente não era de espantar que não tivesse ouvido o cavaleiro se aproximando por trás até estar quase em cima dela.

A coisa que mais a perturbava durante o caminho de volta à cidade era sua nova compreensão do pacto que fizera. Era bom ter um adiamento (se passariam meses antes de ser obrigada a cumprir o resto de sua parte no trato), mas um adiamento não alterava o fato elementar: quando a Lua do Demônio estivesse completa, perderia a virgindade para o prefeito Thorin, um homem magricela, nervoso, com um ralo cabelo branco brotando como nuvem ao redor de uma área calva no alto da cabeça. Um homem que a esposa encarava com um abatimento, que era triste de se ver. Hart Thorin era um homem que gargalhava quando uma trupe de atores encenava uma peça envolvendo cabeçadas, brigas simuladas ou frutas podres atiradas nos personagens, mas que revelava um ar de confusão ante uma história trágica ou melodramática. Era um homem grosseiro, truculento, que arrotava na mesa de jantar, alguém que tinha a mania de olhar ansioso para seu chanceler cada vez que proferia uma palavra, como se precisasse se certificar de que não ofendera Rimer de alguma maneira.

Susan tinha observado todas essas coisas com frequência; seu pai estivera durante anos encarregado dos cavalos do Baronato e viajara muito a negócios para o litoral. Diversas vezes levara consigo a filha muito amada. Ah, Susan já tinha encontrado muitas vezes Hart Thorin nos últimos anos e ele também já a vira bastante. Talvez demais! E o que agora parecia o fato mais importante a seu respeito era ele ser quase cinquenta anos mais velho do que ela, a moça que talvez gerasse seu filho.

Mas fizera o trato com facilidade…

Não, não exatamente com facilidade, seria injusta consigo mesma se pensasse assim… mas não perdera muito sono com a ideia, sendo honesta. Depois de ouvir todos os argumentos da tia Cord, havia pensado: *Bem, não é tanta coisa assim em troca da documentação das terras; para finalmente possuir de fato, e não só por tradição, nosso pequeno pedaço da Baixa… para ter realmente as escrituras, uma em nossa casa e outra nos fichários de Rimer, dizendo que aquilo é nosso. Sim, para termos de novo cavalos. Só três, é verdade, mas são três além do que temos agora. E o que é preciso? Deitar com ele uma vez ou duas, e gerar uma criança, coisa que milhões de mulheres já fizeram antes de mim sem grandes sofrimentos. E não é, afinal, com um mutante ou um leproso que estão me pedindo para dormir. Ele é apenas um homem velho com as juntas rangendo. A coisa não é para sempre e, como diz tia Cord, ainda posso me casar se o tempo e o ka assim determinarem; eu não seria a primeira mulher a chegar à cama do esposo já como mãe. E vou me transformar numa puta por agir assim? A lei diz que não, mas isso não importa; a lei de meu coração é que comanda e meu coração diz que, se posso ganhar a terra que foi de meu pai e três cavalos para cavalgar por ela, não me importaria de ser uma puta.*

Havia mais alguma coisa: tia Cord havia insistido — um tanto cruelmente, Susan agora via — em uma inocência infantil. Era no *bebê* que tia Cord ficara falando, o *bebê fofinho* que Susan teria. Tia Cord sabia que Susan, guardadas as bonecas da infância há relativamente pouco tempo, adoraria a ideia de ter seu próprio bebê, uma bonequinha viva para vestir, alimentar e com quem se aconchegar no calor da tarde.

O que Cordelia havia ignorado (*talvez fosse inocente demais até mesmo para pensar na ideia*, Susan ponderou, embora não acreditasse muito nisso) era o que a megera deixara brutalmente claro naquela noite: Thorin queria mais que um filho.

Ele quer peitos e bunda que não sejam murchos ao toque e uma entrada que vai apertar o que ele empurrar para lá.

A simples lembrança daquelas palavras fez sua face latejar enquanto ela caminhava no escuro em direção à cidade, depois que a lua se pôs (nenhuma corrida animada; e nenhuma canção). Ela fizera o trato com vagas imagens de como o gado se reproduzia — os animais cruzavam "até o sêmen pegar", depois se separavam. Mas começava a perceber que Thorin poderia querê-la muitas e muitas vezes, e provavelmente *ia* querê-la muitas e muitas vezes, e a lei comum, sólida como ferro há duzentas gerações, dizia que o homem podia continuar a deitar com a mulher até que ela, que havia provado sua castidade ao consorte, pudesse provar também sua capacidade de gerar um filho, e um filho para ser o orgulho de todos, não uma aberração mutante. Susan fizera sondagens discretas e sabia que esta segunda prova geralmente ocorria no quarto mês de gravidez... mais ou menos na época em que a barriga começaria a aparecer, mesmo de roupa. E caberia a Rhea fazer a avaliação... e Rhea não gostava dela.

Agora que era tarde demais (agora que aceitara o pacto formalmente proposto pelo chanceler, agora que tivera a castidade provada por aquela megera estranha), se arrependia do trato. Não parava de pensar em como seria a imagem de Thorin com a calça arriada, as pernas brancas e esqueléticas como as pernas de uma cegonha e como, quando se deitassem, ela ouviria os ossos compridos estalando: nos joelhos, nas costas, nos cotovelos, no pescoço.

E os nós dos dedos. Não se esqueça dos nós dos dedos.

Sim. Os grandes nós dos dedos de um velho, com cabelos crescendo deles. Susan deu uma risadinha com a ideia, era realmente cômica, mas ao mesmo tempo uma lágrima quente escorreu pelo canto de um de seus olhos, marcando o seu rosto. Susan a enxugou sem mesmo percebê-la, assim como não percebera o barulho dos cascos se aproximando na poeirenta estrada de terra. Sua cabeça continuava muito longe, voltando agora à estranha coisa que tinha visto pela janela do quarto da velha — a luz suave mas um tanto desagradável saindo do globo rosado, o ar hipnotizado da megera contemplando o vidro…

Quando Susan finalmente ouviu o cavalo, seu primeiro e alarmado pensamento foi que tinha de correr para as árvores que havia na beira da estrada e se esconder atrás delas. As chances de alguém honesto estar na estrada numa hora daquelas lhe pareciam pequenas, principalmente quando dias tão ruins haviam chegado ao Mundo Médio. Mas era tarde demais para se esconder.

Pensou então na vala na beira do caminho, em tentar se encolher dentro dela. Sem a lua, havia pelo menos a esperança de que quem estivesse ali passando não…

Mas antes que pudesse começar a correr para a vala, o cavaleiro que cavalgara sorrateiramente enquanto ela remoía seus atordoados pensamentos de arrependimento chamou:

— Boa noite, senhora, e que seus dias sejam longos sobre a terra.

Ela se virou, pensando: *E se for um daqueles homens que estavam agora sempre rondando na Casa da Prefeitura ou no Repouso dos Viajantes? Não o mais velho, a voz não era trêmula como a dele, mas talvez um dos outros… podia ser aquele que chamam de Depape…*

— Boa noite — ouviu sua voz responder ao vulto de homem no cavalo alto. — Que os seus dias também sejam longos.

A voz de Susan não tremia, pelo menos não que ela pudesse escutar. Não achava que fosse Depape nem o sujeito chamado Reynolds. A única coisa que podia dizer com certeza era que o sujeito usava um chapéu de aba caída, do tipo que associava aos homens dos Baronatos Interiores, vistos por ela no tempo em que as viagens entre leste e oeste eram mais comuns do que agora. Antes de John Farson — o Bom Homem — chegar e o banho de sangue começar.

Quando o desconhecido emparelhou com ela, Susan parou de se culpar por não ter ouvido a aproximação… Não havia fivelas nem guizos nos arreios e tudo parecia amarrado de modo a não abanar ou sacudir. Era quase a equipagem de um fora da lei, um saqueador (tinha a impressão de que Jonas, o de voz trêmula, e seus dois amigos talvez já tivessem se enquadrado nos dois tipos, ainda que em outra época e em outros lugares) ou até mesmo um pistoleiro. Mas aquele homem não portava armas, a não ser que estivessem ocultas. Tinha um arco na frente da sela e o que parecia uma lança num estojo, mais nada. E se fosse o caso, ela ponderava, jamais houvera um pistoleiro assim tão novo.

O homem fez um som pelo canto da boca para o cavalo, exatamente como o pai de Susan costumava fazer (e ela também, é claro). O animal parou de imediato. Quando ele, com uma graça natural, passou uma perna por cima da sela para descer, Susan disse:

— Não, não, não precisa se incomodar, forasteiro, continue no seu caminho!

Se ouviu o alarme na voz dela, o cavaleiro não prestou atenção. Deslizou do cavalo, não se preocupando em apoiar o pé no estribo, e seus pés pousaram ruidosamente no chão na frente dela, a poeira da estrada formando uma nuvem em volta das botas de bico quadrado. Graças à luz das estrelas, Susan pôde ver como era de fato jovem, quase da mesma idade que ela, um pouco menos, um pouco mais. Usava as roupas de um vaqueiro trabalhando no pasto, mas eram roupas novas.

— Will Dearborn, a seu serviço — disse ele tirando o chapéu, arrastando um dos pés sobre o salto da bota e curvando a cabeça como era costume nos Baronatos Interiores.

O espanto ante uma cortesia tão absurda, ali, no meio de lugar nenhum, com o cheiro ácido da sujeira oleosa das margens da cidade já em suas narinas, livrou-a do medo e fez com que desse uma risada. Achou que provavelmente que aquilo teria ofendido o rapaz, mas ele sorriu. Um bom sorriso, honesto, sem artifícios, a frente da boca mostrando dentes alinhados, regulares.

Ela também retribuiu com uma pequena reverência, segurando um dos lados do vestido.

— Susan Delgado, para servi-lo.

Ele bateu três vezes na garganta com a mão direita.

— Obrigado-sai, Susan Delgado. Que o nosso encontro seja feliz. Não tive a intenção de sobressaltá-la...

— Mas foi o que fez, um pouco.

— Sim, acho que foi. Desculpe.

Sim. Não *ié*, mas *sim*. Pelo modo de falar, um jovem dos Baronatos Interiores. Susan o olhou com mais interesse.

— Não, não precisa se desculpar, pois eu estava perdida demais em meus pensamentos — disse ela. — Tinha ido ver uma... amiga... e só percebi como já era tarde quando não vi mais a lua no alto. Agradeço sua gentileza de ter parado, forasteiro, mas pode seguir seu caminho que continuarei o meu. Vou até o limite do povoado... Hambry. Não falta muito.

— Uma fala bonita e bons sentimentos — ele respondeu com um sorriso —, mas é tarde, está sozinha e acho que podemos muito bem seguirmos juntos. Você cavalga, sai?

— Sim, mas realmente...

— Suba e conheça meu amigo Rusher. Ele pode carregá-la pelos últimos três quilômetros. É castrado, sai, e manso.

Susan fitou Will Dearborn com um misto de divertimento e irritação. O pensamento que cruzou sua mente foi: *Se ele voltar a me chamar de sai, como se eu fosse sua professora de escola ou uma tia-avó tremendamente velha, vou tirar este avental estúpido e lhe dar uma surra.*

— Nunca me importei muito com um pouco de personalidade em um cavalo suficientemente dócil para suportar uma sela. Até sua morte, meu pai cuidou dos cavalos do prefeito... e nessa região o prefeito é também Guarda do Baronato. Cavalguei a minha vida inteira.

Susan achou que ele fosse se desculpar, talvez gaguejando um pouco, mas o rapaz se limitou a balançar a cabeça com um olhar de calma reflexão, que ela apreciou.

— Então pise no estribo e suba, minha senhora. Caminharei do seu lado e não vou perturbá-la com nenhuma conversa, se assim preferir. É tarde e, segundo alguns, as conversas se tornam desinteressantes depois que a lua se põe.

Ela balançou negativamente a cabeça, mas abrandando a recusa com um sorriso.

— Não. Agradeço a gentileza, mas acho que não ficaria bem me verem montada no cavalo de um jovem desconhecido às onze da noite. Suco de limão não tira manchas da reputação de uma senhora do modo como tira de uma blusa, você sabe.

— Não há ninguém aqui para vê-la — disse o rapaz num tom tão sensato que chegava a ser exasperante. — E posso ver como está cansada. Vamos, sai...

— Por favor, não me chame assim. Isso faz com que eu me sinta velha como uma... — Ela hesitou por um instante, pesando a palavra

(*bruxa*)

que lhe viera à cabeça.

— ... como uma velha.

— Sra. Delgado, então. Tem certeza que não quer montar?

— Certeza absoluta. E de qualquer modo eu não montaria de vestido em hipótese alguma, sr. Dearborn... Nem mesmo se o senhor fosse meu irmão. Não seria adequado.

O rapaz pisou no estribo, estendeu a mão para o outro lado da sela (Rusher suportou docilmente o movimento, só sacudindo as orelhas, orelhas que Susan também teria gostado muito de sacudir se estivesse na pele de Rusher — eram muito bonitas) e desceu segurando uma peça de roupa enrolada. Estava amarrada com um cordão de couro. Susan achou que fosse um poncho.

— Pode estender isto pelo colo e pelas pernas como um guarda-pó — disse ele. — Há fazenda suficiente para manter o seu decoro. A manta era de meu pai e ele é mais alto que eu. — O rapaz desviou um instante o olhar para as colinas no ocidente e Susan viu que era bonito, uma beleza dura que não combinava com sua juventude. Sentiu um pequeno tremor dentro de si e lamentou pela milésima vez que aquela velha infame não tivesse mantido as mãos estritamente no que o exame exigia, por mais desagradável que tal exame pudesse ser. Susan não queria olhar para aquele bonito forasteiro e se lembrar do toque de Rhea.

— Não — ela disse suavemente. — Obrigada de novo, reconheço sua gentileza, mas tenho de recusar.

— Então vou caminhar com você e Rusher só nos acompanhará — disse ele num tom animado. — Pelo menos até os limites da cidade, não haverá olhos para ver e pensar mal de uma jovem senhora perfeitamente distinta e um rapaz mais ou menos distinto. E uma vez lá, toco no chapéu e lhe desejo uma ótima noite.

— Gostaria que não fosse comigo. Acredite. — Susan passou rapidamente a mão na testa. — É fácil dizer que não haverá olhos para nos ver, mas às vezes os olhos estão justamente onde não deveriam estar. E minha posição é... um pouco delicada no momento.

— Ainda assim andarei com você — ele repetiu e agora tinha uma sombra no rosto. — Não estamos numa época boa, sra. Delgado. Aqui em Mejis a senhora está longe dos problemas piores, mas às vezes os problemas chegam longe.

Ela abriu a boca — para protestar de novo, ela achou, talvez para dizer que a filha de Pat Delgado era capaz de cuidar de si mesma — e então pensou nos novos homens do prefeito e no modo frio como passavam os olhos por ela quando a atenção de Thorin estava em outro lugar. Tinha visto aqueles três naquela mesma noite, ao iniciar a jornada para a casa da bruxa. E tinha ouvido os três se aproximarem, mas a tempo de abandonar a estrada e ir descansar atrás de uma oportuna árvore piñon (ela se recusava a admitir que tinha na verdade se escondido). O grupo havia seguido caminho e ela deduziu que logo estariam bebendo no Repouso dos Viajantes, onde deviam ficar até que Stanley Ruiz fechasse o bar... mas não tinha como ter certeza disso. Eles podiam voltar.

— Se não posso fazê-lo mudar de ideia, muito bem — disse ela suspirando com um ar de resignação irritada, que no fundo não sentia. — Mas só até a primeira caixa de correio... a da sra. Beech. Ela marca o início da cidade.

O rapaz tornou a bater na garganta e fez outra daquelas absurdas mas encantadoras mesuras: o pé avançando como se fosse dar uma rasteira em alguém, o calço da bota riscando a terra.

— Obrigado, sra. Delgado!

Pelo menos não me chamou de sai, ela pensou. *Já é um começo.*

2

Achou que, a despeito da promessa de se manter em silêncio, ele ia falar pelos cotovelos, pois era assim que os rapazes agiam com ela. Não era vaidosa por causa de sua aparência, mas sabia que era bonita, exatamente pelo fato de os rapazes não conseguirem calar a boca ou parar de mexer os pés quando estavam a seu lado. E aquele estranho certamente viria com perguntas que os rapazes da cidade já não precisavam fazer — quantos anos tinha, se tinha morado sempre em Hambry, onde moravam os pais e meia centena de outras igualmente entediantes. No final, ele como os outros se concentraria na mesma dúvida: tinha um namorado?

Mas Will Dearborn, dos Baronatos Interiores, não lhe fez perguntas sobre escola, família ou amigos (o modo mais utilizado para se descobrir sobre potenciais rivais românticos, ela descobrira). Will Dearborn se limitou a caminhar ao lado dela, uma das mãos na rédea de Rusher, olhando para leste, na direção do mar Claro. Embora o vento estivesse vindo do sul, estavam suficientemente perto do litoral para o ardente cheiro de sal se misturar com o fedor pesado do óleo.

Ao passarem por Citgo, ela ficou contente pela presença de Will Dearborn, mesmo que o silêncio dele fosse um pouco irritante. Susan sempre achara a reserva petrolífera, com sua esquelética floresta de torres de perfuração, um tanto fantasmagórica. A maioria daquelas torres de aço há muito tinha parado de bombear e não existiam as peças, nem a necessidade, nem o conhecimento para consertá-las. E as que ainda funcionavam — dezenove em cerca de duzentas — não podiam ser desligadas. Elas simplesmente bombeavam e bombeavam, como se os depósitos de óleo do subsolo fossem inesgotáveis. Um pouco de óleo ainda era usado, mas muito pouco — a maioria do petróleo simplesmente voltava para os poços sob as mortas estações de bombeamento. Havia um número cada vez menor de máquinas usando o óleo, um número que diminuía a cada ano. O mundo seguira adiante e aquele lugar sugeria a Susan um estranho cemitério mecânico, onde alguns cadáveres ainda não haviam sido inteiramente...

Alguma coisa fria e lisa roçou em sua nuca e ela não conseguiu reprimir de todo um pequeno grito. Will Dearborn se virou para ela, as mãos caindo para o cinturão. Então ele relaxou e sorriu.

— É o jeito que Rusher tem de dizer que se sente ignorado. Desculpe, sra. Delgado.

Ela olhou para o cavalo. Rusher olhou mansamente para trás, depois baixou a cabeça como a dizer que também se desculpava por tê-la assustado.

Que tolice, menina, Susan pensou, ouvindo a voz calorosa e o tom sensato do pai. *Ele quer saber por que está sendo tão pouco sociável, é isso. E eu também não entendo. Você não costuma ser assim, não costuma.*

— Sr. Dearborn, mudei de ideia — disse ela. — Gostaria de montar.

3

Ele virou de costas e ficou parado, com as mãos nos bolsos, olhando para a Citgo, enquanto Susan primeiro estendia o poncho sobre a patilha da sela (a sela preta plana com que um vaqueiro trabalha, sem a marca do Baronato ou mesmo um sinete de rancho para identificá-la) e depois subia no estribo. Ao erguer a saia, olhou atenta ao redor, certa de que o rapaz ia tentar dar uma espiadinha, mas ele continuou de costas. Na realidade, parecia fascinado com as enferrujadas torres de perfuração.

O que há de tão interessante nelas, seu tolo?, ela pensou, um tanto mal-humorada... pelo fato de ser tão tarde e pela lembrança das fortes emoções do dia, ela imaginou. *Coisas velhas e sujas que estão aí há seis séculos ou mais e cujo fedor tenho sentido minha vida inteira.*

— Fique parado, rapaz — disse ela sentindo os pés firmes nos dois estribos. Com uma das mãos segurava o punho da sela, com a outra as rédeas. Rusher, enquanto isso, sacudiu as orelhas como a dizer que, se era isso que ela queria, ele ficaria parado a noite inteira.

Ela empinou o corpo, a coxa comprida e nua cintilando sob a luz das estrelas, e sentiu a alegria que sempre sentia de estar montada... Só que naquela noite a sensação parecia um pouco mais forte, um pouco mais doce, um pouco mais intensa. Talvez porque o cavalo fosse tão bonito, talvez porque fosse um cavalo desconhecido...

Talvez porque o dono do cavalo fosse um estranho, ela pensou, *e belo.*

Aquilo era absurdo, é claro... e um absurdo potencialmente perigoso. Contudo era também verdadeiro. Ele *era* belo.

Quando Susan abriu o poncho e estendeu-o sobre as pernas, Dearborn começou a assobiar. E ela percebeu, com um misto de surpresa e medo supersticioso, que a melodia era "Descuidado amor". A mesma toada que cantara enquanto subia para a cabana de Rhea.

Talvez seja o ka, menina, sussurrou a voz do pai.

Não acredito nisso, ela pensou discutindo com ele. *Não vejo o ka em cada vento ou sombra que passa, como as velhinhas que se reuniam no Coração Verde, nas noites de verão. É uma canção antiga; todos a conhecem.*

Talvez seja melhor que esteja certa, voltou a voz de Pat Delgado. *Pois se for o ka, virá como um vento, e seus planos resistirão a ele tanto quanto um celeiro a um ciclone.*

Nada de ka; não seria seduzida pela escuridão, pelas sombras e pelas formas sinistras das torres de perfuração de óleo a acreditar que fosse. Não o ka, apenas o encontro aleatório com um rapaz simpático na estrada deserta de volta à cidade.

— Já estou pronta — disse com uma voz seca que nem parecia a sua. — Agora pode virar se quiser, sr. Dearborn.

O rapaz se virou e olhou-a atentamente. Por um momento não disse nada, mas pelo brilho em seus olhos Susan percebeu que ele também a achava atraente. E embora isto a deixasse inquieta (por causa do desejo que pressentia nele), Susan também ficou contente.

— Parece muito à vontade aí em cima — disse ele. — Monta bem.

— E logo vou ter meus próprios cavalos para montar. — *Agora vem as perguntas*, Susan pensou.

Mas o rapaz, como se já soubesse isso antes, limitou-se a concordar com a cabeça e retomar a marcha para a cidade. Sentindo-se um pouco desapontada, e sem saber exatamente por que, Susan fez um som com o canto da boca atiçando Rusher e tocou com os joelhos em seu lombo. O animal voltou a se mexer, logo emparelhando com o dono, que lhe fez uma breve carícia no focinho.

— Como chamam aquele lugar lá embaixo? — o rapaz perguntou, apontando para as torres de perfuração.

— A reserva de óleo? Citgo.

— Ainda há bombas funcionando?

— Ié, e não há meio de pará-las. E se houver, já é desconhecido por todos.

— Ah — disse ele e isso foi tudo... apenas *ah*. Mas quando chegaram ao caminho cheio de mato que levava a Citgo, Dearborn deixou por um momento o posto junto ao focinho de Rusher e foi até o início da trilha, onde ficaria algum tempo contemplando a cabine de controle há muito tempo não usada. Em sua infância, Susan vira ali uma placa dizendo SÓ PESSOAL AUTORIZADO, mas a placa voara em alguma tempestade de vento. Logo Will Dearborn estava voltando para o cavalo, as botas levantando nuvens daquela poeira de verão que ia se grudando em suas roupas novas.

Continuaram seguindo para a cidade, um rapaz com chapéu de aba caída, uma moça a cavalo com um poncho espalhado pelo colo e pelas pernas. A luz das estrelas se derramava sobre eles como costumava fazer com os rapazes e moças desde o início dos tempos e, a certa altura, Susan olhou para cima e viu um meteoro lampejar... uma breve e brilhante esteira alaranjada cruzando a abóbada celeste. Pensou em fazer um pedido e então, com uma espécie de pânico, percebeu que não fazia ideia do que pedir. Absolutamente nenhuma.

4

Ela se manteve em silêncio até estarem a pouco mais de um quilômetro da cidade e então fez a pergunta que tinha em mente. Planejara fazê-la depois que o rapaz começasse a fazer as dele e sentiu um certo mal-estar por ser ela a quebrar o silêncio, mas no fim das contas sua curiosidade vencera.

— De onde veio, sr. Dearborn, e o que o traz a este nosso pequeno pedaço do Mundo Médio...? se não se importa que eu pergunte.

— Nem um pouco — disse ele, erguendo os olhos com um sorriso. — Estou satisfeito por falar e só estava tentando pensar em como começar. Falar não é uma especialidade minha.

Então, qual é sua especialidade, Will Dearborn?, ela se perguntou. Sim, tinha muita curiosidade em saber, pois ao ajustar sua posição na sela havia posto a mão num cobertor enrolado que havia atrás... e tinha encostado em algo que estava escondido dentro do cobertor. Algo que parecia uma arma. Podia *não* ser, é claro, mas Susan lembrou-se do modo como as mãos do rapaz haviam caído instintivamente para o cinturão na hora em que ela gritou de espanto.

— Vim do Mundo Interior. Desconfio que já tenha chegado a esta conclusão. Temos nossa maneira de falar.

— Ié. De que Baronato, posso perguntar?

— Nova Canaã.

Ela sentiu um pulsar de verdadeiro entusiasmo. Nova Canaã! Centro da Confederação! Isso agora tinha um significado menor que antigamente, é claro, mas ainda assim...

— Não de Gilead? — Susan perguntou, detestando a sugestão de arrebatamento de menina-moça que ouviu em sua voz. E talvez mais que apenas uma sugestão.

— Não — disse ele com uma risada. — Nada tão grande quanto Gilead. Só Hemphill, uma vila cerca de quarenta rodas a oeste de lá. Menor que Hambry, sem dúvida.

Rodas, ela pensou, maravilhando-se com o arcaísmo. *Ele disse rodas.*

— E então o que o traz a Hambry? Pode contar?

— Por que não? Vim com dois amigos, sr. Richard Stockworth, de Penilton, Nova Canaã, e sr. Arthur Heath, um rapaz hilário que de fato vem de Gilead. Estamos aqui sob as ordens da Confederação e viemos como inspetores.

— Para inspecionar o quê?

— Toda e qualquer coisa que possa ajudar a Confederação nos anos que temos pela frente — disse ele e sua voz agora, Susan percebeu, não era descontraída. — O problema com o Bom Homem ficou sério.

— É mesmo? Ouvimos poucas notícias verdadeiras nestes confins do sul e do leste do eixo.

Ele fez que sim com a cabeça.

— A distância que o Baronato está do eixo é a principal razão que nos trouxe até aqui. Mejis sempre foi leal à Confederação e, se tiverem de ser enviados suprimentos desta parte dos Exteriores, eles serão mandados. A questão que precisa ser respondida é com quanto a Confederação pode contar.

— Com quanto de quê...

— Exato — ele concordou, como se Susan tivesse feito uma declaração, não uma pergunta. — E com quanto de quê.

— Fala como se o Bom Homem fosse uma ameaça genuína. Ele é apenas um bandido, sem dúvida, querendo ocultar seus furtos e assassinatos falando de "democracia" e "igualdade".

Dearborn deu de ombros e, por um momento, Susan achou que ele não faria mais comentários sobre o assunto. Mas então ele continuou, com relutância:

— Talvez tenha sido assim antigamente. Mas os tempos mudaram. A certa altura o bandido se transformou em general e agora o general se transformou em alguém que comanda em nome do povo. — Depois de uma pausa, ele concluiu gravemente: — Os Baronatos do Norte e do Oeste estão em chamas, senhora.

— Bem, mas ficam a milhares de quilômetros daqui! — Aquela conversa era perturbadora, mas era também estranhamente empolgante. Parecia acima de tudo *exótica* após a cansativa monotonia do mundo de Hambry, onde um poço que secava dava assunto para três dias de animada conversa.

— Sim — disse ele. Não *ié* mas *sim*... o som era ao mesmo tempo estranho e agradável aos ouvidos. — Só que o vento está soprando nesta direção. — Virou-se para ela e sorriu. De novo o sorriso abrandava uma expressão dura e o fazia parecer pouco mais que uma criança acordada até tarde. — Mas acho que pelo menos hoje à noite não vamos encontrar John Farson, concorda?

Ela devolveu o sorriso.

— Se o encontrássemos, sr. Dearborn, o senhor me protegeria?

— Sem dúvida — disse ele, ainda sorrindo —, mas eu faria isso com mais entusiasmo se a senhora me deixasse chamá-la pelo nome que seu pai lhe deu.

— Então deixo, no interesse de minha própria segurança. E acho que devo chamá-lo de Will, pelos mesmos motivos.

— Foram duas afirmações sábias e bastante precisas — disse Will, o sorriso se transformando num riso franco, largo, envolvente. — Eu...

Então, como andava com o rosto erguido para o alto e um pouco virado para trás, o novo amigo de Susan tropeçou numa pedra saliente e quase caiu. Rusher relinchou e se empinou um pouco. Susan riu com gosto. O poncho se deslocou, revelando uma perna nua, e ela demorou um instante para pôr a coisa novamente em ordem. Gostava dele, sem dúvida gostava. E que risco poderia haver ali? Afinal, era apenas um garoto. Quando ele sorria, Susan podia ver que estava apenas a um ou dois anos dos brinquedos de criança (a ideia de que ela também mal largara as bonecas tinha de algum modo lhe escapado).

— Não costumo ser tão estabanado — disse ele. — Espero não a ter assustado.

De modo algum, Will; garotos vêm dando topadas perto de mim desde que comecei a ter peitos.

— De modo algum — disse ela, voltando ao tópico anterior. Que a interessava muito. — Então você e seus amigos vieram a mando da Confederação para requisitar nossos bens, não foi?

— Sim. Estou muito atento à sua reserva de óleo porque um de nós terá de relatar quantas bombas de perfuração ainda trabalham...

— Posso lhe poupar esse trabalho, Will. São dezenove.

Ele inclinou a cabeça em agradecimento.

— Fico lhe devendo esta. Mas também preciso descobrir, se for possível, que quantidade de petróleo essas dezenove bombas estão extraindo.

— Será que em Canaã o número de máquinas que ainda funcionam é tão grande a ponto de tornar essa informação importante? E vocês têm a alquimia necessária para transformar o petróleo numa coisa que suas máquinas possam usar?

— Neste caso chamamos de refinaria, e não de alquimia, pelo menos é o que eu acho, e creio que existe uma que ainda funciona. Mas não, não temos tantas máquinas assim, embora ainda existam algumas trabalhando na geração de energia fluorescente para o Grande Salão, em Gilead.

— Incrível! — disse ela, deliciada. Vira gravuras de lâmpadas fluorescentes e candelabros elétricos, mas nunca as luzes em si. As últimas lâmpadas de Hambry (chamadas "fachos elétricos" naquela parte do mundo, mas Susan tinha certeza de que eram a mesma coisa) tinham queimado há duas gerações.

— Disse que seu pai cuidou dos cavalos do prefeito até morrer — disse Will Dearborn. — O nome dele seria Patrick Delgado? Era, não é?

Susan baixou os olhos para ele, muito sobressaltada e se sentindo puxada de volta à realidade.

— Como sabe disso?

— O nome dele estava em nossas listas de contagem. Viemos contar gado, carneiro, porcos... e cavalos. Em todo o plantel, os cavalos eram a parte mais importante. Patrick Delgado era o homem que devíamos procurar para isso. Sinto saber que ele chegou à clareira no final da trilha, Susan. Aceita meus pêsames?

— Ié, e agradeço.

— Foi um acidente?

— Ié. — Esperando que sua voz dissesse o que ela não queria dizer: *esqueça este assunto, não faça mais perguntas.*

— Vou ser sincero com você — disse ele e, pela primeira vez, Susan achou que ele estava mentindo. Talvez fosse apenas sua imaginação. Certamente ela tinha pouca experiência da vida (tia Cord a lembrava disso quase todo dia), mas achava que as pessoas que saem por aí dizendo *vou ser sincero com você* são capazes de dizer na cara das outras que a chuva cai para cima, o dinheiro cresce em árvores e os bebês são trazidos pelo Grande Emplumex.

— Ié, Will Dearborn — disse ela, uma ponta, ainda que mínima, de secura entrando em seu tom. — Dizem que a sinceridade é a melhor atitude, não é?

Ele a olhou um tanto inseguro, mas logo seu sorriso voltou a brilhar. Aquele sorriso era perigoso, ela pensou; um sorriso areia movediça, se é que isso existia. Fácil para a pessoa entrar; talvez mais difícil de escapar.

— Nos dias de hoje não há muita Confederação na Confederação. Isso explica, em parte, por que Farson conseguiu chegar tão longe; e é o que tem feito sua ambição crescer. Ele percorreu um longo caminho desde sua época de salteador de diligências em Garlan e Desoy, e chegará ainda mais longe se a Confederação não for revitalizada. Talvez chegue até Mejis.

Susan não imaginava o que o Bom Homem poderia querer da cidadezinha modorrenta dela, no Baronato que ficava mais próximo do mar Claro, mas permaneceu calada.

— Bem, não foi realmente a Confederação que nos mandou — disse ele. — Não nos mandaria tão longe para fazer o inventário do gado, das torres de perfuração de óleo ou dos hectares de terra cultivada.

Parou um instante, olhando para o fundo da estrada (como se procurasse mais pedras no caminho de suas botas) e alisando o nariz de Rusher com distraída suavidade. Susan achou que o rapaz estava embaraçado, talvez até envergonhado.

— Fomos mandados por nossos pais.

— Seus...

Então ela compreendeu. Eram rebeldes, enviados para fazer um suposto trabalho de pesquisa no que não era inteiramente um exílio. Achava que a verdadeira tarefa que tinham em Hambry era reabilitar suas reputações. *Bem*, ela pensou, aquilo certamente explicava o sorriso areia movediça, não? *Cuidado com ele, Susan; é o tipo que derrete corações, entope caixas de correio e depois seguir tranquilamente o caminho sem ao menos olhar para trás. Não por maldade, mas por simples descaso masculino.*

Isso fez com que se lembrasse de novo da antiga canção, a que estivera cantando, a mesma que o rapaz havia assobiado.

— Sim, nossos pais.

Susan Delgado tinha feito uma travessura ou duas (ou talvez duas dúzias) em sua vida e sentiu simpatia por Will Dearborn, apesar da cautela. E interesse. Rebeldes podiam ser divertidos... até certo ponto. A pergunta era: até que ponto Will e seus companheiros tinham sido maus?

— Zoando? — ela perguntou.

— Zoando — ele concordou, ainda meio abatido, mas talvez já recuperando um certo brilho nos olhos e na boca. — Fomos advertidos; sim, advertidos muito seriamente. Houve... uma certa quantidade de bebida.

E algumas garotas apertadas com a mão que não estava apertando a caneca de cerveja? Era uma pergunta que nenhuma boa moça poderia realmente fazer, mas uma pergunta que lhe ocorreu naturalmente.

Agora o sorriso que brincara um instante nos cantos da boca do rapaz se extinguiu.

— Levamos a coisa longe demais e a brincadeira acabou. Tolos como nós têm a capacidade de agir assim. Uma noite houve um pega. Uma noite sem lua. Depois da meia-noite. Todos embriagados. Um dos cavalos enfiou o casco numa toca de esquilo e quebrou uma perna. Teve de ser abatido.

Susan estremeceu. Não era a pior coisa em que podia pensar, mas era bastante desagradável. E quando ele tornou a abrir a boca, ficou ainda menos agradável.

— O cavalo era um puro-sangue, um dos três possuídos pelo pai de meu amigo Richard, que não anda muito bem de vida. Houve cenas em nossas casas que não tenho a menor vontade de lembrar, muito menos falar sobre elas. Para não alongar a história, após muito sermão e muitas propostas de punição, fomos mandados para cá, nesta pequena missão. A ideia foi do pai de Arthur. Acho que o pai de Arthur nunca soube muito bem o que fazer com o temperamento do filho. Certamente as badernas que Arthur apronta não ocorriam por influência de George Heath.

Susan sorriu para si mesma, pensando em tia Cordelia dizendo: "Certamente ela não puxou o *nosso* lado da família". Depois a pausa calculada, seguida por: "Ela teve uma tia-avó do lado materno que surtou… não sabia? Pois é! Tocou fogo no próprio corpo e se atirou pela Baixa. Foi no ano do cometa".

— Seja como for — Will resumiu —, o sr. Heath nos colocou a caminho com um dito de seu próprio pai: "O purgatório é um bom lugar para se meditar". E aqui estamos nós.

— Hambry fica longe do purgatório.

Ele tornou a esboçar aquela engraçada mesura.

— Se ficasse lá, todos iam querer ser maus o suficiente para vir para cá ao encontro de suas bonitas cidadãs.

— Trabalhe mais um pouco essa frase — disse ela em seu tom mais seco. — Ainda está um pouco medíocre, eu acho. Talvez…

Susan ficou em silêncio quando uma percepção deprimente lhe ocorreu: teria de induzir aquele rapaz a entrar numa pequena conspiração com ela. Ou era capaz de se complicar.

— Susan?

— Eu só estava pensando. Você já chegou aqui, Will? Quero dizer, oficialmente?

— Não — disse ele, percebendo de imediato o significado da pergunta. E provavelmente já entendendo aonde a coisa ia dar. Continuou de forma bastante direta. — Só esta tarde entramos no Baronato e você é a primeira pessoa com quem falamos… a não ser que Richard e Arthur também já tenham encontrado gente daqui. Não pude dormir e por isso saí para cavalgar e pensar um pouco na vida. Estamos acampados aqui perto. — Apontava para a direita. — Naquela encosta comprida que desce para o mar.

— Ié, a Baixa, é assim que a chamam. — Susan percebeu que talvez Will e seus companheiros estivessem acampados em terras que, relativamente em breve, seriam suas por força de um documento escrito. A ideia era divertida, empolgante e um tanto assustadora.

— Amanhã vamos entrar a cavalo na cidade e oferecer nossos cumprimentos a Hart Thorin, o Senhor Prefeito. Ele parece ser um pouco tolo, segundo o que nos informaram antes de deixarmos Nova Canaã.

— Disseram mesmo isso a vocês? — ela perguntou, erguendo uma sobrancelha.

— Sim... meio tagarela, chegado a um bom copo, ainda mais chegado a garotas novas — disse Will. — Isso é verdade, não é?

— Acho que terá de julgar por si mesmo — disse ela, sufocando um sorriso com algum esforço.

— Seja como for, também estaremos nos apresentando ao venerável Kimba Rimer, chanceler de Thorin, e pelo que sei ele sabe das coisas. E também *conta* as coisas.

— Thorin o convidará para jantar na Casa do Prefeito — disse Susan. — Talvez não amanhã à noite, mas certamente na noite seguinte.

— Um jantar oficial em Hambry — disse Will, sorrindo e ainda alisando o nariz de Rusher. — Deuses, como vou suportar a agonia de minha expectativa?

— Brinque à vontade com sua língua — disse ela —, mas se é meu amigo preste atenção no que vou dizer. É uma coisa importante.

O sorriso do rapaz sumiu e Susan tornou a ver (como vira há alguns instantes) o homem que ele seria daí a alguns anos. O ar severo, os olhos concentrados, a boca impiedosa. Era, em certo sentido, um rosto assustador — uma *projeção* assustadora —, e no entanto, sim, o lugar que a megera havia tocado parecia quente, e Susan começou a achar difícil tirar os olhos dele. Como seria o cabelo embaixo daquele estúpido chapéu que estava usando?

— Diga, Susan.

— Quando você e seus amigos se sentarem à mesa de Thorin, é possível que me vejam. Se você me vir, Will, finja que está me vendo pela primeira vez. Veja a sra. Delgado, como eu verei o sr. Dearborn. Compreende o que estou dizendo?

— Ao pé da letra. — Ele a olhava pensativamente. — Serve na corte? Certamente se seu pai era o principal tropeiro do Baronato, você não deixaria de...

— Não importa o que faço ou deixo de fazer. Só me prometa que, se nos encontrarmos em Seafront, estaremos nos encontrando pela primeira vez.

— Prometo. Mas...

— Sem mais perguntas. Estamos quase no ponto onde devemos nos separar e quero lhe dar um aviso... talvez um pagamento justo pela viagem nesta sua bela montaria. Se jantar com Thorin e Rimer, não será o único recém-chegado à mesa deles. Encontrarão provavelmente três outros homens, gente que Thorin contratou para a guarda pessoal da casa.

— Não estão subordinados a um xerife?

— Não, eles só respondem a Thorin... ou, talvez, a Rimer. Chamam-se Jonas, Depape e Reynolds. Parecem garotos encrenqueiros... mesmo que a juventude de Jonas esteja tão para trás que ele nem deve mais se lembrar que já viveu uma.

— Jonas é o líder?

— Ié. Manca, tem um cabelo que cai pelos ombros, bonito como o de uma moça, e a voz trêmula de um capataz que passa os dias polindo o console da lareira. Mas ainda penso que é o mais perigoso dos três. Acho que você e seus amigos jamais conseguiriam participar da metade das encrencas que aqueles três já se meteram.

Mas por que lhe contar tanta coisa, Susan se perguntava. Não saberia exatamente o motivo. Gratidão, talvez. Ele prometera guardar segredo sobre aquele encontro tarde da noite e tinha jeito de quem, rebelde ou não às ordens paternas, honrava suas promessas.

— Vou tomar cuidado com eles. E obrigado pela orientação. — Agora subiam uma lombada suave, mas comprida. No céu, a Velha Mãe brilhava severamente. — Guarda-costas — o rapaz ponderou. — Guarda-costas na sonolenta e pequena Hambry. São tempos estranhos, Susan. Realmente estranhos.

— Ié. — Ela já tinha parado para pensar sobre Jonas, Depape e Reynolds, e não conseguiu atinar com nenhuma boa razão para a presença deles na cidade. Estariam lá por obra de Rimer, por decisão de Rimer? Era provável... Um homem como Thorin jamais sequer *pensaria* em guarda-costas; ter o xerife-mor sempre lhe parecera mais do que suficiente... e mesmo assim... por quê?

Chegaram ao alto da colina. Abaixo deles viram um amontoado de casas... o povoado de Hambry. Só algumas luzes ainda brilhavam. No ponto mais iluminado ficava o Repouso dos Viajantes. Do ponto onde estavam e graças a uma brisa quente, Susan pôde ouvir o piano martelando "Hey Jude" e um punhado de vozes embriagadas se unindo alegremente num coro. Delas não participariam as vozes dos três homens sobre os quais advertira Will Dearborn; eles estariam encostados no balcão, observando o salão com olhos mortiços. Aqueles três não eram do tipo que canta. Cada um tinha o contorno de um pequeno caixão azul tatuado na mão direita, mais exatamente na membrana entre o polegar e o indicador. Pensou em contar isto a Will, mas achou que logo ele estaria vendo a coisa por si mesmo. Em vez disso, Susan apontou para alguns metros encosta abaixo. Era uma forma escura, pendendo sobre a estrada e presa num pilar de ferro.

— Está vendo?

— Sim. — Ele deu um suspiro fundo e um tanto cômico. — Não é o objeto que eu temia ver mais que todos os outros? A forma fatal da caixinha de correio da sra. Beech?

— Ié. E aqui temos de nos separar.

— Se você diz que temos é porque temos. Mas eu queria...

Nesse momento o vento mudou de direção, como às vezes acontecia no verão, e trouxe uma forte rajada do oeste. O cheiro de maresia desapareceu num instante, assim como o som das vozes bêbadas que cantavam. Foram substituídos por algo infinitamente mais sinistro, um barulho que nunca deixava de fazer os arrepios subirem pelas costas de Susan; um ruído baixo, atonal, como o uivo de uma sirene sendo girada por um homem a quem não restasse muito tempo de vida.

Will deu um passo para trás, os olhos se arregalando, e de novo ela reparou como as mãos do rapaz executaram um mergulho para o cinturão, como à procura de algo que não estava lá.

— Pelos deuses, o que é isso?

— É uma lúmina — disse ela em voz baixa. — Na Garganta do Parafuso. Nunca tinha ouvido falar?

— Sim, já tinha ouvido falar, mas até agora nunca tinha *escutado*. Deuses, como vocês suportam isso? Parece *viva*!

Ela nunca havia pensado na coisa exatamente assim, mas naquele momento, como se estivesse ouvindo com os ouvidos dele e não com os seus, achou que o rapaz tinha razão. Era como se alguma parte doente da noite tivesse ganhado voz e estivesse tentando cantar.

Ela tremeu. Rusher sentiu o súbito aumento da pressão dos joelhos de Susan e se agitou um pouco, virando a cabeça para observá-la.

— Não costumamos ouvi-la tão claramente nesta época do ano — disse ela. — No outono os homens a queimam e a obrigam a ficar quieta.

— Não entendo.

Quem entendia? Quem ainda estaria entendendo alguma coisa? Pelos deuses! Não conseguiam sequer desligar as poucas bombas de perfuração que ainda funcionavam na Citgo, embora metade delas guinchasse como porcos numa tábua de açougueiro. Se bem que, naqueles dias, geralmente as pessoas se sentiam agradecidas meramente por encontrar coisas que ainda funcionavam.

— No verão, no tempo certo, tropeiros e vaqueiros arrastam feixes de galhos e mato para a entrada da Garganta — disse ela. — Mato seco serve, mas verde é melhor, pois o que importa é a fumaça, e quanto mais densa, melhor. A garganta é um desfiladeiro tipo caixote, muito curto e de paredes muito íngremes. Quase como uma chaminé deitada, entende?

— Sim.

— A época tradicional da queima é a Manhã da Colheita... o dia após a feira, a festa, a fogueira.

— O primeiro dia do inverno.

— Ié, embora nestas regiões o frio demore um pouco mais a chegar e nem sempre a tradição seja respeitada. O mato é às vezes queimado mais cedo se o vento fica muito inconstante ou o som é particularmente forte. A coisa deixa os animais inquietos, você sabe... as vacas dão pouco leite quando o som da lúmina fica pesado... e o sono das pessoas se torna difícil.

— O que não é de espantar. — Will continuava olhando para o norte e uma rajada mais forte de vento tirou-lhe o chapéu, que caiu em suas costas com o cordão de couro repuxando na curva do pescoço. O cabelo que apareceu estava um pouco comprido e era negro como asa de corvo. Ela experimentou uma súbita, uma intensa vontade de alisá-lo, deixando os dedos sentirem sua textura... áspera, suave, sedosa? E que cheiro teria? Neste momento sentiu outra onda de calor na parte de baixo do ventre. O rapaz se virou para ela como se tivesse lido sua mente e Susan corou, grata pelo escuro da noite não permitir que o rosto ruborizado transparecesse.

— Há quanto tempo a lúmina tem estado aí?

— Desde antes de eu nascer — disse ela —, mas não antes de meu pai nascer. Ele contou que a lúmina veio logo depois que a terra foi sacudida por um tremor. Alguns dizem que foi trazida pelo terremoto, outros acham que isso não passa de superstição. O que sei é que sempre a ouvi. A fumaça a deixa silenciosa por algum tempo, assim como silencia um enxame de abelhas ou vespas, mas o som sempre retorna. O mato empilhado na boca da garganta também ajuda a manter os animais afastados... às vezes os animais são atraídos para a lúmina, só os deuses sabem por quê. Mas, se após a queimada, bem antes que a pilha de mato do ano seguinte tenha começado a crescer, uma vaca ou uma ovelha acaba *de fato* entrando ali, ela não volta. Seja aquilo o que for, é faminto.

Susan afastou o poncho para o lado, ergueu a perna direita sobre a sela sem encostar sequer no cabo e desceu do lombo de Rusher — tudo isso num único movimento extremamente ágil. Era uma proeza para ser executada por alguém que usasse uma calça, não um vestido, e Susan percebeu, pelo arregalar dos olhos do rapaz, que mostrara um bom pedaço de si... mas nada que tivesse de lavar com a porta do banheiro fechada, portanto não fazia mal. E aquela descida rápida sempre fora seu truque favorito quando se dispunha a dar um pequeno show.

— Beleza! — ele exclamou.

— Aprendi com meu pai — disse Susan, se atendo à interpretação mais inocente da exclamação dele. Mas o sorriso com que entregou as rédeas sugeriu que estava inclinada também a aceitar a exclamação em qualquer outro sentido que pudesse ter.

— Susan? Você já viu a lúmina?

— Ié, uma ou duas vezes. De cima.

— Como é a aparência dela?

— Feia — ela respondeu de imediato. Até aquela noite, quando observara bem de perto o sorriso de Rhea e tivera de suportar seus dedos intrometidos e agitados, Susan achava que a lúmina era a coisa mais feia que já tinha visto. — Lembra um pouco um musgo queimando devagar e um pouco um pântano com água espumosa e cheia de limo. A névoa que se levanta fica às vezes parecida com braços compridos, esqueléticos. Com mãos na ponta.

— A lúmina está crescendo?

— Ié, dizem que sim, dizem que toda lúmina cresce, mas cresce devagar. De qualquer modo, pelo menos no seu tempo de vida ou no meu, ela não vai escapar da Garganta do Parafuso.

Susan ergueu os olhos para o céu e reparou que, durante toda aquela conversa, as constelações haviam continuado a se inclinar sobre o percurso dos dois. Sentiu que poderia conversar a noite inteira com ele — sobre a lúmina, a Citgo, a tia irritante ou simplesmente sobre nada — e a ideia a deprimiu. Por que aquilo tinha de lhe acontecer agora, pelo amor dos deuses? Depois de três anos descartando os rapazes de Hambry, por que precisava agora encontrar um garoto que despertava tão estranhamente seu interesse? Por que a vida era tão injusta?

E um pensamento anterior, o mesmo que ouvira na voz do pai, voltou a lhe ocorrer: *Se for o ka, virá como um vento, e seus planos resistirão a ele tanto quanto um celeiro a um ciclone.*

Mas não. E não. E não. Repetia tentando colocar, com toda a sua considerável determinação, a mente contra a ideia. Não se tratava de um celeiro; tratava-se de sua *vida*.

Susan estendeu a mão e tocou o metal enferrujado da caixa de correio da sra. Beech, como se precisasse se situar no mundo. Suas pequenas expectativas e devaneios talvez não tivessem tanta importância. O pai a ensinara a avaliar a si própria pela capacidade de fazer as coisas que dizia que ia fazer. Ela não ia abrir mão deste ensinamento só por ter encontrado, por acaso, um garoto atraente num momento em que seu corpo e suas emoções estavam agitados.

— Vou deixá-lo aqui para se juntar a seus amigos ou para retomar seu passeio — disse. A gravidade que ouviu na própria voz deixou-a um pouco triste, pois era uma gravidade de um adulto. — E não esqueça o que prometeu, Will. Se me encontrar em Seafront, a Casa do Prefeito, e se for meu amigo, finja que está me encontrando pela primeira vez. Eu farei o mesmo.

Quando ele fez que sim com a cabeça, Susan viu sua seriedade refletida no rosto do rapaz. E talvez a tristeza.

— Nunca pedi a uma garota para cavalgar comigo ou para aceitar uma visita minha. Pediria a você, Susan, filha de Patrick, a quem eu levaria flores para aumentar as chances... Mas acho que seria inútil.

— Seria — disse ela balançando a cabeça. — A resposta seria não.

— Já foi prometida em casamento? É atrevimento meu perguntar isso, eu sei, mas tenha certeza de que não pretendo irritá-la.

— Tenho certeza que não, mas preferia não responder. Minha posição atual é bastante delicada, como já lhe disse. Além disso, é tarde. Aqui nos separamos, Will. Mas espere... só um momento...

Ela remexeu no bolso do avental e tirou de lá metade de um bolo enrolado num pedaço de papel verde. Comera a outra metade a caminho de Cöos... no que agora lhe parecia ser a outra metade de sua vida. Estendeu para Rusher esta sobra de um pequeno lanche no final da tarde. Rusher cheirou, comeu e lambeu sua mão. Ela sorriu, desfrutando as cócegas suaves no meio da palma.

— É um bom cavalo, sem dúvida que é.

Fitou Will Dearborn, parado na estrada, agitando as botas empoeiradas e contemplando-a com ar infeliz. O olhar duro abandonara seu rosto; ele voltava a parecer um rapaz da idade dele, ou ainda mais novo.

— Foi bom este nosso encontro, não foi? — ele perguntou.

Susan deu um passo à frente e antes de ter tempo de pensar no que estava fazendo, colocou as mãos nos ombros dele, ficou na ponta dos pés e beijou-o na boca. Foi um beijo rápido, mas não fraterno.

— Ié, foi muito bom esse nosso encontro, Will.

Mas quando Will se inclinou sobre ela (tão espontaneamente quanto uma flor virando as pétalas para acompanhar o sol), querendo repetir a experiência, Susan o fez dar um passo atrás, de modo gentil mas firme.

— Não, isso foi apenas um agradecimento e um agradecimento deve bastar para um cavalheiro. Siga em paz seu caminho, Will.

Ele pegou as rédeas como se estivesse num sonho, olhou-as por um instante como se não soubesse mais que diabo era aquilo e tornou a fitá-la. Susan sentiu seu esforço para desanuviar a mente e as emoções do impacto que o beijo provocara. Gostou de vê-lo assim. E estava muito satisfeita por ter feito o que fizera.

— E você o seu — disse ele, se ajeitando na sela. — Não vejo a hora de conhecê-la pela primeira vez.

Sorriu para Susan e ela viu desejo e afeição naquele sorriso. Então Will atiçou o cavalo, virou-o e começou a voltar pela estrada… para dar mais uma olhada na reserva de óleo, quem sabe. Ela ficou onde estava, junto à caixa de correio da sra. Beech, na expectativa de que o rapaz se virasse, acenasse e pudesse ver seu rosto mais uma vez. Teve certeza que ele ia fazer isso… mas ele não fez. Então, no instante em que Susan ia virar o rosto e começar a descer para a cidade, ele *realmente* se virou e sua mão, se erguendo, flutuou um momento no escuro como mariposa.

Susan correspondeu erguendo a própria mão e depois seguiu seu caminho, sentindo-se simultaneamente feliz e infeliz. Contudo — e isso foi talvez a coisa mais importante —, não se sentia mais violentada. Ao tocar os lábios do rapaz, teve a impressão de que o contato com Rhea deixara sua pele. Uma pequena mágica, talvez, mas que ela acolheu com prazer.

Continuou andando, com um sorriso leve. Não costumava, quando estava fora depois do anoitecer, olhar com tanta frequência para as estrelas.

4. BEM DEPOIS DE A LUA SE PÔR

1

Ele cavalgou sem parar por quase duas horas, de um lado para o outro, ao largo do que ela chamara a Baixa, não deixando Rusher ultrapassar um simples trote, mesmo que a sua vontade fosse de fazer o grande garanhão galopar sob as estrelas, até que seu próprio sangue começasse a esfriar um pouco.

Vai esfriar rapidinho se chamar a atenção para si mesmo, o rapaz pensou. *E provavelmente nem vai ser você a esfriá-la. Os tolos são as únicas pessoas da Terra que podem ter certeza de que vão conseguir aquilo que merecem.* Este velho ditado o fez pensar no homem com cicatriz no rosto e pernas tortas que fora seu maior mestre, e ele sorriu.

Por fim virou o cavalo, desceu a encosta até um filete de riacho que corria por ela e, por mais de dois quilômetros, seguiu o curso de água na direção da nascente (cruzou com vários grupos de cavalos que se viraram para Rusher com uma surpresa vagarosa e vidrada). Finalmente, chegou a um pequeno bosque de salgueiros, de cujo interior um cavalo relinchou suavemente. Rusher respondeu com seu próprio relincho, batendo com um casco no chão e sacudindo a cabeça para cima e para baixo. Seu cavaleiro abaixou a cabeça quando passaram pela ramagem dos salgueiros e, de repente, havia aquele estreito e inumano rosto branco pairando na frente dele, cuja metade superior parecia engolida por olhos pretos e sem pupilas.

As mãos foram até os revólveres — era a terceira vez que isso acontecia naquela noite, pelos deuses, e pela terceira vez não havia nada lá. Não que fizesse diferença; ele já reconhecera o que balançava num cordão: era aquela maldita caveira de corvo.

O jovem que naquele momento se dizia chamar Arthur Heath a havia tirado da sela (gostava de chamar o crânio de mascote — "feio como bruxa, mas não dá nenhuma despesa de comida") e a tinha pendurado ali, como um trote de boas-vindas. Ele e suas brincadeiras! O dono de Rusher acertou a caveira com força suficiente para romper o cordão e atirá-la no escuro.

— Que vergonha, Roland — disse uma voz das sombras. E havia (como sempre havia) o borbulhar de uma risada logo abaixo daquele tom de reprovação. Cuthbert era seu amigo mais antigo (as marcas dos primeiros dentes dos dois ficaram gravadas em muitos brinquedos em comum), mas Roland nunca chegara inteiramente a compreendê-lo. E não só por causa de sua risada; no dia já muito distante em que Hax, cozinheiro do palácio, fora levado ao morro do Patíbulo para ser enforcado como traidor, Cuthbert caíra numa agonia de terror e remorso. Disse a Roland que não conseguiria ficar ali, que não poderia ver aquilo… mas acabou fazendo as duas coisas. Porque nem as brincadeiras idiotas nem as emoções fáceis e superficiais representavam tudo em Cuthbert Allgood.

Quando Roland adentrou no centro escuro do bosque, uma forma saiu de trás da árvore onde estivera escondida. E na metade de uma clareira que apareceu de repente, a forma se converteu num rapaz alto, esguio, pés descalços aparecendo sob a bainha do jeans e o peito nu. Numa das mãos trazia um enorme e antigo revólver… do tipo que era às vezes chamado de barril de cerveja por causa do tamanho do cilindro.

— Que vergonha — Cuthbert repetiu, como se gostasse do som daquelas palavras. Não chegava a ser uma expressão arcaica, mas fazia parte dos antigos costumes de linguagem ainda usados em Mejis. — Que ótima maneira de chamar a atenção de um Guarda da Vigília! E que vergonha despachar meu pobre mascote de cara magra para a próxima cadeia de montanhas!

— Se eu estivesse usando um revólver, provavelmente o teria reduzido a cacos e acordaria metade da região.

— Sei que você não estaria andando com as armas no coldre — Cuthbert comentou suavemente. — Mas, apesar de andar com uma aparência horrível, Roland, filho de Steven, não é nenhum tolo mesmo que ainda esteja se aproximando dos quinze anos de idade.

— Achei que tínhamos combinado de manter os nomes que usamos durante a viagem. Mesmo entre nós.

Cuthbert estendeu a perna, o calcanhar descalço plantado na relva, e fez uma mesura com os braços estendidos e as mãos exageradamente curvadas nos pulsos — uma bela imitação do tipo de homem para quem o galanteio se transformava numa carreira. Também ficou notavelmente parecido com uma garça num charco e Roland, mesmo a contragosto, soltou uma risada. Então levou à testa a articulação do pulso esquerdo para ver se estava com febre. Sentia-se bastante febril no fundo da cabeça, sabiam os deuses, mas a pele em cima dos olhos parecia fria.

— Peço seu perdão, pistoleiro — disse Cuthbert, os olhos e as mãos ainda voltados, submissos, para baixo.

O sorriso desapareceu do rosto de Roland.

— E não torne a me chamar assim, Cuthbert. Por favor. Nem aqui nem em lugar nenhum. Se tem alguma estima por mim, não faça.

Cuthbert abandonou de imediato sua pose e se aproximou rapidamente do ponto onde Roland fizera o cavalo parar. Agora parecia sinceramente humilde.

— Roland… Will… Me desculpe.

Roland deu-lhe uma batidinha no ombro.

— Ninguém nos ouviu. Mas não se esqueça daqui para a frente. Mejis pode estar no fim do mundo… mas ainda *é* o mundo. Onde está Alain?

— Dick, você quer dizer? Onde acha que está? — Cuthbert apontou para o outro lado da clareira, onde um vulto escuro estava roncando ou sufocando devagar até a morte.

— Aquele ali — disse Cuthbert — seria capaz de dormir no meio de um terremoto.

— Mas você me escutou chegando e acordou.

— Sim — disse Cuthbert. Roland sentiu um certo mal-estar ante a intensidade com que os olhos de Cuthbert procuravam se concentrar em seu rosto. — Aconteceu alguma coisa? Parece diferente.

— Pareço?

— Sim. Nervoso. Meio desligado, sei lá.

Se fosse contar para Cuthbert a respeito de Susan, o momento era aquele. Mas decidiu, sem realmente pensar no assunto (a maioria de suas decisões, e certamente as melhores, tinham sido tomadas exatamente assim), nada dizer. Se ele a encontrasse na Casa do Prefeito, Alain e Cuthbert também achariam que os dois estavam se vendo pela primeira vez. Não seria melhor assim?

— Achei bom me desligar esta noite — disse ele descendo do cavalo e se curvando para soltar as correias da sela. — Encontrei algumas coisas interessantes.

— Ah? Fale, meu mais caro amigo do peito!

— Acho que vou esperar até amanhã, quando aquele urso em hibernação tiver enfim acordado. Assim só vou ter de contar uma vez. Estou realmente cansado. Mas lhe digo uma coisa: há cavalos demais por aqui, mesmo para um Baronato famoso por suas montarias. Realmente demais.

Antes que Cuthbert pudesse perguntar alguma coisa, Roland tirou a sela do lombo de Rusher e pousou-a ao lado de três pequenas gaiolas de vime que tinham sido amarradas uma na outra com correias de couro e podiam ser presas no lombo de um cavalo. Dentro delas, três pombos com argolas brancas ao redor do pescoço arrulharam num tom sonolento. Um deles tirou a cabeça de baixo da asa, deu uma espiada em Roland e tornou a se encolher.

— Esses garotos estão bem? — Roland perguntou.

— Ótimos. Ciscando e cagando felizes na palha. Pelo que diz respeito a eles, estão de férias. Mas o que você quis dizer sobre…

— Amanhã — disse Roland, e Cuthbert, vendo que não conseguiria nada, limitou-se a assentir. Depois foi esticar a sua figura esguia em outro lugar.

Vinte minutos depois, com Rusher descarregado, escovado e levado para comer sua forragem ao lado de Buckskin e Glue Boy (Cuthbert não seria capaz de dar a seu cavalo um nome razoável, como teria feito uma pessoa normal), Roland se deitou de costas em sua manta, contemplando as últimas estrelas no céu. Cuthbert voltara a dormir com a mesma facilidade com que fora acordado pelos cascos de Rusher, mas Roland nunca tivera menos sono em toda a sua vida.

Sua mente se voltou para um mês atrás, para o quarto da prostituta, para o pai sentando na cama da mulher e vendo-o se vestir. As palavras que o pai tinha dito — *Há dois anos eu sabia disso* — tinham ecoado como um gongo na cabeça de Roland. Ele desconfiava que as palavras iam continuar fazendo aquele eco pelo resto de seus dias.

Mas o pai tinha muito mais a dizer. Sobre Marten. Sobre a mãe de Roland, que era, talvez, mais vítima que autora de certos males. Sobre agitadores que se julgavam patriotas. E sobre John Farson, que de fato havia estado em Cressia e que agora se fora daquele lugar — se dissipara, como era seu costume fazer, como fumaça em vento forte. Antes de partirem, ele e seus homens tinham queimado Indrie, a sede do Baronato, reduzindo-a a pó. A carnificina atingira centenas e talvez não fosse de admirar que, desde então, Cressia repudiasse a Confederação e começasse a seguir o Bom Homem. O governador do Baronato, prefeito de Indrie, e o xerife-mor tinham chegado ao primeiro dia de verão, que concluíra a visita de Farson, com as cabeças em cima da muralha que guardava a entrada da cidade. Aquilo, dissera Steven Deschain, era "uma senhora política persuasiva".

Era um jogo de Castelos onde ambos os exércitos tinham saído de trás de suas colinas e os movimentos finais haviam começado, dissera o pai de Roland, e, como acontecia frequentemente com revoluções populares, o jogo era capaz de estar encerrado antes que muitos, nos Baronatos do Mundo Médio, tivessem começado a perceber que John Farson era uma séria ameaça... ou um sério agente de mudança, se a pessoa fosse um dos crentes fervorosos da visão que Farson tinha da democracia e em sua política de dar fim ao que ele chamava "escravidão de classe e antigos contos de fadas".

O pai e o pequeno ka-tet de pistoleiros do pai, Roland ficou surpreso em saber, pouco se preocupavam com Farson de um modo ou de outro; encaravam-no como peixe pequeno. E, na verdade, considerava a própria Confederação como peixe pequeno.

Vou mandá-lo para longe, dissera Steven sentado na cama e olhando melancolicamente para o filho, o único que conseguira viver. *Nos dias de hoje, não sobrou nenhum lugar verdadeiramente seguro no Mundo Médio, mas nada pode ter se conservado mais próximo da segurança do que o Baronato de Mejis, no mar Claro… Por isso é para lá que você vai, juntamente com pelo menos dois colegas seus. Alain, eu acho, seria um deles. E só peço que não escolha aquele garoto que não para de rir como o outro. Seria pior do que levar um cachorro barulhento.*

Roland, que em qualquer outro dia de sua vida teria adorado a perspectiva de ver alguma coisa do vasto mundo lá fora, protestara intensamente. Se as batalhas finais contra o Bom Homem estivessem próximas, queria ficar ali, lutando ao lado do pai. Agora era um pistoleiro, afinal, mesmo que apenas um aprendiz, e…

O pai balançara a cabeça devagar e enfaticamente. *Não, Roland. Você não compreende. Mas irá compreender; o tanto que é possível, você irá.*

Mais tarde, os dois tinham caminhado pelas altas ameias que dominavam a última cidade com vida própria do Mundo Médio: a esplêndida Gilead cheia de verde no sol da manhã, com seus estandartes batendo ao vento, os vendedores ambulantes nas ruas do bairro Antigo e os cavalos trotando nos caminhos que, irradiados do palácio, chegavam ao centro de tudo. O pai tinha lhe dito mais (não tudo) e Roland compreendera mais alguma coisa (longe de tudo… como o pai também não compreendia tudo). A Torre Negra não fora mencionada por nenhum dos dois, mas já pairava na mente de Roland como uma possibilidade, como uma nuvem de tempestade no horizonte ao longe.

Era realmente a Torre que estava no centro daquilo tudo? Não um agitador com sonhos de governar o Mundo Médio, não o feiticeiro que encantara sua mãe, não a bola de cristal que Steven e seus comandados tinham esperado encontrar em Cressia… mas a Torre Negra?

Ele não perguntou.

Não se *atrevera* a perguntar.

Agora ele se virava em sua manta e fechava os olhos. Vendo de imediato o rosto da garota; tornou a sentir a firme pressão dos lábios dela nos seus e o cheiro de sua pele. Ficou instantaneamente quente do alto da cabeça à base da espinha e gelado da base da espinha à ponta dos pés. Então pensou na maneira como haviam cintilado as pernas dela ao deslizarem do lombo de Rusher (também pensou no brilho das peças íntimas sob a saia brevemente levantada) e sua metade quente trocou de lugar com a metade fria.

A prostituta tirara sua virgindade, mas não o beijara; tinha virado o rosto para o lado quando ele tentou beijá-la. Deixara que fizesse qualquer outra coisa, mas não aquilo. Na hora se sentira extremamente frustrado. Agora achava bom que tivesse sido assim.

A sua mente adolescente, ao mesmo tempo inquieta e clara, reviveu a trança de Susan, que lhe caía pelas costas até a cintura, as covinhas suaves que se formavam nos cantos da boca quando ela sorria, a cadência da voz, o modo antiquado de dizer ié, naum e papai. Pensou em como as mãos tinham se posicionado em seus ombros quando ela se esticara para beijá-lo e achou que daria tudo para tornar a sentir o toque daquelas mãos, tão leve e tão firme. E a boca na sua. Uma boca que talvez não soubesse muito bem beijar, mas que sabia um pouco mais do que a dele.

Tenha cuidado, Roland... Não deixe seus sentimentos por esta garota se desenvolverem mais. Ela não está livre, não esqueça... foi o que você ouviu. Não é casada, mas está prometida de alguma forma.

Roland estava longe da criatura obstinada que acabaria se tornando, mas as sementes dessa obstinação já estavam lá... como coisas pequenas, aparentemente insignificantes, mas que no tempo certo se transformariam em árvores de raízes profundas... e dando frutos amargos. Naquele momento, uma das sementes se abriu com um estalo e disparou seu primeiro grão.

O que foi prometido pode não ser cumprido e o que foi feito pode ser desfeito. Nada é certo, mas... eu a quero.

Sim. Isto era a única coisa que ele sabia; e tinha tanta certeza quanto tinha certeza de reconhecer o rosto de seu pai: ele a queria. Não como quisera ter a prostitua que se deitara nua na cama com as pernas abertas e os olhos semicerrados olhando para ele, mas do modo como queria comer quando estava faminto ou queria beber quando estava sedento. Do modo, talvez, como tivera vontade de ver seu cavalo arrastando o corpo de Marten pela via Central de Gilead em retribuição pelo que o feiticeiro fizera com sua mãe.

Queria a garota; queria Susan.

Roland virou para o outro lado, fechou os olhos e caiu no sono. O descanso foi leve, iluminado pelos sonhos cruamente poéticos que só garotos adolescentes têm, sonhos onde a atração sexual e o amor romântico se juntam e ressoam com mais força do que jamais conseguirão ter. Nessas visões sedentas, Susan Delgado punha repetidamente as mãos nos ombros de Roland, beijava-o repetidamente na boca, dizia-lhe repetidamente para voltar a vê-la pela primeira vez, para estar com ela pela primeira vez, para observá-la pela primeira vez, para observá-la muito bem.

2

Cerca de oito quilômetros de onde Roland dormia e sonhava seus sonhos, Susan Delgado estava deitada em sua cama, olhando pela janela e vendo o Velho Astro empalidecer com a aproximação da aurora. O sono continuava tão longe quanto no momento em que se deitara, e havia um latejar entre suas pernas, onde a velha a tocara. Era uma coisa perturbadora, mas já não desagradável, pois agora estava associada ao rapaz que encontrara na estrada e que, num impulso, ela beijara, à luz das estrelas. Cada vez que mexia com as pernas, o latejar se inflamava numa ânsia breve e doce.

Quando chegara em casa, tia Cord (que numa noite normal teria ido se deitar uma hora antes) estava sentada na cadeira de balanço junto à lareira (apagada, fria, varrida de cinzas naquela época do ano) com um punhado de rendas no colo que, em cima de seu antigo vestido preto, pareciam espuma do mar. Debruava a renda com uma velocidade que Susan julgava quase sobrenatural e nem ergueu os olhos quando a porta se abriu e a sobrinha entrou trazendo a brisa num redemoinho.

— Achei que ia chegar uma hora mais cedo — disse tia Cord. E então: — Estava preocupada. — Mas não parecia que estava.

— Ié? — disse Susan, e não falou mais nada. Em qualquer outra noite teria dado uma desculpa qualquer que soaria falsa a seus próprios ouvidos (era o modo como tia Cord a induzira a agir desde que se entendera como gente), mas aquela não fora uma noite comum. Nunca em sua vida vivera uma noite como aquela. Descobriu que não conseguia parar de pensar em Will Dearborn.

Tia Cord ergueu novamente os olhos, um olhar concentrado, olhos brilhantes, intensos, inquisidores sobre a ponte estreita de um nariz. Algumas coisas não tinham mudado desde que Susan concordara em ir à colina Cöos. Ela ainda podia sentir os olhos da tia varrendo seu rosto e seu corpo, como escovinhas de roupas com cerdas afiadas.

— Por que demorou tanto? — tia Cord perguntara. — Houve algum problema?

— Problema nenhum — Susan respondera, mas se lembrando da bruxa parada do seu lado na entrada da cabana, puxando sua trança pelo tubo encarquilhado de um frouxo punho fechado. Lembrou-se da vontade de ir embora e de ter perguntado a Rhea se o assunto já não estava resolvido.

Talvez haja mais uma coisinha, dissera a velha mulher... ou assim Susan revivia a cena. Mas o que fora essa última coisinha? Não conseguia lembrar. E, afinal, que importância fazia? Estava livre de Rhea até sua barriga começar a crescer com o filho de Thorin... e se nenhuma criança podia ser gerada antes da Noite da Colheita, só teria de retornar a Cöos do final do inverno para a frente. Uma eternidade! E demoraria mais que isso, se fosse lenta para engravidar...

— Voltei andando devagar, tia. Foi só isso.

— Então por que está com essa cara? — tia Cord perguntara contraindo as sobrancelhas até elas se unirem com a ruga vertical que marcava sua testa.

— Com que cara? — reagira Susan tirando o avental, amarrando as alças e pendurando-o no gancho do lado de dentro da porta da cozinha.

— Agitada. Vibrante. Como leite que acabou de sair da vaca.

Ela quase riu. Tia Cord, que sabia tanto sobre homens quanto Susan sabia de estrelas e planetas, tinha ido direto ao ponto. Agitada e vibrante era exatamente como se sentia.

— Foi o ar da noite, eu acho — Susan tinha dito. — Vi um meteoro, tia. E ouvi a lúmina. O som estava forte esta noite.

— Ié? — a tia perguntou sem interesse e passou ao assunto que realmente importava. — O exame doeu?

— Um pouco.

— Você chorou?

Susan balançou a cabeça.

— Bom. Melhor assim. É sempre melhor não chorar. Ouvi dizer que ela gosta quando as meninas choram. E me diga, Sue… ela não lhe deu alguma coisa? A velha megera não lhe deu alguma coisa?

— Ié. — Ela pôs a mão no bolso e puxou o papel com

CASTA

escrita nele. Susan estendeu o papel, que a tia pegou com um olhar de avidez. Cordelia fora um doce de pessoa durante todo um mês, mas agora que conseguira o que queria (e agora que Susan já fora longe demais e já prometera muito para voltar atrás), voltava a ser a mulher rabugenta, arrogante, quase sempre desconfiada que criara a sobrinha, a mesma que era levada a ter acessos quase semanais de raiva pelo irmão tranquilo e despreocupado. Em certo sentido, aquilo era um alívio. Fora um tanto enervante ver tia Cord fazendo dia após dia o papel de Fada do Lago.

— Ié, ié, aqui está a marca, certo — dissera a tia passando os dedos pela folha de papel. — Um casco de demônio, dizem alguns, mas o que isso nos importa, hã, Sue? Mesmo que seja uma criatura horrenda e asquerosa, possibilitou que duas mulheres continuem vivendo mais um pouco neste mundo. E você só precisará vê-la mais uma vez, provavelmente por volta do Fim do Ano, quando já estiver prenhe.

— Será mais tarde do que isso — Susan lhe contara. — Naum devo me deitar com ele até que a Lua do Demônio esteja cheia. Após a Feira da Colheita e a fogueira.

Tia Cord tinha ficado parada, olhos arregalados, boca aberta.

— Ela disse isso?

Está me chamando de mentirosa, titia?, Susan pensara com uma aspereza que não era muito do seu temperamento; em geral, ela era tranquila como o pai.

— Ié.

— Mas por quê? Por que *tanto* tempo? — Tia Cord estava obviamente transtornada, obviamente desapontada. Já recebera oito peças de prata e quatro de ouro; estavam enfiadas onde quer que escondesse seu dinheiro (e Susan desconfiava que havia uma boa soma dele, embora Cordelia, sempre que tinha oportunidade, gostasse de pregar que era pobre) e o dobro disso ainda era devido... ou seria devido depois que o lençol com a mancha de sangue fosse para a lavanderia na Casa do Prefeito. Essa mesma soma seria paga de novo quando Rhea pudesse comprovar que ela estava grávida de um bebê de Thorin. No final das contas, muito dinheiro. Realmente *muito*, para um lugar pequeno como aquele e pessoas pequenas como elas. E, agora, ver as datas de quitação tão recuadas...

Então Susan cometeu um pecado pelo qual pediu perdão em suas orações (embora sem grande entusiasmo) antes de ir para a cama: gostou de ver a expressão derrotada, o ar de frustração no rosto de tia Cord... o ar de decepção da avarenta.

— Por que tanto *tempo*? — Cordelia repetiu.

— Imagino que possa subir a colina Cöos para perguntar.

Os lábios de Cordelia Delgado, que já eram finos, se comprimiram de tal forma que quase desapareceram.

— Está sendo atrevida, mocinha? Está sendo atrevida comigo?

— Não. Estou cansada demais para ser atrevida com alguém. Quero me lavar, porque ainda estou sentindo as mãos daquela mulher dentro de mim, e ir para a cama.

— Então faça isso. Talvez de manhã possamos discutir a coisa de forma mais serena. E teremos de ir falar com Hart, é claro. — Dobrou o papel que Rhea tinha dado a Susan, feliz ante a perspectiva de visitar Hart Thorin, e moveu sua mão para o bolso do vestido.

— Não — disse Susan, e seu tom foi estranhamente áspero... tão áspero que fez a mão da tia ficar parada no ar. Cordelia a havia encarado, realmente sobressaltada. Susan ficara um pouco embaraçada com aquele olhar, mas não abaixara a cabeça e, quando estendeu a mão, sentiu-a bastante firme.

— Esse papel fica comigo, tia.

— Quem a deixou falar assim comigo? — tia Cord perguntara, a voz trêmula com a afronta... Era quase uma blasfêmia, Susan pensou, mas por um momento a voz de tia Cord a fizera se lembrar do barulho da lúmina. — Quem a deixou falar assim com a mulher que criou uma menina sem mãe? A irmã do pobre pai morto dessa tal menina?

— Você sabe quem foi — disse Susan, mantendo a mão estendida. — Devo ficar com o papel e vou dá-lo ao prefeito Thorin. Rhea disse que pouco importava que Thorin só quisesse o papel para limpar a bunda — o rubor que tingiu o rosto da tia foi um verdadeiro deleite —, mas, *até* passar às mãos dele, o papel devia ficar comigo.

— Jamais ouvi um absurdo desses — reagira Cordelia num tom irritado... enquanto devolvia o pedacinho encardido de papel. — Confiar a guarda de um documento tão importante a um reles projeto de mulher.

Mas não tão reles para não ser a amante de Thorin, não é? Para se deitar embaixo dele ouvindo os ossos estalarem, receber seu sêmen e talvez gerar um filho para ele.

Susan baixou os olhos quando tornou a guardar o papel no próprio bolso. Não queria que tia Cord visse o ressentimento que havia neles.

— Suba — disse tia Cord, agarrando o punhado de rendas que tinha no colo e atirando-as em sua cesta de vime, onde ficariam num emaranhado que não era habitual. — E ao se lavar, lave a boca com bastante cuidado. Livre-a do descaramento e do desrespeito para com quem deu muito de si por amor a você.

Susan saiu em silêncio, sufocando mil e uma respostas, subindo a escada como fazia todo dia, vibrando com um misto de vergonha e ressentimento.

E agora lá estava, na cama e ainda acordada enquanto as estrelas iam sumindo e as primeiras listas mais brilhantes começavam a colorir o céu. Os acontecimentos da noite resvalavam por sua mente numa espécie de borrão fantástico, como num rápido embaralhar de cartas — e no final, a carta que aparecia com mais persistência tinha o rosto de Will Dearborn. Ela pensou em como aquele rosto podia ser severo num momento e abrandar-se tão inesperadamente no instante seguinte. E era um rosto bonito? Certamente, achava que sim. Pelo menos para ela.

Nunca pedi a uma garota para cavalgar comigo ou para aceitar uma visita minha. Pediria a você, Susan, filha de Patrick.

Por que agora? Por que tenho de encontrá-lo agora, quando nada de bom pode resultar disso?

Se for o ka, a coisa virá como um vento. Como um ciclone.

Rolava de um lado para o outro da cama, depois se virava de novo de costas. Não teria sono para ela no que restava daquela noite, Susan pensou. Talvez fosse melhor se levantar e ir até a Baixa, para ver o sol nascer.

Mas continuou deitada, conseguindo se sentir bem e doente ao mesmo tempo, contemplando as sombras, ouvindo os primeiros pios dos pássaros, pensando no toque da boca do rapaz contra a sua, no lábio macio e na sensação dos dentes por baixo, sentindo o cheiro de sua pele e a aspereza do tecido da camisa sob as palmas de suas mãos.

Ela agora colocava essas palmas no alto da camisola e rodeava os seios com os dedos em concha. Os mamilos estavam duros como pedrinhas. E quando ela os tocou, o calor entre suas pernas disparou de repente, urgente.

Poderia dormir, ela pensou. Poderia se cuidasse daquele calor. Se soubesse como.

E sabia. A velha tinha lhe mostrado. *Mesmo uma menina que está intacta pode muito bem ter prazer de vez em quando... Como um pequeno botão de seda, assim.*

Susan se virou na cama e fez a mão deslizar bem para o fundo do lençol. Forçou os olhos brilhantes e as faces encovadas da velha a saírem de sua mente — descobriu que não era em nada difícil fazer aquilo desde que estivesse decidida — e substituiu-os pelo rosto do rapaz com o belo garanhão e o tolo chapéu de aba arriada. Por um momento a imagem em sua mente tornou-se tão nítida e tão doce que pareceu real, enquanto todo o resto de sua vida se convertia num sonho mortiço. Na imagem, o rapaz a beijava sem parar, as bocas se abriam mais, as línguas se tocavam; ela tragava o ar que ele soltava.

Ela ardia. Ardia como tocha em sua cama. E quando, pouco tempo mais tarde, o sol finalmente tomou conta do horizonte, Susan dormia profundamente. Tinha um leve sorriso nos lábios e o cabelo jogado ao lado do rosto, com a trança desfeita, salpicava o travesseiro como ouro.

3

Na última hora antes do amanhecer, o salão do Repouso dos Viajantes estava silencioso como poucas vezes. Os bicos de gás que, na maioria das noites, transformavam o lustre numa joia brilhante até cerca das duas da manhã tinham se reduzido a insignificantes pontos azuis e o salão alto e comprido estava sombrio, espectral.

Num canto se achava um punhado de lenha — restos de algumas cadeiras despedaçadas numa briga durante o jogo de Olho Vivo (os combatentes estavam naquele momento residindo na célula para embriagados do xerife-mor). Em outro canto havia uma poça razoavelmente grande de vômito coagulado. Na plataforma da ponta direita do salão havia um velho piano; deitado no banco estava o bastão de carvalho que pertencia a Barkie, o leão de chácara e o homem mais forte das redondezas. Barkie jazia debaixo do banco, roncando. O contorno nu de seu estômago com cicatrizes se destacava acima da cintura da calça de veludo. Ele conservava numa das mãos uma carta de baralho: o dois de ouros.

Na extremidade esquerda da sala, ficavam as mesas de carteado. Dois bêbados dormiam com as cabeças numa delas, ressonando e babando no feltro verde, as mãos estendidas se tocando. Na parede acima deles, havia uma gravura de Arthur, o Grande Rei de Eld, montado em seu garanhão branco, e uma placa que dizia (numa curiosa mistura da Língua Superior e da Língua Vulgar): TODA APOSTA TEM DE SER FEITA EM GRANA OU EM VIDA.

Atrás do balcão, que se estendia por toda a extensão da sala, havia um monstruoso troféu: um alce de duas cabeças com chifres do tamanho de uma pequena floresta e quatro olhos brilhantes. O animal era conhecido pelos frequentadores locais do Repouso como Transão. Ninguém sabia dizer por quê. Algum engraçadinho tinha encaixado cuidadosamente um par de preservativos tamanho extra nas pontas de dois de seus chifres. Deitada no próprio balcão, e diretamente sob o olhar desaprovador do Transão, estava Pettie, a Trotadora, uma das dançarinas e moças-amantes do Repouso... embora a mocidade de Pettie estivesse agora bem para trás. Logo seria obrigada a praticar seu trabalho de joelhos, nos fundos do Repouso, não no andar de cima, num daqueles minúsculos cubículos. As pernas estavam abertas, uma balançando pela beirada do lado de dentro do balcão, a outra pelo lado de fora, o sujo emaranhado da saia brotando no meio. Ela respirava ressonando muito, torcendo de vez em quando os pés e os dedos gordos. Os únicos outros ruídos eram o vento quente de verão do lado de fora e o regular e suave estalar de cartas sendo viradas uma a uma.

Havia uma pequena mesa isolada perto das portas de vaivém que davam para a via Central de Hambry; era ali que Coral Thorin, proprietária do Repouso dos Viajantes (e irmã do prefeito), sentava-se nas noites em que resolvia descer de sua suíte para "fazer companhia". Quando descia, descia cedo — quando ainda havia mais bifes que doses de uísque sendo servidos no velho e arranhado balcão —, e voltava mais ou menos na hora em que Sheb, o pianista, se sentava e começava a martelar o revoltante instrumento. Quanto ao prefeito, ele nunca aparecia lá, embora fosse de conhecimento geral que detinha pelo menos metade das cotas do Repouso. O clã Thorin gostava do dinheiro que o lugar rendia; só não gostava era da aparência do salão depois da meia-noite, quando a serragem espalhada pelo chão começava a se misturar com a cerveja e o sangue derramados. Coral, no entanto, tinha uma personalidade forte e, vinte anos antes, fora o que então se chamava "moça rebelde". Era mais nova que seu irmão político, não tão magra, e bonita, apesar dos olhos grandes e a cabeça pequena. Ninguém se sentava em sua mesa durante as horas de funcionamento do salão — Barkie teria dissuadido de imediato qualquer um que tentasse —, mas agora as horas de funcionamento haviam passado, a maioria dos bêbados fora embora ou subira para o andar de cima, e Sheb se enroscara e caíra no sono no canto atrás do piano. O garoto de raciocínio lento que limpava o lugar tinha ido embora por volta das duas da manhã (escorraçado por chacotas, insultos e alguns copos de cerveja voando, como sempre acontecia; Roy Depape, em especial, pegava muito no pé daquele rapaz). Voltaria por volta das nove, quando começaria novamente a preparar aquele palácio decadente de festas para outra noite de diversão, mas até lá o homem sentado na mesa da sra. Thorin teria o lugar para si.

Um jogo de paciência estava estendido diante dele: preto no vermelho, vermelho no preto, a parcialmente formada praça da corte em cima de tudo, exatamente como acontecia nos assuntos humanos. Sua mão esquerda era o carteador, segurando os restos do baralho. À medida que ele virava as cartas, uma por uma, a tatuagem da mão direita se movia. Era um tanto desconcertante, como se o caixão estivesse respirando. O homem era um sujeito meio velho, não tão magro quanto o prefeito ou a irmã dele, mas magro. O cabelo branco e comprido lhe escorria pelas costas. Tinha a pele muito bronzeada, exceto no pescoço, onde ela ficava de fato ardendo e onde a carne caía em pequenas dobras. Usava um bigode tão comprido que as pontas brancas e não aparadas batiam quase no queixo — um falso bigode de pistoleiro, muitos pensavam, mas ninguém empregava a palavra "falso" na frente de Eldred Jonas. Usava uma camisa branca de seda e trazia, baixo na cintura, um revólver de cabo preto. Os grandes olhos injetados pareciam tristes ao primeiro relance. Um segundo olhar, contudo, mais detido, mostrava que eram apenas lacrimosos. Eram tão desprovidos de emoção quanto os olhos do Transão.

Virou o ás de paus. Nenhum lugar para ele.

— Ah, canalha! — disse com uma voz estranha, aguda. Que também tremia, como a voz de um homem à beira das lágrimas. O tom combinava perfeitamente com os olhos úmidos e injetados. Juntou as cartas num movimento rápido.

Antes que pudesse embaralhar de novo, uma porta se abriu e fechou suavemente no andar de cima. Jonas pôs as cartas de lado e levou as mãos até o cabo do revólver. Então, ao reconhecer o som das botas de Reynolds avançando pelo corredor, soltou o revólver e tirou do cinto a bolsinha de tabaco. A ponta da capa que Reynolds sempre usava apareceu e logo ele estava descendo a escada, o rosto recentemente lavado e o ondulado cabelo ruivo caindo sobre as orelhas. O estimado sr. Reynolds era vaidoso com a aparência, e por que não? Sua rola já conseguira explorar, naquele sobrado, mais fendas úmidas e aconchegantes do que Jonas em toda a sua vida, e Jonas tinha duas vezes a idade dele.

Depois de descer a escada, Reynolds caminhou ao longo do balcão, parou para apertar uma das coxas roliças de Pettie e atravessou o salão em direção à mesa de Jonas, com seus cinzeiros e seu baralho de cartas.

— Boa noite, Eldred.

— Bom dia, Clay. — Jonas abriu a bolsinha e tirou um papel que salpicou de fumo. Sua voz tremia, mas as mãos eram firmes. — Vai um cigarro?

— Não cairia mal.

Reynolds puxou uma cadeira, virou-a ao contrário e sentou-se com as mãos cruzadas nas costas. Quando Jonas lhe passou o cigarro, Reynolds o fez dançar pelas costas dos dedos, um velho truque de pistoleiro. Os Grandes Caçadores de Caixões eram cheios desses truques.

— Onde está Roy? Com Sua Excelência? — Estavam em Hambry há pouco mais de um mês e, durante esse período, Depape desenvolvera uma paixão por uma puta de quinze anos chamada Deborah. O andar pesado, arqueado da moça e seu jeito um tanto vesgo fizeram Jonas suspeitar que ela era apenas mais uma camponesa de uma longa lista, mas Deborah tinha um nariz empinado. Foi Clay quem começara a chamá-la de Sua Excelência, Sua Majestade ou, às vezes (quando estava bêbado), a "Soberana Boceta de Roy".

Reynolds assentiu.

— É como se estivesse viciado nela.

— Ele vai ficar bem. Não vai nos jogar no lixo por causa de uma pirralha com espinhas nas tetas. Cara, a mulher é tão ignorante que nem sabe soletrar gato. Nem isso consegue, eu perguntei.

Jonas enrolou um segundo cigarro, tirou um fósforo da bolsinha e acendeu-o na unha do polegar. Acendeu primeiro o cigarro de Reynolds, depois o seu.

Um pequeno vira-lata caramelo entrou passando por baixo das portas de vaivém. Os homens o observaram em silêncio, fumando. O cão atravessou a sala, cheirou o vômito coagulado no canto e começou a comê-lo. O coto de uma cauda balançava de um lado para o outro enquanto ele jantava.

A cabeça de Reynolds apontou para a tabuleta alertando que não seriam permitidas brigas no carteado.

— Até o vira-lata entenderia essa, pode crer.

— Não precisa exagerar — Jonas protestou. — Ele não passa de um cachorro. Há vinte minutos ouvi um cavalo, sabia? Parando aí na frente, depois saindo. Não era um dos espiões que contratou?

— Você não deixa escapar nada, certo?

— Nunca pague pra ver quando estiver jogando comigo. Era ou não?

— Era. É um sujeito que normalmente trabalha para um dos pequenos proprietários da ponta leste da Baixa. E os viu chegar. São três. Muito novos. Bebês. — Reynolds pronunciou a última palavra com o sotaque dos Baronatos do norte: bebis. — Nada pra nos preocupar.

— Bem, bem, não podemos ter certeza — disse Jonas, a voz trêmula fazendo-o parecer um velho contemporizador. — Dizem que olhos jovens veem mais longe.

— Olhos jovens veem aquilo que outros apontam — Reynolds respondeu. O cachorro passou trotando por ele, lambendo os beiços. Reynolds ajudou-o a sair com um chute que o vira-lata não foi de todo capaz de evitar. Ele disparou por baixo da porta com pequenos *ique-iques* que fizeram Barkie roncar pesadamente de seu lugar de repouso sob o banco do piano. A mão dele se abriu e a carta que ia jogar antes de dormir caiu no chão.

— Talvez sim, talvez não — disse Jonas. — De qualquer modo, são pirralhos da Confederação, filhos de uns mandachuvas que se meteram numa encrenca qualquer, se Rimer e aquele maluco para quem ele trabalha pegaram a informação correta. De qualquer modo, temos de ter muito, muito cuidado. Andar no sapatinho, como em cascas de ovos. Ainda vamos ter de ficar no mínimo mais uns três meses aqui! E aqueles garotos podem resolver ficar aqui esse tempo todo, observando isso e aquilo e colocando tudo no papel. Gente observando coisas não é bom para nós. Nem para os homens encarregados dos suprimentos.

— Fala sério! Só estão de castigo, mais nada... Uma palmadinha no pulso por se meterem em encrenca. Os papais deles...

— Os papais deles sabem que Farson está tomando conta de toda a Ponta Sudoeste, assumindo o controle dos pontos-chave. Os pirralhos podem saber o mesmo... Esse castigo por não terem feito o dever de casa pode acabar sendo bom para a Confederação e sua asquerosa nobreza. Não podemos saber, Clay. Com gente desse tipo, nunca se sabe como será o próximo pulo. O fato é que os garotos poderão tentar fazer um trabalho relativamente decente para impressionar e ficar numa boa com os pais. Saberemos melhor depois que os conhecermos, mas tenha certeza do seguinte: se virem alguma coisa, não vamos poder pôr um cano de revólver na nuca de cada um e despachá-los como cavalos de perna quebrada. Os papais podem estar furiosos com eles vivos, mas acho que teriam o maior carinho se estivessem mortos... pois é assim que são os papais. Vamos ter de ser cuidadosos, Clay; o mais cuidadosos que pudermos.

— Então é melhor deixar o Depape fora disso.

— O Roy vai saber agir — disse Jonas com sua voz tremida. Ele jogou a guimba do cigarro no chão e esmagou-a com o salto da bota. Levantou a cabeça para os olhos vidrados do Transão e franziu a testa, como se estivesse fazendo planos: — Esta noite, seu amigo disse? Chegaram esta noite, os pirralhos?

— Foi.

— Então acho que vão falar amanhã com Avery. — Tratava-se de Herk Avery, xerife-mor de Mejis e chefe de polícia de Hambry, um homem parrudo, mas desengonçado como um carrinho de lavanderia.

— Também acho — disse Clay Reynolds. — Para mostrar os seus documentos.

— Sim, senhor, sim, tem razão. Como tem passado, como tem passado e como tem passado de novo!

Reynolds ficou calado. Muitas vezes ele não compreendia Jonas, mas andava com ele desde os seus quinze anos e sabia que geralmente era melhor não pedir nenhum esclarecimento. Se pedisse, talvez acabasse ouvindo uma conferência *manni* sobre os mundos que um velho parasita havia visitado graças ao que chamavam "portas especiais". Pelo que Reynolds sabia, o número de portas comuns que existiam no mundo conhecido já bastava para mantê-lo ocupado.

— Vou falar com Rimer e Rimer vai sugerir ao xerife onde eles devem ficar — disse Jonas. — Penso nas acomodações do velho rancho Barra K. Sabe a que estou me referindo?

Reynolds sabia. Num Baronato como Mejis, rapidamente se passa a conhecer os escassos marcos identificadores. O Barra K era um trecho de terra deserta ao noroeste da cidade, não muito longe daquele estranho e tempestuoso desfiladeiro. A cada outono faziam queimadas na entrada do desfiladeiro e um dia, há seis ou sete anos, o vento mudara de direção e o fogo retrocedera, arrasando com quase todo o Barra K, queimando celeiros, estábulos e a casa-sede. Sobrou, no entanto, um barracão, que seria um bom lugar para três calouros vindos dos Interiores. Ficava longe da Baixa; também ficava longe da reserva de óleo.

— Você gosta da ideia, não é? — Jonas perguntou, forçando um sotaque caipira de Hambry. — É, gosta bastante, posso ver que sim, meu garoto. Sabe o que dizem em Cressia? Se quer roubar a prataria da sala de jantar, comece levando o cachorro para a despensa.

Reynolds assentiu. Era um bom conselho.

— E os caminhões? Aqueles como-é-que-vocês-chamam...?, caminhões-tanques?

— Estão bem onde estão — disse Jonas. — Até porque não poderíamos movê-los agora sem atrair o tipo errado de atenção, né? Você e Roy devem ir até lá e cobri-los com mato. Eles precisam ficar embaixo de uma boa e grossa camuflagem. Farão isso depois de amanhã.

— E onde você vai estar enquanto estivermos fazendo o trabalho pesado na Citgo?

— Durante o dia? Preparando-me para jantar na Casa do Prefeito, seu palerma... o jantar que Thorin vai oferecer para apresentar seus hóspedes do Grande Mundo à sociedade de intrigas do mundo menor. — Jonas começou a enrolar outro cigarro. Ergueu os olhos para o Transão em vez de olhar para o que estava fazendo e, mesmo assim, só derramou algumas migalhas de fumo. — Vou tomar um banho, fazer a barba, dar uma aparada nos cachos embaraçados desse meu cabelo de velho... Talvez coloque até um pouco de cera no bigode, Clay, o que me diz disso?

— Não vá se dar trabalho demais, Eldred.

Jonas riu, um som suficientemente agudo para fazer Barkie resmungar e Pettie se mexer inquieta em sua cama improvisada em cima do balcão.

— Então eu e Roy não fomos convidados para esse fantástico acontecimento...

— Foram convidados, ah, sim, foram calorosamente convidados — disse Jonas passando a Reynolds um cigarro recém-enrolado e começando a fazer outro para uso próprio. — Mas vou apresentar suas desculpas. Que comoverão a todos, confie em mim. Homens fortes podem até chorar.

— E vamos passar o dia inteiro lá fora, no pó e no fedor, cobrindo aquelas carcaças. Você é muito gentil, Jonas.

— Também vou estar trabalhando, fazendo perguntas — disse Jonas num tom de devaneio. — Levantando isso e aquilo... com ar elegante, perfume de louros... e fazendo minhas perguntinhas. Há gente em nosso ramo de atividade que procura, no meio de uma festa, o sujeito bonachão, simpático, que pode saber das coisas: o dono de um botequim ou um garçom, talvez o dono de uma cavalariça ou um daqueles defensores que estão sempre circulando pelo xadrez ou pelo tribunal com os polegares enfiados no bolso dos paletós. Quanto a mim, Clay, acho que a melhor coleta de informações é feita pelas mulheres, e quanto mais reta melhor... me refiro às que têm mais nariz que tetas se projetando do corpo. Procuro uma que não pinte os lábios e use o cabelo bem amarrado atrás da cabeça.

— Tem alguém em mente?

— Sim. Chama-se Cordelia Delgado.

— Delgado?

— Você conhece o nome. Está na boca de todos nesta cidade, eu acho. Susan Delgado, é assim que se chama a prometida de nosso estimado prefeito. Cordelia é tia dela. E agora uma realidade da natureza humana que descobri: as pessoas se mostram mais dispostas a falar com alguém como ela, que olha todo mundo nos olhos, do que com os boas-praças locais, que te pagam uma bebida. E essa senhora sabe jogar com todos. Vou me aproximar dela nesse jantar, cumprimentá-la por um perfume que certamente ela nem estará usando e vou manter sua taça de vinho cheia. O que acha desse meu plano?

— Um plano com que objetivo? Isso é o que eu gostaria de saber.

— Um plano para enfrentar o jogo de Castelos de que podemos ter de participar — disse Jonas, e toda a leveza abandonou sua voz. — Querem que acreditemos que esses garotos foram mandados para cá mais como punição do que para realizar qualquer função genuína. Isso sem dúvida é plausível. Conheci garotos problemáticos em minha juventude e sem dúvida a coisa é plausível. Acredito sempre nisso até cerca de três da manhã e depois uma pequena dúvida sempre se instala. E sabe de uma coisa, Clay?

Reynolds balançou a cabeça.

— Tenho *razão* para duvidar. Assim como tive razão quando fui com Rimer até o velho Thorin para convencê-lo de que o globo de vidro de Farson ficaria melhor, ao menos por enquanto, guardado com a bruxa. Ela poderia mantê-lo num lugar que um *pistoleiro* não conseguiria achar, muito menos garotos abelhudos que ainda não acabaram de tirar a fralda do cu. Vivemos tempos estranhos. Uma tempestade se aproxima. E quando você sabe que o vento vai soprar, é melhor manter a vela a meio pau.

Fitou o cigarro que havia enrolado e que, assim como Reynolds, fizera dançar pelas costas dos nós dos dedos. Jonas tirou o cabelo que lhe caía na testa e enfiou o cigarro atrás da orelha.

— Não quero fumar — disse, levantando-se e se espreguiçando. As costas deram alguns estalidos. — Sou maluco de pensar em fumar à essa hora da noite. Cigarros demais tiram o sono de um velho sujeito como eu.

Caminhou para a escada, apertando a perna nua de Pettie ao passar pelo balcão, assim como Reynolds fizera. Ao pé da escada, olhou para trás.

— Não quero matá-los. As coisas já são suficientemente delicadas sem isso. Mesmo que eu sinta o cheiro de algo errado, não vou levantar um dedo, não, nem um único dedo de minha mão. Mas... eu gostaria de fazê-los enxergar bem onde estão no grande esquema das coisas.

— Dê a eles um olho roxo.

Jonas se animou.

— Claro, parceiro, talvez eu esteja com muita vontade de dar a eles esse olho roxo. Fazê-los pensar duas vezes antes de resolverem se meter com os Grandes Caçadores de Caixões. Fazê-los dar uma boa meia-volta quando nos virem em seu caminho. Sim, senhor, é uma boa coisa para se pensar. Realmente é.

Começou a subir a escada, rindo um pouco, o andar coxo bastante nítido — ficava pior tarde da noite. Era um coxear que Cort, o velho mestre de Roland, poderia ter reconhecido, pois Cort presenciara o golpe que o causara. Fora o próprio pai de Cort quem cuidara da questão com um bastão de carvalho, quebrando a perna de Eldred Jonas no pátio que ficava atrás do Grande Salão de Gilead antes de tomar-lhe a arma e mandá-lo para oeste, para o exílio, sem armas.

Eventualmente, é claro, o homem em que o garoto Jonas havia se tornado encontrara um revólver; os exilados sempre os encontravam, se procurassem com bastante afinco. O fato de que tais armas nunca fossem inteiramente iguais àqueles grandes revólveres com cabos de sândalo poderia acompanhá-los pelo resto da vida, mas quem precisava de armas sempre podia consegui-las, mesmo naquele mundo.

Reynolds ficou olhando até ele sumir, depois tornou a se sentar na mesa de Coral Thorin, embaralhou as cartas e continuou o jogo que Jonas deixara pela metade.

Lá fora, o sol estava se levantando.

5. BEM-VINDOS À CIDADE

1

Duas noites após sua chegada ao Baronato de Mejis, Roland, Cuthbert e Alain passaram com as montarias sob um arco de adobe com as palavras VENHA EM PAZ gravadas sobre ele. Mais além, havia um pátio calçado com pedras arredondadas e iluminado com tochas. A resina que as cobria recebera algum tratamento, pois as tochas brilhavam em diferentes cores: verde, vermelho-alaranjado e um tipo de cor-de-rosa cheio de salpicos que fez Roland pensar em fogos de artifício. Ele podia ouvir o som de violões, o murmúrio de vozes, o riso de mulheres. O ar estava impregnado daqueles cheiros que sempre o fariam se lembrar de Mejis: sal marinho, óleo e pinho.

— Não sei se vou conseguir — Alain murmurou. Era um rapaz grande, com cabelos loiros bagunçados despontando sob o chapéu de vaqueiro. Tinha procurado se arrumar (todos tinham), mas seu traquejo social, mesmo nas melhores circunstâncias, era sofrível e ele parecia mortalmente assustado. Cuthbert estava se saindo melhor, mas Roland achava que o ar de despreocupação que procurava aparentar não convencia. Se tivesse de haver liderança no grupo, ele, Roland, teria de assumir.

— Você vai se sair bem — disse a Alain. — Basta…

— Ah, mas ele *parece* ótimo — falou Cuthbert com uma risada nervosa ao cruzarem o pátio. No fundo, ficava a Casa do Prefeito, uma casa de fazenda muito ampla, com muitas alas de adobe, que pareciam derramar luz e risos por cada janela. — Branco como um lençol, feio como…

— Cale a boca — disse Roland bruscamente e o sorriso de deboche sumiu de imediato da face de Cuthbert. Roland observou aquilo, depois tornou a se virar para Alain. — Não beba nada que tenha álcool. Você sabe o que dizer a esse respeito. Lembre-se do resto de nossa história. Sorria. Seja agradável. Use todos os recursos que puder. Lembre-se de como o xerife se desmanchou em gentilezas para que nos sentíssemos bem-vindos.

Alain assentiu, parecendo um pouco mais confiante.

— Em matéria de traquejo social — disse Cuthbert —, eles não devem ser grande coisa, então todos nós estamos um passo à frente.

Roland assentiu e reparou que a caveira de pássaro estava de volta ao apoio da sela de Cuthbert.

— E livre-se disso!

Com ar culpado, Cuthbert enfiou apressadamente "o vigia" no alforje.

Dois homens se aproximavam. Vestindo paletós brancos, calças brancas e sandálias, faziam mesuras e sorriam.

— Fiquem calmos — disse Roland, baixando a voz. — Vocês dois. Lembrem-se do motivo de estarem aqui. E lembrem-se dos rostos de seus pais. — Deu batidinhas no ombro de Alain, que ainda parecia inseguro. Depois se virou para os cavalariços. — Boa noite, amigos — disse. — Que seus dias sejam longos sobre a Terra.

Os dois sorriam, os dentes brilhando na extravagante luz das tochas.

O mais velho curvou a cabeça.

— E os seus também, jovens senhores. Bem-vindos à Casa do Prefeito.

2

Na véspera, o xerife-mor tinha dado as boas-vindas a eles com exatamente o mesmo entusiasmo que os cavalariços.

Até aquele momento *todos* os haviam saudado com alegria, mesmo os carroceiros por quem haviam passado a caminho da cidade, e só isso já bastava para deixar Roland desconfiado e de guarda. Dizia a si mesmo que provavelmente estava sendo tolo (os habitantes locais eram mesmo amigáveis e prestativos, e por isso é que tinham sido mandados para lá, pois Mejis, embora fora do eixo principal, era leal à Confederação), que certas ideias não passavam de bobagens, mas ainda assim achou melhor ficar extremamente atento. Manter os nervos ligados. Os três, afinal, eram pouco mais que crianças e podiam se meter em encrenca se aceitassem as coisas pelo que pareciam ser.

O combinado escritório do xerife e cadeia do Baronato ficava na rua do Monte, que tinha vista para a baía. Roland não tinha certeza, mas achava que poucos bêbados ou homens violentos, em qualquer outro lugar do Mundo Médio, teriam o privilégio de vistas tão pitorescas: no sul uma fileira muito colorida de abrigos de barcos; logo abaixo, as docas, com rapazes e velhos pescando com anzol enquanto as mulheres emendavam redes e velas; mais além, a pequena flotilha de pesca de Hambry, movendo-se de um lado para o outro na água cintilantemente azul da baía, instalando as redes de manhã, puxando-as de tarde.

A maioria das construções na via Central era de adobe, mas ali no alto, com aquela vista da área comercial de Hambry, as casas eram de tijolo, embora tão atarracadas quanto as habitações de qualquer ruazinha estreita do bairro Velho de Gilead. Eram bem conservadas, em geral com portões de ferro trabalhado, e ficavam em ruelas arborizadas. Tinham telhas alaranjadas e postigos cerrados por causa do sol do verão. Descendo aquela rua com os cascos dos cavalos estalando nas pedras lisas, era difícil acreditar que a área noroeste da Confederação — a antiga terra de Eld, reino de Arthur — pudesse estar em chamas e à beira de cair.

A cadeia era apenas uma versão ampliada do correio e do cartório; e uma versão menor da Assembleia da Cidade. A diferença, é claro, eram as grades nas janelas que davam para o pequeno porto.

O xerife Herk Avery, um homem barrigudo, vestia a calça cáqui e a camisa cáqui dos agentes da lei. Devia ter visto, através do olho mágico da porta com batentes de ferro, o grupo se aproximar, pois a porta se escancarou antes que Roland pudesse alcançar o sino que havia no centro. O xerife Avery se postou nos degraus da entrada, a barriga o precedendo como um meirinho precede, na entrada de um tribunal, o digníssimo juiz. Seus braços se estenderam para a frente num cumprimento extremamente amistoso.

Depois começou a curvar profundamente a cabeça (Cuthbert diria mais tarde que teve medo de que o homem pudesse perder o equilíbrio, rolar os degraus e só parar no porto) e desejou-lhes repetidos bons-dias, batendo várias vezes na base da garganta em cumprimentos repetidos. O sorriso, de tão largo, parecia capaz de cortar sua cabeça em duas. Três policiais, impregnados de um ar típico de peões de fazenda e vestindo a mesma roupa cáqui do xerife, se amontoavam na porta atrás de Avery e arregalavam os olhos como palermas. Era isso, sem dúvida — eram olhares palermas; não havia outra palavra para aquele tipo de olhar abertamente curioso e totalmente espontâneo.

Avery apertou a mão de cada garoto, continuando a curvar a cabeça enquanto o fazia, e nada que Roland dizia conseguiu detê-lo. Ele só ia parar quando ficasse exausto e, quando ficou, fez sinal para que entrassem. O escritório era deliciosamente fresco apesar do sol escaldante do pleno verão. O tijolo tinha a vantagem de refrescar, é claro. Era também uma sala grande e mais limpa que todas as salas de xerife que Roland conhecera... e ele havia conhecido pelo menos uma meia dúzia nos últimos três anos, ao acompanhar o pai em várias viagens curtas e em uma patrulha mais longa.

Havia uma escrivaninha de tampa de correr no centro, um quadro de avisos à direita da porta (cada milímetro das folhas de papel ofício era utilizado; papel era artigo raro no Mundo Médio) e, na parede oposta, dois rifles num estojo fechado a cadeado. Eram bacamartes tão antigos que Roland se perguntou se haveria munição para eles. E se poderiam atirar. À esquerda do estojo das armas, uma porta aberta levava ao próprio xadrez... três celas de cada lado de um curto corredor e um cheiro forte de barrela de sopa no ar.

Fizeram uma limpeza para nossa chegada, Roland pensou. Estava achando graça, comovido e inquieto. *Limpar isto aqui como se fôssemos uma tropa de cavaleiros do Baronato Interior que pudesse realizar uma inspeção severa em vez de três garotos em missão autopunitiva…*

Mas essa exaltação de seus anfitriões seria realmente tão estranha? Afinal, eles eram de Nova Canaã e gente daquele canto esquecido do mundo podia muito bem encará-los como uma espécie de visita real.

O xerife Avery apresentou seus agentes. Roland apertou as mãos de todos, sem tentar memorizar os nomes. Era Cuthbert quem cuidava dos nomes e era difícil que se esquecesse de algum. O terceiro subordinado, um sujeito calvo com um monóculo pendendo numa fita do pescoço, chegou a se atirar de joelhos no chão para saudá-los.

— Não faça isso, ah, seu idiota! — Avery gritou, puxando-o pela nuca para obrigá-lo a se levantar. — Que espécie de vagabundo vão achar que você é? Além disso, deixou-os sem jeito, olha o que fez!

— Não faz mal — disse Roland (que estava, de fato, muito sem jeito, embora procurasse não deixar isto transparecer). — Não somos realmente nada de muito especial, você sabe…

— Nada de muito especial! — disse Avery, rindo. Sua barriga, Roland notou, não balançava como seria normal que fizesse; era mais dura do que parecia. O mesmo podia se aplicar a seu dono. — Nada de muito especial, ele diz! Andaram oitocentos quilômetros ou mais do Mundo Interior até aqui. São nossos primeiros visitantes oficiais da Confederação, desde que um pistoleiro passou pela Grande Estrada quatro anos atrás, e agora ele diz que não são nada de muito especial! Não querem se sentar, meus rapazes? Tenho *graf*, que certamente não vão querer tão cedo no dia… talvez nem cheguem de fato a querer, dadas as suas idades… e me perdoem por declarar tão francamente o fato óbvio da juventude de vocês, pois juventude não pode ser motivo de vergonha, realmente não, todos nós já fomos jovens. Tenho também chá branco gelado, que recomendo fervorosamente, pois foi feito pela esposa de Dave, que é mão de ouro com a maioria das bebidas.

Roland olhou para Cuthbert e Alain, que assentiram e sorriram (tentando não parecer estarem desconfortáveis), depois voltaram ao xerife Avery. Chá branco desceria como um veludo pela garganta ressecada, disse ele.

Um dos agentes foi buscar o chá, outro trouxe cadeiras que alinhou num dos lados da escrivaninha de tampo de correr do xerife Avery e começaram a tratar do assunto do dia.

— Vocês sabem quem são e sabem de onde vieram, e eu também sei — disse o xerife Avery sentando-se em sua cadeira (que mesmo emitindo um gemido fraco sob o corpanzil, se manteve firme). — Posso ouvir o Mundo Interior em suas vozes, mas, ainda mais importante, posso vê-lo em seus rostos.

"Contudo, nos prendemos aos antigos costumes aqui em Hambry, por mais atrasados e toscos que possamos ser; sim, seguimos em nosso curso e fazemos o possível para não esquecer os rostos de nossos pais. Assim, embora não pretenda deixá-los longe por muito tempo de seus deveres, e espero que me perdoem pela impertinência, gostaria de dar uma olhada nos papéis e documentos de passagem que por acaso tenham trazido com vocês para nossa cidade."

"Por acaso" tinham trazido *todos* os papéis, e Roland tinha certeza de que o xerife Avery sabia muito bem disso. Examinou-os devagar demais para um homem que prometera não afastá-los de seus deveres, esquadrinhando as folhas de papel bem dobradas (o teor de linho tão alto que os documentos pareciam antes de pano que de papel) com um dedo gorducho, os lábios se movendo. De vez em quando, o dedo voltava para reler uma linha. Os outros agentes se mantinham atrás dele, olhando com ares de sabedoria por sobre seus ombros largos. Roland se perguntou se saberiam realmente ler.

William Dearborn. Filho de tropeiro.

Richard Stockworth. Filho de sitiante.

Arthur Heath. Filho de criador de gado.

O documento de identificação de cada um era assinado por alguém que atestava sua veracidade: James Reed (de Hemphill), no caso de Dearborn; Piet Ravenhead (de Pennilton), no caso de Stockworth; Lucas Rivers (de Gilead), no caso de Heath. Tudo em ordem, descrições batendo certinhas. Os papéis foram devolvidos com profusos agradecimentos. Em seguida, Roland passou a Avery uma carta tirada com algum cuidado da carteira. Avery pegou-a com o mesmo cuidado, seus olhos se arregalando quando viram o timbre.

— Por minha alma, rapazes! Foi um pistoleiro que escreveu isto!

— Ié, ié... — Cuthbert concordou simulando um tom maravilhado. Roland chutou-lhe o tornozelo, com força, mas sem desviar seu olhar respeitoso do rosto de Avery.

A carta em cima do timbre era de um certo Steven Deschain, de Gilead, um pistoleiro (que era o mesmo que dizer cavaleiro, fazendeiro, juiz de paz e barão... o último título quase não tendo mais significado naquela época, apesar de todo o discurso de John Farson) da 29ª geração, descendente de Arthur de Eld, por linha indireta (em outras palavras, a longa descendência recebida pelas muitas concubinas de Arhur). Para o prefeito Hartwell Thorin, o chanceler Kimba Rimer e o xerife-mor Herkimer Avery eram mandados cumprimentos e recomendados aos seus cuidados os três rapazes que entregavam o documento, mestres Dearborn, Stockworth e Heath. Eles tinham sido enviados em missão especial pela Confederação para fazer o inventário de quaisquer materiais que pudessem servir à Confederação em tempo de necessidade (a palavra *guerra* era omitida do documento, mas cintilava em cada linha). Steven Deschain, em nome da Confederação de Baronatos, conclamava os senhores Thorin, Rimer e Avery a conceder àqueles inspetores designados pela Confederação todo auxílio de que viessem a precisar em seu serviço e exortava-os a serem particularmente cuidadosos na enumeração de todo o gado, todos os suprimentos de comida e todas as formas de transporte que possuíssem. Dearborn, Stockworth e Heath ficariam pelo menos três meses em Mejis, Deschain escreveu, podendo sua estada chegar a um ano. O documento acabava instando cada um dos homens públicos anteriormente designados a "nos manter informados sobre a conduta dos ditos rapazes, com todos os detalhes que julguem que possam ser de nosso interesse". E insistia: "Não se acanhem a este respeito, pela estima que têm a nós".

Em outras palavras: digam-nos se eles estão se comportando bem. Digam-nos se aprenderam a lição.

O agente que usava o monóculo voltou enquanto o xerife-mor continuava lendo com atenção o documento. Trazia uma bandeja com quatro copos de chá branco e curvou a cabeça como um mordomo. Roland murmurou agradecimentos e distribuiu os copos. Ficou com o último, levou-o à boca e viu Alain olhando para ele, os olhos azuis brilhando no rosto impassível.

Alain balançou levemente o copo — só o suficiente para fazer o gelo tilintar —, e Roland tranquilizou-o com um aceno muito discreto de cabeça. Tinha esperado chá fresco, tirado de alguma moringa conservada num jardim de inverno das proximidades, mas havia verdadeiras pedras de gelo nos copos. Gelo no auge do verão. Interessante.

E o chá, conforme prometido, era delicioso.

Avery acabou de ler a carta e entregou-a a Roland, com o ar de alguém devolvendo uma relíquia sagrada.

— Deve guardar muito bem estes papéis, Will Dearborn... sim, com muito cuidado!

— Sim senhor. — Ele tornou a pôr a carta e o documento de identificação na bolsa. Seus amigos "Richard" e "Arthur" fizeram o mesmo.

— É um excelente chá branco, senhor — disse Alain. — O melhor que já tomei.

— Ié — disse Avery, tomando um gole de seu próprio copo. — É o mel que o torna tão gostoso. Não é, Dave?

Ao lado do quadro de avisos, o agente do monóculo sorriu.

— Acho que sim, mas Judy não gosta de revelar o segredo. Ela recebeu a receita da mãe.

— Ié, também devemos lembrar dos rostos de nossas mães, devemos. — Por um momento o xerife Avery pareceu comovido, mas Roland desconfiou que o rosto da mãe era a coisa mais distante de sua mente. Ele se virou para Alain e o sentimento foi substituído por uma surpreendente sagacidade.

— Está se perguntando em relação ao gelo, mestre Stockworth.

— Bem, eu... — começou Alain, sobressaltado.

— Não esperava ver uma amenidade dessas num lugar tão atrasado quanto Hambry, tenho certeza — disse Avery e, embora houvesse um tom de gracejo na superfície da voz, Roland achou que existia alguma outra coisa ali, inteiramente subterrânea.

Ele não gosta de nós. Não gosta do que considera nossos "jeitos de cidade grande". Ainda não nos conhece há tempo suficiente para saber quais são exatamente nossos jeitos, se é que os temos, mas não gosta antecipadamente deles. Acha que somos um trio de guris desprezíveis; que vemos a ele e aos demais habitantes daqui como caipirões.

— Não apenas Hambry — disse Alain em voz baixa. — Hoje em dia o gelo é tão raro no Arco Interior quanto em qualquer outro lugar, xerife Avery. Onde cresci, costumo encontrá-lo apenas como uma iguaria em festas de aniversário e coisas parecidas.

— Sempre houve gelo na festa do Dia Novo — Cuthbert interveio. Falava com uma calma nada cuthbertiana. — Depois dos fogos de artifício, era do gelo que mais gostávamos.

— É mesmo, é mesmo — disse o xerife Avery naquele tom de espanto, de quem vê uma nova maravilha a cada segundo. Avery talvez não gostasse da ideia de vê-los rondando por ali, talvez não gostasse de perder o que provavelmente chamaria "metade da porra da manhã" com eles; não gostava das suas roupas, de seus documentos de identificação chiques, de seus sotaques, de sua juventude. Principalmente, não de sua juventude. Roland podia entender tudo isso, mas se perguntava se a história estava toda aí. Se houvesse mais alguma coisa, o que era?

— Havia um refrigerador e um fogão a gás na Assembleia da Cidade — disse Avery. — Ambos ainda funcionam. Há muito gás natural na Citgo... aquela reserva de óleo a leste da cidade. Passaram por ela no caminho para cá, passaram.

Eles assentiram.

— O fogão não passa de uma curiosidade nos dias de hoje... só serve para ilustrar as lições de história para as crianças na escola... mas o refrigerador continua muito útil, sem dúvida. — Avery ergueu o copo e olhou pelo vidro. — Especialmente no verão. — Sorveu um pouco de chá, lambeu a boca e sorriu para Alain. — Está vendo? Sem mistérios.

— Estou surpreso por não terem encontrado usos para o óleo — disse Roland. — Não há geradores na cidade, xerife?

— Sim, há quatro ou cinco — disse Avery. — O maior fica no campo, no rancho Rocking B, de Francis Lengyll, e me lembro de quando ainda funcionava. É um HONDA. Conhecem este nome, rapazes? HONDA?

— Vi uma ou duas vezes — disse Roland — em velhas bicicletas a motor.

— Ié? De qualquer maneira, nenhum dos geradores funcionaria com o óleo que vem da reserva da Citgo. É grosso demais. Alcatrão melado, é isso. Não temos refinarias aqui.

— Entendo — disse Alain. — De qualquer maneira, gelo no verão é ótimo. Seja qual for a quantidade. — Deixou uma das pedras deslizar para a boca e esmagou-a entre os dentes.

Avery olhou-o mais um pouco, como para se certificar de que o assunto estava encerrado, depois tornou a se virar para Roland. A cara gorda do xerife ficou de novo radiante. Com aquele sorriso largo, indigno de confiança.

— O prefeito Thorin pediu-me para transmitir a vocês seus cumprimentos mais calorosos e quer que saibam como lamenta por não poder estar aqui... É muito ocupado o nosso Senhor Prefeito, de fato muito ocupado. Mas ele promoverá um jantar em sua casa amanhã à noite... Sete horas para a maioria das pessoas, oito para vocês, jovens amigos... Assim poderão fazer uma entrada mais digna de nota, acrescentando um toque de show, algo do gênero. E não preciso lembrar a vocês, que provavelmente compareceram a mais recepções solenes do que já tive almoços, como seria bom chegar pontualmente na hora marcada.

— É um jantar *a rigor*? — Cuthbert perguntou ansioso. — Porque percorremos um longo caminho, quase quatrocentas rodas, e não trouxemos túnicas nem faixas engomadas, nenhum de nós.

Avery estava rindo... desta vez mais honestamente, Roland pensou, talvez porque tenha percebido que "Arthur" exibira um traço de falta de sofisticação e insegurança.

— Naum, jovem senhor, Thorin compreende que vieram fazer um trabalho... quase um trabalho de vaqueiro, eu sei! Cuidem-se para que, da próxima vez, não os mandem puxar redes na baía!

De um canto, Dave, o agente com o monóculo, soltou uma risada inesperada. *Talvez fosse o tipo de piada que só os nascidos no lugar entendiam*, Roland pensou.

— Usem a melhor roupa que tiverem e estarão muito bem. Não haverá ninguém com faixas engomadas, tenham certeza... não são coisas que tenham importância em Hambry. — Roland ficou novamente impressionado pelo modo como o homem sorria ao desacreditar a própria cidade e o Baronato... e pelo ressentimento contra os forasteiros que transparecia sob aquele sorriso.

— De qualquer modo — Avery continuou —, vão antes trabalhar que se divertir amanhã à noite, eu imagino. Hart convidou todos os grandes rancheiros, plantadores e criadores de gado desta parte do Baronato... não que sejam tantos, não são, afinal o território de Mejis se transforma em deserto assim que alcança a extremidade oeste da Baixa. Mas todos que têm bens e plantel dignos de serem contados estarão lá e acho que identificarão em todos eles homens leais à Confederação, prontos e ansiosos para ajudar. Vão encontrar Francis Lengyll, do Rocking B, John Croydon, do Piano Ranch, Henry Wertner, que é o principal criador de gado e criador de cavalos do Baronato, Hash Renfrew, que possui o Susan Preguiçosa, o maior haras de Mejis (mesmo que não seja grande coisa pelos padrões a que vocês, amigos, estão acostumados, é claro) e haverá outros também. Rimer apresentará vocês e os ajudará a começar a tratar sem mais delongas de seus negócios.

Roland assentiu e se virou para Cuthbert.

— Vamos ter de estar bem-dispostos amanhã à noite.

Cuthbert assentiu.

— Por mim, fique tranquilo, Will, vou anotar tudo que vir.

Avery tomou mais um gole de chá, observando-os sobre o copo com uma expressão brincalhona. Era uma coisa tão falsa que deixou Roland desconfortável.

— A maioria deles tem filhas em idade casadoura e vão levá-las. Vocês, rapazes, vão precisar ficar atentos.

Roland achou que o chá e a hipocrisia já tinham sido suficientes para aquela manhã. Assentiu, esvaziou o copo, sorriu (esperando que o seu sorriso parecesse mais sincero que o de Avery parecia a ele) e ficou em pé. Cuthbert e Alain aproveitaram a deixa e fizeram o mesmo.

— Obrigado pelo chá e pelas boas-vindas — disse Roland. — Por favor mande uma mensagem para o prefeito Thorin agradecendo por sua gentileza e dizendo que ele nos verá amanhã, às oito da noite, em ponto.

— Ié, vou dizer.

Roland então se virou para Dave. O ilustre ficou tão surpreso por ser novamente objeto de atenção que recuou, quase batendo com a cabeça no quadro de avisos.

— E por favor agradeça à sua esposa pelo chá. Estava excelente.

— Vou agradecer. Obrigado-sai.

Saíram, o xerife-mor Avery conduzindo-os como um cão pastor com excesso de peso e manso.

— Quanto ao lugar onde vão ficar... — ele começou a dizer quando, depois de descer a escada, pisaram na calçada. Assim que ficaram ao sol, Avery começara a suar.

— Ah, esqueci de perguntar sobre isso — disse Roland batendo com as costas da mão na testa. — Acampamos naquela longa encosta, onde há muitos cavalos pastando na relva, tenho certeza que sabem onde é...

— A Baixa, ié.

— ... mas sem autorização, porque ainda não sabíamos a quem pedir.

— Aquela terra é de John Croydon e tenho certeza que ele não se incomodará, mas acho que temos uma coisa melhor para vocês. Há uma área a noroeste, a Barra K. Costumava ser usada pela família Garber, mas eles foram embora, se mudaram depois de um incêndio. Agora pertence à Associação dos Cavaleiros, um pequeno grupo local de fazendeiros e rancheiros. Falei com Francis Lengyll sobre vocês, rapazes... é o atual presidente da A.C... e ele disse: "Por que não os instalamos nas terras da velha família Garber?".

— Por que não? — Cuthbert concordou num tom suave, reflexivo. Roland atirou-lhe um olhar áspero, mas Cuthbert estava contemplando o porto, onde os pequenos barcos de pesca deslizavam para um lado e para o outro como besouros de água.

— Ié, foi o que eu disse, "por que não, não é?". O lugar foi reduzido a cinzas por um incêndio, mas a casa-sede ainda está de pé; o estábulo e o galinheiro também. Seguindo as ordens do prefeito Thorin, tomamos a liberdade de encher a despensa, fazer uma arrumação e dar uma varrida na casa-sede. Talvez encontrem um ou outro inseto, mas nada que possa morder ou ferrar... e nenhuma cobra, a não ser que haja algumas debaixo do piso, e se houver, deixem que fiquem lá. É isso, garotos. Deixem que fiquem lá!

— Deixem que fiquem lá, embaixo do piso, onde estão felizes — concordou Cuthbert, ainda apreciando o porto com os braços cruzados no peito.

Avery dispensou-lhe uma olhada breve, insegura, um sorriso despontando nos cantos da boca. Então se virou para Roland e o sorriso voltou com toda a força.

— Não há buracos no teto, rapazes, e se chover ficarão secos. O que acham disso? A coisa não parece boa?

— Melhor do que merecemos — disse Roland. — Acho que o senhor foi muito eficiente e o prefeito Thorin extremamente gentil. — E Roland *realmente* pensava assim. A questão era por quê. — Agradecemos a preocupação que tiveram conosco. Não é mesmo, rapazes?

Cuthbert e Alain concordaram, assentindo vigorosamente a cabeça.

— E aceitamos com prazer.

— Vou comunicar ao prefeito — disse Avery. — Vão em paz, rapazes.

Tinham chegado ao poste onde os animais ficaram amarrados. Avery mais uma vez apertou a mão de todos, agora dirigindo os olhares mais penetrantes para os cavalos.

— Então até amanhã à noite, meus jovens?

— Amanhã à noite — Roland concordou.

— Acham que conseguirão achar o Barra K sozinhos, acham mesmo?

De novo Roland ficou impressionado pela sugestão de desprezo e a inconsciente condescendência. Aquilo, contudo, talvez fosse bom. Se o xerife-mor achasse que eram idiotas, as coisas poderiam ser mais fáceis.

— Vamos achar — disse Cuthbert, subindo no cavalo. Avery olhava com desconfiança para a caveira de corvo no cabo da sela de Cuthbert. O garoto percebeu o olhar, mas ao menos daquela vez conseguiu manter a boca fechada. Roland ficou simultaneamente espantado e satisfeito com a inesperada contenção do amigo. — Passar bem, xerife.

— E você também, rapaz.

O xerife continuou parado ao lado do poste, um homem corpulento com uma camisa cáqui cheia de manchas de suor nas axilas e botas pretas que pareciam brilhantes demais para os pés de um xerife em serviço. *E onde está o cavalo no qual ele faz as patrulhas diárias?*, Roland pensou. *Queria ver a crina desse garanhão.*

Avery ficou acenando para o grupo. Os outros agentes vieram até a calçada, o agente Dave na frente. Eles também acenaram.

3

Depois que os fedelhos da Confederação montaram nos caros cavalos dos pais, deram a volta na esquina e começaram a descer para a via Central, o xerife e os policiais pararam de acenar. Avery se virou para Dave Hollis, cuja expressão ligeiramente estúpida de assombro fora substituída por uma relativamente mais inteligente.

— O que acha, Dave?

Dave levou o monóculo à boca e começou a mordiscar nervosamente o aro de metal, um hábito sobre o qual o xerife Avery já há muito tempo parara de adverti-lo. Mesmo a esposa de Dave, Judy, desistira de tomar qualquer providência a esse respeito, e Judy Hollis… isto é, Judy Wertner… era bem determinada quando se tratava de pôr em prática sua vontade.

— Frágeis — disse Dave. — Frágeis como ovos que acabam de cair de um cu de galinha.

— Talvez — disse Avery, colocando os polegares no cinto e balançando pesadamente de um lado para o outro —, mas aquele que conduziu a conversa, aquele de chapéu achatado, ele não se *acha* frágil.

— Não importa o que ele *acha* — disse Dave, ainda mordendo o monóculo. — Ele agora está em Hambry. Pode precisar mudar seu modo de pensar.

Atrás dele, os outros agentes riram. Mesmo Avery sorriu. Deixariam os filhinhos de papai em paz, se os filhinhos de papai também os deixassem em paz — estas eram as ordens, vindas diretamente da Casa do Prefeito —, mas Avery teve de admitir que não ia se importar se tivesse de se envolver em alguma pancadaria com eles, não ia se importar. Bem gostaria de pôr as botas nas bolas daquele que tinha uma maldita caveira de pássaro na frente da sela — o tempo todo zombando dele, o tempo todo achando que Herk Avery era um caipira estúpido demais para perceber o que o moleque estava falando —, mas o que *realmente* ia gostar de fazer seria tirar aquele ar de serenidade dos olhos do rapaz com o chapéu de pastor chato no alto, ver uma expressão mais intensa de medo tomar conta daquela cara quando o sr. Will Dearborn, de Hemphill, percebesse que Nova Canaã ficava muito longe e que seu rico papai não ia poder ajudá-lo.

— Ié — disse, dando um tapinha no ombro de Dave. — Talvez ele precise mudar seu modo de pensar. — Sorriu… um sorriso muito diferente de qualquer um daqueles que mostrara aos inspetores da Confederação. — Talvez todos eles tenham.

4

Os três rapazes seguiram em fila indiana até ultrapassarem o Repouso dos Viajantes (um homem jovem e obviamente com algum tipo de deficiência intelectual, de cabelo preto encarapinhado, tirou os olhos das lajotas cheias de mato e acenou; eles devolveram o aceno). Depois avançaram lado a lado, Roland no meio.

— O que pensam do nosso novo amigo, o xerife-mor? — Roland perguntou.

— Não tenho opinião — disse Cuthbert de imediato. — Sério, realmente nenhuma. Opinião é igual a política, e política é um mal que tem levado à forca muita gente jovem e bonita. — Ele se inclinou para a frente e bateu na caveira do corvo com os nós dos dedos. — Mas o vigia não curtiu ele. Sinto dizer que nosso fiel vigia considerou o xerife Avery um saco gordo de tripas sem um único osso confiável.

Roland se virou para Alain.

— E você, jovem mestre Stockworth?

Alain refletiu um pouco, como costumava fazer, mascando o pedaço de grama que, curvando-se sobre a sela, conseguira arrancar da margem da estrada. Por fim respondeu:

— Se ele nos visse pegando fogo na rua, acho que nem mijaria em cima para apagar.

Cuthbert riu com vontade.

— E você, Will? — ele perguntou. — O que me diz, caro comandante?

— O xerife Avery não me interessa muito... mas uma coisa que ele disse sim. Como aquela pradaria que chamam de Baixa tem de ter pelo menos trinta rodas de comprimento e se estender cinco ou mais para o deserto, como Avery soube tão depressa que estávamos na área do rancho de Croydon's Piano?

Olharam para ele, primeiro espantados, depois com ar especulativo. Após um momento, Cuthbert se inclinou para a frente e bateu de novo na caveira do corvo.

— Estávamos sendo vigiados e você não nos informou? Vai ficar sem jantar, cavalheiro, e da próxima vez vai para a paliçada!

Mas, antes que pudessem chegar mais longe, as reflexões de Roland sobre o xerife Avery foram substituídas pelas imagens bem mais agradáveis de Susan Delgado. Ia vê-la na noite seguinte, tinha certeza disso. E se perguntava se estaria de cabelo solto.

Não via a hora de descobrir.

5

E agora ali estavam, na Casa do Prefeito. *Que o jogo comece*, Roland pensou, sem saber muito bem o que poderia significar aquela frase que atravessava sua mente; ele certamente não estava pensando em Castelos... não naquele momento.

Os cavalariços levaram as montarias e, por um momento, os três ficaram parados diante da escada — quase encostados uns nos outros, como fazem os cavalos quando o tempo não está bom. A luz das tochas clareava os rostos sem barba e lá dentro, onde os violões tocavam, vozes se erguiam num novo redemoinho de riso.

— Batemos? — Cuthbert perguntou. — Ou simplesmente abrimos e entramos?

Roland não precisou responder. A porta principal da hacienda se escancarou dando passagem a duas mulheres. Os vestidos longos, com barras brancas, trouxeram à memória dos três rapazes os trajes que as esposas dos pecuaristas usavam na parte do mundo de onde tinham vindo. As mulheres tinham o cabelo preso em redes que cintilavam com alguma coisa que parecia diamante e brilhava à luz das tochas.

A mais rechonchuda das duas deu um passo à frente, sorrindo, e dirigiu a eles uma profunda mesura. Seus brincos, que lembravam pedaços quadrados de velhos espelhos, balançavam e reluziam.

— São os jovens da Confederação, já sei, e são bem-vindos. Boa noite, senhores, e que seus dias sejam longos sobre a terra!

Os três se curvaram em uníssono, botas para a frente, agradecendo num coro espontâneo que a fez rir e bater palmas. A mulher alta ao lado da primeira exibiu um sorriso tão fino quanto seu corpo.

— Sou Olive Thorin — disse a mulher gorducha —, esposa do prefeito. Esta é minha cunhada, Coral.

Coral Thorin, ainda com aquele sorriso fino (que mal lhe franzia os lábios e não tinha qualquer efeito sobre o olhar), dispensou-lhes uma breve cortesia. Roland, Cuthbert e Alain tornaram-se a se curvar com as pernas esticadas.

— Sejam bem-vindos a Seafront — disse Olive Thorin, sua dignidade tornada mais leve e agradável pelo sorriso sem artifícios e o evidente deslumbramento com a aparência dos jovens visitantes do Mundo Interior. — Entrem com alegria em nossa casa. É o que lhes desejo de todo o coração, é mesmo.

— E é o que faremos, madame — disse Roland —, pois sua saudação nos deixou muito felizes. — Pegou a mão dela e, de forma totalmente espontânea, levou-a aos lábios e beijou-a. O riso de satisfação da mulher o fez sorrir. Roland gostou de Olive Thorin à primeira vista e talvez tenha sido ótimo ter conhecido alguém simpático logo à chegada pois, com a problemática exceção de Susan Delgado, não encontraria, pelo resto da noite, ninguém mais de quem gostasse e ninguém mais em quem confiar.

6

Estava bem quente, apesar da brisa marinha, e o responsável por guardar os casacos no cabideiro do vestíbulo parecia não estar com muito trabalho. Roland não ficou de todo surpreso ao ver que o homem era o agente Dave, os restos de cabelo penteados para trás com algum tipo de brilhantina e o monóculo no bolso, branco como neve, de um paletó. Inclinou a cabeça para ele. Dave, as mãos entrelaçadas nas costas, respondeu.

Dois homens — o xerife Avery e um sujeito idoso, esquálido como o velho Doutor Morte em um velho desenho — se aproximavam. Mais além, atrás de um par de portas duplas agora escancaradas, havia um aposento cheio de pessoas com copos de cristal nas mãos, conversando e tirando pequenos petiscos das bandejas que circulavam.

Roland só teve tempo de trocar um rápido olhar com Cuthbert: *Tudo. Cada nome, cada rosto... cada detalhe. Especialmente aqueles.*

Cuthbert ergueu uma sobrancelha — sua discreta versão de um aceno de cabeça —, e Roland se viu puxado, mesmo a contragosto, para uma noite de trabalho, na realidade sua primeira noite de trabalho como pistoleiro. E o trabalho não seria nada fácil.

O velho Doutor Morte revelou-se ser Kimba Rimer, chanceler de Thorin e ministro do Inventário (Roland desconfiou que o título fora criado especialmente para a visita deles). Tinha bem mais de dez centímetros que Roland, que já era considerado alto em Gilead, e pele branca como cera de vela. Não se tratava de uma aparência doentia; apenas pálida. Anéis de cabelo meio grisalho flutuavam dos dois lados da cabeça, os fios finos como teia de aranha. Era completamente careca no topo da cabeça. Equilibrado na ponte do nariz havia um pince-nez.

— Meus rapazes! — disse ele, depois que as apresentações foram feitas. Tinha a voz suave, sincera e séria de um político ou de um agente funerário. — Sejam bem-vindos a Mejis! A Hambry! E a Seafront, nossa humilde Casa do Prefeito!

— Se isto é humilde, só imagino o palácio que as pessoas daqui poderiam construir — disse Roland. Era um comentário bastante banal, um galanteio, não uma zombaria (ele costumava deixar as zombarias para Bert), mas o chanceler Rimer deu uma boa risada. Assim como o xerife Avery.

— Vamos lá, rapazes! — disse Rimer, quando achou que já tinha expressado suficiente satisfação. — O prefeito os espera com impaciência, tenho certeza.

— Ié — disse uma voz tímida atrás deles. Coral, a esquálida cunhada, havia desaparecido, mas Olive Thorin continuava lá e, com as mãos decorosamente entrelaçadas na área do corpo que um dia fora sua cintura, erguia os olhos para os recém-chegados. Ainda mostrava aquele simpático sorriso de boas-vindas. — Hart está muito ansioso para conhecê-los, muito ansioso, sem dúvida. Posso conduzi-los, Kimba, ou...

— Naum, naum, deixe isso conosco, pois há muitos outros convidados a atender — disse Rimer.

— Acho que tem razão. — Ela fez uma última mesura para Roland e seus amigos. Embora não parasse de sorrir, e embora o sorriso parecesse inteiramente sincero, Roland pensou: *Está infeliz com alguma coisa, não há dúvida. Extremamente infeliz, eu acho.*

— Cavalheiros? — Rimer perguntou. Os dentes em seu sorriso eram quase desconcertantemente enormes. — Não querem me acompanhar?

Ultrapassou com eles o sorridente xerife e entraram todos no salão de recepções.

7

Dificilmente Roland se deixaria impressionar com aquele tipo de coisa; conhecera, afinal, o Grande Salão de Gilead — o Salão dos Antepassados, como era às vezes chamado — e chegara a dar uma espiada na grande festa que todo ano acontecia lá, a Dança da Véspera, que marcava o final da Terra Ampla e o advento da Semeadura. Havia cinco candelabros no Grande Salão em vez de apenas um, e iluminado com lâmpadas elétricas, não com bicos de gás. Os trajes dos convivas (muitos deles rapazes e moças ricos que jamais tinham executado qualquer trabalho em suas vidas, um fato de que John Farson não perdia a oportunidade de falar sempre que podia) eram mais vistosos, a música mais majestosa, as linhagens mais velhas e mais nobres, e cada vez mais próximas à medida que a memória as fazia retroceder aos tempos de Arthur Eld, o homem do cavalo branco e da espada unificadora.

Contudo, havia vida ali em Hambry, e muita. Havia uma energia que tinha se perdido em Gilead, e não apenas na Dança da Véspera. A vibração que Roland voltou a sentir ao pisar no salão de recepções da Casa do Prefeito foi algo cujo desaparecimento ele não havia percebido inteiramente em Gilead, porque havia se escoado em silêncio e sem dor. Como o sangue saindo de uma veia numa banheira cheia de água quente.

O aposento — grande mas não imponente a ponto de ser considerado um salão — era circular e tinha as paredes decoradas com pinturas (a maioria delas péssima) dos antigos prefeitos. Numa plataforma erguida à direita das portas que levavam à área dos banquetes, quatro sorridentes músicos com jaquetas *tati* e sombreiros tocavam algo que soava como uma valsa mais agitada. No centro do piso havia uma mesa suportando duas tigelas de vidro com ponche, uma grande e pomposa, outra menor e mais simples. O sujeito de paletó branco encarregado de servir o ponche era outro dos agentes de Avery.

Ao contrário do que dissera o xerife-mor no dia anterior, havia muitos homens usando faixas a rigor de várias cores, mas Roland não se sentiu deslocado demais em sua camisa de seda branca, gravata de laço e calça riscada. Para cada homem usando uma faixa, via três usando o tipo de paletó deselegante, de corte quadrado, que ele costumava associar a camponeses na igreja, e via outros (em geral homens mais novos) que nem sequer usavam paletó. Havia mulheres com joias (embora nada tão caro quanto os brincos espelhados de sai Thorin) e algumas pareciam habituadas a precisar pular algumas refeições. Também usavam roupas que Roland reconhecia: vestidos longos, de colarinho redondo, geralmente com a orla rendada de uma anágua colorida aparecendo por baixo da bainha, sapatos pretos com saltos baixos e fitas (em geral os sapatos, como os de Olive e Coral Thorin, brilhavam como joias).

E então ele viu alguém muito diferente.

Era Susan Delgado, é claro, cintilante, quase bonita demais para se olhar. Usava um vestido de seda azul com cintura alta e um corpete de corte quadrado que mostrava a parte de cima dos seios. Trazia ao pescoço um pingente de safira que deixava os brincos de Olive Thorin parecidos com argila. Estava parada ao lado de um homem que usava uma faixa cor de carvão em uma fogueira. O carregado vermelho-laranja era o tom do Baronato e Roland achou que aquele homem devia ser o anfitrião deles, mas naquele momento Roland mal reparava nele. Seu olho estava preso em Susan Delgado: o vestido azul, a pele bronzeada, as gradações de cor, pálidas e perfeitas demais para serem maquiagem, que lhe corriam levemente pelo rosto; mais que tudo o cabelo, que naquela noite estava solto e lhe caía até a cintura como um reflexo da mais pura seda. Ele a desejou de imediato, completamente, com uma profundidade de sentimento tão desesperada que parecia uma doença. Tudo que ele era e tudo que fora sua razão de estar lá pareceu secundário diante da moça.

Susan então se virou um pouco e o avistou. Os olhos dela (eram acinzentados Roland viu) se arregalaram muito ligeiramente. Roland achou que o colorido em seu rosto ficara um pouco mais vivo. Os lábios — lábios que haviam tocado os dele na estrada escura, pensou maravilhado — se entreabriram um pouco. Então um homem que estava ao lado de Thorin (também alto, magro, com bigode e um cabelo branco comprido que pousava nos ombros do paletó) disse alguma coisa, e Susan se virou para ele. Pouco depois, o grupo em volta de Thorin estava rindo, incluindo Susan. O homem de cabelo branco não se juntara a eles, mas sorria levemente.

Roland, esperando que sua expressão não deixasse transparecer o fato de seu coração estar batendo como martelo, foi levado diretamente para o grupo, que se se achava próximo das tigelas de ponche. Distantemente, podia sentir os dedos ossudos de Rimer agarrando-lhe o braço acima do cotovelo. Mais claramente, podia sentir uma mistura de odores, o óleo das lâmpadas nas paredes, o cheiro do mar. E pensou, sem absolutamente qualquer razão: *Ah, estou morrendo. Estou morrendo.*

Controle-se, Roland de Gilead. Pare com esta loucura, pelo amor de seu pai. Controle-se!

Ele tentou... e até certo ponto conseguiu... mas percebeu que ficaria perdido da próxima vez que Susan o olhasse. Eram os olhos dela. Na outra noite, no escuro, não pudera ver aqueles olhos tom de névoa. *Não percebi como fui sortudo*, pensou meio atordoado.

— Prefeito Thorin? — Rimer perguntou. — Posso apresentar nossos hóspedes dos Baronatos Interiores?

Com um brilho no rosto, Thorin se afastou do homem do cabelo branco comprido e da mulher que o acompanhava. Era mais baixo que seu chanceler, ainda que magro como ele, e tinha uma constituição muito peculiar: ombros curtos e estreitos sobre um corpo quase impossivelmente longo e pernas muito magras. Parecia, Roland pensou, o tipo de pássaro que se pode ver num pântano, ao amanhecer, pescando seu desjejum.

— Ié, pode! — o prefeito gritou com uma voz aguda e forte. — Claro que pode apresentar nossos hóspedes, estamos esperando com impaciência, com *grande* impaciência, este momento! Será ótimo este nosso encontro, ótimo! Bem-vindos, senhores! Possa a noite que vão ter nesta casa, da qual sou proprietário momentâneo, ser feliz e que seus dias sejam longos sobre a terra!

Roland pegou a mão estendida e ossuda, ouviu os nós dos dedos estalarem, procurou uma expressão de desconforto no rosto do prefeito e ficou aliviado quando não viu nenhuma. Ele então se curvou esticando a perna.

— William Dearborn, prefeito Thorin, a seu serviço. Obrigado pela recepção e que seus dias sejam longos sobre a terra.

"Arthur Heath" se apresentou em seguida e então "Richard Stockworth". O sorriso de Thorin se alargava a reverência profunda. Rimer fazia o possível para sorrir, mas parecia não estar acostumado àquilo. O homem de cabelo comprido pegou um copo de ponche, entregou-o à sua companhia feminina e continuou com o mesmo sorriso estreito. Roland estava consciente de que todos na sala (talvez, no total, uns cinquenta convivas) olhavam para eles, mas o que mais sentia à flor da pele, batendo na pele como vento suave, era o olhar *dela*. Roland continuava a ver, pelo canto do olho, a seda azul do vestido, mas não se atrevia a olhar mais diretamente.

— A viagem foi difícil? — Thorin estava perguntando. — Passaram por aventuras e experiências perigosas? Queremos conhecer todos os detalhes no jantar, sim, queremos, pois nos dias que correm recebemos poucos hóspedes do Arco Interior. — O sorriso ávido, levemente convencido, se apagou; as sobrancelhas espessas se uniram. — Encontraram patrulhas de Farson?

— Não, Excelência — disse Roland. — Nós...

— Naum, rapaz, naum... nada de Excelência, não precisamos disso, e os pescadores e criadores a quem eu sirvo também não gostam de cerimônias. Apenas prefeito Thorin, por favor.

— Obrigado. Vimos muitas coisas estranhas em nossa jornada, prefeito Thorin, mas não os Bons Homens.

— Bons Homens! — Rimer disparou e o lábio superior se levantou num sorriso que o deixou parecido com um cachorro raivoso. — Bons Homens, sei!

— Queremos ouvir o que têm a contar, cada palavra — disse Thorin.

— Mas antes que eu, em minha avidez, esqueça das boas maneiras, jovens cavalheiros, deixem-me apresentá-los àqueles que me são próximos. Kimba vocês já conhecem; este formidável sujeito à minha esquerda é Eldred Jonas, chefe de minha equipe de segurança, recentemente formada. — O sorriso de Thorin pareceu momentaneamente embaraçado. — Não estou convencido de que precise de segurança extra, pois o xerife Avery sempre foi capaz de manter a paz em nosso canto do mundo, mas Kimba insiste. E quando Kimba insiste, o prefeito tem de aceitar.

— Muito bem dito, senhor — comentou Rimer, curvando-se ele próprio. Todos riram, salvo Jonas, que se limitou a conservar o seu sorriso fino.

— É um prazer conhecê-los, amigos, tenham certeza — disse Jonas inclinando a cabeça para os rapazes. Uma voz de cana rachada. Jonas desejou que os dias deles, de cada um dos três, fossem longos sobre a terra, e concluiu em Roland a rodada de cumprimentos. O aperto de mão foi seco e firme, inteiramente em desacordo com o tremor na voz. E agora Roland notava a estranha forma azul tatuada nas costas da mão direita do homem, na articulação entre o polegar e o indicador. Parecia um caixão.

— Longos dias, belas noites — disse Roland, quase sem pensar. Era um cumprimento de sua infância e foi só depois que percebeu que a frase seria mais facilmente associada a Gilead que a um lugar rural como Hemphill. Só um pequeno deslize, mas ele estava começando a crer que a margem de segurança para tais deslizes era bem mais estreita do que imaginara seu pai, quando o mandara para lá, tentando tirá-lo do caminho de Marten.

— E para você também — disse Jonas, cujos olhos brilhantes avaliaram Roland de cima a baixo com uma franqueza quase insolente. Então ele soltou a sua mão e dava um passo atrás.

— Cordelia Delgado — disse o prefeito Thorin, inclinando a cabeça para a mulher que estivera conversando com Jonas. Quando Roland fez a mesura, percebeu a semelhança... mas o que parecia generoso e adorável no rosto de Susan parecia mesquinho e feio na face que via diante dele. Não era a mãe da garota; Roland deduziu que Cordelia Delgado era jovem demais para isso.

— E nossa amiga especial, srta. Susan Delgado — Thorin concluiu, parecendo agitado (Roland imaginou que ela produziria aquele efeito em qualquer homem, mesmo num velho como o prefeito). Thorin puxou-a para a frente, balançando a cabeça e sorrindo. Tinha uma daquelas mãos com os nós dos dedos salientes pressionada contra suas costas, e Roland experimentou um instante de venenoso ciúme. Ridículo, dada a idade do homem e sua esposa gorducha e simpática, mas foi ciúme, sem dúvida, e foi realmente forte. Forte como um ferrão de abelha, Cort teria dito.

Então o rosto de Susan se ergueu para o dele, e Roland estava olhando de novo para dentro dos olhos de Susan. Tinha ouvido, em alguma história ou poema, alguém dizer que se afogava nos olhos de uma mulher e achara ridículo. Ainda achava ridículo, mas compreendia que podia perfeitamente acontecer. E ela sabia. Roland viu preocupação nos olhos dela, talvez até medo.

Prometa que se me encontrar na Casa do Prefeito, será a primeira vez que estaremos nos encontrando.

A lembrança daquelas palavras teve um efeito apaziguador, esclarecedor, parecendo ampliar um pouco sua visão. Bastava dar uma olhada na mulher ao lado de Jonas, a mesma que compartilhava alguns dos traços de Susan. Ela já olhava para a garota com uma mistura de curiosidade e alarme.

Roland curvou bastante a cabeça, mas só tocou levemente a mão estendida, sem anéis. Mesmo assim, sentiu uma espécie de centelha saltar entre seus dedos. Pelo momentâneo arregalar dos olhos dela, Roland achou que Susan sentira o mesmo.

— É um prazer conhecê-la, sai — disse ele, mas a tentativa de ser descontraído soou fraca e falsa a seus próprios ouvidos. Contudo, já havia começado e teve a sensação de que todos estavam concentrados nele (*neles*) e nada podia fazer a não ser continuar com a coisa. Bateu três vezes na garganta. — Que seus dias sejam longos sobre...

— Ié, e os seus também, sr. Dearborn. Obrigada-sai.

Ela se virou para Alan com uma rapidez que beirava a grosseria, depois para Cuthbert, que inclinou a cabeça, bateu na garganta e disse gravemente:

— Posso me reclinar brevemente a seus pés, senhorita? Sua beleza me enfraqueceu os joelhos. Tenho certeza que alguns momentos contemplando de baixo seu perfil, com a nuca nessas lajotas frias, me colocaria de novo em ordem.

Todos riram... mesmo Jonas e a srta. Cordelia. Susan ficou bastante corada e deu um tapinha nas costas da mão de Cuthbert. Ao menos por uma vez, Roland achou abençoada a incansável disposição do amigo para a pilhéria.

Outro homem juntou-se ao grupo que estava junto da tigela de ponche. O recém-chegado era atarracado, parrudo em seu casaco de corte reto. O tom muito vermelho do rosto lembrava uma pele que pegou sol, ao invés do vermelho da bebida, e os olhos mortiços jaziam em teias de rugas. Um rancheiro; Roland fizera um suficiente número de viagens com o pai para conhecer o tipo.

— Esta noite encontrarão várias moças querendo conhecê-los, rapazes — disse o recém-chegado com um sorriso bastante amigável. — Se não tiverem cuidado, ficarão embriagados com os perfumes. Mas gostaria de bater um papo com vocês antes que as encontrem. Fran Lengyll, às suas ordens.

O aperto de mão foi rápido e forte; nenhuma inclinação de cabeça ou bajulação o acompanhou.

— Sou o dono do Rocking B... ou ele é dono de mim, escolham vocês. Também sou o chefe da Associação dos Cavaleiros, pelo menos até me tirarem de lá. O Barra K foi ideia minha. Espero que tenha sido boa.

— Foi perfeita, senhor — disse Alain. — O lugar é limpo, seco e com espaço para umas vinte pessoas. Obrigado. Foi muito gentil.

— Bobagem — disse Lengyll com ar satisfeito, virando o seu copo de ponche. — Estamos todos no mesmo barco, rapaz. John Farson é apenas mais uma palha no campo de insensatez que cultivamos nos dias de hoje. O mundo seguiu adiante, dizem as pessoas. Arre! Adiante, ié, e avançando um bom trecho pela estrada do inferno, pois é para lá que segue adiante. Nosso trabalho é manter o feno longe da fornalha o mais que pudermos, e pelo maior tempo possível. Antes até pelo bem de nossos filhos que pelo respeito a nossos pais.

— Bravo, bravo! — exclamou o prefeito Thorin numa voz que, tentando manter um tom de solenidade, caía na mais decidida sugestão de vulgaridade. E então, ao reparar que Thorin, velho e esquelético, agarrava uma das mãos de Susan (parecendo quase inconsciente daquilo, ela olhava atentamente para Lengyll), Roland de repente compreendeu: o prefeito era seu tio ou talvez um primo próximo. Lengyll ignorava os dois, concentrando sua atenção nos três recém-chegados, esquadrinhando um por um e terminando em Roland.

— Se pudermos fazer alguma coisa em Mejis para ajudar, basta pedir, rapaz... a mim, a John Croydon, Hash Renfrew, Jake White ou Hank Wertner.

A qualquer um de nós ou a todos nós. Vão conhecê-los esta noite aqui, ié, juntamente com as esposas, os filhos e as filhas, e só precisarão pedir. Podemos estar bastante fora do eixo central de Nova Canaã, mas somos fiéis ao espírito da Confederação. Ié, muito fiéis.

— Disse-o bem — comentou Rimer em voz baixa.

— E agora — continuou Lengyll — vamos brindar à vinda de vocês. E afinal já tiveram de esperar bastante por uma pouco de ponche. Devem estar sedentos como areia.

Virou-se para as tigelas de ponche e estendeu a mão para a concha mergulhada na maior e mais ornada das duas, dispensando o homem que servia, sem dúvida querendo homenageá-los servindo ele próprio a bebida.

— Sr. Lengyll — disse Roland. Um tom baixo, mas que tinha uma força de comando. Fran Lengyll ouviu-a e se virou. — O ponche da tigela menor é sem álcool, não é?

Lengyll pensou na pergunta, a princípio não compreendendo. Então suas sobrancelhas se ergueram. Pela primeira vez pareceu encarar Roland e os outros não como símbolos vivos da Confederação e dos Baronatos Interiores, mas como verdadeiros seres humanos. Muito jovens. Simples garotos quando se parava para pensar.

— Ié?

— Sirva o nosso dessa tigela, se puder nos fazer a gentileza.

Roland sentiu agora todos os olhares sobre eles. Particularmente o olhar *dela*. Continuou olhando firmemente para o rancheiro, mas tinha uma boa visão periférica e percebeu claramente que o sorriso estreito de Jonas havia ressurgido. Jonas já sentira alguma coisa no ar. E Roland começou a achar que também Rimer e Thorin. Aqueles pessoas do interior não eram nada tolas. Sem dúvida, sabiam mais do que aparentavam e seria preciso pensar cuidadosamente nisso mais tarde. Naquele momento, porém, aquela era a menor de suas preocupações.

— Esquecemos os rostos de nossos pais num assunto que tem alguma relação com nossa designação para Hambry. — Roland teve a incômoda consciência de que começara um pequeno discurso, gostasse disso ou não. Não era (graças aos deuses por esta bênção) a toda a sala que estava se dirigindo, mas sem dúvida o círculo mais imediato de ouvintes já superava bastante o grupo original. Não havia, porém, outra saída além de terminar o que havia começado; o barco estava no mar. — Não preciso entrar em detalhes… nem os senhores esperariam ouvi-los, sem dúvida… mas quero que saibam que prometemos não nos entregarmos à bebida durante nossa estada aqui. Como punição, entendem.

O olhar dela. Achava que ainda podia senti-lo na pele.

Por um momento houve completo silêncio no pequeno grupo reunido ao redor das tigelas de ponche, e então Lengyll interveio:

— Seu pai ficaria orgulhoso de ouvi-lo falar tão francamente, Will Dearborn... ié, ficaria. E que rapaz que faz jus ao nome não arranja uma pequena encrenca de vez em quando? — Bateu no ombro de Roland mas, embora o aperto de mão tivesse sido firme e o sorriso parecesse sincero, seus olhos eram difíceis de interpretar, apenas dúvidas surgindo naquelas pupilas). — Posso me colocar no lugar dele e ter orgulho em seu lugar?

— Sim — disse Roland, sorrindo. — E agradeço por isso.

— Eu também agradeço — disse Cuthbert.

— E eu — disse Alain calmamente, pegando o copo de ponche sem álcool que lhe era oferecido e inclinando a cabeça para Lengyll.

Lengyll encheu mais copos e distribuiu-os rapidamente ao redor. Os que já estavam segurando copos de ponche batizado colocaram-nos de lado, substituindo-os pelos novos copos de ponche sem álcool. Quando todos do grupo mais imediato de convivas já tinham sido servidos, Lengyll se virou, aparentemente para fazer o brinde. Rimer, no entanto, bateu-lhe no ombro, balançou discretamente a cabeça e os olhos apontaram para o prefeito. Thorin observava a cena com olhos um pouco arregalados e o queixo ligeiramente caído. Roland achou-o parecido com um espectador de circo no fundo da arquibancada, fascinado com o espetáculo; só faltava o colo cheio de cascas de amendoim. Lengyll seguiu o rápido olhar do chanceler e aquiesceu.

Em seguida Rimer captou a atenção do violonista parado no centro do grupo de músicos. Ele parou de tocar; assim como os outros. Os convidados olharam para lá e depois se viraram para o centro do salão, onde Thorin começava a falar. Sua voz não tinha nada de ridículo quando se elevava numa situação como aquela: era atraente e agradável.

— Senhoras e senhores, meus amigos — disse ele. — Peço que me ajudem a dar as boas-vindas a três novos amigos... jovens dos Baronatos Interiores, jovens honrados que se arriscaram por grandes distâncias e muitos perigos em nome da Confederação e a serviço da ordem e da paz.

Susan Delgado pousou o copo de ponche, retirou a mão (com alguma dificuldade) do aperto do tio e começou a bater palmas. Outros se juntaram a ela. O aplauso que varreu a sala foi breve, mas caloroso. Roland, no entanto, reparou que Eldred Jonas não pousara seu copo para acompanhar os demais.

Thorin se virou sorrindo para Roland. Ergueu o copo.

— Posso ser direto em meu brinde, Will Dearborn?

— Ié, pode ser, e eu agradeço — disse Roland. Houve risos e novos aplausos com aquele seu modo de responder.

Thorin levantou um pouco mais o copo e todos na sala fizeram o mesmo. Os cristais brilharam como pontos estrelados à luz do grande lustre.

— Senhoras e senhores, brindemos à saúde de William Dearborn de Hemphill, Richard Stockworth de Pennilton e Arthur Heath de Gilead.

Suspiros e murmúrios ante o último nome, como se o prefeito tivesse anunciado Arthur Heath do céu.

— Cuidem bem deles, aproveitem-se de sua estada, façam doces seus dias em Mejis para que levem lembranças mais doces ainda. Ajudem-nos em seu trabalho e a fortalecer a causa que é tão cara a todos nós. Que os dias deles sejam longos sobre a terra. É o que diz o prefeito de vocês.

— É O QUE DIZEMOS NÓS! — trovejou a sala.

Thorin tomou um gole; todos lhe seguiram o exemplo. Houve novos aplausos. Roland se virou, incapaz de se controlar e, mais uma vez, encontrou o olhar de Susan. Por um momento ela o olhou diretamente e, na franqueza daquele olhar, Roland viu que estava praticamente tão abalada por sua presença quanto ele pela dela. Então a mulher mais velha que se parecia com a garota se curvou e murmurou alguma coisa em seu ouvido. Susan virou o rosto, recompondo imediatamente a expressão... mas Roland tinha visto o brilho em seu olhar. E tornou a pensar que o que estava feito podia ser desfeito e o que estava dito podia não ser cumprido.

8

Ao passarem à sala de banquetes, onde naquela noite havia quatro mesas compridas de montar (tão próximas umas das outras que mal dava espaço para passar), Cordelia agarrou a mão da sobrinha e afastou-a por alguns momentos do prefeito e de Jonas, que tinham iniciado uma conversa com Fran Lengyll.

— Por que olha dessa maneira para aquele rapaz, menina? — Cordelia murmurou furiosa. A ruga vertical aparecera em sua testa. Naquela noite parecia profunda como uma vala. — O que vai aí dentro dessa cabecinha louca, estúpida? — *Estúpida*. Só o uso desta palavra bastava para dizer a Susan que a tia estava realmente furiosa.

— Olhar pra quem? E de que maneira? — O tom de voz era firme, mas, ah, seu coração...

A mão em seu braço apertou mais, machucando.

— Não me faça de palhaça, dona Ah-que-Mocinha-Bonita! Já tinha encontrado antes aquele belo par de calças? Me diga a verdade!

— Como já podia ter encontrado? Está me machucando, tia.

Tia Cord sorriu com ar maligno e apertou-a um pouco mais.

— Melhor um pequeno roxo agora que um grande mais tarde. Controle a sem-vergonhice. E controle o flerte desses olhares.

— Tia, não tenho a menor ideia do que está...

— Acho que tem — disse Cordelia severamente, empurrando a sobrinha contra uma das paredes para não bloquear o caminho das pessoas. Quando o rancheiro dono do abrigo de barcos ao lado do seu disse alô, tia Cord mostrou um sorriso simpático e desejou-lhe boa-noite antes de voltar a Susan.

— Preste atenção, senhorita... preste atenção no que eu digo. Se eu vi o que estavam fazendo seus olhinhos de vaca, pode ter certeza que metade dos convidados também viu. Bem, o que está feito, está, mas isso precisa parar agora. O tempo desses jogos de menininha já acabou. Entendeu o que eu disse?

Susan permanecia calada, o rosto sendo tomado pelos traços de obstinação que era o que Cordelia mais odiava, uma expressão que lhe dava vontade de esbofetear a sobrinha geniosa até o nariz sangrar e as lágrimas jorrarem daqueles grandes olhos cinzentos.

— Deu sua palavra e firmou um contrato. Documentos de terras foram preparados, a feiticeira foi consultada, dinheiro mudou de mãos. *Você prometeu*. Se para você isto não significa nada, lembre-se do que significaria para seu pai.

Lágrimas tornaram a brotar nos olhos de Susan, e Cordelia gostou de vê-las. Falar no irmão, que tudo o que conseguira fora gerar aquela mocinha bonita demais, provocava-lhe uma incômoda irritação... mas falar nele, mesmo depois de morto, sempre podia ter alguma utilidade.

— Agora prometa que vai manter os olhos baixos e que, se vir o rapaz se aproximar, vai se afastar de imediato... ié, sair de imediato do caminho dele... para o mais longe que puder.

— Prometo, tia — Susan murmurou. — Prometo.

Cordelia sorriu. E Cordelia era realmente bem bonita quando sorria.

— Está bem, então. Vamos voltar. Estão nos olhando. Segure no meu braço, menina!

Susan agarrou o braço da tia, cheio de pó de arroz. Voltaram lado a lado para o meio do salão, os vestidos farfalhando, o pingente de safira reluzindo no alto dos seios de Susan. Muita gente comentou como eram parecidas e como o pobre Pat Delgado teria gostado de vê-las assim.

9

Roland estava sentado perto da cabeceira da mesa do centro, entre Hash Renfrew (um rancheiro ainda mais alto e pesado que Lengyll) e Coral, a irmã um tanto mal-humorada de Thorin. Renfrew fora hábil com o ponche; agora, com a sopa trazida para a mesa, dispôs-se a provar que era igualmente bom para servir a cerveja.

Conversou sobre o comércio da pesca ("não é mais o que costumava ser, rapazes, embora o que cai em nossas redes ainda tenha um mínimo de qualidade, o que é uma bênção"), o comércio agrícola ("as pessoas daqui sabem plantar quase tudo, mas agora a terra praticamente só dá feijão ou milho") e, por fim, sobre as coisas que realmente lhe eram mais caras: a criação de cavalos, a caça, os cuidados com o rancho. Os negócios, no fundo, continuavam como sempre, ié, continuavam sim, embora há pelo menos quarenta anos os tempos viessem ficando difíceis nos centros de pesca e nas pastagens dos Baronatos do litoral.

Mas as criações não estavam ficando mais puras?, Roland perguntou. Pelo menos era o que acontecia nas terras de onde vinham.

Ié, Renfrew concordou, ignorando a sopa de batatas e devorando iscas grelhadas de carne. Ele as pegava com a mão, regando-as com mais cerveja. Ié, jovem mestre, as criações estavam se purificando às mil maravilhas, estavam mesmo, três potros de cada cinco eram cria limpa... tanto os puros-sangues quanto as linhagens comuns, sem inseminação... e o quarto podia ser mantido vivo e posto para trabalhar, embora não para procriar. Nos dias que corriam só um em cinco nascia com pernas ou olhos extras, ou com as tripas do lado de fora, o que era um bom indicativo. Mas as taxas de nascimento continuavam caindo, continuavam sim; as pistolas dos garanhões continuavam não negando fogo, mas a qualidade da pólvora e a força dos disparos já não eram as mesmas.

— Peço que me perdoe, senhora — disse Renfrew, inclinando-se brevemente, pela frente de Roland, para Coral Thorin. Ela mostrou um sorriso fino (que fez Roland se lembrar de Jonas), arrastou sua colher pela sopa e não disse nada. Renfrew esvaziou o copo de cerveja, lambeu com gosto os lábios e estendeu novamente o copo. Quando o reabasteceram, ele se virou para Roland.

As coisas não iam bem, não eram mais como antigamente, mas podiam estar piores. *Estariam* piores se Farson, aquele escroto, estivesse a caminho de lá. (Desta vez ele não se preocupou em pedir perdão a sai Thorin.) Tinham todos de trabalhar em conjunto, este era o segredo... ricos e pobres, pequenos e grandes, pelo menos enquanto o trabalho ainda pudesse dar alguns de seus frutos. E por fim repetiu as palavras de Lengyll, dizendo a Roland que se ele e seus amigos quisessem alguma coisa, não importa o quê, bastava pedir.

— Acho que só vamos mesmo precisar de informação — disse Roland. — Saber a quantidades de coisas.

— Ié, não podem ser contadores sem números — Renfrew concordou, soltando uma risada embriagada. Do lado direito de Roland, Coral Thorin beliscava algumas verduras (mal tocara nas iscas de carne), mostrava seu sorriso breve e continuava revirando a sopa com a colher. Roland, no entanto, achou que ela podia ter ouvidos muito bons e que talvez o irmão recebesse um relatório completo das conversas ali. Ou o relatório poderia ser feito a Rimer. Pois, embora fosse cedo demais para ter certeza, Roland começava a desconfiar que era Rimer quem mandava de verdade ali. Juntamente, talvez, com sai Jonas.

— Por exemplo — disse Roland —, quantos bons cavalos acha que poderemos reportar à Confederação?

— Por raça ou no total?

— No total.

Renfrew pousou o copo e pareceu calcular. Enquanto ele fazia isso, Roland olhou para a outra ponta da mesa e viu Lengyll e Henry Wertner, o criador dos cavalos de corrida do Baronato, trocarem um rápido olhar. Eles tinham ouvido. E Roland viu mais alguma coisa quando voltou a se concentrar no homem sentado a seu lado: Hash Renfrew estava bêbado, mas provavelmente não tão bêbado quanto queria fazer o jovem Will Dearborn acreditar.

— No total, você diz… o total com que a Confederação pode contar e que lhe deveríamos mandar numa situação crítica.

— Exato.

— Bem, vamos ver, jovem sai. Fran deve manter umas cento e quarenta cabeças; quase umas cem de John Croydon. Hank Wertner, sem o auxílio de ninguém, conseguiu juntar quarenta cabeças próprias e seu rancho da Baixa guarda mais umas sessenta para o Baronato. Como acha que ficariam os animais se fossem tratados diretamente pelo governo, hein?

— Como acho? — disse Roland sorrindo. — Bem, de cascos quebrados, pescoços atarracados, incapazes de correr, incapazes de parar de comer.

Renfrew deu uma boa risada, fazendo que sim com a cabeça… mas Roland não deixou de se perguntar se o homem estaria mesmo achando a coisa divertida. Em Hambry, as águas na superfície e as águas embaixo pareciam correr em direções diferentes, nada era confiável.

— No que me diz respeito, meus animais enfrentaram uns dez ou doze anos bastante ruins… Infecções na vista, febre cerebral, roubos. A Baixa já chegou a ter duzentas cabeças de cavalos de pista com a marca do haras Susan Preguiçosa; agora eles não somam mais que oitenta.

Roland assentiu.

— Então estamos falando de quatrocentos e vinte cabeças.

— Ah, mais que isso — disse Renfrew com uma risada. Ao pegar a caneca de cerveja, Renfrew bateu nela com as costas da mão calejada e vermelha, derrubou-a no chão, disse um palavrão, pegou-a e disse outro palavrão para o criado que se aproximou devagar para tornar a servi-lo.

— Mais que isso? — Roland atiçou quando Renfrew conseguiu se recompor, se aprumar e se mostrar disposto a retomar a conversa.

— Não podemos esquecer, sr. Dearborn, que nossa região é mais equina que pesqueira. Disputamos uns com os outros, nós e os pescadores, mas a verdade é que os próprios pescadores costumam criar um pônei nos fundos de casa ou nos estábulos do Baronato, quando não têm um teto para proteger da chuva a crina de um cavalo. Era o pai dela quem costumava cuidar dos estábulos do Baronato...

Renfrew inclinara a cabeça para Susan, que estava sentada do outro lado da mesa e três lugares à frente de Roland... ao lado do prefeito, que se instalara, é claro, à cabeceira. Roland achou um tanto curioso que Susan estivesse sentada ali, ainda mais levando em conta que a esposa do prefeito se acomodara quase na outra extremidade da mesa, com Cuthbert de um dos lados e um rancheiro a quem ainda não tinham sido apresentados do outro.

Roland especulou que talvez um sujeito velho como Thorin quisesse ter uma parenta jovem do lado para ajudar a atrair atenção sobre si ou para estimulá-lo um pouco, mas ainda assim era estranho. Pareceria quase um insulto para qualquer esposa. E se estava cansado da conversa de Olive Thorin, por que não a pusera à cabeceira de outra mesa?

Eles têm os próprios costumes, só isso, e os costumes daqui não são da sua conta. O que tem de contar é o número de bons garanhões deste homem.

— E, afinal, quantos cavalos de corrida a mais? — perguntou a Renfrew. — No total.

Renfrew encarou-o com um ar de esperteza.

— Espero que uma resposta honesta não acabe me prejudicando, certo, meu filho? Sou um homem da Confederação... sou mesmo, da Confederação até a raiz dos cabelos, e vão deixar a Excalibur gravada na cabeceira do meu túmulo, vão mesmo... mas não gostaria que Hambry e Mejis fossem despojados de todo o seu tesouro.

— Isso não vai acontecer, sai. Além do mais, como poderíamos obrigá-los a entregar o que não quisessem? Todas as forças que temos estão ocupadas no norte e oeste, lutando contra o Bom Homem.

Renfrew refletiu um instante e concordou com um movimento de cabeça.

— E por que não me chama de Will? — disse Roland.

Renfrew sorriu, tornou a assentir e estendeu a mão pela segunda vez. Ampliou ainda mais o sorriso quando Roland usou suas duas mãos para apertar a dele, o aperto duplo preferido por tropeiros e vaqueiros.

— Vivemos em tempos difíceis, Will — disse ele —, que acabaram com nossas boas maneiras. Eu diria que há provavelmente mais umas cento e cinquenta cabeças de cavalos em Mejis e em seus arredores. Estou me referindo a bons cavalos.

— Animais puro-sangue.

Renfrew concordou, bateu nas costas de Roland, ingeriu uma boa quantidade de cerveja.

— Puro-sangue, ié.

Da ponta da mesa chegou uma explosão de riso. Ao que parece, Jonas dissera alguma coisa engraçada. Susan ria abertamente, a cabeça inclinada para trás e as mãos se fechando sobre o pingente de safira. Cordelia, que estava sentada à esquerda da moça (à sua direita estava Jonas), também ria. Thorin estava quase torto de tanto rir, balançando para a frente e para trás na cadeira, enxugando os olhos com um guardanapo.

— A moça é adorável — disse Renfrew. O tom fora quase reverente. Roland não seria capaz de ter certeza de ter ouvido um pequeno murmúrio (algum hummm *feminino*, talvez) vindo do outro lado da mesa. Olhou naquela direção e viu Coral Thorin ainda remexendo em sua sopa. Voltou a olhar para a cabeceira.

— O prefeito é tio dela, talvez primo? — Roland perguntou.

O que aconteceu em seguida ficaria gravado em sua memória com a mais extrema clareza, como se alguém tivesse intensificado todas as cores e sons do mundo. As cortinas de veludo atrás de Susan pareceram muito mais vermelhas e o grasnido de riso que veio de repente de Coral Thorin foi como um galho quebrando. Certamente suficientemente alto para que todos nas vizinhanças interrompessem a conversa e olhassem para ela... com a única exceção de Renfrew e de dois rancheiros do outro lado da mesa.

— *Tio* dela! — Era a primeira vez que Coral intervinha nas conversas da noite. — *Tio* dela, essa é boa. Hein, Renfrew?

Renfrew não respondeu, limitando-se a empurrar a caneca de cerveja um pouco para o lado e a começar, finalmente, a tomar a sopa.

— Estou espantada com você, meu jovem, estou mesmo. Pode ter vindo do Mundo Interior, mas, valha-me Deus, quem devia instruí-lo sobre o mundo *real*... aquele fora dos livros e mapas... não conseguiu levar o curso até o fim. Ela é sua... — Foi uma palavra tão envolvida com dialetos locais que Roland não compreendeu sequer o som exato. Soava como *seefin* ou *sheevin*.

— Como disse? — Ele estava sorrindo, mas o sorriso parecia frio e falso em seus lábios. Tinha um aperto na barriga, como se o ponche, a sopa e a isca de carne (que comera para ser gentil) estivessem se revirando num grande bolo no estômago. *Serve na corte?*, ele havia perguntado, querendo saber se a garota servia à mesa. Talvez ela realmente *servisse*, mas provavelmente num aposento mais exclusivo que aquele. De repente Roland não quis ouvir mais nada; já não tinha o menor interesse pelo significado da palavra que a irmã do prefeito usara.

Outra explosão de riso sacudiu o topo da mesa. Susan ria virando a cabeça para trás, as faces muito coradas, os olhos brilhando. Uma dobra do vestido lhe escorregara pelo braço, revelando a suave cavidade do ombro. Enquanto Roland a observava com o coração repleto de desejo e medo, ela colocou distraída, com a palma da mão, a aba do vestido no lugar.

— A palavra quer dizer "mocinha discreta" — Renfrew explicou com evidente constrangimento. — É um termo antigo, não muito usado nos dias de hoje...

— Pare com isso, Rennie — disse Coral Thorin. E depois, para Roland: — Ele é apenas um velho caubói e anda sempre com merda de cavalo na cabeça, mesmo quando seus belos garanhões não estão por perto. *Sheevin* significa concubina. No tempo de minha bisavó, significava puta... mas uma puta com mais estilo. — Atirou um olhar mortiço para Susan, que agora tomava cerveja, e voltou a Roland. Havia uma espécie de alegria maligna em seu rosto, uma expressão de que Roland não gostou nada. — O tipo de mulher que tem de ser paga com bastante dinheiro, fina demais para o trato com pessoas simples.

— Ela é sua amante, então? — Roland perguntou através de lábios que pareciam encostados em gelo.

— Ié — disse Coral. — Ainda não consumado, não até a Colheita... O que não está agradando nada a meu irmão, tenha certeza. De qualquer modo, assim como acontecia antigamente, a garota já foi comprada e paga. Já foi. — Coral fez uma pausa antes de continuar: — O pai morreria de vergonha se a visse nessa situação. — Um comentário feito com uma espécie de satisfação nostálgica.

— Talvez não devêssemos julgar o prefeito com tanta severidade — disse Renfrew num tom embaraçado, contemporizador.

Coral o ignorou. Examinava a linha do queixo de Susan, o suave contorno dos seios sobre a borda sedosa do corpete, os cabelos. O ralo senso de humor se fora do rosto de Coral Thorin. Em seu lugar havia agora uma espécie um tanto malévola de desprezo.

Mesmo que não quisesse, Roland não podia deixar de imaginar os nós dos dedos salientes nas mãos do prefeito puxando os cordões do vestido de Susan, rastejando sobre os ombros nus, mergulhando como velhos caranguejos na gruta sob seu cabelo. Desviou o olhar para a outra ponta da mesa, mas o que viu ali não foi melhor. Quem seus olhos encontraram foi Olive Thorin — Olive que fora relegada ao final da mesa, Olive, erguendo os olhos para o grupo sorridente próximo da cabeceira. Erguendo os olhos para o marido, que a substituíra por uma bela garota, presenteada com um pingente que fazia seus brincos espelhados parecerem bijuteria barata. Não havia, porém, em seu rosto nada do ódio e do desprezo raivoso de Coral. Se houvesse, talvez fosse mais fácil contemplá-la. Apenas observava o marido com um olhar humilde, ansioso e infeliz. Agora Roland entendia por que a tinha achado triste. Olive tinha muitos motivos para ser triste.

Mais risadas do grupo do prefeito; Rimer havia se inclinado da mesa vizinha, onde estava à cabeceira, certamente contribuindo com algum dito espirituoso. E que devia ter sido um dos bons. Agora até Jonas ria. Susan pôs a mão nos seios e puxou o guardanapo para tirar uma lágrima de riso do canto do olho. Thorin segurava sua outra mão. Ela se voltou para Roland e, ainda rindo, encontrou o seu olhar. Ele pensava em Olive Thorin, sentada na extremidade da mesa, onde ficavam o sal e as especiarias. Diante dela, um intocado prato de sopa e, em seu rosto, aquele sorriso infeliz. Sentada onde a moça poderia vê-la muito bem. E Roland achou que, se estivesse com seus revólveres, poderia puxar um deles e pôr uma bala no frio e prostituído coraçãozinho de Susan Delgado.

E pensou: *Quem você esperava enganar?*

Então apareceu um dos rapazes que serviam, colocando um prato de peixe na sua frente. Roland achou que nunca tivera menos vontade de comer em toda a sua vida... mas ainda assim ia comer, assim como ia fazer a mente voltar às questões levantadas por sua conversa com Hash Renfrew, do rancho Susan Preguiçosa. Não esqueceria o rosto de seu pai.

Não, de modo algum vou esquecê-lo, pensou. *Se apenas eu pudesse esquecer o rosto que está sobre aquela safira.*

10

O jantar foi interminável e depois dele também não houve escapatória. A mesa no centro do salão de recepções fora removida e, quando os convidados voltaram àquele aposento (como uma onda muito alta que ali tivesse desaguado), formaram-se dois grandes círculos de pessoas junto a um animado homenzinho de cabelo ruivo que, mais tarde, Cuthbert informaria se tratar do secretário de lazer do prefeito Thorin.

A formação dos círculos de cavalheiros e damas se fizera com muito riso e alguma dificuldade (Roland achou que cerca de três quartos dos convidados já estavam razoavelmente bêbados); agora os músicos começaram uma *quesa*. O que nada mais era que um tipo de quadrilha. Os círculos evoluíram em sentidos opostos, todos de mãos dadas, até a canção fazer uma pausa. Então o casal que estava no ponto onde os dois círculos se tocavam começou a dançar no centro do círculo da dama, enquanto todos batiam palmas e davam bravos.

O chefe da orquestra trabalhava a antiga e, sem dúvida, estimada tradição com um olho atento ao ridículo, parando seus *muchachos* em momentos determinados para que se formassem as duplas mais engraçadas: mulher alta-homem baixo, mulher gorda-homem muito magro, mulher velha-rapaz novo (Cuthbert acabou dançando com uma mulher da idade de sua bisavó, provocando risadinhas sem fôlego na sai e urros generalizados de aprovação na sala).

Então, quando Roland começou a achar que aquela dança estúpida jamais ia acabar, a música parou e ele se viu de frente para Susan Delgado. Por um momento, a única reação de Roland foi cravar os olhos nela, achar que eles estavam à beira de saltar das órbitas e que não conseguiria mover nenhum de seus dois pés cretinos. Então Susan estendeu os braços, a música recomeçou, o círculo (que incluía o prefeito Thorin e o vigilante Eldred Jonas, sempre com aquele sorriso fino) aplaudiu e Roland começou a dançar com ela.

A princípio, quando a fez executar o primeiro giro (os pés de Roland, entorpecidos ou não, moviam-se com a graça e precisão a que estavam acostumados), sentiu-se como um homem feito de vidro. Então ficou consciente do corpo de Susan tocando o seu, do farfalhar do vestido e logo voltou a se sentir plenamente humano.

Por um breve momento, ela se aproximou um pouco mais e, quando falou, Roland sentiu sua respiração lhe fazer cócegas na orelha. Pensou se uma mulher poderia enlouquecer um homem — realmente enlouquecer. Até aquela noite julgaria isso impossível, mas aquela noite estava mudando tudo.

— Obrigada por sua discrição e seu decoro — ela sussurrou. Roland recuou um pouco e, ao mesmo tempo, a fez girar, a mão embaixo de suas costas, palma pousada no frio do cetim, dedos encostando numa pele quente. Os pés dela seguiam os seus sem a menor pausa ou hesitação; moviam-se com graça perfeita, sem que Susan demonstrasse o menor temor em rodar próxima do peso de suas botas, mesmo com suas delicadas sandálias de seda.

— Posso ser discreto, sai — disse ele. — Mas quanto ao decoro... Achei que nem conhecesse essa palavra.

Ela ergueu os olhos para a frieza do rosto de Roland, que viu o sorriso de Susan sendo substituído pela raiva. Mas antes da raiva, havia a mágoa, como se ele a tivesse esbofeteado. Roland se sentiu simultaneamente arrependido e satisfeito.

— Por que está dizendo isso? — ela murmurou.

A música parou antes que Roland pudesse responder... embora ele não fizesse a menor ideia do que teria falado. Susan fez uma mesura e ele inclinou a cabeça, enquanto quem os cercava batia palmas e assobiava. Então voltaram todos aos seus lugares, aos círculos distintos, e os violões tocaram de novo. Roland sentiu suas mãos sendo seguradas à frente e atrás e começou, mais uma vez, a girar com o círculo.

Rindo. Batendo os pés. Batendo palmas no ritmo. Sentindo que Susan, em algum lugar atrás dele, fazia o mesmo. Imaginando se Susan queria tanto quanto ele estar fora dali, estar no escuro, estar a sós no escuro, onde ele pudesse se livrar daquela expressão falsa antes que a verdadeira, embaixo da outra, esquentasse a ponto de pegar fogo.

6. SHEEMIE

1

Por volta das dez horas, o trio de jovens dos Baronatos Interiores apresentou suas despedidas ao casal de anfitriões e saiu para a perfumada noite de verão. Cordelia Delgado, que por acaso estava ao lado de Henry Wertner, responsável pelos cavalos de corrida do Baronato, comentou que deviam estar cansados. Wertner riu e respondeu com um sotaque tão rural que era quase cômico:

— Naum, dona, guris dessa idade é cumu ratu explorando pilha de lenha dispois duma chuva de canivetes, isso são. Vaum demorá muitá hora té as caminha do Barra K sincontrarem cuns treis.

Olive Thorin deixou os salões logo depois dos rapazes, alegando uma dor de cabeça. Sua palidez tornava a alegação quase digna de crédito.

Por volta das onze da noite, o prefeito, o chanceler e o chefe da recém-contratada equipe de segurança conversaram no escritório com os poucos convidados retardatários (todos rancheiros, todos membros da Associação dos Cavaleiros). A conversa foi breve mas intensa. Vários dos rancheiros presentes manifestaram alívio pelos emissários da Confederação serem tão jovens. Eldred Jonas não reagiu a esse comentário, só baixou os olhos para as mãos esbranquiçadas, de dedos longos, e sorriu aquele sorriso fino.

À meia-noite, Susan já estava em casa, despindo-se para dormir. Pelo menos não precisava mais se preocupar com a safira; era uma joia do Baronato e fora devolvida à caixa-forte da Prefeitura antes de sua saída, mesmo que o sr. Will Decoro-mor Dearborn pudesse estar pensando outra coisa. Fora o próprio prefeito Thorin (não conseguia chamá-lo de Hart, embora ele o pedisse — nem para si mesma conseguia chamá-lo assim) quem lhe tirara a joia. Acontecera num corredor vizinho ao salão de recepções, junto a uma tapeçaria mostrando Arthur Eld resgatando sua espada da pirâmide onde fora enterrada. E ele (Thorin, não Eld) aproveitara a oportunidade para beijá-la na boca e alisar rapidamente seus seios — uma parte de si que parecera estar exposta demais durante toda a interminável noite.

— Estou louco para que chegue logo a Colheita — ele sussurrara melodramático em seu ouvido. Tinha um hálito que cheirava a conhaque. — Cada dia deste verão parece uma eternidade.

Agora, em seu quarto, escovando o cabelo com movimentos bruscos, rápidos, e contemplando a lua que desaparecia, Susan achou que, em toda a sua vida, nunca se sentira tão irritada: irritada com Thorin, irritada com tia Cord, *furiosa* com aquele puritano convencido do Will Dearborn. Mais que tudo, no entanto, estava irritada consigo mesma.

"Há três coisas que podemos fazer em qualquer situação, garota", o pai um dia lhe dissera. "Você pode decidir fazer uma coisa, você pode decidir *não* fazer uma coisa... ou você pode decidir não decidir." A última alternativa era uma opção que seu papai nunca usara; ele dizia (nem precisava dizer) que era a escolha dos fracos e dos tolos. Susan prometera a si mesma que também jamais enveredaria por ela... e, no entanto, estava se permitindo resvalar justamente para esta situação terrível. Todas as escolhas lhe pareciam ruins e indignas, todos os caminhos entulhados de pedras ou cobertos de lama.

Em seu quarto na Casa do Prefeito (ela não compartilhava o mesmo aposento com Hart há dez anos, nem uma cama, mesmo brevemente, nos últimos cinco), Olive usava uma camisola de algodão branco, sem ornamentos, e também via a lua sumir. Após se trancar naquele lugar seguro e exclusivo, Olive tinha chorado... mas não por muito tempo. Agora seus olhos estavam secos e sentia-se oca como árvore morta.

E o que era o pior de tudo? Que Hart não compreendesse como ela estava se sentindo humilhada, e não apenas por si própria. Thorin andava ocupado demais com pompas e futilidades (e também ocupado demais tentando espiar pelo decote de sai Delgado a cada oportunidade) para perceber que as pessoas — incluindo seu próprio chanceler — riam dele pelas costas. Isso poderia parar quando a garota voltasse para a casa da tia com uma bela barriga, mas ainda faltavam meses para acontecer. A feiticeira os alertara a esse respeito. A coisa seria até mais demorada se a garota custasse a engravidar. E qual a parte mais estúpida, mais humilhante de todos? Que ela, Olive, filha de John Haverty, ainda amasse o marido. Hart era um homem presunçoso, vaidoso, ridiculamente arrogante, mas ela ainda o amava.

Havia outra coisa, algo inteiramente alheio ao problema dos pulinhos de cerca de Hart no final da meia-idade: ela achava que havia algum tipo de intriga palaciana em andamento, uma intriga perigosa e muito provavelmente bastante desonrosa. Hart sabia um pouco do que estava se passando, mas Olive achava que só sabia o que Kimba Rimer e aquele odioso coxo *queriam* que soubesse.

Houve um período, e não há tanto tempo assim, em que Hart não teria se deixado levar daquela forma pelas opiniões de Rimer, uma época em que, depois de olhar para a cara de Eldred Jonas e seus amigos, Hart lhes forraria a barriga com uma refeição quente e os despacharia para oeste. Mas isso fora antes de Hart ter sido subjugado pelos olhos cinzas, os seios empinados e o ventre liso de sai Delgado.

Olive abaixou o lampião, soprou a chama e se arrastou para a cama, onde ficaria acordada até o amanhecer.

Por volta de uma da manhã, não havia mais ninguém nos salões da Casa do Prefeito, exceto quatro faxineiras, que cumpriam silenciosas (e nervosas) suas tarefas sob o olhar vigilante de Eldred Jonas. Quando uma delas ergueu a cabeça, viu-o deixar o assento junto à janela, onde estivera fumando. Ela deu a notícia num sussurro para as colegas e todas relaxaram um pouco. Mas não haveria cantoria nem risos. O *espectro*, o homem com o caixão azul na mão, podia apenas ter recuado para as sombras do aposento. Talvez ainda as vigiasse.

Às duas horas, até as mulheres da limpeza tinham ido embora. Era uma hora em que uma recepção em Gilead estaria chegando a seu apogeu de brilho e conversa animada, mas Gilead estava longe, não apenas em outro Baronato, mas quase em outro mundo. Ali era o Arco Exterior e, nos Exteriores, mesmo os fidalgos iam cedo para a cama.

Não havia, porém, fidalgos à vista no Repouso dos Viajantes e, sob o olhar do Transão, que tudo via, a noite ainda era razoavelmente criança.

2

Numa ponta do saloon, pescadores ainda usando as botas com galochas bebiam e jogavam Olho Vivo por pequenas somas de dinheiro. À direita deles, havia uma mesa de pôquer; à esquerda, na Passagem de Satã, um grupo de sujeitos barulhentos — quase todos vaqueiros — fazia suas apostas aos berros enquanto os dados rolavam pela superfície de veludo. Na outra ponta da sala, Sheb McCurdy martelava um tosco boogie-woogie, a mão direita voando, a esquerda batendo, o suor lhe escorrendo pelo pescoço e pelo rosto branco. Ao lado e acima dele, de pé e de porre num banco, Pettie, a Trotadora, sacudia o enorme traseiro e berrava as palavras da canção no auge de sua voz: "*Vamos lá, cara, temos galinha no celeiro, que celeiro, celeiro de quem, meu celeiro! Vamos lá, cara, cara pegue o touro pelos chifres...*".

Sheemie parou ao lado do piano, com o balde de gelo numa das mãos, sorrindo para ela e tentando cantar junto. Pettie deu-lhe um tapinha sem errar uma palavra, sem perder o ritmo nem o sorriso, e Sheemie continuou com sua risadinha peculiar, que era estridente, mas não de todo desagradável.

Havia também um grupo jogando dardos; num compartimento aos fundos, uma prostituta que se autodenominava condessa Jillian de Grã-Killian (membro da realeza exilada da distante Garlan, ah, nossa, como somos especiais) conseguia bater duas punhetas ao mesmo tempo sem parar de fumar um cachimbo. E no balcão, toda uma fileira dos desordeiros mais variados, vagabundos, peões de fazenda, tropeiros, carroceiros, carreteiros, rodeiros, condutores de diligências, carpinteiros, trapaceiros, cavalariços, barqueiros e capangas bebiam sob a dupla cabeça do Transão.

Contudo, os únicos capangas de *verdade* do lugar estavam na ponta do balcão, dois homens bebendo sozinhos. Ninguém tentava se juntar a eles e não só porque tivessem armas de fogo em coldres que caíam da cintura e eram amarrados nas pernas à maneira dos pistoleiros. Revólveres eram raros, mas não desconhecidos em Mejis nessa época, e nem sempre inspiravam medo, mas aqueles dois tinham o ar sombrio de homens que haviam passado um longo dia fazendo um trabalho que não queriam fazer... o olhar de homens que arranjariam uma briga absolutamente sem qualquer motivo e gostariam de encerrar o dia mandando para casa o marido de alguma nova viúva num carroção de defuntos.

Stanley, o barman, servia-lhes um uísque atrás do outro, sem tentar puxar conversa — no máximo um: "Que calor, cavalheiros, né?". Fediam a suor e o preto da resina de pinheiro que tinham nas mãos não chegava a impedir que Stanley visse o contorno dos caixões azuis tatuados ali. Pelo menos aquele amigo deles, o velho patife com cabelo de moça e perna coxa, não estava lá. Do ponto de vista de Stanley, Jonas era tranquilamente o pior dos Grandes Caçadores de Caixões, mas aqueles dois já eram suficientemente maus, e ele faria o possível para não se indispor com eles. Com sorte não haveria problemas; pareciam cansados demais para esquentar ainda mais a noite.

Reynolds e Depape estavam cansados, sem dúvida — tinham passado o dia na Citgo, arrastando milhões de galhos de pinheiros para cobrir e camuflar um monte de caminhões-tanques vazios com palavras sem sentido (TEXACO, CITGO, SUNOCO, EXXON) gravadas nas carrocerias —, mas apesar de cansados não tinham nenhum plano de terminar cedo de beber. Depape poderia ter tido essa ideia se Sua Excelência estivesse disponível, mas aquela belezinha (nome verdadeiro: Gert Moggins) trabalhava às vezes num rancho e só estaria de volta daí a duas noites.

— Ou até uma semana se estiverem pagando bem — disse Depape mal-humorado, empurrando os óculos nariz acima.

— Quero que ela se foda — disse Reynolds.

— Eu a ajudaria nisso se fosse possível, mas não é.

— Acho que vou pegar um prato daquilo — disse Reynolds, apontando para a outra ponta do balcão, onde uma travessa com frutos do mar, rodeada de vapor, tinha acabado de sair da cozinha. — Não vai querer?

— Parecem bolinhos de meleca e descem da mesma maneira. Me peça um bom bife.

— Tudo bem, parceiro — disse Reynolds indo para a extremidade do balcão. As pessoas abriam caminho para ele passar; procurando inclusive impedir que sua capa, com forro de seda, esbarrasse em alguma coisa.

Depape, mais chateado que nunca depois de imaginar Sua Excelência devorando os restos das costeletas de porco de algum caubói no Piano Ranch, acabou sua bebida, estremeceu com o fedor da resina de pinheiro na mão e tornou a estender o copo na direção de Stanley Ruiz.

— Encha de novo, seu merda! — ele gritou.

Um peão com as costas, a bunda e os cotovelos apoiados no balcão foi jogado para a frente pelo susto com o berro de Depape, e isso bastou para o problema começar.

Sheemie se afastava da abertura na parede por onde as travessas de comida tinham acabado de aparecer, agora segurando uma caçamba com as duas mãos. Mais tarde, quando o Repouso começasse a esvaziar, seu trabalho seria limpar tudo. Por enquanto, devia simplesmente circular com a caçamba, despejando ali toda sobra de bebida que encontrasse. O elixir variado acabava num jarro atrás do balcão. O jarro tinha um rótulo bastante razoável — GARRAFA DE MIJO — e uma dose dupla custava a bagatela de três centavos. A bebida era apenas para corajosos ou inadimplentes, mas um razoável número dessas duas espécies passava cada noite sob o olhar severo do Transão; raramente Stanley tinha dificuldade para esvaziar o jarro. E se a coisa não estivesse esgotada no final da noite, ora, havia sempre a noite seguinte. Para não mencionar um suprimento renovado de beberrões.

Mas daquela vez Sheemie não conseguiu alcançar o jarro chamado Garrafa de Mijo atrás de uma das extremidades do balcão. Tropeçou na bota do caubói que se jogara para a frente e caiu de joelhos com uma exclamação de surpresa. O que havia na caçamba se derramou diante dele e, seguindo a Primeira Lei de Malignidade de Satã — a saber, se existe um pior para acontecer, provavelmente vai acontecer —, atingiu não o caubói, mas Roy Depape, que acabou mergulhado, dos joelhos para baixo, naquela mistura de cerveja, *graf* e aguardente barata que fazia os olhos lacrimejarem.

A conversa parou no balcão, o que fez também parar o barulho dos homens reunidos ao redor da mesa de dados. Sheb se virou, viu Sheemie de joelhos diante de um dos homens de Jonas e parou de tocar. Pettie, de olhos bem fechados enquanto toda a sua alma era derramada na canção, continuou a capela por três ou quatro compassos antes de perceber o silêncio que ia se espalhando como crista de onda. Ela parou de cantar e abriu os olhos. Geralmente aquele tipo de silêncio indicava que alguém ia ser morto. Se assim fosse, ela não queria perder.

Depape continuou perfeitamente imóvel, inalando o brutal cheiro de álcool. Não se importava com o cheiro; afinal das contas, o fedor da resina de pinheiro batia aquilo de seis a zero. Também não se importava com o fato de a calça estar ficando grudada nos joelhos. Podia ter sentido uma ponta de irritação se um pouco daquele suco de resíduos tivesse escorrido para dentro de suas botas, mas nada escorreu.

Sua mão, no entanto, foi até a coronha do revólver. Ali, por deus e deusa, estava algo que podia tirar sua mente do mal-estar com as mãos pegajosas e a puta ausente. E um bom divertimento sempre compensava uma pequena molhadela.

Agora o silêncio cobria o lugar. Atrás do balcão, duro como um soldado, Stanley a sua mão puxando com nervosismo um pano de limpeza. Na outra ponta do balcão, Reynolds se virava para o parceiro com visível interesse. Tirou um marisco da travessa fumegante e abriu-o no tampo do balcão, como se abrisse um ovo cozido. Aos pés de Depape, Sheemie erguia a cabeça, olhos grandes e assustados sob o emaranhado selvagem do cabelo preto. Estava se esforçando ao máximo para sorrir.

— Pois é, rapaz — disse Depape. — Você me deixou bastante molhado.

— Desculpe, amigo, eu tropecei. — Sheemie levantou a mão apontando para alguém; um pequeno borrifo de mijo de garrafa voou da ponta de seus dedos. Em algum lugar, alguém limpou nervosamente a garganta... *Raa-aach!* O salão, cheio de olhos, estava tão silencioso que era possível ouvir o vento nos beirais do telhado e as ondas quebrando nas rochas do cabo Hambry, a três quilômetros de lá.

— O caralho que você caiu — disse o caubói que havia se jogado para a frente. Aos vinte anos, ficara de repente com medo de não ver nunca mais sua mãe. — Pare de tentar jogar o problema em cima de mim, seu miserável.

— Não estou interessado em *como* aconteceu — disse Depape, consciente de ter uma plateia para sua performance e de que tudo que uma plateia queria era entretenimento. Sai R. B. Depape, sempre um bom camarada, não pretendia decepcioná-la.

Apertou o veludo da calça sobre os joelhos e levantou as pernas, revelando o bico das botas. Estavam lustrosos, molhados.

— Olhe pra cá. Veja o que fez com as minhas botas.

Sheemie obedeceu, com um sorriso amarelo e apavorado.

Stanley Ruiz achou que não podia deixar aquilo ir em frente sem pelo menos uma tentativa de ajudar. Conhecera Dolores Sheemer, a mãe do rapaz;

havia inclusive a possibilidade de ele próprio ser o pai de Sheemie. De qualquer modo, gostava do garoto. Era um tanto idiota, mas tinha bom coração. Nunca bebia e sempre dava conta de seu trabalho. Além disso, mesmo no mais frio e nublado dia de inverno, tinha um sorriso para dar às pessoas. Era um talento que muita gente de inteligência normal não possuía.

— Sai Depape — disse ele, dando um passo à frente e falando num tom baixo, respeitoso. — Sinto muito pelo que houve. Terei o prazer de lhe servir gratuitamente as bebidas que quiser pelo resto da noite se tiver a gentileza de esquecer este lamentável...

O movimento de Depape foi um borrão, quase rápido demais para ser notado, mas não foi isso o que espantou quem estava aquela noite no Repouso; já era de esperar que um homem que andasse com Jonas fosse rápido no gatilho. O que surpreendeu a todos foi o fato de ele *nem sequer se virar para ver o alvo*. Localizara Stanley só pela voz.

Depape havia puxado o revólver para a direita, executando um arco. Atingira Stanley Ruiz na boca, estraçalhando seus lábios e acabando com três de seus dentes. O sangue borrifou no espelho atrás do balcão; algumas gotas, voando alto, decoraram a ponta do nariz da cara esquerda do Transão. Stanley gritou, jogou as mãos contra o rosto e caiu sobre a prateleira atrás dele. No silêncio, o barulho do estilhaçar das garrafas foi muito alto.

Na ponta do balcão, Reynolds abria outro marisco e contemplava, fascinado. Bom como uma peça de teatro, era mesmo.

Depape tornou a se virar para o rapaz de joelhos.

— Limpe as minhas botas — disse ele.

Um ar entorpecido de alívio cobriu o rosto de Sheemie. Limpar as botas! Sim! Nenhum problema! Agora mesmo! Puxou o trapo que sempre levava no bolso de trás. E que ainda nem estava sujo. Pelo menos não sujo demais.

— Não — disse Depape num tom impaciente. Sheemie ergueu a cabeça, arfando, confuso. — Coloque este pano nojento no lugar em que estava... Nem quero olhar pra ele.

Sheemie tornou a enfiá-lo no bolso traseiro.

— Com a língua — disse Depape com a mesma voz paciente. — É isso que eu quero. Vai lamber minhas botas até elas estarem novamente secas e brilharem tanto que você possa ver sua cara cretina de fuinha refletida nelas.

Sheemie hesitou, como se não estivesse entendendo bem o que estava sendo exigido dele. Ou como se ainda não houvesse acabado de processar a informação.

— No seu lugar, eu obedeceria, rapaz — disse Barkie Callahan atrás do piano de Sheb, que ele esperava que fosse um lugar seguro. — Se quiser ver o sol nascer, sem dúvida obedeceria.

Depape já decidira que o cérebro de mingau não ia ver outro nascer do sol, não naquele mundo, mas permaneceu calado. Nunca tivera as botas lambidas. Queria saber qual era a sensação. Se fosse legal... algo meio sexy... poderia tentar com a Sua Excelência.

— Tenho mesmo de lamber? — Os olhos de Sheemie estavam cheios de lágrimas. — Não posso apenas me desculpar e dar um bom polimento normal?

— Com a *língua*, seu asno de cabeça fraca — disse Depape.

O cabelo de Sheemie lhe caía na testa. A língua passava hesitante entre os lábios, saindo da boca. Quando curvou a cabeça para as botas de Depape, a primeira de suas lágrimas caiu.

— Vamos parar, vamos parar, vamos parar — disse uma voz. Era chocante no silêncio... não porque tivesse surgido de repente e certamente não por estar irritada. Era chocante porque era uma voz de zombaria. — Eu simplesmente não posso suportar isso. Negativo. Seria ótimo se eu pudesse, mas não posso. Não é higiênico, percebe? Quem sabe que tipo de doenças não podem ser espalhadas dessa maneira? A mente se revolta! Ab-so-lutamente *repulsivo*!

Parado junto às portas de vaivém, o autor daquela ladainha idiota e potencialmente fatal: um jovem de estatura mediana, o chapéu achatado, puxado para trás, deixando ver uma onda revirada de cabelo castanho. Só que *jovem* não era realmente a expressão correta, Depape percebeu; *jovem* era um exagero. Ele era apenas um garoto. Ao pescoço, só os deuses saberiam por que, trazia uma caveira de pássaro — como um enorme e cômico pingente. Vinha pendurada numa corrente que corria através de ilhós. E nas mãos dele não havia um revólver (*e onde que um pirralho daqueles, que ainda nem tinha barba, conseguiria arranjar um revólver?*, Depape se perguntou), mas um maldito estilingue. Depape explodiu numa risada.

O garoto também riu, balançando a cabeça como se compreendesse como aquilo tudo parecia ridículo, como aquilo tudo era ridículo. O riso dele foi contagioso; Pettie, ainda em cima do banco, deu algumas risadinhas antes de tapar a boca com as duas mãos.

— Isto não é lugar para um moleque como você — disse Depape. O revólver, uma velha arma de cinco tiros, continuava fora do coldre, no balcão do bar, embaixo de seu pulso. O sangue de Stanley Ruiz pingava da ponta do cano. Depape, sem levantar a arma da superfície de madeira, sacudiu-a levemente. — Garotos que vêm a lugares como este aprendem maus hábitos, moleque. E passam por experiências más. Como morrer. Então vou lhe dar uma única chance. Saia agora daqui.

— Obrigado, senhor, agradeço por minha única chance — disse o garoto. Falava com grande e fascinante sinceridade... mas não saía do lugar. Estava simplesmente ali, do lado de dentro das portas de vaivém, com a correia elástica do estilingue repuxada. Depape não conseguia ver muito bem o que estava na correia, mas a coisa brilhava sob as luzes dos lampiões a gás. Parecia um tipo de bola de metal.

— E então? — Depape rosnou. A coisa estava cansando, e rápido.

— Sei que estou sendo um pé no saco… como um chute na bunda ou um pingo leitoso na ponta de um pau dolorido… mas se não se importa, caro amigo, gostaria de ceder minha chance ao rapaz que está de joelhos diante de você. Deixe que ele se desculpe, deixe-o polir suas botas com aquele pano até você se dar por inteiramente satisfeito e deixe-o livre para viver sua vida.

Um murmúrio generalizado de aprovação veio da área onde os demais jogadores observavam a cena. Depape não gostou nem um pouco do rumor e repentinamente tomou sua decisão. O garoto também ia morrer, executado pelo crime de impertinência. O trapalhão que havia derramado a caçamba em cima dele era sem dúvida deficiente mental. Mas o pirralho não tinha sequer essa desculpa. Ele estava simplesmente se achando engraçadinho.

Pelo canto do olho, Depape viu Reynolds se deslocando para perto do garoto, silencioso como seda na manteiga. Depape apreciou a solidariedade, mas não achava que fosse precisar de grande ajuda para enfrentar o especialista em atiradeira.

— Acho que cometeu um erro, garoto — disse num tom suave. — Realmente acredito que… — A correia do estilingue foi puxada mais um pouco… ou pelo menos Depape imaginou que sim. Ele tomou a iniciativa.

3

Durante muitos anos conversariam sobre isso em Hambry; três décadas após a queda de Gilead e o fim da Confederação, o assunto ainda seria comentado. Na época em que aconteceu, mais de quinhentos bêbados inveterados (e alguns velhos jogadores) alegaram que, naquela noite, estavam tomando uma cerveja no Repouso e tinham visto toda a cena.

Depape era jovem e tinha a velocidade de uma cobra. Mesmo assim, nem chegou perto de ter a oportunidade de medir forças com Cuthbert Allgood. Houve um *rip-SUAMP!*, quando o elástico foi solto, um relâmpago metálico que cortou o ar enfumaçado do saloon como um risco numa pedra de ardósia, e Depape gritou. Seu revólver caiu e um pé chutou-o para longe dele por entre a serragem do chão (ninguém quis assumir responsabilidade por aquele pé enquanto os Grandes Caçadores de Caixões continuaram em Hambry; centenas alegaram serem os donos do pé depois que eles se foram). Ainda gritando — ele não conseguia suportar a dor —, Depape levantou a mão ensanguentada e contemplou-a com olhos angustiados, perplexos. Na realidade, tivera até sorte. A bola de Cuthbert esmagara a ponta do indicador e arrancara a unha. Se acertasse mais embaixo, Depape se tornaria capaz de soprar anéis de fumaça através da própria palma. Enquanto isso, Cuthbert já recarregara o estilingue e outra vez começava a puxar o elástico.

— Agora — disse —, se posso ter sua atenção, caro senhor...

— Não posso falar por ele — disse Reynolds atrás do garoto —, mas você tem a minha atenção, parceiro. Não sei se é mesmo bom com essa coisa ou se apenas deu uma puta sorte, mas de um jeito ou de outro, a brincadeira acabou. Solte o elástico e pouse a atiradeira. É nessa mesa que está na sua frente que quero vê-la pousada.

— Fui pego de surpreso — disse Cuthbert num tom de tristeza. — Fui novamente traído pela inexperiência da minha juventude.

— Pouco me importa a inexperiência da sua juventude, cara, mas você foi pego de surpresa, pode crer — Reynolds concordou. Ele se conservava atrás e ligeiramente à esquerda de Cuthbert, e agora fazia o revólver avançar até o garoto sentir o cano encostado na nuca. Reynolds engatilhou. No mar de silêncio em que o Repouso dos Viajantes se transformara, o som foi bastante alto. — Agora largue essa atiradeira.

— Acho, caro senhor, que tenho de me desculpar, mas não vou fazer o que pede.

— *Como?*

— Entenda, tenho minha fiel atiradeira apontada contra a cabeça de seu gentil amigo... — Quando Depape fez um movimento furtivo diante do balcão, a voz de Cuthbert se ergueu em um estalo que qualquer noção de inexperiência caía por terra. — *Não se mexa! Faça o menor movimento e será um homem morto!*

Depape ficou quieto, segurando a mão ensanguentada contra a camisa pegajosa de resina de pinheiro. Pela primeira vez pareceu assustado e pela primeira vez naquela noite — na realidade pela primeira vez desde que se juntara a Jonas —, Reynolds sentiu-se à beira de perder o domínio de uma situação... Só não entendia como aquilo podia estar acontecendo. Afinal não conseguira dar a volta naquele molequinho esperto e falante, jogando a rede em cima dele? A coisa já devia ter *acabado*.

Baixando a voz para o anterior tom casual de conversa (para não dizer animado), Cuthbert disse:

— Se atirar em mim, a bola voa e seu amigo também morre.

— Não acredito nisso — disse Reynolds, mas não gostou do tom da própria voz. Soava como dúvida. — Ninguém poderia fazer um arremesso com essa força.

— Por que não deixamos seu amigo decidir? — E Cuthbert ergueu a voz, prosseguindo em brados bem-humorados: — Ei, ah, você aí, Senhor de Óculos! Gostaria que seu companheiro atirasse em mim?

— Não! — O grito de Depape foi estridente, à beira do pânico. — Não, Clay! Não atire!

— Então é um empate — disse Reynolds com ar confuso. E então o ar confuso transformou-se em horror quando ele sentiu a lâmina de uma faca realmente grande deslizar contra a sua garganta. Pressionando a pele macia logo acima do pomo de adão.

— Não, não é — disse Alain em voz baixa. — Largue o revólver, meu amigo, ou corto sua garganta.

4

Parado do lado de fora das portas de vaivém, tendo chegado por mero acaso a tempo de assistir ao show, Jonas via tudo com espanto, desprezo e um sentimento próximo do horror. Primeiro um dos fedelhos da Confederação faz Depape largar sua arma e, quando Reynolds lhe dá cobertura, o garoto grande de cara redonda e ombros de empurrador de arado coloca uma faca na garganta de Reynolds. Nenhum dos pirralhos teria um dia a mais que quinze anos e nenhum deles tinha uma arma. Maravilha. Jonas teria achado a coisa melhor que um espetáculo de circo se não fossem os problemas que se seguiriam se aquilo não tivesse os ponteiros acertados. Afinal, que tipo de trabalho poderiam fazer em Hambry se começasse a se espalhar que os bichos-papões tinham medo de crianças e não vice-versa?

Há tempo, talvez, de acabar com isso antes que morra alguém. Se você quiser. Você quer?

Jonas decidiu que sim; que eles poderiam sair do bar como vencedores se jogassem bem as suas cartas. Mas ele também decidiu que os pirralhos da Confederação não iriam, a não ser que dessem realmente muita sorte, sair vivos do Baronato Mejis.

Onde estava o outro? Dearborn?

Uma boa pergunta. Uma pergunta *importante*. O constrangimento se transformaria em franca humilhação se conseguissem emboscá-lo da mesma forma como Roy e Clay tinham sido emboscados.

Dearborn não estava no bar, sobre isso não havia dúvida. Jonas se virou para trás e esquadrinhou a rua Alta Sul em ambas as direções. Era quase dia claro sob a Lua do Beijo, só duas noites depois da Lua Nova. Ninguém atrás dele, nem na rua nem do outro lado, onde ficava o centro mercantil de Hambry. O mercantil tinha um alpendre, mas nada havia nele salvo uma fileira de totens gravados na parede, ilustrando os Guardiães do Feixe: Urso, Tartaruga, Peixe, Águia, Leão, Morcego e Lobo. Sete dos doze. Brilhavam com os mármores ao luar e eram, sem dúvida, os grandes favoritos das crianças. Ninguém ali. Bom. Ótimo.

Jonas deu uma boa olhada num trecho de viela entre o mercantil e o açougue, vislumbrou uma sombra atrás de um amontoado de caixas jogadas fora, ficou tenso e relaxou quando viu os brilhantes olhos verdes de um gato. Balançou a cabeça e voltou a se concentrar no bar, empurrando a parte da esquerda da porta de vaivém e entrando no Repouso dos Viajantes. Alain ouviu o guincho de uma dobradiça, mas o revólver de Jonas estava em sua cabeça antes que ele pudesse sequer começar a se virar.

— A não ser que seja um barbeiro, meu filho, acho que deve arriar agora essa navalha. Não vai ter um segundo aviso.

— Não — disse Alain.

Jonas, que não esperava nada além de obediência, que não estava preparado para qualquer outra coisa, ficou realmente atônito.

— *O quê?*

— Você me ouviu — Alain respondeu. — Eu disse não.

5

Depois das despedidas e dos pedidos de desculpas por não ficarem mais tempo em Seafront, o grupo tinha se separado. Roland deixara seus amigos se divertirem como quisessem... e acabariam no Repouso dos Viajantes, ele supunha, mas não ficariam muito tempo nem se meteriam em grandes problemas pois não tinham dinheiro para jogar e não podiam beber nada mais estimulante que chá gelado. Roland tomara outro caminho na cidade, amarrara o cavalo num poste público na mais baixa das duas praças (Rusher tinha oferecido um relincho de perplexidade ante este tratamento, mas apenas um) e começara a passear pelas ruas desertas, sonolentas, o chapéu bem arriado sobre os olhos e as mãos agarrando um ponto dolorido nas costas.

Tinha a cabeça cheia de perguntas — havia coisas erradas ali, muito erradas. A princípio achou que fosse apenas sua imaginação, sua parte infantil criando problemas imaginários e intriga de historinhas por ele ter sido removido do centro da verdadeira ação. Mas, após a conversa com "Rennie" Renfrew, começou a ver a coisa de modo diferente. Havia interrogações, mistérios evidentes e o mais diabólico de tudo era que não estava conseguindo se concentrar neles, muito menos se aproximar o suficiente para perceber o sentido que pudessem ter. A cada tentativa, surgia a face de Susan Delgado... o rosto, o cabelo caído ou mesmo o modo elegante e destemido como seus pés vestidos de seda seguiam as botas dele durante a dança, jamais hesitando ou se atrasando. Ouvia repetidamente a última coisa que dissera a ela, falando na voz afetada, pedante de um pirralho-pastor. Daria qualquer coisa para que aquele tom e aquelas palavras não tivessem existido. Susan estaria no travesseiro de Thorin quando a Colheita viesse e lhe daria um filho antes que a primeira neve caísse, talvez um herdeiro masculino, e daí? Homens ricos, famosos e de boa estirpe vinham tendo concubinas desde o início dos tempos; Arthur Eld tivera mais de quarenta, segundo se dizia. Por que, então, ele estava criando problemas?

Acho que me apaixonei. É por isso que estou criando problemas.

Uma ideia complicada, mas nada absurda; conhecia muito bem o temperamento de seu coração. Ele a amava, isso provavelmente era de todo verdadeiro, mas parte dele também a odiava, um ódio que se manifestara no pensamento chocante que tivera no jantar: o de que daria um tiro no coração de Susan Delgado se estivesse armado. Parte daquilo era ciúmes, mas não tudo; talvez nem mesmo a maior parte. Estabelecera alguma indefinida mas poderosa relação entre Olive Thorin — com seu triste mas valente sorrisinho na ponta da mesa — e sua própria mãe. Não vira algo daquele miserável ar de mágoa nos olhos da mãe ao surpreendê-la com o conselheiro do pai? Marten com a camisa aberta, Gabrielle Deschain com a túnica que escorregara por um dos ombros e o quarto inteiro cheirando ao que acontecera ali, naquela manhã quente?

Sua mente, já um tanto calejada, abandonou a imagem, horrorizada. E se voltou para Susan Delgado — os olhos cinzas, o cabelo brilhante. Viu-a rindo, o queixo arrebitado, as mãos se fechando na safira que Thorin lhe dera.

Roland podia perdoá-la por ser uma concubina, achava que sim. O que não poderia suportar, apesar da atração que sentia por Susan, era o terrível sorriso no rosto de Olive Thorin vendo a garota sentada no lugar que deveria ser seu. Sentada no lugar dela e rindo.

Eram essas coisas que lhe enchiam a cabeça durante o longo passeio sob o luar. A princípio nada tinha a ver com as atitudes de Susan Delgado, que não era a razão de sua estada em Mejis, assim como não devia superestimar o ridículo prefeito de mãos estalando ou a pobre coitada da esposa... mas não conseguia tirá-los da cabeça e se concentrar no que era da sua conta. Esquecera o rosto de seu pai e caminhava ao luar, esperando novamente encontrá-la.

Foi nesse estado de espírito que alcançou a sonolenta rua Alta, banhada de luar. Indo para a área sul, pensou vagamente que talvez pagasse alguma coisa refrescante para Cuthbert e Alain ou talvez jogasse dados uma ou duas vezes na Passagem de Satã antes de voltar para pegar Rusher e dar a noite por encerrada. E foi assim que, por acaso, flagrou Jonas (era impossível confundir sua figura tão magra e o cabelo branco caindo sobre os ombros) parado na frente das portas de vaivém do Repouso dos Viajantes, espreitando o interior. Jonas tinha uma das mãos na coronha do revólver e uma tensão no corpo que tirou de imediato qualquer outra coisa da mente de Roland. Algo estava acontecendo, e Bert e Alain, se estivessem lá dentro, poderiam estar envolvidos. Afinal, eram estranhos na cidade e era possível — até mesmo provável — que nem todos em Hambry gostassem da Confederação com o fervor que fora exibido no jantar daquela noite. Ou talvez fossem os amigos de Jonas que estivessem metidos em confusão. Seja como for, havia *algo* acontecendo.

Sem saber muito bem por que estava fazendo isso, Roland subiu devagar os degraus do alpendre do mercantil, onde havia aquela fileira de animais esculpidos (e provavelmente presos com firmeza nos suportes para que nenhum traste embriagado do saloon do outro lado da rua começasse a cantar as cantigas de ninar da infância e acabasse levando um deles para casa). Roland se colocou atrás do primeiro da fila — era o Urso — e curvou os joelhos para que a ponta do chapéu não ficasse visível. Então ficou quieto como a estátua. Viu Jonas se virar, dar uma olhada na rua, depois se voltar para a esquerda, espreitando alguma coisa...

Muito distante, um rumor: *Iauu! Iauu!*

É um gato. Na viela.

Jonas encarou o gato por um instante e entrou no Repouso. Num piscar de olhos, Roland saía de trás do urso esculpido, descia a escada do alpendre e pisava na rua. Não tinha o dom telepático de Alain, mas tinha intuições que eram às vezes bastante fortes. Aquela lhe dizia que precisava se apressar.

No céu, a Lua do Beijo deslizou para trás de uma nuvem.

6

Pettie, a Trotadora, permaneceu em cima do banco, mas não sentia mais o efeito da bebida e cantar era a última coisa que lhe passava pela cabeça. Mal podia acreditar no que estava vendo: Jonas pegara de surpresa um garoto que tinha pegado de surpresa Reynolds, que por sua vez tinha pegado de surpresa *outro* garoto (este usando uma caveira de pássaro numa corrente em volta do pescoço), que por sua vez tinha pegado de surpresa Roy Depape. Que tinha, na verdade, machucado Roy Depape. E quando Jonas mandara o garoto grande pousar a faca que ele segurava contra a garganta de Reynolds, *o garoto não obedecera.*

Agora podem acabar comigo de vez e me mandar para a clareira no fim do caminho, pensou Pettie. *Já vi tudo que há para ser visto, já vi.* Ela desconfiou que talvez fosse melhor descer do banco (a qualquer segundo podia começar um tiroteio, e sem dúvida um intenso), mas às vezes a pessoa tem de correr certos riscos.

Porque certas coisas são simplesmente imperdíveis.

7

— Viemos para esta cidade designados pela Confederação — disse Alain. Uma de suas mãos estava profundamente enterrada no cabelo suado de Reynolds; a outra mantinha sob firme pressão a faca encostada em sua garganta. Mas não uma pressão suficiente para romper a pele. — Se nos ferirem, a Confederação ficará sabendo. E também nossos pais. Serão caçados como cachorros e pendurados de cabeça para baixo quando forem capturados.

— Meu filho, não há qualquer patrulha da Confederação num raio de duzentas rodas daqui, provavelmente trezentas — disse Jonas —, e mesmo que houvesse uma no alto da nossa colina, ela teria a importância de um peido num vendaval. E seus pais também não significam porra nenhuma pra mim. Abaixe essa faca ou vou estourar agora a porra da sua cabeça.

— Não.

— A cadeia de acontecimentos que temos pela frente pode ser incrível — disse Cuthbert num tom jovial… embora houvesse uma onda de tensão sob sua fala. Não medo, talvez nem sequer algum nervosismo, só tensão. Muito provavelmente, tensão ligada a coragem, Jonas pensou amargamente. Sem dúvida subestimara aqueles garotos; se nada mais estivesse claro, aquilo estava. — Você atira em Richard, e Richard corta a garganta do Homem da Capa no momento em que o Homem da Capa atira em mim; meus pobres dedos perdem a força, soltam o elástico do meu estilingue e provocam o disparo de uma bola de aço que passa para o cérebro do Homem dos Óculos. Pelo menos *você* vai conseguir sair de boa, o que imagino que seja um grande conforto para a memória de seus amigos mortos.

— Considere como um empate — disse Alain ao homem com o revólver na sua testa. — Nós todos recuamos e vamos embora.

— Não, meu filho — disse Jonas. A voz era paciente e ele não achava que a raiva transparecesse, mas ela estava se erguendo. Deuses, ser desafiado daquela maneira, mesmo que por pouco tempo! — Ninguém age assim com os Grandes Caçadores de Caixões. Esta é a sua última chance de...

Algo duro, frio e muito pontiagudo fez pressão contra as costas da camisa de Jonas, bem no centro das omoplatas. Ele soube de imediato o que era e quem segurava a coisa, compreendeu que o jogo estava perdido, mas não pôde compreender como uma cadeia de eventos tão ridícula e louca podia ter sido desencadeada.

— Coloque o revólver no coldre — disse a voz atrás da ponta afiada de metal. Era uma espécie de voz vazia... não apenas calma, mas sem emoções. — Obedeça ou o que estou segurando vai entrar até o seu coração. Não diga mais nada. A conversa acabou. Obedeça se não quiser morrer.

Jonas ouviu duas coisas naquela voz: juventude e verdade. E pôs o revólver no coldre.

— Você, de cabelo preto. Tire a arma do ouvido de meu amigo e coloque-a no coldre. Agora.

Clay Reynolds não precisou ser convidado duas vezes e deixou escapar um suspiro fundo, trêmulo, quando Alain tirou a lâmina de sua garganta e recuou. Sem olhar para o lado, Cuthbert permanecia com o elástico do estilingue puxado e o cotovelo em prumo.

— Você no balcão — disse Roland. — Guarde a arma.

Depape obedeceu, fazendo uma careta por causa da dor quando o dedo ferido atingiu o cinturão. Só quando o revólver foi guardado é que Cuthbert afrouxou o elástico, deixando a bola cair na palma de sua mão.

A causa de tudo aquilo fora sendo esquecida à medida que os acontecimentos se desenvolviam. Agora Sheemie ficava de pé e saía correndo pela sala. Tinha o rosto ensopado de lágrimas. Pegou uma das mãos de Cuthbert, beijou-a várias vezes (beijos estalando alto que, em outras circunstâncias, teriam sido cômicos) e, por um instante, puxou a mão até seu rosto. Depois escapuliu de perto de Reynolds, empurrou o lado direito da porta de vaivém e caiu direto nos braços de um xerife sonolento e ainda meio embriagado. Sheb trouxera Avery do prédio da cadeia, onde o xerife do Baronato estivera se refazendo do banquete do prefeito numa de suas próprias celas.

8

— Uma bela de uma encrenca, não foi?

Avery falando. Ninguém respondendo. Avery não achava que fossem responder, pelo menos se soubessem o que era bom para eles.

A área de expediente da cadeia era pequena demais para comportar, com o mínimo de conforto, três homens, três garotos fortes, ainda que não inteiramente adultos, e um xerife tamanho extralargo. Então Avery resolveu encaminhá-los para a vizinha Assembleia da Cidade, que ecoava com o suave esvoaçar dos pombos nos caibros do telhado e o sólido tique-taque de um relógio do tempo dos seus avós, que ficava atrás da tribuna.

A sala toda ficava no mesmo nível, mas era sem dúvida uma escolha inspirada. Era lá que, há centenas de anos, o povo e os proprietários de terras do Baronato se reuniam para tomar suas decisões, propor suas leis e, vez por outra, mandar para oeste algum grave criador de caso. Havia uma atmosfera de seriedade naquela escuridão iluminada pela lua e Roland achou que, mesmo o homem mais velho, Jonas, sentia um pouco do clima. Certamente, ela investia o xerife Herk Avery de uma autoridade que, de outra forma, ele talvez não fosse capaz de projetar.

A sala estava cheia com o que, naquele tempo e lugar, eram chamados de "bancos nus" — bancos de carvalho sem qualquer almofada para as nádegas *ou* para as costas. Havia sessenta ao todo, trinta de cada lado de um amplo corredor central. Jonas, Depape e Reynolds sentaram-se no primeiro banco à esquerda do corredor. Roland, Cuthbert e Alain sentaram-se no banco da direita, ao lado deles. Reynolds e Depape pareciam abatidos e constrangidos; Jonas distante e aparentemente calmo. O pequeno grupo de Will Dearborn estava tranquilo. Roland dera a Cuthbert um olhar que esperava que o rapaz pudesse entender: *Uma única tirada espertinha e arranco sua língua da cabeça.* Achou que a mensagem fora recebida. Bert tinha dado um sumiço naquela idiota caveira "vigia", o que era um bom sinal.

— Uma bela de uma encrenca — Avery repetiu e logo, num suspiro profundo, atirou sobre eles o bafo cheirando a aguardente. Estava sentado na ponta da plataforma da tribuna com as pernas curtas balançando sem apoio. Olhava-os com uma espécie de irritado assombro.

A porta lateral se abriu dando passagem ao agente Dave, já sem o paletó branco com que fora ao jantar e com o monóculo enfiado no bolso da camisa cáqui, que lhe era bem mais habitual. Numa das mãos trazia uma caneca; na outra um pedaço dobrado do que pareceu a Roland casca fina de árvore.

— Cozinhou a outra metade, David? — Avery perguntou. Sua voz tinha um tom de determinação.

— Ié.

— Cozinhou duas vezes?

— Ié, duas vezes.

— Pois eram essas as instruções.

— Ié — Dave repetiu num tom resignado. Entregou a Avery a caneca, onde jogou o pedaço de casca crua quando o xerife suspendeu a caneca.

Avery fez o líquido girar, contemplou-o com um resignado ar de dúvida e bebeu. Fez uma careta.

— Ah, eca! — gritou. — Não há nada mais nojento que isto.

— O que é? — Jonas perguntou.

— Remédio para dor de cabeça. Remédio para *ressaca*, talvez seja melhor dizer. Da velha feiticeira. A que mora no alto do Cöos. Conhece o lugar? — Avery estendeu a Jonas um olhar de cumplicidade. O velho atirador fingiu que não o vira, mas Roland achou que tinha visto muito bem. E o que aquilo significava? Outro mistério.

Depape levantara a cabeça ao ouvir a palavra *Cöos*, mas logo voltara a chupar o dedo ferido. Sentado ao lado de Depape, estava Reynolds, enrolado em sua capa, com o olhar sombriamente posto no chão.

— O remédio funciona? — Roland perguntou.

— Ié, rapaz, mas é preciso pagar um preço pelos medicamentos da bruxa. Lembre-se disso: você sempre acaba pagando. Isto leva embora a dor de cabeça quando se exagera no maldito ponche do prefeito Thorin, mas deixa o intestino febril e com muitas cólicas, assim é. E os peidos...! — Sacudiu a mão na frente do rosto para dar uma ideia, tomou outro gole da caneca e, finalmente, colocou-a de lado. Voltou à sua seriedade anterior, embora a atmosfera da sala estivesse um pouco mais descontraída; todos sentiam isso. — Agora, o que vamos fazer com relação a esta encrenca?

Herk Avery passou devagar os olhos por eles, de Reynolds na ponta direita a Alain ("Richard Stockworth") na ponta esquerda.

— E aí, rapazes? Temos os homens do prefeito num lado e os... homens... da Confederação do outro, seis sujeitos quase se matando e por causa de quê? Um imbecil e um balde de restos derramado. — Apontou primeiro para os Grandes Caçadores de Caixões, depois para os contadores da Confederação. — Dois grupos agindo como barris de pólvora e um xerife gordão no meio. Digam o que acham da situação! Falem abertamente, não sejam tímidos, não foram tímidos no puteiro de Coral ali embaixo, portanto não sejam tímidos aqui!

Ninguém disse nada. Avery tomou mais um pouco de sua estranha bebida, depois se sentou e encarou-os com firmeza. O que disse em seguida não deixou Roland muito espantado; era exatamente o que teria esperado de um homem como Avery, e num tom que deixava implícito que ele se considerava alguém que podia tomar as decisões difíceis que, pelos deuses, às vezes era preciso tomar.

— Vou lhes dizer o que vamos fazer: vamos esquecer este caso.

Então assumiu o ar de quem esperava uma gritaria de desaprovação e estava preparado para manejá-la. Quando ninguém falou ou sequer arrastou um pé, Avery pareceu desapontado. Contudo, tinha um trabalho a fazer e já eram altas horas da madrugada. Ele aprumou os ombros e continuou:

— Não vou passar os próximos três ou quatro meses esperando para ver quem dentre vocês matou quem. Naum! Nem vou me deixar colocar numa situação onde seja obrigado a puni-los por uma briga estúpida por causa daquele imbecil do Sheemie.

"Apelo ao sentido prático que devem ter da vida, garotos, porque garanto que posso ser amigo ou inimigo de vocês durante o tempo que passarem aqui... mas seria errado não apelar também ao lado mais nobre de seus temperamentos, que certamente é de muito peso e de grande sensibilidade."

O xerife tentava agora um discurso enfático, embora, na avaliação de Roland, não estivesse sendo lá muito bem-sucedido. Avery voltava sua atenção para Jonas.

— Sai, não posso crer que esteja disposto a causar problemas a três jovens da Confederação... a Confederação que tem sido como leite materno e mão protetora de um pai desde... ié, digamos, as últimas cinquenta gerações; certamente não faltariam com o devido respeito a tudo isso, não é?

Jonas balançou a cabeça, mostrando aquele sorriso fino.

Avery inclinou a cabeça concordando. Um gesto que confirmava como as coisas estavam indo bem.

— Vocês têm seus próprios bolos para bater e tarefas a realizar e ninguém vai querer que uma coisa dessas interfira no modo como cumprem suas tarefas, certo?

Desta vez todos balançaram as cabeças.

— Então, o que eu quero que façam é que se levantem, se olhem nos olhos, apertem as mãos e peçam perdão uns aos outros. Se não fizerem isso, poderão ter de deixar nossa cidade e tomar o caminho do oeste ao nascer do sol, isso eu lhes garanto.

Avery pegou a caneca e, desta vez, tomou um gole maior. Roland reparou que a mão do homem tremia ligeiramente e aquilo não o surpreendeu. Tudo que ele estava dizendo, é claro, não passava de manobra e blefe. O xerife sabia muito bem que Jonas, Reynolds e Depape estavam além de sua autoridade. Percebera isto quando vira os pequenos caixões azuis em suas mãos. E depois daquela noite passaria a ter a mesma sensação com relação a Dearborn, Stockworth e Heath. Ele só podia torcer para que todos percebessem o que era mais vantajoso. Roland entendera. E aparentemente Jonas também, pois no instante em que Roland se levantou, Jonas fez o mesmo.

Avery estremeceu de leve, como se esperasse que Jonas estendesse a mão para seu revólver e Dearborn para a faca que trazia no cinto, a mesma que estava encostando nas costas de Jonas quando Avery irrompeu no saloon.

Ninguém, contudo, puxou revólver ou faca. Jonas se virou para Roland e estendeu a mão.

— Ele tem razão, rapaz — disse Jonas com sua voz fina e tremida.

— Tem.

— Troca um aperto de mão com um homem velho e promete começar de novo?

— Sim. — Roland estendeu a mão.

Jonas pegou-a.

— Peço que me desculpe — disse ele.

— Eu lhe peço o mesmo, sr. Jonas. — Roland bateu com a mão esquerda na garganta, como era correto fazer quando a pessoa se dirigia a alguém mais velho.

Quando os dois se sentaram, Alain e Reynolds ficaram de pé, como se estivessem participando de uma cerimônia ensaiada. Por fim, Cuthbert e Depape se levantaram. Roland tinha um certo temor que as loucuras de Cuthbert pipocassem como um boneco de molas (temia que o idiota não fosse capaz de se segurar, embora certamente já tivesse percebido que Depape não era homem de quem alguém devesse rir naquela noite).

— Peço que me desculpe — disse Bert, com uma admirável ausência de qualquer zombaria na voz.

— Eu também peço desculpas — Depape murmurou e estendeu a mão manchada de sangue. Roland teve uma visão de pesadelo com Bert apertando a mão com toda a sua força, fazendo o homem ruivo berrar como coruja num forno quente, mas o aperto de Bert foi tão contido quanto a sua voz.

Avery estava sentado na beira da plataforma da tribuna com as pernas pendendo no ar, contemplando a cena com bom humor de tio. Até o agente Dave sorria.

— Agora sou eu quem quer apertar as mãos de todos vocês — disse Avery — e depois pô-los a caminho, pois já é bem tarde, bem tarde, e preciso dar uma relaxada para manter o físico. — Ele riu e de novo pareceu meio constrangido quando ninguém o acompanhou. Mas desceu do estrado e começou a apertar as mãos com o entusiasmo de um padre vendo um casal voluntarioso chegar ao casamento após longo e tempestuoso namoro.

9

Quando chegaram à rua, a lua sumira e a primeira claridade começara a despontar no céu nas lonjuras do mar Claro.

— Talvez nos encontremos de novo, sai — disse Jonas.

— Talvez sim — disse Roland, saltando para a sua sela.

10

Os Grandes Caçadores de Caixões estavam hospedados na casa da guarda, cerca de um quilômetro e meio ao sul de Seafront — e a oito da cidade.

Na metade do caminho, Jonas parou num desvio ao lado da estrada. De lá o terreno fazia uma descida íngreme e rochosa para o mar brilhante.

— Desça — disse, e era para Depape que estava olhando.

— Jonas... Jonas, eu...

— Desça.

Mordendo nervosamente o lábio, Depape desceu.

— Tire os óculos.

— Jonas, por que isso? Eu não...

— Ou se quer que eles quebrem, não precisa tirar. Para mim, tanto faz.

Mordendo o lábio com mais força ainda, Depape tirou os óculos de aro dourado. E mal acabara de abaixar a armação quando Jonas aplicou-lhe um terrível murro no lado da cabeça. Depape gritou e cambaleou para a beirada da encosta. Reagindo com a mesma velocidade do soco, Jonas se atirou para a frente e agarrou-o pela camisa antes que ele caísse no precipício. A mão de Jonas torceu a fazenda da camisa e puxou Depape de volta. Jonas respirou fundo, inalando o cheiro da resina de pinheiro e do suor de Depape.

— Devia atirá-lo por esse barranco — murmurou. — Faz ideia do dano que nos causou?

— Eu... Jonas, eu jamais tive a intenção... era só um pouco de diversão que... como íamos supostamente saber que eles...

Aos poucos, a mão de Jonas foi relaxando. E o último pedaço do balbucio acabou engolido. Como iam supostamente saber, isso não era muito gramatical, mas estava certo. Se não fosse aquela noite, talvez *não* fizessem qualquer suposição sobre o que podia acontecer. E vista por este ângulo, Depape acabara lhes fazendo um favor. O diabo que se conhece é sempre preferível ao que não se conhece. Claro, a notícia ia se espalhar e as pessoas ririam deles. Mas até com isso não havia problema. O riso ia parar no devido tempo.

— Jonas, peço que me perdoe.

— Cale a boca — disse Jonas. No leste, o sol estava quase despontando no horizonte para atirar os primeiros raios de um novo dia naquele mundo de dor e tribulação. — Não vou atirá-lo daqui porque depois teria de atirar o Clay e por fim eu mesmo teria de me atirar. Levaram a melhor sobre nós do mesmo jeito como levaram a melhor sobre você, certo?

Depape pensou em concordar, mas achou que talvez fosse perigoso fazer isso. Manteve um silêncio prudente.

— Desça aqui, Clay.

Clay saltou de sua montaria.

— Agora se agachem.

Os três se agacharam na ponta de suas botas, calcanhares levantados.

Jonas arrancou um broto de grama e colocou-o na boca.

—Pirralhos ingênuos da Confederação, foi o que nos disseram, e não tínhamos razão para duvidar disso — disse ele. — Garotos desordeiros mandados para Mejis, um sonolento Baronato às margens do mar Claro, encarregados de uma missão que era dois quintos inspeção e três quintos castigo. Não foi o que nos disseram?

Os outros dois assentiram.

— Algum de vocês ainda acredita nisso depois da noite de hoje?

Depape balançou a cabeça e Clay repetiu o gesto.

— Podem ser filhinhos de papai, mas são mais que isso — disse Depape. — O modo como se comportaram hoje... eles pareciam... — A fala se extinguiu, não de todo disposta a concluir o pensamento. Era absurdo demais.

Jonas estava disposto a falar.

— Agiram como pistoleiros.

Depape e Reynolds ficaram um instante sem responder. Então Clay Reynolds disse:

— São novos demais, Eldred. Estão *anos* antes de poderem ser pistoleiros.

— Talvez não novos demais para serem aprendizes. De qualquer modo, vamos descobrir. — Virou-se para Depape. — Tem uma pequena expedição pela frente, garoto.

— Arre, Jonas...!

— Nenhum de nós saiu dessa exatamente coberto de glória, mas você foi o tolo que pôs o pote para ferver. — Olhava para Depape, mas Depape tinha os olhos fixos no chão. — Vai seguir a trilha deles, Roy, e fazer perguntas até ter as respostas que satisfaçam minha curiosidade. Eu e Clay vamos basicamente ficar à espera. E de vigia. Brincar de Castelos com eles, se quiser colocar dessa maneira. Quando eu achar que chegou novamente a hora de podermos fazer uma pequena manobra sem sermos flagrados, talvez a façamos.

Ele mordeu a ponta do broto de grama em sua boca. O resto do broto cortado caiu e ficou entre suas botas.

— Sabem por que apertei a mão dele? A mão desse maldito Dearborn? Porque não podemos deixar o barco virar, caras. Principalmente no momento em que já estamos rumando para o porto. Latigo e o pessoal que esperamos muito em breve estarão vindo em nossa direção. Até entrarem nessa área, é de nosso interesse manter a paz. Mas uma coisa garanto a vocês: ninguém coloca uma faca nas costas de Eldred Jonas e sobrevive. E agora atenção, Roy. Não me faça repetir nada do que vou falar.

Jonas começou a falar, inclinando-se sobre os joelhos para Depape. Pouco depois, Depape começou a abanar a cabeça. No fundo, talvez até fosse bom fazer uma pequena viagem. Depois do episódio recente no Repouso dos Viajantes, podia estar realmente precisando de uma mudança de ares.

11

Os rapazes estavam quase de volta à Barra K e o sol já aparecia no horizonte quando Cuthbert rompeu o silêncio.

— Bem! Foi uma noite instrutiva e divertida, não foi? — Como nem Roland nem Alain responderam, Cuthbert se debruçou sobre a caveira de corvo, que voltara a seu posto antigo, na frente da sela. — O que *você* acha, meu velho? Gostou da noite que tivemos? Jantar, música e quase ser morto por tentar acertar algumas coisas. Gostou?

O vigia se limitava a olhar para a frente do cavalo de Cuthbert com seus grandes olhos pretos.

— Diz que está cansado demais para falar — disse Cuthbert, bocejando. — Na realidade, eu também. — Virou-se para Roland. — Dei uma boa espiada nos olhos do sr. Jonas depois que ele apertou sua mão, Will. Ele quer matá-lo.

Roland assentiu.

— Quer matar a nós todos — disse Alain.

Roland tornou a assentir.

— Vamos mostrar a eles como é difícil — disse —, mas agora sabem mais a nosso respeito do que sabiam no jantar. Nunca mais vamos poder dar as costas para eles.

Roland parou, exatamente como Jonas havia parado a menos de cinco quilômetros do ponto onde se achavam agora. Só que em vez de estarem de frente para a encosta de onde se via o mar Claro, Roland e seus amigos estavam de frente para o comprido declive da Baixa. Um bando de cavalos se deslocava do oeste para leste, pouco mais do que sombras naquela luz.

— O que está vendo, Roland? — Alain perguntou quase timidamente.

— Problema — disse Roland —, e no nosso caminho. — Depois ele atiçou o cavalo e seguiu em frente. Antes de chegarem ao barracão do Barra K, já voltara a pensar em Susan. Cinco minutos depois de arriar a cabeça no travesseiro chato, forrado de estopa, estava sonhando com ela.

7. NA BAIXA

1

Tinham se passado três semanas desde o jantar de boas-vindas na Casa do Prefeito e o incidente no Repouso dos Viajantes. Não tinha havido mais problemas entre o ka-tet de Roland e o de Jonas. À noite, no céu, a Lua do Beijo se fora e a Lua do Mascate fizera sua primeira e discreta aparição. Os dias eram quentes e luminosos; mesmo os saudosistas admitiam que aquele era um dos verões mais bonitos de que tinham notícia.

No meio de uma manhã bonita como qualquer outra daquele verão, Susan Delgado galopava, ao norte da Baixa, um *rosillo* de dois anos chamado Pilão. O vento secava as lágrimas em seu rosto e fazia esvoaçar para trás o cabelo solto. Ela atiçava Pilão a ir ainda mais depressa, batendo levemente em seu lombo com botas sem esporas. Pilão acelerava um pouco a cada toque, achatando as orelhas, agitando a cauda. Susan, vestindo uma calça jeans e a camisa cáqui desbotada e larga demais (fora do seu pai) que causara todo o problema, inclinava-se sobre a sela pequena e leve, segurando o apoio com uma das mãos e esfregando a outra no pescoço forte e sedoso do animal.

— Vamos! — sussurrava. — Vamos mais rápido! Em frente, garoto!

Pilão ultrapassou outra marca em sua carreira. Susan sabia que ele podia ir mais além, de que era capaz de muito mais.

Corriam pela crista mais alta da Baixa, mas Susan mal via o declive da magnífica encosta de terra, toda verde e dourada, e o modo como ela sumia na bruma azul do mar Claro. Em qualquer outra ocasião, a vista e a brisa fria, com cheiro de sal, teriam um efeito estimulante sobre ela. Naquele dia, porém, Susan só queria ouvir o impacto abafado e contínuo dos cascos do Pilão e sentir a flexão de seus músculos sob a sela; naquele dia Susan queria correr mais que seus próprios pensamentos.

E tudo porque, naquela manhã, descera para cavalgar com uma das velhas camisas do pai.

2

Tia Cord estava na cozinha, enrolada no penhoar, com o cabelo ainda preso na rede de dormir. Servira-se de uma tigela de mingau e o levara para a mesa. Susan percebeu que as coisas não iam bem assim que a tia se virou para ela, ainda pousando a tigela; pôde ver o traço de irritação nos lábios da tia Cord e o olhar de desaprovação que atirou na laranja que Susan descascava. A tia continuava amargurada por causa do ouro e da prata que contara ter em mãos já naquela época, mas que agora teriam a entrega atrasada, pois pela estranha decisão da feiticeira, Susan devia permanecer virgem até o outono.

Mas isto não era o principal, Susan percebeu. Sendo muito honesta, as duas estavam fartas uma da outra. O dinheiro era apenas uma das expectativas frustradas de tia Cord; ela esperara poder passar sozinha aquele verão na casa da orla da Baixa... exceto, talvez, por alguma visita ocasional do sr. Eldred Jonas, com quem Cordelia parecia estar se dando muito bem. Em vez disso, as duas continuavam ali, uma mulher se tornando cada dia mais velha, magra, com lábios ressentidos num rosto também ressentido e magro, com os minúsculos contornos dos seios sob vestidos sem decote, de colarinho apertado (O Pescoço, ela dizia frequentemente a Susan, é a Primeira Coisa a Ceder), o cabelo perdendo o antigo brilho castanho e começando a revelar fios grisalhos; a outra mulher jovem, inteligente, ativa e se aproximando do apogeu da beleza física. Elas se irritavam, uma a outra, cada palavra parecendo digna de produzir uma centelha. Isso não era surpreendente, pois o homem que amara tanto as duas a ponto de fazer uma amar a outra já se fora.

— Vai sair naquele cavalo? — perguntou tia Cord, pousando finalmente a tigela e sentando num feixe do sol da manhã. Era um lugar desfavorável, um daqueles onde jamais se permitiria ficar se o sr. Jonas estivesse presente. O sol forte deixava seu rosto parecido com uma máscara talhada em pedra. Havia um esfolado de herpes crescendo num canto de sua boca; ela sempre os pegava quando não estava dormindo bem.

— Ié — disse Susan.

— Então não devia comer só uma laranja. Não vai se aguentar com isso nem até as nove, menina.

— Não vai ter problema — Susan respondeu, agora comendo mais depressa a laranja. Sabia onde aquela conversa podia dar, percebia o olhar de desgosto e reprovação nos olhos da tia e queria sair da mesa antes que o problema começasse.

— Por que não me deixa lhe dar uma tigela disto? — tia Cord perguntou, batendo com a colher no mingau. Para Susan aquilo soou como um casco de cavalo chapinhando no lodo, ou na merda, e ela sentiu um aperto no estômago. — O mingau pode sustentá-la até a hora do almoço, pois acho que pretende cavalgar muito tempo. Sem dúvida uma jovem e fina senhora como você não vai se preocupar com tarefas domésticas e...

— Já foram feitas. — *E você sabe que já foram feitas*, ela deixou de acrescentar. *Dei conta delas enquanto você estava parada na frente do espelho, cutucando aquela ferida que tem na boca.*

Tia Cord deixou cair um pouco de manteiga no estrume do mingau — Susan não sabia como a mulher podia continuar tão magra, realmente não sabia — e viu-a começar a derreter. Por um instante, pareceu que o desjejum poderia, afinal, terminar num tom razoavelmente civilizado.

Então veio a questão da camisa.

— Antes de sair, Susan, quero que tire o trapo que está usando e coloque uma das novas blusas de equitação que Thorin lhe mandou na semana passada. É o mínimo que pode fazer para demonstrar seu...

Qualquer coisa que a tia pudesse dizer além daquele ponto teria ficado sufocada pela raiva, por isso a interrupção de Susan não fez diferença. Passou a mão pela manga da camisa, desfrutando a textura... quase aveludada após tantas lavadas.

— Este *trapo* pertenceu a meu pai!

— Ié, foi de Pat. — Tia Cord fungou. — É grande demais para você, está surrada demais, seja como for, não é adequada. Quando você era jovem talvez fosse bonito vestir uma camisa de homem abotoada na frente, mas agora que já tem busto de mulher...

As blusas de equitação estavam em cabides num canto da sala; haviam chegado há quatro dias e Susan não se dignara sequer a levá-las para seu quarto. Eram três: uma vermelha, uma verde, uma azul, todas de seda, todas sem dúvida custando uma pequena fortuna. Ela detestava a pretensão daquelas roupas, tudo bufante, cheias de babados e pregas: mangas imensas para flutuarem artisticamente no vento, grandes golas ridiculamente caídas... e, é claro, o decote muito cavado que provavelmente era tudo que Thorin gostaria de ver se ela aparecesse diante dele vestida daquela maneira. Coisa que não ia acontecer ou que, pelo menos, ela faria todo o possível para evitar.

— Meu "busto de mulher", como você disse, não me interessa e certamente não vai interessar a mais ninguém enquanto eu estiver em cima do cavalo — disse Susan.

— Talvez sim, talvez não. Se um dos tropeiros do Baronato a vir... por exemplo Rennie, que tem passado os dias rodando por essas estradas, como você bem sabe... não faria mal se ele mencionasse a Hart que a viu usando uma das camisas que tão gentilmente ele deu a você. Mas afinal por que isso? Por que temos de cair neste bate-boca, menina? Por que está sempre tão pouco cooperativa, tão emburrada?

— E o que importa a você que eu esteja de uma maneira ou outra? — Susan perguntou. — Já recebeu dinheiro, não foi? E ainda receberá mais. Depois que ele me foder.

Com o rosto branco, chocado e furioso, tia Cord se inclinou sobre a mesa e a esbofeteou.

— Como se atreve a usar esta palavra em minha casa, sua *malhablada*? Como se *atreve*?

Foi quando as lágrimas começaram a cair... ao ouvi-la dizer que a casa era dela.

— Esta casa era de meu *pai*! Dele e minha! Você andava perdida no mundo, sem ter para onde ir, exceto talvez para os Abrigos, e ele a deixou morar aqui! *Ele a deixou morar aqui, tia!*

Os dois últimos gomos da laranja continuavam em sua mão. Ela os atirou na cara da tia, depois recuou tão bruscamente da mesa que a cadeira oscilou, perdeu o equilíbrio e jogou-a no chão. A sombra da tia caiu sobre ela. Susan rastejou febrilmente para o lado, o cabelo desgrenhado, a face esbofeteada latejando, os olhos ardendo de lágrimas, a garganta inchada e quente. Por fim conseguiu ficar de pé.

— Sua mal-agradecida — disse a tia. Uma voz baixa e tão cheia de veneno que parecia quase acariciante. — Após tudo que tenho feito por você e tudo que Hart Thorin tem feito por você. Até o cavalo em que vai passear esta manhã foi presente de Hart por respeito a...

— *O PILÃO ERA NOSSO!* — ela gritou, quase enlouquecida de raiva com aquela deformação proposital da verdade. — *TUDO AQUILO ERA NOSSO! OS CAVALOS, A TERRA... ERAM NOSSOS!*

— Baixe essa voz — disse tia Cord.

Susan respirou fundo e tentou recuperar um pouco de controle. Jogou para trás o cabelo que estava caindo no rosto, deixando à mostra a marca vermelha da mão de tia Cord em seu rosto. Cordelia estremeceu um pouco ao ver aquilo.

— Meu pai jamais teria permitido isto — disse Susan. — Jamais teria permitido que eu me transformasse na concubina de Hart Thorin. Não importa quais fossem seus sentimentos acerca de Hart como prefeito... ou como seu *patrono*... ele jamais teria permitido. E você sabe disso. *Tu* sabes disso.

Tia Cord revirou os olhos. Depois ela fez um dedo girar ao redor da orelha, como se Susan tivesse perdido o juízo, e respondeu:

— Tu mesma concordaste com isso, ah Dona-Tão-Jovem-e-Bela. Ié, você concordou. E se sua rebeldia juvenil agora a deixa com vontade de não cumprir o que foi combinado...

— Ié — Susan admitiu. — Concordei com o negócio, fiz isso. Após você me encher os ouvidos dia e noite, após ter vindo me pedir chorando...

— Nunca fiz isso! — Cordelia gritou, injuriada.

— Esqueceu tão depressa, tia? Ié, imagino. Como hoje à noite já terá esquecido do tapa neste desjejum. Bem, *eu* não esqueci. Tu choraste, é fato, choraste e me disseste que estavas com medo de sermos expulsas da terra, porque não tínhamos mais direito legal a ela, que podíamos acabar na rua, tu choraste e disseste...

— *Pare de me chamar assim!* — tia Cord gritou. Nada no mundo a deixava mais furiosa que ter sua própria mania dos tus voltada contra si. — Tu tens tanto direito a usar a antiga língua quanto tens direito a insistir nas tuas estúpidas recriminações de boa menina! Vai cavalgar! Sai daqui!

Mas Susan continuou. Sua raiva estava no auge e não podia mais ser contida.

— Tu choraste e disseste que seríamos despejadas, mandadas para oeste, que jamais voltaríamos a ver a casa de meu pai ou Hambry... e então, quando fiquei devidamente assustada, tu me falaste da gracinha de bebê que eu ia ter. A terra que era nossa nos sendo devolvida. Os cavalos que eram nossos igualmente devolvidos. Como prova da sinceridade do prefeito, recebi um cavalo que *eu mesma tinha ajudado a parir*. E o que tenho feito para merecer essas coisas que, de qualquer forma, teriam sido minhas se não estivesse nos faltando um reles papel? O que tenho feito para que ele já tenha lhe dado dinheiro? O que tenho feito salvo prometer foder com ele enquanto a esposa de quarenta anos dorme na ponta do corredor?

— É o dinheiro, então, que estás querendo? — tia Cord perguntou, sorrindo furiosa. — É o que queres? Ié, ié? Então o terás. Podes pegar o dinheiro, guardá-lo, perdê-lo, dá-lo aos porcos, pouco me importa!

Virou-se para a bolsa, pendurada num suporte perto do fogão. Começou a remexer lá dentro, mas logo seus movimentos perderam vigor e convicção. Havia um espelho oval à esquerda da porta da cozinha e foi nele que Susan viu o reflexo do rosto da tia. O que viu ali — uma mistura de ódio, constrangimento e ambição — deu um aperto em seu coração.

— Esquece isso, tia. Vejo como relutas a entregá-lo e, seja como for, não gostaria de ficar com ele. É dinheiro de puta.

Tia Cord virou-se com uma expressão chocada e a bolsa convenientemente esquecida.

— Isto não é coisa de puta, guria estúpida! Mesmo, algumas das maiores mulheres da história foram concubinas e alguns dos maiores homens foram filhos de concubinas. Isto não é *coisa de puta*!

Susan arrancou a blusa de seda vermelha do cabide e encostou-a no corpo. A camisa agarrou-se a seus seios como se há muito estivesse ansiando para tocá-los.

— Então por que ele me manda essas roupas de puta?

— Susan! — Havia lágrimas nos olhos de tia Cord.

Susan atirou-lhe a camisa como havia atirado os gomos da laranja. A camisa caiu aos pés da tia.

— Pega e veste tu mesma, se te agrada. E abre *você* as pernas pra ele, se também te agrada.

Susan se virou e saiu apressada pela porta. O grito semi-histérico da tia foi atrás dela:

— Não saias com essas ideias loucas, Susan! Ideias loucas levam a atitudes loucas e é tarde demais para qualquer uma delas! Tu concordaste!

Ela sabia disso. E por mais rápido que impelisse Pilão pela Baixa, não conseguiria deixar para trás o que sabia. Concordara, e por mais horrorizado que o pai pudesse ter ficado ante o arranjo em que se metera, Pat Delgado veria uma coisa com absoluta clareza: ela fizera uma promessa e promessas tinham de ser mantidas. O inferno aguardava quem não as cumprisse.

3

Susan fez o *rosillo* diminuir a marcha muito antes que ele começasse a perder o fôlego. Depois de olhar para trás e ver que já estava a pelo menos um quilômetro e meio de casa, levou o cavalo para um meio galope, um trote, um passo rápido. Inspirou profundamente e deixou o ar sair devagar. Pela primeira vez naquela manhã se deu conta da bela luminosidade do dia... com gaivotas viajando para oeste na bruma rala, relva alta por todo lado e flores em cada fenda de terreno protegida: centáureas, camélias, flox e suas favoritas, as flores de seda de delicado azul. De toda parte vinha o sonolento zumbido das abelhas. O som a tranquilizava e, com o turbilhão de suas emoções diminuindo um pouco, foi capaz de admitir para si mesma o que a estava perturbando... admitir e falar seu nome em voz alta.

— Will Dearborn — disse, tremendo com o som do nome em seus lábios, embora não houvesse ninguém para ouvi-lo além de Pilão e das abelhas. Por isso ela o repetiu e, quando as duas palavras saíram, ela puxou bruscamente o pulso para a boca e beijou-o onde o palpitar do sangue estava mais próximo da superfície. A ação deixou-a chocada porque não fizera a menor ideia de que iria fazer aquilo, e chocou-a ainda mais porque o gosto de sua própria pele e de seu próprio suor conseguiu excitá-la de imediato. Sentiu uma urgência de fazer o mesmo que fizera cama após o encontro com ele. Do modo como se sentia, não levaria muito.

Em vez disso, ela resmungou a praga favorita do pai ("Ah, morda isso!") e encostou ainda mais as botas no lombo do cavalo. Will Dearborn estava sendo responsável por todo aquele transtorno em sua vida nas últimas três semanas; Will Dearborn com seus perturbadores olhos azuis, seus cabelos pretos despenteados e aquela pedante disposição de julgar os outros. *Posso ser discreto, sai. Mas quanto ao decoro... Achei que nem conhecesse essa palavra.*

Cada vez que pensava nisso, o sangue bombeava com raiva e vergonha. Principalmente raiva. Como se dava ao direito de julgar os outros? Ele, que crescera possuindo tudo, sem dúvida com criados para atender cada capricho seu e com uma quantidade de ouro muito superior à que conseguiria gastar, devia ganhar de graça as coisas que queria, pois todos iam querer bajulá-lo. O que um garoto desses (pois de fato não passava disso, era apenas um garoto) sabia das escolha difíceis que ela tivera de fazer? Sem dúvida alguém como o sr. Will Dearborn, de Hemphill, não seria capaz de compreender que ela, na realidade, não havia absolutamente feito aquelas escolhas. Que fora levada a fazê-las tão automaticamente quanto uma gata mãe carrega um gatinho teimoso de volta ao cesto da ninhada, pelo cachaço.

Contudo, Will não queria deixar sua mente; mesmo que tia Cord não tivesse percebido, havia na briga daquela manhã uma terceira pessoa presente, Susan tinha certeza disso.

Também sabia de outra coisa, algo que teria deixado a tia incrivelmente transtornada.

Will Dearborn também não a esquecera.

4

Cerca de uma semana após o jantar de boas-vindas e o desastroso, maldoso comentário de Dearborn, o rapaz lento e desastrado do Repouso dos Viajantes — Sheemie era o seu nome — apareceu na casa que Susan compartilhava com a tia. Trazia nas mãos um grande buquê, quase todo com flores silvestres que cresciam na Baixa, mas também com alguns botões de rosas espalhados aqui e ali, como sinais de pontuação. Um sorriso largo e animado brotou no rosto do rapaz quando ele escancarou o portão, sem esperar por nenhum convite.

Naquele momento, Susan varria a pequena trilha de acesso à casa; tia Cord estava no jardim, que ficava nos fundos. Tudo parecia tranquilo, nada parecia fora da rotina; as duas estavam se dando melhor ao se manterem separadas o maior tempo possível.

Num misto de fascinação e horror, Susan tinha visto Sheemie entrar na trilha, seu sorriso brilhando atrás do buquês de flores que levava na mão.

— Bom dia, Susan Delgado, filha de Pat — disse Sheemie num tom alegre. — Vim até aqui em missão e lhe peço desculpas se a incomodo, ah, ié, pois sou um problema para as pessoas, e sei disso tão bem quanto elas. Estas flores são para você. Estas.

Quando ele estendeu o buquê, Susan viu um pequeno envelope dobrado no meio delas.

— Susan? — A voz de tia Cord vinha do lado da casa... e se aproximava. — Susan, tem alguém no portão?

— Sim, tia! — ela gritou, amaldiçoando os ouvidos aguçados da mulher! Entorpecida, Susan tirou o envelope do meio de flox e margaridas. E colocou-o no bolso do vestido.

— Vieram do meu melhor amigo número três — disse Sheemie. — Agora tenho três amigos. Tudo isso. — Ergueu dois dedos, franziu a testa, ergueu mais um e sorriu beatificamente. — Arthur Heath é meu melhor amigo número um, Dick Stockworth é meu melhor amigo número dois. Meu melhor amigo número três é...

— Silêncio! — disse Susan num tom baixo, nervoso, que fez o sorriso desaparecer da cara de Sheemie. — Nem uma palavra sobre seus três amigos.

Um rubor, quase como uma ponta de febre, correu pela pele de Susan. Pareceu deslizar das faces para o pescoço e depois ir resvalando até os pés. Durante a semana anterior, muito se falara em Hambry sobre os novos amigos de Sheemie (e pouco se falara sobre qualquer outra coisa). As histórias que Susan ouvira eram bizarras, mas se não fossem verdadeiras, por que as versões contadas pelas mais diferentes testemunhas soavam tão parecidas?

Susan ainda tentava recuperar o autocontrole quando tia Cord surgiu na quina da casa. Ao vê-la, Sheemie recuou um passo, a confusão transformada em evidente desanimação. A tia era alérgica a picadas de abelhas e vinha, do alto do *sombrero* de palha à bainha do desbotado vestido de jardinagem, enfaixada numa espécie de gaze que a fazia parecer estranha sob o sol forte e completamente sobrenatural na sombra. Adicionando um toque final à indumentária, sua mão enluvada segurava uma tesoura de jardim suja de terra.

Viu o buquê e se demorou a apreciá-lo, a tesoura erguida. Quando alcançou a sobrinha, deixou a tesoura escorregar para uma alça no cinto (um movimento que a sobrinha achou quase relutante) e entreabriu o véu que lhe cobria o rosto.

— Quem lhe mandou isso?

— Não sei, tia — disse Susan, aparentando estar muito mais calma do que de fato se sentia. — Este é o rapaz da pousada...

— Pousada! — tia Cord bufou.

— Ele não parece saber quem o mandou trazer o buquê — Susan continuou. Se ao menos conseguisse tirá-lo de lá! — Ele é, bem, acho que você diria que ele é...

— Um idiota, sim, eu sei disso. — Depois de cravar um olhar breve e irritado em Susan, tia Cord voltou sua atenção para Sheemie. Falando com as mãos enluvadas sobre os joelhos, gritando diretamente no rosto dele, ela perguntou:

— *QUEM... MANDOU... ESTAS... FLORES... MEU... RAPAZ?*

As abas de sua face-véu, que tinham sido empurradas para o lado, agora voltavam ao lugar. Sheemie deu outro passo para trás. Parecia assustado.

— *FOI... TALVEZ... ALGUÉM DE... SEAFRONT?... DA PARTE... DO PREFEITO... THORIN?... ME... DIGA... E... EU... LHE DOU... UMA MOEDA.*

O coração de Susan se apertou, pois certamente ele ia dizer... não teria o discernimento para entender que estaria lhe causando uma bela encrenca. Para ela e provavelmente também para Will.

Mas Sheemie se limitou a balançar a cabeça.

— Não me lembro. Tenho uma cabeça oca, sai, tenho mesmo. Stanley diz que sou um tapado.

O sorriso dele voltou a brilhar, com dentes uniformes e brancos. Tia Cord reagiu com uma careta.

— Ah! Vá embora, então. E volte direto para a cidade... Não fique rondando por aqui à espera de alguma prenda. Pois um rapaz que não consegue se lembrar de nada não merece sequer um centavo! E não me volte aqui de novo, mesmo que alguém o mande trazer flores para a jovem sai. Está ouvindo o que eu digo?

Sheemie assentira balançando energicamente a cabeça. E depois:

— Sai?

Tia Cord atirou-lhe um olhar ameaçador. Naquele dia, a ruga vertical de sua testa parecia muito nítida.

— Por que está toda enrolada em teias de aranha, sai?

— Saia já daqui, seu guri atrevido! — tia Cord gritou. Possuía uma voz alta e potente quando queria usá-la e Sheemie saiu alarmado de perto dela. Quando teve certeza de que Sheemie já estava pegando a rua Alta rumo à cidade e não pretendia retornar àquele portão para ficar à espreita de alguma gorjeta, tia Cord se voltou para Susan.

— Coloque as flores num pouco de água antes que murchem, Dona Ah-Tão-Jovem-e-Bela, e não fique no mundo da lua, imaginando quem possa ser esse seu admirador secreto.

Então tia Cord sorriu. Um sorriso de *verdade*. O que mais doía a Susan, o que mais a confundia era sua tia não ser o bicho-papão daquela historinha de crianças, nem uma bruxa como Rhea da colina Cöos. Não havia um monstro ali, apenas uma solteirona com algumas pretensões sociais, um amor pelo ouro e pela prata, e o medo de ficar sozinha no mundo sem um vintém.

— Gente como nós, Susie, meu doce — disse ela, falando com uma benevolência terrivelmente solene —, o melhor que tem a fazer é se agarrar às tarefas domésticas e deixar os sonhos para quem pode se dar ao luxo de tê-los.

5

Susan tinha certeza de que as flores eram de Will e de fato eram. O bilhete vinha escrito com uma letra clara e não de todo feia.

> *Cara Susan Delgado,*
> *Falei sem pensar na outra noite e peço que me perdoe. Posso vê-la e conversar com você? Precisa ser uma conversa particular. É um assunto importante. Se quiser me ver, deixe uma mensagem com o rapaz que está levando esta. Ele é de confiança.*
> *Will Dearborn*

Um assunto importante. Sublinhado. Sentiu muita vontade de saber o que podia ser tão importante, mas lembrou a si mesma o perigo de fazer alguma tolice. Talvez Will estivesse gostando dela… e se assim fosse, de quem era a culpa? Quem conversara com ele, montara seu cavalo, mostrara as pernas numa espalhafatosa descida do animal? Quem colocara as mãos em seus ombros e lhe dera um beijo?

As faces e a testa arderam com esse pensamento e outro toque quente pareceu resvalar pelo seu corpo. Não tinha certeza de estar mesmo arrependida do beijo, mas, arrependida ou não, fora um erro. Encontrar-se de novo com ele seria um erro ainda pior.

Mas queria vê-lo e sabia que, no fundo, estava pronta para pôr de lado a raiva que sentira dele. Havia, no entanto, a promessa feita.

A maldita promessa.

Naquela noite, perdeu o sono, ficou se revirando na cama, primeiro achando que seria melhor, mais digno, se manter em silêncio, depois compondo mentalmente um bilhete… alguma coisa altiva, fria, com uma muito discreta sugestão de flerte.

Quando ouviu o sino da meia-noite tocar, finalizando o dia velho e chamando o novo, achou que precisava dar um fim àquilo. Atirou-se para fora da cama, foi até a porta, abriu-a e enfiou a cabeça na sala. Quando ouviu o tom de flauta dos roncos de tia Cord, tornou a fechar a porta, foi até sua pequena escrivaninha junto à janela e acendeu o lampião. Tirou uma das folhas de papel pergaminho da gaveta de cima, rasgou-a pela metade (em Hambry, o único crime maior que desperdiçar papel era deixar morrer animais de linhagem pura) e escreveu depressa, sentindo que a menor hesitação talvez a condenasse a muitas horas de confusão. Sem o cumprimento inicial e sem assinatura, sua resposta foi escrita de um fôlego só:

Não posso me encontrar com você. Não seria adequado.

Dobrou o papel, deixando-o pequeno, soprou o lampião e voltou para a cama com o bilhete cuidadosamente escondido debaixo do travesseiro. Em dois minutos estava dormindo. No dia seguinte, quando foi até a cidade fazer compras, Susan passou defronte ao Repouso dos Viajantes que, às onze da manhã, tinha todo o charme de algo estraçalhado na margem da estrada.

O acesso ao saloon era um quadrado de terra batida onde havia um poste comprido para amarrar os animais com um bebedouro embaixo. Sheemie estava na frente do poste, empurrando um carrinho de mão e pegando com uma pá os dejetos que os cavalos tinham deixado na noite anterior. Usava um cômico *sombrero* cor-de-rosa e cantava "Chinelos dourados". Susan se perguntava quantos fregueses do Repouso teriam acordado naquela manhã se sentindo tão bem quanto Sheemie… Quem então, pensando bem, vivia com a cabeça melhor?

Depois de olhar em volta para se certificar de que ninguém estava prestando atenção a ela, aproximou-se de Sheemie e deu-lhe um tapinha no ombro. A princípio o rapaz pareceu assustado, o que Susan achou normal… De acordo com as histórias que vinha ouvindo, Depape, um dos amigos de Jonas, quase matara o pobre garoto por ele ter derramado uma bebida em suas botas.

Então Sheemie a reconheceu.

— Alô, Susan Delgado de lá de baixo, na beira da cidade — disse ele num tom simpático. — É um bom dia o que lhe desejo, sai.

Curvou a cabeça numa divertida imitação do gesto de cortesia dos Baronatos Interiores que aprendera de seus três novos amigos. Sorrindo, ela retribuiu com uma precária mesura (como estava de calça comprida, precisou simular o gesto de segurar a saia, o que já tinha se tornado comum entre as mulheres de Mejis).

— Está vendo minhas flores, sai? — ele perguntou, apontando para a parede sem inscrições do Repouso. O que Susan viu tocou-a profundamente: uma fileira de flores silvestres azuis e brancas crescendo ao longo da base do prédio. Pareciam ao mesmo tempo patéticas e valentes, agitadas pela brisa ligeira da manhã num pátio desolado, com pequenos montes de um mato espinhoso e o bar ao fundo, cheia de arranhões e lascas.

— Foi você que plantou, Sheemie?

— Ié, fui eu. E o sr. Arthur Heath, de Gilead, prometeu me trazer algumas amarelas.

— Nunca vi flores silvestres amarelas por aqui.

— Nem eu, mas o sr. Arthur Heath diz que elas existem em Gilead. — Olhava solenemente para Susan, segurando a pá como um soldado seguraria um revólver ou uma lança na porta de um quartel. — O sr. Arthur Heath salvou minha vida. Eu faria qualquer coisa por ele.

— Faria mesmo, Sheemie? — ela perguntou impressionada.

— Sabe, ele tem um vigia! É uma caveira de pássaro! E não faz ideia de como é engraçado quando ele finge estar conversando com o pássaro. Ié. É de morrer de rir!

Susan tornou a olhar em volta, para se certificar de que só era observada pelos totens esculpidos do outro lado da rua, e tirou o bilhete, bastante dobrado, do bolso da calça jeans.

— Entregaria isto ao sr. Dearborn? Ele também é seu amigo, não é?

— Will? Ié! — Ele pegou o bilhete e colocou-o com cuidado em seu próprio bolso.

— E não conte a ninguém.

— Shhhhh! — ele concordou, colocando um dedo na boca. Seus olhos tinham ficado arregalados de um jeito engraçado sob o ridículo chapéu feminino, um chapéu de palha rosa, que tinha na cabeça. — Como quando levei o buquê de flores. *Caluda*!

— É isso, caluda. Foi um prazer ver você, Sheemie.

— O prazer foi meu, Susan Delgado.

Ele voltou a suas tarefas de limpeza. Susan ficou um instante a observá-lo, sentindo-se agitada e aborrecida consigo mesma. Agora que conseguira entregar o bilhete, sentia um ímpeto de pedir que Sheemie o devolvesse, uma vontade de riscar o que havia escrito e prometer a Will encontrá-lo de novo. Nem que fosse para tornar a ver aqueles olhos azuis e firmes a encarando.

Então o outro amigo de Jonas, aquele da capa, saiu com passo lento e relaxado do mercantil. Susan tinha certeza de que não a vira (o homem vinha de cabeça baixa, enrolando um cigarro), mas não pretendia testar sua sorte. Reynolds estava sempre conversando com Jonas, e Jonas conversava — e também muito! — com tia Cord. Se tia Cord soubesse que estivera falando com o rapaz que lhe trouxera as flores, certamente haveria perguntas. Perguntas que Susan não queria responder.

6

Agora tudo isso é história, Susan... o que já foi se tornou história. Melhor tirar a cabeça do passado.

Fez o Pilão parar e contemplou uma extensão da Baixa, onde havia um movimento de cavalos pastando. E naquela manhã, era surpreendente a quantidade deles.

Não estava funcionando. Sua mente continuava voltando a Will Dearborn.

Que falta de sorte o encontro com ele! Sem aquele encontro casual na volta da colina Cöos, a essa altura ela já estaria em paz com sua situação — afinal, era uma moça prática, e promessa era promessa. Nunca imaginara que a perda da virgindade fosse deixá-la tão agitada e a perspectiva de gerar e criar uma criança sem dúvida a entusiasmava.

Mas Will Dearborn tinha alterado tudo; penetrara na cabeça dela e agora estava morando lá, um inquilino que desafiava o despejo. O comentário que ele fizera enquanto dançavam, por mais odioso que fosse, continuava nítido como uma canção que a pessoa não consegue parar de murmurar. Fora um comentário cruel e intolerante demais... mas não conteria também um grão de verdade? Rhea estivera certa sobre Hart Thorin querer apenas uma coisa; disso Susan não tinha mais dúvidas. Achava que as bruxas entendiam sobre os desejos dos homens, mesmo que estivessem erradas sobre qualquer outra coisa. Não era um pensamento agradável, mas provavelmente era verdadeiro.

Era Will-Maldito-Seja-Você-Dearborn que tornava difícil para ela aceitar o que precisava ser aceito, que a fizera entrar em discussões onde mal podia reconhecer o tom estridente e desesperado da própria voz, Will que lhe aparecia em sonhos — sonhos onde ele colocava os braços em volta de sua cintura e a beijava, beijava, beijava.

Saltou do cavalo e caminhou um bom pedaço encosta abaixo com as rédeas enroladas no punho. Pilão a seguia de muito bom grado e, quando ela parou para contemplar a bruma azulada a sudoeste, ele baixou a cabeça e voltou a comer o capim.

Susan achou que precisava ver Will Dearborn mais uma vez, nem que apenas para dar a seu inato sentido prático uma chance de se reafirmar. Precisava vê-lo em sua exata dimensão, não sob a auréola que sua mente criara para ele em pensamentos ardorosos e sonhos mais ardorosos ainda. Uma vez feito isso, poderia continuar levando sua vida e fazer o que precisava ser feito. Talvez fosse por isso que pegara aquela trilha — a mesma por onde cavalgava no dia anterior, e um dia antes do dia anterior, e no dia antes daquele. Will costumava andar por aquela parte da Baixa; pelo menos fora o que ouvira no mercado do centro da cidade.

Afastou-se da Baixa com a súbita certeza de que Will estava por perto, como se seus pensamentos — ou seu ka — o tivessem chamado.

Viu, no entanto, apenas o céu azul e as colinas baixas que se curvavam suavemente como contorno de coxa de mulher ou a linha de sua própria cintura e seu próprio quadril quando se deitava de lado na cama. Susan sentiu uma frustração amarga tomar conta dela. Quase conseguia sentir o seu gosto na boca, como folhas úmidas de chá.

Começou a voltar para o Pilão, com a intenção de cavalgar para casa e pensar nas desculpas que, sem dúvida, devia pedir à tia. Quanto mais cedo fizesse isso, mais cedo se sentiria melhor. Seu pé avançou para o estribo esquerdo, que estava um pouco torcido, e quando ela ia dar o impulso, um cavaleiro apareceu no horizonte, tapando parte do céu justamente no lugar que lhe sugerira uma coxa feminina. Estava lá. Apenas uma silhueta no lombo de um cavalo, mas ela soube de imediato de quem se tratava.

Corra!, disse a si mesma num repentino pânico. *Suba e galope! Saia daqui! Rápido! Antes que algo terrível aconteça... antes que isto se prove ser verdadeiramente o ka e venha como um vento para carregar você e todos os seus planos pelo ar, para muito longe!*

Não correu. Ficou parada com as rédeas de Pilão numa das mãos e murmurou alguma coisa quando o *rosillo* olhou para ela e relinchou um cumprimento para o grande garanhão colorido de dourado que descia o monte.

Então Will estava lá, primeiro acima dela, olhando para baixo, depois desmontando com um movimento extremamente ágil e fácil, que talvez ela própria, apesar de todos os anos de equitação, não conseguisse igualar. Desta vez não houve movimentos de perna e salto de sapato batendo com força no chão, nenhum chapéu tirado numa curvatura comicamente solene; desta vez o olhar dele foi firme, sério e perturbadoramente adulto.

Os dois se olharam no grande silêncio da Baixa, Roland de Gilead e Susan de Mejis, que sentia um vento começando a soprar no fundo do coração. Em igual medida, ela teve medo e abraçou o que estava sentindo.

7

— Bom dia, Susan — disse ele. — Estou contente por vê-la de novo.

Susan não disse nada. Ficou à espera, a observá-lo. Será que Will podia ouvir, como ela ouvia nitidamente, seu coração batendo? Claro que não; isso era uma bobagem romântica. Contudo, continuava achando que tudo num raio de cinquenta metros conseguiria ouvir aquela batida.

Will deu um passo à frente. Ela recuou, olhando-o com ar desconfiado. Will baixou um instante a cabeça, depois ergueu-a de novo, lábios contraídos.

— Peço que me desculpe — disse.

— É mesmo? — A voz dela era fria.

— O que eu disse naquela noite foi errado.

Ouvindo isso, Susan experimentou uma centelha de verdadeira raiva.

— Pouco me interessa que seja ou não errado; o que me interessa é que foi injusto. Que me feriu.

Uma lágrima transbordou de seu olho esquerdo e escorreu pela face. Parece que ainda não havia chorado tudo.

Achou que suas palavras poderiam tê-lo constrangido, mas embora uma cor muito ligeira tenha aparecido na face de Will, os olhos continuaram firmes.

— Estou apaixonado por você — disse ele. — Foi por isso que fiz aquele comentário. Acho que me apaixonei antes mesmo de você me beijar.

Ela riu... mas a simplicidade com que Will tinha falado fez o riso parecer falso a seus próprios ouvidos. Pouco sólido.

— Sr. Dearborn...

— Will, por favor.

— Sr. Dearborn — disse ela, paciente como uma professora ensinando um mau aluno —, a ideia é ridícula. Apaixonado por causa de um único encontro? Um único beijo? Um beijo *fraternal*? — Agora era ela quem estava corando, mas continuou a falar. — Essas coisas acontecem nas histórias que nos contam, mas na vida real? Acho que não.

Mas os olhos de Will não deixavam os dela e neles Susan pôde ver um pouco da verdade de Roland: o romantismo profundo de sua natureza enterrado como fabuloso veio de metal precioso no granito do senso prático. Ele aceitava o amor antes como um fato do que como uma flor, fato ao qual o desdém de Susan seria inteiramente incapaz de se sobrepor.

— Peço que me desculpe — ele repetiu. Havia nele uma espécie de rude obstinação. Isso a exasperava, a divertia e a deixava muito assustada, tudo ao mesmo tempo. — Não peço que corresponda ao meu amor, não foi por isso que falei. Você me disse que seus assuntos eram complicados... — Agora os olhos de Will desviaram dela e o rapaz se virava para contemplar a Baixa. Chegou a rir um pouco. — Eu disse que Thorin era um palerma, não foi? E na sua cara. Mas quem é o palerma, afinal?

Ela sorriu; não conseguiu se conter.

— Você também disse ter ouvido que ele era chegado a bebida forte e garotas fáceis.

Roland bateu na testa com as costas da mão. Se aquele amigo dele, Arthur Heath, fizesse isso, Susan acharia o gesto propositalmente cômico. Com Will era diferente. Ela achava que Will não era muito chegado ao humor.

De novo um silêncio entre eles, desta vez não tão descontraído. Os dois cavalos, Rusher e Pilão, pastavam felizes, um ao lado do outro. *Se fôssemos cavalos, tudo isto seria muito mais fácil*, ela pensou e quase deu uma risada.

— Sr. Dearborn, entende que firmei um compromisso?

— Ié. — Ele sorriu ao ver Susan levantar as sobrancelhas, espantada com seu modo de responder. — Não é zombaria, mas o dialeto tem muita força. A palavra simplesmente... se introduziu.

— Quem lhe falou de meu compromisso?

— A irmã do prefeito.

— Coral. — Ela torceu o nariz, mas sem se surpreender. E acreditava que outros podiam ter esclarecido sua situação de maneira ainda mais rude. Eldred Jonas, por exemplo. Ou Rhea de Cöos. Melhor nem pensar nela. — Então, se você entende, se não me pede para corresponder a seu... seja o que for que ache estar sentindo... por que estamos conversando? Por que me procurou? Acho que não deve estar se sentindo à vontade nisso tudo...

— Sim — disse ele e então, como se admitisse um fato dos mais simples: — Não estou me sentindo à vontade, é fato. Mal consigo olhá-la sem perder a cabeça.

— Então talvez seja melhor não olhar, não falar comigo, não pensar! — Sua voz fora simultaneamente aguda e um pouco trêmula. Como ele podia ter coragem de dizer aquelas coisas, simplesmente declará-las com a maior naturalidade e olhando firme nos olhos dela? — Por que me mandou o buquê e aquele bilhete? Não tem consciência dos problemas que pode estar me causando? Se conhecesse minha tia...! Ela já me advertiu sobre o senhor e se ficasse sabendo do bilhete... ou se nos visse conversando aqui...

Susan olhou em volta, para ter certeza de que ainda não estavam sendo observados. Não estavam, pelo menos ela não via ninguém. Will estendeu a mão, tocando o ombro de Susan. Ela o encarou e ele fez os dedos recuarem como se os tivesse pousado em alguma coisa quente.

— Só queria que soubesse o que estou sentindo — disse ele. — Nada mais. Me sinto como me sinto e você não é responsável por nada.

Mas sou, ela pensou. *Eu o beijei. Acho que sou mais do que só um pouco responsável pelo modo como nós dois estamos nos sentindo, Will.*

— Lamento de todo o coração — ele continuou — o que disse enquanto estávamos dançando. Não vai me perdoar?

— Ié — disse Susan, e se ele a tivesse pegado nos braços naquele momento, ela teria cedido e que se danassem as consequências. Mas Will apenas tirou o chapéu, fez uma pequena mas elegante mesura, e o fôlego de Susan voltou ao normal.

— Obrigado-sai.

— Não me chame assim. Odeio isso. Meu nome é Susan.

— E você me chamará de Will?

Ela assentiu.

— Bom. Susan, quero lhe perguntar uma coisa... mas não como o sujeito que a insultou e a feriu porque estava com ciúmes. É algo inteiramente diferente. Posso?

— Ié, acho que pode — ela disse cautelosamente.

— Está a favor da Confederação?

Ela o encarou em perplexidade. Era a última pergunta no mundo que esperaria ouvir... mas Will a encarava com ar sério.

— Sabia que tu e teus amigos iam contar o número de vacas, armas, lanças, barcos e quem sabe o que mais — disse —, mas não achei que também fôsseis contar os partidários da Confederação.

Viu o olhar de surpresa e o pequeno sorriso nos cantos da boca de Will. Daquela vez o sorriso deixava-o bem mais velho dos seus anos. Susan repassou o que tinha dito, percebeu o que podia tê-lo impressionado e deixou escapar um riso breve, meio sem jeito.

— Minha tia — ela explicou — tem a mania de falar às vezes na segunda pessoa. Meu pai também fazia isso. Era o tratamento usado numa seita do Povo Antigo chamada Amigos.

— Eu conheço. Ainda temos a Gente Amiga na minha parte do mundo.

— Verdade?

— Sim... ou ié, se acha o som melhor; estou me acostumando. E gosto do jeito que os Amigos falam. O som é muito bonito.

— Não quando minha tia fala como eles — disse Susan, pensando na briga por causa da camisa. — E respondendo à sua pergunta, ié... sou pela Confederação, eu acho. Porque meu pai era. Se me perguntar se sou *decididamente* pela Confederação, acho que não. Vemos e ouvimos muito pouco sobre eles nos dias de hoje. O que sabemos são principalmente rumores e histórias contadas por pessoas que passam sem destino por aqui, em geral caixeiros-viajantes vindos de longe. Agora que já não há ferrovia... — Ela deu de ombros.

— A maioria das pessoas comuns com quem falei, gente que só vive o dia a dia, parece compartilhar desse sentimento. E no entanto seu prefeito Thorin...

— Ele não é *meu* prefeito Thorin — disse ela, num tom mais áspero do que pretendera.

— E no entanto Thorin, o prefeito do *Baronato*, tem nos dado toda a ajuda que lhe pedimos, e a que não pedimos também. Só preciso estalar os dedos e Kimba Rimer aparece na minha frente.

— Então não os estale — disse ela, não se controlando e olhando ao redor. Tentou sorrir e mostrar que o comentário era brincadeira, mas não teve muito sucesso nisso.

— O pessoal da cidade, a gente da pesca, os fazendeiros, os caubóis... todos falam bem da Confederação, mas num tom distante. Contudo o prefeito, o chanceler e os membros da Associação dos Cavaleiros, como Lengyll, Garber e aquele grupo de...

— Eu sei quem são — ela disse sucintamente.

— Eles são absolutamente entusiásticos em seu suporte. Mencione a Confederação para o xerife Avery e ele só falta sair dançando. Em cada sala de rancho nos oferecem uma bebida numa caneca comemorativa do Eld, para você ver o nível.

— Uma bebida de quê? — ela perguntou, um tanto brincalhona. — Cerveja? Chope? *Graf*?

— E também vinho, uísque e bagaceira — disse Will, não respondendo ao sorriso dela. — É quase como se quisessem nos ver quebrar nosso voto de abstinência. Isso não lhe parece estranho?

— Ié, um pouco; mas também me parece apenas a hospitalidade de Hambry. Em nossas terras, quando alguém... especialmente um rapaz... diz que não vai beber uma só gota, as pessoas tendem a considerá-lo sonso, não falando a sério.

— E o exaltado apoio à Confederação entre as pessoas de renda? O que *isto* lhe parece?

— Esquisito.

E era. O trabalho de Pat Delgado o colocava quase em contato diário com aqueles proprietários de terras e criadores de cavalos, e ela, que ia agarrada na calça do pai sempre que ele deixava, também os conhecera bem. Considerava-os, de um modo geral, gente perigosa. Não podia imaginar John Croydon ou Jake White enchendo uma caneca com a estampa de Arthur Eld num brinde sentimental... principalmente não no meio do dia, quando havia cavalos para serem exercitados e negociados.

Os olhos de Will caíram em cheio sobre ela, como se Will estivesse lendo seus pensamentos.

— Se bem que você não deve conviver mais tanto com esse pessoal graúdo — disse ele. — Quero dizer, antes da morte de seu pai.

— Talvez não... mas não acho que um grupo possa virar pelo avesso do dia para a noite.

Desta vez, Will não mostrou um sorriso cauteloso; desta vez sorriu abertamente. Um sorriso que iluminou todo o seu rosto. Deuses, como era bonito!

— Também acho que não. Assim como gatos não podem trocar de miado, como se costuma dizer. E o prefeito Thorin não fala de nós... de mim e meus amigos... quando vocês dois estão sozinhos? Ou essa pergunta está além do que eu tenho o direito de perguntar? Talvez esteja.

— Isso não me importa — disse ela, balançando a cabeça com força suficiente para a longa trança ondular. — Sei pouca coisa de decoro, como alguém já fez a gentileza de me lembrar. — Mas Susan ficou menos interessada na cabeça baixa e no rubor de constrangimento no rosto de Will do que achou que ficaria. Conhecia garotas que gostavam de implicar, assim como de flertar (e algumas delas implicavam com disposição), mas não parecia ter ela o gosto pela coisa. Certamente não tinha vontade de cravar as garras em Will e, quando continuou, falou suavemente: — E seja como for, não fico sozinha com ele.

E ah, como você mente, ela pensou de forma sombria, lembrando-se de como Thorin a abraçara no corredor na noite da festa, avançando para seus seios como uma criança tentando colocar a mão num pote de doces; Thorin dizendo que ardia por ela. *Ah, sua grande mentirosa.*

— Seja como for, Will, a opinião de Hart sobre você e seus amigos dificilmente vai interessá-lo, não acha? Você tem um trabalho a fazer, isso é tudo. Se ele quer ajudá-lo, por que não aceitar e ficar grato?

— Porque há alguma coisa errada aqui — disse ele, e o tom sério, quase soturno de sua voz, assustou-a um pouco.

— Errada? Com o prefeito? Com a Associação de Cavaleiros? Do que está falando?

Depois de a olhar com firmeza, ele pareceu tomar uma decisão.

— Vou confiar em você, Susan.

— Não sei se quero sua confiança mais do que quero seu amor — disse ela.

— E no entanto — disse Will balançando a cabeça —, para fazer o trabalho que me mandaram fazer, preciso confiar *em alguém*. Pode entender isso?

Susan olhou nos olhos dele e assentiu.

Ele se aproximou um passo. Chegou tão perto que Susan acreditou poder sentir o calor da sua pele.

— Olhe lá embaixo. Me diga o que vê.

Ela olhou e deu de ombros.

— A Baixa. A mesma de sempre. — Sorriu ligeiramente. — Com a beleza de sempre. Este é o lugar do mundo de que eu mais gosto.

— Ié, é bonito, não há dúvida. O que mais está vendo?

— Cavalos vivos, cavalos sem dúvidas. — Ela sorriu para mostrar que era uma brincadeira (na realidade uma antiga brincadeira do pai), mas ele não retribuiu. De olhar direto, e corajoso, se as histórias que já circulavam pela cidade fossem verdadeiras; e também de pensamentos e movimentos rápidos. Mas sem grande senso de humor, por certo. Bem, havia defeitos piores. Agarrar o seio de uma garota quando ela não estava esperando podia ser um deles.

— Cavalos. Sim. Mas acha que há o *número* certo deles? Passou a sua vida inteira vendo cavalos na Baixa e certamente é a única pessoa fora da Associação dos Cavaleiros qualificada para responder a isso.

— Não confia neles?

— Têm nos dado tudo que pedimos e parecem amistosos como cães debaixo da mesa do jantar, mas não… acho que não confio.

— Mas confiaria em mim.

Will a encarou com aqueles olhos belos e assustadores — de um azul um pouco mais escuro do que seriam mais tarde, ainda não descorados pelos sóis de dez mil dias passados.

— Preciso confiar em alguém — repetiu.

Susan baixou a cabeça, quase como se ele a tivesse repreendido. Will estendeu a mão, segurando o seu queixo com dedos gentis e ergueu o rosto dela.

— Parece o número certo? Pense com cuidado!

Mas agora que Will chamara sua atenção, ela mal precisava pensar na resposta. Achou que, durante algum tempo, tivera uma certa consciência da mudança, mas a coisa fora gradual, fácil de passar despercebida.

— Não — ela disse por fim. — Não está certo.

— O número de cavalos é pequeno demais ou grande demais? Qual das duas opções?

Ela hesitou um instante. Respirou fundo. Deixou sair o ar num longo suspiro.

— É grande demais. Muito, muito grande.

Will Dearborn ergueu os punhos cerrados até a altura dos ombros e brandiu-os com força. Os olhos azuis brilhavam como umas luzes faiscantes de que o avô lhe falara.

— Eu sabia — disse ele. — Eu *sabia*.

8

— Quantos cavalos há lá embaixo? — ele perguntou.

— Abaixo de nós? Ou em toda a Baixa?

— Só abaixo de nós.

Susan olhou com cuidado, sem tentar realmente contar. Aquilo não dava certo, apenas deixava a pessoa confusa. Viu quatro bandos de bom tamanho, cada um com cerca de vinte cavalos, movendo-se no verde quase exatamente como os pássaros moviam-se no azul acima deles. Havia talvez nove grupos menores, indo de octetos a quartetos... algumas duplas (eles também lhe lembravam flores, mas tudo naquele dia parecia flor)... e alguns galopando sozinhos — principalmente jovens garanhões...

— Uns cento e sessenta? — ele perguntou numa voz baixa, quase hesitante.

— Ié. — Ela o encarou, espantada. — Cento e sessenta era o número que eu tinha em mente. Algo por aí.

— E para que extensão da Baixa estamos olhando? Um quarto da área total? Um terço?

— Muito menos. — Susan voltou para ele um pequeno sorriso. — Como acho que você sabe. Um sexto do total de pastos, talvez.

— Se houver cento e sessenta cavalos pastando em cada sexta parte, isto vai somar...

Susan esperou que Will chegasse aos novecentos e sessenta. Quando ele o fez, ela assentiu. Will permaneceu mais um pouco de cabeça baixa e resmungou de surpresa quando Rusher encostou o nariz em suas costas. Susan pôs a mão em concha na boca para sufocar uma risada. Pelo modo impaciente como Will empurrou o focinho do animal, Susan achou que ele não estava achando muita graça.

— Tem ideia de quantos mais podem estar nos estábulos, em treinamento ou trabalhando nos campos? — perguntou.

— Um para cada três lá embaixo. É uma suposição.

— Assim estaríamos falando de mil e duzentas cabeças de cavalo. Só de estoque selecionado, sem mutações.

— Ié. — Ela o olhou com um leve espanto. — Praticamente não existe um plantel de mutantes aqui em Mejis... na realidade, em *nenhum* dos outros Baronatos Exteriores.

— Vocês chegam a criar mais de três em cada cinco?

— Criamos *todos*! É claro que, vez por outra, temos uma anomalia que precisa ser sacrificada, mas...

— Não há pelo menos uma anomalia a cada cinco que nascem com vida? Um em cada cinco nascendo com... — Como Renfrew tinha colocado a coisa? — Com pernas extras ou as tripas pelo lado de fora?

O olhar chocado de Susan já bastaria como resposta.

— Quem andou lhe dizendo uma coisa dessas?

— Renfrew. Ele também me disse que havia cerca de quinhentos e setenta cabeças de equinos limpos aqui em Mejis.

— Isso é pura... — Ela deu uma risadinha desconcertada. — Pura loucura! Se meu pai estivesse aqui...

— Mas não está — disse Roland, o tom seco como um estalo de graveto. — Está morto.

Por um momento ela não pareceu captar a mudança no tom. Então, como se um eclipse tivesse começado a acontecer em algum lugar dentro de sua cabeça, tudo se tornou sombrio.

— Meu pai teve um acidente. Entende isso, Will Dearborn? Um *acidente*. Foi muito triste, mas é o tipo de coisa que às vezes acontece. Um cavalo caiu em cima dele. Espuma do Mar. Fran disse que o Espuma viu uma cobra no capim.

— Fran Lengyll?

— Ié. — A pele de Susan só não estava pálida de todo por causa de dois pontos rosados (lembrando as rosas silvestres do buquê que Will lhe mandara por intermédio de Sheemie) brilhando no alto das faces. — Fran percorreu muitos quilômetros com meu pai. Não eram grandes amigos... para começar, eram de classes sociais diferentes... mas andavam juntos. Ainda tenho o gorro que a primeira esposa de Fran fez para o meu batizado. Exercitavam juntos os cavalos. Não posso crer que Fran Lengyll mentiria sobre como meu pai morreu, muito menos que tenha... algo a ver com isso.

Contudo, havia dúvida no olhar que lançou para os cavalos que corriam. Cavalos em excesso. Realmente em excesso. Seu pai teria notado. E seu pai teria se perguntado o que ela estava se perguntando agora: de quem seriam as marcas nos cavalos extras?

— Por acaso Fran Lengyll e meu amigo Stockworth tiveram uma discussão sobre cavalos — disse Will. A voz parecia quase descontraída, mas nada havia de descontraído em sua expressão. — Discutiram diante de copos com água da fonte, depois que a cerveja fora oferecida e recusada. Conversavam como eu e Renfrew conversamos no jantar de boas-vindas do prefeito Thorin. Quando Richard pediu que sai Lengyll desse uma ideia do número de bons cavalos disponíveis, Lengyll disse que calculava em torno de quatrocentos.

— Impossível.

— É o que parece — Will concordou.

— Será que não sabem que os cavalos estão soltos, pastando onde podem vê-los?

— Sabem que mal começamos a contar — disse ele — e que estamos começando com os pescadores. Só daqui a um mês, é isso que eles acham, vamos começar a prestar atenção na contagem dos cavalos. E nesse meio-tempo, mantêm a nosso respeito uma atitude de... não sei como pôr a coisa... bem, não importa como eu diga; não sou muito bom com as palavras, mas meu amigo Arthur diz que é uma atitude de "cordial desprezo". Deixam os cavalos bem na frente de nossos olhos, acho, porque acreditam que não vamos ter consciência do que estamos vendo. Que não vamos dar crédito ao que estamos vendo. Gostei muito de ter encontrado você aqui.

Só porque fui capaz de fazer uma estimativa mais precisa do número de cavalos? Foi essa a única razão?

— Mas eles sabem que vocês vão acabar chegando mais perto e contando os cavalos. Cavalos, afinal, devem ser uma das principais necessidades da Confederação.

Will lançou-lhe um olhar estranho, como se ela tivesse esquecido de mencionar alguma coisa óbvia. Isso a fez se sentir um pouco insegura.

— O que foi? Algum problema?

— Talvez esperem que os cavalos extras já tenham ido quando nos concentrarmos neste departamento dos negócios do Baronato.

— Ido para *onde*?

— Não sei. Mas não gosto disto. Susan, seria capaz de manter este assunto só entre nós?

Ela assentiu. Nunca que ela iria contar a alguém que se encontrara com Will Dearborn, na orla da Baixa e na companhia exclusiva de Rusher e Pilão.

— Tudo isso pode acabar não sendo nada, mas se não for assim, saber de certas coisas pode ser perigoso.

O que levava de volta ao pai de Susan. Lengyll dissera a ela e a tia Cord que Pat fora atirado do Espuma do Mar e que depois o Espuma passara por cima dele. Nenhuma das duas tivera qualquer razão para duvidar da história que o homem contara. Mas o mesmo Fran Lengyll dissera aos amigos de Will que só havia quatrocentas cabeças de cavalos de pista em Mejis, e isso era uma completa mentira.

Will se virou para seu cavalo e Susan gostou disso.

Parte dela queria que ele ficasse — que estivesse próximo a dela enquanto as compridas sombras das nuvens deslizavam pelo capim —, mas os dois já estavam há muito tempo parados ali. Não havia motivo para achar que alguém viria espioná-los, mas essa ideia, em vez de tranquilizar, conseguiu, por alguma razão, deixá-la mais nervosa do que nunca.

Will endireitou o estribo que pendia ao lado do estojo de sua lança (Rusher relinchou perto de sua garganta, como a dizer *acho que está na hora de a gente ir*) e tornou a se virar para ela. Susan experimentou uma certa fraqueza quando o olhar do rapaz caiu sobre ela e, naquele momento, a ideia do ka foi quase forte demais para ser negada. Tentou dizer a si mesma que era apenas o *dim*, o atordoamento — aquela sensação de já ter vivido uma coisa antes —, mas não era o *dim*; era a sensação de encontrar a estrada que se estava procurando há muito tempo.

— Há mais uma coisa que eu gostaria de dizer. Não gosto de voltar ao ponto onde começamos, mas preciso fazer isso.

— Não — ela disse sem força. — O assunto está encerrado, acredite.

— Eu disse a você que a amava e que sentia ciúmes — ele falou e, pela primeira vez, sua voz se tornava um pouco oscilante, sem firmeza. Susan ficou alarmada ao ver que havia lágrimas brotando nos olhos dele. — Havia mais. Mais uma coisa.

— Will, não quero... — Ela se virou bruscamente para o cavalo. Ele pegou seu ombro e a virou. Não fora um movimento indelicado, mas havia nele uma terrível determinação. Susan o encarou, impotente, vendo nele apenas um rapaz longe de casa e de repente compreendendo que não conseguiria resistir por muito tempo. Desejava-o tão ardentemente que era como uma dor. Daria um ano de vida só para colocar as palmas das mãos em seu rosto e sentir sua pele.

— Tem saudades de seu pai, Susan?

— Ié — ela murmurou. — Sinto falta dele com todo o meu coração.

— Também sinto muita falta de minha mãe. — Agora ele a segurava pelos dois ombros. Um olho ficou nublado; uma lágrima desenhou uma linha prateada em seu rosto.

— Ela está morta?

— Não, mas alguma coisa aconteceu. Em torno dela. Com ela. *Merda!* Como posso falar sobre isso se nem eu mesmo sei o que *pensar*? Em certo sentido, ela morreu. Para mim.

— Will, isso é terrível.

Ele concordou balançando a cabeça.

— Da última vez que a vi, ela me olhou de um jeito que vai me assombrar até a hora da morte. Era vergonha, amor e esperança, tudo amarrado junto. Vergonha por causa do que eu vira e sabia dela, esperança, talvez, que eu entendesse e perdoasse... — Ele respirou fundo. — Na noite da festa, perto do final do banquete, Rimer disse alguma coisa engraçada. Todos vocês riram...

— Se eu ri foi porque teria parecido estranho se tivesse sido a única pessoa a não rir — disse Susan. — Não gosto dele. Acho que é um intrometido, um fofoqueiro.

— Todos vocês riram e olhei por acaso para o final da mesa. Para Olive Thorin. E por um momento... só um momento... achei que ela era minha mãe. A expressão era a mesma, percebe? A mesma expressão que vi na manhã em que abri a porta errada na hora errada e me deparei com minha mãe e seu...

— Pare com isso! — ela gritou, recuando das mãos dele. Dentro de Susan, tudo entrara de repente em movimento, todas as fivelas, cabos e grampos que estivera usando para se manter unida pareceram se dissolver.

— Pare com isso, apenas pare, não posso ouvi-lo falar dela!

Susan estendeu os braços para Pilão, mas agora todo o seu mundo virara um borrão. Ela começou a soluçar. Sentiu de novo as mãos dele em seus ombros, tornando a virá-la, e não resistiu a elas.

— Estou tão envergonhada — disse. — Estou tão envergonhada, tão assustada e sinto muito por tudo. Esqueci o rosto de meu pai e... e...

E nunca conseguirei encontrá-lo de novo, ela ia dizer, mas não precisou dizer nada. Fechou a boca com os beijos dele. A princípio apenas se deixou ser beijada... mas logo o estava beijando também, beijando-o quase furiosamente. Enxugou a umidade embaixo dos olhos dele com movimentos suaves, delicados, dos polegares, depois correu as palmas das mãos pelo seu rosto, como desejara tanto fazer. A sensação era incrível; até o raspar suave da barba rente à pele era incrível. Susan passou os braços pelo pescoço dele, abrindo a boca na dele, segurando-o, beijando-o o mais forte que podia, beijando-o ali, entre os cavalos, que simplesmente olharam um para o outro e voltaram a comer capim.

9

Foram os melhores beijos de toda a vida dele e jamais seriam esquecidos: o movimento macio dos lábios de Susan e a forma dos dentes dela mais atrás; uma coisa urgente e de nenhum modo tímida; a fragrância de seu hálito, o doce contorno do corpo apertado contra o seu. Ele resvalou uma das mãos até o seio esquerdo dela, apertou-o suavemente e sentiu o coração dela disparar dentro do peito. Com a outra mão, Will avançou para o cabelo e penteou-o com os dedos, sentindo a maciez da sua testa. Jamais se esqueceria da textura.

Então Susan estava se afastando um pouco, o ardor e a paixão brilhando no rosto, uma das mãos indo para os lábios, que ele beijara até deixá-los inchados. Um filete de sangue corria do canto do lábio inferior. Os olhos dela, o encarando arregalados. Os seios subindo e descendo como se ela tivesse acabado de disputar uma corrida. E entre os dois, uma corrente como nada que Susan jamais sentira. Corria como um rio e fazia tremer como febre.

— Já chega — disse ela com uma voz trêmula. — Já chega, por favor. Se realmente me ama, não faça com que eu me desonre. Fiz uma promessa. Tudo pode acontecer depois, eu acho, depois que essa promessa for cumprida... e se você ainda me quiser...

— Eu esperaria para sempre — ele disse calmamente — e faria qualquer coisa por você, menos me colocar de lado e vê-la passar para outro homem.

— Então, se me ama, afaste-se de mim. Por favor, Will!

— Mais um beijo.

Ela deu de imediato um passo à frente, erguendo confiante o rosto para o dele e Will compreendeu que poderia fazer o que quisesse. Susan, pelo menos naquele momento, não era mais senhora de si; podia, por conseguinte, ser inteiramente dele. Ele podia fazer com Susan o que Marten fizera com sua mãe, se fosse esse seu desejo.

O pensamento cortou seu ardor, transformando-o em carvões de repente caídos em poderosa torrente de água, convertendo tudo num sombrio atordoamento. A aceitação do fato pelo pai

(eu já sabia há dois anos)

era, sob muitos aspectos, a pior coisa do que tinha lhe acontecido naquele ano; como podia ele se apaixonar por aquela garota — por qualquer garota

— num mundo onde tais fraquezas do coração pareciam necessárias e podiam se repetir?

Contudo, ele realmente a amava.

Em vez do beijo apaixonado que queria, colocou seus lábios ligeiramente no canto da boca de Susan, no ponto onde o filete de sangue escorria. Beijou ali e sentiu gosto de sal, como se sentisse o gosto de suas próprias lágrimas. Fechou os olhos e estremeceu quando a mão de Susan tocou nos pelos de sua nuca.

— Eu não magoaria Olive Thorin por nada deste mundo — ela murmurou em seu ouvido. — Assim como nunca magoaria você, Will. Eu não entendia, e agora é tarde demais para voltar atrás. Mas lhe agradeço por não... por não tentar fazer o que podia ter feito. E vou sempre me lembrar de você. De como foi bom ser beijada por você. Foi a melhor coisa que já me aconteceu, eu acho. Foi como ter o céu e a terra embrulhados juntos, ié.

— Também não vou esquecer.

Ele a viu saltar para a sela e recordou como suas pernas tinham lampejado nuas no escuro da noite em que se conheceram. E de repente achou que não podia deixá-la ir. Estendeu a mão, tocou sua bota.

— Susan...

— Não — disse ela. — Por favor.

Ele recuou. Um pouco.

— Fica como um segredo nosso — disse ela. — Sim?

— Ié.

Ela sorriu com a resposta... mas um sorriso triste.

— De agora em diante fique longe de mim, Will. Por favor. Eu também vou ficar longe de você.

Ele pensou um pouco.

— Se pudermos — disse.

— Precisamos, Will. Realmente.

Ela se afastou ligeira. Roland ficou parado ao lado do estribo de Rusher, vendo-a se distanciar. E mesmo depois de Susan desaparecer no horizonte, ele continuou olhando.

10

O xerife Avery, o agente Dave e o agente George Riggins estavam sentados no alpendre diante do xadrez e escritório do xerife quando o sr. Stockworth e o sr. Heath (o segundo ainda com aquela maldita caveira de pássaro empinada na frente da sela) cruzaram a rua numa marcha firme. O sino do meio-dia havia tocado quinze minutos atrás e o xerife Avery achou que estavam indo almoçar, talvez no The Millbank ou no Repouso, que servia uma comida decente. Popquins e coisas do gênero. Avery gostava de algo um pouco mais substancial; metade de uma galinha ou um bife de lombo se ajustavam melhor a ele.

O sr. Heath deu-lhes um aceno e um sorriso.

— Bom dia, cavalheiros! Vida longa! Brisas gentis! Boas sestas!

O grupo de Avery também acenou e sorriu.

— Passaram a manhã inteira lá embaixo no cais — disse Dave quando os rapazes saíram de vista. — Contando redes. *Redes!* Acreditam nisso?

— Sim senhor — disse o xerife Avery em sua cadeira de balanço, erguendo o rosto maciço, soltando um barulhento peido pré-refeição. — Sim, senhor, eu acredito. Ié.

— Se não tivessem enfrentado a turma de Jonas do modo como fizeram — disse George —, eu acharia que não passavam de um bando de idiotas.

— Julgamento com o qual eles provavelmente não iam se importar — disse Avery virando-se agora para Dave, que fazia o monóculo girar na ponta da fita e olhava na direção que os rapazes tinham seguido. Algumas pessoas na cidade começavam a chamar os fedelhos da Confederação de Pequenos Caçadores de Caixões. Avery não sabia muito bem o que fazer. Promovera a paz entre eles e o pessoal durão de Thorin, e recebera um elogio e uma moeda de ouro de Rimer pelos seus esforços, mas... como continuar agindo com os garotos?

— No dia em que chegaram — disse a Dave —, você achou que eram molengas. O que me diz agora?

— Agora? — Dave rodou uma última vez o monóculo, depois enfiou-o no olho e fitou o xerife através dele. — Agora acho que talvez sejam um pouco mais durões do que pensei.

Sem dúvida, Avery ponderou. *Mas durões, graças aos deuses, não é o mesmo que espertos. Ié, graças aos deuses por isso.*

— Estou com uma fome de touro, isso sim — disse ele se levantando. Avery se curvou, pôs as mãos nos joelhos e deu outro peido alto. Dave e George se entreolharam. George sacudiu a mão na frente do nariz. Herkimer Avery, xerife do Baronato, se endireitou, parecendo simultaneamente aliviado e pronto para outro. — Os gases têm mais espaço aqui fora do que lá dentro — disse. — Vamos lá, rapazes. Vamos descer a rua e pôr alguma coisa no estômago.

11

Nem mesmo o pôr do sol podia fazer muita coisa para melhorar a vista da varanda do barracão do Barra K. O prédio — exceto pelo anexo da cozinha e o estábulo, o único ainda de pé na área da antiga casa-sede — tinha forma de L e a varanda fora construída na lateral do braço mais curto. Para eles só havia sobrado o número certo de assentos: duas cadeiras de balanço lascadas e um caixote de madeira ao qual fora pregada uma tábua instável para servir de encosto.

Naquela noite, Alain se sentou numa das cadeiras de balanço e Cuthbert no caixote-poltrona, de que parecia gostar. Na cerca da varanda, junto à terra batida na entrada da porta e espreitando a massa salva do incêndio do lar dos Garber, estava o vigia.

Alain se sentia exausto e embora os dois tivessem se banhado no regato perto da extremidade oeste da casa, ele achou que ainda sentia cheiro de peixe e algas na pele. Tinham passado o dia contando redes. Ele não era avesso a trabalho duro, mesmo quando era monótono, mas não gostava de trabalho sem sentido. Como aquele. Hambry tinha duas partes: os pescadores e os criadores de cavalos. Os pescadores não tinham nada para a Confederação e, depois de três semanas, todos eles sabiam disso. As respostas de que precisavam estavam lá fora, na Baixa, onde até aquele momento tinham se limitado a dar uma olhada. Por ordem de Roland.

O vento soprava e, por um instante, puderam ouvir o murmúrio baixo, como um grito estridente abafado, da lúmina.

— Detesto esse som — disse Alain.

Cuthbert, inabitualmente silencioso e introspectivo naquela noite, assentiu e disse apenas:

— Ié.

Todos agora já estavam falando ié, para não mencionar coisas como *pois é* e *assim é*. Alain suspeitava que os três continuariam com Hambry na língua muito depois de terem limpado as botas do pó do Baronato.

De algum lugar atrás deles e atrás da porta do barracão, veio um som menos desagradável — o arrulhar de pombos. E então, saiu do lado do barracão um terceiro som, para o qual Alain e Cuthbert, ali sentados, vendo o sol se pôr, tinham estado inconscientemente atentos: cascos de cavalo. De Rusher.

Roland apareceu na quina da casa, cavalgando tranquilamente e, nesse momento, aconteceu uma coisa que Alain considerou estranhamente significativa... uma espécie de presságio. Houve uma perturbação, um agitar de asas, uma forma escura no ar e, de repente, havia um pássaro se empoleirando no ombro de Roland.

Ele não se sobressaltou; mal olhou para o lado. Fez o animal avançar para o poste onde seria amarrado e parou ali, estendendo a mão.

— Cá — disse em voz baixa e o pombo saltou para a palma de sua mão. Amarrada numa das patas havia uma cápsula. Roland removeu-a, abriu e tirou lá de dentro uma pequena tira de papel, uma tira bastante enrolada. Com a outra mão, fez o pombo pousar na terra.

— Cá — disse Alain, estendendo a própria mão. O pombo voou para lá. Quando Roland desmontou, Alain levou o pombo para o barracão, onde tinham sido colocadas gaiolas sob uma janela aberta. Ele abriu a portinhola da gaiola do centro e estendeu novamente a mão. O pombo que acabara de chegar pulou na gaiola; o pombo que estava na gaiola saiu com um pulo e pousou na palma da mão. Alain fechou a porta da gaiola, correu o trinco, atravessou o aposento e levantou o travesseiro da cama de Bert. Embaixo dele havia um pequeno saco de linho contendo algumas tiras de papel em branco e uma minúscula caneta-tinteiro. Alain pegou uma das tiras e a caneta, que possuía seu próprio reservatório de tinta e não precisava ser molhada. Ele voltou para a varanda. Roland e Cuthbert estavam examinando a tira desenrolada de papel que o pombo trouxera de Gilead. Nela havia uma fileira de pequenas formas geométricas:

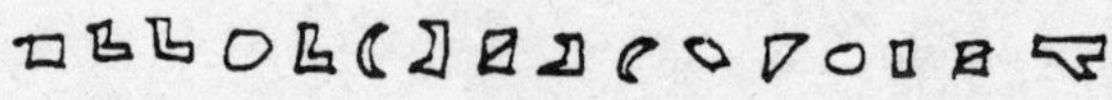

— O que isso quer dizer? — Alain perguntou. O código era bastante simples, mas não o memorizara e não conseguia ler com facilidade uma mensagem daquelas, ao contrário de Roland e Bert, que a entenderam quase de imediato. Os talentos de Alain — sua capacidade de dedução, seu fácil acesso ao toque — seguiam em outras direções.

— Farson se desloca para o leste — Cuthbert leu. — Forças divididas, uma grande, uma pequena. Estão vendo algo fora do comum? — Olhou para Roland, sentindo-se meio confuso. — Algo fora do comum, o que isso significa?

Roland balançou a cabeça. Não sabia. E achava que os homens que haviam mandado a mensagem — entre os quais quase certamente seu pai — também não sabiam.

Alain passou a Cuthbert a tira de papel e a caneta. Com um dedo Bert alisou a cabeça do pombo que arrulhava baixo. Ele agitou as asas como se já estivesse ansioso por voar para oeste.

— O que devo escrever? — Cuthbert perguntou. — O mesmo que da outra vez?

Roland assentiu.

— Mas vimos coisas que são fora do comum! — disse Alain. — E sabemos que as coisas andam erradas por aqui! Os cavalos… e aquele pequeno rancho para o sul… não consigo lembrar o nome…

Cuthbert lembrou.

— O Rocking H.

— Ié, o Rocking H. Lá existem *bois. Bois!* Meus deuses, nunca os tinha visto, exceto em livros!

Roland pareceu alarmado.

— Alguém sabe que você viu?

— Acho que não. — Alain deu de ombros com uma certa ansiedade.

— Havia tropeiros por perto… três, talvez quatro…

— Quatro, ié — disse Cuthbert em voz baixa.

— … mas não estavam prestando atenção a nós. Devem achar que não vemos nada na nossa frente, além dos nossos narizes.

— E é assim que a coisa deve continuar. — Os olhos de Roland passavam pelos dois, mas havia uma espécie de ausência em seu rosto, como se os pensamentos estivessem muito longe dali. Quando ele se virou para o pôr do sol, Alain viu uma coisa no colarinho da camisa. Ele puxou, um movimento feito com tanta rapidez e agilidade que nem mesmo Roland o sentiu. *Bert não teria conseguido fazer isso*, Alain pensou com certo orgulho.

— Ié, mas…

— A mesma mensagem — disse Roland. Ele se sentou no último degrau e contemplou o vermelho do final de tarde no oeste. — Paciência, sr. Richard Stockworth e sr. Arthur Heath. Sabemos de certas coisas e desconfiamos de algumas outras. Mas será que John Farson viajaria até aqui só para se reabastecer de cavalos? Não sei. Tudo bem, cavalos são valiosos, ié, assim é… mas não tenho certeza. Precisamos esperar.

— Tudo bem, tudo bem, a mesma mensagem. — Cuthbert alisou o pedaço de papel na cerca da varanda, depois fez uma pequena série de símbolos nele. Aquela mensagem Alain pôde ler; já tinha visto várias vezes a mesma sequência desde que chegaram a Hambry. — Mensagem recebida. Estamos bem. Nada a informar desta vez.

A mensagem foi colocada na cápsula e presa na pata do pombo. Alain desceu a escada, parou ao lado de Rusher (ainda esperando pacientemente que lhe tirassem a sela) e ergueu o pássaro na direção do sol poente.

— Lá!

Logo ele esvoaçava e desaparecia com as asas batendo. Por um momento se limitaram todos a contemplar aquela forma cinza contra o céu cada vez mais escuro.

Roland ficou olhando mais tempo que os outros. A expressão sonhadora continuava em seu rosto. De repente Alain estava se perguntando se Roland tinha mesmo tomado a decisão correta naquele final de tarde. Ele nunca tivera em sua vida um pensamento de dúvida com relação a Roland. Nem esperava jamais ter um.

— Roland?

— Humm? — Como um homem semi-acordado de algum sono profundo.

— Se quiser, tiro a sela. — Fez sinal para Rusher. — E passo a escova.

Um bom tempo sem resposta. Alain ia perguntar de novo quando Roland reagiu:

— Não. Eu faço isso. Num minuto ou dois. — E voltou a olhar para o pôr do sol.

Alain subiu os degraus da varanda e sentou-se em sua cadeira de balanço. Bert retomara seu lugar no caixote-poltrona. Estavam atrás de Roland agora e Cuthbert olhou para Alain com as sobrancelhas erguidas. Apontou para Roland e depois tornou a olhar para Alain.

Alain mostrou o que havia puxado do colarinho de Roland. Embora fosse quase fino demais para ser visto naquela luz, os olhos de Cuthbert eram olhos de pistoleiro e ele identificou facilmente, sem precisar olhar duas vezes.

Era um fio comprido de cabelo, da cor de seda dourada. Pela expressão de Bert, ele pôde ver que Bert sabia de que cabeça tinha vindo. Desde a chegada a Hambry, só vira uma garota de cabelo loiro comprido. Os olhos dos dois rapazes se encontraram. E nos de Bert, Alain viu receio e diversão em igual medida.

Cuthbert Allgood pôs o dedo indicador na testa e simulou puxar o gatilho.

Alain concordou com a cabeça.

Sentado na escada, de costas para eles, Roland contemplava o fim de crepúsculo com olhos sonhadores.

8. SOB A LUA DO MASCATE

1

A cidade de Ritzy, mais de seiscentos quilômetros a oeste de Mejis, era nada glamorosa. Roy Depape alcançou-a três noites antes de a Lua do Mascate (chamada, por alguns, Lua do Último Verão) aparecer inteira e deixou-a um dia depois.

Ritzy era, de fato, uma miserável aldeia mineira nas fraldas orientais das montanhas Vi Castis, a cerca de oitenta quilômetros do passo Vi Castis. O lugar não tinha mais de uma rua; tudo estava marcado com profundos sulcos de rodas de ferro e se transformaria num lago de lodo três dias após o início das tempestades de outono. Havia o Urso e Tartaruga — Alimentos & Miudezas, onde os mineiros tinham sido proibidos de fazer compras pela Vi Castis Company e um armazém da companhia onde só os pés-de-chinelo iam querer comprar; havia um combinado de cadeia com Assembleia Municipal com um cata-vento sobre uma armação de ferro na frente do telhado; havia seis bares barulhentos, cada qual mais sórdido, encarniçado e perigoso do que o outro.

Ritzy era como uma feia cabeça abaixada entre um par de ombros enormes e irregulares — as colinas em volta. Acima da cidade, na direção do sul, ficavam os barracões de tábuas pregadas onde a Company alojava seus mineradores; cada sopro de brisa trazia o fedor dos imundos banheiros coletivos. Para o norte ficavam as minas propriamente ditas: perigosas galerias com rochas muito acidentadas, que começavam mergulhando cerca de quinze metros e depois se espalhavam como dedos em busca de ouro, prata, cobre e algum ocasional veio de diamantes. Vistas do lado de fora eram apenas buracos cavados na terra nua e rochosa, buracos que lembravam olhos arregalados, cada qual mostrando à entrada sua própria pilha de areia, argila e brita.

Antigamente, certas minas podiam ser livremente exploradas, mas todas desapareceram, reguladas pela Vi Castis Company. Depape sabia tudo a esse respeito, porque os Grandes Caçadores de Caixões tinham sido parte do pequeno espetáculo daquela história. A coisa acontecera logo após ele ter se juntado a Jonas e Reynolds. Ora, eles tinham conseguido tatuar aqueles caixões nas mãos a menos de oitenta quilômetros de lá, na cidade de Wind, um lugarzinho enlameado, pior do que a própria Ritzy. Quanto tempo atrás? Depape não sabia dizer exatamente, embora ele próprio achasse estranho que não fosse capaz de fazê-lo. Mas quando se tratava de avaliar o tempo, Depape frequentemente se sentia perdido. Às vezes lhe era difícil se lembrar até mesmo da própria idade. Porque o mundo tinha seguido adiante e o tempo agora era diferente. Mais *leve*.

Havia uma única coisa de que não tinha absolutamente qualquer dificuldade em lembrar (a recordação era refrescada pela miserável pontada de dor que sentia cada vez que batia em alguma coisa com o dedo ferido); essa única coisa era a promessa que fizera a si mesmo de que ainda veria Dearborn, Stockworth e Heath estendidos e mortos um ao lado do outro, e de mãos dadas como as bonecas de papel de uma garotinha. Nesse dia soltaria aquela parte dele que, nas últimas três semanas, ansiava tão inutilmente por Sua Excelência e a usaria para regar suas faces sem vida. A maior parte do esguicho seria guardada para Arthur Heath de Gilead, Nova Canaã. Aquele filho da puta sorridente e tagarela tinha uma *séria* mijada no seu futuro.

Depape atingiu a ponta da única rua de Ritzy, onde já amanhecia, dirigiu a trote o cavalo pelo flanco da primeira colina, parou no alto e deu sua única olhada para trás. Na noite anterior, quando estava conversando com o velho bastardo atrás do Hattigan's, Ritzy estava barulhenta. Às sete daquela manhã, parecia tão fantasmagórica quanto a Lua do Mascate, que ainda pendia no céu sobre a orla das colinas pilhadas pela erosão. Podia no entanto ouvir os baques metálicos do trabalho nas minas. Zero surpresa nisso. As minas trabalhavam sem parar sete dias por semana. Os mal-intencionados não dormiam... e imaginava que ele mesmo estava incluso nisso. Virou a cabeça do cavalo com sua mão pesada, que usava a força geralmente sem pensar, bateu no lombo e tomou o rumo leste refletindo sobre o velho bastardo. Achava que tinha tratado o velho bastardo razoavelmente bem. Uma recompensa fora prometida e tinha sido paga pela informação prestada.

— É — disse Depape, os óculos cintilando no sol da manhã (uma das raras manhãs em que não estava de ressaca e se sentia bastante alegre).

— Sem dúvida o velho patife não tem do que se queixar.

Depape não tivera dificuldade em seguir o rastro dos moleques; tinham avançado sempre para leste pela Grande Estrada, desde, ao que parecia, Nova Canaã, e tinham sido observados em cada cidade onde haviam parado. Eram observados mesmo quando só atravessavam o lugar. E por que não? Rapazes em bons cavalos, sem cicatrizes nos rostos, nenhuma tatuagem de identificação nas mãos, vestindo boas roupas, com chapéus caros nas cabeças. Eram lembrados em especial bem nas estalagens e saloons, onde haviam parado para se refrescar, mas não tomavam bebidas fortes. Nenhuma cerveja nem *graf*, nem mesmo isso. Sim, as pessoas se lembravam deles. Garotos na estrada, garotos que pareciam quase brilhar. Como se tivessem vindo de um tempo anterior, melhor.

Mijar naquelas caras, Depape pensou enquanto cavalgava. *Na cara de cada um. O sr. Arthur "Ah-ah" Heath por último. O mijo que guardei poderá te afogar se você já não estiver na clareira no fim do caminho.*

Tinham reparado neles, tudo bem, mas isso não bastava... Se não chegasse a Hambry com mais que isso, Jonas provavelmente lhe arrancaria o nariz. E ele mereceria isso. *Eles podem ser moleques ricos, mas isso não é tudo que são.* O próprio Depape tinha dito isso. A pergunta que ficava era: o que mais seriam eles? E finalmente, no fedor de merda e enxofre do Ritzy, Depape havia descoberto. Nem tudo, talvez, mas o suficiente para lhe permitir dar a volta no cavalo em vez de optar por continuar seguindo a estrada até a porra de Nova Canaã.

Estivera em dois outros saloons, tomando cerveja aguada em cada um, antes de chegar ao Hattigan's. Pediu outra cerveja aguada e se preparou para envolver o barman numa conversa. Porém, antes mesmo de começar a sacudir a árvore, a maçã que queria caiu na sua mão, bonita como desejava. Era a voz de um velho (a voz de um velho *bastardo*) falando com aquela estridência de fazer doer a cabeça que é a especialidade dos velhos bastardos bêbados. Ele estava falando sobre os velhos tempos, como os velhos bastardos sempre fazem, e sobre como o mundo tinha seguido adiante, e como as coisas eram muito melhores quando ele era garoto. Então dissera algo que fez as orelhas de Depape se empinarem: algo sobre como os velhos tempos podiam estar voltando, pois ele não vira há dois meses, talvez menos, três jovens cavaleiros, e não chegou a pagar uma bebida a um deles, mesmo que tenha sido apenas soda com sabor de salsaparrilha?

— Você não distinguiria um jovem cavaleiro de um cocô recente — disse uma jovem com os quatro últimos dentes de um rosto bonito.

Isso provocou uma risada geral. O velho bastardo olhou em volta, ofendido.

— Eu sei muito bem — disse ele. — Já esqueci mais do que vocês jamais um dia vão saber, assim é. E tenham certeza que pelo menos um deles vem da descendência de Eld, pois percebi os traços do pai em seu rosto... tão claramente como estou vendo suas tetas caídas, Jolene. — E então o velho bastardo fez uma coisa que Depape chegou a admirar... Puxou a frente da blusa da puta do saloon e derramou o resto de sua cerveja lá dentro. Mesmo as explosões de riso e os fortes aplausos que saudaram isto não puderam abafar inteiramente o crocitar de raiva da moça ou os gritos do velho quando ela começou a lhe dar tapas e socos na cabeça e nos ombros. A princípio, os gritos do homem eram apenas de indignação, mas quando a moça agarrou a caneca de cerveja do velho bastardo e quebrou-a contra o lado da cabeça dele, tornaram-se gritos de dor. O sangue (misturado com alguma borra de cerveja) começou a escorrer pelo rosto do velho bastardo.

— Saia daqui! — ela gritou, dando-lhe um empurrão para a porta. Uma série de chutes fortes dos mineradores que estavam lá (que tinham mudado de lado com a mesma facilidade com que o vento muda de direção) ajudou-o a ir. — E não volte! Sinto o cheiro da erva em sua respiração, seu velho boqueteiro! Saia daqui e leve suas malditas historinhas dos velhos tempos e os jovens cavaleiros com você!

O velho bastardo foi carregado pela sala, ultrapassou o estridente tocador de trompete que divertia os frequentadores do Hattigan's (o ilustre e jovem trompetista acrescentou seu próprio chute no traseiro da calça empoeirada do velho bastardo sem perder sequer uma única nota de "Play, Ladies, Play") e foi jogado do outro lado das portas de vaivém, onde bateu de cara na rua.

Depape saíra e o ajudara a se levantar. Ao fazê-lo, sentiu um cheiro ácido — que não era cerveja — no hálito do velho e viu a sugestiva descoloração cinza-esverdeada nos cantos da boca. Erva, de fato. O velho bastardo estava provavelmente apenas se iniciando nela (e pela razão de sempre: a erva do diabo crescia livremente nas colinas, ao contrário da cerveja e do uísque, que eram vendidos na cidade), mas quando a pessoa começava, o fim não demorava.

— Não têm respeito — disse o velho bastardo num tom pastoso. — E não compreendem nada.

— Ié, não compreendem mesmo — disse Depape, que ainda não tirara os sotaques do costa e da Baixa de sua fala.

O velho bastardo continuava cambaleando, erguendo os olhos para Depape, procurando inutilmente limpar o sangue que vinha do machucado no couro cabeludo e escorria pelo rosto enrugado.

— Filho, não pode me pagar um trago? Lembre do rosto de seu pai e conceda a uma pobre alma o preço de um trago!

— Não sou muito de caridade, vovô — disse Depape —, mas talvez você mesmo possa garantir o próprio trago. Vamos até ali, no meu escritório, para conversar um pouco.

Depape tirou o velho bastardo do meio da rua, levando-o para uma das calçadas de tábuas, que seguiam rentes às escuras portas de vaivém onde os raios de luz dourada penetravam por cima e por baixo. Esperou que um trio de mineradores atravessasse, cantando com toda a força de seus pulmões (*A mulher que eu amo… é grande, alta… ela mexe o corpo… como uma bala de canhão…*), e então, ainda segurando o velho bastardo pelo cotovelo, avançara para a passagem entre o Hattigan's e a funerária que havia ao lado. Para algumas pessoas, ponderava Depape, uma visita a Ritzy era um lugar para fazer tudo de uma vez só: pegue sua birita, pegue sua munição e pegue uma foda na casa ao lado.

— Seu escritório... — cacarejou o velho bastardo quando Depape o conduziu pela passagem em direção a uma cerca de madeira e aos montes de lixo na ponta da viela. O vento soprava, irritando o nariz de Depape com odores do enxofre e do ácido fênico das minas. Da direita deles, ecoando pelo lado do Hattigan's, vinham os sons de orgias com muita bebida. — Seu escritório, essa é boa.

— Ié, meu escritório.

O velho o encarou à luz da lua, que cobria seu trajeto de céu sobre a viela.

— Você é de Mejis? — ele perguntou. — Ou de Tepachi?

— Talvez de um lugar, talvez de outro, talvez de nenhum dos dois.

— Será que já o conheço? — Agora o velho bastardo o olhava ainda mais de perto, na ponta do pé, como se estivesse à espera de um beijo. Argh!

Depape o empurrou para o lado.

— Não tão perto, papai. — Mas a reação do homem o deixava animado. Ele, Jonas e Reynolds *tinham* estado antes lá e se o velho se lembrava de seu rosto provavelmente não teria dificuldade em falar sobre rapazes que vira bem mais recentemente.

— Me fale sobre os três jovens cavaleiros, papai — Depape soltou bruscamente defronte à parede do Hattigan's. — Quem está lá dentro pode não estar interessado, mas eu estou.

O velho bastardo encarou-o com um olhar turvo, calculista.

— Quem sabe não tem aí uns trocados pra mim?

— Pois é — disse Depape. — Se me disser o que quero ouvir, vou lhe dar seus trocados.

— Ouro?

— Me diga e verá.

— Não senhor. Primeiro negociar, depois contar.

Depape agarrou-o pelo braço, obrigou-o a girar e lhe torceu o pulso, que parecia não passar de um graveto saindo de suas magras omoplatas.

— Tente me sacanear, papai, e vou começar quebrando seu braço.

— Solte! — gritou sem fôlego o velho bastardo. — Solte, vou confiar em sua generosidade, jovem senhor, pois o senhor tem uma cara generosa! Tem! Realmente tem!

Depape o soltou. O velho bastardo fitou-o com ar desconfiado, esfregando o ombro. Sob o luar, o sangue que latejava nas veias de seu rosto parecia roxo.

— Três deles eu vi — disse o velho. — Rapazes de berço.

— Lordes? Meros garotos ou lordes?

O velho bastardo examinou a pergunta com ar pensativo. O golpe na cabeça, o ar da noite e o fato de terem torcido seu braço o deixaram sóbrio, ao menos temporariamente.

— Creio realmente que sim — ele acabou dizendo. — Pelo menos um era com certeza lorde, não importa o que o pessoal lá dentro possa dizer. Pois vi o pai dele, e o pai dele levava revólveres. Não porcarias como as que está usando... mesmo sendo o que de melhor se costuma encontrar nos dias de hoje, eu sei e peço perdão... mas ele usava revólveres de *verdade*, daqueles que as pessoas ainda viam quando meu pai era criança. Os grandes, com os cabos de madeira de sândalo.

Depape tinha arregalado os olhos para o velho, sentindo uma onda de agitação... e também uma espécie de temor relutante. *Agem como pistoleiros*, Jonas dissera. Quando Reynolds argumentou que eram jovens demais, Jonas alegou que podiam ser aprendizes, e agora Depape começava a achar que provavelmente o chefe tinha razão.

— Cabos de *sândalo*? — ele perguntou. — Cabos de *sândalo*, meu velho?

— Sim. — O velho viu a agitação do outro e a sua crença nele o deixou mais comunicativo.

— Um pistoleiro, você quer dizer. O pai do tal jovem carregava os grandes trabucos.

— É, um pistoleiro. Um dos últimos lordes. Sua linhagem está agora se extinguindo, mas meu pai o conheceu muito bem. Steven Deschain, de Gilead. Steven, filho de Henry...

— E não foi há muito tempo que viu o rapaz...

— O rapaz que era filho de Steven, e neto de Henry, o Alto. Os outros também pareciam bem-nascidos e também podem vir da linhagem dos senhores, mas aquele a que estou me referindo é descendente direto de Arthur Eld, por uma ou outra linha. Tão certo quanto você andar com duas pernas. Será que já fiz valer os meus trocados?

Depape pensou em responder que sim, então percebeu que não sabia sobre qual dos três fedelhos o velho bastardo estava falando.

— Três rapazes — ele ponderou. — Três fidalgos. E será que traziam revólveres?

— Não onde os bisbilhoteiros desta cidade possam vê-los — disse o velho bastardo com um risinho perverso. — Mas eles os têm, sem dúvida. Provavelmente escondidos em suas mantas. Apostaria qualquer coisa nisso.

— Ié — disse Depape. — Acho que apostaria. Três jovens, um deles filho de um nobre. Ou de um *pistoleiro*, você diz. Steven de Gilead. — E o nome lhe era familiar, ié, familiar...

— Steven Deschain de Gilead, assim é.

— E que nome ele deu, este jovem lorde?

O velho bastardo contorceu de um modo alarmante o rosto num esforço para lembrar.

— Deerfield? Deerstine? — ele se perguntou. — Não me lembro muito bem...

— Está certo, já sei quem é. E você ganhou seu trocado.

— Ganhei? — O velho bastardo tornara a se aproximar, a respiração nauseantemente doce por causa da erva. — Ouro ou prata? O que vai me dar, meu amigo?

— Chumbo — respondeu Depape tirando algo do coldre e atirando duas vezes no peito do velho. Estava lhe fazendo um favor, para ser honesto.

Agora voltava para Mejis — seria uma viagem mais rápida, sem precisar ir parando em cada cidadezinha de merda para fazer perguntas.

Houve uma agitação de asas bem próxima de sua cabeça. Um pombo — cinza-escuro, com um anel branco no pescoço — pousou numa rocha bem na sua frente, como se quisesse descansar. Um pássaro de aparência interessante. Não era, Depape pensou, um pombo selvagem. Não seria algum bicho de estimação em fuga? Não podia imaginar alguém naquele desolado quadrante do mundo criando qualquer coisa além de um cachorro meio brabo para morder o traseiro do ladrão (embora ele achasse difícil que aquelas pessoas tivessem alguma coisa que valesse a pena roubar), mas tudo era possível. De qualquer modo, um pombo assado daria uma boa refeição quando ele parasse à noite.

Depape pegou a arma, mas antes que tivesse tempo de puxar o gatilho, o pombo já estava voando para leste. Mesmo assim, Depape atirou. Às vezes a pessoa tem sorte; infelizmente não foi daquela vez. O pombo mergulhou um pouco, depois nivelou e desapareceu na direção que o próprio Depape estava seguindo. Depape se instalou na sela, não muito irritado; afinal, Jonas ia ficar bastante satisfeito com o que havia descoberto. Após alguns instantes, pôs o cavalo em movimento e começou a avançar a meio galope ao longo da estrada do Mar do Baronato, de volta a Mejis, onde muito havia a ser acertado com os moleques que o tinham humilhado. Podiam ser lordes, filhos de pistoleiros, mas nos tempos que corriam mesmo gente como eles podia ser morta. Como o próprio velho bastardo poderia, sem a menor dúvida, ter salientado, o mundo havia seguido adiante.

2

Num final de tarde, três dias depois de Roy Depape deixar Ritzy e pôr de novo o cavalo no rumo de Hambry, Roland, Cuthbert e Alain foram para o norte e oeste da cidade, primeiro pela comprida encosta da Baixa, depois entrando na terra sem dono que os habitantes de Hambry chamavam de Pasto Ruim, depois pelas desérticas terras devastadas. À frente deles, e claramente visível assim que eles voltaram ao aberto, havia penhascos se esfacelando, comidos pela erosão. No centro dos penhascos havia uma fenda escura, as bordas tão recortadas que pareciam trazidas à realidade por algum deus mal-humorado manejando uma machadinha.

A distância entre o final da Baixa e os penhascos era talvez de dez quilômetros. Cumpridos três quartos do caminho até lá, atingiram o único verdadeiro acidente geográfico daquele trecho de planície: um afloramento de rocha que lembrava a curvatura do primeiro nó de um dedo. Abaixo havia um pequeno relvado em forma de bumerangue e, quando Cuthbert deu um grito ululante para ouvir a própria voz retornar dos penhascos à frente, um bando de barulhentos trapalhões saiu do relvado e correu para sudeste, para a Baixa.

— Esta é a rocha Pendurada — disse Roland. — Em sua base há uma nascente... que dizem ser a única da região.

Foi o único diálogo que houve entre eles naquele período da jornada, mas Cuthbert e Alain, que seguiam logo atrás de Roland, trocaram um inconfundível olhar de alívio. Durante as últimas três semanas tinham intensificado a marcha por locais onde se viam cercados e ameaçados pelo calor do verão. Era ótimo para Roland dizer que deviam esperar, que tinham de prestar mais atenção às coisas que aparentemente não importavam e contar as coisas mais evidentes com o canto dos olhos, mas nenhum deles confiava inteiramente no ar sonhador, desconectado que Roland usava naqueles dias como uma espécie de versão especial da capa de Clay Reynolds. Não falavam sobre isso entre os dois; não tinham de falar. Ambos sabiam que se Roland começasse a cortejar a bela moça que o prefeito Thorin reservava para concubina (e de quem mais poderia ser aquele cabelo comprido e loiro?), comprariam um problema bastante grave. Agora, no entanto, Roland não estava mais mostrando um ar de cortejador, não tinham mais encontrado fios de cabelos loiros no colarinho de sua camisa e, naquela noite, ele parecia mais senhor de si, como se tivesse se livrado do manto de abstração. Temporariamente, talvez. Permanentemente, se estivessem com sorte. Só podiam esperar para ver. No final, como sempre acontecia, o ka teria a última palavra.

A cerca de um quilômetro e meio dos penhascos, a forte brisa marinha que estivera a viagem inteira às suas costas subitamente cessou e eles ouviram o murmúrio baixo, atonal da fenda que era a garganta do Parafuso. Alain parou, fazendo uma careta como um homem que tivesse dado uma mordida numa fruta extraordinariamente azeda. Só conseguia pensar num punhado de pedras afiadas, apertadas e unidas numa escarpa vertical. Abutres circundavam o desfiladeiro como se atraídos pelo som.

— O vigia não está gostando disso, Will — disse Cuthbert, batendo no crânio com os nós dos dedos. — Eu também não gosto muito. Para que viemos até aqui?

— Para contar — disse Roland. — Fomos mandados para contar tudo e ver tudo, e aqui está uma das coisas que precisamos contar e ver.

— Ah, ié — disse Cuthbert, contendo o cavalo com algum esforço; o gemido baixo, cortante da lúmina deixara o animal nervoso. — São mil seiscentos e catorze redes de pesca, setecentos e dez barcos pequenos, duzentos e catorze barcos grandes, setenta bois cuja existência ninguém vai admitir e, ao norte da cidade, uma lúmina. Seja lá o que *isso* possa significar.

— Vamos descobrir — disse Roland.

Avançaram na direção do som e, embora não estivessem gostando nada daquilo, ninguém sugeriu que dessem meia-volta. Haviam andado muito para chegar até lá e Roland tinha razão... era o trabalho deles. Além do mais, estavam curiosos.

A boca do desfiladeiro fora muito bem tampada com mato, como Susan explicara a Roland. Pelo outono, provavelmente a maior parte daquilo já teria morrido, mas por enquanto os galhos empilhados ainda carregavam folhas e tornavam difícil uma visão do desfiladeiro. Uma trilha seguia pelo centro da pilha de mato, mas era estreita demais para os cavalos (que poderiam simplesmente empacar no meio da travessia) e, na luz que caía, Roland mal conseguia discernir alguma coisa.

— Nós vamos entrar? — perguntou Cuthbert. — Deixe o Anjo Escrivão anotar que sou contra, embora isto não seja uma posição de motim.

Roland não pretendia fazê-los cruzar o mato em direção à fonte daquele som. Antes de mais nada porque não tinha mais do que uma ideia muito vaga do que era uma lúmina. Passara as últimas semanas fazendo algumas perguntas sobre o assunto, mas não conseguira respostas de grande utilidade. "Eu não chegaria perto" foi basicamente o conselho do xerife Avery. Até aquele momento, sua melhor informação continuava sendo a que obtivera de Susan na noite do encontro dos dois.

— Fique tranquilo, Bert. Não vamos passar daqui.

— Ótimo — disse Alain em voz baixa, e Roland sorriu.

Havia, no entanto, um caminho que seguia pelo lado oeste do desfiladeiro, um caminho íngreme e estreito, mas transitável se tivessem cuidado. Avançaram em fila indiana, fazendo uma parada para remover uma pedra que rolara, atirando estilhaços de xisto e grafite no fosso que gemia à direita deles. Feito aquilo, e no momento em que se preparavam para retomar a subida, um pássaro grande e estranho — talvez um galo selvagem, talvez uma perdiz — surgiu sobre a borda do desfiladeiro numa explosiva agitação de penas. Roland sentiu as mãos descerem em busca dos revólveres e viu que as de Cuthbert e Alain faziam o mesmo. Algo bastante improvável, considerando que suas armas de fogo estavam embrulhadas em oleados protetores e escondidas embaixo das tábuas do assoalho da casa-sede do Barra K.

Eles se entreolharam, sem falar nada (exceto com os olhos, que diziam muito) e continuaram. Roland descobriu que o efeito de estar assim tão perto da lúmina era cumulativo — não era um som a que a pessoa pudesse se acostumar. Na realidade, era exatamente o contrário: quanto mais a pessoa entrava na vizinhança imediata da Garganta do Parafuso, mais o som lhe raspava o cérebro. Penetrava entre os dentes assim como nos ouvidos; vibrava no emaranhado de nervos abaixo do esterno e parecia sugar o úmido e delicado tecido atrás dos olhos. Mais que tudo, no entanto, entrava na cabeça, dizendo à pessoa que tudo que ela mais temia estava bem atrás da próxima curva da trilha ou naquela pilha de rocha caída, esperando para saltar com um bote de cobra e pegá-la.

Assim que chegaram ao terreno plano e árido no topo da trilha e o céu tornou a se abrir sobre eles a coisa melhorou um pouco, mas então o dia já quase escurecera de todo e, quando desmontaram e avançaram até as pedras esfaceladas na ponta do desfiladeiro, praticamente só puderam ver sombras.

— Não estou gostando — disse Cuthbert com um ar nervoso. — Devíamos ter partido mais cedo, Roland... quero dizer, Will. Como fomos burros!

— Aqui, se quiser, posso ser Roland de novo. E vamos ver o que viemos ver, e contar o que viemos contar... uma lúmina, exatamente como você disse. É só esperar.

Esperaram e nem vinte minutos depois a Lua do Mascate se ergueu no horizonte... uma perfeita lua de verão, enorme, alaranjada. Brotava no vórtice violeta e cada vez mais escuro do céu como um planeta que fosse colidir com a Terra. Em sua face, visível como nunca antes estivera, estava o Mascate, ele que saía de Nenhum Lugar com sua sacola cheia de almas que davam gritos agudos. Um vulto corcunda feito de sombras borradas com um pacote bem nítido sobre um ombro encolhido. Atrás dele, a luminosidade laranja parecia se inflamar como um fogo do inferno.

— Argh! — exclamou Cuthbert. — Com o som que vem lá de baixo essa visão não é nada agradável.

Permaneceram, contudo, onde estavam (eles e os cavalos, que periodicamente repuxavam um pouco as rédeas como a dizer que já estava mais do que na hora de partir daquele lugar), e a lua avançou no céu, encolhendo-se um pouco e ganhando um tom prateado. Finalmente subiu o suficiente para fazer sua luz esquálida penetrar na Garganta do Parafuso. Os três garotos continuavam olhando para baixo. Nenhum deles falava. Roland não sabia o que se passava com os amigos, mas achava que também não conseguiria falar, mesmo se perguntassem algo a ele.

Um desfiladeiro tipo caixote, muito curto e de paredes muito íngremes, Susan dissera, e a descrição era exata. Ela também dissera que o Parafuso lembrava uma chaminé deitada e Roland também julgava isso verdadeiro, se pensarmos que uma chaminé pode, ao cair, se quebrar um pouco e ficar com um dente no meio.

Até aquele dente, o piso do desfiladeiro parecia bastante comum; mesmo a camada de ossos nada tinha de extraordinária. Muitos animais que penetravam em desfiladeiros estreitos como aquele não conseguiam achar o caminho de volta e, no Parafuso, a possibilidade de fuga ficava ainda mais reduzida pelo mato empilhado na boca do canyon. As paredes eram íngremes demais para serem escaladas, exceto talvez num único ponto, pouco antes da saliência daquele pequeno dente. Ali Roland viu uma espécie de sulco subindo pelo lado do desfiladeiro, com suficientes saliências para... talvez!... fornecer apoios para as mãos. Nenhum motivo genuíno o levou a prestar atenção naquilo; ele simplesmente o fez, principalmente porque cultivara, durante toda a sua vida, o hábito de reparar em rotas potenciais de fuga.

Além do dente no piso do desfiladeiro, havia uma coisa que jamais tinham visto... e horas mais tarde, de volta ao barracão, ninguém soube dizer exatamente o que era que tinham visto. A parte mais afastada da garganta do Parafuso estava obscurecida por uma liquescência prateada, sombria, da qual serpentes de fumaça ou névoa se erguiam em rápida sucessão. O líquido parecia se mover lentamente, avançando para as paredes que o retinham. Mais tarde, descobririam que tanto o líquido quanto a névoa possuíam uma luminosidade esverdeada; era apenas o luar que os fazia parecer prateados.

Enquanto observavam, uma forma voadora escura — talvez a mesma que já os assustara antes — deslizou sobre a superfície da lúmina, agarrou alguma coisa no ar (um inseto?, um pássaro menor?) e começou de novo a subir. Antes que ganhasse altura, uma coluna de líquido prateado se ergueu do piso do desfiladeiro. Por um momento o som rangente, pastoso, aumentou mais um pouco, quase se transformando numa voz. A coluna de líquido pegou o pássaro que pegara o outro e puxou-o para baixo. Uma luz esverdeada, breve e desfocada, cintilou na superfície da lúmina como eletricidade e desapareceu.

Os três rapazes se encararam com olhos assustados.

Pule aqui, pistoleiro, uma voz de repente chamou. Era a voz da lúmina; era a voz do pai; era também a voz de Marten, o feiticeiro, Marten, o sedutor. O mais terrível de tudo, era sua própria voz.

Pule aqui e se livre de todos essas preocupações. Não haverá amor de moças para atormentá-lo nem lamentos sobre mães que foram perdidas vão oprimir seu coração infantil. Só o zumbido da crescente cavidade no centro do universo; só a rosada doçura da carne apodrecendo.

Venha, pistoleiro. Seja parte da lúmina.

Com uma expressão sonhadora e olhos vidrados, Alain começou a andar pela beira do precipício, a bota direita tão próxima do vazio que o calço atirava nuvens de poeira e feixes de pedrinhas para o fundo. Antes que pudesse dar mais de cinco passos, Roland agarrou-o pelo cinto e puxou-o brutalmente para trás.

— Aonde pensa que vai?

Alain contemplou-o com olhos de sonâmbulo. Que começaram a ganhar foco, mas ainda devagar.

— Eu não... sei, Roland.

Abaixo deles, a lúmina zumbia, rosnava, cantava. Havia outro som: um murmúrio suave, pastoso.

— *Eu* sei — disse Cuthbert. — Sei para onde todos nós vamos. Vamos voltar para o Barra K. Andem logo, vamos sair daqui. — Encarou Roland com ar de súplica. — Por favor. É terrível.

— Está bem.

Mas antes de levá-los de volta à trilha, Roland se aproximou da beira do barranco e contemplou o destilar prateado, enfumaçado, que havia lá embaixo.

— Contando — disse, numa espécie de ostensivo desafio. — Contando uma lúmina. — Depois, baixando a voz: — E maldita seja ela.

3

Voltaram a ficar tranquilos quando tomaram o rumo de casa — a brisa marinha no rosto tinha um ótimo efeito restaurador após o cheiro de morte (um cheiro quase que *assado*) do desfiladeiro e da lúmina.

Enquanto subiam a Baixa (numa longa diagonal, para poupar um pouco os cavalos), Alain perguntou:

— O que vamos fazer agora, Roland? Tem ideia?

— Não. Para falar a verdade, não sei.

— Jantar seria um bom começo — disse Cuthbert num tom animado, batendo no crânio oco do vigia em busca de ênfase.

— Você entendeu o que eu quis dizer.

— Sim — Cuthbert concordou. — E vou lhe dizer uma coisa, Roland...

— Will, por favor. Agora que estamos de volta à Baixa, me chame de novo de Will.

— Ié, certo. Vou lhe dizer uma coisa, Will: não podemos continuar a vida toda contando redes, barcos, teares e rodas de ferro. Estamos nos preocupando com coisas que não importam. Acredito que parecermos estúpidos só se tornará um bom negócio quando começarmos a mexer com a criação de cavalos, que é uma área muito importante no modo como a vida é vivida em Hambry.

— Ié — disse Roland, detendo Rusher e olhando para trás. Ficou momentaneamente encantado pela visão dos cavalos, sem dúvida contaminados por uma espécie de loucura da lua, brincando, correndo pela relva prateada. — Mas vou dizer de novo a vocês, *não se trata apenas de cavalos*. Farson precisa deles? Ié, talvez. A Confederação também. Assim como de bois. Mas há cavalos por toda a parte... talvez não tão bons como esses, admito, mas numa tempestade qualquer porto serve, é o que dizem. Então, se não se trata apenas de cavalos, o que será? Até sabermos ou concluirmos que *jamais* vamos descobrir, continuamos como estamos.

Parte da resposta estava à espera deles no Barra K. Estava empoleirada no poste onde o cavalo era amarrado e agitava uma cauda. Quando o pombo pulou para sua mão, Roland viu que uma das asas estava estranhamente arrepiada. Algum animal — provavelmente um gato — tinha se aproximado o bastante para tentar um bote, sem dúvida.

O bilhete enrolado na pata do pombo era breve, mas explicava várias coisas que eles não tinham compreendido.

Terei de vê-la de novo, Roland pensou depois de ler e sentiu-se dominado por uma onda de alegria. A pulsação se acelerou e, na fria luz prateada da Lua do Mascate, ele sorriu.

9. CITGO

1

A Lua do Mascate começou a minguar; levaria com ela a parte mais quente, mais agradável do verão. Num início de tarde, quatro dias após a lua cheia, o velho *mozo* da Casa do Prefeito (Miguel estava lá desde muito antes da época de Hart Thorin e provavelmente estaria lá muito tempo depois da volta de Thorin para seu rancho) apareceu na casa que Susan compartilhava com a tia. Puxava uma bela égua de pelo castanho por um cordão. Era o segundo dos três cavalos prometidos e Susan reconheceu de imediato Felicia. A égua fora um dos animais favoritos de sua infância.

Susan abraçou Miguel, enchendo de beijos o rosto barbado. O sorriso do velho teria revelado cada dente da boca, se tivesse sobrado algum para ser revelado.

— *Gracias*, *gracias*, mil vezes obrigada, velho pai — disse ela.

— Da nada — ele respondeu e passou-lhe o cordão. — É o melhor presente que o prefeito já deu.

Ela o viu partir, o sorriso sumindo aos poucos dos lábios. Felicia permanecia docemente a seu lado, o castanho-escuro do pelo brilhando como um sonho sob o sol do verão. Mas não era sonho. A princípio parecia, mas não era um sonho (aquela sensação de irrealidade a ajudava a cair ainda mais no alçapão, ela agora percebia). Sua castidade fora provada; agora se transformava no recipiente dos "melhores presentes" de um homem rico. A frase era apenas algo que se dizia, é claro... ou uma piada sem graça, dependendo do humor e do ponto de vista da pessoa. Felicia era tanto um presente quanto Pilão... na realidade, não passava do cumprimento rigoroso do contrato que ela havia aceitado. Tia Cord podia fingir estar chocada, mas Susan sabia da verdade: o que se estendia diretamente à frente era prostituição, pura e simplesmente.

Tia Cord estava na janela da cozinha quando Susan passou com seu presente (que de fato era apenas propriedade devolvida) rumo ao estábulo. Cordelia gritou alguma coisa simpática sobre a excelente qualidade do presente, um presente que deixaria Susan com menos tempo para suas melancolias. Susan sentiu uma resposta irritada subir a seus lábios e reprimiu-a. Tinha havido uma trégua prudente entre as duas desde a gritaria sobre a história das camisas e Susan não queria ser a pessoa a rompê-la. Havia muita coisa em seu coração e mente. Achava que mais uma discussão com a tia e ela poderia apenas quebrar como um galho seco sob uma bota. *Pois frequentemente é melhor o silêncio*, o pai lhe dissera quando, com cerca de dez anos, ela lhe perguntara por que estava sempre tão calado. Na época, a resposta a deixara confusa, mas agora ela entendia melhor.

Deixou Felicia no estábulo, ao lado de Pilão, escovou-a, deu-lhe de comer. Enquanto a égua mastigava a forragem, Susan examinou os cascos. Ao ver a péssima aparência das ferraduras que a égua estava usando (com a marca de Seafront), tirou a sacola do pai do prego atrás da porta do estábulo, passou-a pela cabeça e pelo ombro para que ficasse presa em seu quadril e caminhou os três quilômetros até o estábulo do Hookey e a cocheira Capricho. Sentir a sacola de couro contra seu corpo trouxe de volta a imagem do pai de forma muito nítida, tão nítida que a dor voltou a dominá-la, dando-lhe vontade de chorar. Pensou em como o pai teria ficado consternado com sua situação, talvez até enojado. Mas ele teria gostado de Will Dearborn, disso tinha certeza — gostado e aprovado um namoro dos dois. Era sua última e miserável certeza.

2

Susan já passara boa parte de sua vida colocando ferraduras, e até gostava de fazer aquilo quando estava com boa disposição; era um trabalho meio sujo, primitivo, que trazia sempre a possibilidade de um saudável coice quando ela virasse de costas. Servia, no entanto, para aliviar o tédio e trazê-la de volta à realidade. Mas de *fazer* ferraduras, Susan não sabia nada, nem queria saber. Brian Hookey as fabricava na forja que ficava na parte de trás do celeiro de sua estalagem; Susan conseguiu facilmente quatro novas, do tamanho certo, gostando do cheiro de cavalo e forragem fresca. Do cheiro de tinta fresca também. Hookey's Stable & Smithy parecia estar muito bem de vida, sem dúvida. Ao olhar para o alto, não viu um único buraco no teto do celeiro. Os tempos pareciam ter sido bons para Hookey.

Ele mediu as novas ferraduras com um instrumento de ferro, ainda usando o avental de ferreiro e contraindo intensamente um olho para ler os números. Quando Susan começou a lhe falar sem jeito em pagamento, ele riu, disse que sabia que ela acertaria as contas assim que pudesse, e que Deus a abençoasse, pois é. Além disso, nenhum deles ia fugir, não é? Naum, naum. Durante todo esse tempo, Hookey a conduzira gentilmente em direção à porta por entre os cheiros penetrantes de feno e cavalos. Um ano antes, não teria sido tão negligente quanto a fazer um trabalho antes de receber, mesmo que fossem apenas quatro ferraduras, mas agora, quando Susan era a boa amiga do prefeito Thorin, a situação era outra.

O sol da tarde pareceu muito forte depois da obscuridade do celeiro de Hookey e ela ficou momentaneamente ofuscada, tateando para a rua com a bolsa de couro balançando no quadril e as ferraduras se agitando lá dentro. Só teve um momento para registrar uma forma assomando na luz, uma forma que se chocou contra ela com força suficiente para fazê-la ranger os dentes e fazer tilintar as novas ferraduras de Felicia. Quando estava prestes a cair, mãos fortes se esticaram depressa agarrando-a pelos ombros. Já então seus olhos estavam se adaptando à luz e ela viu, com um contentamento meio receoso, que o rapaz que quase a fizera se estatelar no chão de terra era um dos amigos de Will: Richard Stockworth.

— Ah, sai, queira me desculpar! — disse ele, sacudindo as mangas do vestido da garota como se a tivesse de fato jogado no chão. — Está bem? Tem certeza de que está bem?

— Muito bem — disse ela sorrindo. — Por favor, não se desculpe. — Susan sentiu um súbito e selvagem impulso de ficar na ponta do pé, beijar o rapaz na boca e dizer: *Passe este beijo a Will e diga-lhe para se esquecer de tudo que eu falei! Diga-lhe que há outros milhares de beijos na boca de onde este veio! Mande que me procure para ganhar todos eles!*

Em vez disso, Susan imaginou uma imagem cômica: aquele Richard Stockworth beijando Will na boca e dizendo que estava entregando o beijo de Susan Delgado. Ela começou a rir. Pôs as mãos na boca, mas não adiantou. Sai Stockworth devolveu-lhe o sorriso... hesitante, cautelosamente. *Provavelmente acha que estou louca... e estou! Estou!*

— Bom dia, sr. Stockworth — disse ela e seguiu adiante antes de conseguir ficar ainda mais embaraçada.

— Bom dia, Susan Delgado — ele respondeu.

Susan olhou uma vez para trás, quando já tinha subido uns cinquenta metros de rua, mas ele já se fora. Não entrara, contudo, no estábulo de Hookey; disso tinha certeza absoluta. Não imaginava o que o sr. Stockworth podia estar fazendo naquela parte da cidade.

Descobriu meia hora depois, ao tirar as novas ferraduras da sacola do pai. Havia uma tira de papel dobrada, enfiada entre duas das ferraduras. Mesmo antes de abrir, ela compreendeu que a colisão com o sr. Stockworth não fora um acaso.

Reconheceu de imediato a letra de Will, a mesma do bilhete no buquê de flores.

Susan,

Pode me encontrar hoje ou amanhã, no final da tarde, na Citgo? É muito importante. Tem a ver com o que discutimos antes. Por favor.

W.

P.S.: Melhor queimar este bilhete.

Ela o queimou de imediato e, vendo as chamas primeiro se inflamarem e depois morrerem, murmurava sem parar a única palavra da nota que a atingira mais profundamente: *Por favor.*

3

Ela e tia Cord jantaram uma refeição simples, silenciosa — pão e sopa —, e quando terminou, Susan levou Felicia para a Baixa e ficou vendo o sol se pôr. Não o encontraria naquela noite. Já possuía muitas razões para lamentar seu comportamento impulsivo, insensato. Mas, e no dia seguinte?

Por que Citgo?

Tem a ver com o que discutimos antes.

Sim, provavelmente. Ela não duvidava da honra dele, embora tivesse muitas razões para se perguntar se ele e os amigos eram realmente quem diziam ser. Provavelmente, Will a queria ver por algum motivo que se referia à sua missão (embora não conseguisse imaginar qual poderia ser a relação entre a reserva de óleo e o excesso de cavalos na Baixa), mas entre os dois já havia alguma coisa, algo doce e perigoso. Podiam começar apenas conversando, mas provavelmente acabariam se beijando... e o beijo seria apenas o início. Saber disso, no entanto, não mudava o que estava sentindo; queria vê-lo. *Precisava* vê-lo.

Sentou-se com uma perna de cada lado do novo animal — outro dos pagamentos que Hart Thorin avançara por conta de sua virgindade — e contemplou o sol inchar e ficar vermelho no oeste. Prestou atenção ao fraco ressonar da lúmina e, pela primeira vez em seus dezesseis anos, foi realmente tomada pela indecisão. O que ela queria se chocava com tudo em que acreditava com relação à honra, e sua mente se debatia com o conflito. Por todo lado, como vento aumentando ao redor de uma casa pouco firme, sentia a presença do ka. Mas não seria fácil demais ceder a honra por sua causa? Invocar o todo-poderoso ka para justificar a perda da virtude? Era um pretexto fácil demais.

Susan sentiu-se tão ofuscada quanto ao passar da escuridão do celeiro de Brian Hookey para a rua ensolarada. A certa altura, sem ao menos ter consciência do que fazia, começou a chorar sem emitir som. De frustração. Permeando cada esforço de pensar clara e racionalmente, estava o desejo de beijá-lo de novo, de sentir a mão rodeando seu seio.

Nunca fora uma pessoa religiosa, tinha pouca fé nos obscuros deuses do Mundo Médio mas, em determinado momento, depois que o sol se fora e o céu acima do centro do poente passou do vermelho ao roxo, ela tentou rezar para o próprio pai. E recebeu uma resposta, embora não pudesse dizer se realmente dele ou apenas de seu coração.

Deixe o ka agir por si mesmo, disse a voz em sua mente. *De qualquer modo, é o que ele vai fazer; é o que sempre faz. Se o ka julgar que deve fazê-la abrir mão da honra, ele o fará; mas você, Susan, deve continuar extremamente atenta à sua virtude. Esqueça o ka e honre a virtude de sua promessa, por mais difícil que isso possa ser.*

— Está bem — disse ela. E no estado emocional em que estava, descobriu que qualquer decisão (mesmo a que lhe roubasse outra chance de ver Will) era um alívio. — Vou honrar minha promessa. O ka pode cuidar de si próprio.

Nas sombras que cresciam, ela atiçou Felicia com o canto da boca e voltou para casa.

4

O dia seguinte era solmingo, o tradicional dia de repouso do vaqueiro. O pequeno grupo de Roland também tirou esse dia de folga.

— É uma folga mais do que merecida — disse Cuthbert —, principalmente porque nem sabemos direito no que estamos trabalhando.

Naquele particular solmingo (o sexto deles, desde a chegada a Hambry), Cuthbert estava no mercado alto (o mercado baixo costumava ser mais barato, mas cheirava demais a peixe para seu gosto), apreciando serafins muito coloridos e fazendo força para não chorar. Pois sua mãe tinha um serafim, ela o adorava, e pensar em como ela às vezes viajava com o pássaro pousado no ombro o enchia de uma saudade intensa que chegava a doer. "Arthur Heath", o ka-mai de Roland, sentindo tanto a falta de sua mamãe a ponto de ficar de olhos molhados! Era uma piada digna de... bem, digna de Cuthbert Allgood.

E quando estava ali parado, contemplando os serafins e um engradado suspenso com mantas de pelo cru, as mãos entrelaçadas atrás das costas como o frequentador de uma galeria de arte (e sem parar de piscar para reprimir as lágrimas), sentiu um tapinha no ombro. Virou-se e lá estava a moça de cabelo loiro.

Cuthbert não achava surpreendente que Roland tivesse ficado fascinado por ela. Mesmo usando calça jeans e uma camisa de peão, continuava de tirar o fôlego. O cabelo estava amarrado para trás por uma série de pregadores toscos, de couro cru, e os olhos tinham o cinza mais brilhante que Cuthbert já vira. Cuthbert achava incrível que Roland tivesse conseguido focar em qualquer outra coisa em sua vida mais complexa do que escovar os dentes. E certamente a garota chegara como um alívio para Cuthbert, pois os pensamentos sentimentais a respeito da mãe desapareceram instantaneamente.

— Sai — disse. Foi tudo que conseguiu dizer, pelo menos para começar.

Ela assentiu e estendeu o que os habitantes de Mejis chamavam de *corveta* — "pacotinho" era a tradução literal; "bolsinha", a tradução viável. Aqueles pequenos acessórios de couro, grandes o bastante para algumas moedas, mas não para muito mais que isso, eram com maior frequência levados por senhoras que por cavalheiros, embora isto fosse antes uma questão de moda que elemento de distinção de gênero.

— Deixou cair isto, rapaz — disse ela.

— Naum, obrigado-sai. — Aquilo podia muito bem ter pertencido a um homem (couro preto e liso, sem adornos florais), mas ele nunca vira aquela *corveta*. Na realidade, jamais tivera uma.

— É sua — disse ela com um olhar de repente tão intenso que Cuthbert sentiu queimar na pele. Devia ter compreendido de imediato, mas ficara um tanto atordoado com a inesperada aparição da garota. E também, ele admitiu, por sua sagacidade. De certa forma as pessoas não esperariam ver sagacidade numa garota assim tão bonita; em geral garotas bonitas não precisavam ser sagazes. Pelo menos na opinião de Bert, garotas bonitas só precisavam conseguir acordar de manhã. — É *sua*.

— Ah, ié — disse ele, à beira de arrebatar a bolsinha da mão dela e sentindo um sorriso bobo lhe cobrir o rosto. — Agora que fez menção a isso, sai...

— Susan. — Sobre o sorriso, os olhos dela estavam sérios e atentos. — E me chame apenas de Susan, por favor.

— Com prazer. E por favor, me desculpe, Susan. Acho que minha cabeça e minha memória, como hoje é solmingo, deram as mãos e tiraram o dia de folga... Abandonaram o navio, percebe? Acho que fiquei temporariamente sem miolos.

Podia ter continuado a tagarelar nesta mesma linha por mais uma hora (já agira assim; Roland e Alain eram testemunhas disso), mas Susan o deteve com a rispidez descontraída de uma irmã mais velha.

— Posso sem dúvida acreditar que não tem controle sobre sua mente, sr. Heath... nem sobre a língua pendurada abaixo dela... mas talvez tome mais cuidado com sua bolsa no futuro. Bom dia. — Antes que ele pudesse pronunciar uma palavra a mais, Susan se fora.

5

Bert encontrou Roland onde, com tanta frequência, ele costumava ficar naqueles dias: na parte da Baixa que era chamada Mirante da Cidade por muitos habitantes locais. Proporcionava uma bela vista de Hambry, mergulhada naquela tarde de solmingo numa névoa azul, mas Cuthbert não acreditava que fosse a vista de Hambry o que atraía seu amigo mais antigo para aquele lugar. Achava que a razão mais provável era a vista da casa da sobrinha e da tia com sobrenome Delgado.

Naquele dia Roland estava com Alain, ambos em silêncio. Cuthbert não tinha dificuldades em aceitar a ideia de que algumas pessoas pudessem ficar longos períodos de tempo sem falar uma com a outra, mas achava que jamais seria capaz de compreendê-la.

Aproximou-se a galope dos dois, pôs a mão por dentro da camisa e puxou a corveta.

— De Susan Delgado. Ela me deu no mercado alto. É uma garota bonita e também é astuta como uma serpente. E digo isso com a mais extrema admiração.

O rosto de Roland se encheu de luz, de vida. Quando Cuthbert atirou-lhe a *corveta*, ele a pegou com uma das mãos e puxou o cordão com os dentes. Lá dentro, onde um viajante teria conservado os restos de seu dinheiro, havia um pedaço de papel dobrado. Roland leu de imediato a mensagem, o brilho deixando seus olhos, o sorriso sumindo.

— O que diz aí? — Alain perguntou.

Roland passou-lhe o bilhete e depois voltou a contemplar a Baixa. Só quando viu a profunda desolação nos olhos do amigo, Cuthbert percebeu o quanto Susan Delgado passara a fazer parte da vida de Roland — e, portanto, da vida de todos eles.

Alain passou-lhe a nota. Era apenas uma linha, duas frases.

É melhor não nos encontrarmos. Desculpe.

Depois de ler duas vezes a mensagem, como se ler e reler pudesse mudar alguma coisa, Cuthbert devolveu o papel a Roland. O rapaz guardou o bilhete na *corveta*, amarrou o cordão e enfiou a bolsinha por dentro da camisa.

Cuthbert odiava mais o silêncio que o perigo (para ele o silêncio *era* um perigo), mas, dada a expressão no rosto do amigo, cada início de conversa que vinha a sua cabeça só serviria para dar mostras de imaturidade e insensibilidade. Era como se Roland tivesse sido envenenado. Cuthbert ficava com nojo de pensar naquela garota adorável transando com o comprido e ossudo prefeito de Hambry, mas a expressão no rosto de Roland sugeria emoções mais fortes que o mero nojo. Só por isso Cuthbert já seria capaz de odiá-la.

Por fim, foi Alain quem falou, quase timidamente:

— E então, Roland? Vale a pena darmos uma busca lá na reserva de petróleo, mesmo sem ela?

Cuthbert admirou-se de estar ouvindo aquilo. Depois de encontrá-lo pela primeira vez, muita gente qualificava Alain Johns como uma espécie de tapado. Isso estava muito longe da verdade. Num modo diplomático em que Cuthbert jamais seria capaz de se expressar, ele chamara atenção para o fato de que a malograda experiência inicial de Roland com o amor não mudava em nada suas responsabilidades.

E Roland reagiu de imediato, tirando a perna da frente da sela e sentando-se reto. A forte luz dourada daquela tarde de verão deu contrastes duros ao seu rosto e, por um momento, sua expressão foi assombrada pelo fantasma do homem que um dia se tornaria. Cuthbert viu esse fantasma e estremeceu — não sabendo o que tinha visto, só sabendo que era terrível.

— E os Grandes Caçadores de Caixões — Roland perguntou —, você os viu na cidade?

— Vi Jonas e Reynolds — Cuthbert respondeu. — Mas não encontrei nenhum sinal de Depape. Acho que Jonas deve tê-lo estrangulado e atirado pelos rochedos à beira-mar num acesso de raiva por causa daquela noite no bar.

Roland balançou a cabeça.

— Jonas precisa demais dos homens em quem confia para desperdiçá-los... Como nós, ele também anda em gelo fino. Não, ele apenas mandou Depape dar um tempo em algum lugar.

— Que lugar? — Alain perguntou.

— Um lugar onde tenha de cagar no mato e dormir na chuva se o tempo piorar. — Roland deu uma risada breve, sem muito humor. — Falando sério, acho que Jonas mandou Depape farejar nosso rastro.

Alain resmungou baixo, numa surpresa que não era realmente surpresa. Roland estava montado em Rusher, contemplando as incríveis extensões de terra e os cavalos no pasto. Num gesto inconsciente, esfregou com uma das mãos a *corveta* enfiada na camisa. Por fim, tornou a se virar para os amigos.

— Vamos esperar um pouco mais — disse. — Talvez ela mude de ideia.

— Roland... — Alain começou, um tom de assustadora suavidade. Roland ergueu as mãos antes que Alain pudesse continuar.

— Não duvide de mim, Alain... Falo como filho de meu pai.

— Tudo bem. — Alain estendeu a mão e agarrou brevemente o ombro de Roland. Quanto a Cuthbert, ele se reservou o direito de fazer seu próprio julgamento. Roland podia ou não estar agindo como filho de seu pai; Cuthbert achava que, naquele momento, Roland não era o mais indicado para dizer o que, de fato, estava se passando em sua mente.

— Estão lembrados do que Cort dizia ser a fraqueza número um de vermes como nós? — Roland perguntou com uma sugestão de sorriso.

— Vocês saem sem pensar e caem no buraco — Alain citou numa imitação grosseira que fez Cuthbert dar uma boa risada.

O sorriso de Roland se ampliou um pouco.

— Ié. São palavras que não pretendo esquecer, rapazes. Não vou puxar a carroça antes da hora... Primeiro tenho de achar que não há outra opção. Susan pode mudar de ideia se tiver tempo para pensar melhor. Acho inclusive que já teria concordado com nosso encontro se não tivéssemos... se não tivesse acontecido outras coisas entre nós.

Fez uma pausa e, por algum tempo, houve silêncio entre eles.

— Preferia que nossos pais não nos tivessem mandado para cá — disse Alain por fim... embora tivesse sido o pai de *Roland* quem os mandara, e todos três soubessem disso. — Somos novos demais para missões como esta. Não novos demais por uma questão de meses, mas de anos.

— Mas fomos bem naquela noite no Repouso — disse Cuthbert.

— Aquilo foi treino, não foi a sério... Eles não estavam nos levando a sério. Não vai acontecer de novo.

— Não teriam nos mandado... nem meu pai nem o de vocês... se soubessem o que íamos encontrar — disse Roland. — Mas encontramos e vamos enfrentar. Não é?

Alain e Cuthbert assentiram. Iam enfrentar, é claro. Não parecia haver mais qualquer dúvida a esse respeito.

— Seja como for, é tarde demais para pensarmos nisso. Vamos esperar e torcer para que Susan venha. Eu preferia não chegar perto da Citgo sem alguém de Hambry que conheça alguma coisa do lugar... mas se Depape voltar, teremos de correr o risco. Só Deus sabe o que ele pode descobrir ou que histórias pode inventar para agradar a Jonas. Ou o que Jonas pode fazer depois de os dois confabularem. Pode haver tiroteio.

— Depois de toda essa monotonia, acho que até viria a calhar — disse Cuthbert.

— Vai enviar outro bilhete à moça, Will Dearborn? — Alain perguntou.

Roland pensou um instante. Cuthbert fez uma aposta consigo mesmo sobre o caminho que Roland ia seguir. E perdeu.

— Não — Roland acabou dizendo. — Temos de lhe dar tempo, por mais difícil que possa ser. E espero que a curiosidade a faça voltar atrás.

E então ele virou Rusher para o barracão abandonado que agora lhes servia de casa. Cuthbert e Alain foram atrás.

6

Susan passou o resto daquele solmingo trabalhando duro, tirando o esterco dos estábulos, carregando água, lavando as escadas. Tia Cord contemplava tudo aquilo em silêncio, com uma expressão onde se misturavam dúvida e espanto. Susan não se preocupava nem um pouco com o ar que a tia pudesse aparentar... só queria se estafar, para não precisar passar outra noite insone. Estava acabado. Àquela altura Will também já saberia disso, e era para o bem dos dois. O que estava feito, estava feito.

— Perdeu a cabeça, menina? — foi tudo que tia Cord perguntou quando Susan jogou o último balde de suja água ensaboada atrás da cozinha. — Hoje é solmingo!

— Minha cabeça nunca esteve tão no lugar — ela respondeu sucintamente, sem olhar para o lado.

Tentou alcançar a primeira metade de seu objetivo. Logo depois de a lua aparecer, foi para a cama com braços cansados, pernas doloridas e as costas latejando. Mesmo assim o sono não veio. Ficou estendida na cama de olhos arregalados e se sentindo infeliz. As horas se passaram, a lua se pôs e Susan não conseguia dormir. Olhando para a escuridão, se perguntava se havia alguma possibilidade, a menor que fosse, de o pai ter sido assassinado. Para que não falasse nada, e para fechar seus olhos.

Finalmente ela chegou à mesma conclusão que Roland: se não se sentisse atraída pelos olhos dele ou pelo toque de suas mãos e lábios, teria concordado numa fração de segundo com o encontro que ele queria. Nem que fosse apenas para dar um descanso à sua mente agitada.

Depois desta percepção, um alívio tomou conta dela, deixando-a dormir.

7

No fim da tarde seguinte, quando Roland e seus amigos lanchavam no Repouso dos Viajantes (sanduíches de carne assada e toneladas de chá branco gelado — não tão bons quanto os que fazia a mulher do agente Dave, mas não de todo ruins), Sheemie chegou da rua, onde estivera regando as flores. Estava usando o *sombrero* cor-de-rosa e mostrava um largo sorriso. Trazia um embrulhinho numa das mãos.

— Ei, vocês, Caçadores de Caixões Mirins! — o rapaz gritou num tom alegre, e sua mesura foi uma boa e divertida imitação da mesura que eles faziam. Cuthbert gostou em particular de ver aquela mesura feita com sandálias de dedo. — Como vão? Bem, espero que bem, assim é!

— Vamos bem como um dia de sol — disse Cuthbert —, mas nenhum de nós gosta de ser chamado de Caçador de Caixões Mirim. Quem sabe você não podiar deixar essa passar, tudo bem?

— Ié — disse Sheemie, cordial como sempre. — Ié, sr. Arthur Heath, cara legal que salvou minha vida! — Fez uma pausa e, por um momento, pareceu confuso, como se incapaz de se lembrar ao que exatamente estava se referindo. Então seus olhos ganharam foco, a boca ficou séria e ele estendeu o pacote para Roland. — Para você, Will Dearborn!

— Para mim? O que é?

— Sementes! Pode pegar!

— Presente seu, Sheemie?

— Ah, não.

Roland pegou o embrulhinho — só um envelope fechado e dobrado. Nada havia escrito na frente ou atrás e as pontas dos dedos não sentiram qualquer semente lá dentro.

— Então de quem?

— Não consigo lembrar — disse Sheemie, virando os olhos para o lado. Com o cérebro que tinha, Roland pensou, Sheemie jamais se sentiria infeliz por muito tempo e seria absolutamente incapaz de mentir. Esperançosos e tímidos, os olhos de Sheemie voltaram aos de Roland. — Mas me lembro do que me mandaram dizer a você.

— Ié? Então diga, Sheemie.

Falando como alguém que recita um verso arduamente decorado, com ar simultaneamente orgulhoso e nervoso, ele disse:

— Essas são as sementes que você espalhou na Baixa.

Os olhos de Roland brilharam de modo tão febril que Sheemie deu um passo meio trôpego para trás. Com um rápido puxão no *sombrero*, ele se virou e correu para a segurança de suas flores. Gostava de Will Dearborn e dos amigos de Will (especialmente do sr. Arthur Heath, que às vezes dizia coisas que o faziam quase morrer de rir), mas naquele momento viu um brilho nos olhos de sai Will que o deixou muito assustado. Naquele instante compreendeu que Will era tão matador quanto o homem da capa, ou aquele que queria que Sheemie limpasse suas botas com a língua, ou o velho Jonas, de voz trêmula e cabelos brancos.

Tão mau quanto eles ou pior.

8

Roland introduziu o "saquinho de sementes" por baixo da camisa e só o abriu quando os três chegaram à varanda do Barra K. Na distância, a lúmina ressonava, fazendo os cavalos torcerem nervosamente as orelhas.

— E então? — Cuthbert finalmente perguntou, incapaz de se conter por mais tempo.

Roland tirou o envelope de dentro da camisa e o rasgou. Ao fazê-lo, refletiu que Susan soubera exatamente o que dizer. Com absoluta precisão. Os outros curvaram as cabeças para espiar, Alain à sua esquerda e Cuthbert à direita, enquanto ele desenrolava a tira de papel. Mais uma vez observou a caligrafia simples, mas cuidadosa. A mensagem não era muito mais longa do que a anterior. Mas tinha um conteúdo bastante diferente.

> *Há um laranjal bem à margem da estrada, no lado da Citgo que dá para a cidade. Encontre-me ali ao nascer da lua. Com amor. S.*

E mais embaixo, em enfáticas letras pequenas:

QUEIME ISTO

— Ficaremos de vigia — disse Alain.

— Ié. — Roland assentia. — Mas de longe.

E queimou o bilhete.

9

O laranjal era um retângulo cuidadosamente conservado com cerca de uma dúzia de fileiras de pés de laranja. Ficava no final de uma trilha de carroças parcialmente coberta de mato. Roland chegou lá após o escurecer, mas ainda a uma boa meia hora antes de a Lua do Mascate, que rapidamente minguava, se elevar de novo no horizonte.

Enquanto passeava ao longo de uma das fileiras do laranjal, atento aos barulhos um tanto espectrais que vinham do norte da reserva (pistões guinchando, engrenagens rangendo, eixos de motores batendo), Roland se viu envolvido por uma profunda saudade de casa. Fora a leve fragrância das florações nos pés de laranja — aquele tapete brilhante estendido sobre o fedor sombrio do óleo — que a trouxera. O minilaranjal não era nada em comparação com os grandes pomares de maçãs em Nova Canaã... mas, ainda assim, havia alguma coisa em comum. Era a mesma sensação de dignidade e civilização, de um tempo considerável devotado a algo que não era estritamente necessário. E naquele caso, ele suspeitava, também não muito útil. Laranjas crescendo tão para o norte das latitudes quentes seriam provavelmente quase tão ácidas quanto limões. Contudo, quando a brisa sacudiu as pequenas árvores, o cheiro o fez pensar em Gilead com amarga ansiedade e, pela primeira vez, Roland pensou na possibilidade de jamais voltar a ver a sua terra natal... Talvez tivesse se tornado tão errante quanto a velha Lua do Mascate no céu.

Ouviu Susan, mas não até ela já estar quase a seu lado... Se em vez de amiga fosse algum inimigo, talvez ainda tivesse tido tempo de sacar e atirar, mas teria sido por pouco. Estava muito exaltado e, ao ver aquele rosto sob a luz das estrelas, sentiu um verdadeiro júbilo no coração.

Susan parou quando ele se virou e limitou-se a fitá-lo, as mãos unidas diante da cintura num modo que sugeria suavidade e uma inconsciente atitude infantil. Roland deu um passo em sua direção, parando ao julgar ver alarme nos olhos dela. Ficou um instante confuso. Mas, na luz incerta, interpretara mal a atitude de Susan. Em vez de ficar parada, ela também deu um passo determinado em sua direção. Era uma mulher alta e jovem, com uma saia-calça de equitação e botas lisas e pretas. Trazia o *sombrero* caído nas costas, contra as tranças amarradas.

— Will Dearborn, este nosso encontro é ao mesmo tempo bom e péssimo — disse ela com voz trêmula, mas logo ele a estava beijando. Ficaram ardendo juntos enquanto a Lua do Mascate se elevava na forma minguante de sua última fase.

10

Dentro de sua solitária cabana no alto da colina Cöos, Rhea estava sentada na mesa da cozinha, curvada sobre o globo de vidro que os Grandes Caçadores de Caixões tinham lhe trazido um mês e meio atrás. Tinha o rosto banhado pelo clarão rosado e ninguém o confundiria com o rosto de uma jovem. Rhea tinha a extraordinária vitalidade que a conduzira por tantos anos (só os que residiam há muito tempo em Hambry faziam ideia de como Rhea da colina Cöos era velha, e mesmo assim uma ideia vaga), mas o vidro ia finalmente a enfraquecendo — sugando a vitalidade dela como um vampiro suga sangue. Atrás de Rhea, o maior cômodo da cabana estava ainda mais sombrio e desarrumado que de hábito. Naqueles dias, ela andava sem tempo até para qualquer limpeza que fosse; a bola de vidro tomava todo o seu tempo. Quando não estava olhando para a bola, estava pensando em olhar para ela… e, ah! As coisas que tinha visto!

Ermot se esfregava em volta de uma de suas pernas esquálidas, silvando com agitação, mas ela mal reparava no gato. Em vez disso, se curvava cada vez mais, chegando ainda mais perto do viciante brilho rosado da bola, encantada pelo que estava vendo ali.

Era a garota que viera procurá-la em busca de uma prova de castidade e o rapaz que vira da primeira vez que olhara para o globo. O mesmo que confundira com um pistoleiro até perceber como era jovem.

A tola da garota, que chegara a sua casa cantando e fora embora num silêncio mais adequado, tinha provado a virgindade e talvez ainda continuasse casta (certamente ainda beijava e tocava o rapaz com o misto de ânsia e timidez de uma virgem), mas não ficaria casta por muito mais tempo, se os dois continuassem naquele caminho. Será que Hart Thorin não seria apanhado de surpresa ao levar para a cama sua supostamente pura e jovem concubina? Havia meios de enganar os tolos a esse respeito (na prática, os homens *imploravam* para serem enganados a esse respeito). Algumas gotas de sangue de porco seriam extremamente úteis, mas a garota não saberia disso. Ah, era bom demais! Pensar que podia contemplar a Senhorita Arrogância chegando tão baixo e bem ali, naquele maravilhoso globo de vidro! Ah, era bom demais! Maravilhoso demais!

Chegou mais perto, as fundas órbitas dos olhos se enchendo de um fogo rosa. Ermot, sentindo que Rhea continuava imune a suas carícias, arrastou-se desconsolado para a outra ponta do aposento, à procura de insetos. Saltitando ao lado dele, soltando imprecações felinas, a enorme sombra de seis pernas subia disforme pela parede ao lado do fogão.

11

Roland teve consciência do momento chegando. Seja como for, conseguiu afastar-se de Susan. Ela também recuou, olhos arregalados, faces vermelhas... Roland pôde ver aquele vermelho à luz da lua que há pouco se erguera no céu. Seus testículos latejavam. A virilha parecia cheia de chumbo líquido.

Ela se pôs um pouco de lado e Roland reparou que o *sombrero* ficara torto em suas costas. Estendeu a mão trêmula e o endireitou. Ela agarrou-lhe os dedos com um aperto breve, mas forte; depois se abaixou para pegar as luvas de equitação, que deixara cair na ânsia de sentir sua pele contra a dele. Quando Susan voltou a se aprumar, a camada de sangue deixou bruscamente seu rosto e ela oscilou. Se as mãos de Roland não estivessem em seus ombros para firmá-la, talvez tivesse caído. Susan se virou com tristeza no olhar.

— O que vamos fazer? Ah, Will, o que vamos fazer?

— Vamos fazer o melhor que pudermos — disse ele. — Que é como sempre agimos. Como nossos pais nos ensinaram.

— Isto é loucura.

Roland, que nunca sentira nada tão são na vida — mesmo a forte dor na virilha parecia sadia, positiva —, ficou calado.

— Tem ideia de como isto é perigoso? — ela perguntou, emendando antes que Roland pudesse responder. — Ié, você tem. Posso ver que tem. Basta que nos vejam juntos para termos problemas sérios. E se nos vissem da maneira como estávamos...

Estremeceu. Roland estendeu-lhe a mão e ela recuou.

— Melhor não, Will. Se nos tocarmos agora, não poderá ter nada entre nós além de um flerte. E não era um flerte que você queria?

— Você sabe que não.

Ela concordou balançando a cabeça.

— Deixou seus amigos vigiando?

— Ié — disse ele, o rosto se abrindo naquele sorriso inesperado que ela amava tanto. — Mas não onde pudessem vigiar a *nós*.

— Deuses, obrigada por isso — disse ela com um riso um tanto descontraído. Então, tornou a se aproximar de Roland, chegando tão perto que foi difícil para o rapaz não tomá-la novamente nos braços. Ela o olhou bem nos olhos, um ar curioso. — Quem você é de verdade, Will?

— Sou quase quem digo que sou. É quase que engraçado isso, Susan. Eu e meus amigos não fomos mandados para cá porque tivéssemos ficado bêbados ou feito uma farra mais braba, mas também não nos mandaram para desmascarar qualquer eventual trama ou conspiração secreta. Éramos apenas rapazes a serem enviados para ficarem em segurança num tempo de perigo. Tudo que aconteceu desde... — Balançou a cabeça para mostrar como se sentia desamparado, e Susan tornou a pensar no pai dizendo que o ka era como um vento; quando chegava podia levar suas galinhas, sua casa, seu celeiro. Até mesmo sua vida.

— E Will Dearborn é seu nome verdadeiro?

Ele deu de ombros.

— Um nome é tão bom quanto qualquer outro, acredite, se o coração que responde a ele é de verdade. Susan, hoje você esteve na Casa do Prefeito, meu amigo Richard viu você cavalgando para lá...

— Ié, ajustes — disse ela. — Pois este ano vou ser a Moça da Colheita... Uma escolha de Hart. Na realidade, nunca quis isso. Um monte de bobagens e uma situação difícil também para Olive, eu garanto.

— Vai ser a mais bela Moça da Colheita que jamais houve — disse ele e a óbvia sinceridade da voz fez o corpo de Susan trepidar de prazer; de novo o calor tomava conta de suas faces. A Moça da Colheita tinha cinco mudanças de traje entre o banquete do meio-dia e a fogueira no crepúsculo, cada qual mais elaborado que o outro (em Gilead eram nove mudanças de traje; com relação a isso, Susan não imaginava a sorte que tinha). Ela teria vestido com a maior satisfação todos os seus cinco trajes para Will, se ele fosse o Moço da Colheita (o Moço daquele ano era Jamie McCann, o rapaz pálido, com cara de criança, já que Hart Thorin não poderia fazer esse papel; Thorin era aproximadamente uns quarenta anos encanecido e velho demais para isso). Mais satisfeita ainda ficaria ela em usar o sexto traje — uma túnica prateada com listas muito finas e uma bainha que passava do meio das coxas. Era um traje que ninguém a não ser Maria, sua criada, Conchetta, a costureira, e Hart Thorin iam ver. Era o traje que estaria usando quando fosse se deitar com ele, como sua concubina, depois que a festa acabasse.

— Quando esteve lá, não viu aqueles homens que se chamam Grandes Caçadores de Caixões?

— Vi Jonas e o homem da capa — disse ela. — Estavam parados no pátio, conversando.

— Não viu Depape? O de cabelos ruivos?

Ela balançou a cabeça.

— Conhece um jogo chamado Castelos, Susan?

— Ié. Meu pai me mostrou quando eu era pequena.

— Então você sabe como as peças vermelhas ficam numa ponta do tabuleiro e as brancas na outra. Todas contornam as Hillocks e rastejam umas na direção das outras usando os escudos como cobertura. O que está acontecendo aqui, em Hambry, é muito parecido com isso. E, como no jogo, trata-se agora de saber quem sairá primeiro da cobertura dos escudos. Entende isso?

Ela assentiu de imediato.

— No jogo, o primeiro a contornar sua Hillock fica vulnerável.

— Na vida também. Sempre. Mas às vezes ficar atrás do escudo é difícil. Meus amigos e eu fizemos a conta de quase tudo que nos atrevemos a contar. Para contar o resto…

— Os cavalos na Baixa, por exemplo.

— Ié, exatamente isso. Contá-los seria sair de trás dos escudos. Ou contar os bois que sabemos que existem…

As sobrancelhas dela se ergueram.

— Não há bois em Hambry. Quanto a isso, estão enganados.

— Nenhum engano.

— Onde estão?

— No Rocking H.

Agora as sobrancelhas voltaram ao lugar, mas a testa se franziu em reflexão.

— É o rancho de Laslo Rimer.

— Ié… O irmão de Kimba. E esses não são os únicos tesouros escondidos hoje em Hambry. Há carroções extras, ferraduras extras escondidas nos celeiros dos membros da Associação dos Cavaleiros, reservas extras de alimentos…

— Will, *não*!

— Sim. Tudo isso e mais. Mas contar essas coisas… sermos *vistos* contando essas coisas… é sair de trás dos escudos. Correr o risco de sermos encastelados. Nossos últimos dias têm sido um grande pesadelo… Tentamos parecer convincentemente ocupados longe daquele lado da Baixa onde está a maior parte do perigo. Mas fica cada vez difícil agir dessa maneira. Então recebemos uma mensagem…

— Uma mensagem? Como? De quem?

— É melhor você não ficar a par dessas coisas, eu acho. Mas a mensagem nos levou a crer que certas respostas que estamos procurando podem estar na Citgo.

— Você acha, Will, que o que tem por lá pode me ajudar a saber mais alguma coisa sobre o que aconteceu com meu pai?

— Não sei. É possível, eu acho, mas não provável. Tudo o que sei com certeza é que finalmente tenho a chance de contar algo que importa e não ser visto fazendo isso. — Com o sangue um pouco mais frio, ele estendeu a mão para Susan; o sangue da garota também esfriara o suficiente para ela pegar a mão num gesto confiante. Tinha, no entanto, posto a luva de equitação. Melhor prevenir do que remediar.

— Vamos lá — disse ela. — Conheço um caminho.

12

Sob a fraca luminosidade da lua, Susan tirou-o do laranjal e começou a levá-lo na direção dos guinchos e pancadas da reserva de petróleo. Os sons deixavam as costas Roland formigando; sentia falta de um daqueles revólveres que estavam escondidos sob as tábuas do assoalho da casa-sede do Barra K.

— Pode confiar em mim, Will, mas não sei se poderei ser de grande utilidade para você — disse ela numa voz só um ponto acima do murmúrio. — Desde que nasci tenho vivido ao alcance dos sons da Citgo, mas posso contar nos dedos o número de vezes que estive na reserva, assim é. Nas primeiras duas ou três vezes estive aqui desafiada por meus amigos.

— E depois?

— Vim com meu pai. Ele estava sempre interessado no Povo Antigo e minha tia Cord sempre dizia que ficar se metendo no que havia sobrado deles não ia acabar bem. — Susan engoliu em seco. — E meu pai não acabou bem, mas eu duvido de que o Povo Antigo tenha tido alguma coisa a ver com isso. Pobre papai.

Haviam alcançado uma cerca de arame farpado. Atrás dela, as torres dos poços de perfuração se destacavam contra o céu como sentinelas do tamanho de Lorde Perth. Quantas ela dissera que ainda funcionavam? Dezenove, se Roland não estava enganado. O barulho que faziam era fantasmagórico — o som de monstros morrendo sufocados. Evidentemente, era o tipo de lugar que as crianças desafiavam umas às outras para entrar; uma espécie de casa mal-assombrada a céu aberto.

Roland afastou duas fileiras de arame para que Susan pudesse passar e Susan fez o mesmo para ele. Depois que atravessaram, ele viu uma fileira de cilindros de porcelana branca descendo do poste mais próximo. Fileiras de arame passavam por cada poste.

— Sabe o que é ou o que era isso? — ele perguntou a Susan, batendo num dos cilindros.

— Ié. Quando havia eletricidade, parte dela passava por aqui. Para afastar os intrusos. — Susan fez uma pausa, depois acrescentou timidamente: — É como eu me sinto quando você me toca.

Ele beijou-lhe o rosto logo abaixo da orelha. Ela estremeceu, estendeu a mão e, antes de fazê-la recuar, fez uma breve pressão contra o rosto dele.

— Espero que seus amigos estejam realmente vigilantes.

— Estão.

— Combinaram algum sinal?

— O pio do curiango. Vamos torcer para não escutarmos.

— Ié, que assim seja. — Susan pegou-o pela mão e puxou-o para a reserva.

13

Da primeira vez que o jato de gás subiu diante deles, Will soltou um palavrão a meia-voz (um bastante obsceno, que ela não ouvira desde a morte do pai) e a mão que não segurava a dela desceu para o cinto.

— Fique tranquilo! É só a vela! O cano de gás!

Ele relaxou devagar.

— Que ainda usam, não é?

— Ié. Para fazer funcionar algumas máquinas... pouco mais que brinquedos, pois é. Servem principalmente para fazer gelo.

— Vi gelo no dia em que conhecemos o xerife.

Quando o jato tornou a subir — amarelo forte com um núcleo azulado —, ele não pulou. Deu uma olhada, sem muito interesse, nos três tanques de estocagem de gás atrás daquilo que os habitantes de Hambry denominavam "a vela". Ao lado, havia uma pilha de botijões enferrujados onde o gás era engarrafado e transportado.

— Já tinha visto isto antes? — ela perguntou.

Ele assentiu.

— Os Baronatos Interiores devem ser muito estranhos e maravilhosos — Susan disse timidamente.

— Estou começando a pensar que não são mais estranhos que os do Arco Exterior — disse ele, virando-se devagar e apontando: — O que é aquele prédio lá embaixo? É dos tempos do Povo Antigo?

— Ié.

A leste da Citgo, o solo entrava no forte declive de uma encosta densamente arborizada com uma estradinha no meio — ao luar a estradinha era clara como risca no cabelo. Não longe da base da encosta havia um prédio caindo aos pedaços, cercado por um chão de cascalho. Ao lado havia outra daquelas tantas chaminés caídas — podiam ser identificadas com base numa chaminé que ainda permanecia de pé. A despeito do que mais pudesse ter feito, o Povo Antigo fizera muita fumaça.

— Havia coisas úteis aqui quando meu pai era criança — disse ela. — Papel, por exemplo... inclusive algumas canetas a tinta que ainda funcionavam... e pelo menos por algum tempo continuaram funcionando... se você as sacudisse com força. — Apontou para a esquerda do prédio, onde havia uma vasta praça de pavimento esfacelado e algumas carcaças enferrujadas que tinha feito parte de como o Povo Antigo se deslocava, um estranho deslocamento sem cavalos.

"Antigamente, havia coisas aí meio parecidas com botijões de estocagem de gás, só que muito, muito maiores. Eram como enormes baús de prata. Não sei se enferrujavam como os botijões, e não sei o que aconteceu com as coisas, talvez alguém tenha tentado usá-las como reservatórios de água. Eu nunca faria isso. Não acho que servissem, mesmo que não estivessem contaminadas."

Susan virou o rosto para Will e ele beijou sua boca ao luar.

— Ah, Will. Que pena tenho de você.

— Que pena tenho de nós dois — disse ele. E então transitou entre eles um daqueles olhares longos e dolorosos de que só os adolescentes são capazes. Por fim, se viraram para o lado e continuaram a andar, de mãos dadas.

Susan não conseguia chegar a uma conclusão sobre o que a assustava mais — as poucas torres de perfuração que ainda funcionavam ou as dezenas que já tinham parado. De uma coisa, no entanto, tinha certeza: nada sobre a face da Terra poderia colocá-la atrás da cerca daquele lugar sem um amigo ao seu lado. As bombas chiavam; de vez em quando algum cilindro fazia um barulho como alguém sendo apunhalado; a intervalos periódicos, "a vela" lançava sua labareda com um ruído de bafo de dragão, atirando sombras por toda parte. Susan mantinha os ouvidos atentos ao estridente pio de duas notas do curiango.

Chegaram a uma pista larga, que antigamente, sem a menor dúvida, fora uma estrada de manutenção. A pista dividia o complexo em duas partes. Descendo para a área central havia um cano de aço com juntas enferrujadas. Corria sobre um forte suporte de concreto e o arco superior de sua enferrujada circunferência se elevava bem acima do solo.

— O que é isto? — ele perguntou.

— O cano que levava o óleo para aquele prédio, eu acho. Já não representa mais nada. Há anos está seco.

Will se abaixou apoiando-se num joelho, introduziu cuidadosamente a mão no espaço entre a superfície do suporte de concreto e a base enferrujada do cano. Ela o contemplava nervosa, mordendo o lábio para não dizer alguma coisa que, sem dúvida, soaria como fraqueza: e se houvesse aranhas venenosas naquele vão esquecido? E se a mão dele ficasse presa? O que fariam?

Pelo menos a segunda opção não ocorrera, ela concluiu quando o rapaz puxou a mão. Estava lustrosa e preta de óleo.

— Seco há anos? — ele perguntou com um leve sorriso.

Ela só conseguiu balançar a cabeça, perplexa.

14

Seguiram o cano até um lugar onde um portão podre bloqueava a estrada. O cano (ela agora podia ver o óleo pingando das velhas juntas, mesmo sob a luz fraca do luar) mergulhava sob o portão. Eles passaram para o outro lado. Susan sentiu a mão dele íntima demais, bem longe de uma companhia amigável, mas adorava cada toque. *Se ele não parar de mexê-la, a parte de cima de minha cabeça vai explodir como "a vela"*, ela pensou e riu.

— Susan?

— Não é nada, Will, só nervoso.

Mais um daqueles olhares longos transitou entre os dois, agora parados do outro lado do portão. Então começaram a descer a colina juntos. Durante o trajeto, Susan reparou numa coisa estranha: muitos pinheiros tinham sido despojados de seus galhos mais baixos. As marcas de machadinha e da resina dos troncos eram nítidas à luz da lua e pareciam recentes. Mostrou aquilo a Will, que assentiu, mas não falou nada.

Ao pé da colina, o cano tornava a se elevar do solo e, apoiado numa série de enferrujados ganchos de aço, avançava uns setenta metros em direção ao prédio abandonado. De repente, porém, parava com a rude brusquidão de uma amputação em campo de batalha. Abaixo daquele ponto de parada ficava o que parecia ser um raso lago de óleo meio seco, pegajoso. Que já estava ali há algum tempo era óbvio para Susan, pois havia numerosos corpos de pássaros espalhados nele — pássaros que, ao descer para investigar, tinham ficado grudados no óleo, imobilizados para morrer de uma forma, sem dúvida, desagradavelmente lenta.

Ficou parada com olhos arregalados, atordoados, até Will lhe dar um tapinha na perna. Ele havia se agachado. Ela também se abaixou, encostando o joelho no dele, e seguiu o impetuoso movimento de seu dedo, cada vez mais confusa e espantada. Havia pegadas ali. Pegadas muito grandes. Só havia uma coisa que poderia tê-las produzido.

— Bois — disse ela.

— Ié. Eles vieram de lá. — Will apontou para o lugar onde o cano terminava. — E seguiram... — Deu meia-volta, sempre agachado, e apontou para a encosta onde a mata começava. Agora, com Will apontando, ela viu facilmente o que já devia ter visto antes, filha de cavaleiro que era. Um esforço superficial fora feito para ocultar as pegadas e o solo revolvido na área onde alguma coisa pesada rolara ou fora arrastada. O tempo alisara a maior parte dos sulcos, mas as marcas continuavam nítidas. Ela pensou que sabia o que os bois haviam arrastado e reparou que Will também sabia.

Da ponta do cano, as trilhas se bifurcavam em dois arcos. Susan e "Will Dearborn" seguiram o da direita. Ela não se surpreendeu ao ver os sulcos se mesclando com as pegadas dos bois. Era tudo raso — no total, o verão fora seco e o solo estava quase duro como concreto —, mas as marcas estavam lá. O fato de continuarem visíveis indicava por si só que uma considerável soma de peso fora deslocada. Ié, é claro; para que mais serviriam os bois?

— Olhe — disse Will quando se aproximaram da orla da floresta no sopé da encosta. Ela finalmente viu o que atraíra a atenção dele, mas teve de se apoiar nas mãos e nos joelhos para ver... Incrível como os olhos dele eram afiados! Algo quase sobrenatural. Bem, ali havia pegadas de botas. Já tinham sido feitas há muito tempo, mas eram bem mais recentes que as pegadas dos bois e os sulcos das rodas.

— Estas foram feitas pelo sujeito da capa — disse ele, indicando um nítido par de pegadas. — Reynolds.

— Will! Não tem como saber disso!

Ele pareceu surpreso e riu.

— Claro que posso. Ele anda com um pé um pouco virado... o pé esquerdo. E aqui está. — Sacudiu o ar sobre as pegadas com a ponta do dedo e riu de novo por causa do modo como ela o olhava. — Não é bruxaria, Susan, filha de Patrick; é apenas habilidade com rastros.

— Como pode saber tanta coisa, sendo tão jovem? — ela perguntou. — Quem é você, Will?

Ele se levantou e a encarou. E não teve de baixar muito o olhar, pois Susan era uma moça alta.

— Meu nome não é Will, mas Roland — disse ele. — E agora coloquei a minha vida em suas mãos. Isso não me importa muito, mas talvez eu também tenha posto sua própria vida em risco. Tem de manter a coisa em absoluto segredo.

— Roland — ela repetiu espantada. Saboreando o nome.

— Ié. De qual dos dois nomes você gosta mais?

— Do verdadeiro — ela disse de imediato. — É um nome nobre, é mesmo.

Ele sorriu, aliviado, e foi o sorriso que novamente o fez parecer jovem. Susan se colocou na ponta dos pés e encostou os lábios nos dele. O beijo, inicialmente casto e de boca fechada, abriu-se como uma flor: ficou intenso, lento e úmido. Susan sentiu a língua de Roland tocando seu lábio inferior e foi ao encontro dela, a princípio timidamente. As mãos dele abraçaram-lhe as costas, depois deslizaram para a frente. Tocaram seus seios, de início também de maneira tímida, depois as palmas foram subindo do contorno inferior até os mamilos. Ele deixou escapar um som baixo, entre gemido e suspiro, diretamente na boca de Susan. E enquanto ele a puxava para mais perto e começava a beijá-la no pescoço, Susan sentiu sua forte ereção sob a fivela do cinto, uma coisa comprida e quente que combinava exatamente com o extremo ardor que ela sentia na mesma parte do corpo; aqueles dois pontos tinham sido feitos um para o outro, como ela fora feita para ele e ele para ela. Era o ka, afinal — o ka como o vento, e ela o seguiria de bom grado, deixando para trás toda a honra e todas as promessas.

Abriu a boca para dizer isso a ele e então uma sensação estranha, mas francamente persuasiva, a envolveu: estavam sendo observados. Era ridículo, mas sentia que era verdadeiro; chegou a sentir que sabia quem estava olhando. Afastou-se de Roland, os saltos de suas botinas deslocando-se sem firmeza pelas pegadas semi-apagadas dos bois.

— Saia daqui, sua puta velha — ela murmurou. — Se estiver nos espiando de alguma maneira, não sei como. *Saia daqui!*

15

Na colina Cöos, Rhea recuou da bola de cristal, xingando numa voz tão baixa e áspera quanto o silvo de sua serpente. Não sabia o que Susan tinha dito... nenhum som passava pelo vidro, apenas imagem... mas sabia que a moça sentira sua presença. E quando isso aconteceu, toda a visão se apagara. Depois de cintilar num rosa brilhante, o vidro escurecera e nenhum dos passes que Rhea deu sobre ele foi capaz de tornar a iluminá-lo.

— Ié, ótimo, que assim seja — ela disse por fim, desistindo. Lembrou-se da garota de ar infeliz, puritana (não tão puritana com aquele rapaz, não é?), parando hipnotizada em sua porta, lembrou-se do que mandara a garota fazer, mesmo antes de perder a virgindade e, recuperando todo o seu bom humor, começou a rir. Se ela acabasse perdendo a virgindade para aquele garoto vagabundo em vez de para Hart Thorin, primeiro lorde e prefeito de Mejis, seria ainda mais engraçado, não seria?

Rhea sentou-se nas sombras da cabana fedorenta e começou a gargalhar.

16

Roland a encarou, olhos arregalados, e Susan deu uma explicação um pouco mais completa acerca de Rhea (deixou de lado os humilhantes exames que jaziam no coração da "prova de castidade"). O desejo de Roland abrandou o suficiente para permitir que retomasse o controle. Talvez aquela situação não pusesse tão seriamente em risco o que ele e seus amigos tentavam fazer em Hambry (pelo menos estava tentando se convencer disso), mas poderia comprometer seriamente Susan... A posição dela era importante, a honra ainda mais.

— Não acha que pode ter sido sua imaginação? — disse Roland quando ela terminou.

— Acho que não. — Com um toque de frieza.

— Ou seu sentimento de culpa.

Ela baixou os olhos e não disse nada.

— Susan, eu não a magoaria por nada deste mundo.

— E você me ama? — Ainda sem erguer os olhos.

— Sim, amo.

— Então é melhor não me beijar nem encostar mais em mim... não esta noite. Não vou resistir se você o fizer.

Ele assentiu sem falar e estendeu a mão. Ela a pegou e os dois seguiram na direção que haviam começado a seguir há pouco, tão docemente distraídos.

Estavam ainda a dez metros da orla da floresta, quando viram o brilho de metal por entre a densa folhagem... Densa *demais*, ela pensou. *Absurdamente* densa.

Eram os ramos de pinheiro, é claro; os que tinham sido cortados das árvores na encosta. Justapostos, tentavam camuflar os grandes baús de prata, trazidos da área pavimentada. Os contêineres prateados tinham sido arrastados para lá — pelos bois, era provável — e depois escondidos. Mas por quê?

Roland inspecionou a fileira de galhos emaranhados de pinheiro, depois parou e puxou vários para o lado, criando uma espécie de porta. Então gesticulou para Susan passar.

— Cuidado onde pisa — disse. — Duvido que tenham se preocupado em instalar armadilhas ou alçapões, mas é sempre melhor ter cuidado.

Atrás da camuflagem de ramos, os caminhões-tanques estavam tão cuidadosamente alinhados quanto soldados de brinquedo depois da brincadeira, e Susan percebeu de imediato uma das razões pelas quais estavam escondidos: tinham sido reequipados com rodas, rodas bem-feitas, de carvalho maciço, que eram da altura de seu peito. Cada uma tinha finos raios de ferro nos aros.

Eram rodas novas, assim como os raios, e os eixos tinham sido feitos sob medida. Susan sabia que só havia um ferreiro no Baronato capaz de um trabalho nesse nível: Brian Hookey, a quem recorrera para obter as novas ferraduras de Felicia. Brian Hookey, que sorrira e lhe dera tapinhas no ombro como um amigo, ao vê-la entrar com a sacola do seu pai balançando na cintura. Brian Hookey, que fora um dos melhores amigos de Pat Delgado.

Susan se lembrava de olhar ao redor, concluindo que os tempos haviam sido bons para sai Hookey; e é claro que tinha razão. Trabalhar na forja fora compensador. Hookey fabricara toneladas de rodas e aros, e todo aquele trabalho fora sem dúvida pago por alguém. Eldred Jonas era uma possibilidade; Kimba Rimer uma opção ainda melhor. Hart? Ela duvidava muito. Naquele verão, Hart tinha a mente — por menor que fosse — voltada para outros assuntos.

Havia uma espécie de trilha tosca atrás dos caminhões-tanques. Roland cruzou-a devagar, com as mãos entrelaçadas nas costas, tentando decifrar as incompreensíveis palavras escritas na carroceria dos caminhões: CITGO. SUNOCO. EXXON. CONOCO. Parou uma vez e leu em voz alta, num tom vacilante:

— Combustível mais limpo para um amanhã melhor. — Deu uma risadinha. — Arre! *Isto* é o amanhã.

— Roland... quero dizer, Will... para que *servem* estes caminhões?

Ele não respondeu de imediato. Deu meia-volta e retrocedeu pela fileira das brilhantes carrocerias de aço. Catorze naquele lado do cano que fornecia o óleo, um fornecimento misteriosamente reativado, e mais ou menos o mesmo número do outro lado. Enquanto andava, Roland batia com o punho em cada veículo. Era um som abafado, mas metálico. Estavam cheios do óleo inútil da reserva Citgo.

— Estão cheios há algum tempo, eu imagino — disse ele. — Duvido que os Grandes Caçadores de Caixões tenham feito tudo sozinhos, mas sem dúvida supervisionaram a coisa... Primeiro, a montagem das novas rodas para substituir as velhas, com os pneus apodrecidos; depois, o enchimento dos tanques. Usaram os bois para alinhá-los aqui, na base da colina, porque é um lugar conveniente. Como é conveniente deixar os cavalos extras correndo livremente pela Baixa. Então, depois que chegamos, pareceu prudente cobrir tudo isso. Podemos ser pirralhos burros, mas talvez suficientemente espertos para estranhar a presença de vinte e oito caminhões-tanques carregados e com rodas novas. Vieram até aqui para cobri-los.

— Jonas, Reynolds e Depape.

— Ié.

— Mas por quê? — Ela o pegou pelo braço e repetiu a pergunta. — Para que *servem* esses caminhões?

— Servem a Farson — disse Roland com uma calma que não sentia. — Ao Bom Homem. A Confederação sabe que ele encontrou algumas máquinas de guerra; que vêm do Povo Antigo ou de alguma outra fonte. A Confederação, contudo, não as teme, porque elas não funcionam. Estão silenciosas. Alguns acham que Farson perdeu o juízo ao confiar nessas coisas quebradas, mas...

— Mas talvez não estejam quebradas. Talvez só precisem de combustível. E talvez Farson saiba disso.

Roland assentiu.

Susan tocou na carroceria de um dos caminhões. Os dedos voltaram cheios de óleo. Ela esfregou as pontas, cheirou-as, depois se curvou e pegou um punhado de grama para limpar as mãos.

— Isto não funciona em nossas máquinas. Já foi tentado. Elas entopem.

Roland tornou a assentir.

— Meu pai... isto é, minha gente no Crescente Interior também sabe disso. Fia-se nisso. Mas se Farson se deu a todo esse trabalho... e selecionou uma tropa de homens para virem pegar esses caminhões, como ele parece ter feito... ou conhece um meio para colocá-los em uso ou acha que conhece. Se ele for capaz de atrair as forças da Confederação para uma batalha em algum local estreito onde uma retirada rápida for impossível, e se puder usar máquinas-armas como aquelas que andam em esteiras, poderá vencer mais de uma batalha. Poderá chacinar dez mil guerreiros a cavalo e ganhar a guerra.

— Mas certamente os pais de vocês sabem disto...?

Roland balançou a cabeça com ar frustrado. O que os pais deles sabiam era uma coisa. O que faziam com o que sabiam era outra. Que forças os motivavam — necessidade, medo, o grande orgulho que fora passando de pai para filho ao longo da descendência de Arthur Eld — eram uma terceira. Ele só poderia transmitir a Susan suas melhores conjecturas.

— Acho — disse ele — que não devem esperar muito tempo para infligir a Farson um golpe mortal. Se o fizerem, a Confederação vai simplesmente apodrecer por dentro. E se isso acontecer, boa parte do Mundo Médio vai junto.

— Mas... — ela fez uma pausa, mordendo o lábio, balançando a cabeça. — Certamente mesmo Farson tem de saber... compreender... — Ela o encarou com olhos arregalados. — Os meios do Povo Antigo são os meios da morte. Todos sabem disso, todo mundo.

Roland de Gilead foi surpreendido pela lembrança de um cozinheiro chamado Hax balançando na ponta de uma corda enquanto os corvos bicavam o miolo de pão espalhado sob seus pés. Hax morrera por Farson. Mas antes disso ele envenenou crianças por Farson.

— Morte — disse ele — é o que John Farson representa por todo lado.

17

Outra vez no pomar.

Parecia aos amantes (pois isso que eram agora, e quase no sentido propriamente físico) que haviam se passado horas, mas não tinham transcorrido mais que quarenta e cinco minutos. A última lua do verão, minguada mas ainda bastante nítida, continuava a brilhar sobre eles.

Susan o conduziu por uma das trilhas para o lugar onde amarrara o cavalo. Pilão sacudiu a cabeça e relinchou suavemente para Roland. Ele viu que o cavalo tinha sido preparado para não fazer barulho — cada fivela estava apoiada em algum enchimento e os próprios estribos tinham sido envolvidos em feltro.

Então ele se virou para Susan.

Seria possível lembrar a angústia e doçura daqueles primeiros anos? Recordamos nosso primeiro amor verdadeiro tão nitidamente quanto as ilusões provocadas pelo delírio de uma febre alta. É suficiente dizer que, naquela noite e sob aquela lua que se punha, Roland Deschain e Susan Delgado foram quase dilacerados pelo desejo que sentiam um pelo outro; debateram-se para fazer o que era certo e sofreram com sensações tão desesperadas quanto profundas.

Um se aproximava do outro, recuava, olhava nos olhos do parceiro com uma espécie de fascínio impotente. Depois tornava a dar um passo à frente, parava. Susan se lembrava com uma espécie de horror do que ouvira de Roland: que ele faria qualquer coisa por ela, menos compartilhá-la com outro homem. Susan não queria — talvez não *pudesse* — quebrar a promessa que fizera ao prefeito Thorin e parecia que Roland não queria (ou não *podia*) quebrar por ela. E ali estava o mais terrível: por mais intenso que o vento do ka pudesse ser, talvez a honra e as promessas que os dois tinham feito se mostrassem mais fortes.

— O que você vai fazer agora? — ela perguntou por entre os lábios secos.

— Não sei. Preciso pensar e falar com meus amigos. Você não vai ter problemas com sua tia quando voltar para casa? Ela não vai querer saber onde esteve, o que esteve fazendo?

— Está preocupado comigo ou com você mesmo e seus planos, Willy?

Ele não respondeu, limitou-se a olhá-la. Logo Susan baixou os olhos.

— Desculpe, eu fui cruel — disse ela. — Não, minha tia não vai me acusar de nada. Costumo cavalgar à noite, embora raramente me afaste tanto de casa.

— E sua tia não vai desconfiar do quanto chegou longe?

— Naum. E nesses últimos dias temos nos tratado com cuidado. É como ter dois depósitos de pólvora na mesma casa. — Ela estendeu as mãos. Tinha enfiado as luvas no cinto e os dedos que agarraram os dedos de Will estavam frios. — Mas isto não vai acabar bem — disse num murmúrio.

— Não diga isso, Susan.

— Ié, digo. Tenho de dizer. Mas o que quer que aconteça, eu te amo, Roland.

Ele pegou-a nos braços e a beijou. Quando soltou seus lábios, Susan os aproximou da orelha dele, sussurrando:

— Se me ama, então me ame. Me faça quebrar a promessa.

Por um bom tempo, um tempo em que o coração de Susan ficou sem bater, não houve resposta de Roland, mas ela se permitiu ter esperanças. Então ele balançou a cabeça... só uma vez, mas com firmeza.

— Susan, não posso.

— Sua honra é assim tão maior que o amor que diz sentir por mim? Ié? Então que seja. — Susan se afastou de seus braços, começando a chorar, ignorando a mão dele em sua bota quando subiu na sela, ignorando o pedido em voz baixa para que esperasse. Soltou bruscamente o nó com que Pilão estivera amarrado e, com um pé sem esporas, fez o animal dar meia-volta. Roland continuava a chamá-la, agora mais alto, mas ela pôs Pilão a galope e se afastou antes que o breve clarão de raiva em seu rosto pudesse se extinguir. Roland não a aceitaria usada; sua promessa a Thorin fora feita antes de ela saber que Roland caminhava pela face da Terra. Sendo assim, como tinha ele coragem de sugerir que não queria ser cúmplice em sua perda de honra e consequente vergonha? Mais tarde, revirando sem sono na cama, percebeu que Roland nada havia sugerido. E, antes mesmo de sair de sair do laranjal, ela pousou a mão esquerda do lado do rosto, sentindo a umidade, percebendo que ele também estivera chorando.

18

Roland seguiu as estradas para fora da cidade até bem depois do cair do luar, tentando manter as intensas emoções sob alguma forma de controle. Por um certo tempo se perguntou o que ia fazer com as descobertas na Citgo, mas logo seus pensamentos voltaram a Susan. Fora tolo em não possuí-la quando ela queria ser possuída? Em não compartilhar o que ela queria compartilhar? *Se me ama, então me ame*. Essas palavras quase o dilaceravam. Contudo, nos recantos mais fundos de seu coração (onde a voz mais nítida era a do pai), sentia que não agira errado. A despeito do que Susan pudesse pensar, não se tratava apenas de uma questão de honra. Mas que ela pensasse assim, se quisesse. Talvez fosse até melhor Susan passar a ter um certo ódio por ele do que descobrir o quanto já era grave o perigo para os dois.

Por volta das três da madrugada, quando estava à beira de iniciar sua volta ao Barra K, Roland ouviu a batida rápida de cascos de cavalos na estrada principal, vindo do oeste. Sem pensar por que parecia tão importante fazer aquilo, virou naquela direção. Logo, no entanto, fez Rusher parar atrás de uma alta fileira de trepadeiras. Por quase dez minutos o som dos cascos continuou a aumentar (um som que chegava longe no silêncio profundo do início da manhã) e isso foi mais do que suficiente para Roland acreditar que sabia quem, umas duas horas antes do amanhecer, cavalgava com tanta disposição para Hambry. Não se enganou. A lua estava baixa, mas não teve dificuldades, ainda que por entre as brechas espinhosas de uma cerca viva, em reconhecer Roy Depape. Pela manhã os Grandes Caçadores de Caixões já seriam novamente três.

Roland tornou a colocar Rusher no caminho que estavam seguindo e partiu ao encontro de seus próprios amigos.

10. PÁSSARO E URSO E LEBRE E PEIXE

1

O dia mais importante na vida de Susan Delgado — o dia em que sua vida deu reviravoltas — aconteceu cerca de duas semanas após o passeio ao luar com Roland, na reserva petrolífera. Desde então só o vira meia dúzia de vezes, sempre à distância, os dois trocando acenos como conhecidos que de vez em quando cruzavam o mesmo caminho. Sempre que isso acontecia, Susan experimentava uma dor aguda, como se uma faca a estivesse rasgando por dentro… e embora fosse um pensamento sem dúvida cruel, ela esperava que Roland sentisse o mesmo rasgar. Se havia alguma coisa positiva naquelas duas semanas miseráveis, era o fato de o grande medo de Susan — medo de que surgissem comentários sobre ela e o rapaz que dizia se chamar Will Dearborn — ter se acalmado, embora ela tivesse passado a lamentar essa calma. Comentários? Não havia sobre *o que* comentar.

Então, num dia entre a passagem da Lua do Mascate e a chegada da Lua da Caçadora, o ka finalmente apareceu para soprar sua vida: com casa, celeiro e tudo. Começou com alguém na porta.

2

Estava acabando de lavar a roupa (tarefa doméstica bem rápida, pois eram apenas duas mulheres na casa) quando ouviu a batida.

— Se for o trapeiro, mande-o embora, está ouvindo? — gritou tia Cord do outro cômodo, onde dobrava a roupa de cama.

Mas não era o trapeiro. Era Maria, criada de Susan em Seafront, com um ar miserável. O segundo traje que Susan teria de usar no Dia da Colheita (o vestido de seda que serviria para o almoço formal na Casa do Prefeito e o Colóquio que viria depois) estava arruinado, disse Maria, o que parecia deixá-la muito nervosa. Seria mandada de volta para Onnie's Ford se não tivesse sorte, e era a única provedora para sua mãe e seu pai — ah, era ruim, extremamente ruim, sem dúvida era. Susan não podia ir até lá? Por favor?

Susan foi de bom grado… Sempre gostava de estar fora de casa naqueles dias. Ficar longe do mau gênio da tia, da voz rabugenta. Quanto mais próxima ficava a Colheita, menos ela e tia Cord conseguiam suportar uma à outra.

Pegaram Pilão, que pareceu bastante satisfeito carregando duas moças pelo frio da manhã e a história de Maria foi rapidamente contada. Susan entendeu quase de imediato que a posição de Maria em Seafront não estava realmente em grande perigo; a pequena camareira de cabelo preto havia simplesmente usado uma inata (e sem dúvida charmosa) vocação para extrair drama do que, no fundo, não era assim tão dramático.

O segundo traje da Colheita (que Susan chamava mentalmente de Vestido Azul de Pregas; o primeiro, o traje do desjejum, era o Vestido Branco com Cintura Alta e Mangas Bufantes) fora separado dos outros (precisava ainda de algum acabamento). Algo, no entanto, entrara no quarto de costura do primeiro andar e roera o vestido até deixá-lo em farrapos. Se aquele fosse o traje que ela usaria no acender da fogueira ou na dança de salão depois que a fogueira estivesse acesa, o problema seria sem dúvida bastante sério. Mas, no essencial, o Vestido Azul de Pregas era apenas um vestido mais ou menos extravagante e poderia ser facilmente substituído nos dois meses que faltavam para a Colheita. Só dois! Há pouco tempo — na noite em que a velha bruxa havia lhe garantido um adiamento da sentença, tivera a sensação de que só daí a séculos começaria a prestar serviços de cama para o prefeito Thorin. E agora só lhe sobravam dois meses! Seu corpo se contorceu numa espécie de protesto involuntário contra o pensamento.

— Mãe? — Maria perguntou. Susan não permitia que a garota a chamasse de sai e Maria, que parecia incapaz de chamar sua senhora pelo nome que ela lhe dera, chegara a um meio-termo. Susan achava o termo divertido, considerando que tinha apenas dezesseis anos e Maria seria provavelmente dois ou três anos mais velha. — Mãe, você está bem?

— Foi só uma cãibra nas costas, Maria.

— Ié, também tenho isso. Dizem que é postura ruim. Tenho três tias que morreram de doença dos ossos, e quando sinto essas pontadas, fico sempre com medo de...

— Que tipo de animal roeu o Vestido Azul? Você sabe?

Maria se inclinou para falar confidencialmente no ouvido de sua senhora. Era como se estivessem no corredor cheio de gente de um mercado, não na estrada para Seafront.

— Corre boato de que um quati entrou por uma janela que abrimos durante o calor do dia e que esquecemos de fechar quando o dia acabou, mas dei uma boa farejada naquele quarto e Kimba Rimer também, quando ele desceu para inspecionar. Pouco antes de ele me mandar buscá-la. Assim foi.

— Sentiram cheiro de quê?

Maria tornou a se inclinar e, desta vez, realmente sussurrou, embora não houvesse ninguém na estrada para ouvir:

— Peidos de cachorro.

Houve um momento de silêncio perplexo e então Susan começou a rir. Riu até o estômago doer e as lágrimas começarem a escorrer pelas faces.

— Está dizendo que o L-L-Lobo... o próprio c-c-cachorro do prefeito... entrou naquele quartinho de costura lá embaixo e mastigou meu Vestido do Colóqu-u-u... — Não conseguiu concluir. Estava simplesmente rindo sem controle.

— Ié — disse Maria enfaticamente. Parecia não estar achando nada de estranho no riso de Susan... que era uma das coisas que Susan gostava nela. — O que não é digno de censura, não é. Um cachorro segue seus instintos naturais se encontra o caminho livre. As criadas lá de baixo... — Ela se interrompeu. — Tenho certeza de que não vai comentar isto com o prefeito ou Kimba Rimer, não é mãe?

— Maria, fico chocada com você... Acha que faria issosou vulgar?

— Não, mãe, eu a estimo muito, assim é, mas é sempre melhor prevenir do que remediar. Mas eu só quis dizer que, nos dias quentes, as criadas do andar de baixo às vezes entram no quartinho de costura para descansar um pouco. Fica bem na sombra da torre de vigia, você sabe, é o lugar mais fresco da casa... mais fresco até que os salões de recepção.

— Vou me lembrar disso — disse Susan. Pensou na ideia de fazer o Almoço e o Colóquio no quartinho de costura quando o grande dia chegasse, e começou de novo a rir. — Continue.

— Não há mais nada a dizer, mãe — falou Maria, como se qualquer outra coisa fosse óbvia demais para entrar na conversa. — As criadas comem seus pedaços de bolo e deixam cair algumas migalhas. Acho que o Lobo sentiu o cheiro e, desta vez, encontrou a porta aberta. Quando as migalhas acabaram, ele experimentou o vestido. Mais ou menos como um segundo prato.

Desta vez as duas riram juntas.

3

Mas Susan não estava rindo quando voltou para casa.

Cordelia Delgado, que achava que o dia mais feliz da sua vida seria aquele em que visse a sobrinha malcriada longe dali e o irritante tema de sua defloração finalmente resolvido, deu um pulo da poltrona e correu para a janela da cozinha quando ouviu o galope dos cascos se aproximando cerca de duas horas após Susan ter saído com aquela maldita criada para ajudar a reparar um vestido. Em momento algum, duvidou que fosse Susan e, em momento algum, duvidou que acontecera um problema. Em circunstâncias normais, a tola garota jamais faria um de seus amados cavalos andar a galope num dia quente.

Nervosa, esfregando uma das mãos na outra, viu Susan parar o Pilão com uma puxada brusca, muito pouco característica de uma Delgado. Viu-a descer do cavalo com um pulo que uma senhora distinta jamais daria. Metade da trança se soltara, derramando o maldito cabelo loiro, que era sua vaidade (e sua perdição), em todas as direções. A pele estava pálida, exceto por dois pontos de cor excessivamente brilhantes no alto das bochechas. Cordelia não gostou nem um pouco do que via. Pat também costumava ficar corado naqueles mesmos lugares quando estava assustado ou irritado. A tia continuou diante da pia, agora mordendo os lábios além de esfregar as mãos secas. Ah, seria tão bom se ver livre daquela encrenqueira!

— Não fez nada de errado, fez? — ela sussurrou para si mesma vendo Susan puxar a sela do lombo do Pilão e levá-lo para o estábulo. — É melhor não ter feito, Dona Ah-Tão-Jovem-e-Bonita. Não nessa altura do trato. É melhor não ter feito.

4

Vinte minutos depois, quando Susan entrou, não havia indício da tensão ou da raiva da tia; Cordelia as tirara de cena como alguém que tivesse guardado uma arma perigosa — um revólver, digamos — na última prateleira do armário. Estava de volta à cadeira de balanço, fazendo tricô, e a expressão com que recebeu a entrada de Susan parecia serena. Viu a moça ir até a pia, bombear água fria e passá-la no rosto. Em vez de pegar uma toalha para se enxugar, Susan ficou parada, olhando pela janela com um ar que deixou Cordelia tremendamente assustada. A garota sem dúvida acreditaria estar exibindo uma expressão atônita e desesperada; para Cordelia, parecia apenas um ar de malcriação infantil.

— Está bem, Susan — disse ela num tom calmo, modulado. A garota jamais saberia quanta energia era preciso reunir para produzir aquele tom e, pior ainda, para mantê-lo. A não ser que um dia ela própria tivesse de enfrentar uma adolescente obstinada. — O que aconteceu?

Susan se virou para ela — Cordelia Delgado, sentada ali em sua cadeira de balanço, calma como uma rocha. Naquele momento, Susan sentiu que poderia voar para sua tia e reduzir a frangalhos aquela expressão de falso pudor. Não pararia de gritar: *A culpa é sua! Sua! Toda sua!* Estava se sentindo suja...

não, isso não era forte o bastante; estava se sentindo *sórdida*, e nada tinha realmente acontecido. De certa forma, isso era o horror da coisa. Nada tinha realmente acontecido *ainda*.

— Está dando para notar? — foi tudo que ela disse.

— É claro que sim — Cordelia respondeu. — Agora me conte, menina. Ele abordou você?

— Sim... não... não.

Tia Cord ficou imóvel na cadeira, o tricô arriado, as sobrancelhas levantadas, esperando.

Por fim Susan contou o que havia acontecido. Falou num tom bastante frio (um pequeno tremor se introduziu perto do fim, mas só isso). Tia Cord logo começou a sentir um alívio discreto. Talvez tudo aquilo fosse apenas fruto dos nervos à flor da pele de uma garota!

O traje substituto, como tudo que era substituto, ainda não fora terminado; e ainda faltava muito para acabar. Maria levara Susan até Conchetta Morgenstern, a costureira-chefe de olhar glacial que, por sua vez, conduzira Susan ao quarto de costura do andar térreo sem dizer uma palavra (se palavras poupadas fossem moedas de ouro, Susan especulava, Conchetta seria tão rica quanto diziam que era a irmã do prefeito).

O Vestido Azul de Pregas estava num canto do aposento de teto rebaixado, alfinetado num manequim sem cabeça. Embora Susan visse pontos onde a bainha estava desmanchada e houvesse um pequeno buraco nas costas, o traje não era de forma alguma o farrapo arruinado que esperara encontrar.

— Não pode ser consertado? — ela perguntou, um tanto timidamente.

— Não — disse Conchetta secamente. — Tire a calça, garota. A camisa também.

Susan fez o que ela lhe pedia, ficando descalça no quartinho frio com os braços cruzados sobre os seios... embora Conchetta não mostrasse o menor interesse pelo que Susan pudesse mostrar, atrás ou na frente, em cima ou embaixo.

O Vestido Azul de Pregas ia ser substituído pelo Vestido Rosa com Apliques, pelo que parecia. Susan pisou dentro dele, suspendeu as alças e esperou pacientemente que Conchetta se curvasse e tirasse as medidas, às vezes usando um pedaço de giz para rabiscar números numa parede de pedra, às vezes agarrando a fazenda e apertando-a mais contra o quadril ou a cintura de Susan, checando o resultado no espelho de corpo inteiro da parede oposta. Como sempre acontecia durante processos desse tipo, Susan viajou mentalmente, deixando a cabeça ir para onde quisesse. E, naqueles dias, geralmente a cabeça queria ir para a ilusão de cavalgar pela Baixa com Roland, os dois lado a lado, até pararem num pequeno bosque de salgueiros com vista para a enseada Hambry.

— Fique aí, o mais imóvel que conseguir — disse Conchetta secamente. — Não demoro.

Susan mal teve consciência de que a outra se fora; na realidade mal tinha consciência de estar na Casa do Prefeito. A parte dela que realmente importava *não* estava lá. Essa parte estava no bosque de salgueiros com Roland. Podia sentir o suave perfume das árvores, meio doce, meio ácido, e ouvir o tranquilo borbulhar do riacho com os dois deitados juntos, um de frente para o outro. Ele alisava o contorno de seu rosto com a palma da mão antes de tomá-la nos braços...

O devaneio foi tão forte que Susan arqueou as costas, como se reagisse a braços vindo por trás para envolver sua cintura, acariciar sua barriga, subir até o contorno dos seios. Então ela ouviu uma espécie de respiração ofegante, arquejante na orelha, sentiu o cheiro do tabaco e compreendeu o que estava acontecendo. Não era Roland tocando seus seios, mas os dedos compridos e esquálidos de Hart Thorin. Ao olhar no espelho, viu Thorin assomando sobre seu ombro esquerdo como um fauno. Tinha os olhos projetados, grandes gotas de suor na testa (apesar da friagem do quarto) e a língua pendia pela boca, como a língua de um cachorro em um dia quente. O embrulho foi subindo por sua garganta com gosto de comida podre. Ela tentou se afastar, mas as mãos de Thorin apertaram mais, puxaram-na mais. Os nós dos dedos estalavam de forma obscena e agora Susan podia sentir a saliência dura no centro do corpo dele.

Vez por outra, nas últimas semanas, Susan se permitia ter esperanças de que, quando chegasse a hora, Thorin não conseguisse — não fosse capaz de tirar o ferro da forja. Ouvira dizer que isto costumava acontecer aos homens, quando eles ficavam mais velhos. Infelizmente, a dura, latejante coisa que encostou em seu traseiro acabou de imediato com essa ideia.

Tinha conseguido manter pelo menos um certo grau de diplomacia colocando as mãos sobre as dele e tentando tirá-las dos seus seios em vez de tentar novamente se afastar (impassível, Cordelia não demonstrou o grande alívio que sentiu ao ouvir isso).

— Prefeito Thorin... Hart... você não deve... este não é o lugar e muito menos o momento... Rhea disse que...

— Que ela e todas as bruxas se fodam! — O tom de político educado fora substituído por um sotaque tão grosseiro quanto o de qualquer peão de fazenda dos cantões de Onnie's Ford. — Preciso de alguma coisa, uma casquinha, ié, assim é. Que se fodam as bruxas, está ouvindo? Pro caralho com elas! — O cheiro de tabaco era um denso fedor cercando a cabeça de Susan. Ela achou que ia vomitar se tivesse de cheirar aquilo por muito mais tempo. — Basta ficar quietinha, garota. Ficar quietinha, minha tentação. Faça o que eu digo!

De alguma maneira, Susan fez. Houve até uma distante parte de sua mente, uma parte totalmente dedicada à autopreservação, que esperava que Hart confundisse os seus tremores de repulsa por uma excitação ingênua. Ele a havia puxado com força contra ele, as mãos trabalhando energicamente nos seios, a respiração uma fedorenta maria-fumaça em seu ouvido. Susan continuava de costas para ele, os olhos fechados, as lágrimas se espremendo por baixo das pálpebras e pela beira das pestanas.

Ele não levou muito tempo. Se sacudia para a frente e para trás, gemendo como um homem com cólicas na barriga. A certa altura, lambeu a aba de sua orelha e Susan teve a sensação de que a pele, enojada, ia escorrer de seu corpo. Finalmente, para seu grande alívio, sentiu que Hart começava a ter espasmos.

— Ah, ié, sai, maldito veneno! — disse ele numa voz que era quase um guincho. Ele a empurrou com tanta força que Susan teve de apoiar as mãos na parede para não ser jogada contra ela. Então Hart finalmente recuou.

Por um momento, Susan continuou como estava, as palmas contra as pedras ásperas e frias da parede do quarto de costura. Pôde ver Thorin no espelho e, através daquela imagem, perceber o destino ordinário para o qual estava correndo, o destino ordinário do qual aquilo era apenas amostra: o fim de seu tempo de garota, o fim do romantismo, o fim dos sonhos onde ela e Roland deitavam juntos no bosque de salgueiros com as cabeças se tocando. O homem no espelho estava, sem dúvida, estranhamente parecido com um garoto, um garoto que estivera fazendo uma coisa que não contaria à mãe. Só um garoto alto e desengonçado com um cabelo grisalho, ombros tortos e a mancha molhada na frente da calça. Hart Thorin parecia não saber muito bem onde estava. Nesse momento o desejo deixou sua expressão, mas o que o substituiu não foi coisa melhor... foi um vazio confuso. Como se Thorin fosse um balde com um buraco no fundo: não importava o que se colocasse nele ou em que quantidade; logo não havia mais nada.

Vai fazer isto de novo, ela pensou, sentindo um imenso cansaço tomar conta de si. *Agora que fez uma vez, provavelmente vai querer fazer sempre. De agora em diante vir até aqui será como... bem...*

Como Castelos. Como o jogo de Castelos.

Thorin ficou a olhá-la mais um pouco. Lentamente, como um homem sonhando, tirou da calça a fralda da amassada camisa branca e deixou-a cair ao redor da calça como uma saia, cobrindo a mancha molhada. O queixo brilhava; ele babara durante a sua excitação. Parecendo dar-se conta disto, Thorin limpou a umidade com as costas de uma das mãos. Jamais deixando de fitá-la com aqueles olhos vazios. Por fim, o olhar recuperou alguma expressão e, sem dizer nada, Thorin virou as costas e saiu do quarto.

Houve um pequeno baque e arrastar de pés quando ele colidiu com alguém no corredor. Susan o ouviu murmurar: "Desculpe!, Desculpe!" (murmurada ou não, pelo menos era uma desculpa, coisa que ela não recebera) e logo Conchetta estava entrando no quarto. Trazia uma peça de fazenda jogada nos ombros como uma estola. Percebeu de imediato o rosto pálido de Susan e as marcas das lágrimas nas faces. *Ela não vai dizer nada*, Susan pensou. *Nenhum deles vai, assim como nenhum deles vai erguer um dedo para me ajudar a sair desta confusão em que me meti. "Você é quem procurou, garota", é o que diriam se eu pedisse ajuda, é esta a desculpa que têm para me deixar afundar sozinha.*

Mas Conchetta, no entanto, a surpreendeu.

— A vida não é fácil, mocinha, pois é. Melhor ir se acostumando.

5

A voz de Susan — seca, já agora bastante despida de emoção — finalmente cessou. Tia Cord colocou o tricô de lado, se levantou e pôs a chaleira no fogo para o chá.

— Você está fazendo drama, Susan. — Ao falar num tom que queria ser ao mesmo tempo carinhoso e sensato, Cordelia não atingia nenhum dos objetivos. — É um traço que você trouxe do seu lado Manchester... Metade da família se imaginava poeta, a outra metade se imaginava pintora e quase todos passavam as noites embriagados demais até para sapatear. Ele agarrou seus peitos e lhe deu uma sarrada, foi tudo. Nada que para deixá-la tão transtornada. Certamente também nada para fazê-la perder o sono.

— Como você saberia? — Susan perguntou. Era um tom desrespeitoso, o que já não a preocupava. Achou que tinha atingido um ponto onde poderia suportar qualquer coisa que viesse da tia, menos aquele tom de voz com uma condescendência do tamanho do mundo, que lhe dava ferroadas como pele arranhada.

Cordelia ergueu uma sobrancelha e falou sem rancor.

— Como adora jogar isso na minha cara! Tia Cord, a trepadeira seca. Tia Cord, a solteirona. Tia Cord, a velha virgem. Ié? Bem, Dona Ah-Tão-Jovem--e-Bonita, talvez eu *seja* virgem, mas tive um ou dois amantes quando era jovem... antes de o mundo seguir adiante, podemos dizer. Talvez um deles tenha sido o grande Fran Lengyll.

E talvez não, Susan pensou; Fran Lengyll era mais velho do que a tia por uns quinze anos, talvez vinte e cinco.

— Senti uma ou duas vezes a velha rola do bode por trás, Susan. Ié, e também pela frente.

— E algum dia ele foi um bode de sessenta anos, com hálito fedorento e com os nós dos dedos estalando quando apertavam seus peitos, tia? Algum dia ele tentou fazê-la atravessar a parede mais próxima quando a velha rola começou a abanar o bico e a dizer rruuu-rruuu-rruuu?

A raiva que Susan esperava não veio. O que veio foi pior: uma expressão próxima do olhar vazio que tinha visto na cara de Thorin refletida no espelho.

— O que está feito está feito, Susan. — Um sorriso fino e terrível sugira na face estreita da tia. — O que está feito está feito, ié.

Numa espécie de terror, Susan gritou:

— Meu pai teria odiado isto! *Odiado*! E odiado você por permitir que acontecesse! Por *incentivar* que acontecesse!

— Talvez — disse tia Cord e o sorriso terrível tornou a piscar para Susan. — Talvez sim. E sabe qual é a única coisa que ele odiaria ainda mais? A desonra de uma promessa não cumprida, a vergonha de uma garota desonesta. Ele ia querer que tu levasses isto à frente, Susan. Se te lembras do rosto dele, tens de levar à frente.

Susan a encarou, a boca caída num arco trêmula, os olhos se enchendo outra vez de lágrimas. *Conheci alguém por quem me apaixonei!* Era o que teria dito se tivesse coragem. *Será que não entende como isso muda tudo? Conheci alguém por quem me apaixonei!* Mas se tia Cord fosse o tipo de pessoa a quem pudesse dizer uma coisa dessas, provavelmente jamais teria se deixado empalar naquela estaca para início de conversa. Ela apenas se virou e saiu tropeçando da casa sem dizer nada, os olhos escorrendo lhe embaçando a visão e cobrindo a atmosfera do final de verão com um colorido triste.

6

Cavalgou sem saber muito bem para onde ia. Uma parte dela, no entanto, devia ter um destino muito específico em mente, pois quarenta minutos após deixar sua casa Susan estava se aproximando do bosque de salgueiros que imaginara enquanto Thorin se esfregava por trás dela como um duende mau saído de um conto da carochinha.

Estava abençoadamente frio entre os salgueiros. Susan amarrou Felicia (que tinha montado a pelo) num galho, depois atravessou devagar a pequena clareira que havia no coração do bosque. Ali passava o riacho e ali ela se sentou no musgo de primavera que forrava a clareira. Não era, evidentemente, a primeira vez que ia até aquele lugar; para lá havia levado todas as suas dores e alegrias secretas desde que, com oito ou nove anos, descobrira a clareira. Era para lá que ia, repetidamente, nos dias quase intermináveis após a morte do pai, quando lhe parecia que o próprio mundo — ou pelo menos sua versão dele — acabara com Pat Delgado. Apenas aquela clareira percebera a plena e dolorosa medida de sua angústia; contara ao rio e o rio carregara o que ouvira.

Agora um novo jorro de lágrimas tomava conta dela. Susan pôs a cabeça nos joelhos e soluçou — alto, sons inadequados para uma senhora distinta, como o crocitar de corvos agitados. Nesse momento ela achou que teria dado qualquer coisa — que teria dado *tudo* — para ter o pai de volta por um minuto. Queria lhe perguntar se precisava mesmo continuar com aquilo. Chorou sobre o riacho e, quando ouviu o som de um galho estalando, estremeceu. Apavorada e aflita, se virou para olhar pelo ombro. Aquele era seu lugar secreto e não queria ser encontrada ali, principalmente quando soluçava como uma criança que tivesse caído e batido a cabeça. Outro galho estalou. Havia alguém, alguém invadindo seu lugar secreto no pior momento possível.

— Vá embora! — gritou com uma voz abafada por lágrimas que mal reconheceu. — Vá embora, seja você quem for. Tenha decência e me deixe em paz!

Mas o vulto (podia vê-lo agora) continuou avançando. Quando viu quem era, julgou que aquela imagem de Will Dearborn (*Roland*, ela pensou, *o nome verdadeiro dele é Roland*) só podia ser invenção de sua imaginação superexaltada. Só ficou inteiramente certa de que ele era real quando se ajoelhou e colocou os braços à sua volta. Então ela o abraçou com uma força aterrorizada.

— Como soube que eu estava…

— Vi você cavalgando pela Baixa. Eu estava num lugar onde às vezes vou para pensar e a vi. Mas só resolvi segui-la quando notei que estava montando sem sela. Achei que podia haver algo errado.

— Tudo está errado.

Lentamente, com os olhos arregalados e ar sério, ele começou a beijar seu rosto. E depois de vários beijos em ambas as faces, percebeu que ele estava secando suas lágrimas. Então pegou-a pelos ombros e manteve-a um pouco afastada para poder encará-la.

— Diga aquilo de novo e eu faço, Susan. Não sei se é uma promessa, um aviso ou ambas as coisas ao mesmo tempo, mas… diga aquilo de novo e eu faço.

Não foi preciso perguntar a Roland o que ele queria dizer. Susan teve impressão de que o solo se movia e, mais tarde, acharia que, pela primeira e única vez em sua vida, havia realmente sentido o ka, um vento que não vinha do céu mas da terra. *Chegou a mim, afinal*, ela pensou. *Meu ka, para o bem ou para o mal.*

— Roland!

— Sim, Susan.

Ela deixou a mão cair sob a fivela do cinto de Roland e agarrou o que havia lá, os olhos fixos nos dele.

— Se me ama, então me ame.

— Ié, senhora. Vou amá-la.

Ele desabotoou a camisa, feita numa parte do Mundo Médio que ela nunca vira, e tomou-a nos braços.

7

Ka:

Um ajudou o outro a tirar a roupa; um ficou nu nos braços do outro sobre as folhas secas do verão, macias como a relva mais fina. Ficaram deitados com as testas se tocando, como no devaneio de Susan, e quando ele achou o caminho para penetrá-la, ela sentiu dor misturada a doçura como alguma erva selvagem e exótica que só pudesse ser saboreada uma vez em cada existência. Provou desse gosto o mais que pôde, até que a doçura acabou por dominá-la e Susan cedeu a ela, gemendo no fundo da garganta e passando os braços pelos lados do pescoço de Roland. Amaram-se no bosque de salgueiros, esquecidas as questões de honra, quebradas as promessas sem ao menos um olhar para trás. No final de tudo, Susan descobriu que havia mais do que doçura; havia uma espécie de delirante tensão dos nervos que começava na parte dela que tinha se aberto como uma flor; começava ali e depois tomava conta do seu corpo inteiro. Ela gemeu repetidas vezes, achando que não podia haver tanto prazer no mundo dos mortais; ela morreria ali. Roland acrescentava sua voz à dela e o barulho da água correndo sobre as pedras envolvia ambas as vozes. Quando Susan o puxou para mais perto, cruzando os tornozelos atrás dos joelhos de Roland e cobrindo seu rosto com beijos ardentes, o gozo dele correu atrás do dela, tentando alcançá-lo. Tornaram-se assim verdadeiros amantes no Baronato de Mejis, perto do fim da última grande era, e musgo verde sob o lugar onde as coxas dos dois se juntaram ganhou um pouco de vermelho quando acabou a virgindade de Susan; assim eles se uniram e assim se condenaram.

Ka.

8

Ficaram nos braços um do outro, compartilhando os beijos sob o suave olhar de Felicia, e Roland se sentiu sonolento. Era compreensível...

Naquele verão a pressão sobre ele fora enorme, e não vinha dormindo bem. Embora ainda não soubesse disso, dormiria mal pelo resto da vida.

— Roland? — A voz dela, distante. Também muito doce.

— Sim?

— Vai tomar conta de mim?

— Vou.

— Não vou conseguir me deitar com Thorin quando for a hora. Posso suportar seu toque e pequenos ardis... Se tenho você, posso suportar. Mas não vou conseguir dormir com ele na Noite da Colheita. Não sei se esqueci ou não o rosto de meu pai, mas não posso ir para a cama de Hart Thorin. Há meios de esconder a perda de virgindade de uma moça, eu acho, mas não vou recorrer a eles. Simplesmente não posso ir para a cama dele.

— Tudo bem — disse Roland —, ótimo. — E então, quando os olhos dela, sobressaltados, se arregalaram, Roland olhou em volta. Não havia ninguém lá. Ele voltou a olhar para Susan, agora plenamente desperto. — O quê? O que foi?

— Talvez já esteja carregando um filho teu — disse ela. — Já pensaste nisto?

Ainda não. Agora pensava. Outro elo na corrente se estendendo até as brumas onde Arthur Eld conduzira seus pistoleiros à batalha com a grande espada Excalibur erguida sobre a cabeça e a coroa do Mundo Total na testa. Mas isso agora não importava; o que o pai pensaria? Ou Gabrielle, quando soubesse que iria se tornar avó?

Um pequeno sorriso tinha se formado nos cantos de sua boca, mas a lembrança da mãe o dissipou. Lembrou-se da marca no pescoço. Naquela época, quando a mãe lhe vinha à mente, sempre se lembrava da marca que vira em seu pescoço ao entrar de surpresa nos aposentos dela. Assim como se lembrava do sorriso triste em seu rosto.

— Se carrega um filho meu, já sou um homem afortunado — disse.

— Afortunado como eu. — Era a vez dela de sorrir, mas não foi um sorriso alegre. — Se bem que somos jovens demais, eu acho. Pouco mais que crianças.

Ele se deitou de costas e contemplou o céu azul. O que Susan disse podia ser verdade, mas não importava. Às vezes a verdade não combinava com a realidade — era essa uma das certezas que habitava o lugar fundo, cavernoso, que ficava no centro de sua natureza dividida. Que ele pudesse se erguer sobre ambas, verdade e realidade, e se entregar de bom grado à insanidade de um romance era uma dádiva da mãe. Tudo o mais em sua natureza era desprovido de humor... e, talvez mais importante, desprovido de metáforas. Seriam eles jovens demais para serem pais? E daí? Se tivesse plantado uma semente, ela cresceria.

— Aconteça o que acontecer, faremos o que for preciso. E sempre vou amá-la, haja o que houver.

Ela sorriu. Roland dizia aquilo como um homem enumerando fatos ordinários: que o céu ficava em cima, a terra embaixo e os rios corriam para o mar.

— Roland, quantos anos você *tem*? — Às vezes ficava perturbada pela ideia de que, por mais nova que fosse, Roland devia ser ainda mais novo. Quando ele se concentrava em alguma coisa, seu rosto ficava tão severo que chegava a assustá-la. Mas quando sorria, Susan não via um amante, mas um irmão menor.

— Sou mais velho do que quando cheguei aqui — disse ele. — Muito mais velho. E se tiver de passar mais seis meses sob as vistas de Jonas e seus homens, vou ficar trôpego e precisar que me empurrem por trás para montar no meu cavalo.

Ela riu e Roland a beijou no nariz.

— E tomarás conta de mim?

— Sim — disse ele, rindo também. Susan aquiesceu e também se deitou de costas. Ficaram assim, quadris encostados, olhando para o céu. Susan pegou a mão dele e levou-a ao seio. Enquanto Roland alisava o mamilo com o polegar, ele se ergueu, endureceu e começou a formigar. Esta sensação foi deslizando rapidamente pelo corpo de Susan até o ponto que ainda latejava entre as suas pernas. Ela apertou as coxas e ficou ao mesmo tempo deliciada e surpresa ao descobrir que fazer aquilo só piorava a situação.

— Você *precisa* tomar conta de mim — disse ela em voz baixa. — Apostei tudo em você. Tudo o mais ficou de lado.

— Vou fazer o melhor que puder — disse ele. — Não tenha dúvida. Mas por enquanto, Susan, deve continuar agindo como se nada tivesse acontecido. Ainda temos tempo. Depape voltou e já deve ter contado suas histórias, mas o fato é que ainda não moveram uma palha contra nós. Apesar do que ele possa ter descoberto, Jonas ainda acha que é de seu interesse esperar. Talvez Jonas se torne mais perigoso quando tomar uma atitude, mas por enquanto todos continuam atrás dos escudos: Castelos.

— Só que depois da fogueira da Colheita... Thorin...

— Você nunca irá para a cama dele. Disso pode ter certeza. Isso eu lhe garanto.

Um pouco chocada com sua própria ousadia, Susan estendeu a mão para baixo da cintura de Roland.

— Pode me dar mais esta garantia, se quiser — disse.

Ele quis. Ele podia. E fez.

Quando acabou (para Roland fora ainda mais gostoso do que da primeira vez, se isso fosse possível), ele perguntou:

— Você lembra daquela sensação que teve na Citgo, Susan? De estar sendo observada. Voltou a senti-la agora?

Ela o contemplou longa e pensativamente.

— Não sei. Minha mente estava em outros lugares, você entende. — Susan o tocou suavemente e riu quando ele teve um sobressalto... os nervos naquele ponto meio duro, meio mole onde sua palma pousara pareciam continuar muito vivos.

Ela afastou a mão e contemplou o círculo de céu sobre o bosque.

— Aqui é tão bonito — Susan murmurou, e seus olhos foram se fechando.

Roland também se sentiu cansado. Era irônico, ele pensou. Desta vez ela não tivera a sensação de estar sendo observada... mas ele sim, da segunda vez que transaram. Contudo, seria capaz de jurar que não havia mais ninguém nas proximidades daquele bosque.

Não importava. A sensação — alucinação ou realidade — desaparecera. Ele pegou a mão de Susan e sentiu os dedos dela resvalarem naturalmente, entrelaçando-se com os seus.

Roland fechou os olhos.

9

Rhea viu tudo aquilo na bola de cristal, uma visão sem dúvida muito interessante, ié, muito interessante. Mas já vira sexo dança antes — às vezes com três ou quatro (ou mais) fazendo tudo ao mesmo tempo, às vezes com parceiros que não podiam ser considerados exatamente vivos. Sem dúvida, o esfrega-esfrega não lhe parecia muito interessante em sua avançada idade; no caso, o que a interessava era o que aconteceria *após* o esfrega-esfrega.

Foi feito o que tinha de ser feito?, a moça perguntara.

Talvez haja mais uma coisinha, Rhea havia respondido e logo dissera à putinha abusada o que fazer.

Ié, dera à moça instruções muito claras quando as duas estavam junto à porta da cabana, a Lua do Beijo brilhando e Susan Delgado dormindo aquele estranho sono. Rhea lhe alisara a trança e sussurrara as instruções em seu ouvido. Agora estava na hora do cumprimento daquele interlúdio... e era o que queria ver, não dois pirralhos se esfregando um no outro como se fossem os primeiros seres humanos a descobrir como se fazia aquilo.

Transaram duas vezes com apenas uma breve pausa para falarem sobre alguma coisa (ela teria gostado extremamente de ouvir essa alguma coisa, sem dúvida). Rhea não se espantou; naquela idade o pirralho tinha suficiente fogo no saco para proporcionar a Susan uma semana inteira de diversão e, pelas reações da putinha, isso era bem o que ela queria. Certas mulheres jamais queriam outra coisa depois da descoberta; aquela era uma delas, Rhea pensou.

Mas vamos ver se vai se sentir sexy daqui a alguns minutos, sua puta insolente, ponderou Rhea se debruçando ainda mais sobre o pulsar da luz rosada atirada pela bola de cristal. Às vezes sentia aquela luz doer nos ossos do rosto... mas era uma *boa* dor. Ié, de fato muito boa.

Estavam satisfeitos... pelo menos por enquanto. De mãos dadas, foram mergulhando no sono.

— Agora — Rhea murmurou. — Agora, minha pequena. Seja uma boa moça e faça como estou mandando.

Como se a estivesse ouvindo, Susan abriu os olhos — mas não havia nada neles. Estavam ao mesmo tempo despertos e adormecidos. Rhea viu a garota soltar-se delicadamente da mão do rapaz. Ela se sentou, seios nus, coxas nuas, olhando em volta. Ficou de pé...

Foi quando Musty, o gato de seis pernas, saltou para o colo de Rhea, gemendo por comida ou afeto. A velha deu um grito de surpresa e o globo do mago ficou de imediato escuro — soprado como chama de vela ante uma rajada de vento.

Rhea deu outro grito estridente, desta vez de raiva, e pôs a mão no gato antes que ele pudesse fugir. Atirou-o para dentro da lareira, do outro lado da sala. O lugar era um buraco morto e frio como ficam as lareiras no verão, mas quando Rhea apontou a mão ossuda e disforme em sua direção, uma labareda amarela brotou da única tora de madeira, meio queimada, que havia lá. Musty gritou e fugiu do calor com os olhos arregalados e a cauda fendida fumegando como ponta de charuto jogada com indiferença no chão.

— Fora, ié! — Rhea berrou atrás dele. — Saia daqui, seu maldito pulguento!

Voltando ao globo, estendeu as mãos sobre ele, polegar unido a polegar. Contudo, embora se concentrasse com toda a sua energia, uma energia extraída até o coração bater com perigosa fúria no peito, o máximo que Rhea conseguiu foi fazer a bola de cristal recuperar o natural brilho rosado. Nenhuma imagem surgiu. Era tremendamente frustrante, mas não havia remédio. Tudo bem, no momento certo, ela seria capaz de ver os resultados com seus dois olhos ao natural; para isso, bastaria ir à cidade.

Todo mundo seria capaz de ver.

Com o bom humor restaurado, Rhea devolveu a bola a seu esconderijo.

10

Momentos antes de Roland mergulhar num sono profundo demais para permitir que ouvisse qualquer coisa, um alarme de advertência tocou em sua mente. Talvez fosse a débil percepção de que a mão dela não estava mais entrelaçada com a dele; talvez fosse pura intuição. Podia ter ignorado aquele alarme fraco e quase o fez, mas no fim seu treinamento falou mais alto. Voltou do limiar do verdadeiro sono, lutando para chegar de novo à claridade — como o mergulhador voltando à superfície com uma presa no arpão. A princípio foi difícil, mas foi ficando mais fácil; e à medida que ele se aproximava do pleno estado desperto, seu alarme crescia.

Abriu os olhos e se virou para a esquerda. Susan já não estava lá. Sentou-se, olhou para a direita e não viu nada contra o fundo do riacho...

Ainda assim, sentia que ela estava naquela direção.

— Susan?

Nenhuma resposta. Ele se levantou, olhou para sua calça, mas Cort (um visitante que jamais teria esperado receber numa situação tão romântica) falou rispidamente em sua cabeça. *Sem tempo para isso, verme.*

Caminhou nu até o barranco na margem do riacho e olhou para baixo. Susan estava lá, sem dúvida, também nua, de costas para ele. Tinha soltado o cabelo, que agora caía, dourado, quase até a orla dos quadris. O ar frio que subia da superfície do riacho fazia as pontas do cabelo dançarem como uma névoa.

Ela estava abaixada, apoiada num joelho, na beira da corrente de água. Tinha um dos braços mergulhado na água quase até o cotovelo; parecia estar procurando alguma coisa.

— Susan!

Nenhuma resposta. E agora um frio pensamento lhe ocorreu: *Está tomada por um demônio. Enquanto eu dormia a seu lado, ela foi tomada por um demônio*. Contudo, Roland não acreditava de verdade naquilo. Se um demônio tivesse se aproximado da clareira, ele o teria sentido. Provavelmente os dois teriam sentido sua presença; os cavalos também. Mas havia *alguma coisa* errada com ela.

Susan tirou um objeto do leito do riacho e segurou-o diante dos olhos com a mão que gotejava. Uma pedra. Ela a examinou, depois tornou a atirá-la na água — *plam!* Pôs novamente a mão no riacho, a cabeça muito curvada, dois longos cachos de cabelo agora flutuando na água, o riacho puxando-os vigorosamente na direção da corrente.

— *Susan!*

Nenhuma resposta. Ela puxou outra pedra do riacho. Agora era um quartzo branco, triangular, cortado num formato que lembrava uma ponta de lança. Susan inclinou a cabeça para a esquerda e segurou um cacho do próprio cabelo, como se pretendesse desfazer um emaranhado de fios. Mas não havia nenhum pente, apenas a pedra com a ponta afiada e, por um momento, Roland ainda permaneceu na beira do barranco, paralisado pelo horror, certo de que Susan pretendia cortar a própria garganta de vergonha e culpa pelo que tinha feito. Nas semanas seguintes, ele foi assombrado por uma nítida percepção: se o objetivo dela tivesse sido mesmo a própria garganta, ele não teria tido tempo de impedir.

Então a paralisia se rompeu e ele disparou pelo barranco, indiferente às pedras afiadas que machucavam as solas de seus pés. Antes que conseguisse alcançá-la, Susan usou a ponta do quartzo para cortar um pedaço da trança dourada.

Roland pegou-a pelo pulso e puxou. Agora via claramente seu rosto. O que podia ter sido confundido com serenidade do alto do barranco se mostrou como o que de fato era: indiferença, vazio.

Quando a segurou, a suavidade de sua face foi substituída por um sorriso vago e agitado; a boca tremia como se ela estivesse sentindo alguma dor distante e um estranho som de negação saiu de sua boca:

— *Nnnnnnnn...*

Um pouco do cabelo que cortara estava pousado em sua coxa como uma fita dourada; a maior parte caíra no riacho e fora levada pela corrente. Susan fez força para se livrar da mão de Roland, tentando usar novamente a ponta afiada da pedra, continuar seu insano trabalho de cabeleireiro. Os dois se engalfinharam como num torneio de luta livre. E Susan estava vencendo. Ele era fisicamente mais forte, mas não mais forte do que o encantamento que a dominava. Pouco a pouco o triângulo de quartzo branco foi se aproximando do cabelo que balançava. E aquele som assustador (*Nnnnnnnnn*) continuou saindo de sua boca.

— Susan! Pare com isso! Acorde!

— *Nnnnnnn...*

O braço nu tremia visivelmente, os músculos se aglomeravam como pedrinhas duras. E o quartzo movendo-se mais e mais para o cabelo, a face, a órbita do olho.

Sem pensar duas vezes (era a maneira como sempre agia, e com extremo sucesso), Roland aproximou o rosto do rosto de Susan, cedendo outros quatro centímetros ao punho que segurava a pedra para fazer isso. Pôs os lábios na concha da orelha de Susan e fez a língua estalar contra o céu da própria boca.

Susan recuou ante aquele som, que deve ter atravessado sua cabeça como uma lança. As pálpebras se agitaram bastante e a pressão que ela exercia contra o pulso de Roland enfraqueceu um pouco. Aproveitando a oportunidade, ele torceu-lhe o punho.

— *Ah! Ahhhh!*

A pedra caiu de sua mão aberta e bateu com força na água. Susan o encarou, agora desperta, os olhos cheios de lágrimas e espanto. Ela estava esfregando o punho... que, Roland pensou, provavelmente ia inchar.

— Você me machucou, Roland! Por que você me machucou des...

Olhando em volta, a voz se extinguindo. Agora não apenas seu rosto, mas todo o conjunto de seu corpo, revelava espanto. Ela fez um gesto para se cobrir com as mãos, mas percebeu que continuavam sozinhos e deixou as mãos caírem para o lado do corpo. Pelo ombro dele, viu suas pegadas — todas de pés descalços — levando ao barranco.

— Como cheguei aqui? — perguntou. — Me carregaste depois que adormeci? E por que me machucaste? Ah, Roland, eu te amo... por que me machucaste?

Roland pegou os fios de cabelo que ainda estavam em sua coxa e suspendeu-os na frente dela.

— Você estava segurando uma pedra afiada. Tentava se cortar e não parava. Se machuquei, foi porque estava assustado. Acho até uma sorte não ter quebrado seu pulso... pelo menos acho que não quebrei.

Roland pegou a mão dela e, atento ao estalo de algum pequeno osso, virou-a gentilmente em ambas as direções.

Não ouviu nada e o pulso girava livremente. Enquanto Susan observava, atônita e confusa, ele levou a mão aos lábios e beijou-a, sobre o delicado traçado das veias.

11

Roland tinha amarrado Rusher bem longe, no meio dos salgueiros. Assim o grande garanhão não seria visto por alguém que, por acaso, cavalgasse pela Baixa.

— Fique tranquilo — disse Roland se aproximando. — Aguente só um pouco mais, bom amigo.

Rusher bateu com a pata e relinchou, como para dizer que podia ficar parado até o fim dos tempos, se era isso que exigiam dele.

Roland abriu a mochila e pegou o utensílio de ferro que servia como panela ou frigideira, dependendo da necessidade. Ele começou a se afastar, mas de repente se virou para trás e voltou. A manta estava amarrada atrás da sela de Rusher — ele planejara passar a noite acampado na Baixa, pensando. Havia muita coisa em que pensar e agora ainda mais.

Puxou uma das correias de couro, tateou por dentro da coberta e pegou uma pequena caixa metálica. Abriu-a com a chavinha que tirou do pescoço. Dentro da caixa havia um pequeno medalhão quadrado numa bela corrente de prata (dentro do medalhão havia uma gravura de sua mãe) e um punhado de balas extras — não chegavam a uma dúzia. Pegou uma, fechou a mão e voltou para perto de Susan. Ela o contemplou com olhos arregalados, assustados.

— Não me lembro de nada depois que fizemos amor pela segunda vez — disse ela. — Só sei que olhei para o céu, pensei em como me sentia bem e caí no sono. Ah, Roland, está muito feio?

— Não está mal, acho. Mas você vai saber melhor do que eu. Olhe aqui.

Ele pôs a vasilha de metal na beira do barranco. Susan se curvou apreensiva, colocando o cabelo do lado esquerdo da cabeça, depois movendo devagar o braço para a frente, puxando a brilhante tira dourada onde era feita a trança. Ela viu de imediato o corte malfeito. Examinou o cabelo com cuidado, depois deixou-o cair com um suspiro antes de alívio que de tristeza.

— Consigo esconder — disse. — Quando eu fizer a trança, ninguém vai notar. E afinal, é apenas cabelo... não passa de vaidade. Minha tia me diz isso com bastante frequência, sem dúvida. Mas, Roland, *por quê*? Por que agi assim?

Roland tinha uma ideia. Se cabelo era uma vaidade, então um corte de cabelo forçado corresponderia, por si só, à tentativa de praticar alguma maldade... embora um homem dificilmente pudesse ver a coisa por este ângulo. A mulher do prefeito, teria ela alguma coisa a ver com isso? Achava que não. Era mais provável que Rhea, lá atrás no seu cume de terra, contemplando ao norte o pasto Ruim, a rocha Pendurada e a garganta do Parafuso, tivesse montado aquela feia armadilha. O prefeito Thorin estaria condenado a acordar na manhã após a Colheita com ressaca e uma concubina careca.

— Susan, posso tentar uma coisa?

Ela cedeu-lhe um sorriso.

— Existe alguma coisa que ainda não tenha feito? — perguntou. — Sim, faça o que quiser.

— Não é o que está pensando. — Roland abriu a mão que mantivera fechada, mostrando a bala. — Quero tentar descobrir quem preparou esta armadilha para você e por quê.

E Roland queria descobrir também outras coisas, embora ainda não soubesse exatamente o que poderiam ser.

Susan observou a bala. Roland começou a deslocá-la pelas costas da mão, fazendo-a passar de um lado para o outro num ritmo habilidoso. Os nós dos dedos subiam e desciam como peças de um tear. Ela contemplava com um fascinado deleite infantil.

— Onde aprendeu?

— Na minha terra. Isso não importa.

— Vai me hipnotizar?

— Ié… E acho que já foi hipnotizada antes. — Fez a bala dançar um pouco mais depressa… primeiro para a direita, ao longo da ondulação dos nós dos dedos, depois para a esquerda. — Posso?

— Ié — disse ela. — Se conseguir.

12

Conseguiu. A velocidade com que Susan se deixou hipnotizar confirmou que aquilo já lhe acontecera antes, e não há muito tempo. Roland, contudo, não obteve o que queria. Susan começava inteiramente cooperativa (*como se estivesse ávida para dormir*, Cort teria dito), mas não conseguia ir além de certo ponto. Não se tratava de decoro nem desatenção. Dormindo de olhos abertos na frente do riacho, Susan lhe falou em voz remota, mas calma, do exame da velha mulher e do modo como Rhea tentara "bulir com ela" (neste ponto os punhos de Roland se apertaram com tanta força que as unhas entraram nas palmas das mãos). Além de certo ponto, porém, Susan não conseguia mais se lembrar.

Fora com Rhea até a porta da cabana e ficaram as duas ali paradas, a Lua do Beijo iluminando o rosto deles. A velha tocara seu cabelo, até aí Susan se lembrava. O toque a revoltara, principalmente após os toques anteriores da bruxa, mas Susan não conseguira esboçar qualquer reação. Os braços estavam pesados demais para que conseguisse erguê-los, a língua pesada demais para falar. Só conseguiu ficar parada enquanto a bruxa sussurrava em seu ouvido.

— O quê? — Roland perguntou. — O que ela sussurrou?

— Não sei — disse Susan. — O resto é rosa.

— Rosa? O que isso quer dizer?

— Rosa — ela repetiu. Quase parecia estar se divertindo, como se acreditasse que Roland estivesse sendo propositalmente obtuso. — Rhea disse: "Ié, ótimo, isso mesmo, é uma boa moça", então tudo ficou rosa. Rosa e brilhante.

— Brilhante.

— Sim, como a lua. E então... — Fez uma pausa. — Então acho que a coisa se transformou na lua. Talvez a Lua do Beijo. Uma Lua do Beijo incrivelmente rosada, redonda e cheia como uma laranja.

Roland tentou outros meios de penetrar em sua memória, mas sem êxito... Todas as trilhas iam dar naquele rosado brilhante, primeiro obscurecendo a recordação, depois se fundindo com uma lua cheia. A imagem nada significava para Roland; ele já ouvira falar de luas azuis, mas nunca cor-de-rosa. A única coisa da qual tinha certeza era que a velha tinha dado a Susan um poderoso comando para esquecer.

Pensou em levá-la a um ponto mais fundo — ela iria —, mas não se atreveu. Adquirira a maior parte de sua experiência hipnotizando os amigos; exercícios em sala de aula onde havia muita brincadeira e, às vezes, muito fingimento. Ainda assim, Cort ou Vannay estavam sempre presentes para colocar no eixo as coisas que fugissem do controle. Agora não havia professores para interferir; para o bem ou para o mal, os alunos tinham ficado encarregados da escola. E se a hipnotizasse mais fundo e não conseguisse trazê-la de volta? Tinham lhe dito que também havia demônios nas camadas mais profundas da mente. Se você descer para onde vivem, eles poderão sair de suas grutas para recebê-lo...

Como se não bastassem todas essas considerações, estava ficando tarde. Não seria prudente ficar ali por muito mais tempo.

— Susan, está me ouvindo?

— Ié, Roland, ouvindo muito bem.

— Bom. Vou recitar um versinho. Você vai acordar quando eu mandar. E vai ficar bem acordada, mas se lembrando de tudo que dissemos. Entendeu?

— Ié.

— Escute: Pássaro e urso e lebre e peixe deem ao meu amor o que ela mais quer.

O sorriso de Susan quando ela chegou à consciência foi uma das coisas mais belas que Roland já vira. Depois de se espreguiçar, Susan colocou os braços em volta do pescoço dele e cobriu-lhe o rosto de beijos.

— Você, você, você, você — disse ela. — Você é o que eu mais quero, Roland. Você é a *única* coisa que eu quero. Você e você, para hoje e para sempre.

Transaram novamente ali, na margem do riacho murmurante, agarrando-se o mais que podiam, um respirando na boca do outro, vivendo na respiração do outro. *Você, você, você, você.*

13

Vinte minutos depois, ele a colocou no lombo de Felicia. Susan se inclinou para baixo, colocou as mãos no rosto dele e beijou-o sonoramente.

— Quando vou encontrá-lo de novo? — ela perguntou.

— Em breve. Mas precisamos tomar cuidado.

— Ié. O máximo de cuidado que dois amantes jamais precisaram ter, eu acho. Graças a Deus és inteligente.

— Podemos recorrer aos serviços de Sheemie, só não devemos exagerar.

— Ié. E, Roland... você conhece o pavilhão no Coração Verde? Perto de onde servem chá, bolos e coisas assim, quando o tempo está bom?

Roland conhecia. Na rua do Monte, a uns cinquenta metros da cadeia e da Assembleia da Cidade, o Coração Verde era um dos lugares mais agradáveis da cidade, com suas trilhas pitorescas, mesas com guarda-sóis, um pavilhão coberto de hera onde se dançava e um pequeno zoológico.

— Há um muro de pedra nos fundos — disse ela. — Entre o pavilhão e o minizoo. Se estiver precisando muito me ver...

— Vou estar sempre precisando muito te ver — disse ele. Susan sorriu com a expressão séria de Roland.

— Há uma pedra especial numa das partes mais baixas do muro... uma pedra vermelha. Você vai vê-la. Eu costumava deixar mensagens ali para minha amiga Amy e ela para mim, quando éramos pequenas. De vez em quando vou dar uma olhada lá. Você pode fazer o mesmo.

— Ié.

Sheemie funcionaria por algum tempo, se fossem cuidadosos. A pedra vermelha também podia funcionar por algum tempo, se fossem cuidadosos. Mas, por mais cuidadosos que fossem, acabariam cometendo algum erro, porque os Grandes Caçadores de Caixões agora provavelmente sabiam mais sobre Roland e seus amigos do que Roland gostaria de admitir. Mas Roland precisava vê-la, a despeito dos riscos. Se não o fizesse, achava que podia morrer. E bastava olhar para Susan, para saber que ela sentia o mesmo.

— E um cuidado especial com Jonas e os outros dois — disse ele.

— Vou tomar cuidado. Outro beijo, se não se importa?

Ele a beijou de bom grado e com a mesma satisfação a teria tirado do lombo da égua para um quarto round... mas estava na hora de parar de ser delirante e começar a ser cauteloso.

— Adeus, Susan. Eu amo vo... — Ele fez uma pausa e sorriu. — Eu te amo.

— E eu a ti, Roland. O que eu tenho de coração é teu.

Susan tinha um grande coração, ele pensou vendo-a passar pelos salgueiros e já sentindo um aperto no peito. Esperou até ter certeza de que ela estava bem longe. Então montou em Rusher e partiu na direção oposta, sabendo que uma nova e perigosa fase do jogo havia começado.

14

Não muito depois de Susan e Roland terem partido, Cordelia Delgado saiu do Hambry Mercantile com uma caixa de víveres e a mente perturbada. A mente perturbada era causada por Susan, é claro, sempre Susan, e o medo de Cordelia de que a moça cometesse alguma estupidez antes da Colheita voltava a se manifestar.

Estes pensamentos foram arrancados de sua mente no momento em que mãos (mãos fortes) puxaram a caixa de víveres de seus braços. Cordelia resmungou uma exclamação de surpresa, usando a mão para proteger os olhos do sol e viu Eldred Jonas parado entre os totens do Urso e da Tartaruga, sorrindo para ela. O cabelo, branco e comprido (e bonito, na opinião dela), lhe caía nos ombros e Cordelia sentiu o coração bater um pouco mais rápido. Sempre fora chegada a homens como Jonas, que sabiam sorrir, com brincadeiras que chegavam ao limiar da ousadia... mas cujos corpos podiam ser lâminas perigosas.

— Assustei-a. Peço que me desculpe, Cordelia.

— Naum — disse ela, soando um tanto sem fôlego a seus próprios ouvidos. — É apenas o sol... tão brilhante nessa hora do dia...

— Posso ajudá-la um pouco se me der licença. Sigo a rua Alta até a esquina, depois entro na Monte, mas posso ajudá-la até lá?

— Seria ótimo — disse ela. Desceram os degraus do mercado, passando à calçada de madeira, Cordelia com breves olhadelas laterais para ver quem os estava observando. Ela ao lado do belo sai Jonas, que por acaso carregava suas compras. Havia um número satisfatório de espectadores. Viu, por exemplo, Millicent Tortega, olhando da vitrine da Ann's Dresses com um interessante *ah* de surpresa na estúpida cara de vaca.

— Espero que não se incomode por eu a chamar de Cordelia — disse Jonas levando descontraidamente a caixa debaixo do braço, a caixa que ela tivera de carregar com as duas mãos. — Sinto, desde o jantar de boas-vindas na casa do prefeito Thorin, que já a conheço bem.

— Pode me chamar de Cordelia.

— E você não me chamaria de Eldred?

— Acho, sr. Jonas, que isso vai demorar um pouco mais — disse ela, presenteando-o com o que acreditava ser um sorriso sedutor. Seu coração batia mais rápido agora (não lhe ocorreu que talvez Susan não fosse a única deslumbrada da família Delgado).

— Que assim seja — disse Jonas com um olhar de desapontamento tão cômico que ela riu. — E sua sobrinha? Vai bem?

— Muito bem, obrigada por perguntar. Às vezes um pouco travessa...

— Conhece alguma moça de dezesseis que não seja travessa?

— Acho que não.

— Se bem que, neste outono, você tem encargos adicionais com relação a Susan. Mesmo que *ela* não perceba isso.

Cordelia não disse nada — não teria sido discreto —, mas dispensou-lhe um olhar que dizia muita coisa.

— Dê-lhe meus cumprimentos, por favor.

— Darei. — Mas não o faria. Susan passara a sentir uma grande (e irracional, na opinião de Cordelia) antipatia pelos seguranças do prefeito Thorin. Tentar fazê-la ver o absurdo desses sentimentos seria, provavelmente, perda de tempo; mocinhas acham que sabem tudo. Olhou de relance para a estrela que despontava discreta na gola do paletó de Jonas. — Soube que assumiu uma responsabilidade a mais em nossa mal servida cidade, sai Jonas.

— Ié, estou ajudando o xerife Avery — ele concordou. Sua voz tinha uma vibração aguda e fina que, de alguma forma, soava como tom afetuoso aos ouvidos de Cordelia. — Um de seus agentes... acho que o nome é Claypool...

— Frank Claypool, ié.

— Ele caiu de um barco e quebrou a perna. Como uma pessoa pode cair de um barco e quebrar a perna, Cordelia?

Ela riu com vontade (a ideia de que todos em Hambry os estavam observando era certamente equivocada... mas a sensação era essa, e não era uma sensação desagradável) e disse que não sabia dizer.

Jonas parou na esquina da rua Alta com o Camino Vega, parecendo desapontado.

— Aqui é onde eu viro. — Devolveu a caixa a ela. — Tem certeza de que pode levar isso? Acho que poderia acompanhá-la até sua casa…

— Não precisa, não precisa. Obrigada. Obrigada, Eldred. — O rubor que cobrira sua nuca e faces parecia quente como fogo, mas o sorriso dele fez valer a pena cada grau de calor. Jonas lhe fez uma pequena saudação com a ponta de dois dedos e subiu a lombada para o escritório do xerife.

Cordelia caminhou para casa. A caixa, tão difícil de carregar na saída do mercado, agora parecia não pesar quase nada. Esta sensação durou por quase um quilômetro, mas quando a casa entrou em seu raio de visão, ela já voltara a ter consciência do suor que lhe escorria pelo rosto e da dor nos braços. Graças aos deuses o verão estava no fim… e não era Susan que também chegava, que acabava de passar com a égua pelo portão?

— Susan! — ela gritou, agora suficientemente de volta à Terra para que a antiga irritação com a garota transparecesse na voz. — Venha me ajudar antes que eu deixe tudo isso cair e os ovos se quebrem!

Susan obedeceu, deixando Felicia comendo a grama no pátio da frente.

Dez minutos antes, Cordelia não teria achado nada de diferente na aparência da sobrinha… seus pensamentos ainda estariam envolvidos demais com Eldred Jonas para ela reparar em qualquer coisa. Mas o sol quente lhe tirara um pouco do romance da cabeça e a fizera pisar outra vez em terra firme. E quando Susan pegou a caixa (puxando-a de sua mão quase com a mesma facilidade de Jonas), Cordelia achou que precisava voltar a prestar mais atenção no aspecto da moça. Por exemplo, seu temperamento parecia mudado… Da confusão semi-histérica para uma serenidade agradável, com uma alegria no olhar. Era de novo a Susan dos anos que antecederam o final da adolescência… muito distante da amargura daqueles meses, do mau humor e da truculência. Não havia nada mais em que Cordelia pudesse pôr o dedo, exceto…

Mas havia, é fato. Uma coisa. Ela estendeu a mão e agarrou a trança da moça, que naquela tarde parecia estranhamente desmazelada. Sem dúvida Susan estivera cavalgando; isso explicava o desmazelo. Mas não explicava a sombra no cabelo, como se aquela brilhante massa dourada tivesse começado a embaçar. E Susan teve um sobressalto, quase com ar culpado, ao sentir o toque de Cordelia. O que (será que alguém poderia lhe dizer…) aquilo significava?

— Seu cabelo está úmido, Susan — disse ela. — Esteve nadando em algum lugar?

— Naum! Parei e enfiei a cabeça na bomba diante do celeiro do Hookey. Ele não se importou… Tem um poço muito fundo. Está muito calor. Talvez chova mais tarde. Espero que sim. Também dei de beber a Felicia.

Os olhos da moça pareciam francos e diretos como sempre, mas ainda assim Cordelia achou que havia algo de diferente neles. Não saberia dizer o quê. A ideia de que Susan pudesse estar escondendo alguma coisa grande e séria não passou de imediato por sua mente; ela achava a sobrinha incapaz de guardar qualquer segredo maior que um presente de aniversário ou uma festa surpresa… e mesmo essas coisas não resistiriam a mais de um ou dois dias. E, no entanto, havia alguma coisa ali. Cordelia deixou os dedos pousarem na gola da camisa que Susan estava usando.

— Mas a gola está seca.

— Tomei cuidado — disse ela contemplando a tia com um ar de confusão. — A sujeira gruda com mais facilidade em roupa molhada. Você é que me ensinou, tia.

— Você estremeceu quando encostei a mão no seu cabelo, Susan.

— Ié — disse Susan —, assim foi. A feiticeira me tocou exatamente desse modo. Desde que aquilo aconteceu, não gosto mais que encostem em mim. Será que agora posso levar essas compras para dentro e tirar minha égua do sol quente?

— Não seja respondona, Susan.

Apesar de o tom da sobrinha estar, sem dúvida, singularmente menos agressivo, a sensação de que Susan estava diferente (a sensação de *estranheza*) começou a se abrandar.

— Então não seja chata!

— Susan! Peça desculpas!

Susan inspirou profundamente, segurou o ar e deixou-o sair.

— Sim, tia. Eu peço. Mas está muito calor.

— Ié. Ponha as compras na copa. E obrigada.

Susan caminhou para a casa com a caixa nos braços. Quando a moça ganhou distância suficiente para as duas não serem obrigadas a caminhar juntas, Cordelia seguiu. Era tudo tolice de sua parte, sem dúvida — suspeitas que vieram à sua mente após o flerte com Eldred —, mas Susan estava numa idade perigosa e muita coisa dependia de seu bom comportamento nas próximas sete semanas. Depois disso ela seria problema de Thorin, mas até lá era problema seu. Cordelia achava que, no final das contas, Susan se mostraria fiel à promessa, mas até a Festa da Colheita Cordelia manteria a moça estritamente sob suas vistas. Em assuntos como virgindade de uma garota, era melhor ficar de olho.

INTERLÚDIO

KANSAS, EM ALGUM ONDE, EM ALGUM QUANDO

Eddie se mexeu. Em volta deles, a lúmina ainda se lamentava como uma sogra resmungona; no céu, as estrelas cintilavam brilhantes como novas esperanças... ou más intenções. Ele olhou para Susannah, sentada com os tocos das pernas dobrados sob o corpo; olhou para Jake, que estava comendo um burrito; olhou para Oi, cujo focinho descansava na perna de Jake e que olhava para o garoto com uma expressão de tranquila adoração.

A fogueira estava baixa, mas o fogo ainda brilhava. O mesmo se aplicava à Lua do Demônio, distante no oeste.

— Roland. — A voz de Eddie pareceu velha e embargada a seus próprios ouvidos.

O pistoleiro, que havia parado para beber um gole de água, olhou-o com as sobrancelhas erguidas.

— Como pode conhecer as partes da história que não viveu?

Roland pareceu achar graça.

— Acho que não é isso que realmente quer saber, Eddie.

Ele tinha razão a esse respeito... Aquele homem velho, alto demais e feio tinha a mania de estar certo. Era, pelo menos na opinião de Eddie, uma de suas mais irritantes características.

— Tudo bem. Não acha que já está falando há tempo demais? É *isso* que eu realmente queria saber.

— Está cansado? Quer ir dormir?

Ele está zombando de mim, Eddie pensou... mas no instante mesmo em que a ideia lhe ocorreu, percebeu que não era verdade. E não, não estava cansado. Não havia rigidez em suas juntas, embora estivesse sentado de pernas cruzadas desde que Roland começara a falar de Rhea e da bola de cristal. Também não precisava ir ao banheiro. Nem sentia fome. Jake estava mastigando o único burrito que sobrara, mas provavelmente pela mesma razão que as pessoas escalavam o monte Everest... porque estava lá. E por que *estaria* faminto, sonolento ou tenso? A fogueira, afinal, ainda ardia e a lua ainda não tinha caído.

Fitou os olhos divertidos de Roland e viu que o pistoleiro lia seus pensamentos.

— Não, não quero ir dormir. Você sabe que não. Mas, Roland... você está falando há muito tempo. — Fez uma pausa, baixou os olhos para as mãos, depois ergueu de novo o rosto, sorrindo pouco à vontade. — Há dias, eu diria.

— Mas o tempo é diferente aqui. Já lhe disse isso; agora você pode ver por si próprio. Nem todas as noites têm a mesma extensão das que conhecíamos. Nem os dias… Claro, reparamos mais no tempo à noite, não é? É, acho que sim.

— A lúmina está alongando o tempo? — E agora, ao tocar no assunto, Eddie pôde ouvi-la em toda a sua horripilante glória… Um barulho como som de metal vibrando ou o zumbido do maior mosquito do mundo.

— Pode estar ajudando, mas as coisas no meu mundo são simplesmente assim.

Susannah se mexeu como se acordando parcialmente de um sono que a envolvesse como doce camada de areia movediça. Dispensou a Eddie um olhar ao mesmo tempo distante e impaciente.

— Deixe o homem falar, Eddie.

— É — disse Jake. — Deixe o homem falar.

E Oi, sem tirar o focinho do tornozelo de Jake:

— Of. Ouf.

— Tudo bem — disse Eddie. — Sem problema.

Roland olhou para todos.

— Têm certeza de que querem ouvir? O resto é…

Roland já não parecia muito disposto a continuar, e Eddie percebeu que ele estava assustado.

— Vá em frente — disse Eddie em voz baixa. — Não importa como é o resto. Como tenha sido o resto.

Eddie olhou ao redor. Kansas, estavam no Kansas. Em algum lugar do Kansas, em algum quando. Mesmo sentindo que Mejis e aquelas pessoas que nunca vira (Cordelia, Jonas, Brian Hookey, Sheemie, Pettie, a Trotadora e Cuthbert Allgood) estavam muito próximos agora. E o fato de que Roland ia perder Susan também estava muito próximo. Pois a realidade estava desbotada (desbotada como o fundilho numa velha calça jeans) e o escuro ia durar pelo tempo que Roland precisasse. Eddie duvidava que Roland tivesse sequer reparado no escuro. Por que iria reparar? Eddie achava que dentro da mente de Roland era noite há muito, muito tempo… e a aurora ainda não estava nada perto.

Estendendo o braço, tocou numa das mãos calejadas do matador. Um toque suave e com muito afeto.

— Continue, Roland. Conte sua história. Até o final, sem parar.

— Até o final, sem parar — disse Susannah num tom sonhador. — Não importa o que venha. — Seus olhos estavam cheios de luar.

— Até o final, sem parar — disse Jake.

— Parar — Oi sussurrou.

Por um instante, Roland segurou a mão de Eddie, contemplando o resto de fogo. Eddie sentiu que ele não sabia como recomeçar. Que sondava portas, uma atrás da outra, tentando achar uma que se abrisse. O que viu atrás da porta que achou o fez sorrir e erguer os olhos para Eddie.

— O verdadeiro amor não tem graça — disse ele.

— *Como?*

— O verdadeiro amor não tem graça — Roland repetiu. — É tão sem graça quanto qualquer outra droga forte que cause dependência. E como qualquer outra droga pesada…

PARTE TRÊS
VENHA, COLHEITA

1. SOB A LUA DA CAÇADORA

1

O verdadeiro amor, como qualquer outra droga forte que cause dependência, não tem graça. Assim que a fase do encontro e descoberta se encerra, os beijos se tornam rotineiros e as carícias cansativas... exceto, é claro, para aqueles que compartilham os beijos, que dão e recebem as carícias enquanto cada som e cada cor do mundo parecem se aprofundar e brilhar em volta deles. Como acontece com qualquer outra droga forte, o primeiro amor verdadeiro só é realmente interessante para aqueles que se tornaram seus prisioneiros.

E como acontece com qualquer outra droga forte que cause dependência, o primeiro amor verdadeiro é perigoso.

2

Alguns diziam que Caçadora era última lua do verão; outros diziam que era a primeira lua do outono. De um modo ou de outro, assinalava uma mudança na vida do Baronato. Os homens começavam a vestir suéteres de malha fina sob as capas impermeáveis enquanto os ventos iam tomando, de forma cada vez mais decidida, o rumo leste-oeste do outono e a soprar cada vez mais intensos. Nos grandes pomares do Baronato ao norte de Hambry (e nos pomares menores possuídos por John Croydon, Henry Wertner, Jake White e a rabugenta, mas rica, Coral Thorin), começavam a aparecer fileiras de coletores, carregando suas lascadas e curiosas escadas de madeira; eram seguidos por carroções puxados a cavalo, cheios de barricas vazias. Ao passar pelas estufas de maçãs — especialmente pela grande casa da maçã do Baronato, mil e seiscentos metros ao norte de Seafront —, as brisas ficavam impregnadas do doce aroma das polpas esmagadas aqui e ali nas cestas da coleta. Atrás das costas do mar Claro, os dias continuavam quentes enquanto a Caçadora ia ficando cheia. Os céus permaneciam sem nuvens dia e noite, mas o verdadeiro calor do verão partira com o Mascate. O último corte de feno começava e estaria terminado no prazo de uma semana. O feno era sempre escasso, embora os rancheiros e pequenos sitiantes às vezes amaldiçoassem isso, sem entender por que, afinal, se davam ao trabalho. Então vinha março chuvoso, cheio de vento e, ao ver os sótãos e depósitos dos celeiros se esvaziando rapidamente, eles entendiam por quê. Nos jardins do Baronato — os grandes jardins dos rancheiros, os menores dos sitiantes e os minúsculos jardins de quintal dos moradores da cidade —, homens, mulheres e crianças apareciam usando suas velhas roupas e botas, seus *sombreros* e *sombreras*. Vinham com as calças firmemente amarradas nos tornozelos, pois na época da Caçadora, um grande número de cobras e escorpiões deixava o deserto, rumando para o leste. Quando a velha Lua do Demônio começasse a aumentar, haveria fileiras de guizos de cascavel nos postes de amarrar os cavalos no Repouso dos Viajantes e no mercado do outro lado da rua. Outras lojas também iam decorar seus postes, mas no Dia da Colheita, quem acabava ganhando o prêmio por ter o maior número de peles de cobra era sempre a estalagem ou o mercado. Nos campos e jardins, cestas de coleta eram atiradas ao longo das fileiras de trabalhadores por mulheres com cabelos presos em lenços e os talismãs da colheita escondidos nos seios. Os últimos tomates seriam colhidos, os últimos pepinos, o último milho, a última fruta-de-conde e fruta-pão. Logo a seguir, à medida que os dias ficassem mais severos e as tempestades de outono começassem a chegar, viriam abóboras, chicórias, morangas e batatas. Em Mejis o tempo da colheita começara, e no céu, cada vez mais nítida a cada noite estrelada, a Caçadora puxava seu arco e olhava para leste sobre aquelas estranhas, esbranquiçadas constelações que nenhum homem ou mulher do Mundo Médio jamais vira.

3

Os que estão sob o domínio de uma droga forte — heroína, erva do diabo, amor verdadeiro — frequentemente se veem tentando manter um precário equilíbrio entre discrição e êxtase, enquanto avançam na corda bamba de suas vidas. Manter o equilíbrio numa corda bamba é difícil até mesmo no estado mais sóbrio; fazer isso num estado de delírio é praticamente impossível. A longo prazo, é *completamente* impossível.

Roland e Susan estavam delirantes, mas pelo menos tinham a pequena vantagem de saber disso. E a discrição não teria de ser mantida para sempre, mas só até o Dia da Feira da Colheita, no máximo. As coisas podiam acabar até mais cedo, se os Grandes Caçadores de Caixões agissem. O primeiro movimento podia ser feito por um dos outros jogadores, Roland pensou, mas não importava quem se movesse primeiro, Jonas e seus homens estariam lá, como parte do cenário. A parte mais provável de ser perigosa para os três rapazes.

Roland e Susan eram cuidadosos... pelo menos tão cuidadosos quanto pessoas delirantes são capazes de ser. Nunca se encontravam no mesmo lugar duas vezes seguidas, nunca se encontravam na mesma hora duas vezes seguidas, nunca tentavam ir à espreita para seus encontros. Em Hambry pessoas a cavalo eram coisa comum, mas quem andava à espreita era notado. Susan nunca tentou disfarçar uma de suas "cavalgadas" com a ajuda de uma amiga (embora tivesse amigas que teriam lhe prestado tal serviço); pessoas que precisavam de álibis eram pessoas guardando segredos. Tinha a impressão de que tia Cord estava ficando cada vez mais inquieta acerca de seus passeios a cavalo — particularmente os que aconteciam perto do início da noite —, embora até aquele momento aceitasse a justificativa que Susan repetia com tanta frequência: precisava ficar algum tempo sozinha, para meditar sobre a promessa que fizera e para aceitar suas responsabilidades. Ironicamente, essas sugestões tinham vindo originalmente da feiticeira da colina Cöos.

Encontravam-se no bosque de salgueiros, nas várias casas de barcos abandonadas que desmoronavam no promontório setentrional da baía, numa cabana de pastor afastada, nos confins da desolação da colina Cöos, num casebre de posseiro escondido no pasto Ruim. Os cenários eram, em geral, tão sórdidos como aqueles onde usuários de drogas se reúnem para praticar seu vício, mas Susan e Roland não viam as paredes podres do casebre, os buracos no teto da cabana ou o cheiro do reboco decomposto nos cantos dos velhos e ensopados abrigos de barcos. Estavam drogados, fissurados de amor, e para eles cada cicatriz na face do mundo era um traço de beleza.

Por duas vezes, no início daquelas semanas de delírio, usaram a pedra vermelha na parede dos fundos do pavilhão para combinar encontros. Então uma voz profunda falou dentro da cabeça de Roland, mandando que ele esquecesse o lugar: a pedra podia ser ótima para crianças brincarem de trocar segredos, mas ele e sua amada não eram mais crianças; se fossem descobertos, o banimento seria a punição mais leve que poderiam esperar. A pedra vermelha era visível demais e escrever nela — mesmo mensagens sem assinatura e vagas — era tremendamente perigoso.

Recorrer a Sheemie pareceu mais seguro. Naquela sorridente cabeça leve havia uma surpreendente profundidade de... bem, discrição. Roland havia pensado longa e cuidadosamente antes de se decidir por aquela palavra, e era a palavra exata: uma capacidade de manter silêncio que era antes nobre do que interessada. O interesse, de qualquer modo, estava fora do alcance de Sheemie e sempre estaria — um homem que não podia dizer uma mentira sem tirar os olhos do rosto do outro era um homem que jamais seria considerado interesseiro.

Recorreram a Sheemie meia dúzia de vezes durante as cinco semanas em que a paixão física do casal ardia no ponto máximo — três dessas vezes foi para marcar encontros, duas para alterar os locais de encontro e uma para cancelar um encontro quando Susan viu vaqueiros do rancho Piano procurando animais desgarrados perto da cabana no pasto Ruim.

Aquela profunda voz de advertência nunca falou com Roland acerca de Sheemie como falara dos perigos da pedra vermelha… mas sua consciência se manifestou e, quando ele finalmente mencionou o assunto a Susan (os dois enrolados num cobertor de sela, nus, um nos braços do outro), descobriu que a consciência também a vinha perturbando. Não era justo comprometer o rapaz com possíveis problemas. Após chegar a esta conclusão, Roland e Susan passaram a tomar cuidado para que toda a combinação dos encontros se passasse estritamente entre os dois. Quando não pudesse encontrá-lo num determinado dia, disse Susan, estenderia uma blusa vermelha no parapeito de sua janela, como se a blusa estivesse secando. Quando ele não pudesse encontrá-la num determinado dia, deixaria uma pedra branca no canto nordeste do cemitério, onde ficava o reservatório de água, quase em frente da cocheira Hookey, do outro lado da estrada. Como último recurso, usariam a pedra vermelha no pavilhão, fosse ou não arriscado, mas não tornariam a envolver Sheemie em suas questões — em seu romance.

Cuthbert e Alain viram Roland mergulhar na dependência, primeiro com perplexidade, inveja e uma alegria ansiosa, depois com uma espécie silenciosa de terror. Tinham sido mandados para onde seus pais supunham haver segurança e agora se viam num lugar de conspiração; tinham chegado para fazer inventários de coisas num Baronato onde a maior parte da aristocracia local aparentemente transferira sua lealdade para o mais amargo inimigo da Confederação; Roland e eles tinham transformado em inimigos pessoais três sujeitos perigosos que, provavelmente, já haviam matado um número de pessoas suficiente para completar a lotação de um cemitério de tamanho médio. Contudo, tinham se sentido de peso igual aos adversários, pois chegavam lá sob a liderança de seu amigo Roland, que ganhara, em suas mentes, um status quase mítico ao conseguir superar Cort (tendo como arma um falcão!), tornando-se assim pistoleiro com catorze anos, coisa inédita. Que tivessem todos recebido revólveres em Gilead ao partir para aquela missão significava uma grande responsabilidade jogada sobre seus ombros, mas quando começaram a perceber o que estava acontecendo na cidade de Hambry e no Baronato do qual ela fazia parte, as armas lhes pareceram de pouca utilidade prática. Na realidade, Roland era a verdadeira arma com que contavam. E agora…

— Ele é como um revólver atirado na água! — Cuthbert exclamou uma noite, não muito tempo depois de Roland ter saído para se encontrar com Susan. Além da varanda do barracão, a Caçadora cumpria seu primeiro quarto no céu. — E só os deuses sabem se ainda será capaz de atirar, mesmo que alguém o consiga pescar e pôr para secar.

— Calma, espere! — disse Alain, olhando para a cerca da varanda. E esperando arrancar Cuthbert de seu mau humor (uma tarefa que, em circunstâncias normais, seria bastante fácil), ele continuou: — Onde está o vigia? Será que pelo menos uma vez na vida foi para a cama cedo?

Isso apenas deixou Cuthbert ainda mais irritado. Há dias (não sabia exatamente quantos) não encontrava a caveira do corvo e enxergava essa perda como um mau presságio.

— Foi para algum lugar, mas não para a cama — respondeu e olhou deprimido para oeste, onde Roland tinha desaparecido no lombo de seu grande e velho companheiro cavalo. — O vigia se perdeu, eu acho. Como a cabeça, o coração e o bom senso de um certo sujeito.

— Ele vai saber se cuidar — disse Alain meio constrangido. — Você o conhece tão bem quanto eu, Bert. Nós o conhecemos desde que nascemos. Ele vai saber se cuidar.

Em voz baixa, sem um único traço de seu habitual bom humor, Curthbert disse:

— Sinto como se não o conhecesse mais.

Ambos haviam tentado falar com Roland, cada qual à sua maneira; ambos receberam uma resposta muito parecida, que não era em absoluto uma resposta verdadeira. O sonhador (e talvez levemente perturbado) ar de abstração nos olhos de Roland durante aquelas conversas unilaterais teria sido familiar a qualquer um que já tivesse tentado ter uma conversa sensata com um viciado em drogas. Um olhar dizendo que a mente de Roland estava ocupada pelo contorno do rosto de Susan, o cheiro da pele de Susan, a sensação do corpo de Susan. E *ocupada* era uma palavra pequena para descrever a coisa, não abarcava realmente o sentido. Não era uma ocupação, mas uma obsessão.

— Chego a ter um pouco de raiva dela pelo que fez — disse Cuthbert, e havia um tom em sua voz que Alain jamais ouvira: mistura de ciúme, frustração e medo. — Talvez mais do que um pouco.

— Não deveria ter! — Alain tentou não parecer chocado, mas não pôde evitar. — Ela não é responsável por...

— Não é? Foi até a Citgo com ele. Viu o que ele viu. Só Deus sabe o que mais Roland contou a ela depois que acabaram de afogar o ganso. E ela não tem absolutamente nada de estúpida. O simples modo como desempenhou seu papel no romance dos dois já mostra isso. — Bert estava se referindo, acreditava Alain, ao esperto truquezinho da *corveta*. — Ela não pode ignorar que se tornou parte do nosso problema. Precisa *saber* disso!

Agora a amargura de Cuthbert estava assustadoramente clara. *Tem ciúmes de Susan por ela ter roubado o seu melhor amigo*, Alain pensou, mas a coisa não para por aí. *Também está com ciúmes de seu melhor amigo porque seu melhor amigo ganhou a garota mais bonita que qualquer um de nós já viu.*

Alain se inclinou e agarrou o ombro de Cuthbert. Quando Bert encerrou seu mal-humorado exame da porta e olhou para Alain, ficou sobressaltado com a severidade no rosto do amigo.

— É o ka — disse Alain.

Cuthbert quase deu uma risada.

— Gostaria de ganhar um bom jantar cada vez que alguém responsabiliza o ka por um roubo, um desejo ardente ou alguma outra estupidez…

A mão de Alain reforçou o aperto no ombro de Cuthbert até ele se tornar doloroso. Cuthbert podia ter se esquivado, mas não o fez. Olhou atentamente para Alain. Pelo menos temporariamente, o piadista não estava mais ali.

— Nem eu nem você podemos nos dar ao luxo de responsabilizar o ka — disse Alain. — Não percebe isso? Se for mesmo o ka que os move, pouco interessa quem vamos responsabilizar. Não *podemos* responsabilizar nada nem ninguém. Precisamos estar acima disto. Precisamos dele. E podemos precisar dela, também.

Cuthbert encarou Alain pelo que pareceu ser um tempo bastante longo. Alain viu a raiva de Bert guerreando com o bom senso. Por fim (e talvez apenas no momento), o bom senso prevaleceu.

— Tudo bem, ótimo. É o ka, o bode expiatório favorito de todo mundo. Afinal, para que serve o grande mundo invisível, não é? Não podemos ser responsabilizados por nossos atos de estupidez? Agora pode me largar, Al, antes que quebre meu ombro.

Alain retirou a mão e sentou-se em sua cadeira, aliviado.

— Se ao menos soubéssemos o que fazer com relação à Baixa. Se não começarmos logo a contagem ali…

— Tenho uma ideia a esse respeito — disse Cuthbert. — Só precisa de um pouco de elaboração. Tenho certeza de que Roland pode ajudar… se, é claro, eu ou você conseguirmos segurar a atenção dele por alguns minutos.

Ficaram algum tempo sem falar, olhando para a porta. Dentro do barracão, os pombos (outro motivo de desavença entre Roland e Bert naqueles dias) arrulhavam. Alain enrolou um cigarro. Foi um trabalho lento e o produto final acabado pareceu um tanto cômico, mas se manteve unido quando foi aceso.

— Seu pai o esfolaria vivo se o visse com isso na mão — comentou Cuthbert, mas com uma certa admiração. Na época em que a Caçadora do ano seguinte surgisse no céu, todos eles seriam fumantes convictos, homens jovens e queimados de sol com a maior parte dos tempos de garoto varrida de seus olhos.

Alain assentiu. O forte tabaco Crescente Exterior deixava-o de cabeça tonta e garganta áspera, mas um cigarro conseguia tranquilizar seus nervos, e seus nervos, naquele momento, bem que precisavam desse efeito calmante. Não sabia o que se passava com Bert, mas naqueles dias Alain cheirava sangue no vento. Possivelmente, parte desse sangue fosse dele mesmo. Não estava exatamente assustado — pelo menos, ainda não — mas estava muito, muito preocupado.

4

Embora desde a mais tenra idade tivessem sido treinados como falcões para o uso dos revólveres, Cuthbert e Alain ainda conservavam uma crença comum a muitos rapazes de sua idade: que os homens mais velhos eram também os melhores, pelo menos em termos de planejamento e bom senso; acreditavam de verdade que os adultos sabiam o que estavam fazendo. Quanto a isso Roland sabia melhor, mesmo estando tão caído de amor. Ao contrário de seus amigos sabia que, no jogo de Castelos, ambos os lados, novos ou velhos, tinham a venda nos olhos. Alain e Cuthbert ficariam surpresos ao ver como pelo menos dois Grandes Caçadores de Caixões andavam extremamente receosos dos três rapazes vindos do Mundo Interior e extremamente tensos com o jogo de expectativas que ambos os lados estavam jogando.

No início de uma manhã, quando a Caçadora atingia a metade de seu período, Reynolds e Depape desceram juntos do segundo andar do Repouso dos Viajantes. O principal salão da cidade estaria em silêncio absoluto não fossem os diferentes roncos e chiados de catarro. No balcão mais movimentado de Hambry, outra noite de festa fora encerrada.

Jonas, acompanhado por um parceiro silencioso, jogava paciência na mesa de Coral, à esquerda das portas de vaivém. Chegara na noite anterior usando uma jaqueta curta e agora saía um leve vapor de sua respiração quando ele se curvava sobre o baralho. Não estava frio o bastante para nevascas (ainda não), mas a neve não demoraria a chegar. A friagem do ar não deixava dúvidas a esse respeito.

A respiração do parceiro também soltava vapor. A forma esquelética de Kimba Rimer estava quase de todo enterrada num poncho cinzento clareado por finas tiras alaranjadas. Os dois estavam à beira de voltar aos negócios quando Roy e Clay (*Unha e Carne*, Rimer pensou) apareceram, os gansos afogados por mais uma noite nos lagos do segundo andar.

— Eldred — disse Reynolds, e depois: — Sai Rimer.

Rimer cumprimentou de volta, olhando de Reynolds para Depape com um leve desdém.

— Longos dias e belas noites, cavalheiros. — O mundo realmente seguiu adiante, ele pensou. Encontrar sujeitos tão baixos como aqueles dois em posições de importância provava isso. O próprio Jonas era apenas um pouco melhor.

— Posso dar uma palavrinha com você, Eldred? — Clay Reynolds perguntou. — Roy e eu estávamos conversando e...

— Má ideia — disse Jonas com sua voz trêmula. Rimer não se surpreenderia em descobrir, no final da vida, que o Anjo da Morte tinha essa voz. — Conversar pode levar a pensar e pensar é perigoso para homens como vocês. É mais ou menos como encher as orelhas de pólvora.

Depape soltou sua risada guinchada, como se não tivesse entendido que a coisa lhe dizia respeito.

— Escute, Jonas — Reynolds começou, e depois olhou incerto para Rimer.

— Pode falar na frente de sai Rimer — disse Jonas, dispondo na mesa uma nova fileira de cartas. — Afinal, ele é nosso verdadeiro empregador. Estou jogando paciência dos chanceleres em sua homenagem, assim é.

Reynolds pareceu surpreso.

— Achei... quero dizer, acreditei que o prefeito Thorin fosse...

— Hart Thorin não quer conhecer nenhum dos detalhes de nosso acordo com o Bom Homem Bom — disse Rimer. — Com relação a isso, sua única exigência é uma partilha dos lucros, sr. Reynolds. Neste momento, a maior preocupação do prefeito é que a Feira do Dia da Colheita corra suavemente e que seus arranjos com a jovem senhorita sejam... suavemente consumados.

— Ié, um ótimo jeito de colocar as coisas, sem dúvida — disse Jonas com o forte sotaque de Mejis. — Mas desde que Roy parece um tanto perplexo, vou traduzir. O prefeito Thorin tem passado a maior parte de seu tempo na privada, sacudindo a rola meio frouxa e sonhando em despachá-la para a bocetinha de Susan Delgado. Aposto que quando a concha finalmente se abrir e a pérola surgir na sua frente, ele não vai pegá-la. Seu coração vai explodir por causa da excitação e ele vai cair morto em cima dela, assim vai ser. Ié!

Novo riso estúpido de Depape, que deu uma cotovelada em Reynolds.

— Ele acertou bem, não é, Clay? Fala que nem eles!

Reynolds sorriu, mas os olhos continuavam preocupados. Rimer conseguiu dar um sorriso fino como uma camada de gelo em novembro e apontou para o sete que acabara de sair do baralho.

— Vermelho no preto, meu caro Jonas.

— Não sou seu caro — disse Jonas colocando o sete de ouros sobre um oito de espadas —, e você fará muito bem em se lembrar disso. — Então, para Reynolds e Depape: — Agora, o que estão querendo, rapazes? Eu só ia trocar uma palavrinha com Rimer.

— Talvez *todos* nós devamos pôr a cabeça para funcionar — disse Reynolds, colocando as mãos nas costas de uma cadeira. — Até para ver se nossos modos de pensar coincidem.

— Acho que não — disse Jonas reunindo suas cartas. Pareceu irritado e Clay Reynolds tirou rapidamente a mão das costas da cadeira. — Diga o que tem a dizer e acabe logo com isso. É tarde.

— Estávamos pensando que já é hora de fazermos uma visita ao Barra K — disse Depape. — Dar uma olhadinha. Ver se há alguma coisa para confirmar o que falou o velho em Ritzy.

— E ver o que mais eles têm lá — Reynolds acrescentou. — Estamos chegando perto, Eldred, e não podemos nos dar ao luxo de correr riscos. Eles podem ter…

— Ié? Revólveres? Lâmpadas elétricas? Mulheres em garrafas? Quem sabe? Vou pensar nisso, Clay.

— Mas…

— Já disse que vou pensar. Agora subam, os dois. Voltem para suas mulheres.

Reynolds e Depape o olharam, se encararam, e se afastaram da mesa. Rimer os observava com seu sorriso fino.

Na base da escada, Reynolds se virou para trás. Jonas parou de embaralhar as cartas e o encarou erguendo as sobrancelhas espessas.

— Já os subestimamos uma vez — disse Reynolds —, e eles nos fizeram de palhaços. Não quero que aconteça de novo. É só isso.

— Seu cu ainda está dolorido, não é? Bem, o meu também. E lhe digo de novo: eles vão pagar pelo que fizeram. Tenho a fatura pronta e, quando chegar a hora, vou apresentá-la, com os juros devidamente anotados. Enquanto isso, não conseguirão me induzir a fazer o primeiro movimento. O tempo está do nosso lado, não do deles. Entende isso?

— Sim.

— Vai tentar se lembrar disso?

— Sim — Reynolds repetiu. Parecia convencido.

— Roy? Você confia em mim?

— Ié, Eldred. Do início ao fim. — Jonas o elogiara pelo trabalho que ele fizera no Ritzy, e Depape se embriagara com isso como um cachorro se embriaga com o cheiro de uma cadela.

— Então subam, vocês dois, e me deixem confabular com o chefe e resolver nosso assunto. Estou velho demais para ficar acordado até tão tarde.

Quando os dois se foram, Jonas distribuiu outra fileira de cartas e deu uma olhada no salão. Havia talvez uma dúzia de pessoas, incluindo Sheb, o pianista, e Barkie, o leão de chácara, todos dormindo. Ninguém estava perto o bastante para ouvir a conversa em voz baixa dos dois perto da porta, mesmo que um dos bêbados que roncavam estivesse, por alguma razão, apenas fingindo dormir. Depois de pôr uma rainha vermelha sobre um cavaleiro preto, Jonas ergueu os olhos para Rimer.

— Diga.

— Na realidade aqueles dois já falaram por mim. Sai Depape nunca ficará sobrecarregado por um excesso de massa cerebral, mas Reynolds é razoavelmente esperto para um atirador, não acha?

— Clay é bom quando a lua está nos eixos e quando está inspirado — Jonas concordou. — Está me dizendo que veio de Seafront até aqui para me dizer que precisamos estar mais vigilantes com esses três fedelhos?

Rimer deu de ombros e Jonas continuou:

— Talvez seja necessário, e sou o homem certo para fazer isso, se for mesmo preciso. Só não faço ideia do que poderemos descobrir.

— Tudo a seu tempo — disse Rimer, batendo com um dedo nas cartas de Jonas. — Um chanceler.

— Ié. Quase tão feio quanto aquele com quem estou falando. — Jonas pôs o chanceler... era Paul... sobre sua fileira de cartas. A próxima escolha trouxe Luke, que ele colocou ao lado de Paul. Isso deixou Peter e Matthew ainda emboscados no mato. Jonas olhou para Rimer com um ar atravessado. — Você esconde as emoções melhor que meus companheiros, mas no fundo está tão nervoso quanto eles. Quer saber o que há naquele barracão dos garotos? Eu lhe digo: pares de botas, fotos de suas mães, meias cujo fedor chega ao alto do céu, lençóis duros de garotos que foram ensinados que não é cavalheiresco correr atrás de cabritinhas... e revólveres escondidos em algum lugar. Muito provavelmente embaixo das tábuas do assoalho.

— Acha mesmo que eles têm revólveres?

— Acho. Roy pegou a pista certa, não há dúvida. Vieram de Gilead, são provavelmente da linha do Eld ou de pessoas que gostam de pensar que têm essa descendência. São provavelmente aprendizes do ofício das armas e foram despachados com os revólveres que ainda não ganharam. Fico um pouco na dúvida sobre o mais alto, de olhar pedante. Ele *poderia* já ser um pistoleiro, admito, mas é provável? Penso que não. Mas mesmo que já fosse um pistoleiro, eu poderia vencê-lo. Sei disso e ele também sabe.

— Por que terão sido mandados para cá?

— Não porque alguém dos Baronatos Interiores suspeite de sua traição, sai Rimer... Quanto a isso pode ficar tranquilo.

A cabeça de Rimer despontou da gorra do poncho quando ele se aprumou na cadeira. A expressão ficara tensa.

— Como se atreve a me chamar de traidor? Como se *atreve*?

Eldred Jonas concedeu ao ministro do inventário de Hambry um desagradável sorriso. Que fez o homem de cabelos brancos ficar parecido com uma espécie de lobo.

— Passei a vida inteira chamando as coisas pelos nomes certos e não vou mudar agora. Mas procure ficar ciente de que jamais fui desleal a quem me contratou.

— Se eu não acreditasse na causa do...

— Pouco me importa no que acredita! É tarde e quero ir me deitar. O pessoal de Nova Canaã e Gilead não faz a mais leve ideia do que acontece ou não por estas bandas do Crescente; são poucos os que já estiveram aqui, eu aposto. Estão ocupados demais tentando impedir que o mundo caia em suas cabeças e não dispõem de muito tempo livre para viagens. Não, o que sabem veio inteiramente dos livros de histórias que leram quando eles próprios eram pirralhos: caubóis felizes galopando depois de guardar o gado, pescadores felizes puxando peixes gigantescos para seus barcos, gente na porta de celeiros abarrotados ou tomando grandes canecões de *graf* no pavilhão do Coração Verde. Pelo amor de Jesus, Rimer, não se finja de idiota comigo. Tenho que lidar com isso todos os dias.

— Veem Mejis como um lugar tranquilo, seguro.

— Ié, esplendor bucólico, simplesmente isso, nenhuma dúvida a esse respeito. Sabem que todo o seu estilo de vida... toda aquela cavalaria, nobreza e culto dos ancestrais... está em jogo. A batalha final pode ter lugar duzentas rodas a noroeste de suas fronteiras, mas quando Farson usar suas carruagens de fogo e robôs para liquidar seus exércitos, o problema chegará rapidamente ao sul. Existe gente nos Baronatos Interiores que há pelo menos vinte anos vem sentindo o cheiro de sua chegada. Os pais dos pirralhos não os mandaram a Mejis para descobrir os seus segredos, Rimer; gente como eles não coloca propositalmente os nenéns em risco. Mandaram-nos para cá para tirá-

-los do caminho do perigo, nada mais. O que não os transforma em cegos ou estúpidos, mas pelo amor dos deuses, vamos ser razoáveis. Eles são *garotos*.

— O que mais acha que íamos encontrar se fôssemos lá?

— Algum meio de enviar mensagens, talvez. Muito provavelmente um heliógrafo. E bem além do Parafuso, um pastor ou talvez um posseiro sensível ao suborno… alguém treinado para pegar a mensagem e transmiti-la por algum aparelho de sinais ou levá-la a pé. Mas logo será tarde demais para as mensagens terem qualquer utilidade, não é?

— Talvez, mas ainda não é tarde demais. E você tem razão. Garotos ou não, eles me preocupam.

— Mas não há motivo, tenha certeza. Muito em breve, estarei muito bem de vida e você será decididamente rico. Será inclusive prefeito, se quiser. Quem poderia detê-lo? Thorin? Ele é uma piada. Coral? Ela ajudaria a enforcar o irmão, sem dúvida. Ou quem sabe você não gostaria de ser um barão, se esses títulos fossem revividos? — Ele viu um brilho momentâneo no olhar de Rimer e riu. Matthew saiu do baralho e Jonas colocou-o junto aos outros chanceleres. — Ié, vejo como seu coração está voltado para isso. Quem não quer uma pedra preciosa valendo duas vezes o ouro… mas nada como ter diante de si um movimento de pé e uma inclinação de cabeça.

— A essa altura já deveriam ter chegado na contagem dos pastos — disse Rimer.

As mãos de Jonas pararam sobre a fileira de cartas. O mesmo pensamento tinha cruzado sua mente mais de uma vez, especialmente nas duas últimas semanas.

— Quanto tempo você acha que podem ter demorado para contar nossas redes, barcos e mapas para a pesca de arrastão? — Rimer perguntou. — Já deveriam estar na Baixa, contando vacas e cavalos, dando uma olhada nos celeiros, examinando as planilhas equinas. Há duas semanas já deviam estar lá. A menos que já saibam o que vão descobrir.

Jonas percebeu o que Rimer estava sugerindo, mas não pôde acreditar. Não *quis* acreditar. Não conseguia imaginar uma astúcia tão profunda em garotos que só precisavam fazer a barba uma vez por semana.

— Não — disse. — Seu coração culpado está falando por você. Eles estão tão determinados a fazer a coisa certa que tateiam como gente velha com olhos ruins. Muito em breve passarão à Baixa, empenhados de coração em contar pedra por pedra.

— E se isso não acontecer?

Uma boa pergunta. *Talvez precisassem se livrar deles*, Jonas pensou. Talvez uma emboscada. Três tiros de um esconderijo, adeus pirralhos. Ficariam abalados com isso (os garotos eram muito queridos na cidade), mas Rimer poderia manejar isso até o Dia da Feira, e depois da Colheita já não teria importância. Contudo...

— Vou dar uma olhada no Barra K — Jonas disse por fim. — Sozinho... Não quero Clay e Roy vindo atrás de mim.

— Parece uma ótima ideia.

— Quem sabe você não resolve ir comigo para dar uma mão.

Kimba Rimer mostrou seu sorriso glacial.

— Acho que não.

Jonas aquiesceu e começou de novo a distribuir as cartas. Ir até o Barra K seria um pouco arriscado, mas ele não esperava qualquer problema verdadeiro — ainda mais se fosse sozinho. Afinal, eram apenas *garotos* e passavam fora a maior parte dos dias.

— Para quando posso esperar um relatório, sai Jonas?

— Para quando eu estiver pronto a fazê-lo. Não me pressione.

Rimer ergueu as mãos finas e mostrou as palmas a Jonas.

— Peço seu perdão, sai — disse ele.

Jonas assentiu, um pouco menos irritado. Virou outra carta. Era Peter, chanceler das chaves. Pôs a carta na fileira do alto e, enquanto a contemplava, passou os dedos pelo cabelo branco e comprido. Seus olhos foram da carta para Rimer, que o encarava de sobrancelhas erguidas.

— Está sorrindo — disse Rimer.

— Sim! — disse Jonas, começando de novo a distrinuir as cartas. — Estou feliz! Todos os chanceleres saíram. Acho que vou ganhar este jogo.

5

Para Rhea, o tempo da Caçadora fora um tempo de frustração e ânsias não satisfeitas. Seus planos tinham saído mal e, graças ao pulo hediondamente inoportuno de seu gato, ela não sabia como ou por quê. O jovem que tirara a virgindade de Susan Delgado provavelmente a impedira de cortar o cabelo... mas como? E quem ele realmente era? Ela se perguntava cada vez mais a esse respeito, mas a fúria era maior do que a curiosidade. Rhea da colina Cöos não estava acostumada a ser desapontada.

Olhou para a ponta da sala, onde Musty, encolhido, a observava com cautela. Normalmente, ele teria relaxado na lareira (parecia gostar das correntes frias que rodopiavam chaminé abaixo), mas desde que ela chamuscara o seu pelo, Musty preferia a pilha de lenha. Dado o humor de Rhea, isso era provavelmente o mais sensato.

— Teve sorte por eu deixá-lo vivo, seu demônio — rosnou a velha mulher.

Voltando à bola, começou a dar passes sobre ela, mas uma forte luminosidade rosa era a única coisa que continuava a rodopiar no vidro — nem uma única imagem aparecia. Por fim, Rhea se levantou, foi até a porta, escancarou-a e olhou para o céu escuro. Agora a lua tinha ultrapassado um pouco sua metade e a Caçadora ia ficando nítida na superfície brilhante. Rhea dirigiu o fluxo de imprecações, que não se atrevera a dirigir ao vidro (quem sabia que entidade poderia estar emboscada lá dentro, esperando para dar o troco a tal linguajar?), à mulher na lua. Duas vezes bateu com o velho punho ossudo na moldura da porta, dizendo palavrões, sacando cada palavra suja que viesse à cabeça, incluindo as bobagens mais leves que as crianças atiravam umas contra as outras no solo empoeirado de um pátio de recreio. Jamais estivera tão furiosa. Dera à garota um comando e ela, por alguma razão, desobedecera. Por se colocar contra Rhea da colina Cöos, a puta merecia morrer.

— Mas não já — a velha mulher murmurou. — Primeiro deve rolar na imundície, depois mergulhar numa urina que transforme o chão em lama e inunde seu belo cabelo loiro. Deve ser humilhada... ferida... cuspida...

Tornou a bater com o punho contra a moldura da porta e desta vez o sangue escorreu dos nós dos dedos. Não era apenas o fato de a garota não obedecer ao comando hipnótico. Havia outro problema, relacionado ao primeiro mas muito mais sério: a própria Rhea estava agora transtornada demais para usar a bola de cristal, exceto por imprevisíveis e breves períodos de tempo. Os passes de mão que fez sobre o vidro e as fórmulas de encantamento que murmurou eram, ela sabia, inúteis; as palavras e gestos eram apenas um jeito de concentrar sua vontade. Era a isso que a bola de cristal respondia — à vontade, ao pensamento concentrado. Agora, graças a uma putinha e a seu amante, Rhea estava irritada demais para reunir a serena concentração necessária para fender a neblina rosada que rodopiava no interior da bola. Ou seja, ficara furiosa demais para ver.

— Como posso fazer a coisa voltar ao ponto em que estava? — Rhea perguntou à já meio obscura mulher na lua. — Diga-me! *Diga-me!* — Mas a Caçadora não lhe respondeu e, por fim, Rhea tornou a entrar, sugando os nós dos dedos que sangravam.

Musty a viu chegar e se espremeu no espaço cheio de teias de aranha entre a pilha de lenha e a chaminé.

2. A MOÇA NA JANELA

1

Agora a Caçadora "enchia a barriga", como diziam os mais velhos... mesmo ao meio-dia podia ser vislumbrada no céu, pálida mulher-vampira captada pelo brilhante sol de outono. Na frente de negócios como o Repouso dos Viajantes e nas varandas de grandes casas-sedes de ranchos, como a casa do Rocking B, o rancho de Lengyll, ou a casa da Susan Preguiçosa, de Renfrew, vultos de cara fechada, com cabeças cheias de palha sobre macacões esfarrapados, começavam a aparecer. Cada espantalho usava seu *sombrero*; todos tinham uma cesta de produtos agrícolas nos braços; todos olhavam para o mundo que se esvaziava com olhos costurados e brancos. Carroças cheias de abóboras entupiam as estradas; brilhantes depósitos alaranjados de abóboras-morangas e brilhantes depósitos de cor púrpura de chicória despontavam ao lado dos celeiros. Nos campos, os carros de batata rolavam e os coletores seguiam atrás. Na frente do Hambry Mercantile, talismãs apareciam como mágica, pendendo dos Guardiões entalhados como sininhos da sorte.

Por toda Mejis, moças costuravam seus trajes da Noite da Colheita (e às vezes choravam sobre eles, se o trabalho saía ruim) enquanto sonhavam com os rapazes com quem iriam dançar no pavilhão do Coração Verde. Os seus irmãos caçulas começavam a ter dificuldade para dormir quando imaginavam os passeios, os jogos e os prêmios que podiam ganhar no festival. Mesmo os mais velhos às vezes ficavam acordados a despeito das mãos feridas e costas doídas, pensando nos prazeres da Colheita.

O verão saíra de cena com um último brotar de novos botões de flores; chegara o tempo da colheita.

2

Rhea não dava a menor importância às danças ou aos jogos de festival da Colheita, mas ficou tão acordada quanto aqueles que davam. Passou a maioria das noites deitada até o amanhecer em seu catre fedorento, a raiva latejando dentro do crânio. Certa noite, pouco depois da conversa de Jonas com o chanceler Rimer, resolveu se embriagar para esquecer. Seu humor não ficou melhor quando descobriu que a barrica de *graf* estava quase vazia; xingou até não poder mais.

Estava tomando fôlego para soltar uma nova série de xingamentos quando uma ideia lhe ocorreu. Uma ideia maravilhosa. Uma ideia brilhante. Quisera que Susan Delgado cortasse o cabelo. Isto não funcionara e ela não sabia por quê... mas sem dúvida sabia *algo* sobre a garota, não era verdade? Algo interessante, ié, assim era, muito interessante, sem dúvida.

Rhea não pretendia levar a Thorin o que sabia; tinha uma ansiosa (e provavelmente vã) esperança de que o prefeito tivesse esquecido de sua esplêndida bola de cristal. Mas quanto à tia da moça... Suponhamos que Cordelia Delgado viesse a descobrir que, além de ter perdido a virgindade, a moça estava a caminho de se tornar uma putinha de primeira? Rhea também não achava que Cordelia fosse levar isso ao prefeito (a mulher era puritana, não tola), mas não deixaria de fazer o diabo, não é?

— *Uauu!*

E lá estava Musty, parado sob o luar, nos degraus à entrada da casa, olhando para ela com um misto de esperança e desconfiança. Rhea, sorrindo sinistramente, abriu os braços.

— Venha cá, meu precioso! Venha, meu doce!

Musty, achando que tudo fora perdoado, correu para os braços da dona e começou a ronronar alto enquanto Rhea lambia os lados de seu corpo com a língua velha e amarelada. Naquela noite, a colina Cöos dormiu profundamente pela primeira vez numa semana, e na manhã seguinte, quando Rhea pôs a bola de cristal nos braços, as névoas se abriram de imediato para ela. Rhea passou o dia escravizada ao globo, espionando quem detestava, bebendo pouco e nada comendo. Por volta do pôr do sol, conseguiu sair o suficiente do transe para perceber que ainda não tomara qualquer providência contra a garotinha atrevida. Mas tudo bem: sabia o que *podia* ser feito... e poderia observar todos os resultados na bola! Todas as brigas, todos os gritos e recriminações! Veria as lágrimas de Susan. Isto seria o melhor, ver suas lágrimas.

— Uma pequena colheita só para mim — ela disse à serpente Ermot, que foi resvalando por sua perna para o lugar onde ela mais gostava que ficasse. Não havia muitos homens capazes de fazer o que Ermot sabia fazer, de fato não. Sentada ali com a cobra no colo, Rhea começou a rir.

3

— Lembre de sua promessa — disse Alain nervosamente quando ouviram o ruído de aproximação dos cascos de Rusher. — Mantenha a calma.

— Vou manter — disse Cuthbert, mas tinha suas dúvidas. Enquanto Roland contornava a comprida parede do barracão e entrava no pátio, sua sombra se arrastando na luz do pôr do sol, Cuthbert cerrou nervosamente as mãos. Mas fez força para abri-las e elas obedeceram. Depois, quando viu Roland desmontar, as mãos tornaram a se fechar, as unhas se cravando nas palmas.

Mais briga, Cuthbert pensou. *Deuses, estou farto delas. Farto até a morte.*

Na noite anterior, a discussão fora sobre os pombos... de novo. Cuthbert queria usar um deles para mandar uma mensagem sobre os caminhões-tanques; Roland fora contra. Tinham discutido. Só que (aí estava outra coisa que o deixava furioso, que roçava contra seus nervos como o som da lúmina) Roland não chegara exatamente a discutir. Naqueles dias Roland não se dignava a discutir. Os olhos sempre mantinham aquela expressão distante, como se apenas seu corpo estivesse presente. O resto dele — mente, alma, espírito, ka — permanecia com Susan Delgado.

— Não — ele se limitara a dizer. — É tarde demais.

— Como pode saber? — Cuthbert argumentara. — E mesmo que seja tarde demais para recebermos *ajuda* de Gilead, talvez não seja tarde demais para recebermos *orientação* de Gilead. Será que não consegue ver isso?

— Que orientação podem nos dar? — Roland parecia nem ter ouvido a aspereza no tom de Cuthbert. Tinha a voz calma. Ponderada. E, na opinião de Cuthbert, extremamente desconectada da urgência da situação.

— Se soubéssemos — Cuthbert respondera —, não teríamos de perguntar, Roland, teríamos?

— Podemos apenas esperar e tentar detê-los quando fizerem seu primeiro movimento. O que você procura, Cuthbert, é conforto, não orientação.

Quer ficar esperando enquanto fode a garota de todas as formas e em todos os lugares que se possa imaginar, Cuthbert pensou. *Por dentro, por fora, de um lado para o outro e de cabeça pra baixo.*

— Não está tendo clareza sobre isto — dissera Cuthbert friamente. Ouvira o suspiro de Alain. Nenhum deles jamais falara assim com Roland e Alain temeu alguma explosão.

Não houve nenhuma.

— Sim — Roland respondeu. — Estou tendo. — E entrara no barracão sem dizer mais nada.

Agora, vendo Roland soltar os arreios de Rusher e tirar a sela de seu lombo, Cuthbert pensou: *Não está, você sabe. Mas é melhor pensar com clareza no assunto. Por todos os deuses, é realmente melhor.*

— Ei — ele disse quando Roland atravessou a varanda com a sela e pousou-a no degrau. — Tarde muito ocupada?

Cuthbert sentiu Alain chutando seu tornozelo, mas o ignorou.

— Estive com Susan — disse Roland. Nenhuma defesa, nenhuma contestação, nenhuma desculpa. E por um momento Cuthbert teve uma visão de chocante nitidez: viu os dois numa cabana em algum lugar, o sol da tarde brilhando pelos buracos do teto e salpicando seus corpos. Ela estava em cima, cavalgando-o. Cuthbert viu os joelhos dela nas tábuas velhas, esponjosas e a tensão nas coxas compridas. Viu como os braços eram bronzeados e como a barriga era pálida. Viu como as mãos de Roland circundavam as esferas de seus seios, apertando-os enquanto ela se sacudia para cima e para baixo sobre ele, viu como o sol iluminava seu cabelo, transformando-o em ouro.

Por que você tem sempre de ser o primeiro?, gritou mentalmente para Roland. *Por que tem sempre de ser você? Que os deuses o amaldiçoem, Roland! Que os deuses o amaldiçoem!*

— Estivemos nas docas — disse Cuthbert seu tom uma imitação tosca de seu brilho habitual. — Contando botas, instrumentos de pesca e as chamadas redes de arrastão. Como nos divertimos, hein, Al?

— Querem que os ajude? — Roland perguntou voltando-se para Rusher e puxando a manta da sela. — É isso que está deixando você tão irritado?

— Se pareço irritado é porque a maioria dos pescadores está rindo de nós pelas costas. Continuamos dando voltas com as redes. Roland, estão achando que somos idiotas!

Roland inclinou a cabeça em afirmação.

— Por uma boa causa — disse.

— Talvez — Alain respondeu em voz baixa —, mas Rimer não acredita em nossa estupidez... Isso está evidente no modo como nos olha quando passamos. E o mesmo se aplica a Jonas. E se eles não acham que somos idiotas, Roland, o que estão pensando?

Roland parou no segundo degrau, a manta da sela pendendo esquecida no braço. Ao menos daquela vez pareciam ter realmente prendido sua atenção, Cuthbert pensou. Que todas as terras fossem cobertas pela glória dos deuses!

— Acham que estamos evitando a Baixa porque já sabemos o que tem lá — disse Roland. — E se ainda não pensam assim, logo vão pensar.

— Cuthbert tem um plano — interveio Alain.

O olhar de Roland (ainda suave e interessado, mas já começando a parecer um tanto distante) tornou a se deslocar para o outro rapaz. Cuthbert, o piadista. Cuthbert, o aprendiz que não tinha de forma alguma conquistado o revólver que carregara para o leste, para o Crescente Exterior. Cuthbert, virgem e eterno segundo. *Deuses, não quero passar a odiá-lo. Não quero, mas agora é tão fácil.*

— Amanhã nós dois devíamos ir visitar o xerife Avery — disse Cuthbert. — Faremos passar como uma visita de cortesia. Já criamos uma imagem de três simpáticos garotões, mesmo que ligeiramente estúpidos, não é?

— Mais que ligeiramente — Roland concordou, sorrindo.

— Diremos que enfim terminamos com a área costeira de Hambry e que esperamos ser igualmente meticulosos na área das fazendas e das criações. Mas que certamente não pretendemos causar ou constituir qualquer tipo de problema. Estamos, afinal, na época mais atarefada do ano... para criadores de cavalos ou para agricultores... e mesmo gente estúpida da cidade como nós tem consciência disso. Aí daremos ao bom xerife uma lista...

Os olhos de Roland se iluminaram. Ele atirou a manta sobre a cerca da varanda, pôs a mão em volta dos ombros de Cuthbert e lhe deu um abraço desajeitado. Cuthbert pôde sentir um cheiro de lilás no colarinho de Roland e experimentou um insano, mas forte impulso, de pôr as mãos no pescoço do amigo para estrangulá-lo. Limitou-se, no entanto, a dar-lhe um ligeiro tapinha nas costas.

Roland recuou com um sorriso largo.

— Uma lista dos ranchos que vamos visitar — disse ele. — Ié! E prevenindo que poderão transferir qualquer animal que não queiram nos mostrar para o próximo ou o último rancho da lista. O mesmo se aplicando a víveres, forragens, equipamentos... É uma ideia incrível, Cuthbert! Você é um gênio!

— Longe disso — disse Cuthbert. — Só usei um pouco de tempo para pensar sobre um problema que envolve a todos nós. Que envolve, talvez, toda a Confederação. *Precisamos* pensar. Não acha isso?

Alain estremeceu, mas Roland não pareceu reparar. Continuava sorrindo. Mesmo aos catorze anos, aquela expressão em seu rosto era perturbadora. A verdade era que quando Roland sorria, assumia um ar um tanto louco.

— Você sabe, eles podem até mesmo colocar na nossa frente um razoável número de mutantes para continuarmos a acreditar nas mentiras que já nos contaram sobre a impureza das criações. — Roland fez uma pausa, parecendo pensar, e disse: — Por que você e Alain não vão ver o xerife, Bert? Acho que seria ótimo.

Neste ponto Cuthbert quase se atirou contra Roland. Teve vontade de gritar: *Sim, por que não? Então você podia passar a manhã de amanhã garfando-a, assim como a tarde! Seu idiota! Seu insensato idiota apaixonado!*

Foi Alain quem o salvou — quem salvou todos eles, talvez.

— Não seja tolo — Alain disse asperamente e Roland virou para ele, parecendo surpreso. Não estava acostumado àquele tipo de reação.

— Você é nosso líder, Roland... É como enxergam Thorin, Avery, e o pessoal da cidade. Como eu e Cuthbert também enxergamos.

— Ninguém me nomeou líder...

— Como se fosse preciso! — Cuthbert gritou. — Ganhou seus revólveres! O pessoal daqui dificilmente acreditaria... eu mesmo custei a acreditar até pouco tempo atrás... mas *você é um pistoleiro*. Você tem de ir! É óbvio como o nariz em seu rosto! Não importa quem o acompanhe, eu ou Alain, mas você tem de ir!

Podia dizer mais, muito mais, mas se o fizesse, onde ia parar? Provavelmente, com a amizade dos dois abalada além da possibilidade de salvação. Então cerros os lábios — desta vez não foi preciso Alain chutá-lo — e de novo esperou pela explosão. Mais uma vez, não houve nenhuma.

— Tudo bem — disse Roland em seu novo jeito... aquele suave jeito "isso não tem tanta importância assim" que deixava Cuthbert com vontade de mordê-lo para despertá-lo. — Amanhã de manhã. Eu e você, Bert. Está bom agora?

— Está perfeito — disse Cuthbert. Agora que a discussão estava acabada e a decisão tomada, o coração de Bert batia freneticamente e os músculos na parte superior das coxas pareciam de borracha. Fora desse modo que se sentira após o confronto com os Grandes Caçadores de Caixões.

— Vamos com a nossa melhor aparência — disse Roland. — Simpáticos garotos dos Interiores, cheios de boas intenções, mas sem muito cérebro. Ótimo. — E entrou em casa, não mais (o que era um alívio) com um ar de riso, mas sorrindo discretamente.

Cuthbert e Alain se entreolharam e soltaram o ar dos pulmões em jatos mútuos. Cuthbert inclinou a cabeça para o pátio e desceu a escada. Alain foi atrás e ficaram os dois no centro do retângulo de terra com o barracão ao fundo. No leste, a crescente lua cheia estava escondida por uma camada de nuvens.

— Ela o hipnotizou — disse Cuthbert. — Tivesse ou não a intenção de fazer isso, acabará matando a todos nós. Espere e verá se não tenho razão.

— Não devia falar essas coisas, nem brincando.

— Tudo bem, ela vai nos coroar com as joias do Eld e viveremos para sempre.

— Precisa parar de ficar irritado com ele, Bert. *Precisa* parar.

Cuthbert olhou-o com ar triste.

— Não consigo.

4

Faltava ainda pelo menos um mês para as grandes tempestades do outono, mas a manhã seguinte estava chuvosa, cinzenta. Roland e Cuthbert se enrolaram em ponchos e rumaram para a cidade, deixando a cargo de Alain as poucas tarefas domésticas. Enfiado no cinto de Roland ia o roteiro de ranchos e fazendas — começando com as três pequenas extensões de terra possuídas pelo Baronato — que os três haviam elaborado na noite anterior. O ritmo que o roteiro sugeria era quase ridiculamente lento (poderia mantê-los na Baixa e nos pomares quase até a Feira de Fim de Ano), mas estava de acordo com o ritmo que tinham seguido nas docas.

Agora Roland e Cuthbert caminhavam silenciosamente para a cidade, ambos perdidos em seus pensamentos. O caminho os fez cruzarem com a casa Delgado. Roland ergueu os olhos e viu Susan parada na janela, uma bela visão na luminosidade cinzenta da manhã de outono. Seu coração saltou e, embora então não soubesse disso, seria assim que se lembraria mais claramente dela, seria sempre assim — bela Susan, a moça na janela. Assim cruzamos com os fantasmas que assombrarão mais tarde nossa vida; sentam-se prosaicamente na margem da estrada como pobres mendigos e só os vemos pelo canto dos olhos, se é que conseguimos vê-los. A ideia de que estivessem ali à nossa espera raramente ou nunca passa em nossa cabeça. Contudo eles esperam e, quando passamos, juntam suas trouxas de memória e seguem atrás de nós, caminhando em nossas pegadas, pouco a pouco se emparelhando conosco.

Roland ergueu a mão para ela. A mão tomou primeiro o caminho de sua boca, como se fosse mandar um beijo, mas aquilo seria loucura.

Ele ergueu a mão antes que ela tivesse tempo de encostar em seus lábios e bateu com um dedo na testa, oferecendo uma espécie de continência como saudação.

Susan sorriu e respondeu com o mesmo dedo na testa. Ninguém reparou em Cordelia que, apesar do chuvisco, saíra para ver o canteiro de suas últimas abóboras e chicórias. A mulher ficou parada, a *sombrera* arriada quase até os olhos, meio escondida pelo espantalho que protegia a horta. Viu Roland e Cuthbert passarem (quase não reparou em Cuthbert; seu interesse estava no outro). Seus olhos passaram do rapaz no cavalo para Susan, parada na janela, agitando-se nervosa como um pássaro numa gaiola dourada.

Uma forte pontada de suspeita chegou sorrateira ao coração de Cordelia. A mudança de temperamento de Susan — de uma fase onde alternava fortes depressões e tremenda raiva para uma espécie de atordoada, mas também jovial, aceitação das coisas — fora repentina demais. Talvez não se tratasse absolutamente de aceitação.

— Você perdeu a cabeça — Cordelia murmurou para si mesma, mas sua mão continuou apertando o cabo do facão. Caindo de joelhos no solo lamacento do jardim, ela começou abruptamente a cortar pés de chicória, atirando as raízes para o lado da casa com movimentos rápidos, precisos.

— Não há nada entre eles. Eu saberia. Crianças dessa idade têm tanta discrição quanto... quanto os bêbados no Repouso.

Mas o jeito como tinham sorrido. O jeito como tinham sorrido *um para o outro*.

— Perfeitamente normal — ela sussurrou, cortando e se livrando das raízes. Sem perceber, cortou um dos pés de chicória quase pela metade. Falar sozinha era um hábito que só adquirira recentemente, à medida que o Dia da Colheita se aproximava e o estresse de lidar com a agitada filha de seu irmão aumentava. — As pessoas sorriem umas para as outras, só isso.

O mesmo quanto à saudação, incluindo a resposta de Susan. Embaixo o vistoso cavaleiro, reconhecendo a bonita donzela; no alto a própria donzela, feliz por ser reconhecida por um rapaz como ele. Era a juventude atraindo juventude, só isso. E no entanto...

A expressão no olhar dele... e o olhar dela.

Bobagem, é claro. Mas...

Mas você viu mais alguma coisa.

Sim, talvez. Por um momento, achara que o rapaz ia atirar um beijo para Susan... e que, no último instante, percebeu que não devia fazê-lo e se contentou com a saudação.

Mesmo que tivesse jogado o beijo, isso nada significaria. Jovens cavaleiros são atrevidos, especialmente quando longe dos olhares dos pais. E aqueles três, como ela sabia muito bem, já tinham um passado.

Tudo sem dúvida verdade, mas nenhuma dessas reflexões conseguiu remover a farpa glacial de seu coração.

5

Jonas respondeu à batida de Roland e deixou os dois rapazes entrarem no escritório do xerife. Estava usando uma estrela de agente policial na camisa e olhou-os com um ar inexpressivo.

— Venham, rapazes — disse. — Saiam da chuva.

Recuou para deixá-los passar. Roland nunca vira seu coxear tão pronunciado; o tempo úmido era o responsável, ele supôs.

Roland entrou com Cuthbert. Havia um aquecedor a gás no canto (abastecido com "a vela" da Citgo, não havia dúvida) e a sala, fria no dia em que tinham estado lá pela primeira vez, estava agora maravilhosamente quente. As três celas mantinham cinco bêbados de aspecto miserável, duas duplas de homens e uma mulher sozinha na cela central. Ela estava sentada no beliche com as pernas muito abertas, revelando uma grande extensão da calcinha vermelha. Roland achou que se ela enfiasse o dedo um pouco mais fundo no nariz, talvez jamais conseguisse tirá-lo. Clay Reynolds estava inclinado contra o quadro de avisos, limpando os dentes com uma piaçava de vassoura. Sentado na escrivaninha com tampa de correr, olhando para o tabuleiro que fora colocado lá, o agente Dave coçava o queixo e franzia a testa acima do monóculo. Roland não ficou nada surpreso ao ver que ele e Bert haviam interrompido um jogo de Castelos.

— Bem, olhe só, Eldred! — disse Reynolds. — São dois dos garotos do Mundo Interior! As mamães sabem que estão fora de casa, rapazes?

— Sabem — disse Cuthbert num tom jovial. — E você está com ótima aparência, sai Reynolds. O tempo úmido melhorou a marca da sífilis, não foi?

Sem olhar para Bert ou perder o sorrisinho simpático, Roland deu uma cotovelada no ombro do amigo.

— Perdoe meu amigo, sai. Seu humor costuma ultrapassar as fronteiras do bom gosto; ele parece incapaz de evitar isso. Não precisamos ficar irritando um ao outro... concordamos que o que passou, passou, não foi?

— Ié, certamente, tudo não foi mais do que um mal-entendido — disse Jonas, que coxeara de volta à escrivaninha e ao tabuleiro do jogo. Quando ele se sentou em seu lado do tabuleiro, o sorriso se transformou numa careta amarga. — Estou pior que cachorro velho — disse. — Alguém devia me abater, assim é. A terra é fria, mas indolor, hein, rapazes?

Tornou a olhar para o tabuleiro e moveu um homem para o lado da Hillock. Ele começara a rocar e assim ficara vulnerável, embora... ao menos por enquanto, não de todo, Roland pensou. O agente Dave não parecia estar prestando muita atenção à partida.

— Vejo que agora está trabalhando no policiamento do Baronato — disse Roland, indicando a estrela na camisa de Jonas.

— A segurança é tudo que importa — disse Jonas, num tom suficientemente cordial. — Um sujeito quebrou a perna. Estou ajudando, pois é.

— E sai Reynolds? Sai Depape? Também estão ajudando?

— Ié, acho eu — disse Jonas. — Como vai o trabalho entre o pessoal da pesca? Ouvi dizer que ia devagar.

— Por fim está completo. E não foi assim tão devagar. Chegar aqui em desgraça já nos bastou... Não temos a menor intenção de partir do mesmo modo. Devagar e sempre para vencer a corrida, é o que dizem.

— Sem dúvida — Jonas concordou. — Seja lá quem for que diga.

De algum lugar no fundo do prédio veio o barulho de uma descarga de vaso sanitário. *Todo o conforto de um lar na chefatura de Hambry*, Roland pensou. A descarga foi logo seguida por passos pesados descendo uma escada e, alguns momentos depois, Herk Avery apareceu. Afivelava o cinto com uma das mãos; com a outra enxugava a testa larga e suada. Roland admirou a destreza do homem.

— Pois é! — o xerife exclamou. — O feijão que comi ontem à noite já fez seu curto-circuito, tenham certeza. — Os olhos passaram de Roland a Cuthbert e voltaram a Roland. — E aí, garotos? Chuviscando demais para contar redes, é isso?

— Sai Dearborn estava acabando de dizer que os dias de contagem de redes chegaram ao fim — disse Jonas penteando para trás, com a ponta dos dedos, o cabelo comprido. Atrás dele, Clay Reynolds voltara a vergar as costas contra o quadro de avisos. Olhava para Roland e Cuthbert com franca antipatia.

— Ié? Bem, isso é ótimo, é ótimo. E o que vem agora, meus jovens? Existe alguma coisa que possamos fazer por vocês? Pois é do que mais gostamos, dar uma mão sempre que for preciso. Assim é.

— Na realidade, *poderiam* nos ajudar — disse Roland estendendo a mão para o cinto e puxando a lista. — Temos de passar à Baixa, mas não queremos causar inconveniência a ninguém.

Com um sorriso muito largo, o agente Dave fez o escudeiro contornar completamente sua Hillock. Jonas se moveu de imediato, deixando exposto o flanco esquerdo inteiro de Dave. O sorriso murchou no rosto de Dave, dando lugar a um vazio meio atordoado.

— Como conseguiu fazer isso?

— Foi fácil — Jonas sorriu e recuou da escrivaninha para incluir os outros em seu campo de visão. — Procure lembrar, Dave, que jogo para ganhar. Não posso evitar; é da minha natureza. — Voltou toda a sua atenção para Roland. O sorriso se ampliou. — Como disse o escorpião à donzela quando ela começou a morrer: “Você sabia que eu era venenoso quando me pegou”.

6

Quando Susan entrou depois de alimentar os animais, foi direto para a copa tomar um suco, que era um hábito seu. Não viu a tia parada junto à chaminé, a contemplá-la. Quando Cordelia falou, Susan levou um grande susto. Não foi apenas o inesperado da voz; foi a frieza.

— Você o conhece?

O jarro de suco escorregou em seus dedos e Susan encostou a mão nele para segurá-lo. O suco de laranja era precioso demais para ser desperdiçado, ainda mais tão no final do ano. Ela se virou e viu a tia perto da estufa. Cordelia pendurara a *sombrera* num cabide à entrada, mas não tirara o poncho nem as galochas. Seu *cuchillo* jazia em cima da pilha de lenha, com filamentos verdes de pés de chicória ainda caindo pela beirada.

O tom era frio, mas os olhos ardiam de suspeita.

Uma súbita clareza tomou conta da mente de Susan e de todos os seus sentidos. *Se você disser "Não", está perdida*, ela pensou. *Se perguntar quem, talvez esteja perdida. Você precisa dizer...*

— Conheço os dois — Susan respondeu num tom descontraído. — Encontrei-os na festa. A senhora também. Me assustou, tia.

— Por que ele a cumprimentou?

— Como posso saber? Talvez simplesmente porque teve vontade.

Dando um passo escorregadio com as galochas, mas logo recuperando o equilíbrio, a tia se arremessou à frente e agarrou Susan pelos braços. Os olhos, agora, estavam em chama.

— Não seja insolente comigo, menina! Não me trate com desdém, Dona Ah-Tão-Jovem-e-Bonita...

Susan se livrou com tanta força que Cordelia oscilou e poderia ter caído se não tivesse conseguido agarrar a beira da mesa. Atrás dela, marcas lamacentas de pés apareciam no chão da cozinha como acusações.

— Me chame novamente assim e vou... vou te esbofetear! — Susan gritou. — É o que vou fazer!

Os lábios de Cordelia recuaram dos dentes num sorriso feroz, seco.

— Esbofetearia a única parenta de sangue ainda viva de seu pai? Seria assim tão cruel?

— Por que não? Você não me esbofeteia, tia?

Um pouco do calor deixou os olhos da tia e o sorriso sumiu da sua boca.

— Susan, quase nunca! Nem meia dúzia de vezes desde que você era uma criancinha capaz de agarrar qualquer coisa que as mãos pudessem alcançar, mesmo uma vasilha de água fervente no...

— Hoje bates principalmente com tua boca — Susan disse. — Tenho suportado isso, porque sou uma tola, mas agora cansei. Não quero mais. Se tenho idade suficiente para ser mandada à cama de um homem por dinheiro, tenho idade suficiente para você usar ser educada quando fala comigo.

Cordelia abriu a boca para se defender (a raiva da moça a assustara, assim como as acusações) e então percebeu com que esperteza ela estava sendo afastada da questão dos garotos. Do garoto.

— Só o conhece da festa, Susan? O que se chama Dearborn. — *E acho que você sabe muito bem.*

— Cruzei com ele na cidade — disse Susan enfrentando com firmeza o olhar da tia, embora com um certo esforço; as mentiras se seguiriam às meias verdades, assim como a escuridão se segue ao crepúsculo. — Cruzei com todos os três na cidade. Está satisfeita?

Não, Susan viu com crescente desânimo, não estava.

— Você jura, Susan, em nome de seu pai, que não está se encontrando com esse tal de Dearborn?

Todas as cavalgadas no final da tarde, Susan pensou. *Todas as desculpas. Todo o cuidado para ninguém vê-los. Tudo vinha por água abaixo graças a um aceno descuidado numa manhã chuvosa. Tão facilmente tudo era posto em risco. Podia ter sido diferente? Éramos tão tolos para pensar que sim?*

Sim... e não. A verdade era que tinham sido loucos. E ainda eram.

Susan não esquecia da expressão nos olhos do pai nas poucas ocasiões em que ele a surpreendera contando mentiras. Aquele ar de decepção meio curiosa. O sentimento de que suas mentiras, por mais inofensivas que pudessem ser, feriam-no como o arranhão de um espinho.

— Não vou jurar por nada — disse ela. — Não tem o direito de me pedir isso.

— Jure! — Cordelia gritou num tom estridente, tateando outra vez para a mesa e agarrando-a, como se estivesse de novo perdendo o equilíbrio. — Jure! Jure! Não estamos num jogo de cabra-cega ou de currupio! Já não és uma criança! Jura! Jura que ainda és pura!

— Não — disse Susan, virando-se para sair. Seu coração batia loucamente, mas aquela tremenda clareza mental continuava dando as formas do mundo. Roland teria tomado a coisa pelo que de fato era: Susan estava vendo com olhos de pistoleiro. Na cozinha havia uma janela de vidro que dava para a Baixa e nela Susan contemplou o fantasmagórico reflexo da tia Cord se aproximando, o braço erguido, a mão fechada num punho. Sem se virar, Susan ergueu sua própria mão num gesto para detê-la. — Não levante a mão para mim. Não levante a mão, sua puta.

Viu os olhos fantasmas do reflexo se arregalarem chocados e abatidos. Viu o punho fantasma relaxar, tornar-se mão outra vez, cair ao lado da mulher fantasma.

— Susan — disse Cordelia em voz baixa, magoada. — Como pode me xingar dessa maneira? O que está engrossando de tal forma sua língua e o modo como me vê?

Susan saiu sem responder. Cruzou o pátio e entrou no celeiro. Ali os cheiros que conhecia desde a infância (cavalos, madeira, feno) encheram-lhe a cabeça e levaram embora aquela terrível clareza. Sentiu-se jogada na infância, perdida de novo nas sombras de sua confusão. Pilão virou-se para olhá-la e relinchou. Susan pôs a cabeça no pescoço dele e chorou.

7

— Veja isso! — disse o xerife Avery quando sais Dearborn e Heath se foram.

— É como você disse... eles são lentos; só engatinham com cuidado. — Pegou a lista meticulosamente organizada, estudou-a por um momento e cacarejou num tom feliz. — Veja! Que beleza! Ora! Podemos, dias antes da revista, transferir qualquer coisa que não desejamos que seja vista, assim é.

— São uns bobalhões — disse Reynolds... mas ansiando por outra chance de encontrá-los. Se Dearborn realmente achava que aquele pequeno problema no Repouso dos Viajantes era água passada, ultrapassava o estado de tolice e mergulhava na debilidade mental.

O agente Dave não disse nada. Com ar desconsolado, contemplava através do monóculo o tabuleiro de Castelos, onde seu exército branco fora dizimado em seis movimentos rápidos. As forças de Jonas haviam se derramado como água pela Red Hillock e as esperanças de Dave tinham sido levadas na enchente.

— Estou tentado a vestir um casaco seco e ir até Seafront com isto — disse Avery. Não parava de examinar o papel, com sua ordenada relação de fazendas, ranchos e datas sugeridas de inspeção. A coisa chegava ao Fim do Ano e seguia adiante. Deuses!

— Por que não vai até lá? — disse Jonas, ficando de pé. A dor correu por sua perna como um relâmpago implacável.

— Outra partida, sai Jonas? — Dave perguntou, começando a arrumar de novo as peças.

— Eu preferia jogar com um cachorro louco — disse Jonas, desfrutando de um prazer malicioso com o rubor que subiu pelo pescoço de Dave e dominou o seu rosto tolo e franco. Jonas mancou até a porta, abriu-a e passou à varanda. A chuva se transformara numa garoa leve, mas firme. A rua do Monte estava deserta, a umidade cintilando nas pedras do calçamento.

Reynolds fora atrás dele.

— Eldred...

— Vá embora — disse Jonas sem se virar.

Depois de hesitar um instante, Clay voltou para dentro e fechou a porta.

Que diabo tem de errado com você?, Jonas perguntou a si mesmo.

Devia ter ficado satisfeito com a visita dos dois pirralhos e com a lista deles — satisfeito como Avery, satisfeito como Rimer ficaria quando fosse colocado a par da visita daquela manhã. Afinal, não tinha ele dito a Rimer, há menos de três dias, que os rapazes logo estariam na Baixa, contando tudo que passasse na frente deles? Sim. Então, por que se sentia tão inquieto? Tão nervoso pra um caralho? Seria porque ainda não tivera um contato de Latigo, o homem de Farson? Seria porque Reynolds voltara sem nada confiável da rocha Pendurada num dia e Depape voltara sem nada confiável no dia seguinte? Certamente não. Latigo viria, junto com uma considerável tropa de homens, mas ainda era cedo demais e Jonas sabia disso. A colheita ainda estava a quase um mês de distância.

Será então apenas o mau tempo afetando sua perna, mexendo naquela velha ferida e arruinando seu humor?

Não. A dor era péssima, mas já fora pior. O problema era na sua cabeça. Jonas se apoiou numa coluna sob a beira do telhado, atento à chuva que batia no calçamento e pensou como às vezes, num jogo de Castelos, um jogador esperto espreitava ao redor de sua Hillock, depois recuava. Era assim que a coisa parecia — era tão certo que parecia errado. Ideia louca e, ao mesmo tempo, perfeitamente sensata.

— Estão tentando jogar Castelos comigo, pirralhos? — Jonas murmurou. — Se for isso, logo vão se arrepender de não terem ficado em casa com suas mamães. Assim será.

8

Roland e Cuthbert seguiram pela Baixa de volta ao Barra K — naquele dia não haveria contagem. Apesar da chuva e do céu nublado, o bom humor de Cuthbert estava sem dúvida quase inteiramente restaurado.

— Você viu? — ele perguntou rindo. — Você viu, Roland... quero dizer, Will? Engoliram direitinho, não foi? Engoliram todo aquele mel, não foi?

— Foi.

— E o que vamos fazer agora? Qual é o nosso próximo movimento?

Por um momento, Roland fitou-o com um ar inexpressivo, como se tivesse acordado repentinamente de um cochilo.

— O próximo movimento é deles. Nós vamos contar. E esperar.

A animação de Cuthbert desapareceu num passe de mágica e, mais uma vez, ele se viu reprimindo uma enchente de recriminações, todas girando em torno de duas ideias básicas: que Roland estava se esquivando do dever para continuar mergulhando no inegável encanto de uma certa jovem senhorita e — mais importante — que Roland havia perdido o juízo quando o Mundo Médio inteiro mais precisava.

Mas a que dever Roland estava se esquivando? E o que o deixava tão certo de que Roland estava errado? Lógica? Intuição? Ou só um tosco e inconfessável ciúme? Cuthbert se viu pensando no jeito descontraído com que Jonas havia rompido as defesas do exército do agente Dave, quando Dave fez um movimento prematuro. Se bem que a vida não era como o jogo de Castelos... ou era? Ele não sabia. Mas achava que tinha pelo menos uma intuição válida: Roland caminhava para o desastre. Todos eles caminhavam.

Acorde, Cuthbert pensou. *Por favor, Roland, acorde antes que seja tarde demais.*

3. JOGANDO CASTELOS

1

Seguiu-se uma semana com aquele tipo de tempo que torna as pessoas capazes de mergulhar na cama depois do almoço, tirar longos cochilos e acordar se sentindo estúpidas e desorientadas. Estavam longe de tempo de enchentes, mas o clima tornava perigosa a fase final da coleta de maçãs (havia muitas pernas quebradas; no pomar Sete Milhas, uma jovem caíra do alto da escada, quebrando a costela) e os campos de batatas se tornavam difíceis de trabalhar; gastavam quase tanto tempo desatolando carroças enfiadas no barro molhado quanto fazendo a coleta. No Coração Verde, as decorações da Feira da Colheita iam ficando encharcadas e precisavam ser retiradas. Os voluntários esperavam com crescente nervosismo que o tempo melhorasse para que o trabalho pudesse ser retomado.

Também era um tempo ruim para os jovens encarregados de inventariar os bens, embora eles tivessem conseguido pelo menos dar início à visitação dos celeiros e à contagem da criação. Talvez, no entanto, fosse um bom tempo para um rapaz e uma moça que tinham descoberto as alegrias do amor físico, embora Roland e Susan só tivessem se encontrado duas vezes durante a fase de tempo encoberto. O perigo do que estavam fazendo se tornara agora quase palpável.

A primeira vez foi num abrigo de barcos abandonado na estrada da Costa. A segunda foi no fundo do prédio arruinado logo abaixo da Citgo, à direita da reserva — fizeram amor com furiosa intensidade sobre uma das mantas de sela de Roland, estendida no chão do que já fora a cantina da refinaria de petróleo. Quando chegou ao clímax, Susan gritou várias vezes o nome dele. Pombos assustados encheram os velhos cômodos sombrios e os carcomidos corredores com seu suave trovão.

2

Justo quando parecia que a chuva fina jamais teria fim e o som rangente da lúmina no ar parado acabaria com a sanidade de todos em Hambry, um forte vento — quase um vendaval — soprou do oceano e levou as nuvens com ele. A cidade despertou um dia com um céu brilhante como lâmina azul e um sol que transformava a baía em ouro de manhã e fogo branco à tarde. O senso de letargia se fora. Nos campos de batata, os carros rolavam com novo vigor. No Coração Verde, um exército de mulheres começava mais uma vez a forrar com flores o pódio em que Jamie McCann e Susan Delgado seriam aclamados Moço e Moça da Colheita daquele ano.

Na parte da Baixa mais próxima da Casa do Prefeito, Roland, Cuthbert e Alain avançavam com renovada determinação, contando os cavalos que corriam com a marca do Baronato nos lombos. Os céus brilhantes e fortes ventos enchiam-nos de energia e disposição e, por um período de dias (três ou quatro, talvez), galoparam juntos num clima de entusiasmo, de brincadeiras e risadas, a antiga camaradagem restaurada.

Num desses dias brilhantes e ensolarados, Eldred Jonas saiu do escritório do xerife e subiu a rua do Monte em direção ao Coração Verde. Naquela manhã, estava livre de Depape e Reynolds (eles tinham ido juntos até a rocha Pendurada, à procura dos emissários de Latigo, que já deviam estar chegando). O plano de Jonas era simples: tomar uma cerveja no pavilhão e observar os preparativos que ocorriam ali: a abertura dos aceiros, a colocação de feixes de lenha para a fogueira, as discussões sobre como armar os suportes que disparariam os fogos de artifício, as senhoras enchendo de flores o palco onde a Moça e o Moço daquele ano seriam apresentados para serem admirados pelas pessoas. Talvez, Jonas pensou, pudesse ficar com uma formosa moça das flores durante uma ou duas horas de diversão. Deixava estritamente a cargo de Roy e Clay o sustento das putas do salão, mas uma jovem e fresca moça das flores, de uns dezessete anos, era coisa diferente.

A dor em seu quadril fora embora juntamente com o tempo úmido; as passadas dolorosas, trôpegas da última semana tinham voltado a ser um simples movimento coxo. Talvez uma ou duas cervejas ao ar livre fossem suficientes, mas a ideia de uma garota não saída da sua cabeça. Jovem, de pele clara, de seios empinados. Novinha, hálito doce. Novinha, lábios doces...

— Sr. Jonas? Eldred?

Ele se virou, sorrindo, para a dona da voz. Não uma etérea moça das flores com olhos arregalados, úmidos, e boca entreaberta, mas uma mulher magra, chegando ao final da meia-idade: sem peito, bunda caída, lábios contraídos e pálidos, cabelo tão grudado no couro cabeludo que parecia se confundir com ele. Só os olhos grandes correspondiam a seus devaneios. *Acho que fiz uma conquista*, Jonas pensou sardonicamente.

— Ora, Cordelia! — disse estendendo os braços e colocando a mão dela no meio das suas. — Como está bem esta manhã!

Com um colorido leve tomando conta das faces, Cordelia riu um pouco. Por um momento aparentou quarenta e cinco anos e não sessenta. *E ela não tem sessenta*, Jonas pensou. *As rugas ao redor da boca e as olheiras... só estão surgindo agora.*

— É muito gentil — disse ela —, mas não me sinto assim. Não tenho dormido bem e mulheres da minha idade, quando não dormem, envelhecem rapidamente.

— Lamento ouvir que está dormindo mal — disse ele. — Mas agora que o tempo mudou, talvez...

— Não é o tempo. Posso conversar com você, Eldred? Pensei e pensei, e você é a única pessoa a quem eu me atreveria a recorrer em busca de conselho.

O sorriso dele se ampliou. Colocou a mão dela sobre o braço e cobriu-a com a sua própria. Agora o vermelho no rosto de Cordelia era como fogo. Com todo aquele sangue na cabeça, poderia falar horas a fio. E Jonas desconfiou que cada palavra seria interessante.

3

Com mulheres de uma certa idade e temperamento, o chá era mais eficiente que o vinho quando se tratava de soltar a língua. Jonas desistiu dos planos para uma cerveja (e talvez uma moça das flores) sem pensar duas vezes. Fez sai Delgado sentar-se num canto ensolarado do pavilhão do Coração Verde (não longe da pedra vermelha que Roland e Susan tão bem conheciam) e pediu um grande bule de chá e bolos. Ficaram observando os preparativos para a Feira da Colheita enquanto esperavam a comida e a bebida. No parque banhado de sol havia muito barulho de martelos e serras, assim como gritos e explosões de riso.

— Todos os dias de feira são agradáveis, mas os da Colheita fazem todos nós voltarmos aos tempos de criança, não acha? — perguntou Cordelia.

— Sim, de fato — disse Jonas, que não se sentira como criança mesmo quando de fato ainda era uma.

— O que eu mais gosto é a fogueira — disse ela, olhando para a grande pilha de ripas e tábuas que ia se erguendo na extremidade do parque, obliquamente ao palco. Lembrava uma grande tenda feita de madeira. — Adoro quando as pessoas da cidade trazem os espantalhos e os atiram ali. É uma coisa bárbara, mas sempre me dá um *incrível* arrepio de felicidade.

— Ié — disse Jonas, achando que o arrepio não seria o mesmo se ela soubesse que três dos espantalhos que seriam atirados aquele ano na fogueira da Noite da Colheita eram capazes de cheirar como porcos e gritar como harpias quando começassem a arder. Se sua sorte não o tivesse abandonado, quem mais gritaria seria o de olhos azul-claros.

O chá e os bolos chegaram e Jonas não chegou sequer a dar uma olhada nos seios da moça que se curvou para servi-los. Só tinha olhos para a fascinante sai Delgado, com seus pequenos movimentos agitados e olhar estranho, desesperado.

Quando a moça se foi, ele serviu o chá, pousou o bule no suporte e tornou a cobrir a mão de Cordelia com a sua.

— Agora escute, Cordelia... — disse no seu tom mais caloroso. — Estou vendo que alguma coisa a perturba. Tire-a do peito. Confie no seu amigo Eldred.

Os lábios dela se contraíram de tal forma que quase desapareceram, mas nem mesmo esse esforço pôde fazê-los parar de tremer. Os olhos se encheram de lágrimas, atolaram-se nelas, deixaram-nas escorrer. Eldred pegou o guardanapo e, debruçando-se sobre a mesa, enxugou-as.

— Me conte — pediu em voz suave.

— Vou contar. Preciso desabafar com alguém, senão enlouqueço. Mas tem de me prometer uma coisa, Eldred...

— É claro, minha querida. — Ele a viu corar mais furiosamente do que nunca ante aquela inofensiva palavra de afeição. Apertou-lhe a mão. — Qualquer coisa.

— Não vai dizer nada a Hart. Também não àquele chanceler, àquela aranha nojenta, mas principalmente não ao prefeito. Se minhas suspeitas têm fundamento e Hart vier a descobrir, ela poderia ser mandada para oeste! — O final da frase foi quase um gemido, como se Cordelia, pela primeira vez, percebesse aquilo como um risco real. — Podia despachar a nós *duas* para o oeste!

— Nem uma palavra ao prefeito Thorin — disse Jonas mantendo o sorriso simpático. — Nem uma palavra a Kimba Rimer. Prometo.

Por um momento achou que ela não teria coragem de começar... não conseguiria. Então, numa voz baixa, arfante, que soava como roupa rasgada, Cordelia disse uma única palavra.

— Dearborn.

Ele sentiu o coração dar um pulo quando o nome que tanto circulava em sua mente passou pelos lábios dela. Embora continuasse a sorrir, Jonas não pôde reprimir um súbito e forte espremer de dedos que a fez estremecer.

— Desculpe — disse ele. — É que você me assustou um pouco. Dearborn... Um rapaz charmoso, mas não tenho certeza se é realmente digno de confiança.

— Meu medo é que tenha andado com minha Susan. — Agora era a vez dela de apertar os dedos de Jonas, mas ele não se importou. Na realidade, praticamente nem sentiu. Continuou a sorrir, esperando parecer menos estupefato do que se sentia. — Que tenha andado com ela... como um homem com uma mulher. Ah, como isto é horrível!

Cordelia chorou com silenciosa amargura, dando breves espiadas ao redor para se certificar de que não estavam sendo observados. Jonas vira coiotes e cães selvagens parados na frente de seus jantares fedorentos que olhavam ao redor exatamente daquele jeito. Esperou que abrandasse a sobrecarga no sistema nervoso; queria que ficasse calma; incoerência não ajudaria em nada. Ao ver as lágrimas diminuindo, estendeu-lhe uma xícara de chá. — Beba isto.

— Sim. Obrigada. — O chá ainda fumegava, mas ela o tomou avidamente. *A velha garganta deve ser forrada com ardósia*, Jonas pensou. Ela pousou a xícara. Enquanto Jonas a servia novamente de chá, Cordelia usou o *pañuelo* rendado para esfregar as lágrimas do rosto de maneira quase raivosa.

— Não gosto dele — disse Cordelia. — Não gosto, não confio nele, em nenhum daqueles três com suas ridículas mesuras do Mundo Interior, expressões insolentes e modos estranhos de falar, mas particularmente não nele. Se alguma coisa aconteceu entre os dois, e é exatamente o que eu temo, a responsabilidade é dela, não é? É a mulher, afinal, que precisa se opor aos impulsos animais.

Jonas se inclinou sobre a mesa, olhando-a com calorosa simpatia.

— Me conte tudo, Cordelia.

Ela contou.

4

Rhea gostava de tudo que se relacionava à bola de cristal, mas do que mais gostava era da maneira como a bola infalivelmente mostrava as pessoas nos momentos mais baixos. Jamais, em seu espaço rosado, viu uma criança consolando outra após uma queda, um marido cansado com a cabeça no colo da esposa ou um casal de velhos tomando vagarosamente seus pratos de sopa no final do dia; ao que parecia, essas coisas tinham tão pouco interesse para o globo de vidro quanto para ela própria.

Em compensação, vira atos de incesto, mães batendo nos filhos, maridos espancando as esposas. Vira uma gangue de garotos na zona oeste da cidade (Rhea teria achado divertido saber que aqueles arrogantes garotos de oito anos chamavam-se a si mesmos de Grande Caçadores de Caixões) ocupada em atrair cães perdidos com um osso e depois cortar-lhes as caudas para se divertirem. Vira roubos e pelo menos um assassinato: um vagabundo que esfaqueara um companheiro com um forcado após uma discussão trivial. Isso acontecera na primeira noite chuvosa. O corpo, no entanto, continuava se desfazendo numa vala ao lado da Grande Estrada Oeste. Estava coberto com uma camada de palha e mato. Talvez fosse descoberto antes que as tempestades de outono viessem concluir outro ano; talvez não.

Viu também de relance Cordelia Delgado e aquele matador, Jonas, sentados no Coração Verde, numa das mesas do lado de fora. Conversavam sobre... bem, é claro que não sabia, sabia? Mas era fácil ver a expressão nos olhos escrotos da solteirona. Estava totalmente apaixonada por Jonas, sem dúvida, com todo aquele rubor na cara. Toda quente e desmanchada por causa de um projeto vagabundo e fracassado de pistoleiro. Era cômico, ié, e Rhea achou que, de vez em quando, ia dar uma olhada nos dois. Provavelmente seria muito divertido.

Após mostrar Cordelia e Jonas, a bola de cristal escureceu mais uma vez. Rhea tornou a colocá-la na caixa, tomando muito cuidado com a tranca. Ver Cordelia na bola tinha lhe trazido à memória a questão inacabada com a putinha de sua sobrinha. Que Rhea ainda não tivesse concluído o assunto era irônico, mas compreensível — assim que descobrira como conduzir a carruagem da jovem sai, a mente e as emoções de Rhea tinham voltado a se acomodar, as imagens da bola tinham reaparecido e, fascinada por elas, Rhea havia temporariamente esquecido que Susan Delgado estava viva. Agora, no entanto, lembrava-se do plano. Pôr o gato entre os pombos. E por falar de gatos...

— Musty! Uuu-ruu, Musty, onde você está?

O gato veio ondulando da pilha de lenha, os olhos brilhando na poeirenta obscuridade da cabana (Rhea havia puxado as persianas quando o tempo tornou a melhorar), a cauda bifurcada oscilando. Pulou para o colo dela.

— Tenho uma pequena missão para você — disse ela, curvando-se para lamber o gato. O gosto fascinante do pelo de Musty encheu sua boca e garganta.

Musty ronronou e arqueou as costas contra os lábios de Rhea. Para um gato mutante de seis pernas, a vida era boa.

5

Jonas se livrou de Cordelia assim que pôde — não tão depressa quanto teria gostado, pois tinha de manter o bico do varapau adoçado. Ela ainda podia ser útil. No fim da conversa, dera-lhe um beijo no canto da boca (o que a fez ficar tão violentamente vermelha que ele chegou a pensar que ela poderia estar tendo uma convulsão) e disse a ela que ia fazer uma sondagem da situação que tanto a afligia.

— Mas discretamente! — disse Cordelia, alarmada.

Sim, disse Jonas, caminhando com ela para casa. Seria discreto; a discrição era sua segunda natureza. Sabia que Cordelia não ia — não *podia* — dormir tranquila até saber da verdade, mas ele achava que não ia passar de uma suspeita. Adolescentes exageravam nas emoções, não era? E se a garota sentisse que a tia estava com medo de alguma coisa, podia muito bem alimentar-lhe os medos em vez de aplacá-los.

Cordelia parara junto à cerca de pontas brancas que separava seu jardim da rua. Uma expressão de sublime alívio tomara conta de seu rosto. Jonas achou que parecia uma mula com o lombo arranhado por um galho pontudo.

— Ora, eu não tinha pensado nisso... mas é provável, não acha?

— Bastante provável — Jonas dissera —, mas mesmo assim vou dar uma olhada na questão com todo o cuidado. Melhor prevenir do que remediar. — Tornou a beijar-lhe o canto da boca. — E não vou fazer qualquer comentário com o pessoal de Seafront. Nem uma palavra.

— Obrigada, Eldred! Ah, obrigada! — E ela o abraçara antes de correr para dentro, os seios minúsculos pressionando como pedra a frente da blusa. — Talvez eu consiga dormir esta noite!

Talvez *ela* dormisse, mas Jonas duvidava que ele fosse conseguir.

De cabeça baixa e com as mãos entrelaçadas atrás das costas, caminhou para o estábulo Hookey, onde guardava o cavalo. Um grupo barulhento de garotos subia correndo o outro lado da rua; dois deles sacudiam caudas cortadas de cachorro com sangue ainda grudado nas pontas.

— Caçadores de Caixões! Somos Grandes Caçadores de Caixões assim como você! — gritou imprudentemente um deles em sua direção.

Jonas puxou o revólver e apontou-o para o grupo. Aconteceu num relance. Por um momento, os garotos o viram, aterrados, como ele realmente era: com os olhos em chama e os lábios totalmente repuxados dos dentes, Jonas surgia como um lobo de pelo branco em roupas de homem.

— Sumam daqui, seus merdinhas! — ele rosnou. — Sumam antes que eu faça vocês saírem voando de seus sapatos e dê a seus pais motivos para comemorar!

Por um instante, ficaram todos paralisados e então, de repente, saíram correndo em bando e gritando. Um deles deixara para trás seu troféu: a cauda de cachorro estava caída na calçada de tábuas como um horrível pedaço de corda. Jonas fez uma careta vendo aquilo, pôs o revólver no coldre, entrelaçou novamente as mãos atrás das costas e continuou a andar. Lembrava um pároco meditando sobre a natureza dos deuses. E o que, em nome dos deuses, ele estava fazendo, implicando com um bando de pequenos diabos como aqueles?

Você está transtornado, pensou. *Está preocupado.*

Estava preocupado, sem dúvida. As suspeitas da coroa sem peito o haviam de fato transtornado muito. Não por causa de Thorin (no que lhe dizia respeito, Dearborn poderia foder a garota na praça da cidade em pleno meio-dia no Dia da Feira da Colheita), mas porque aquela coisa sugeria que Dearborn podia tê-lo enganado mais do que parecia.

Já se esgueirou uma vez por trás de você, não é? E você jurou que jamais ia acontecer de novo. Mas se está comendo aquela moça, ele já lhe passou a perna de novo. Não foi?

Ié, como diziam naquelas terras. Se o garoto teve a impertinência de começar um caso com a futura concubina do prefeito e o incrível descaramento de levá-lo adiante, o que restaria da imagem de Jonas? Um desafio feito por três pirralhos do Mundo Interior, que parecerão cada vez mais capazes de fazer qualquer coisa com as mãos desarmadas e a mais perfeita naturalidade.

Já os subestimamos uma vez e eles nos fizeram de palhaços, Clay tinha dito. *Não quero que aconteça de novo.*

Será que alguma coisa *já* acontecera de novo? O que, na realidade, Dearborn e seus amigos sabiam? O que tinham descoberto? E a quem tinham contado? Se Dearborn conseguira se safar em pegar a escolhida do prefeito... conseguido passar a perna em algo tão *grande* por cima de Eldred Jonas... por cima de todos...

— Bom dia, sai Jonas — disse Brian Hookey. Brian sorria largamente, quase se ajoelhando diante de Jonas com seu *sombrero* espremido contra o peito largo de ferreiro. — Não quer um copo de *graf*, sai? Estou completando o resto do trabalho na forja e...

— Tudo que quero é o meu cavalo — disse Jonas laconicamente. — Traga-o logo e pare de me enrolar.

— Ié, logo terá o animal, obrigado pela compreensão, sai. — Afastou-se rapidamente para cumprir sua promessa. Deu ainda uma olhada nervosa para trás, sorrindo pelo ombro para se certificar de que não ia levar uma bala pelas costas.

Dez minutos depois Jonas rumava para oeste pela Grande Estrada. Sentia um ridículo mas forte desejo de colocar o cavalo a galope e deixar toda aquela loucura para trás: Thorin, o velho conquistador; Roland e Susan, com aquele piegas amor adolescente; Roy e Clay, com suas mãos rápidas e cérebro lento;

Rimer, com suas ambições; Cordelia Delgado, com as fantasmagóricas visões dos dois garotos em algum vale florido, ele provavelmente recitando poesias, ela preparando uma guirlanda de flores para sua testa.

Ocasionalmente, quando a intuição falava mais forte, deixava coisas para trás; muitas coisas. Mas daquela vez não daria as costas. Jurara se vingar dos pirralhos e, embora tivesse quebrado um punhado de promessas feitas a outras pessoas, jamais quebrava as que fazia a si próprio.

E havia John Farson a considerar. Jonas nunca conversara pessoalmente com o Bom Homem (e nem queria; diziam que Farson era ostensiva e perigosamente insano), mas já negociara com George Latigo, que era quem provavelmente estaria liderando a tropa de homens de Farson, que poderia chegar de uma hora para outra. Latigo é quem contratara os Grandes Caçadores de Caixões, pagando, adiantado, uma enorme quantia em dinheiro (que Jonas ainda não repartira com Reynolds e Depape) e prometendo despojos de guerra ainda maiores se as principais forças da Confederação fossem varridas das montanhas Shavéd.

Latigo era um verme de bom tamanho, sem dúvida, mas nada que se comparasse ao tamanho dos vermes que tinha por trás. Contudo, nenhuma grande recompensa vinha sem risco. Se entregassem os cavalos, os bois, as carroças de vegetais frescos, a carne, o petróleo, o globo de cristal — principalmente o globo —, tudo correria bem. Se fracassassem, era muito provável que suas cabeças acabassem servindo aos arremessos de Farson e auxiliares em jogos noturnos de polo. Isso podia acontecer, e Jonas sabia. Sem dúvida, um dia ia *de fato* acontecer. Mas quando sua cabeça finalmente deixasse de acompanhar os ombros, o divórcio não seria causado por animais como Dearborn e amigos, não importa de que tronco nobre fossem descendentes.

Mas se ele está tendo um caso com o petisco de outono de Thorin... se foi capaz de manter um segredo desses, que outros estará guardando? Talvez ele esteja *jogando Castelos com você.*

Se assim fosse, não ia jogar por muito tempo. Da primeira vez que o jovem sr. Dearborn enfiasse o nariz pela Hillock, Jonas estaria lá para arrancá-lo com um tiro.

Naquele momento, a questão era para onde ir primeiro. Ao Barra K, para dar uma boa e intensa olhada nos alojamentos dos garotos? Era possível; estavam os três na Baixa, contando os cavalos do Baronato. Mas não era por causa de cavalos que ele poderia ficar sem a cabeça, certo? Não, desde que o Bom Homem entrara na coisa, os cavalos eram apenas uma pequena atração a mais.

Jonas acabou resolvendo ir para a Citgo.

6

Primeiro verificou os caminhões-tanques. Estavam exatamente onde deviam estar: alinhados numa fileira regular, ocultos pela nova camuflagem e com as novas rodas prontas para rodar quando fosse a hora. Alguns dos ramos de pinheiros que cobriam os veículos estavam ficando amarelados nas pontas, mas as recentes pancadas de chuva tinham mantido a maioria deles admiravelmente verdes. Jonas não via pontos apodrecidos na camuflagem.

Depois subiu no morrote, caminhando ao lado do oleoduto e parando para descansar com uma frequência cada vez maior; quando atingiu o portão enferrujado entre a encosta e a refinaria, sua perna ruim doía com gosto. Examinou o portão, franzindo a testa ante as manchas nas grades de cima. Podiam não querer dizer nada, mas Jonas achou que alguém poderia ter escalado o portão em vez de se arriscar a abri-lo e vê-lo cair de seus encaixes.

Passou a hora seguinte rodando em volta das torres de perfuração, dando atenção particular àquelas que ainda funcionavam, procurando qualquer coisa de anormal. Encontrou muitas marcas de pés, mas era impossível (especialmente após uma semana chuvosa) ler qualquer rastro com um mínimo de precisão. Os garotos do Mundo Interior, aquele maldito pequeno bando de pirralhos vindos da cidade grande, podiam ter estado ali, assim como Arthur Eld e toda a sua companhia de cavaleiros também podiam ter estado ali. A ambiguidade deixava Jonas num péssimo humor, como sempre acontecia quando, fora de um tabuleiro de jogo de Castelos, havia ambiguidade.

Começou a voltar pelo mesmo caminho por onde viera. Pretendia descer a encosta até seu cavalo e cavalgar de volta à cidade. A perna estava doendo furiosamente e queria tomar uma bebida forte para aplacá-la. O barracão no Barra K poderia esperar mais um dia.

Chegou a meio caminho do portão, viu a trilha de mato ligando a Citgo à Grande Estrada e suspirou. Não haveria nada naquela pequena faixa de estrada, mas agora que tinha chegado até ali, achava que devia concluir o trabalho.

Foda-se terminar o trabalho, eu só quero uma bebida.

Mas Roland não era o único que às vezes, graças a um treinamento, tinha os próprios desejos colocados em segundo plano frente ao dever. Jonas suspirou, esfregou a perna e voltou para a trilha marcada por dois sulcos paralelos. Afinal, parecia que ali havia algo para examinar.

Estava caída numa valeta cheia de mato, a menos de uma dúzia de passos do lugar onde a velha estrada se juntava à Grande Estrada. A princípio, vendo apenas uma forma branca e lisa, achou que fosse uma pedra. Então reparou que havia uma abertura redonda e preta que só podia ser um buraco de olho. Não era uma pedra; era uma caveira.

Resmungando, Jonas se ajoelhou e pescou a coisa, enquanto as poucas torres que continuavam a bombear rangiam e davam pancadas nas suas costas. A caveira de um corvo. Já a vira antes. Diabo, suspeitava que a cidade quase inteira já a vira. A caveira pertencia ao exibido Arthur Heath... que, como toda pessoa exibida, precisava de seus pequenos objetos de cena.

— Ele a chamou de vigia — Jonas murmurou. — Às vezes a coloca na frente da sela, não é? E às vezes a usa ao pescoço, como um pingente. — Sim. O rapaz estava usando aquilo naquela noite no Repouso dos Viajantes, quando...

Jonas encarou o crânio de corvo. Alguma coisa chocalhou lá dentro como um último pensamento solitário. Jonas inclinou a caveira, sacudiu-a sobre a palma da mão e um fragmento de corrente de ouro caiu. O garoto a estivera usando na ponta daquela corrente. A certa altura, a corrente teria se rompido, o crânio caíra na vala e sai Heath não tinha se dado ao trabalho de procurá-lo. A ideia de que alguém pudesse encontrar o amuleto provavelmente jamais lhe passara pela cabeça. Garotos eram desatentos. Era espantoso que alguns conseguissem sobreviver até o tempo de virarem homens.

O rosto de Jonas continuou calmo quando ele se ajoelhou para examinar o crânio do corvo, mas, apesar da testa sem rugas, jamais se sentira tão furioso em toda a sua vida. Tinham estado lá, sem dúvida... era outra coisa que, até o dia anterior, não lhe pareceria digna de crédito. Devia presumir que tinham visto os caminhões-tanques. Se não fosse pela sorte de ter achado aquela caveira, jamais saberia que, camuflados ou não, os caminhões podiam ter sido descobertos.

— Quando eu acabar com eles, as órbitas de seus olhos ficarão tão vazias quanto as suas, senhor corvo. Eu mesmo cuidarei de arrancá-las.

Quando ia jogar longe a caveira, mudou de ideia. Ela ainda poderia ser útil. Carregando-a com uma das mãos, Jonas começou a voltar para onde deixara o cavalo.

7

Coral Thorin desceu a rua Alta em direção ao Repouso dos Viajantes, a cabeça latejando e o coração amargo dentro do peito. Acordara há uma hora, mas a ressaca estava tão tenebrosa que tinha a impressão de ter passado a noite inteira em claro. Ultimamente andava bebendo demais — quase toda noite — e sabia disso. Em público, no entanto, jamais passava de uma ou duas doses (e nunca duplas). Achava que, pelo menos até aquele momento, ninguém suspeitava. E como ninguém suspeitava, podia continuar. De que outra forma seria possível suportar o imbecil do irmão? Aquela cidade imbecil? E, é claro, o conhecimento de que todos os rancheiros da Associação dos Cavaleiros, e pelo menos metade dos grandes proprietários de terra, eram traidores?

— Foda-se a Confederação — ela sussurrou. — Melhor um pássaro na mão...

Mas teria realmente um pássaro na mão? Alguém ali teria? Manteria Farson suas promessas? Promessas feitas por um homem chamado Latigo e passadas adiante pelo inimitável Kimba Rimer... Coral tinha suas dúvidas se seriam cumpridas; déspotas tinham modos muito convenientes de esquecer as promessas, assim como pássaros na mão tinham uma irritante mania de beliscar os dedos, cagar na palma e depois voar. Não que isso ainda importasse; ela, pelo menos, tinha onde dormir. Além do mais, as pessoas sempre bebem, jogam e trepam, independentemente do sujeito para quem devem curvar os joelhos ou em cujo nome os impostos são cobrados.

Contudo, quando a voz do velho demônio chamado consciência murmura, alguns drinques ajudam a deixar os lábios quietos.

Parou na frente do Fundo de Ajuda Mútua, vendo no alto da rua os garotos rindo em suas escadas, pendurando lanternas de papel nos postes e fazendo bandeirinhas. Aquelas alegres lanternas seriam acesas na noite da Feira da Colheita, enchendo a rua principal de Hambry de uma centena de sombras de luz suave, cheia de matizes.

Por um momento Coral se lembrou da criança que tinha sido, contemplando com admiração as lanternas de papel colorido, ouvindo os gritos e o estrépito de fogos de artifício, ouvindo a música animada que vinha do Coração Verde enquanto o pai segurava uma de suas mãos... e Hart, o irmão mais velho, segurava a outra. Em sua lembrança, Hart estava orgulhosamente usando o primeiro par de calças compridas.

A nostalgia a dominou, a princípio doce, depois amarga. A criança se transformara numa mulher sem graça, que possuía um saloon e um puteiro (para não mencionar uma grande extensão de terras na área da Baixa), uma mulher que tinha, ultimamente, como único parceiro sexual o chanceler do irmão, uma mulher cujo principal objetivo na vida quando acordava era pensar em quando poderia beber novamente. Como, exatamente, tinham as coisas chegado àquele ponto? A mulher cujos olhos ela usava era a última mulher em que a criança de antigamente teria esperado se transformar.

— Onde foi que eu errei? — perguntava a si mesma e ria. — Ah, Homem Jesus, onde aquela criança perdida, filha do pecado, havia errado? Aleluia, senhor! — Achou-se tão parecida com a pregadora que passara pela cidade no ano anterior (Pittston era seu nome, Sylvia Pittston) que tornou a rir, desta vez quase de verdade. E continuou a andar para o Repouso um pouco mais bem-disposta.

Sheemie estava do lado de fora, cuidando do que restava de suas rosas. Acenou para ela e gritou um cumprimento. Ela também acenou e respondeu dizendo alguma coisa. Um bom rapaz aquele Sheemie. Embora pudesse ter encontrado facilmente outro auxiliar, estava satisfeita por Depape não o ter matado.

O bar estava quase vazio, mas fortemente iluminado, repleto dos clarões dos bicos de gás. Estava limpo também. Sheemie teria esvaziado as escarradeiras, mas Coral achava que a mulher gorda atrás do balcão é quem tinha feito todo o resto. A maquiagem não conseguia disfarçar suas faces cavadas, os olhos fundos ou o modo como o pescoço começava a ficar cheio de dobras (ver aquele tipo de pele de lagarto num pescoço de mulher sempre fazia Coral estremecer).

Era Pettie, a Trotadora, agora limpando o balcão sob o severo olhar vidrado do Transão. Se a deixassem, continuaria a fazer aquilo até Stanley aparecer e tirá-la de lá. Pettie não dissera uma palavra a Coral — sabia que não era preciso —, mas seu comportamento deixava suficientemente claro o se passava em sua cabeça. Seus dias de puta estavam chegando ao fim. Ela queria desesperadamente trabalhar servindo no balcão. Havia precedentes, Coral sabia... por exemplo uma mulher que preparava as bebidas no Forest Trees, de Pass o' the River; e houve outra no Glencove, em Tavares, na costa norte. Esta última morrera de varíola. O que Pettie se recusava a entender era que Stanley Ruiz tinha quinze anos a menos que ela e uma saúde muito melhor. Ele continuaria servindo bebidas embaixo do Transão quando Pettie parasse de vez de trotar e começasse a apodrecer num túmulo de indigente.

— Boa noite, sai Thorin — disse Pettie. E antes que Coral pudesse sequer abrir a boca, a puta pousara um copo comprido no balcão e o enchera de uísque. Coral olhou abatida para o copo. Será, então, que todo mundo já sabia?

— Não quero isso — protestou. — Por que, em nome do Eld, eu ia querer? O sol ainda nem se pôs! Coloque isso de volta na garrafa, pelo amor que tem a seu pai, e saia daqui! A quem pensa que vai servir às cinco horas? Fantasmas?

A expressão de Pettie desabou; a grossa camada da maquiagem pareceu rachar. Ela pegou o funil embaixo do balcão, enfiou-o no gargalo da garrafa e repôs a dose de uísque. Alguma coisa caiu no balcão apesar do funil; suas mãos gordas (agora sem anéis; já há muito os anéis tinham sido trocados por comida no mercado do outro lado da rua) estavam tremendo.

— Desculpe, sai. Sinto muito. Eu só estava…

— Pouco me importa o que estava fazendo — disse Coral voltando um olho injetado para Sheb, que estivera sentado no banquinho do piano folheando uma velha partitura. Agora já olhava para o balcão com o queixo caído. — E o que *você* está olhando, seu velho sapo?

— Nada, sai Thorin. Eu…

— Então vire a cara para outro lado. Leve esta porca com você. Dê-lhe um amasso, o que acha? Vai ser bom para a pele dela. Pode inclusive ser bom para você.

— Eu…

— Saiam daqui! Estão surdos? Vocês dois!

Em vez de ir para seus cubículos no andar de cima, Pettie e Sheb foram para a cozinha, mas para Coral deu no mesmo. Podiam ir para o inferno que para ela não faria diferença. O importante é que ficassem longe de sua cabeça latejante.

Foi para trás do balcão e olhou ao redor. Dois homens jogando cartas numa das pontas. Aquele Reynolds encrenqueiro observava os dois e tomava uma cerveja. Havia outro homem na outra ponta do balcão, mas estava olhando para o nada, perdido em seu próprio mundo. Ninguém prestava qualquer atenção especial a sai Coral Thorin, mas o que importava se dessem? Se Pettie sabia, todos sabiam.

Ela fez o dedo correr pela poça de uísque no balcão, sugou-o, passou novamente o dedo, sugou de novo. Agarrou a garrafa, mas antes que pudesse se servir, uma monstruosidade em forma de aranha, com olhos cinza-esverdeado pulou, silvando, para cima do balcão. Coral gritou e deu um passo atrás, deixando a garrafa de uísque cair entre os pés… onde, por milagre, não quebrou. Por um momento, achou que sua cabeça é que ia estourar… que seu cérebro inchado, latejando, ia simplesmente se estilhaçar como casca de ovo podre. Houve um estrondo quando o pessoal do carteado derrubou a mesa e se levantou. Reynolds puxara o revólver.

— Naum — ela disse numa voz tremida que mal reconheceu. As órbitas dos olhos pulsavam e o coração disparava. As pessoas *podiam* morrer de susto, ela percebia agora. — Naum, cavalheiros, está tudo bem.

A anomalia de seis pernas em cima do balcão abriu a boca, mostrou as garras afiadas e tornou a bufar.

Coral se abaixou (e quando sua cabeça ultrapassou o nível da cintura, ela teve de novo certeza que ia explodir), pegou a garrafa, viu que a quarta parte do conteúdo ainda estava lá e bebeu diretamente pelo gargalo, não mais dando a mínima se alguém a estaria vendo fazer aquilo ou o que poderia pensar.

Como se ouvisse seu pensamento, Musty tornou a bufar. Naquela tarde estava usando uma coleira vermelha — nele parecia antes sinistra que vistosa. Embaixo da coleira estava enfiado um pedaço de papel branco.

— Quer que eu dê um tiro nisso? — veio uma voz arrastada. — Se quiser, eu atiro. Uma bala e só vão sobrar as garras. — Era Jonas, parado junto às portas de vaivém. Embora parecesse tão mal quanto ela, Coral não teve dúvida de que ainda podia atirar.

— Naum. A velha puta transformará todos nós em gafanhotos, ou alguma coisa do gênero, se matarmos seu gato de estimação.

— Que puta? — Jonas perguntou, cruzando o salão.

— Rhea Dubativo. Rhea da colina Cöos, como a chamam.

— Ah! Não a puta, a bruxa.

— Ela é as duas coisas.

Jonas alisou as costas do gato. Ele se deixou acarinhar e chegou a se arquear sob a mão, mas Jonas não repetiu a carícia. O pelo trazia uma desagradável sensação de umidade.

— Se importaria em compartilhar essa coisa? — ele perguntou, apontando para a garrafa. — É cedo, mas minha perna dói como se tivesse entrado no inferno.

— Sua perna, minha cabeça, cedo ou tarde. Por conta da casa.

Jonas ergueu as sobrancelhas brancas.

— Considere-se com sorte e beba o quanto quiser.

Ela estendeu a mão para Musty. O gato tornou a bufar, mas deixou-a tirar o bilhete que trazia sob a coleira. Coral abriu o pedaço de papel e leu as cinco palavras ali rabiscadas:

Estou seca, mande o garoto

— Posso ver? — Jonas perguntou. Com o primeiro drinque tomado, já aquecendo a barriga, o mundo parecia melhor.

— Por que não? — Ela passou-lhe o bilhete. Jonas deu uma olhada e devolveu. Tinha quase se esquecido de Rhea, o que não era bom. Ah, sempre era difícil se lembrar de tudo, não era? Ultimamente, Jonas se sentia menos como matador contratado que como cozinheiro tentando fazer todos os nove pratos de um jantar de gala saírem ao mesmo tempo. Felizmente, a própria megera o lembrara de sua existência. Que os deuses abençoassem sua sede. E também a dele, que o fizera chegar ao salão no momento certo.

— Sheemie! — Coral berrou. Ela também podia sentir o uísque fazendo efeito; de novo se sentia quase humana. Chegou inclusive a se perguntar se Eldred Jonas não estaria interessado numa noite divertida com a irmã do prefeito… quem sabe não seria uma boa maneira de passar o tempo?

Sheemie entrou pelas portas de vaivém, mãos encardidas, *sombrero* rosado batendo nas costas na ponta de sua *cuerda*.

— Ié, Coral Thorin! Aqui estou!

O olhar de Coral passou por ele, examinando o céu. Não aquela noite, nem mesmo para Rhea; não mandaria Sheemie até lá após escurecer, e ponto final.

— Não é nada — disse ela num tom mais gentil que o habitual. — Volte para suas flores e não se esqueça de protegê-las. A geada está vindo.

Ela virou o bilhete de Rhea e rabiscou uma única palavra no verso:

amanhã

Dobrou o bilhete e entregou-o a Jonas.

— Enfie embaixo dessa coleira fedorenta, faz isso por mim? Não quero encostar nisso aí.

Jonas fez o que ela pedia. Depois de lhes dispensar uma última olhada, esverdeada e selvagem, o gato pulou do balcão e desapareceu sob as portas de vaivém.

— O tempo é curto — disse Coral. Não tinha a menor ideia do que quis dizer, mas Jonas assentiu no que pareceu ser uma perfeita compreensão. — Gostaria de subir com uma bêbada no armário? Sei que já não sou grande coisa de se olhar, mas ainda consigo abrir bem as pernas na cama.

Ele avaliou, depois assentiu. Tinha os olhos brilhando. Era magra como Cordelia Delgado… mas que diferença, hein? Que diferença!

— Vamos lá.

— Sou conhecida por gostar de dizer algumas coisas bem sujas… Está avisado.

— Minha querida e distinta senhora, serei todo ouvidos.

Ela sorriu. A dor de cabeça havia passado.

— Ié. Aposto que sim.

— Me dê um minuto. Não saia daqui. — Ele foi para onde estava Reynolds.

— Puxe uma cadeira, Eldred.

— Acho que não. Deixei uma senhora à espera.

O olhar de Reynolds se moveu um instante para o balcão.

— Está brincando.

— Nunca brinco a respeito de mulheres, Clay. Agora preste atenção no que vou dizer.

Reynolds sentou na vertical, olhos atentos. Jonas estava feliz por não ser Depape. Roy fazia o que ele pedia e em geral muito bem, ainda que só depois de ele explicar meia dúzia de vezes.

— Procure Lengyll. Diga a ele que queremos espalhar uma dúzia de homens, não menos do que dez, lá na refinaria. Bons homens que saibam baixar as cabeças e mantê-las abaixadass, sem desarmar o alçapão antes da hora numa emboscada. Diga que Brian Hookey será o responsável. Ele tem uma cabeça razoável, e isso é mais do que pode ser dito da maioria das pobres coisinhas que temos por aqui.

Os olhos de Reynolds estavam intensos e felizes.

— Espera os moleques?

— Já estiveram lá uma vez, talvez voltem. Se assim for, enfrentarão um fogo cruzado e tombarão mortos. De imediato e sem avisos. Está compreendendo?

— Ié! E como a história continua?

— Ora, a história dirá que estavam interessados nos caminhões-tanques e no combustível — Jonas respondeu com um sorriso torto. — Coisas que tomariam a iniciativa de entregar a Farson, à revelia da Confederação. Vamos ser carregados nos ombros da multidão pelas ruas da cidade no dia da Colheita. Saudados como os homens que desmascararam os traidores. Cadê o Roy?

— Voltou à rocha Pendurada. Estive com ele ao meio-dia. Roy diz que estão vindo, Eldred; diz que quando o vento sopra para leste, consegue ouvir cavalos se aproximando.

— Talvez só esteja ouvindo o que quer ouvir. — Mas desconfiava que Depape estivesse certo. O humor de Jonas, no fundo do poço quando ele entrou no Repouso dos Viajantes, estava dando uma meia-volta completa.

— Logo começaremos a deslocar os caminhões, encontremos ou não os moleques por lá. À noite, dois a dois, como animais sendo recolhidos às baias. — Deu uma risada. — Mas deixaremos pelo menos um, hã? Como queijo numa ratoeira.

— E se os camundongos não vierem?

Jonas deu de ombros.

— De um jeito ou de outro, conseguiremos alguma coisa. Pretendo apertá-los um pouco mais amanhã. Quero vê-los irritados e confusos. Agora continue jogando. Aquela senhora está à minha espera.

— Antes você do que eu, Eldred.

Jonas assentiu. E achava que, daí a meia hora, já teria esquecido completamente a dor na perna.

— Antes comigo — disse. — Você ela comeria em duas dentadas.

Avançou para o balcão, onde Coral permanecia com os braços cruzados. Ela os abriu e pegou nas mãos dele. Levou a direita para o seio esquerdo. O mamilo ficou duro sob os dedos. Levou o dedo indicador da mão esquerda para a sua boca e mordeu-o levemente.

— Levamos a garrafa? — Jonas perguntou.

— Por que não? — disse Coral Thorin.

8

Se ela tivesse ido dormir tão bêbada quando costumava estar nos últimos meses, o ruído do estrado da cama não teria sido capaz de despertá-la... um estouro de bomba não teria sido capaz de despertá-la. Mas, embora tivessem levado a garrafa, deixaram-na em paz na mesinha de cabeceira do quarto que ela mantinha no Repouso (tinha o tamanho de três dos compartimentos das putas colocados juntos); o nível do uísque se manteve o mesmo. Coral se sentia dolorida por todo o corpo, mas a cabeça estava clara; e o sexo era bom para isso, pelo menos.

Jonas estava na janela, contemplando os primeiros traços cinzentos da luz do dia e levantando a calça. Uma malha de cicatrizes cobria suas costas nuas. Ela pensou em perguntar quem lhe aplicara chicotadas tão selvagens e como conseguira sobreviver, mas achou que faria melhor ficando de boca fechada.

— Para onde vai agora? — ela perguntou.

— Acho que vou procurar um pouco de tinta, não importa a cor, e também um vira-lata que ainda não tenha perdido a cauda. Depois, sai, acho que prefere não saber.

— Muito bem. — Ela continuou deitada, puxou as cobertas até o queixo e sentiu que poderia passar uma semana dormindo.

Jonas calçou as botas e caminhou para a porta afivelando o cinturão. Parou com a mão na maçaneta. Ela o olhava, olhos meio cinzentos já quase dominados pelo sono.

— Nunca tive uma transa melhor — disse Jonas.

— É, rapaz — disse Coral sorrindo. — Eu também não.

4. ROLAND E CUTHBERT

1

Roland, Cuthbert e Alain pisaram na varanda da casa-sede do Barra K quase duas horas após Jonas ter saído do quarto de Coral no Repouso dos Viajantes. O sol já estava bem acima do horizonte. Em geral, não costumavam acordar tarde, mas, como Cuthbert dizia: "Temos uma certa reputação do Mundo Interior a manter. Não de preguiça, mas de descontração".

Depois de se espreguiçar, estendendo os braços para o céu num grande Y, Roland se curvou e pôs as mãos nos bicos das botas. O que fez suas costas estalarem.

— Detesto esse ruído — disse Alain, parecendo mal-humorado e sonolento. Fora, de fato, perturbado a noite inteira por sonhos estranhos e premonições, coisas de que só ele dentre os três era vítima. Por causa do toque, talvez… com ele o toque sempre fora forte.

— É por isso que Roland o faz — disse Cuthbert batendo no ombro de Alain. — Anime-se, meu amigo! Está bonito demais para ficar tão pra baixo.

Roland se endireitou e atravessou com os dois o pátio empoeirado em direção aos estábulos. A meio caminho, deu uma parada tão súbita que Alain quase bateu em suas costas. Roland estava olhando para leste.

— Ah — ele exclamou num tom estranho, divertido. Chegou até a sorrir um pouco.

— Ah? — Cuthbert fez eco. — Ah o quê, grande líder? Ah, alegria, vou me encontrar com a perfumada e misteriosa senhorita ou ah, maldição, será que vou ter de trabalhar um dia interminável com meus fedorentos companheiros?

Alain baixou os olhos para suas botas, novas e desconfortáveis quando deixaram Gilead, e agora alargadas, arranhadas, um pouco gastas nos saltos e macias como sempre foram os calçados de trabalho. Às vezes olhar para elas era melhor do que olhar para seus amigos. Naqueles dias havia sempre uma implicância tensa no que Cuthbert dizia; a velha disposição para a brincadeira fora substituída por um certo tom mesquinho e desagradável. Alain continuava achando que Roland ia soltar faísca com alguma tirada de Bert, como aço atingido por uma pederneira afiada, e ia derrubá-lo com um soco. Em certo sentido, Alain quase tinha vontade que isso acontecesse. Deixaria a atmosfera mais franca.

Mas não a atmosfera daquela manhã.

— Só ah — disse Roland em voz baixa, e seguiu em frente.

— Peço seu perdão, pois sei que não quer ouvir certas coisas, mas ainda tenho mais uma palavrinha a dizer sobre os pombos — disse Cuthbert enquanto selavam as montarias. — Ainda acredito que uma mensagem...

— Vou lhe fazer uma promessa... — Roland começou, sorrindo.

Cuthbert o encarou com alguma desconfiança.

— Ié?

— Se amanhã de manhã você ainda quiser mandar alguma coisa pelos pombos, mandaremos. O pombo que você escolher será mandado para oeste, para Gilead, com uma mensagem ditada por você amarrada na pata. O que me diz, Arthur Heath? Estamos combinados?

Por um instante, Cuthbert olhou-o com uma suspeita que feriu o coração de Alain. Depois ele também sorriu.

— Combinados — disse. — Obrigado.

E então Roland disse uma coisa que Alain achou estranha e fez aquela sua parte presciente tremer de inquietação.

— Não me agradeça ainda.

2

— Não quero ir lá, sai Thorin — disse Sheemie. Uma expressão que não lhe era habitual enrugara seu rosto normalmente sereno; a testa franzida sugeria perturbação e temor. — É uma mulher assustadora. Assustadora como uma velha ursa, pois é. Tem uma verruga no nariz, bem aqui. — Colocou o polegar na ponta do próprio nariz, que era pequeno, liso e bem delineado.

Coral, que ainda na véspera poderia ter arrancado a cabeça de quem hesitasse a lhe obedecer, mostrava-se agora extraordinariamente paciente.

— É verdade — disse. — Mas, Sheemie, ela pediu especialmente por você, e ela dá gorjetas. Você sabe que dá. E boas gorjetas.

— Não vão ajudar se ela me transformar num besouro — disse Sheemie num tom mal-humorado. — Besouros não gastam moedas.

Não obstante, ele se deixou levar para onde Caprichoso, o jumento de carga da estalagem, estava amarrado. Barkie já colocara duas pequenas barricas no lombo do animal. Uma delas, cheia de areia, ia apenas para equilibrar a outra, que continha uma safra recente do *graf*, de que Rhea tanto gostava.

— O Dia da Feira está chegando — disse Coral num tom animado. — Faltam menos de três semanas agora.

— Ié. — Sheemie pareceu mais feliz ouvindo aquilo. Tinha verdadeira adoração pelos dias de feira: gostava das luzes, dos fogos, da dança, dos jogos, do riso. Quando chegava o Dia da Feira, todo mundo era feliz e ninguém falava coisas ruins.

— Um rapaz com moedas no bolso sem dúvida vai se divertir muito na feira — disse Coral.

— Isso é verdade, sai Thorin. — Sheemie tinha o jeito de alguém que tivesse acabado de descobrir um dos grandes princípios da vida. — Ié, verdade verdadeira, pois é.

Coral pôs a corda do Caprichoso na palma da mão de Sheemie e fechou-lhe os dedos sobre ela.

— Faça uma boa viagem, rapaz. Seja educado com a velha gralha, faça sua melhor mesura... e tome o máximo de cuidado para descer a colina antes de escurecer.

— Bem antes, ié — disse Sheemie, tremendo ante o simples pensamento de estar no alto da Cöos após o cair da noite. — Bem antes, tão certo quanto um pão é diferente de um peixe.

— Bom rapaz. — Coral o viu partir, o *sombrero* rosado enfiado na cabeça, a corda na mão, puxando o resmungão e velho jumento de carga. E enquanto ele desaparecia na lombada da primeira e suave colina, Coral tornou a dizer:

— Bom rapaz.

3

Deitado de bruços no mato alto, junto à crista de uma colina, Jonas deixara passar uma hora depois de ver os pirralhos partirem do Barra K. Só então atingiu a crista e avistou-os, três manchas a uns seis quilômetros de distância na encosta marrom. A caminho de cumprirem sua tarefa diária. Nenhum indício de que suspeitassem de alguma coisa. Eram mais espertos do que de início acreditara... mas de modo algum tão espertos quanto achavam que eram.

Avançou até chegar a uns quatrocentos metros do Barra K — que, tirando o barracão e o estábulo, era um rescaldo de incêndio sob o sol forte daquele dia de início de outono — e amarrou o cavalo num bosque de choupos que cresciam ao redor da fonte que servia à casa. Ali os garotos tinham deixado roupa lavada secando. Jonas puxou as calças e camisas dos ramos baixos onde tinham sido penduradas, fez uma pilha, mijou nela e voltou para o cavalo.

O animal bateu enfaticamente no solo quando Jonas tirou a cauda de cachorro de um dos alforjes presos na sela. Como se dissesse que estava feliz em se livrar daquilo. Jonas também ficaria feliz. A cauda começara a emanar um inequívoco aroma. Do outro alforje, ele tirou um pequeno frasco com tinta vermelha e um pincel, coisas que conseguira do filho mais velho de Brian Hookey, que naquele dia consertava a cocheira. Sai Hookey, àquela altura, estaria sem dúvida na Citgo.

Jonas avançou para o barracão sem fazer nenhuma tentativa para se esconder... mesmo porque não havia nada atrás do qual pudesse se esconder. E também não havia ninguém de quem se esconder, pois os garotos estavam longe.

Um deles deixara um livro de verdade (*Homilias e Meditações*, de Mercer) na cadeira de balanço que havia na varanda. Livros eram raridades extremas, principalmente nas orlas do Mundo Médio. Fora os poucos guardados em Seafront, aquele era o primeiro livro que Jonas via desde que chegara a Mejis. Ele o abriu. Numa firme caligrafia feminina estava escrito: *Ao meu querido filho, da* MÃE *que tanto o ama*. Jonas rasgou a página, abriu o frasco de tinta e mergulhou as pontas dos últimos dois dedos lá dentro. Sujou a palavra MÃE com o terceiro dedo, depois, usando a unha do dedo mínimo como caneta improvisada, escreveu BOCETA sobre MÃE. Prendeu a folha num prego enferrujado, num ponto onde não deixaria de ser vista. Depois rasgou o livro e pisou nos pedaços. A qual deles pertenceria? Esperava que fosse de Dearborn, mas isso não importava de verdade.

A primeira coisa em que Jonas reparou ao entrar na casa foram os pombos, arrulhando nas gaiolas. Achava que podiam estar usando um heliógrafo para mandar suas mensagens, mas pombos! Incrível! Tornava tudo ainda mais espantoso!

— Vou cuidar de vocês daqui a pouco — disse ele. — Tenham paciência, queridos; belisquem e caguem enquanto podem.

Olhou em volta com alguma curiosidade, o arrulho suave dos pombos captado mais baixo pelos ouvidos. "Meros garotos ou lordes?", Roy perguntara ao velho em Ritzy. O velho dissera que talvez fossem as duas coisas. No mínimo, garotos limpos, a julgar pelo modo como conservavam seus aposentos, Jonas pensou. Bem-educados. Três camas, todas feitas. Três pilhas de coisas no pé de cada cama, pilhas limpas, regulares. Em cada pilha encontrou o retrato de uma mãe (ah, que bons garotos que eram) e numa delas um retrato de pai e mãe. Tinha esperado achar nomes, documentos de alguma espécie (até mesmo cartas de amor da garota, quem sabe), mas não havia nada do gênero. Moleques ou lordes, eram bastante cuidadosos. Jonas tirou os retratos das molduras e os despedaçou. Espalhou as outras coisas por todos os lados, destruindo o máximo que pôde no tempo limitado de que dispunha. Quando achou um lenço de linho no bolso de uma calça social, assoou o nariz e passou meticulosamente o lenço nas pontas de um par de botas, deixando o catarro verde dar brilho no couro. O que podia ser mais irritante... mais *exasperante*... que a pessoa chegar em casa após um dia difícil contando os animais de criação e descobrir que um estranho emporcalhara seus objetos pessoais?

Os pombos estavam nervosos agora; eram incapazes de protestar como gralhas ou corvos, mas tentaram esvoaçar quando ele começou a abrir as gaiolas. Foi inútil, é claro. Jonas torceu e arrancou a cabeça de um por um. Feito isso, depositou um pássaro sob o travesseiro de crina de cada garoto.

Embaixo de um desses travesseiros, encontrou um pequeno presente: tiras de papel e uma caneta-tinteiro, sem dúvida usados para a composição de mensagens. Quebrou a caneta e a atirou pelo aposento. As folhas de papel guardou no bolso. Papel era sempre útil.

Com os pombos silenciados, pôde ouvir melhor. Começou a andar lentamente de um lado para o outro no chão de tábuas, cabeça empinada, escutando.

4

Quando Alain se aproximou a galope, Roland ignorou o rosto pálido, tenso e os olhos muito brilhantes, assustados do garoto.

— Contei trinta e um do meu lado — disse —, todos com a marca, coroa e escudo do Baronato. E você?

— Precisamos voltar — disse Alain. — Tem alguma coisa errada. É o toque. Nunca senti tão claramente.

— Sua contagem? — Roland tornou a perguntar. Em certas ocasiões, como era o caso daquela, a capacidade de Alain em usar o toque lhe parecia mais irritante que útil.

— Quarenta. Ou quarenta e um, esqueci. E o que isso importa? Removeram o que não queriam que contássemos. Roland, você não está me ouvindo? Precisamos voltar! Tem alguma coisa errada! *Tem alguma coisa errada no nosso rancho!*

Roland olhou de relance para Bert, cavalgando pacificamente a uns quinhentos metros deles. Depois, com as sobrancelhas erguidas numa pergunta silenciosa, tornou a se virar para Alain.

— Bert? Ele é insensível ao toque, sempre foi... você sabe disso. Eu sou diferente. Você sabe que sou! Roland, por favor! Quem quer que entre lá, verá os pombos! Talvez encontre nossos revólveres! — O normalmente calmo Alain estava quase chorando em sua agitação e temor. — Se não quiser voltar comigo, permita que eu volte sozinho! Me deixe voltar, Roland, pelo amor de seu pai!

— Pelo amor de seu pai, não quero que volte — disse Roland. — Minha conta é trinta e um. A sua é quarenta. Sim, digamos quarenta. Quarenta é um bom número; isto é, bom como qualquer outro. Agora vamos trocar de lado e contar de novo.

— O que está havendo com você? — Alain perguntou quase num murmúrio. Olhava para Roland como se Roland tivesse perdido a cabeça.

— Nada.

— Você *sabia*! Sabia quando saímos esta manhã!

— Ah, posso ter visto alguma coisa — disse Roland. — Um reflexo, talvez, mas... confia em mim, Al? É tudo que importa, eu acho. Confia em mim ou acha que perdi o juízo quando me apaixonei? Como ele acha. — Roland fez um aceno de cabeça na direção de Cuthbert. Roland olhava para Alain com um tênue sorriso nos lábios, mas seus olhos estavam distantes e inflexíveis... aquele olhar sobre o horizonte que lhe era típico. Alain se perguntou se Susan Delgado já teria visto aquela expressão e, em caso afirmativo, o que teria pensado.

— Confio em você. — Alain estava tão confuso que nem tinha certeza se estava sendo sincero ou não.

— Bom. Então troque de lado comigo. Minha conta é trinta e um, não esqueça.

— Trinta e um — Alain repetiu. Ele ergueu as mãos, depois deixou-as cair nas coxas com uma pancada tão forte que sua montaria, normalmente impassível, estendeu as orelhas para trás e sacudiu-as algumas vezes. — Trinta e um.

— Acho que hoje podemos voltar cedo, se isso o satisfaz — disse Roland, se afastando. Alain ficou a observá-lo. Ele sempre se perguntava o que se passava na cabeça de Roland, mas nunca tanto quanto naquele momento.

5

Craque. Craque-craque.

Lá estava o que Jonas procurava, e justo quando parecia prestes a desistir da busca. Esperara encontrar os esconderijos um pouco mais perto das camas, mas eles eram espertos, sem dúvida.

Apoiado num joelho, usou a lâmina da faca para levantar a tábua que tinha estalado. Embaixo dela havia três trouxas, todas enroladas com tiras de pano de algodão. Essas tiras pareciam úmidas e tinham um cheiro forte de óleo de revólver. Jonas pegou as trouxas e desembrulhou cada uma delas, curioso para averiguar a qualidade das armas que os rapazes tinham trazido. O resultado do exame provou ser útil, porém um pouco decepcionante. Duas das trouxas continham revólveres de cinco tiros de um tipo então chamado (por nenhuma razão que ele soubesse) “revólver de entalhe”. A terceira continha dois revólveres de seis tiros, armas de melhor qualidade que as armas de entalhe. De fato, por um momento de tirar o fôlego, Jonas achou que tinha encontrado os grandes revólveres de um pistoleiro… com verdadeiros canos de aço azulado, cabos de sândalo, calibres torneados à mão. Não poderia deixar de se apossar de revólveres assim, não importava que custo isso pudesse representar para seus planos. Então viu as coronhas comuns, o que não deixou de ser uma espécie de alívio. O desapontamento nunca era uma coisa que se procurava, mas às vezes funcionava como ótimo meio de clarear a mente.

Tornou a enrolar os revólveres e colocou-os no lugar, encaixando depois a tábua. Uma gangue de filhinhos de papai de Hambry poderia perfeitamente ter ido até lá, invadido a casa desprotegida e praticado atos de vandalismo, jogando contra as paredes o que não pudessem destroçar. Mas encontrar um esconderijo como aquele? Não, meu filho. Muito improvável.

Realmente acha que vão acreditar que isto foi feito por baderneiros da cidade?

Talvez; o fato de tê-los subestimado no início não significava que devesse dar ir ao outro extremo e agora superestimá-los. E podia se dar ao luxo de não se importar com isso. De um jeito ou de outro, iam ficar furiosos. Talvez furiosos o bastante para contornar a toda a velocidade sua Hillock. Deixando a cautela ser levada pelo vento… e prontos a colher a tempestade.

Jonas pôs a ponta da cauda de cachorro numa das gaiolas de pombos, onde ela ia parecer uma enorme e ridícula pena. Depois usou a tinta para escrever alguns slogans encantadoramente infantis, como

CHUPE meu PAU!

e

fora picões de merda

nas paredes. Então foi embora, parando um instante na varanda para verificar se ainda estava sozinho no Barra K. Claro que sim. Contudo, por um ou dois segundos, ali na ponta da varanda, sentira-se inquieto… como se alguém tivesse encontrado seu rastro. Por alguma espécie de telepatia do Mundo Interior, talvez.

Isso existe; você sabe. O toque, é como a chamam.

Ié, mas era uma ferramenta de pistoleiros, artistas e lunáticos. Não de garotos, fossem eles lordes ou apenas pirralhos.

Jonas voltou para seu cavalo com um passo um tanto acelerado, montou e cavalgou para a cidade. As coisas estavam chegando ao ponto de ebulição e havia muito a fazer antes que a Lua do Demônio surgisse cheia no céu.

6

A cabana de Rhea, com paredes de pedra e o musgo cobrindo os guijarros rachados do telhado, se erguia na última encosta da Cöos. Atrás dela havia uma esplêndida vista para noroeste — o pasto Ruim, o deserto, a rocha Pendurada, a garganta do Parafuso —, mas vistas pitorescas ocupavam o último lugar na mente de Sheemie que, não muito depois do meio-dia, conduzia cuidadosamente o Caprichoso para o pátio de Rhea. Vinha sentindo fome há cerca de uma hora, mas de repente o buraco no estômago não o incomodava mais. Aquele era o lugar do Baronato que mais detestava. Detestava até mais que a Citgo, com as grandes torres sempre no range-range e naquele pam-pam metálico.

— Sai? — chamou, entrando com o jumento no pátio. Vendo a cabana tão perto, Capi torceu o nariz, firmou as patas no chão e baixou o pescoço, mas quando Sheemie puxou o cabresto ele continuou a andar. Sheemie quase lhe pediu desculpas.

— Senhora? Boa e velha senhora que seria incapaz de matar uma mosca? Está aí? Aqui é o amigo Sheemie com seu *graf*. — Ele sorriu e estendeu a mão livre, palma para cima, mostrando ser totalmente inofensivo, mas continuou sem receber nenhuma resposta da cabana. Sheemie sentiu as entranhas primeiro revirarem, depois darem cãibras. Achou, por um momento, que ia fazer cocô na calça como um bebê; depois deixou o vento sair e sentiu-se um pouco melhor. Ao menos nos intestinos.

Avançou, a cada passo gostando menos do que estava fazendo. O pátio era rochoso e o matinho disperso, amarelado, como se a residente da cabana tivesse contaminado a própria terra com seu toque. Havia um jardim e Sheemie reparou que os vegetais que ainda cresciam nele (principalmente abóboras e chicórias) eram mutações. Então viu o espantalho do jardim. Também mutante, uma criatura repelente com duas cabeças de palha em vez de uma e, brotando da área do peito, aquela mão calçando uma luva feminina de cetim.

Sai Thorin jamais conseguirá que eu volte aqui, ele pensou. *Nem por todas as moedas do mundo.*

A porta da cabana estava aberta. Para Sheemie, ela se parecia com uma boca aberta de espanto. Um cheiro úmido e doentio saía de lá.

Sheemie parou a cerca de quinze passos da casa e, quando Capi bateu com o focinho em seu traseiro (como se perguntasse o que estavam fazendo), o garoto deixou escapar um pequeno grito. O som quase o fez correr e só exercitando toda a sua força de vontade ele conseguiu ficar onde estava. O dia estava luminoso, mas ali, naquela colina, o sol parecia não ter a menor importância. Não era a primeira vez que ia até lá e a colina de Rhea nunca lhe fora agradável, mas agora estava pior. Fazia com que se sentisse do jeito como o som da lúmina o fazia se sentir quando acordava e a ouvia no meio da noite. Era como se algo terrível estivesse deslizando em sua direção — algo que era com olhos insanos e garras estendidas, vermelhas.

— S-S-Sai? Tem alguém aí? Sou...

— Chegue mais perto. — A voz escapara da porta aberta. — Chegue até onde eu consiga vê-lo, garoto idiota.

Procurando não gemer nem chorar, Sheemie fez como a voz dizia. Teve a sensação de que não voltaria a descer a colina. O Caprichoso talvez, mas ele não. Pobre e velho Sheemie, ia acabar no caldeirão. Seria jantar naquela noite, sopa no dia seguinte e forneceria frios sortidos até o Fim do Ano. Seria assim.

Continuou o avanço relutante para a soleira da porta de Rhea, as pernas pouco firmes. Se os joelhos estivessem mais perto um do outro, bateriam como castanholas. Ela nem parecia *ser* a mesma pessoa.

— S-Sai? Estou com medo. Sim, estou.

— Sim, devia estar — disse a voz, ondulando e ondulando no ar, escorrendo para o sol como um doentio bafo de fumaça. — Mas isso não importa... Só faça o que estou dizendo. Chegue mais perto, Sheemie, filho de Stanley.

Sheemie obedeceu, embora o terror ameaçasse paralisá-lo a cada passo. O jumento ia atrás, cabeça baixa. Até ali, Capi tinha grasnado como um ganso, grasnado sem parar, mas agora caíra em silêncio.

— Então aqui está você — sussurrou a voz enterrada naquelas sombras. — Aqui está, de fato.

Ela pisou na luz do sol que penetrava pela porta aberta, estremecendo um instante quando os olhos ficaram ofuscados pela luminosidade. Trazia apertada nos braços a barrica vazia de *graf*. Enroscada em seu pescoço, como um colar, estava Ermot.

Sheemie já vira a cobra antes, e em ocasiões anteriores nunca deixara de imaginar quantas agonias sofreria antes de morrer se fosse mordido pela serpente. Naquele dia não teve estes pensamentos. Em comparação com Rhea, Ermot parecia normal. O rosto da velha mulher estava encovado, dando ao resto da cabeça um aspecto de caveira. Manchas marrons se acumulavam dos lados do cabelo ralo e sobre a testa saliente, como um exército de insetos invasores. Sob seu olho esquerdo havia uma ferida aberta e o sorriso mostrava apenas alguns dentes restantes.

— Não gosta da minha aparência, não é? — ela perguntou. — Dá um frio em seu coração, certo?

— N-Não — disse Sheemie e então, como aquela não parecia ser a resposta certa: — Quero dizer, sim! — Deuses, soava ainda pior e ele resumiu bruscamente: — A senhora é bonita, sai!

Rhea esboçou um riso silencioso e empurrou a barrica vazia para as mãos dele quase com força suficiente para fazê-lo cair no chão. O toque de seus dedos foi breve, mas suficiente para arrepiar a pele do rapaz.

— Ai de mim — disse ela. — Dizem que a beleza só vale por suas ações, não é? Pelo menos a ideia me agrada. Ié, e minha beleza te jogou no chão. Quero que levante e traga meu *graf*, criança idiota.

— S-Sim, sai! Agora mesmo, sai! — Sheemie pôs a barrica vazia no lombo do jumento, amarrou-a e soltou as cordas que sustentavam a nova barrica de *graf*. Tinha plena consciência de que Rhea o observava, o que o tornava ainda mais desajeitado. Finalmente conseguiu puxar a nova barrica. Ela quase escapou de suas mãos e, por um momento terrível, Sheemie achou que a barrica ia cair no chão de pedra e se quebrar, mas ele conseguiu retomar o aperto no último segundo. Aproximou-se de Rhea com a barrica e teve outro segundo para perceber que ela não estava mais com a cobra no pescoço. Logo sentiu a cobra rastejando em suas botas. Ermot virava a cabeça para cima, silvando e revelando um duplo conjunto de presas num sorriso sinistro.

— Não faça movimentos bruscos, meu rapaz. Não seria nada inteligente. Hoje Ermot está mal-humorada. Coloque a barrica do lado de dentro, aqui junto à porta. Está pesada demais para mim. Ultimamente não tenho comido bem.

Sheemie se curvou profundamente para pousar a barrica. *Faça sua melhor mesura*, tinha dito sai Thorin, e ele acabara de fazer exatamente isso. Fez também uma careta, não se atrevendo a diminuir a pressão nas costas com o movimento do pé, pois a cobra continuava nas suas botas. Quando ele se endireitou, Rhea lhe estendia um envelope velho e manchado. A aba fora selada com uma gota de cera vermelha. Sheemie tinha medo de pensar no que podia ter sido jogado na cera para transformá-la numa boa cola.

— Pegue isto e leve para Cordelia Delgado. Você a conhece?

— I-Ié — Sheemie conseguiu dizer. — A tia de sai Susan.

— É isso. — Sheemie estendeu hesitantemente a mão para pegar o envelope, mas Rhea o fez recuar um instante. — Você não sabe ler, sabe, garoto idiota?

— Naum. As palavras e as letras não param na minha cabeça.

— Bom. Cuidado para não mostrar isto a ninguém que saiba ou, numa noite dessas, vai encontrar Ermot à sua espera embaixo do travesseiro. Eu vejo longe, Sheemie, está prestando atenção? *Vejo longe*.

Era apenas um envelope, mas os dedos de Sheemie o acharam pesado e um tanto sinistro, como se fosse feito de pele humana, não de papel. E que tipo de carta Rhea poderia estar enviando para Cordelia Delgado? Sheemie recordou o dia em que vira a cara de sai Delgado toda coberta de teias de aranha e estremeceu. A horrenda figura emboscada na porta da cabana podia ter sido a mesma criatura que teceu aquelas teias.

— Se perder a mensagem, eu vou saber — Rhea murmurou. — Mostre minha mensagem a outra pessoa e eu vou saber. Lembre-se, filho de Stanley, eu vejo longe.

— Vou ter cuidado, sai. — Talvez fosse melhor se ele *realmente* perdesse o envelope, mas não ia perder. Sheemie era fraco da cabeça, todos diziam, mas não fraco a ponto de não entender por que fora chamado ali: não para entregar uma barrica de *graf*, mas para receber aquela carta e passá-la adiante.

— Não gostaria de entrar um pouco? — ela sussurrou, apontando um dedo para o meio das pernas. — Se eu lhe der um pedaço de cogumelo para comer, um cogumelo especial, é claro, posso ficar parecida com qualquer pessoa que você queira.

— Ah, não posso — disse ele, puxando a calça e mostrando um enorme sorriso que sugeria um grito querendo brotar da pele. — Aquela minha coisa irritante caiu na semana passada, assim foi.

Por um momento Rhea ficou boaquiaberta. Era uma das poucas vezes na vida em que ficara genuinamente surpresa. Então explodiu em ásperas rajadas de riso. Segurando a barriga com as mãos engorduradas, balançava de um lado para o outro com as risadas. Ermot, sobressaltada, fazendo a comprida barriga verde ondular, entrou rapidamente em casa. De algum lugar no fundo da cabana, o gato silvou.

— Vá embora — disse Rhea, ainda rindo. Ela se inclinou para a frente e jogou três ou quatro moedas no bolso da camisa de Sheemie. — Saia daqui, piradão! E não me fique por aí olhando as flores!

— Não, sai...

Antes que ele pudesse dizer mais alguma coisa, a porta bateu com tanta força que a poeira deve ter saltado das fendas entre as tábuas do assoalho.

7

Roland surpreendeu Cuthbert ao sugerir às duas horas que voltassem ao Barra K. Quando Bert perguntou pelo motivo, Roland se limitou a dar de ombros, e não falou mais nada. Bert olhou para Alain e viu uma expressão estranha, reflexiva no rosto do amigo.

Quando se aproximaram do barracão, uma sensação de mau presságio tomou conta de Cuthbert. Pararam numa elevação e deram uma olhada no Barra K. A porta da casa-sede estava aberta.

— Roland! — Alain gritou. Estava apontando para o bosque de choupos onde ficava a fonte do rancho. As roupas, cuidadosamente penduradas para secar quando partiram, estavam misturadas e espalhadas por todo lado.

Cuthbert desmontou e correu para lá. Pegou uma camisa, cheirou e atirou-a longe.

— Mijaram em cima! — gritou furioso.

— Vamos — disse Roland. — Vamos ver o que fizeram.

8

Tiveram muita coisa para ver. *Como você já esperava*, pensou Cuthbert, encarando Roland. Depois se virou para Alain, que parecia abatido, mas não realmente surpreso. *Como os* dois *já esperavam*.

Roland se curvou para um dos pombos mortos e puxou uma coisa tão fina que, de início, Cuthbert não conseguiu descobrir o que era. Então Roland se aprumou e exibiu o que era para os amigos. Um fio de cabelo. Muito comprido, muito branco. Ele abriu a pinça formada pelo indicador e o polegar, deixando o cabelo flutuar para o piso, onde caiu entre os restos do retrato da mãe e do pai de Cuthbert Allgood.

— Se você sabia que aquele velho patife estava aqui, por que não voltamos para acabar com a farra? — Cuthbert se ouviu perguntando.

— Porque não era a hora certa — respondeu Roland suavemente.

— *Ele* teria voltado, se um de nós estivesse na casa dele, destruindo as coisas dele.

— Não somos iguais a ele — disse Roland, ainda suavemente.

— Vou procurá-lo e lhe arrancar os dentes pela nuca.

— Não vai — disse Roland, sempre suavemente.

Se Berth ouvisse mais uma só palavra sair da boca de Roland desse jeito, entraria em colapso. Todos os sentimentos de camaradagem e ka-tet saíram de sua mente, que se encolheu dentro do corpo e ficou de imediato incapacitada pela raiva indistinta. Jonas estivera lá. Jonas havia mijado nas roupas deles, chamado a mãe de Alain de bocetuda, destroçado suas gravuras mais preciosas, pintado obscenidades infantis nas paredes, matado os pombos. Roland soubera… e não tinha feito nada… e pretendia *continuar* sem fazer nada. Nada além de foder a piranha da garota. Faria muitas vezes aquilo, ié, a única coisa que agora lhe importava.

Mas ela não vai gostar da sua cara na próxima vez que você subir na sela, Cuthbert pensou. *Eu vou garantir isso.*

Ele cerrou o punho, mas Alain segurou seu pulso. Roland se virou e começou a recolher as mantas espalhadas, como se a cara furiosa de Cuthbert e o punho fechado simplesmente não fossem da sua conta.

Cuthbert fechou o outro punho e se virou para Alain, pretendendo fazer Alain soltá-lo por bem ou por mal, mas a visão do rosto honesto e redondo do amigo, tão inocente e abatido, abrandou um pouco o rancor. Seu problema não era com Alain. Cuthbert tinha certeza de que Alain sentira que algo ruim estava acontecendo, mas também tinha certeza de que Roland o impedira de fazer qualquer coisa até Jonas ter ido embora.

— Venha comigo — Alain murmurou, colocando o braço em volta do ombro de Bert. — Lá para fora. Pelo amor de seu pai, venha. Você precisa esfriar a cabeça. Não é o melhor momento para começarmos a brigar entre nós.

— Também não é o melhor momento para os miolos de nosso líder irem todos para o seu pau — disse Cuthbert, sem fazer qualquer esforço para baixar a voz. Mas na segunda vez que Alain o puxou, Bert consentiu em ser levado para a porta.

Vou segurar minha raiva contra ele mais uma vez, pensou Cuthbert, *mas acho… eu* sei*… que na próxima não vou conseguir. Vou mandar Alain lhe dizer isso.*

A ideia de ter de usar Alain como intermediário entre ele e seu melhor amigo (o reconhecimento de que as coisas tinham chegado a um ponto desses) deixou Cuthbert dominado por uma raiva furiosa, desesperada. Da porta da varanda, ele se virou para Roland.

— *Ela o transformou num covarde* — disse na Língua Superior. A seu lado, Alain aspirou ruidosamente o ar.

De costas para os dois, com os braços cheios de mantas, Roland parou como se tivesse virado pedra. Nesse momento, Cuthbert teve certeza de que Roland ia se virar e se precipitar em sua direção. Iam lutar, provavelmente até um deles estar morto, cego ou inconsciente. Provavelmente, o derrotado seria ele, mas Cuthbert não se importava mais.

Roland, no entanto, não se virou. Em vez disso, se limitou a responder na mesma língua:

— *Ele veio roubar nossa esperteza e nossa cautela. Com você ele teve êxito.*

— Não — disse Cuthbert, voltando a se expressar na língua vulgar. — Sei que parte sua realmente acredita nisso, mas não foi o que aconteceu. A verdade é que está desnorteado. Você mergulhou numa paixão insensata e transformou a irresponsabilidade numa virtude. Eu...

— Pelo amor dos deuses, *venha*! — Alain foi quase ríspido e conseguiu puxá-lo da porta.

9

Com Roland fora de vista, Cuthbert, mesmo a contragosto, sentiu a raiva se deslocar para Alain; estava reagindo como um cata-vento num vendaval. Os dois se encararam no umbral ensolarado da porta, Alain parecendo triste e distraído, Cuthbert cerrando os punhos com tanta força que os lados das mãos tremiam.

— Por que está sempre justificando as ações dele? Por quê?

— Lá na Baixa, Roland perguntou se eu confiava nele. Eu disse que sim. E é verdade.

— Então é um tolo.

— E ele é um pistoleiro. Se diz que temos de esperar mais, vamos esperar.

— É um pistoleiro por acaso! É uma aberração! Uma mutação!

Alain o fitou em silêncio e chocado.

— Venha comigo, Alain. Está na hora de acabar com esta loucura. Vamos encontrar Jonas e matá-lo. Nosso ka-tet está rompido. Formaremos um novo, eu e você.

— Não está rompido. E se ele se romper, a responsabilidade será sua. Se isso acontecer, eu jamais vou perdoá-lo.

Agora foi Cuthbert quem ficou em silêncio.

— Vá dar uma caminhada — Alain continuou —, por que não vai? Uma longa caminhada. Dê a si mesmo tempo de esfriar a cabeça. Muita coisa depende da camaradagem entre nós...

— Diga isso a ele!

— Não, estou dizendo a você. Jonas escreveu uma palavra ofensiva sobre a minha mãe. Eu iria com você para me vingar se achasse que Roland não tem razão. Mas não é isso que Jonas quer? Que percamos a cabeça e passemos a atacar indistintamente, contornando nossa Hillock?

— Esse raciocínio está certo, mas também está errado — disse Cuthbert. Suas mãos iam relaxando aos poucos, os punhos se tornando novamente dedos. — Você não entende, e eu não tenho as palavras para explicar. Se eu disser que Susan envenenou o poço de nosso ka-tet, você me chamaria de ciumento. Sim, acho que ela fez isso, embora involuntariamente, inconscientemente. Ela envenenou a mente de Roland e a porta do inferno se abriu. Roland sente o calor que vem dessa porta aberta e acha que é apenas o fogo de seu sentimento por ela... Mas nós precisamos ver com mais clareza. Precisamos *pensar* com mais clareza. Por ele, por nós mesmos e por nossos pais.

— Está dizendo que ela é nossa inimiga?

— Não! Seria mais fácil se fosse. — Cuthbert inspirou profundamente, deixou o ar escapar, inspirou de novo, deixou escapar, inspirou uma terceira vez e soltou. A cada vez se sentia um pouco mais sensato, um pouco mais controlado. — Não importa. Por enquanto não há mais nada a dizer. Seu conselho é bom... Acho que vou dar uma caminhada. Uma longa caminhada.

Bert virou as costas e avançou para o cavalo.

— Diga a Roland que ele está errado. Diga que mesmo que esteja certo quanto à conveniência de esperar, está certo pelos motivos errados e isso faz com que esteja errado do princípio ao fim. — Cuthbert hesitou. — Conte o que eu disse sobre a porta do inferno. Diga que isso é fruto do *meu* toque. Vai dizer a ele?

— Vou. Mas fique longe de Jonas, Bert.

Cuthbert montou.

— Não prometo nada.

— Você ainda não é um homem. — Alain tinha muita tristeza na voz; estava quase à beira das lágrimas. — Nenhum de nós é.

— Espero que você também esteja errado — disse Cuthbert —, porque vamos enfrentar tarefas de homens.

Virando o cavalo, ele partiu a galope.

10

Foi até a estrada da Costa, tentando esvaziar a cabeça. Descobrira que, às vezes, coisas imprevistas se introduzem na nossa mente se deixamos a porta aberta. Frequentemente coisas úteis.

Naquela tarde, isso não aconteceu. Confuso, angustiado, sem qualquer ideia fresca (ou sequer a esperança de conseguir uma), Bert acabou voltando a Hambry. Cruzou a rua Alta de cima a baixo, acenando ou falando com as pessoas que lhe cumprimentavam. Os três haviam conhecido muita gente boa ali. Algumas pessoas ele já considerava como gente amiga, e Bert se sentia como se as pessoas comuns de Hambry os tivessem adotado: jovens que estavam longe de suas casas e famílias. E quanto mais Bert sabia e via dessas pessoas comuns, menos suspeitava que também pudessem fazer parte do joguinho sujo de Rimer e Jonas. Mas teria o Bom Homem escolhido Hambry se a cidade não oferecesse uma excelente cobertura?

Naquele dia havia muita gente fora de casa. O mercado rural estava muito movimentado, os quiosques de rua cercados de gente, crianças riam no show de Pinch e Jilly (Jilly não parava de correr de um lado para o outro atrás de Pinch e de bater no pobre e sofrido Pinch com a vassoura) e as decorações para a Feira da Colheita iam ficando rapidamente prontas. Cuthbert, no entanto, não se sentia alegre ou com vontade ao pensar na feira. Por que não era a sua verdadeira feira, a Feira da Colheita de Gilead? Talvez... mas o motivo principal era ter a mente e o coração pesados demais. Se aquilo fazia parte da experiência de se tornar adulto, teria preferido continuar sempre como criança.

Continuou cavalgando para fora da cidade, o oceano agora atrás dele, o sol lhe batendo em cheio no rosto, sua sombra ficando cada vez maior. Achou que logo estaria deixando a Grande Estrada para atravessar a Baixa em direção ao Barra K. Mas antes que isso acontecesse, encontrou Sheemie, seu velho amigo, conduzindo um jumento. A cabeça de Sheemie estava baixa, os ombros caídos, o *sombrero* rosado muito arriado, as botas empoeiradas. Cuthbert achou que ele parecia estar vindo a pé dos confins da Terra.

— Sheemie! — Cuthbert gritou, já antecipando o sorriso caloroso do rapaz e a conversa meio maluca. — Longos dias e belas noites! Como tem anda...

Sheemie levantou a cabeça e, quando a beira do *sombrero* subiu, Cuthbert fez silêncio. Vira o medo terrível que havia no rosto do garoto: as faces brancas, os olhos atônitos, a boca trêmula.

11

Sheemie podia ter chegado à casa das Delgado duas horas atrás se quisesse, mas tinha avançado a um passo de tartaruga, a carta dentro da camisa parecendo pesar cada passada sua. Era terrível, tão terrível. Não conseguia sequer pensar no assunto, porque a mente já estava quase toda em pedaços, assim era.

Numa fração de segundo Cuthbert desceu do cavalo e correu para Sheemie. Colocou as mãos nos ombros do rapaz.

— Qual é o problema? Conte ao seu velho parceiro. Ele não vai debochar, nem um pouco.

Ao som da voz simpática e da visão do rosto preocupado de "Arthur Heath", Sheemie começou a chorar. A ordem estrita de Rhea para que não dissesse nada a ninguém voou de sua cabeça. Ainda soluçando, contou tudo que lhe tinha acontecido desde o início da manhã. Duas vezes Cuthbert precisou pedir para que fosse mais devagar, mas só quando levou o rapaz para uma árvore, em cuja sombra os dois se sentaram, que Sheemie foi capaz de se acalmar. Cuthbert ouvia a história com crescente mal-estar. No final, Sheemie tirou um envelope de dentro da camisa.

Cuthbert rompeu o selo e leu o que estava lá dentro, os olhos se arregalando.

12

Roy Depape estava à espera dele no Repouso dos Viajantes e Jonas chegou bem-humorado da jornada ao Barra K. Um batedor tinha finalmente aparecido, Depape anunciou, e o estado de espírito de Jonas melhorou ainda mais. Só que Roy não parecia tão contente quanto Jonas achou que deveria estar. Na realidade, não parecia nada contente.

— O sujeito foi para Seafront, onde acho que está à espera — disse Depape. — Quer falar com você o mais depressa possível. No seu lugar, eu não me demoraria aqui, nem pelo tempo de comer um popquim. E também não beberia nada. Você vai precisar de uma cabeça boa para negociar com o sujeito.

— Está mesmo pagando de conselheiro, Roy? — disse Jonas. Falara num tom fortemente sarcástico, mas quando Pettie lhe trouxe uma dose de uísque, ele a recusou e pediu um copo de água. Roy parecia mesmo um tanto esquisito, Jonas concluiu. E estava um tanto pálido demais, o bom e velho Roy. E quando Sheb se sentou no banquinho do piano e bateu numa tecla, Roy Depape saltou em sua direção, a mão se aproximando da coronha do revólver. Interessante. E um tanto inquietante.

— Relaxa, filho… O que está te deixando de cabelo em pé?

Roy balançou sombriamente a cabeça.

— Nem eu mesmo sei exatamente.

— Qual é o nome do tal sujeito?

— Não perguntei, ele não disse. Mas me mostrou o *sigul* de Farson. Você conhece. — Depape baixou um pouco a voz. — O olho.

Jonas conhecia, sem dúvida. Detestava aquele olho fixo e arregalado, não fazia ideia do que levara Farson a escolher justamente aquele sinal. Por que não um punho de ferro? Espadas cruzadas? Ou um pássaro? Um falcão, por exemplo… um falcão teria dado um ótimo *sigul*. Mas aquele olho…

— Tudo bem — disse ele, acabando de tomar o copo de água. Sem dúvida, desceu melhor do que o uísque teria descido e ele continuou seco como um osso, assim era. — Vou ter de descobrir o resto sozinho, não é?

Quando ele atingiu as portas de vaivém e escancarou-as, Depape gritou seu nome. Jonas se virou.

— Ele parece uma pessoa diferente — disse Depape.

— O que isso quer dizer?

— Acho que nem eu mesmo sei. — Depape parecia embaraçado e desnorteado… mas também extremamente alerta. Pronto para sacar os revólveres. — Não conversamos mais de cinco minutos, mas em certo momento achei que ele era o velho bastardo de Ritzy… aquele que matei com um tiro. Um pouco mais tarde, olhei-o de relance e pensei: "Pelo fogo do inferno, é meu velho pai aqui parado". Então essa impressão passou e ele voltou a se parecer como ele próprio.

— E como é isso?

— Vai ver por si mesmo, imagino. Só não sei se vai gostar muito.

Jonas continuou com uma das portas de vaivém abertas, pensando.

— Roy, será que não era o próprio Farson? O Bom Homem com algum tipo de disfarce?

Depape hesitou, franziu a testa e balançou a cabeça.

— Não.

— Tem certeza? Só o vimos uma vez, está lembrado, e não de perto. — Latigo o indicara. Acontecera há dezesseis meses, um pouco mais, um pouco menos.

— Tenho certeza. Está lembrado de como era grandalhão?

Jonas assentiu. Farson não era Lorde Perth, mas tinha dois metros ou mais, peito e ombros largos.

— Este homem — continuou Depape — tem no máximo a altura de Clay. E mantém a mesma altura, não importa com quem esteja se parecendo num momento ou em outro. — Depape hesitou um instante e disse:

— Ri como um cadáver. Foi quase insuportável ouvir a risada dele.

— O que isto significa, como um cadáver?

Roy Depape balançou a cabeça.

— Também não sei muito bem — disse.

13

Vinte minutos mais tarde, Eldred Jonas passava sob os dizeres VENHA EM PAZ e entrava no pátio de Seafront, inquieto porque tinha esperado um encontro com Latigo… e a não ser que Roy estivesse realmente muito enganado, não era com Latigo que ia falar.

Miguel arrastou os pés para a frente, mostrando o sorriso velho, seboso, e pegando as rédeas do cavalo de Jonas.

— *Reconocimiento.*

— *Por nada, jefe.*

Jonas entrou, viu Olive Thorin sentada na saleta da frente como uma alma penada e acenou a cabeça para ela. Olive retornou o cumprimento e conseguiu dar um sorriso pálido.

— Sai Jonas, como o senhor está bem. Se falar com Hart…

— Desculpe, senhora, mas venho ver o chanceler — disse Jonas, continuando rapidamente a subir as escadas para o conjunto de aposentos do chanceler, logo cruzando um estreito corredor de pedra iluminado (e não muito bem) com bicos de gás.

Quando atingiu o final do corredor, deu uma batida na porta que havia lá — uma porta maciça de carvalho, com encaixes metálicos no arco. Rimer não dava importância a coisas como Susan Delgado, mas amava os ornamentos do poder; era isso que tirava a curvatura de seu talharim e o deixava ereto. Jonas bateu.

— Entre, meu amigo — disse uma voz, e não era a de Rimer. Foi seguida por um riso abafado que fez a pele de Jonas se arrepiar. *Ele ri como um cadáver*, dissera Roy.

Jonas empurrou a porta e entrou. Rimer dava tanta importância a incenso quanto aos lábios e quadris das mulheres, mas agora havia incenso queimando ali — um cheiro de madeira que fez Jonas se lembrar da corte em Gilead e das cerimônias diplomáticas no Grande Salão. Os bicos de gás estavam altos. As cortinas (de veludo roxo, cor da realeza, a favorita de Rimer) estremeciam delicadamente no sopro da brisa marinha que chegava pelas janelas abertas. De Rimer não havia sinal. Nem, para falar a verdade, de qualquer outra pessoa. Havia um pequeno balcão, mas embora as portas que levavam a ele estivessem abertas, não havia ninguém lá.

Jonas avançou um pouco mais pelo aposento, olhando de relance, sem virar a cabeça, para um espelho com moldura dourada na parede oposta. Deu para ver se havia alguém atrás dele. Não havia. À sua frente e à esquerda havia uma mesa com dois lugares e travessas com frios, mas ambas as cadeiras estavam vazias. Alguém, no entanto, falara com ele. Alguém que, a julgar pelo som, devia estar logo atrás da porta. Jonas sacou o revólver.

— Vamos, vamos — disse a voz que o convidara a entrar. Parecia estar atrás do ombro esquerdo de Jonas. — Não há necessidade disso, aqui somos todos amigos. Estamos todos do mesmo lado, acredite.

Jonas deu meia-volta, com uma repentina sensação de velhice e lentidão. Na sua frente havia um homem de estatura mediana, corpo aparentemente musculoso, olhos muito azuis e as faces coradas de alguém muito saudável ou muito chegado a um bom vinho. Os lábios entreabertos, sorridentes, revelavam dentes regulares e pequenos, que deviam ter tido as pontas trabalhadas — certamente dentes tão pontiagudos não tinha como ser naturais. Usava uma batina preta, como a batina de um sacerdote, o capuz jogado para trás. A primeira impressão de Jonas, a de que o sujeito era calvo, se mostrou equivocada. O cabelo fora simplesmente cortado tão rente que se reduzira a uma penugem.

— Guarde essa espingarda — disse o homem de preto. — Somos amigos, já lhe disse... perfeita paz e camaradagem. Vamos cortar o pão juntos e conversar sobre muita coisa... Bois, caminhões-tanques. Ou se Frank Sinatra realmente foi um solista melhor do que Der Bingle.

— Quem? E um melhor o *quê*?

— Ninguém que conheça e nada que tenha importância. — O homem de preto repetiu o riso abafado. Era, Jonas pensou, o tipo de som que se podia esperar ouvir caminhando rente às janelas gradeadas de um sanatório.

Ele se virou. Quis olhar de novo para o espelho. Desta vez viu o reflexo do homem de preto ali parado, sorrindo para ele, um vulto enorme. Deuses, teria estado lá desde o início?

Sim, mas só poderia vê-lo quando ele estivesse disposto a ser visto. Não sei se é um feiticeiro, mas é um encantador, não há dúvida. Talvez seja o bruxo de Farson.

Virou-se de novo. O homem com a batina de padre continuava sorrindo. Agora nenhum dente pontiagudo. Mas tinham sido pontiagudos. Jonas daria seu pescoço ao cutelo apostando nisso.

— Onde está Rimer?

— Mandei-o trabalhar com a jovem sai Delgado, ajudá-la nas recitações do Dia da Colheita — disse o homem de preto. Passando um braço amigável pelo ombro de Jonas, começou a levá-lo para a mesa. — Melhor confabularmos a sós, eu acho.

Jonas não queria ofender o homem de Farson, mas não pôde suportar o toque daquele braço. Não saberia dizer por que, mas era intolerável. Pestilencial. Sacudiu-o do ombro e foi para uma das cadeiras, tentando não tremer.

Não era de admirar que Depape tivesse voltado da rocha Pendurada parecendo pálido. Não era nada surpreendente.

Em vez de se sentir ofendido, o homem de preto repetiu o riso abafado (*Sim*, Jonas pensou, *ele realmente ri como os mortos, exatamente, assim é*). Por um momento Jonas achou que era Fardo, o pai de Cort, quem estava naquela sala com ele — Fardo era o homem que, muitos anos atrás, o mandara para oeste — e estendeu novamente a mão para o revólver. De repente era apenas o homem de preto, sorrindo de um jeito desagradavelmente onisciente, os olhos azuis dançando como a chama dos bicos de gás.

— Está vendo alguma coisa interessante, sai Jonas?

— Sim — disse Jonas se sentando. — Comida. — Pegou um pedaço de pão e jogou-o na boca. O pão grudou em sua língua seca, mas ele o mastigou com determinação.

— Bom garoto. — O outro também se sentou, servindo-se de vinho, enchendo primeiro a taça de Jonas. — Agora, meu amigo, me diga tudo que tem feito desde que chegaram os três moleques encrenqueiros e tudo que sabe, tudo que planejou. Me conte tudo, sem esquecer nenhum detalhe.

— Primeiro me mostre seu *sigul*.

— É claro. Você é muito prudente.

O homem de preto pôs a mão dentro da batina e tirou de lá um quadrado de metal… de prata, Jonas supôs. Atirou-o na mesa, fazendo-o se chocar contra o prato de Jonas. Gravado nele estava o que Jonas esperava ver: o hediondo olho arregalado.

— Satisfeito?

Jonas assentiu.

— Empurre de volta para mim.

Jonas estendeu a mão para a coisa, mas daquela vez sua mão, normalmente firme, ficou parecida com sua voz — frágil, trêmula. Por um instante ele contemplou os dedos tremendo, depois baixou rapidamente a mão para a mesa.

— Eu… eu não quero.

Não. Não queria. De repente percebia que, se tocasse a coisa, o olho de prata ali gravado rolaria… para encará-lo.

O homem de preto repetiu o riso abafado e fez um gesto de venha-comigo com os dedos da mão direita. A fivela de prata (era o que o objeto parecia aos olhos de Jonas) deslizou de volta para ele… e subiu sozinha pela manga de sua rústica batina.

— Abracadabra! Isso aí! Gostou? — disse o homem de preto, sorvendo delicadamente o vinho. — Agora, se já concluímos as cansativas formalidades…

— Mais uma — disse Jonas. — Você sabe meu nome; eu gostaria de saber o seu.

— Me chame de Walter — disse o homem de preto e o sorriso de repente sumiu de seus lábios. — O bom e velho Walter, o próprio. Agora vamos ver onde estamos e para onde vamos. Vamos, em suma, confabular.

14

Quando Cuthbert voltou ao barracão, a noite havia caído. Roland e Alain estavam jogando cartas. Tinham arrumado o lugar, que ficara quase parecido com o que era antes (graças à aguarrás encontrada num armário da sala do antigo capataz, até os slogans escritos nas paredes eram apenas sombras rosadas de seus antigos eus), e agora estavam profundamente envolvidos no jogo da Casa Fuerte, ou Hotpatch, como era conhecido naquela parte do mundo. De qualquer maneira, era basicamente uma versão para dois jogadores do jogo de Olho Vivo, o carteado que se jogava em bares, barracões e ao redor de fogueiras desde que o mundo era mundo.

Roland ergueu de imediato os olhos, procurando descobrir o clima emocional de Bert. Por fora continuava impassível como sempre, tinha até mesmo empatado com Alain em quatro jogadas difíceis, mas por dentro caíra num turbilhão de dor e indecisão. Alain lhe contara o que Cuthbert dissera quando conversaram no pátio e eram coisas terríveis para vir de um amigo, mesmo quando eram ouvidas por intermédio de outro. Contudo, o que mais o assombrava era o que Bert dissera pouco antes de sair: *Você mergulhou numa paixão insensata e transformou a irresponsabilidade numa virtude*. Haveria alguma possibilidade de ter feito uma coisa dessas? Repetia a si mesmo que não… que a trajetória que tinha mandado que seguissem era dura, mas sensata, a única trajetória que fazia sentido. A irritação de Cuthbert era apenas um desabafo raivoso, provocado pelo nervosismo… e pela fúria por ver seus aposentos particulares profanados de forma tão ultrajante. No entanto…

Diga que ele está certo pelos motivos errados e isso faz com que esteja errado do princípio ao fim.

Não podia ser assim.

Podia?

Cuthbert sorria e seu rosto estava vermelho, como se tivesse galopado a maior parte do caminho. Parecia jovem, bonito, cheio de vida. Parecia feliz, sem dúvida, quase como o velho Cuthbert — aquele que conseguia manter uma absurda e engraçada conversa com a caveira de corvo até alguém mandar que por favor, *por favor* calasse a boca.

Mas Roland não confiou no que viu. Havia alguma coisa errada com o sorriso de Bert, o tom nas bochechas indicava raiva em vez de saúde e a centelha nos olhos parecia mais febre que humor. A expressão de Roland nada deixou transparecer, mas o coração afundou. Havia esperado que a tempestade cedesse após um certo tempo, mas aparentemente não era o que estava acontecendo. Olhou de relance para Alain e viu que Alain sentia o mesmo.

Cuthbert, tudo estará acabado em três semanas. Se ao menos eu pudesse contar isso a você.

O pensamento que voltou foi assombroso em sua simplicidade: *Por que não pode?*

Percebeu que não sabia. Por que estava se contendo, guardando segredo? Com que *objetivo*? *Será* que estava cego? Deuses, *será*?

— Alô, Bert — disse ele —, fez uma boa...

— Sim, muito boa, uma caminhada muito boa, uma instrutiva caminhada. Venha até aqui fora. Quero lhe mostrar uma coisa.

Roland gostava cada vez menos do ar exultante nos olhos de Bert, mas pousou as cartas viradas numa arrumada fileira em forma de leque e se levantou da mesa.

Alain puxou-o pela manga.

— Não! — O tom foi baixo e cheio de pânico. — Não está vendo a cara dele?

— Estou vendo — disse Roland, sentindo o aperto no coração.

Pela primeira vez, enquanto andava devagar para o amigo que não parecia mais amigo, Roland achou que estava tomando decisões num estado bem próximo da embriaguez. E será que estava mesmo tomando decisões? Já não tinha certeza.

— O que está querendo me mostrar, Bert?

— Algo maravilhoso — disse Bert, rindo. Havia raiva no tom. Talvez morte. — Vai querer dar uma boa olhada. Sei que vai.

— Bert, o que está havendo com você? — Alain perguntou.

— Comigo? Não está havendo nada comigo, Al... Estou feliz como uma andorinha ao nascer do sol, uma abelha numa flor, um peixe no oceano. — E quando se virou, passando de novo à varanda, riu outra vez.

— Não vá lá — disse Alain. — Ele perdeu o juízo.

— Se deixarmos de ser amigos, qualquer possibilidade de sairmos vivos de Mejis está acabada — disse Roland. — Sendo esse o caso, prefiro morrer nas mãos de um amigo do que de um inimigo.

Ele saiu. Após um momento de hesitação, Alain foi atrás. No rosto dele, uma expressão da mais absoluta miséria.

15

A Caçadora se fora e o Demônio ainda não começara a mostrar o rosto, mas o céu estava cheio de estrelas, com luz suficiente para iluminar a noite. O cavalo de Cuthbert, ainda selado, estava amarrado no poste. Atrás dele, o quadrado de poeira no vão da porta brilhava como um dossel de prata embaçada.

— O que é? — Roland perguntou. Não estavam usando revólveres, nenhum deles estava. O que era uma dádiva, sem dúvida. — O que queria me mostrar?

— Está aqui. — Cuthbert parou a meio caminho entre o barracão e os restos calcinados do alicerce da antiga casa-sede. Apontou com grande confiança, mas Roland não viu nada de extraordinário. Caminhou para Cuthbert e baixou os olhos...

— Não vejo...

Uma luz brilhante — um brilho de mil estrelas — explodiu em sua cabeça quando o punho de Cuthbert avançou contra a ponta de seu queixo. Era a primeira vez, exceto de brincadeira (e quando eram meninos muito pequenos), que Bert o atingia. Roland não perdeu a consciência, mas sem dúvida perdeu o controle sobre seus braços e pernas. Estavam ali, mas pareciam estar em outro país, se debatendo como os membros de uma boneca de trapo. Ele caiu de costas. A poeira se levantou ao seu redor. As estrelas pareceram estranhamente em movimento, correndo em arcos e deixando trilhas esbranquiçadas no céu. Houve um zumbido alto em seus ouvidos.

De uma grande distância, ouviu o grito de Alain:

— Ah, seu tolo! Seu *tolo* maldito!

Fazendo um tremendo esforço, Roland conseguiu virar a cabeça. Viu Alain partir em sua direção e viu Cuthbert, não mais sorrindo, empurrá-lo.

— Isto é entre nós, Al. Fique fora.

— Bateu nele, seu escroto! — Alain, que não costumava se irritar, agora se enfurecia de um modo que Cuthbert talvez lamentasse. *Preciso me levantar*, Roland pensou. *Preciso ficar entre os dois antes que algo pior aconteça.* Seus braços e pernas começaram a girar sem forças na poeira.

— Sim... É o que ele está fazendo conosco — disse Cuthbert. — Só estou pagando na mesma moeda. — Baixou a cabeça. — É o que eu queria mostrar, Roland. Este trecho particular de chão. Esta particular nuvem de poeira em que está agora deitado. Sinta bem o sabor. Talvez ela consiga despertá-lo.

Agora a raiva do próprio Roland começava a crescer. Ele sentiu a frieza que ia dominando seus pensamentos, tentou resistir a ela e percebeu que não ia conseguir. Jonas deixou de ter importância; os caminhões-tanques na Citgo deixaram de ter importância; os suprimentos para a conspiração que tinham descoberto deixaram de ter importância. Logo a Confederação e o ka-tet, que tanto estava lhe custando preservar, também deixariam de ter importância.

O entorpecimento ia abandonando seus pés e suas pernas, e ele conseguiu se sentar. Ergueu calmamente os olhos para Bert, as mãos apoiadas no chão, a expressão determinada. O brilho das estrelas deslizava em seus olhos.

— Amo você, Cuthbert, mas não vou mais suportar insubordinação e acessos de ciúmes. Se eu quisesse dar o troco de tudo, acho que teria de reduzi-lo a pedaços, por isso só vou dar o troco do soco que você me deu quando eu nem tinha ideia do que estava acontecendo.

— Ié, não tenho dúvida de que pode fazer isso, cara — disse Cuthbert, entrando sem esforço no dialeto de Hambry. — Mas primeiro pode querer dar uma espiada nisto. — Com um ar de quase aversão, ele deixou cair uma folha dobrada de papel que bateu no peito de Roland e acabou em seu colo. Roland pegou o papel, sentindo o delicado gume da raiva perder o fio:

— O que é?

— Abra e leia. A luz das estrelas é suficiente para a leitura.

Devagar, com dedos relutantes, Roland desdobrou a folha de papel e leu o que estava rabiscado ali.

Não é mais pura! E quem entrou em cada buraco
dela foi Will Dearborn! O que acha disso?

Leu duas vezes. A segunda foi ainda mais difícil porque suas mãos tinham começado a tremer. Reviu cada lugar em que se encontrara com Susan — o abrigo de barcos, a choupana, o casebre — e viu-os sob uma nova luz, sabendo que mais alguém também os vira. E como tinha acreditado que estavam sendo espertos. Como se tornara confiante no sigilo e na discrição dos dois. No entanto havia alguém sempre a observá-los. Susan estava certa, alguém tinha visto.

Coloquei tudo em risco. A vida dela assim como nossas vidas.

Diga a ele o que eu disse sobre a entrada do inferno.

E a voz de Susan, também: *O ka é como um vento… se me ama, então me ame.*

Assim fizera, acreditando, em sua arrogância juvenil, que tudo acabaria bem pelo simples motivo (sim, no fundo acreditara nisto) que *ele* era *ele* e o ka tinha de servir ao seu amor.

— Fui um tolo — disse. Sua voz tremia como suas mãos.

— Sim, foi — disse Cuthbert. — Assim foi. — Ele caiu de joelhos na terra, encarando Roland. — Agora se quiser me bater, pode bater. Com a força que quiser e o número de vezes que puder. Não vou reagir. Fiz tudo o que podia para chamá-lo de volta às suas responsabilidades. Se continuar dormindo, não posso fazer mais nada. De um modo ou de outro, ainda amo você. — Bert colocou as mãos nos ombros de Roland e beijou rapidamente a face do amigo.

Roland começou a chorar. Em parte, eram lágrimas de gratidão, mas principalmente era um misto de vergonha e confusão; havia mesmo uma pequena e sombria parte dele que odiou Cuthbert e que sempre iria odiá-lo. Essa parte odiava Cuthbert mais por causa do beijo do que por causa do inesperado soco no queixo; mais pelo perdão do que pelo despertar.

Ficou de pé, ainda segurando a carta na mão cheia de pó, enquanto a outra tentava inutilmente limpar a poeira do rosto, só conseguindo enchê-lo de marcas de suor. Quando cambaleou, Cuthbert estendeu a mão para firmá-lo, mas Roland empurrou-o com tanta força que Bert teria caído se Alain não o segurasse pelos ombros.

Então, devagar, Roland voltou a se jogar no chão — desta vez na frente de Cuthbert, com as mãos erguidas, a cabeça baixa.

— Roland, não! — Cuthbert gritou.

— Sim — disse Roland. — Esqueci o rosto de meu pai e peço seu perdão.

— Sim, tudo bem, pelo amor dos deuses, sim! — Agora era o próprio Cuthbert quem parecia estar chorando. — Mas... por favor, levante! Parte meu coração vê-lo assim!

E também parte o meu fazer isso, Roland pensou. *Ser humilhado assim. Mas fui eu que provoquei, não fui? Me coloquei neste pátio escuro, com a cabeça latejando e o coração cheio de vergonha e medo. Fui eu quem fiz isso. Busquei e tenho de pagar pelo que fiz.*

Eles o ajudaram a se levantar e Roland se deixou ajudar.

— Foi uma boa canhota, Bert — disse ele numa voz que quase passou por normal.

— Mas mandada contra alguém que nem sabia o que estava acontecendo — Cuthbert respondeu.

— Esta carta... Como a encontrou?

Cuthbert falou do encontro com Sheemie, que estivera tremendo, apavorado. Fora como uma intervenção do ka... o ka que se manifestava através da pessoa de "Arthur Heath".

— Da bruxa — Roland ponderou. — Sim, mas como *ela* sabia? Pois nunca deixa a colina Cöos, ou pelo menos foi o que Susan me disse.

— Não sei dizer. E não me importo muito. O que mais me preocupa no momento é garantir que Sheemie não sofra por causa do que me contou e me deu. E também tenho medo de que Rhea tente contar de novo o que já tentou contar uma vez.

— Cometi pelo menos um erro terrível — disse Roland —, mas não considero amar Susan como outro erro. Isso estava além de mim para impedir. Para mim e para ela. Acreditam nisso?

— Sim — disse Alain de imediato.

Após um momento, quase relutantemente, Cuthbert acrescentou:

— Ié, Roland.

— Tenho sido arrogante e estúpido. Se este bilhete chegasse à tia de Susan, ela poderia ser mandada para o exílio.

— E nós para o inferno, via cordas de enforcado — Cuthbert acrescentou secamente. — Mesmo que para você, em comparação com o destino de Susan, isso fosse um problema menor.

— E quanto à bruxa? — Alain perguntou. — O que vamos fazer com ela?

Roland sorriu ligeiramente e se virou para o noroeste.

— Rhea — disse. — Além de tudo o mais que Rhea possa ser, ela é uma perigosa encrenqueira, certo? E encrenqueiros precisam ser denunciados.

Ele começou a voltar para o barracão, caminhando de cabeça baixa. Cuthbert olhou para Alain e viu que Al tinha também algumas lágrimas nos olhos. Bert estendeu a mão. Por um momento Alain se limitou a olhá-la. Depois assentiu (ao que parecia antes para si mesmo que para Cuthbert) e apertou a mão do amigo.

— Você fez o que tinha de fazer — disse Alain. — Tive minhas dúvidas a princípio, mas não agora.

Cuthbert soltou o ar dos pulmões.

— E fiz do modo como devia fazer. Se não o tivesse pegado de surpresa...

— Ele o teria deixado roxo de pancada.

— Muito mais que roxo — disse Cuthbert. — Eu teria ficado parecido com um arco-íris.

— Como um arco-íris de feira — disse Alain. — Com mais de sete cores.

Isso fez Cuthbert rir. Os dois voltaram para o barracão, onde Roland tirava a sela do cavalo de Bert.

Cuthbert se virou naquela direção para ajudar, mas Alain o deteve.

— Deixe que fique um pouco sozinho — disse. — É o melhor que você faz.

Continuaram a andar e, dez minutos mais tarde, quando Roland entrou, encontrou Cuthbert jogando com as suas cartas. E ganhando a partida.

— Bert.

Cuthbert ergueu os olhos.

— Temos uma tarefa de negócios amanhã, eu e você. No alto da colina Cöos.

— Vamos matá-la?

Roland pensou, e pensou bastante. Por fim olhou para o alto, mordendo o lábio.

— Devíamos.

— Ié. Devíamos. Mas vamos?

— Não, a menos que sejamos obrigados, eu acho. — Mais tarde, lamentaria esta decisão (se foi uma decisão) amargamente, mas em momento algum deixou de compreendê-la. Naquele outono de Mejis, era um garoto não muito mais velho que Jake Chambers e, em geral, garotos não tomam fácil ou naturalmente a decisão de matar. — Só se ela não nos deixar saída.

— Talvez fosse melhor que acontecesse isso — disse Cuthbert. Era conversa dura de pistoleiro, mas seu rosto tinha um ar perturbado.

— Sim. Talvez fosse melhor. Mas não é provável, ela é manhosa demais para agir assim. Prepare-se para acordar cedo.

— Tudo bem. Quer seu baralho de volta?

— Quando você está à beira de acabar com ele? De jeito nenhum.

Roland ultrapassou-os em direção à sua cama tosca. Sentou-se lá, olhando para as mãos dobradas no colo. Podia estar rezando; podia estar apenas muito mergulhado em reflexões. Depois de observá-lo por um instante, Cuthbert voltou para as cartas.

16

O sol acabara de aparecer no horizonte quando Roland e Cuthbert saíram na manhã seguinte. A Baixa, ainda ensopada do orvalho, parecia arder com o fogo alaranjado da primeira luz do dia. A respiração deles e a dos cavalos lançavam um vapor gelado no ar. Era uma manhã que nenhum dos dois jamais esqueceria. Pela primeira vez na vida avançavam usando coldres com revólveres; pela primeira vez na vida adentravam no mundo como pistoleiros.

Cuthbert não disse uma palavra — sabia que, se começasse, ia simplesmente colocar para fora grandes torrentes de sua habitual tagarelice — e Roland era calado por natureza. Houve apenas uma troca de palavras entre eles, e foi breve.

— Eu disse que cometi pelo menos um erro muito grave — comentou Roland. — Um erro que o bilhete — ele tocou no bolso da camisa — provou ter de fato ocorrido. Sabe a que erro estou me referindo?

— Não o de se apaixonar por ela... não a esse... — disse Cuthbert. — Você chama isso de ka e eu chamo do mesmo. — Era um alívio ser capaz de dizer isto e um alívio ainda maior acreditar nisto. Cuthbert achou que agora podia até aceitar Susan, não como amante de seu melhor amigo, uma garoto que ele próprio desejara ter quando a viu pela primeira vez, mas como parte do destino entrelaçado deles.

— Não — disse Roland. — Não o de amá-la, mas o de achar que o amor poderia de alguma forma ficar isolado de tudo o mais. Que eu poderia viver duas vidas: uma com você, Al e nosso trabalho aqui, outra com ela. Pensei que o amor poderia me elevar acima do ka, assim como as asas de um pássaro podem elevá-lo sobre as coisas que, de outro modo, acabariam por matá-lo e por devorá-lo. Consegue entender?

— A coisa o deixou cego. — Cuthbert falou com uma suavidade bastante estranha ao jovem que tanto sofrera nos últimos dois meses.

— Sim — disse Roland tristemente. — Ela me deixou cego... mas agora consigo ver. Por favor, vamos um pouco mais depressa. Quero resolver logo este assunto.

17

Subiram a trilha de carroças cheia de sulcos por onde Susan (uma Susan que ainda não conhecia tanta coisa sobre o mundo) chegara cantando "Descuidado amor" sob a luz da Lua do Beijo. Onde a trilha se abria para o pátio de Rhea, eles pararam.

— Bela vista — Roland murmurou. — Daqui se pode ver toda a extensão do deserto.

— Bom, não há muito a dizer sobre esta vista menor, que temos diante de nós.

Era verdade. O jardim estava cheio de mutações vegetais e o espantalho sugeria uma piada de mau gosto ou um mau presságio. O pátio só comportava uma árvore, que agora deixava cair as folhas ressecadas de outono como um velho abutre soltando as penas. Atrás da árvore ficava a própria cabana, feita de pedra rústica e tendo no topo o contorno chamuscado de uma chaminé. Havia um hexagrama pintado na chaminé, num tom amarelo-escuro. Num canto dos fundos, depois de uma janela com trepadeira, ficava a pilha de lenha.

Roland já vira muitas cabanas como aquela — e os três tinham passado por algumas na vinda de Gilead —, mas nunca tinham visto uma que parecesse tão absolutamente *errada*. Em sua aparência, não havia nada que destoasse do conjunto, mas havia a sensação, forte demais para ser negada, de uma presença. Uma presença que observava e esperava.

Cuthbert também a sentiu.

— Precisamos chegar mais perto? — Ele engoliu em seco. — Precisamos entrar? Porque... Roland, a porta está aberta. Está vendo?

Roland via. Como se ela os esperasse. Como se os estivesse convidando a entrar, querendo que se sentassem com ela para algum horrendo desjejum.

— Fique aqui. — Roland impeliu Rusher para a frente.

— Não! Eu vou!

— Não, cubra minha retaguarda. Se eu precisar entrar, vou chamá-lo para que se junte a mim... mas se eu precisar entrar, a velha mulher que mora aqui vai parar de respirar. Como eu disse, talvez fosse até melhor que isso acontecesse.

A cada passada lenta de Rusher, a sensação de haver algo errado crescia no coração e na mente de Roland. Havia um fedor no lugar, um cheiro entre carne estragada e tomates podres. Vinha da cabana, ele supôs, mas também parecia vir flutuando do próprio solo. E a cada passo o gemido da lúmina parecia mais alto, como se a atmosfera do lugar de alguma forma a ampliasse.

Susan subira até lá sozinha, e à noite, ele pensou. *Deuses, não sei se teria coragem de ir até lá à noite, mesmo na companhia dos meus amigos.*

Parou embaixo da árvore, olhando através da porta aberta a vinte passos de distância. Viu o que poderia ser uma cozinha: as pernas de uma mesa, as costas de uma cadeira, uma parede suja de lareira. Nenhum sinal da dona da casa. Mas estava lá. Roland podia sentir os olhos rastejando por ele como algum inseto nojento.

Não posso vê-la porque usou sua magia para se tornar dim... *mas ela está lá.*

E no entanto talvez *conseguisse* vê-la. O ar tinha uma estranha cintilação do lado de dentro da porta, bem à direita, como se tivesse sido aquecido. Roland ouvira dizer que era possível ver alguém que se tornara *dim* virando um pouco a cabeça e olhando pelo canto do olho. Foi o que fez.

— Roland? — Cuthbert chamou atrás dele.

— Tudo bem até agora, Bert. — Mal prestava atenção às palavras que dizia, porque... sim! A cintilação estava mais nítida e assumia quase a forma de uma mulher. Podia ser sua imaginação, é claro, mas...

Mas, naquele momento, como se compreendendo que ela fora vista, a cintilação recuou, mergulhando nas sombras. Roland viu de relance a bainha oscilante de um velho vestido preto, uma visão realmente muito rápida.

Não importava. Não fora até ali para vê-la mas apenas para lhe dar um único aviso... Que era, sem dúvida, mais do que qualquer um dos seus pais teria dado a ela.

— Rhea! — A voz dele incluiu os tons ásperos do que é antigo, do que é severo e do que comanda. Duas folhas amarelas caíram da árvore, como se soltas por aquele tom, e uma caiu em seu cabelo preto. Da cabana veio apenas um silêncio à espera, atento... De repente o uivo dissonante e zombeteiro de um gato.

— Rhea, filha de ninguém! Estou lhe devolvendo uma coisa, mulher! Uma coisa que você deve ter perdido! — Tirou da camisa a carta dobrada e atirou-a no chão de pedra. — Na realidade estou sendo seu amigo, Rhea... Se isto fosse parar onde você pretendia que fosse parar, você pagaria com a vida.

Fez uma pausa. Outra folha caiu da árvore. Esta pousou na crina de Rusher.

— Me escute com atenção, Rhea, filha de ninguém, e me entenda bem. Cheguei aqui com o nome de Will Dearborn, mas Dearborn não é meu verdadeiro nome e estou a serviço da Confederação. E atrás da Confederação há a submissão de tudo aos poderes do Branco. Você atravessou o caminho de nosso ka e vou adverti-la uma única vez: *não torne a cruzá-lo*. Está compreendendo?

Só aquele silêncio à espera.

— Não encoste a mão num único fio de cabelo do garoto que carregava sua maldade e sua má intenção, ou morrerá. Não faça mais qualquer comentário sobre as coisas que sabe ou acha que sabe... nem com Cordelia Delgado, nem com Jonas, nem com Rimer, nem com Thorin, ou morrerá. Fique em paz e nos manteremos em paz. Quebre-a e saberemos aquietá-la. Está entendendo?

Mais silêncio. Janelas sujas o espreitavam como olhos. Uma nuvem de brisa fez novas folhas choverem à sua volta e o espantalho estalar sinistramente em sua estaca. Roland pensou brevemente no cozinheiro, Hax, se contorcendo na ponta da corda.

— Está entendendo?

Nenhuma resposta. Agora ele já não podia ver sequer um bruxulear através da porta aberta.

— Muito bem — disse Roland. — Quem cala consente. — Puxou o cavalo. Quando o fez, sua cabeça se elevou um pouco e ele viu uma coisa verde se deslocando entre as folhas amarelas. Ouviu um silvo baixo.

— *Roland, cuidado! Cobra!* — gritou Cuthbert, mas antes que a segunda palavra saísse da boca do amigo, Roland puxara um dos revólveres. Caiu para o lado na sela, segurando-se com o calcanhar e a perna esquerdos enquanto Rusher se agitava e empinava. Atirou três vezes, o trovão do grande revólver irrompendo no ar quieto e depois voltando como eco das colinas vizinhas. A cada tiro a serpente era jogada para cima, seu sangue borrifando salpicos vermelhos sobre um fundo de céu azul e folhas amarelas. A última bala arrancou-lhe a cabeça. Quando caiu de vez, a cobra bateu no solo em dois pedaços. Do interior da cabana veio um gemido de dor e raiva tão terrível que a espinha de Roland se transformou num fio de gelo.

— *Seu escroto!* — gritou uma voz feminina das sombras. — *Ah, seu pirralho assassino! Minha amiga! Minha amiga!*

— Se era sua amiga, não a devia ter jogado em cima de mim — disse Roland. — Lembre-se disso, Rhea, filha de ninguém.

A voz deixou escapar mais um grito e se calou.

Roland voltou para perto de Cuthbert, devolvendo o revólver ao coldre. Os olhos de Bert estavam arregalados e espantados.

— Roland, que tiro! Deuses, que tiro!

— Vamos sair daqui.

— Mas ainda não sabemos como ela descobriu!

— E acha que ela vai dizer? — Havia um pequeno, mas nítido tremor na voz de Roland. O modo como a cobra saíra da árvore, vindo direto em sua direção… Ele mal podia acreditar que não estivesse morto. Graças aos deuses pela precisão de sua mão, que resolvera o problema.

— Poderíamos obrigá-la a falar — disse Cuthbert, mas Roland, pelo tom da própria voz de Bert, sabia que o amigo não tinha gosto para métodos violentos. Talvez mais tarde, talvez após anos de trilha e vida de pistoleiro, mas agora Bert tinha tanto estômago para torturar alguém quanto para matar diretamente.

— Mesmo que pudéssemos, não a poderíamos obrigar a dizer a verdade. E ela mente como as outras pessoas respiram. Se a convencemos a manter o silêncio, já ganhamos o dia. Vamos embora. Detesto este lugar.

18

— Precisamos nos reunir — disse Roland enquanto cavalgavam para a cidade.

— Está se referindo a nós quatro. É o que quer dizer, não é?

— Sim. Quero contar a você tudo que sei e tudo que suponho. Quero que conheça meu plano, da forma como está agora. Quero que saiba pelo *que* estamos esperando.

— Isso seria realmente ótimo, sem dúvida.

— Susan pode nos ajudar. — Roland parecia estar falando consigo mesmo. Cuthbert achou divertido que a folha solitária continuasse parada como uma coroa em seu cabelo preto. — Susan estava *destinada* a nos ajudar. Por que não percebi isso?

— Porque o amor é cego — disse Cuthbert rindo com desdém e batendo no ombro de Roland. — O amor é cego, garotão.

19

Quando teve certeza de que os garotos tinham partido, Rhea arrastou-se para fora da porta, penetrando na detestável luz do sol. Mancou até a árvore e caiu de joelhos ao lado do corpo dilacerado de sua serpente, chorando alto.

— Ermot, Ermot! — gritava. — Veja o que fizeram com você!

Via a cabeça da cobra, a boca aberta e imóvel, as presas duplas ainda gotejando veneno: gotas claras que brilhavam como prismas naquela luz do dia que tudo realçava. Os olhos vidrados cintilavam. Ela ergueu Ermot, beijou a boca escamosa, lambeu o resto do veneno nos dentes expostos sem parar de gemer e chorar. Em seguida levantou o corpo comprido e destroçado com a outra mão, gemendo ao ver os buracos que tinham sido abertos no couro acetinado de Ermot; os buracos e a carne vermelha dilacerada por baixo. Duas vezes apertou a cabeça dela contra o corpo e pronunciou encantamentos, mas nada aconteceu. Claro que não. Ermot se fora para além da possibilidade de ajuda dos feitiços. Pobre Ermot.

Encostou a cabeça da cobra num dos peitos caídos e velhos, e o corpo na outra. Então, com o resto do sangue da cobra molhando o corpete do vestido, olhou na direção que os detestáveis rapazes haviam tomado.

— Vou vingá-la — murmurou. — Por todos os deuses que jamais existiram, eu vou vingá-la. Quando menos esperarem, Rhea estará lá e seus gritos rasgarão as gargantas. Estão me ouvindo? *Seus gritos rasgarão suas gargantas!*

Ficou ajoelhada mais um pouco, depois se levantou e se arrastou para a cabana, segurando Ermot contra o seio.

5. O ARCO-ÍRIS DO MAGO

1

Certa tarde, três dias após a visita de Roland e Cuthbert à colina Cöos, Roy Depape e Clay Reynolds atravessavam o corredor do andar superior do Repouso dos Viajantes para o quarto espaçoso que Coral Thorin mantinha lá. Clay bateu. Jonas mandou que entrassem, estava aberta.

A primeira coisa que Depape viu ao entrar foi a própria sai Thorin numa cadeira de balanço perto da janela. Usava uma camisola forrada, de seda branca, e uma *bufanda* vermelha na cabeça. Tinha o colo cheio de tricô. Depape olhou-a surpreso. Ela concedeu a Reynolds e a ele um sorriso enigmático, disse "Olá, cavalheiros" e voltou ao trabalho de tricô. Do lado de fora, havia um barulho de fogos de artifício (gente jovem nunca conseguia esperar até o grande dia; se tinham fogos nas mãos, acabavam aproximando um fósforo deles), o relincho nervoso de um cavalo e o risada alta da garotada.

Depape se virou para Reynolds, que deu de ombros e depois cruzou os braços segurando os lados da capa. Era seu jeito de expressar dúvida, desaprovação ou ambos.

— Algum problema?

Jonas estava de pé na porta do banheiro, tirando creme de barbear do rosto com a ponta da toalha estendida no ombro. Nu até a cintura. Depape já o vira muitas vezes desse jeito, mas a malha esbranquiçada de cicatrizes sempre o fazia se sentir um nauseado.

— Bem… eu sabia que estávamos usando o quarto da senhora, só não sabia que a senhora vinha com ele.

— Ela vem. — Jonas atirou a tolha no banheiro, foi até a cama e pegou a camisa de um dos pés que se elevavam sobre o colchão. Atrás dele, Coral ergueu momentaneamente os olhos, dispensou a suas costas nuas um olhar de cobiça e voltou mais uma vez ao trabalho. Jonas deslizou para dentro da camisa. — Como estão as coisas na Citgo, Clay?

— Tranquilas. Mas vai haver barulho se certos jovens vagabundos meterem o bedelho lá dentro.

— Quantos estão lá e como estão se arranjando?

— Dez durante o dia. Uma dúzia à noite. Eu e Roy passamos por lá uma vez a cada turno, mas, como eu disse, tudo tem estado tranquilo.

Jonas assentiu, mas não se deu por satisfeito. Pretendera de já ter atraído garotos para Citgo, como pretendera fazer com que fossem atrás dos vândalos que haviam invadido sua casa e matado os pombos. Mas pelo menos até aquele momento eles continuavam ocultos atrás da maldita Hillock. Sentia-se como um homem numa arena com três jovens touros. O pretenso torero tinha um pano vermelho que não parava de sacudir de um lado para o outro, mas os touros se recusavam a atacar. Por quê?

— A operação de transporte? Como está indo?

— Com a precisão de um relógio — disse Reynolds. — Quatro caminhões-tanques por noite, em pares, durante as últimas quatro noites. Renfrew, do Susan Preguiçosa, é o encarregado. Ainda vai querer deixar meia dúzia como isca?

— Ié — disse Jonas e, nesse momento, houve uma batida na porta.

Depape teve um sobressalto.

— Será o...

— Não — disse Jonas. — Nosso amigo da batina preto levantou acampamento. Talvez tenha ido confortar as tropas do Bom Homem antes da batalha.

Depape deu uma boa risada. Ao lado da janela, a mulher de camisola baixou os olhos para seu tricô e não disse nada.

— Está aberta! — Jonas gritou.

O homem que entrou usava o *sombrero*, poncho e sandálias de um peão de fazenda ou *vaquero*, mas o rosto era pálido e o cacho de cabelo que saía sob a orla do *sombrero* era loiro. Chamava-se Latigo. Sem dúvida um sujeito duro, mas uma grande melhora em comparação com a figura sorridente de batina preta.

— Bom encontrá-los aqui, cavalheiros — disse ele, entrando e fechando a porta. Seu rosto... severo, franzido... era o rosto de um homem que há anos não via nada de bom. Talvez desde o nascimento. — Jonas? Você está bem? As coisas estão caminhando?

— Estou bem e as coisas idem — disse Jonas. Estendeu a mão. Latigo trocou um rápido, seco aperto de mão. Não cumprimentou Depape nem Reynolds, mas olhou de relance para Coral.

— Longos dias e belas noites, senhora.

— É o que lhe desejo em dobro, sai Latigo — disse ela sem tirar os olhos do tricô.

Latigo sentou-se na beira da cama, tirou um saquinho de fumo de baixo do poncho e começou a enrolar um cigarro.

— Não vou me demorar — disse. Falava no tom abrupto das áreas setentrionais do Mundo Interior, onde (assim Depape ouvira dizer) foder com renas ainda era considerada o esporte principal. A não ser, é claro, que você corresse mais rápido do que sua irmã. — Não seria sensato. Não me misturo com a multidão daqui, e podem desconfiar se olharem de perto.

— Não — disse Reynolds, com ar divertido. — Não mistura.

Latigo atirou-lhe um olhar afiado, mas logo voltou sua atenção para Jonas.

— A maior parte de meu grupo está acampada a trinta rodas daqui, na floresta a oeste da garganta do Parafuso... Por falar nisso, o que é esse barulho miserável dentro do desfiladeiro? Assusta os cavalos.

— É uma lúmina — disse Jonas.

— Também dá medo nos homens, quando eles se aproximam demais — disse Reynolds. — Melhor ficar longe dela, comandante.

— Quantos vocês são? — Jonas perguntou.

— Cem. E bem armados.

— Como se diz que estavam os efetivos de Lorde Perth.

— Não seja babaca.

— Os homens já tiveram alguma experiência de combate?

— Já experimentaram a dureza da luta — disse Latigo, e Jonas percebeu que estava mentindo. Farson tinha mantido os veteranos nos esconderijos das montanhas. Ali havia uma pequena força expedicionária onde, sem dúvida, só os sargentos seriam capazes de fazer qualquer coisa com seus paus que não fosse lavá-los. — Há uma dúzia de homens na rocha Pendurada, guardando os caminhões-tanques que foram levados para lá — acrescentou Latigo.

— Provavelmente mais homens do que o necessário.

— Não me arrisquei a vir até esta porra de cidade esquecida pelos deuses para discutir meus arranjos com você, Jonas.

— Peço seu perdão, sai — Jonas respondeu, mas sem grande ênfase. Ele se sentou no chão ao lado da cadeira de balanço de Coral e começou a enrolar seu próprio cigarro. Ela pôs o tricô de lado e começou a alisar seu cabelo. Depape não sabia o que Eldred via de tão fascinante naquela mulher... Ele enxergava apenas uma puta feia, com um nariz enorme e peitos que pareciam inchaços de mordida de mosquito.

— Quanto aos três homens jovens... — disse Latigo com o ar de alguém indo direto ao xis do problema. — O Bom Homem ficou extremamente perturbado ao saber que havia visitantes do Mundo Interior em Mejis. E agora você me diz que eles não são o que alegam ser. Então, exatamente quem são?

Jonas tirou a mão de Coral do seu cabelo como se enxotasse um inseto perturbador. Sem se abalar, ela voltou ao tricô.

— Não são homens jovens, mas meros garotos, e se a vinda deles para Mejis é ka... e sei que Farson se preocupa bastante com isso... então pode ser antes o nosso ka que o da Confederação.

— Infelizmente, teremos de nos abster de iluminar o Bom Homem com suas conclusões teológicas — disse Latigo. — Trouxemos rádios, mas estão enguiçados ou não funcionam a esta distância. Ninguém sabe ao certo. Seja como for, detesto todas essas geringonças. Os deuses riem delas. Estamos por nossa própria conta e risco, meu amigo. Para o bem ou para o mal.

— Farson não precisa se preocupar desnecessariamente — disse Jonas. — O Bom Homem quer esses rapazes tratados como ameaça a seus planos. Acho que Walter lhe disse o mesmo.

— Ié. E não esqueci de uma só palavra. Ninguém se esquece do que conversou com um homem do tipo de sai Walter.

— Sim — Latigo concordou. — Walter é o marcador do Bom Homem. A principal razão pela qual ele o procurou foi para chamar a atenção para esses garotos.

— E é o que temos feito. Roy, fale a sai Latigo de sua visita ao xerife anteontem.

Depape limpou nervosamente a garganta.

— O xerife… Avery…

— Eu o conheço, gordo como um porco na Terra Plena, assim é — disse Latigo. — Fale.

— Um dos guardas de Avery levou uma mensagem para os três garotos quando eles contavam cavalos na Baixa.

— Que mensagem?

— Fiquem fora da cidade no Dia da Colheita; fiquem fora da Baixa no Dia da Colheita; melhor ficarem em seus alojamentos no Dia da Colheita. Os habitantes do Baronato não gostam de ver forasteiros, mesmo aqueles de quem gostam, quando celebram suas festas.

— E como eles encararam a coisa?

— Concordaram de imediato em ficar em casa na Colheita — disse Depape. — Aliás, esse é o hábito deles: são agradáveis como pudins quando lhes pedem alguma coisa. São espertos, sem dúvida… Aqui, como em qualquer outro lugar, não há qualquer predisposição contra forasteiros no Dia da Colheita. Na realidade, é até bem comum fazer os estrangeiros participarem das festividades, como tenho certeza de que os rapazes sabem muito bem. A ideia…

— … é fazê-los acreditar que planejamos agir no próprio Dia da Feira, sim, sim — Latigo concluiu com impaciência. — O que eu quero saber é se estão convencidos. Você poderá pegá-los um dia *antes* da Colheita, como prometeu, ou eles estarão à espera?

Depape e Reynolds olharam para Jonas. Jonas estendeu a mão e pousou-a na coxa estreita, mas não sem charmes, de Coral. *Era a hora*, ele pensou. Seria julgado pelo que dissesse a seguir, e sem clemência. Se estivesse certo, os Grandes Caçadores de Caixões receberiam agradecimentos e pagamento…

talvez até um adicional. Se estivesse errado, seriam provavelmente pendurados tão alto e tão forte que suas cabeças estourariam ao atingirem o final das cordas.

— Vamos pegá-los como se fossem pássaros no chão — disse Jonas. — Serão acusados de traição. Três jovens, todos bem-nascidos, na folha de pagamentos de John Farson. Coisa chocante. O que poderia ser mais indicativo dos maus tempos em que vivemos?

— Uma denúncia de traição e a multidão aparece?

Jonas dispensou a Latigo um sorriso glacial.

— Como conceito, traição pode ter algum significado para as pessoas comuns, principalmente se a multidão estiver embriagada e as aguardentes tiverem sido compradas e pagas pela Associação dos Cavaleiros. Quanto à acusação de assassinato... especialmente se tratando de um prefeito muito amado...

Os olhos sobressaltados de Depape voaram para a irmã do prefeito.

— Que pena será — disse a senhora, e suspirou. — Talvez eu mesma me disponha a liderar a ralé.

Depape achou que finalmente estava compreendendo a atração de Eldred: ali estava uma mulher que conseguia ter exatamente o mesmo sangue-frio de Jonas.

— Outro ponto — disse Latigo. — Um objeto de propriedade do Bom Homem foi mandado a você para ser guardado em segurança. Uma certa bola de vidro?

Jonas assentiu.

— Sim, de fato. Uma bela bugiganga.

— Pelo que sei você a deixou com a *bruja* local.

— Sim.

— Deve pegá-la de volta. Logo.

— Não queira ensinar o padre a rezar missa — Jonas disse, um tanto mal-humorado. — Estou esperando até os pirralhos serem presos.

— Chegou a ver a bola, sai Latigo? — Reynolds murmurou curioso.

— Não cheguei muito perto da bola, mas conheci quem chegou. — Latigo fez uma pausa. — Um dos homens ficou louco e teve de ser abatido. Eu só tinha visto alguém num estado desses trinta anos atrás, na orla do grande deserto; era o morador de uma cabana, que fora mordido por um coiote raivoso.

— Bendita a Tartaruga — Reynolds murmurou, batendo três vezes na garganta. Ele tinha um medo terrível de pegar hidrofobia.

— Não conseguirá abençoar mais nada se o Arco-íris do Mago se apoderar de você — disse Latigo severamente, voltando de novo sua atenção para

Jonas. — Você vai precisar ser ainda mais cuidadoso ao pegar o objeto de volta do que foi ao entregá-lo. A velha feiticeira provavelmente está agora fascinada por ele.

— Pretendo mandar Rimer e Avery. Avery é meio lento nas reações, mas Rimer é um sujeito esperto.

— Sinto que não poderá ser assim — disse Latigo.

— Não? — disse Jonas. Sua mão se apertou na perna de Coral e ele sorriu amarelo para Latigo. — Talvez possa dizer a seu humilde servo *por que* não poderá.

Foi Coral quem respondeu.

— Porque — disse ela — quando a peça do Arco-íris do Mago que Rhea guarda for levada de volta, o chanceler estará ocupado acompanhando meu irmão a seu derradeiro local de repouso.

— Do que ela está falando, Eldred? — Depape perguntou.

— Que Rimer também morre — disse Jonas, começando a rir. — Outro crime hediondo a ser posto na conta dos sórdidos espiões de John Farson.

Coral sorriu em doce concordância, pôs as mãos sobre a mão de Jonas, puxou-a mais para o alto da sua coxa e tornou a pegar o tricô.

2

A garota, embora jovem, era casada.

O rapaz, embora belo, era instável.

Ela o encontrou certa noite, num lugar remoto, para dizer que o caso dos dois, por mais delicioso que fosse, precisava acabar. Ele respondeu que jamais ia acabar, porque estava escrito nas estrelas. Ela disse que podia ser, mas que a certa altura as constelações tinham mudado. Talvez ele tenha começado a chorar. Talvez ela tenha rido — graças ao nervosismo, muito provavelmente. Não importa a causa, o riso veio no pior momento. O rapaz pegou uma pedra e espatifou o cérebro da moça. Depois, retomando o controle e percebendo o que tinha feito, sentou-se com as costas apoiadas numa laje de granito, pôs a pobre e amassada cabeça da moça no colo e, enquanto uma coruja olhava de uma árvore próxima, cortou a própria garganta. Morreu cobrindo o rosto da moça de beijos e, quando os dois foram encontrados, os lábios estavam selados com os sangues que alimentavam a vida dele e a vida dela.

Uma história antiga. Cada cidade tem sua versão. O local é em geral uma ruazinha onde os apaixonados se encontram, um trecho retirado de margem de rio ou o cemitério da cidade. Embora os detalhes do que de fato aconteceu tenham sido bastante distorcidos para agradar a morbidez romântica, canções continuam sendo feitas. Costumam ser interpretadas por virgens ansiosos arranhando um pouco de violão ou bandolim, sem jamais conseguirem acertar o tom. Os coros tendem a incluir refrãos lacrimejantes *como tim-dom-tim-tim*, e *os dois acabaram assim-assim.*

Na versão hambryana dessa curiosa historinha, os amantes se chamavam Robert e Francesca e a coisa acontecera nos velhos tempos, antes de o mundo seguir adiante. O local do suposto homicídio-suicídio era o cemitério de Hambry, a pedra com a qual os miolos de Francesca tinham sido espatifados era um marco fúnebre de ardósia e a laje de granito contra a qual Robert se recostara segurando uma maçaroca afiada fora o mausoléu Thorin (era duvidoso que já existissem Thorins em Hambry ou Mejis cinco gerações atrás, mas histórias folclóricas geralmente não passam de mentiras em quadrinhas).

Verdade ou não, o cemitério era considerado assombrado pelos fantasmas dos amantes, que podiam ser vistos (era o que se dizia) caminhando de mãos dadas entre as pedras tumulares. Apareciam cobertos de sangue e com ar melancólico. Por isso o cemitério quase nunca era visitado à noite, o que o transformava no local mais indicado para Roland, Cuthbert, Alain e Susan se encontrarem.

No dia em que o encontro teve lugar, Roland já começara a se sentir cada vez mais preocupado... ou desesperado. Susan era o problema... ou, dito com mais exatidão, a tia de Susan. Mesmo sem a carta venenosa de Rhea para ajudar no processo, as suspeitas de Cordelia sobre Susan e Roland tinham se solidificado numa quase certeza. Certo dia, menos de uma semana antes do encontro no cemitério, Cordelia começara a brigar com Susan praticamente no momento em que ela pisou na porta de casa com uma cesta no braço.

— Esteve com ele! Esteve, mocinha suja, está escrito de uma ponta à outra da sua cara!

Susan, que naquele dia nem sabia por onde Roland andava, se limitou a ficar com ar de perplexidade diante da tia.

— Estive com quem? — ela perguntou.

— Ah, não dê uma de recatada comigo, Dona Ah-Tão-Jovem-e-Bela! Não seja fingida, por favor! Quem quase te mostra a língua quando passa em nossa porta? Dearborn, quem mais seria? Dearborn! Dearborn! Vou repetir mil vezes! Ah, quanta vergonha caindo sobre você! Vergonha! Olhe para as calças que está vestindo! Verdes do mato onde vocês têm rolado, é isso! Não sei como o tecido ainda não rasgou no meio das pernas! — Nesse momento tia Cord já estava quase gritando. As veias do pescoço pareciam cordas.

Atônita, Susan baixou os olhos para a velha calça cáqui que usava.

— Tia, isto é tinta... não vê? Chetta e eu estivemos fazendo as decorações do Dia da Feira, na Casa do Prefeito. E o que está no meu traseiro chegou lá quando Hart Thorin... não Dearborn, mas *Thorin*... me atacou de surpresa no galpão onde as decorações e os fogos estão guardados. Ele decidiu que estávamos num tempo e lugar tão bom quanto outro qualquer para ter outro pequeno encontro a sós. Subiu em cima de mim, soltou de novo aquele esguicho na calça e foi embora feliz. Murmurando alguma música. — Susan torceu o nariz. O que sentia por Thorin naqueles dias era uma espécie de melancólica aversão. O medo que tinha dele havia passado.

Tia Cord, enquanto isso, se limitara a observá-la com olhos brilhantes. Pela primeira vez Susan se viu duvidando conscientemente da sanidade de Cordelia.

— Mas que história plausível — Cordelia murmurou por fim. Tinha pequenas gotas de suor nas sobrancelhas e os feixes de veias azuis nas têmporas pulsavam como relógios. Até chegava a exalar um certo cheiro, tivesse ou não tomado banho... Um cheiro rançoso, ácido. — Estavam trabalhando juntos e se abraçaram depois, tu e ele?

Dando um passo à frente, Susan agarrou o pulso ossudo da tia e passou com força a mão de Cordelia na mancha de um dos joelhos. Cordelia gritou e tentou se livrar, mas Susan suspendeu-lhe a mão e encostou-a em seu nariz. Deixou-a lá até perceber que Cordelia havia cheirado o que ficara em sua palma.

—Sentes o cheiro, tia? Tinta! Está sendo usada no papel vegetal das lanternas coloridas!

A tensão foi lentamente deixando o pulso que Susan segurava. Os olhos que encaravam os seus recuperaram um certo nível de clareza. — Ié — a tia disse por fim. — Tinta. — Uma pausa. — Desta vez.

Era comum Susan virar a cabeça e ver um vulto de quadris estreitos deslizando atrás dela na rua ou um das muitas amigas da tia observando sua trajetória com olhos desconfiados. Agora, ao cavalgar pela Baixa, tinha sempre a sensação de estar sendo vigiada. Duas vezes antes de os quatro se reunirem no cemitério marcara encontro com Roland e seus amigos. Nas duas teve problemas; na segunda, no último momento. Nessa ocasião vira o filho mais velho de Brian Hookey a observando de uma maneira estranha e atenta. Fora apenas intuição... mas *forte* intuição.

O que tornava as coisas piores era que ela vivia sempre ansiosa por um encontro com Roland, e não apenas para confabular. Tinha necessidade de ver o rosto dele e pôr uma de suas mãos entre as dela. O resto, por melhor que fosse, podia esperar, mas Susan precisava vê-lo e tocá-lo; precisava ter certeza que ele não era apenas o sonho que uma garota solitária e assustada inventava para se consolar.

A partir de certo ponto, Maria começou a ajudá-la — que os deuses abençoassem a pequena camareira, que talvez soubesse mais do mundo do que Susan podia supor. Foi Maria quem levou um bilhete a Cordelia dizendo que Susan ia passar a noite na ala de hóspedes de Seafront. O bilhete era de Olive Thorin e, apesar de todas as suspeitas, Cordelia não pôde conceber que o bilhete fosse uma falsificação. E realmente não era. Olive o tinha escrito, desatenta e sem fazer perguntas, quando Susan pediu.

— O que há de errado com minha sobrinha? — Cordelia perguntara com aspereza.

— Está cansada, sai. E com *dolor de garganta*.

— Dor de garganta? Tão perto do Dia da Feira? Ridículo! Não acredito! Susan jamais fica doente!

— *Dolor de garganta* — Maria repetiu, impassível como apenas uma camponesa poderia ficar diante daquela atitude da tia; assim, Cordelia se deu por satisfeita. Maria não fazia ideia do que Susan andava aprontando e isso era ótimo para Susan.

Pulara o balcão, descendo com agilidade os cinco metros de trepadeiras que cresciam no lado norte do prédio e atravessando a porta de serviço no muro dos fundos. Ali Roland estava à espera e, após dois minutos quentes que não interessam a esta narrativa, cavalgaram juntos na sela de Rusher até o cemitério, onde Cuthbert e Alain esperavam, cheios de ansiedade e nervosa expectativa.

3

Susan olhou primeiro para o loiro tranquilo de cara redonda, cujo nome não era Richard Stockworth, mas Alain Johns. Depois olhou para o outro: o que ela sentia que a olhava com desconfiança e talvez até raiva. Cuthbert Allgood era seu nome.

Estavam sentados lado a lado numa lápide caída que a hera havia coberto. Apoiavam os pés na terra ensopada pela garoa. Susan deslizou do lombo de Rusher e aproximou-se devagar dos três. Eles se levantaram. Alain fez a mesura do Mundo Interior, com a perna à frente, o joelho firme, o salto da bota bem plantado no solo.

— Senhorita — disse. — Longos dias…

Agora o outro estava a seu lado... Magro e moreno, com um rosto que seria bonito se não fosse tão inquieto. Os olhos escuros eram realmente muito bonitos.

— ... e belas noites — Cuthbert concluiu, fazendo a mesma mesura de Alain. Os dois ficaram tão parecidos com os cortesãos de uma farsa cômica dos dias de feira que Susan riu. Não pôde evitar. E retribuiu com uma profunda cortesia dirigida a eles, onde estendia os braços para segurar a ponta da saia que não estava usando.

— E possam vocês ter tudo em dobro, cavalheiros.

Então eles simplesmente se entreolharam, como três adolescentes que não sabiam exatamente como proceder. Roland não foi em socorro; ainda montado em Rusher, se limitava a assistir atentamente à cena.

Susan deu um passo hesitante à frente e agora já não ria. Tinha ainda covinhas nos cantos dos lábios, mas os olhos estavam ansiosos.

— Espero que não tenham raiva de mim — disse. — Mas eu entenderia a raiva... Me intrometi nos seus planos... e também entre vocês três... mas não foi de propósito. — Susan tinha as mãos caídas ao lado do corpo, mas de repente ergueu-as para Alain e Cuthbert, as palmas para cima. — Eu o amo.

— Não temos raiva de você — disse Alain. — Temos, Bert?

Por um momento terrível, Cuthbert ficou em silêncio, olhando pelo ombro de Susan, parecendo examinar a Lua do Demônio, cada vez mais cheia. Ela sentiu o coração parar. Então o olhar de Bert voltou ao rosto de Susan e foi acompanhado por um sorriso de tamanha doçura que um pensamento confuso, mas intenso (*Se eu o tivesse conhecido primeiro*... começava assim), disparou como um cometa pela mente da moça.

— O amor de Roland é amor meu — disse Cuthbert. Estendeu a mão, pegou as mãos dela e puxou-a para a frente. Susan ficou entre ele e Alain, como uma irmã no meio de dois irmãos. — Pois somos amigos desde quando ainda usávamos roupinhas de bebê e vamos continuar amigos até que um de nós deixe a trilha para entrar na clareira. — Então ele sorriu como um menino. — Talvez, do jeito que andam as coisas, todos nós encontremos juntos o fim do caminho.

— E em breve — Alain acrescentou.

— Desde que — concluiu Susan Delgado — minha tia Cordelia não venha como acompanhante.

4

— Somos um ka-tet — disse Roland. — Um formado de muitos.

Observou um por um e não viu desacordo em seus olhos. Tinham se encaminhado para o mausoléu e as respirações saíam como vapor dos narizes e bocas. Acocorado, Roland contemplava os três sentados um ao lado do outro num banco esculpido em pedra e ladeado pelos restos dos buquês de flores em vasos também de pedra. O chão parecia forrado com as pétalas de rosas secas. Alain e Cuthbert, de um lado e de outro de Susan, puseram os braços nos ombros dela num gesto distraído. De novo ocorreu a Roland a imagem de uma irmã no meio de dois irmãos protetores.

— Somos mais fortes do que pensamos — disse Alain. — Sinto isso com convicção.

— Eu também — disse Cuthbert, olhando em volta. — E também sinto a força de um local de encontro tão belo quanto este. E tão adequado para um ka-tet como o nosso.

Roland nem sorriu; réplicas engraçadas nunca haviam sido o seu forte.

— Vamos falar do que está acontecendo em Hambry — disse — e depois conversar sobre nosso futuro imediato.

— Não nos mandaram cumprir nenhuma missão em Hambry, você sabe... — Alain comentou com Susan. — Fomos mandados por nossos pais, que quiseram nos tirar do caminho do perigo, só isso. O problema é que Roland despertou a hostilidade de um homem que provavelmente é um agente de John Farson...

— Despertou a hostilidade — repetiu Cuthbert. — Uma boa frase. Bem completa. Vou guardá-la para mim e usá-la sempre que puder.

— Controle-se — disse Roland. — Não tenho a menor vontade de passar a noite inteira aqui.

— Perdão, por favor, ó Grande Senhor — disse Cuthbert, e seus olhos se iluminaram de um modo decididamente impenitente.

— Trouxemos pombos-correios para o envio e recebimento de mensagens — Alain continuou —, mas acho que só vieram em nossa bagagem para nossos pais terem certeza de que estávamos bem.

— Sim — disse Cuthbert. — O que Alain está tentando dizer é que fomos pegos de surpresa. Roland e eu chegamos a ter... debates... sobre o que devíamos fazer. Ele queria esperar. Eu não. Agora acho que ele estava certo.

— Mas pelas razões erradas — disse Roland num tom seco. — Seja como for, resolvemos nossas diferenças.

Entre eles, Susan virou a cabeça para um e para outro com uma certa expressão de alarme. Seu olhar percebera o arroxeado no lado esquerdo do queixo de Roland, claramente visível mesmo na fraca luminosidade que saía da porta meio aberta.

— Resolveram como?

— Isso não vem ao caso — disse Roland. — Farson pretende travar uma batalha, talvez uma série delas, nas montanhas Shavéd, a noroeste de Gilead. Para as forças da Confederação que avançarem em sua direção, ele parecerá ter caído numa armadilha. E em circunstâncias normais, teria sido isso mesmo que aconteceria. Infelizmente Farson é que pretende atrair seus inimigos para lá, para uma armadilha, para destruí-los com as armas do Povo Antigo. Conseguirá isso usando o petróleo da Citgo. O óleo que está nos caminhões-tanques que encontramos, Susan.

— Mas onde será refinado para que Farson possa usá-lo?

— Em algum lugar a oeste daqui, em algum ponto de sua rota — disse Cuthbert. — Muito provavelmente em Vi Castis. Conhece o lugar? É área de mineração.

— Já ouvi falar, mas para falar a verdade nunca saí de Hambry. — Olhou diretamente para Roland. — Acho que isso vai mudar em breve.

— Há uma boa quantidade de equipamento da época do Povo Antigo esquecida naquelas montanhas — disse Alain. — Parece que a maior parte é ideal para combates junto a escarpas e em desfiladeiros. Há robôs e luzes que matam... feixes-navalha, é assim que se chamam, e conseguem cortar pelo meio a pessoa que entrar na mira de um deles. Só os deuses sabem o que mais existe ali. Muita coisa, sem dúvida, é apenas lenda, mas onde há fumaça muitas vezes há fogo. De qualquer modo, parece o ponto mais provável para o refino.

— E depois levarão o combustível para onde Farson estiver — disse Cuthbert. — Não que essa parte nos interesse; só podemos dar conta do que temos aqui em Mejis.

— Fiquei à espera justamente para podermos agir numa área maior disse Roland. — Pegando cada ponto da maldita pilhagem.

— Se por acaso ainda não repararam, nosso amigo é um pouquinho de nada ambicioso — disse Cuthbert com uma piscadela.

Roland não deu atenção. Olhava na direção da garganta do Parafuso. Naquela noite, não vinha qualquer ruído de lá; o vento tomara seu curso de outono, que levava as coisas para longe da cidade.

— Se pudermos tocar fogo no óleo — disse Roland —, o resto irá junto... Sem dúvida, o óleo é a coisa mais importante. Quero destruí-lo e depois quero sair correndo daqui. Com vocês três.

— Eles pretendem agir no Dia da Colheita, não é? — Susan perguntou.

— Ah, sim, é o que parece — disse Cuthbert, e riu. Era um som exuberante, contagioso (o riso de uma criança), e Cuthbert balançava de um lado para o outro, segurando a barriga como uma criança faria. Susan parecia confusa.

— O que foi? — perguntou. — O que foi?

— Não consigo contar — Cuthbert respondeu rindo alto. — É engraçado demais. Vou ficar rindo enquanto conto e Roland ficará irritado. Conta você, Al. Conte a Susan sobre a visita que recebemos do agente Dave.

— Dave foi nos visitar no Barra K — disse Alain, ele próprio sorrindo. — Falou com a gente como se fosse um tio. Disse que as pessoas de Hambry não gostam de ver forasteiros em suas festas e que era melhor que ficássemos em casa no dia da lua cheia.

— Que absurdo! — disse Susan num tom indignado, como fazem alguns quando sentem que a cidade natal foi caluniada. — *Gostamos* de ter gente de fora em nossas feiras, assim é, assim sempre foi! Não somos um bando de... de selvagens!

— Calma, calma — disse Cuthbert, tentando abafar o riso. — Sabemos disso, mas o agente Dave não sabe que sabemos, não é? Ele sabe que a esposa faz o melhor chá branco num raio de quilômetros, mas fora isso Dave vive com a cabeça na lua. O xerife Herk é um *pouco* mais esperto, acredito eu. Um pouco, mas não muito.

— O empenho deles em nos fazer essa advertência significa duas coisas — disse Roland. — A primeira é que pretendem agir no Dia da Feira da Colheita, exatamente como você disse, Susan. A segunda é que acham que poderão contrabandear as mercadorias de Farson bem debaixo dos nossos narizes.

— E depois talvez nos culpar por isso ter acontecido — disse Alain.

— Ela olhou curiosa de um para o outro e perguntou:

— O que vocês planejam fazer, então?

— Destruir o que deixaram na Citgo como isca e depois atacá-los onde se reunirem — disse Roland em voz baixa. — E vão se reunir na rocha Pendurada. Pelo menos metade dos caminhões-tanques que pretendem levar para oeste já estão lá. Terão também seu efetivo de homens. Cerca de duzentos, talvez, embora acho que possa ser menos. Tenho a intenção de que todos esses homens morram.

— Se eles não morrerem, morremos nós — disse Alain.

— Como nós quatro vamos poder matar duzentos soldados?

— Não podemos. Mas se conseguirmos atear fogo num ou dois dos caminhões-tanques enfileirados no lugar, acho que haverá uma explosão... Talvez uma terrível explosão. Os soldados que sobreviverem ficarão apavorados e os líderes sobreviventes enfurecidos. Vão nos ver, porque nos deixaremos ver...

Alain e Cuthbert olhavam-no sem respirar. O resto do plano já tinham ouvido ou adivinhado, mas aquela parte era o detalhe que Roland, até então, guardara para si.

— E aí? — ela perguntou assustada. — *E aí?*

— Acho que podemos empurrá-los para a garganta do Parafuso — disse Roland. — Acho que podemos empurrá-los para a lúmina.

5

Seguiu-se um silêncio atônito.

— Você está louco — disse Susan, não sem um certo respeito.

— Não — disse Cuthbert com ar pensativo. — Não está. Ele está de olho naquela pequena fenda na parede do desfiladeiro, não está, Roland? A que fica logo antes do calombo no piso do desfiladeiro.

Roland assentiu.

— Quatro pessoas conseguem subir por ali sem grande dificuldade. No topo, empilharíamos um bom número de pedras. Suficiente para submeter a um pequeno desmoronamento qualquer um que tentasse vir atrás de nós.

— Isso é horrível — disse Susan.

— É sobrevivência — Alain replicou. — Se os deixarmos conservar o combustível e colocá-lo em ação, vão massacrar cada homem da Confederação que entrar no raio de suas armas. O Bom Homem não faz prisioneiros.

— Eu não disse errado, apenas horrível.

Ficaram um instante em silêncio, quatro crianças contemplando o assassinato de duzentos homens. Só que não seriam todos homens; muitos (talvez a maioria) seriam garotos mais ou menos de suas idades.

— Quem não cair sob o desmoramento das pedras — disse Susan, por fim — vai voltar e sair do desfiladeiro.

— Não, não vai. — Alain tinha se lembrado da configuração do terreno e agora compreendia a coisa quase completamente. Roland assentia e tinha um traço de sorriso na boca.

— Por que não?

— Os galhos e o mato amontoados na frente do desfiladeiro. Vamos incendiá-los, não vamos, Roland? Se os ventos dominantes estiverem dominando naquele dia, a fumaça...

— Vai colocá-los no trecho final do caminho — Roland concordou.

— Em direção à lúmina.

— Como vão conseguir tocar fogo na pilha de mato? — Susan perguntou. — Está seco demais e sem dúvida não vão ter tempo de usar fósforos de enxofre ou a vara de pederneira.

— Você pode nos ajudar nisso — disse Roland —, assim como pode nos ajudar a pôr fogo nos caminhões. Não podemos confiar que vamos incendiar o óleo apenas com nossos revólveres; o óleo cru é bem menos volátil do que as pessoas pensam. Sheemie vai ajudá-la, eu espero.

— Me diga o que quer.

6

Conversaram por mais vinte minutos, refinando o plano surpreendentemente objetivo: todos pareciam compreender que se planejassem demais e se as coisas mudassem de repente poderiam ficar sem ação. O ka os arrastara para aquilo; talvez fosse melhor que confiassem no ka (e em sua própria coragem) para se livrarem do problema.

Cuthbert relutava em envolver Sheemie, mas finalmente concordou a parte do garoto seria mínima, mesmo que não fosse exatamente de baixo risco. Roland concordou em levá-lo junto quando partissem para sempre de Mejis. "Um grupo de cinco era tão bom quanto um grupo de quatro", ele disse.

— Tudo bem — arrematou Cuthbert virando-se para Susan. — Eu ou você temos de falar com ele.

— Eu falo.

— Faça com que compreenda que não pode dizer uma só palavra a Coral Thorin — disse Cuthbert. — Não porque o prefeito seja irmão dela, mas porque eu simplesmente não confio naquela puta.

— Também posso dar uma razão melhor do que Hart para não confiarmos nela — disse Susan. — Minha tia contou que ela está dormindo com Eldred Jonas. Pobre tia Cord! Teve o pior verão de sua vida. E o outono não será muito melhor, eu acho. As pessoas vão apontá-la como a tia de uma traidora.

— Haverá quem fale diferente — disse Alain. — Sempre há.

— Talvez, mas minha tia Cordelia é o tipo de mulher que nunca dá ouvidos ao que se comenta de bom. Assim como também não comenta nada de bom. Ela ficou caída por Jonas, sabiam?

Cuthbert ficou atônito.

— Gostando de Jonas! Por todos os deuses conhecidos! Podem imaginar uma coisa dessas? Se enforcassem pessoas por mau gosto no amor, sua titia seria uma forte candidata, não acha?

Susan riu, abraçou os joelhos e assentiu.

— Está na hora de irmos — disse Roland. — Se houver alguma mudança de planos de que Susan precise saber, podemos usar a pedra vermelha na parede de pedra do Coração Verde.

— Ótimo — disse Cuthbert. — Vamos sair daqui. O frio deste lugar chega nos ossos.

Roland se mexeu, trazendo de novo vida às suas pernas.

— O importante é que decidiram nos deixar livres enquanto reúnem as coisas para fugir. É nossa chance e é uma boa chance. Agora...

Foi interrompido pela voz calma de Alain.

— Há outro detalhe. Muito importante.

Roland tornou a ficar de cócoras, olhando curioso para Alain.

— A bruxa.

Susan estremeceu, mas Roland limitou-se a soltar um riso impaciente.

— Ela não entra no negócio, Al... Não imagino como poderia entrar. Não acredito que ela faça parte da conspiração de Jonas...

— Nem eu — disse Alain.

— ... e eu e Cuthbert a convencemos a ficar de boca fechada com relação a Susan e a mim. Se não tivéssemos conseguido isto, a essa altura a tia de Susan já teria feito o diabo.

— Mas será que não está entendendo? — disse Alain. — O problema não é que Rhea possa ter contado a alguém. O problema é como ela ficou sabendo da coisa.

— É rosa — disse Susan bruscamente. Tinha as mãos no cabelo, os dedos tocando o lugar onde as pontas cortadas haviam começado a crescer.

— O que é rosa? — Alain perguntou.

— A lua — disse ela balançando a cabeça. — Não sei. Não sei do que estou falando. Será que estou ficando pirada como Pinch e Jilly, estou... Roland? Agora é você? O que há com você?

Roland já não estava de cócoras; desabara sentado no chão de pedra salpicado de pétalas de flores. Parecia estar tentando não desmaiar. Na frente do mausoléu as folhas secas fizeram um barulho de chocalhar de ossos e um curiango piou.

— Pelos deuses — ele disse em voz baixa. — Não pode ser. *Não pode ser verdade.* — Seus olhos encontraram os de Cuthbert.

Todo o humor sumira da cara do rapaz, deixando uma máscara impiedosa e astuta que sua própria mãe talvez não reconhecesse... ou talvez preferisse não reconhecer.

— Rosa — disse Cuthbert. — Não é interessante?... A mesma palavra que seu pai mencionou minutos antes de partirmos, Roland, está lembrado? Ele nos advertiu contra a coisa rosa. Achamos que fosse alguma brincadeira. Ou *quase* achamos.

— Ah! — Os olhos de Alain se escancararam. — *Merda!* — ele deixou escapar. Percebendo que dissera aquilo sentado bem junto da namorada de seu melhor amigo, bateu com a mão na boca. O rosto ficou muito vermelho.

Susan mal reparou. Encarava Roland com uma expressão de medo e confusão crescentes.

— O que é? — perguntou. — O que você sabe? Me diga! *Diga!*

— Gostaria de hipnotizá-la de novo, como fiz naquele dia no bosque de salgueiros — disse Roland. — Quero fazer isso agora, antes de levarmos esta conversa adiante, turvando ainda mais o que você possa lembrar.

Roland colocara a mão no bolso enquanto ela estava falando. Agora mostrava uma bala que mais uma vez começou a dançar nas costas de sua mão. Os olhos de Susan foram de imediato para a bala, como aço atraído por ímã.

— Posso? — ele perguntou. — Com a sua permissão.

— Ié, como quiser. — Seus olhos se arregalavam e iam ficando vidrados. — Não sei por que acha que desta vez seria diferente da outra, mas... — Susan parou de falar, os olhos continuando a seguir a dança da bala pela mão de Roland. Quando ele parou de movê-la e segurou-a no pulso, os olhos dela se fecharam. Sua respiração era suave e regular.

— Deuses, mergulhou como uma pedra — Cuthbert sussurrou, espantado.

— Já foi hipnotizada antes. Por Rhea, eu acho. — Roland fez uma pausa. Então: — Susan, está me ouvindo?

— Ié, Roland, estou ouvindo muito bem.

— Quero que também escute outra voz.

— De quem?

Roland acenou para Alain. Se alguém pudesse romper o bloqueio na mente de Susan (ou achar um meio de contorná-lo), seria ele.

— A minha, Susan — disse Alain, colocando-se ao lado de Roland. — Está reconhecendo?

— Ié, é o Alain. — Ela sorriu com os olhos fechados. — Isto é, Richard Stockworth.

— Exato. — Alain se virou para Roland com olhos nervosos, indagadores (*O que devo perguntar?*), mas Roland não respondeu de imediato. Estava em dois outros lugares, nos dois ao mesmo tempo, e ouvia duas vozes diferentes.

Susan, na margem do riacho do bosque de salgueiros: Ela diz: "*Ié, muito bom, isso mesmo, você é uma boa moça*", *depois tudo fica rosa.*

Seu pai, no pátio atrás do Grande Salão: *É a toranja. Ao que quero dizer, é que é a rosa.*

A rosa.

7

Os cavalos estavam selados e carregados; os três rapazes permaneciam ao lado deles, impassíveis por fora, mas por dentro febris para partir. A estrada e os mistérios que se escondem em seu trajeto exercem um fascínio único sobre os jovens.

Achavam-se no pátio que se estendia à direita do Grande Salão, não muito longe de onde Roland, levando a melhor sobre Cort, pusera todas aquelas coisas em ação. Era início da manhã, o sol ainda não se erguera, a névoa se estendia sobre os campos verdes em faixas cinzentas. À distância de uns vinte passos, os pais de Cuthbert e de Alain montavam guarda com as pernas bem separadas e as mãos nos cabos dos revólveres. Era improvável que Marten (que naquele momento estava ausente do palácio e, ao que parecia, da própria Gilead) levasse a cabo algum tipo de ataque contra eles — não faria isso ali —, mas a possibilidade não estava inteiramente fora de questão.

Então foi apenas o pai de Roland que se dirigiu a eles enquanto montavam para dar início à jornada para leste, rumo a Mejis e ao Arco Exterior.

— Uma última coisa — disse enquanto os rapazes ajustavam a cilha de suas selas. — Duvido que encontrem alguma coisa de interesse para nós... não em Mejis... mas devem manter um olho atento à cor do arco-íris. Isto é, ao Arco-íris do Mago. — Ele sorriu e acrescentou: — É a toranja. Ao que quero dizer, é que é a rosa.

— O Arco-íris do Mago não passa de conto de fadas — disse Cuthbert, sorrindo em resposta ao sorriso de Steven. Então (talvez fosse alguma coisa nos olhos de Steven Deschain), o sorriso de Cuthbert estremeceu. — Não é?

— Nem todas as histórias antigas são verdadeiras, mas acho que essa do arco-íris de Maerlyn é — Steven respondeu. — Conta-se que antigamente havia treze bolas de cristal... uma para cada um dos Doze Guardiões e uma representando o ponto de conexão dos Feixes.

— Uma para a Torre — disse Roland em voz baixa, sentindo um arrepio pelo corpo. — Uma para a Torre Negra.

— Sim, a Décima Terceira. Assim era chamada quando eu era garoto. Às vezes contávamos histórias sobre a bola preta ao redor da fogueira, assustando a nós mesmos... a menos que fôssemos surpreendidos por nossos pais. Meu pai, por exemplo, dizia que não era bom falar da Décima Terceira, pois ela podia ouvir seu nome ser invocado e poderia se colocar em nosso caminho. Mas a Décima Terceira Preta não tem importância para vocês três... pelo menos não por enquanto. Não. O problema é a rosa. A toranja de Maerlyn.

Era impossível dizer até que ponto ele estava falando sério... ou mesmo se havia alguma seriedade na coisa.

— Se as outras bolas do Arco-íris do Mago realmente existiram, a maioria já está quebrada. Vocês sabem, essas coisas nunca ficam muito tempo num lugar ou num mesmo par de mãos, e mesmo vidro encantado tem mania de se quebrar. Contudo, pelo menos três ou quatro bolas de vidro do Arco-íris ainda podem estar rolando ao redor deste nosso triste mundo. A azul, quase certamente. Uma tribo selvagem de vagos mutantes... os Suínos Totais, como se chamam... guardava-a há menos de cinquenta anos, mas depois ela tornou a desaparecer. Dizem que os globos verde e alaranjado estão respectivamente em Lud e Dis. E, apenas talvez, também o rosa estaria numa das duas áreas.

— O que exatamente fazem essas bolas? — Roland perguntou. — Para que servem?

— Para ver. Dizem que certas cores do Arco-íris do Mago permitem ver o futuro. Outras se abririam para outros mundos... aqueles onde vivem os demônios, aqueles para onde o Povo Antigo deve ter ido quando deixou o nosso mundo. Elas também podem indicar a localização de portas secretas que passam entre os mundos. Dizem que algumas cores podem olhar bem no fundo de nosso próprio mundo e ver coisas que as pessoas prefeririam manter em segredo. Nunca veem o bem; apenas o mal. Que parte disto é verdade e que parte é mito ninguém sabe com certeza.

Steven olhou para eles, o sorriso se apagando.

— Mas de uma coisa sabemos: dizem que John Farson tem um talismã, algo que brilha em sua tenda tarde da noite... às vezes antes das batalhas, às vezes antes de movimentações extensas de tropas e cavalos, às vezes antes de importantes decisões serem anunciadas. E é um brilho rosa.

— Talvez ele tenha uma lâmpada elétrica e coloque um cachecol rosa em cima dela quando está rezando — disse Cuthbert. Olhou para os amigos, um tanto na defensiva. — Não estou brincando; tem gente que faz isso.

— Talvez — disse o pai de Roland. — Talvez seja apenas isso ou pouco mais que isso. Mas talvez haja muito mais. Com base no conhecimento que tenho, só posso dizer que Farson continua nos derrotando, continua escapando de nós e continua aparecendo onde é menos esperado. Se a magia estiver nele e não em algum talismã que possua, que os deuses ajudem a Confederação.

— Ficaremos de olho, se você achar que devemos ficar — disse Roland —, mas Farson está no norte ou no oeste. Estamos indo para leste. — Como se o pai não soubesse...

— Se for uma curva do Arco-íris — Steven respondeu —, não importam os pontos cardeais, poderia ser leste ou sul ou oeste. Farson não pode andar sempre com seu talismã. Por mais que sua mente e seu coração gostassem de fazê-lo. Ninguém pode.

— Por que não?

— Porque os globos estão vivos e famintos — disse Steven. — A pessoa começa a usá-los e acaba sendo usada *por* eles. Se Farson tem um pedaço do Arco-íris, ele o guardará em algum lugar e só o pegará de volta quando precisar. Compreende o risco de perdê-lo, mas também compreende o risco de ficar tempo demais com ele.

Havia uma pergunta que os outros dois, constrangidos pelas normas da gentileza, não podiam fazer. Roland podia e fez:

— Está *mesmo* falando sério, pai? Não está apenas brincando com a gente, não é?

— Estou mandando vocês para longe numa idade em que muitos garotos ainda não dormem bem se não ganham um beijo da mãe na hora de dormir — disse Steven. — Mejis é um lugar bonito e tranquilo, ou pelo menos era nos meus tempos de garoto, e espero ver vocês três de novo, vivos e bem. Mas não posso ter certeza de nada. Com o que vem acontecendo nos dias de hoje, ninguém pode mais ter certeza de nada. Eu não os despacharia com brincadeiras e risadas. Estou surpreso que tenha cogitado isso.

— Peço desculpas — disse Roland. Uma paz inquieta se estabelecera entre ele e o pai, e Roland não a romperia. Contudo, estava ansioso para se pôr a caminho. Rusher se agitava sob ele, como lhe dando apoio.

— Não espero que vocês, rapazes, encontrem o globo de Maerlyn... mas também não esperava estar vendo vocês, aos catorze anos, com revólveres enfiados nos cintos. Ka está trabalhando aqui, e onde ka trabalha tudo é possível.

Devagar, bem devagar, Steven foi tirando o chapéu, dando um passo atrás e fazendo uma mesura para eles.

— Vão em paz, rapazes. E voltem com saúde.

— Longos dias e belas noites, sai — disse Alain.

— Boa sorte — disse Cuthbert.

— Eu amo você — disse Roland.

— Steven assentiu.

— Obrigado-sai... Também amo você. Minha bênção, rapazes. — Disse a última frase em voz alta, e os outros dois pais (Robert Allgood e Christopher Johns, que fora conhecido nos dias de sua juventude selvagem como Chris Combustão) acrescentaram as suas próprias bênçãos.

— Assim, os três seguiram para o início da Grande Estrada, respirando ofegantes, enquanto o verão se derramava sobre eles. Roland ainda ergueu a cabeça e viu uma coisa que o fez esquecer de tudo acerca do Arco-íris do Mago. Era a mãe, debruçada numa janela de seus aposentos, o contorno oval do rosto cercado pela intemporal pedra cinzenta da ala oeste do castelo.

Lágrimas escorriam pela sua face, mas ela sorriu e levantou a mão num largo aceno. Dos três, só Roland a viu.

Ele não respondeu ao aceno.

8

— *Roland*! — Um cotovelo atingiu-o nas costelas, com força suficiente para dispersar essas memórias, por mais nítidas que pudessem ser, e trazê-lo de volta ao presente. Era Cuthbert. — Faça alguma coisa, se tem alguma coisa em mente! Nos tire desta casa dos mortos antes que minha pele saia tremendo dos ossos!

Roland pôs a boca perto da orelha de Alain.

— Prepare-se para me ajudar.

Alain assentiu e Roland se virou para Susan.

— Depois da primeira vez que estivemos juntos, *an-tet*, você foi até o regato no bosque.

— Ié.

— Cortou um pouco do seu cabelo.

— Ié. — Aquela mesma voz sonhadora. — Foi o que fiz.

— Ia cortá-lo todo?

— Ié, cada onda e cada cacho.

— Sabe quem a mandou fazer isso?

Uma longa pausa. Roland já ia se virar para Alain, quando ela respondeu:

— Rhea. — Outra pausa. — Ela tentou me tocar.

— Sim, mas o que aconteceu depois? O que aconteceu quando vocês pararam na entrada?

— Ah, aconteceu outra coisa antes.

— O quê?

— Fui buscar lenha para ela — disse Susan e se calou.

Roland olhou para Cuthbert, que deu de ombros. Alain estendeu as mãos. Roland pensou em pedir que Alain desse um passo à frente, mas julgou que ainda não era o melhor momento.

— Por enquanto a lenha não interessa — disse ele —, nem nada do que veio antes. Vamos falar disso mais tarde, não agora. O que houve quando você estava saindo? O que ela falou sobre seu cabelo?

— Sussurrou no meu ouvido. E tinha uma medalha do Homem Jesus.

— Sussurrou o quê?

— Não sei. Essa parte é rosa.

Lá estava. Ele fez sinal para Alain. O rapaz mordeu o lábio e deu um passo à frente. Parecia assustado, mas quando pegou as mãos de Susan e começou a falar, o tom foi calmo, tranquilizador.

— Susan? É Alain Johns. Você me conhece?

— Ié... Era o Richard Stockworth.

— O que Rhea sussurrou no seu ouvido?

Uma ruga, fraca como sombra num dia nublado, marcou sua testa.

— Não consigo ver. É rosa.

— Não precisa ver — disse Alain. — Ver não é o que queremos agora. Feche os olhos para que não possa ver nada.

— *Estão* fechados — disse ela, um tanto mal-humorada. *Está assustada*, Roland pensou, sentindo um impulso de mandar Alain parar e Susan acordar, dando um ponto final na coisa.

— Os olhos de dentro — disse Alain. — Aqueles que olham da memória. Feche esses também, Susan. Feche-os pelo amor de seu pai e me diga não o que vê, mas o que *ouve*. Me diga o que ela *disse*.

Seca e inesperadamente, os olhos em seu rosto se abriram enquanto ela fechava os da mente. Ficou olhando para Roland, e através dele, com os olhos de uma estátua antiga. Roland reprimiu um grito.

— Está na entrada, Susan? — Alain perguntou.

— Ié. Nós duas estamos.

— Esteja lá de novo.

— Ié. — Uma voz sonhadora. Fraca, mas nítida. — Mesmo com os olhos fechados, posso ver a luz da lua. Grande como uma toranja.

É a toranja, Roland pensou. *Ao que quero dizer, é que é a rosa.*

— E o que você ouve? O que ela está dizendo?

— Não, *eu* é que estou falando. — A voz ligeiramente petulante de uma menininha. — Primeiro *eu* falo, Alain. Eu digo: "E nosso assunto está resolvido?", e ela diz: "Talvez haja mais uma coisinha", e então... então...

Alain apertou suavemente as mãos de Susan, usando o que trazia em sua natureza, o toque, enviando-o para ela. Susan ainda tentou um leve movimento de recuo, mas Alain não a soltou.

— Então o quê? O que veio depois?

— Ela tem uma pequena medalha de prata.

— Sim?

— Chega perto e pergunta se estou ouvindo. Sinto o cheiro de seu hálito. Um cheiro de alho. E de outras coisas ainda piores. — O rosto de Susan se franze, enojado. — Digo que estou ouvindo. Agora posso ver. Vejo a medalha que ela tem.

— Muito bem, Susan — disse Alain. — O que mais você vê?

— Rhea. Debaixo do luar ela parece uma caveira. Uma caveira com cabelo.

— Pelos deuses — Cuthbert murmurou, cruzando os braços sobre o peito.

— Manda que eu preste atenção. Eu digo que vou prestar. Manda que eu obedeça. Digo que vou obedecer. Ela diz: "Ié, muito bom, isso mesmo, você é uma boa moça". Está alisando meu cabelo. Não pára de alisar. Minha trança. — Susan ergue a mão sonhadora, etérea, pálida nas sombras da cripta, para o cabelo loiro. — E então ela diz que tenho de fazer uma coisa quando perder minha virgindade. "Espere", diz ela, "até ele adormecer do seu lado e corte todo o cabelo. Até o último fio. Até que só reste o crânio."

Os rapazes a observam com horror crescente quando sua voz se *torna* a voz de Rhea — com os tons de rosnado e gemido da velha da colina Cöos. Até mesmo o rosto — com a única exceção de olhos friamente extáticos — tinha se tornado o rosto de uma bruxa.

— Corte tudo, garota, cada fio de puta, ié, e volte para ele careca como saiu de dentro de sua mãe! Veja se aí ele vai gostar!

Susan caiu em silêncio. Alain voltou o rosto pálido para Roland. Seus lábios estavam tremendo, mas ele não soltava as mãos da moça.

— Por que a lua é rosa? — Roland perguntou. — Por que a lua é rosa quando você tenta lembrar?

— É seu talismã. — Susan mostrou um ar meio de espanto, quase exaltado. E num tom confiante: — Ela o guarda debaixo da cama, assim é. Ela não sabe que eu vi.

— Tem certeza?

— Ié — disse Susan, se limitando a acrescentar: — Teria me matado se soubesse. — Deu uma risada, chocando a todos. — Rhea tem a lua numa caixa embaixo da cama. — A voz assumiu um tom infantil.

— Uma lua rosa — disse Roland.

— Ié.

— Embaixo da cama.

— Ié. — Desta vez ela se livrou das mãos de Alain. Fez um círculo com os braços erguidos e, quando levantou a cabeça, uma terrível expressão de cobiça deslizou sobre seu rosto como um garrote. — Eu gostaria de possuí-la, Roland. Como gostaria. Que lua fascinante! Vi quando ela me mandou pegar a lenha. Vi pela janela. Ela parecia… jovem. — Então, mais uma vez: — Como eu gostaria de ter aquela coisa.

— Não, não gostaria. Mas está embaixo da cama?

— Ié, num lugar mágico que ela cria com gestos.

— Ela tem um pedaço do Arco-íris de Maerlyn — disse Cuthbert num tom maravilhado. — A megera velha tem aquilo de que seu pai nos falou… não é de admirar que saiba de tanta coisa!

— Ainda precisamos de mais? — Alain perguntou. — As mãos dela estão ficando muito frias. Não gosto de vê-la num sono tão profundo. Ela se saiu bem, mas…

— Acho que acabamos.

— Devo mandar que esqueça?

Roland balançou a cabeça. Formavam um ka-tet, para o bem ou para o mal. Segurou-lhe os dedos e, sim, estavam frios.

— Susan?

— Ié, querido.

— Vou lhe dizer uma rima. Quando eu acabar, vai se lembrar de tudo, como da outra vez. Está bem?

Susan sorriu, tornou a fechar os olhos e começou:

— Pássaro e urso e lebre e peixe…

Sorrindo, Roland completou:

— Deem ao meu amor o que ela mais quer.

Os olhos de Susan se abriram. Ela tornou a sorrir.

— Você — disse dando um beijo nele. — Ainda você, Roland. Ainda você, meu amor.

Incapaz de se conter, Roland pôs os braços em volta dela.

Cuthbert desviou o olhar. Alain olhou para as botas e limpou a garganta.

9

Ao cavalgarem de volta para Seafront, Susan com os braços na cintura de Roland, ela perguntou:

— Vão pegar o cristal dela?

— Por enquanto é melhor deixá-lo onde está. O globo lhe foi confiado por Jonas, em nome de Farson, não tenho dúvida. Deverá ser mandado para oeste com o resto do botim; disso também não tenho dúvida. Vamos cuidar dele quando cuidarmos dos caminhões-tanques e dos homens de Farson.

— Mas vamos levar o cristal conosco?

— Levá-lo ou quebrá-lo. Acho que eu gostaria de levá-lo para o meu pai, mas isso não deixa de ter os seus riscos. Precisamos ser cautelosos. É um poderoso talismã.

— E se ela tiver ouvido nossos planos? Não poderá avisar Jonas ou Kimba Rimer?

— Se não nos vir avançando para pegar seu precioso brinquedo, não dará a menor importância aos nossos planos. Acho que lhe demos um belo susto e, se a bola de cristal realmente conseguiu conquistá-la, deve estar empenhada em reservar o maior tempo possível simplesmente para olhar dentro dela.

— E conservá-la para si. Ela também vai querer fazer isso.

— Ié.

Rusher seguia uma trilha por um bosque junto aos rochedos do litoral. Através de galhos de árvores cada vez mais finos, vislumbraram o muro cinzento coberto de hera que cercava a Casa do Prefeito e ouviram o estrondo ritmado das ondas quebrando na praia lá embaixo.

— Consegue entrar em segurança, Susan?

— Sem problema.

— E sabe o que você e Sheemie devem fazer?

— Ié. Há séculos não me sentia tão bem. É como se minha mente tivesse finalmente se livrado de uma velha sombra.

— Se assim for, é a Alain que deve agradecer. Eu não teria conseguido sozinho.

— Há magia nas mãos dele.

— Sim. — Tinham alcançado a entrada de serviço. Susan desmontou com extrema facilidade. Roland também desceu e se pôs ao lado de Susan, o braço em volta de sua cintura. Ela estava olhando para a lua.

— Olhe como está cheia. Já é possível ver o início da face do Demônio. Você consegue ver?

Uma ponta de nariz, um traço de sorriso. Ainda nenhum olho, mas, sim, ele via o rosto.

— Essa lua me deixava apavorada quando eu era pequena — Susan agora murmurava, atenta à casa atrás do muro. — Eu fechava a persiana quando o Demônio enchia. Tinha medo que ele me visse, estendesse a mão, me levasse para onde estava e me comesse. — Seus lábios tremiam. — Crianças são tão bobas, não é?

— Às vezes. — Roland não tivera medo da Lua do Demônio quando era pequeno, mas agora tinha. O futuro parecia tão sombrio, e o caminho que o cruzava para a luz tão estreito. — Eu te amo, Susan. De todo o meu coração, acredite.

— Eu sei. E eu também te amo. — Ela beijou sua boca com lábios meigos, entreabertos. Por um momento puxou a mão dele para o seio, depois beijou a palma quente. Roland a abraçava, e o olhar de Susan passava por ele em direção à lua crescente.

— Uma semana até a Colheita — disse ela. — *Fin de año*, como dizem os *vaqueros* e *labradoros*. É assim que chamam na sua terra?

— Quase — disse Roland. — Chama de fechar o ano. As mulheres circulam distribuindo compotas e beijos.

Susan riu baixinho no ombro dele.

— Bem, penso que não vou achar as coisas assim tão diferentes.

— Tem de guardar todos os seus melhores beijos para mim.

— Vou guardar.

— Haja o que houver, estaremos juntos — disse ele, mas, lá no alto, a Lua do Demônio parecia sorrir na escuridão estrelada sobre o mar Claro, como se soubesse de um futuro diferente.

6. FECHANDO O ANO

1

Agora então chega Mejis ao *fin de año*, fechamento do ano, como é conhecido mais para o centro do Mundo Médio. Acontece como aconteceu mil vezes antes... ou dez mil, ou cem mil. Ninguém pode dizer com certeza; o mundo seguiu adiante e o tempo ficou estranho. Em Mejis costumam dizer que "O tempo é um rosto na água".

Nos campos, as últimas batatas estão sendo colhidas por homens e mulheres que usam luvas e seus ponchos mais pesados. O vento já se tornou firme, soprando do leste para oeste, soprando com força, e sempre o cheiro de sal no ar frio — como um cheiro de lágrimas. *Los campesinos* colhem alegremente os últimos canteiros, falando das coisas que vão fazer e das coisas que vão comer na Feira da Colheita, mas sentem a velha tristeza do outono no vento; é o findar do ano. O ano corre deles como água num riacho, e embora ninguém fale disso, todos sentem a passagem.

Nos pomares, as últimas e mais altas maçãs são colhidas por rapazes sorridentes (nessa época de quase vendavais, os dias finais da coleta pertencem somente a eles) que surgem de todo lado como bandos de corvos em direção a seus ninhos. Acima deles, em céus que exibem um azul brilhante e sem nuvens, esquadrões de gansos voam para o sul, gritando seus esganiçados *adieux*.

Os pequenos barcos de pesca são puxados da água, os cascos raspados e pintados por proprietários que geralmente trabalham sem camisa, apesar da friagem no ar. Enquanto trabalham, eles cantam as antigas canções...

Sou um homem do brilhante mar azul,
Tudo vejo, tudo vejo,
Sou um homem do Baronato,
Tudo que vejo é meu, ah!

Sou um homem da brilhante baía azul,
Tudo digo, tudo digo,
Até minhas redes se encherem eu não paro
Tudo que eu digo é bom-ah!

... e às vezes uma pequena barrica de *graf* é passada de doca em doca. Na baía propriamente dita, só permanecem agora os barcos maiores, desenhando grandes círculos ao redor das redes lançadas, assim como um cão de pastoreio pode circundar um rebanho de ovelhas. Ao meio-dia a baía é um lençol encrespado com o brilho do outono e os homens nos barcos se sentam de pernas cruzadas, comendo seus almoços, sabendo que tudo que veem é deles-ah... pelo menos até os escuros vendavais começarem a fervilhar no horizonte, atirando suas rajadas de chuva e neve.

Fechando, fechando o ano.

Ao longo das ruas de Hambry, as luzes da Colheita agora ficam acesas a noite inteira e as mãos dos espantalhos são pintadas de vermelho. Amuletos da Boa Colheita surgem por toda parte e, embora as mulheres beijem e sejam beijadas nas ruas e nos dois mercados (muitas vezes por homens que elas nem conhecem), o sexo para quase por completo. Será retomado (com estardalhaço, se poderia dizer) na Noite da Colheita. Como resultado, no ano seguinte haverá a habitual fornada de bebês da Terra Plena.

Na Baixa, os cavalos galopam febrilmente, como se compreendessem (muito provavelmente compreendem) que seu tempo de liberdade está chegando ao fim. Disparam e de repente se detêm com os focinhos apontados para oeste quando o vento sopra, dando os traseiros para o inverno. Nos ranchos, os toldos das varandas são enrolados e as persianas abertas. Nas imensas cozinhas dos ranchos e cozinhas menores dos sítios, ninguém está roubando beijos da Colheita e ninguém está sequer pensando em sexo. Está na hora de preparar e cozinhar, e as cozinhas exalam vapor e pulsam de calor desde antes da aurora até bem depois do escurecer. Há cheiros de maçãs, beterrabas, feijão, chicória e pedaços grelhados de carne. Mulheres trabalham o dia inteiro sem parar e vão para a cama como sonâmbulas, onde ficam deitadas como cadáveres até que a próxima madrugada escura as convoque de volta a suas cozinhas.

Folhas são queimadas nos pátios da cidade e, enquanto as semanas passam e a face do Velho Demônio aparece cada vez mais claramente, espantalhos de mãos vermelhas são atirados nas piras com frequência cada vez maior. Nos campos, medas de milho queimam como tochas e, muitas vezes, os espantalhos ardem junto com elas, as mãos vermelhas e os olhos brancos e costurados se encrespando no calor. Os homens ficam parados em volta dessas fogueiras, silenciosos, as expressões solenes. Ninguém revelaria que terríveis antigas tradições e que velhos deuses de nomes impronunciáveis estão sendo reverenciados pela queima dos espantalhos, mas todos os conhecem muito bem. De vez em quando, um dos homens sussurra três palavras a meia-voz: *árvore de chariou.*

Estão fechando, fechando, fechando o ano.

As ruas se agitam com fogos de artifício (às vezes com um forte "big-bang" de armas de fogo, quando até os plácidos cavalos de trabalho ficam querendo empinar nos arreios dos carros) e ecoam com o riso de crianças. No alpendre do mercado e defronte ao Repouso dos Viajantes, beijos (às vezes bem úmidos e com deliciosos movimentos de língua) são trocados, mas as prostituas de Coral Thorin ("fofitas", é como as mais sonhadoras, como Gert Moggins, gostam de se chamar) estão entediadas. Terão poucos fregueses naquela semana.

Não é o Fim do Ano, quando as toras do inverno queimarão e Mejis se transformará em danças campestres de uma ponta à outra... e no entanto é. É o *verdadeiro* final de ano, a *árvore de chariou*, e todos, de Stanley Ruiz parado no balcão sob o Transão ao mais remoto *vaquero* de Fran Lengyll na orla do pasto Ruim, o conhecem. Há uma espécie de eco no ar brilhante, um anseio por outros lugares no sangue, uma solidão no coração que sussurra como o vento.

Mas naquele ano há mais alguma coisa: uma sensação de coisa errada a que ninguém saberia realmente dar voz. Pessoas que nunca tiveram um pesadelo na vida acordarão aos gritos durante a semana do *fin de año*; homens que se consideravam pacíficos acabarão não apenas se metendo em brigas físicas, mas instigando-as; garotos rebeldes, que em outros anos só sonhariam em fugir de casa, naquele ano realmente o farão, e a maioria não voltará após a primeira noite dormindo na rua.

Há uma sensação — inarticulada mas muito presente — de que as coisas não correram bem naquela estação. É o encerramento do ano; é também o encerramento da paz. Pois é ali, no sonolento Baronato de Mejis, no Mundo Exterior, que o último grande conflito do Mundo Médio em breve começará; é dali que o sangue começará a correr. Em dois anos, não mais do que isso, o mundo como até então existiu será aniquilado. Começa ali. De seu campo de rosas, a Torre Negra grita com sua voz bestial. O tempo é um rosto na água.

2

Coral Thorin estava descendo a rua Alta, vindo do Bayview Hotel, quando viu Sheemie conduzindo Caprichoso na direção oposta. O rapaz cantava "Amor descuidado" num tom ao mesmo tempo alto e suave. Seu progresso era lento; as barricas amarradas no lombo de Capi tinham uma vez e meia o tamanho daquelas que, não há muito tempo, carregara para a colina Cöos.

Coral gritou para seu faz-tudo com voz animada. Tinha razão de se sentir bem. Eldred Jonas não era homem de respeitar a abstinência de *fin de año* e, para alguém com uma perna ruim, ele podia ser muito inventivo.

— Sheemie! — ela chamou. — Para onde vai? Seafront?

— Ié — disse Sheemie. — Levo o *graf* que pediram. Todo mundo vem para a Feira da Colheita, ié, toneladas de pessoas. Vão dançar um bocado, esquentar um bocado, tomar o *graf* para esfriar um bocado! Como está bonita, sai Thorin, as bochechas cor-de-rosa, muito boas.

— Ah, céus! Que gentileza sua dizer isso, Sheemie! — Ela dispensou-lhe um sorriso estonteante. — Vá então, agora, seu bajulador... não se demore.

— Sim e não vou me demorar. Eu vou.

Coral ficou parada a olhá-lo, sorrindo. *Dançar um bocado, esquentar um bocado*, Sheemie dissera. Sobre a dança Coral não sabia, mas tinha certeza de que a Colheita daquele ano seria quente, sem dúvida. Aliás, bem quente.

3

Miguel encontrou Sheemie na arcada de Seafront, dispensou-lhe o olhar de altivo desprezo que reservava para as castas mais baixas, depois puxou a rolha primeiro de uma barrica, depois da outra. Com a primeira, limitou-se a dar uma cheirada no gargalo; na segunda enfiou o polegar e sugou-o pensativamente. Com as faces enrugadas bem fundas e a boca desdentada mascando, parecia um velho bebê barbado.

— Apetitoso, não é? — Sheemie perguntou. — Apetitoso como um pastelão, não é, Miguel meu velho? Mil anos de envelhecimento no barril.

Ainda chupando o polegar, Miguel dispensou a Sheemie um olhar severo:

— *Andale* — disse. — *Andale, simplon.*

Sheemie conduziu o jumento pelo lado da casa até a cozinha. Ali a brisa do oceano era forte e dava arrepios. Ele acenou para as mulheres na cozinha, mas nenhuma acenou de volta; provavelmente nem o viram. Uma vasilha fervia em cada boca do enorme fogão e as mulheres — trabalhando em vestes de algodão com mangas compridas e largas, que lembravam batas, e usando os cabelos presos em lenços muito coloridos — andavam de um lado para o outro como espectros no meio da neblina.

Sheemie tirou primeiro uma barrica do lombo de Capi, depois a outra. Resmungando, conduziu-as para o enorme tanque de carvalho junto à porta dos fundos. Abriu a tampa do tanque, curvou-se sobre ele e recuou ante o cheiro forte, de dar água nos olhos, do *graf* envelhecido.

— Incrível! — disse ele, levantando a primeira barrica. — Dá pra ficar bêbado só com o cheiro desse tanque!

Despejou no tanque o novo *graf*, com cuidado para não derramar no chão. Quando acabou, o tanque ficou cheio até o topo. Isso era bom, pois numa Noite da Colheita aquela cerveja de maçã ia fluir como água das torneiras da cozinha.

Acomodou as barricas vazias nas cordas do lombo do jumento, olhou mais uma vez para a cozinha para ter certeza de que não estava sendo observado (não estava; o garoto da taberna, de mente simples, seria a última coisa na cabeça de alguém naquela manhã) e então, em vez de fazer Capi voltar pelo mesmo caminho por onde viera, conduziu-o por uma trilha que levava aos galpões de estocagem de Seafront.

Havia três em sequência, cada qual com seu próprio espantalho de mãos vermelhas postado na frente. Os espantalhos pareciam estar observando Sheemie, o que o dava calafrios. Então ele se lembrou da viagem para a casa de Rhea, aquela velha maluca e escrota. Ela fora assustadora. Aqueles caras não passavam de velhos trapos recheados de palha.

— Susan? — ele chamou baixo. — Você está aí?

A porta do galpão do centro estava entreaberta. De repente se abriu mais um pouco.

— Entre! — ela chamou, também em voz baixa. — Traga o jumento! Rápido!

Ele conduziu Capi para um galpão com cheiro de palha, feijões, percevejos... e alguma outra coisa. Algo mais penetrante. *Fogos*, pensou. *E pólvora de revólveres também.*

Susan, que passara a manhã fazendo os preparativos finais, vestia um fino roupão de seda e grandes botas de couro. O cabelo estava enrolado em papelotes muito azuis e vermelhos. Sheemie reprimiu uma risada.

— Está muito engraçada, Susan, filha de Pat. Não dá mesmo para não rir, eu acho.

— Sim, sou uma figura que merecia estar num quadro, realmente — disse Susan, parecendo distraída. — Precisamos nos apressar. Tenho vinte minutos antes de sentirem minha falta. E vão sentir mais cedo ainda, se o terrível bode velho estiver à minha procura... Vamos ser rápidos!

Tiraram as barricas do lombo de Capi. Susan tirou um freio de cavalo quebrado do bolso do roupão e usou a ponta lascada para soltar uma das rolhas. Atirou o freio para Sheemie, que soltou a outra. O cheiro ácido de maçã do *graf* encheu o galpão.

— Tome! — Ela atirou para Sheemie um pano macio. — Não precisa ser perfeito, eles estão embrulhados, mas é melhor não facilitar.

Enxugaram o interior das barricas, Susan atirando olhares nervosos para a porta a cada poucos segundos.

— Tudo bem — disse ela. — Bom. Agora... há duas variedades. Tenho certeza de que as duas serão muito úteis; ali atrás há material suficiente para explodir meio mundo. — Voltou correndo para a obscuridade do galpão, segurando a bainha de sua bata com uma das mãos, as botinas chiando. Quando voltou, tinha os braços cheios de pacotes.

— Essas são as maiores — disse.

Sheemie depositou os embrulhos numa das barricas. Era, no todo, uma dúzia de pacotes e ele podia sentir coisas redondas lá dentro, cada uma mais ou menos do tamanho de um punho de criança. Coisas para grandes estrondos. Quando acabou de guardar os pacotes e pôr a tampa na barrica, Susan já tinha voltado com os braços cheios de pacotes menores. Que ele guardou na outra barrica. Eram, Sheemie percebeu pelo toque, as coisas menores, que além de dar um estrondo soltavam um fogo colorido.

Susan ajudou-o a arrumar as barricas no lombo de Capi, sempre atirando aqueles rápidos olhares para a porta do galpão. Quando viu as barricas acomodadas nas costas de Caprichoso, respirou de alívio e enxugou a testa suada com as mãos.

— Graças aos deuses essa parte está terminada — disse ela. — Sabe para onde vai levar as barricas?

— Ié, Susan, filha de Pat. Para o Barra K. Meu amigo Arthur Heath vai cuidar delas.

— E se alguém perguntar o que está fazendo por ali?

— Estou levando o gostoso *graf* para os rapazes do Mundo Interior, pois eles decidiram não ir à cidade para a Feira... E por que não vão, Susan? Não gostam de feiras?

— Você logo vai descobrir. Não se preocupe com isso agora, Sheemie. Vá em frente... Melhor se pôr a caminho.

Contudo, ele se demorava.

— O que foi? — ela perguntou, tentando não se mostrar impaciente.

— Sheemie, o que há?

— Gostaria que me desse um beijo de *fin de año*, é, gostaria mesmo. — O rosto de Sheemie revelava um alarmante tom vermelho.

Susan deixou escapar um riso involuntário, ficou na ponta dos pés e beijou o canto da boca do rapaz. Com isso, Sheemie se pôs a caminho do Barra K com sua carga de munição.

4

Reynolds cavalgou para a Citgo no dia seguinte, galopando com um lenço enrolado no rosto, de modo que apenas os olhos apareciam. Ficava muito contente por sair daquele maldito lugar que não podia decidir se era área rural ou litoral. A temperatura não estava assim tão baixa, mas após passar pelo mar, o vento cortava como navalha. Mas não era apenas isso — as coisas em Hambry e em toda Mejis iam assumindo uma atmosfera à medida que os dias se desdobravam rumo à Colheita; uma sensação lúgubre a qual ele não gostava nem um pouco. Roy também sentia a coisa. Reynolds podia ver nos olhos dele.

Não, ficaria contente ao ver os três minicavaleiros reduzidos a cinzas no vento e aquele lugar reduzido a uma lembrança.

Desmontou no arruinado estacionamento da refinaria, amarrou o cavalo no para-choque enferrujado de uma carçara apodrecida com a misteriosa palavra Chevrolet quase ilegível na traseira, depois avançou para a área das bombas. O vento soprava com força, deixando-o arrepiado de frio mesmo embaixo do casaco de pele de ovelha, estilo rancheiro, que usava. Por duas vezes precisou abaixar o chapéu sobre as orelhas para que o vento não o levasse. Achava ótimo que não houvesse um espelho por perto onde pudesse se ver; devia estar parecido com um peão miserável.

O lugar parecia em ordem, embora... digamos, abandonado. O vento produzia um sussurro solitário como se passasse apertado entre abetos plantados num tubo. Nunca se poderia imaginar que havia uma dúzia de pares de olhos que o observavam em seu avanço.

— Ei! — gritou. — Venha aqui, alguém, e vamos confabular um pouco.

Por um momento não houve resposta; então Hiram Quint, do rancho Piano, e Barkie Callahan, do Repouso dos Viajantes, abriram caminho entre as árvores. *Caralho*, Reynolds pensou, em algum ponto entre a perplexidade e a diversão. *Tem menos carne num açougue*.

Havia uma espingarda velha e em péssimo estado enfiada na cintura da calça de Quint; há anos Reynolds não via uma daquelas. Achava que, se Quint desse sorte, se limitaria a atirar para o lado quando apertasse o gatilho. Se desse azar, a coisa explodiria na sua cara, deixando-o cego.

— Tudo tranquilo? — perguntou.

Quint respondeu num dialeto de Mejis. Barkie ouviu, depois disse:

— Tudo certo, sai. Quint está dizendo que ele e seus homens estão impacientes. — Sorrindo jovialmente, sem deixar que a expressão do rosto desse indicações sobre o que dizia, Barkie acrescentou: — Se cérebro fosse pólvora, o homem jamais ia explodir.

— Mas é um idiota confiável?

Barkie deu de ombros. Podia ser um sinal de concordância.

Passaram pelas árvores. Onde Roland e Susan tinham visto quase trinta caminhões-tanques, agora só havia meia dúzia e, desses seis, só dois carregavam realmente óleo. Os homens estavam sentados no chão ou cochilando com os *sombreros* sobre os rostos. A maioria tinha revólveres que pareciam tão confiáveis quanto a espingarda na cintura de Quint. Alguns dos *vaqs* mais pobres tinham *bolas*. Pensando bem, Reynolds achou que seriam até mais eficientes.

— Diga ao Lorde Perth aqui que se os garotos vierem, precisa ser uma emboscada e eles terão uma única chance de fazer o trabalho direito — Reynolds disse a Barkie.

Barkie passou a Quint. Os lábios de Quint se abriram num sorriso largo, revelando as assustadoras estacas de caninos amarelos e pretos. O homem respondeu alguma coisa breve, levantou as mãos e fechou-as em punhos enormes, terríveis, um sobre o outro, como se estivesse apertando o pescoço de um inimigo invisível. Quando Barkie começou a traduzir, Clay Reynolds calou-o com um abanar das mãos. Não entendera mais que uma palavra, mas isso bastava: *muerto*.

5

Rhea passou toda aquela semana que precedeu a feira sentada diante da bola de cristal, espreitando suas profundezas. Tinha gastado tempo costurando a cabeça de Ermot no corpo com linha preta e pontos canhestros. Ficava sentada com a cobra em decomposição no pescoço enquanto observava a bola de cristal e sonhava. Não percebia o fedor que, à medida que o tempo passava, começava a brotar do réptil. Duas vezes Musty se aproximou furtivo, miando por comida, e de cada vez Rhea enxotou a maldita coisa sem um olhar sequer. Ela própria foi ficando cada vez mais magra, os olhos lembrando as órbitas das caveiras guardadas na rede junto à porta do quarto. De vez em quando, cochilava com a bola no colo e a serpente fedorenta enrolada na garganta. De cabeça baixa, a ponta aguda do queixo lhe batia no peito e filetes de baba pendiam das pregas soltas dos lábios, mas ela nunca chegava realmente a dormir. Havia muita coisa para ver, realmente muita coisa para ver.

E a bola estava ali para mostrar. Naqueles dias não tinha sequer de passar as mãos sobre o vidro para abrir as névoas rosadas. Toda a vileza do Baronato, todas as suas pequenas (e não tão pequenas) crueldades, tudo se agrupava e se estendia à sua frente. A maior parte do que via eram coisas tolas, triviais —

garotos espiando por buracos de fechaduras as irmãs sem roupa e se masturbando, esposas revirando os bolsos dos maridos à procura de dinheiro extra ou fumo, Sheb, o pianista, lambendo o assento da cadeira onde sua prostituta favorita havia se sentado, uma criada de Seafront, cuspindo na fronha do travesseiro de Kimba Rimer depois de o chanceler ter lhe dado um chute no traseiro pela demora em sair do caminho.

Tudo isso confirmava suas opiniões sobre a sociedade que deixara para trás. Às vezes ria febrilmente, às vezes falava com as pessoas que via na bola de vidro, como se elas pudessem ouvi-la. Pelo terceiro dia da semana anterior à Colheita, parou de ir ao banheiro, embora pudesse carregar a bola para onde fosse, e o ácido fedor de urina começou a elevar-se dela.

A partir do quarto dia, Musty não se aproximou mais.

Rhea delirava na frente da bola e se perdia em seus delírios, como acontecera com outros antes dela. Mergulhada nos pequenos prazeres de ver à distância, não teve consciência de que a bola rosa estava roubando os restos enrugados de sua *anima*. Provavelmente teria considerado aquilo uma troca justa se o tivesse percebido. Via todas as coisas que as pessoas faziam nas sombras, que eram as únicas que lhe importavam, e por elas quase certamente teria posto em jogo sua força vital.

6

— Aqui — disse a criança —, deixe que *eu* ilumine. Que os deuses te danem! — Jonas teria reconhecido quem falava; era o menino que lhe sacudira uma cauda cortada de cachorro do outro lado da rua, gritando: *Somos Grandes Caçadores de Caixões como vocês!*

O garoto com quem esta charmosa criança tinha falado tentava se agarrar ao pedaço de fígado que os dois haviam furtado da fábrica de rações atrás do Baixo Mercado. A encantadora criança pegou a orelha do outro e torceu. O outro garoto gritou de dor e estendeu o pedaço de fígado, sangue escuro escorrendo pelos nós arroxeados dos dedos.

— Acho bom — disse o primeiro garoto, pegando o fígado. — É melhor lembrar quem é o *capataz* aqui.

Estavam atrás de uma prateleira de padaria no Baixo Mercado. Nas proximidades, atraído pelo cheiro de pão quente e fresco, havia um viralata sarnento e cego de um olho, que os olhava com faminta esperança.

Havia uma fenda no pedaço de carne crua. Enfiada nela havia um pavio verde. Sob o pavio, o fígado se abaulava como a barriga de uma mulher grávida. O primeiro garoto pegou um fósforo de enxofre, enfiou-o entre os salientes dentes da frente e o acendeu.

— Ele não vem! — disse um terceiro garoto, paralisado de ansiedade e expectativa.

— Magro assim? — disse o primeiro garoto. — Ah, sim, ele vem. Aposto meu baralho inteiro de cartas como aquela cauda vem.

O terceiro garoto refletiu um pouco e balançou a cabeça em negativa.

O primeiro garoto riu.

— Moleque esperto — disse acendendo o pavio. — Ei, rapaz! — gritou para o cachorro. — Não quer um pedaço dessa carninha fofa? Aí vai!

Atirou o pedaço de fígado cru. O cão esquelético não hesitou ante o pavio aceso e atacou a carne com o olho bom fixo na primeira comida decente que via há dias. Quando pulou e abocanhou o fígado, a granada que os garotos tinham colocado lá dentro explodiu. Houve um estrondo e um clarão. O focinho do cachorro saltou das mandíbulas. Por um momento, o animal continuou ali, gotejante, olhando para eles com seu único olho bom. Depois desabou.

— Te falei! — o primeiro garoto zombou. — Te falei que ele ia pegar! Feliz Colheita pra gente, hein?

— O que estão fazendo aí? — gritou asperamente uma voz feminina. — Saiam daqui, seus corvos!

Os garotos correram, rindo na tarde ensolarada. Soavam realmente como corvos.

7

Cuthbert e Alain pararam os cavalos na entrada da Garganta. Mesmo com o vento soprando o som da lúmina para longe, o barulho entrava na mente deles e ficava zumbindo lá dentro, fazendo os dentes baterem.

— Detesto isso — disse Cuthbert por entre os dentes cerrados. — Deuses, vamos andar depressa!

— Ié — disse Alain. Eles desmontaram, enrolados em seus casacos de rancheiro, e amarraram os cavalos no matagal que havia na frente do desfiladeiro. Normalmente, não teria sido necessário amarrá-los, mas viram que os cavalos detestavam o barulho de rangido e gemido tanto quanto eles. Cuthbert parecia ouvir a lúmina em sua mente, pronunciando palavras convidativas num tom lamentoso e arquejante, horrendamente persuasivo.

Venha, Bert. Deixe toda esta tolice para trás: as cerimônias, o orgulho, o medo da morte, a solidão da qual você ri porque não vê outra saída além do riso. E a garota, deixe-a também. Você a ama, não é? E se não a ama, a deseja. É triste que ela ame o seu amigo e não você, mas se vier comigo, tudo isso vai rapidamente deixar de preocupá-lo. Então venha. O que está esperando?

— O que estou esperando? — ele murmurou.

— Hã?

— Eu disse: o que estamos esperando? Vamos acabar logo com isso e nos mandar daqui.

Cada um tirou de suas sacolas de sela um pequeno saco de algodão. Os saquinhos continham pólvora extraída dos pequenos fogos de artifício que Sheemie levara para eles dois dias atrás. Alain ficou de joelhos, puxou sua faca e começou a rastejar para trás, cavando sob o amontoado de galhos uma vala o mais longa possível.

— Cave fundo — disse Cuthbert. — Não queremos que o vento leve a pólvora.

Alain atirou-lhe um olhar bastante irritado.

— Quer fazer você? Aí vai ter certeza de que está sendo feito direito.

É a lúmina, pensou Cuthbert. *Está agindo sobre ele também.*

— Não, Al — disse Cuthbert num tom humilde —, está indo muito bem para um cego e fraco da cabeça. Continue.

Alain contemplou-o irritado por mais um instante, depois sorriu e retomou o trabalho com a vala sob o matagal.

— Você não morre velho, Bert.

— Ié, provavelmente não. — Cuthbert também se ajoelhou e começou a cavar atrás de Alain, borrifando pólvora na vala e tentando ignorar o zumbido sussurrante na voz da lúmina. Não, a pólvora provavelmente não seria soprada, a não ser que houvesse um grande vendaval. Mas se chovesse, mesmo o mato entrelaçado não ofereceria muita proteção. Se chovesse...

Não pense nisso, disse a si mesmo. *Isso é o ka.*

Terminaram de encher as valas de pólvora sob ambos os lados da barreira de galhos e mato em apenas dez minutos, mas o tempo pareceu maior. Para os cavalos também, que repuxavam nervosos as pontas das cordas, as orelhas recuadas, os olhos revirando. Cuthbert e Alain os soltaram e montaram. O cavalo de Cuthbert chegou a empinar duas vezes... mas Cuthbert achou que na verdade o pobre animal estava tremendo.

A meia distância, o sol brilhante se refletia no aço brilhante. Os tanques dos caminhões na rocha Pendurada. Tinham sido levados para o fundo dos afloramentos de rocha, mas certamente, quando o sol estava alto, a maioria das sombras desaparecia e a possibilidade de ocultá-los desaparecia com elas.

— Realmente não dá para acreditar — disse Alain, quando começaram a voltar. Seria uma longa jornada, incluindo, para garantir que não seriam vistos, um grande desvio ao redor da rocha Pendurada. — Devem achar que somos cegos.

— Acham que somos burros — disse Cuthbert —, mas imagino que dê no mesmo. — Agora que a garganta do Parafuso estava ficando para trás, ele se sentia quase tonto de alívio. Iam mesmo entrar lá daí a alguns dias? Realmente *entrar*, cavalgando até chegarem a poucos metros do ponto onde aquele maldito charco começava? Ele não podia acreditar... e se obrigou a parar de pensar no assunto antes que pudesse *começar* a acreditar.

— Mais cavaleiros rumando para a rocha Pendurada — disse Alain, apontando para os bosques além do desfiladeiro. — Você os vê?

Àquela distância eram pequenos como formigas, mas Bert os via muito bem.

— Trocando a guarda. O importante é eles não nos verem... Você não acha que podem, certo?

— Nos ver aqui? Muito difícil.

Cuthbert concordava.

— Todos vão estar aqui no dia da Colheita, não é? — Alain perguntou. — Não adiantaria de nada pegar só alguns.

— Sim... Tenho quase certeza de que todos estarão aqui.

— Incluindo Jonas e seus amigos?

— Eles também.

À frente, o pasto Ruim se aproximava. O vento soprava com força no rosto deles, fazendo seus olhos lacrimejarem, mas Cuthbert não se importava. O ruído da lúmina se reduzira a um zumbido baixo atrás dele e logo ia desaparecer por completo. Por ora não precisava de mais nada para se sentir feliz.

— Acha que vamos conseguir, Bert?

— Não sei — disse Cuthbert. Então pensou nas trincheiras de pólvora cavadas sob o seco entrelaçar de mato e sorriu: — Mas vou te dizer uma coisa, Al: eles vão saber que estivemos aqui.

8

Em Mejis, como em qualquer outro Baronato do Mundo Médio, a semana que antecedia um Dia de Feira era uma semana política. Gente importante chegava dos rincões mais distantes do Baronato e havia um bom número de Colóquios levando ao principal Colóquio no Dia da Colheita. A presença de Susan era esperada para esses encontros — mais um enfeite que demonstrasse o poder prefeito. Olive também esteva presente e, numa pantomima cruelmente cômica que só as mulheres sabem verdadeiramente apreciar, sentaram-se de um lado e do outro do velhaco, Susan servindo o café, Olive passando o bolo, ambas recebendo com simpatia comentários elogiosos sobre a comida e a bebida de cuja preparação não chegaram minimamente a participar.

Para Susan era quase impossível olhar para o rosto sorridente e infeliz de Olive. O marido jamais se deitaria com a filha de Pat Delgado... mas sai Thorin não sabia disso e Susan não podia contar. Susan só precisava vislumbrar a esposa do prefeito pelo canto do olho para recordar o que Roland dissera naquele dia na Baixa: *Por um momento achei que ela fosse minha mãe*. Mas esse era o problema, não era? Olive Thorin não era mãe de ninguém. Antes de mais nada, fora isso que abrira a porta para aquela situação horrível.

Havia algo muito presente na mente de Susan, algo que ela devia fazer, mas com a sucessão de atividades na Casa do Prefeito só teve a chance a três dias da Colheita. Finalmente, após este último Colóquio, conseguira escapar do Vestido Rosa com Apliques (como o odiava!, como odiava todos eles!) e vestir sua calça jeans com uma camisa lisa de cavalgada e um casaco de rancheiro. Não houve tempo para fazer a trança já quer era esperada para o chá com o prefeito, mas Maria amarrou-lhe o cabelo e Susan partiu para a casa que logo estaria deixando para sempre.

Sua tarefa era no quarto que ficava nos fundos do estábulo — o quarto que o pai usara como escritório —, mas ela entrou primeiro em casa e ouviu o que esperava ouvir: os roncos assobiantes da tia. Ótimo.

Susan pegou um pedaço de pão com mel e levou-o para o celeiro-estábulo, procurando protegê-lo das nuvens de pó que o vento levantava pelo quintal. O espantalho da tia se sacudia em sua estaca no jardim.

Ela mergulhou nas sombras do doce aroma do celeiro. Pilão e Felicia agitaram os focinhos em saudação e Susan dividiu entre eles o que não havia comido. Os animais pareceram bastante satisfeitos com o petisco. Ela acarinhou principalmente Felicia, que logo estaria deixando para trás.

Tinha evitado o pequeno escritório desde a morte do pai, com medo exatamente do tipo de angústia que a invadiu quando levantou o ferrolho e entrou. As janelas estreitas estavam agora cobertas de teias de aranha, mas ainda deixavam entrar a brilhante luminosidade do outono, mais que suficiente para ela ser capaz de ver o cachimbo no cinzeiro — o vermelho, seu preferido, o que ele chamava de cachimbo do pensamento — e tachinhas nas costas viradas da cadeira da escrivaninha. Provavelmente ele estivera consertando-a à luz do gás, deixara ali as tachinhas para terminar o trabalho no dia seguinte...

Então a cobra fizera seu trabalho sob os cascos do Espuma e não houve mais nenhum dia seguinte. Não para Pat Delgado.

— Ah, papai — disse ela numa voz frágil e entrecortada. — Como sinto falta de você.

Avançou para a escrivaninha e correu os dedos pela sua superfície, abrindo trilhas no pó. Sentou-se em outra cadeira dele, ouviu-a ranger sob seu peso, como sempre tinha rangido sob o peso dele, e isso foi o suficiente. Pelos cinco minutos seguintes ficou ali sentada, chorando, esfregando os punhos nos olhos como fazia quando era pequena. Só que agora, é claro, não havia o Grande Pat para se debruçar sobre ela, acabar com os problemas e colocá-la no colo, beijando-a naquele lugar sensível sob o queixo (especialmente sensível aos espetos de barba no lábio superior dele) até as suas lágrimas se transformarem em risadinhas. O tempo era um rosto na água e daquela vez era o rosto de seu pai.

Por fim as lágrimas se reduziram a fungadelas. Ela abriu as gavetas da escrivaninha, uma após outra, achando mais cachimbos (muitos inutilizados pela mania que o pai tinha de mascá-los), um chapéu, uma de suas bonecas (tinha um braço quebrado que, ao que parecia, Pat jamais conseguira consertar), penas de escrever, um pequeno frasco — vazio mas com um leve cheiro de uísque ainda presente no gargalo. O único item de interesse estava na gaveta de baixo: um par de esporas. Uma ainda conservava sua roseta em estrela, mas a outra havia quebrado. Aquelas, ela tinha quase certeza, eram as esporas que o pai estava usando no dia em que morreu.

Se meu pai estivesse aqui, ela começara naquele dia na Baixa. *Mas não está*, Roland tinha dito. *Está morto.*

Um par de esporas, uma roseta quebrada.

Ela as fechou na mão, vendo mentalmente Espuma do Oceano empinar, derrubar seu pai (uma espora pegou num estribo; a roseta quebrou), tropeçar sem equilíbrio e cair em cima dele. Viu isto claramente, mas não viu a cobra de que Fran Lengyll falara às pessoas. Absolutamente não viu.

Guardou as esporas na gaveta onde as encontrara, levantou-se e examinou a prateleira à direita da escrivaninha, bem ao alcance da mão de Pat Delgado. Lá havia uma fileira de livros de contabilidade com capa de couro, tesouro inestimável numa sociedade que esquecera como o papel era fabricado. O pai fora o homem encarregado dos cavalos do Baronato por quase trinta anos e lá estavam seus livros de trabalho para prová-lo.

Susan pegou o último deles e começou a folhear. Desta vez quase saudou a angústia que a assaltou quando viu a caligrafia familiar do pai… a escrita elaborada, os números objetivos e, de alguma forma, mais dignos de confiança.

Nascido de Henrietta, (2) potrancas, ambas bem
Natimorto de Delia, um ruão (MUTANTE)
Nascido de Yolanda, um PURO-SANGUE, um BOM POTRO

E, depois de cada um, a data. Como era cuidadoso. Tão eficiente. Tão...

Susan parou de súbito, ciente de que encontrara o que estava procurando mesmo sem ter uma noção clara do que fora fazer ali. As últimas doe páginas daquele livro de trabalho do seu pai tinham sido arrancadas. Quem fizera aquilo? Não fora o pai; homem extremamente cuidadoso, ele reverenciava o papel do mesmo modo como se reverenciavam deuses ou ouro.

E por que aquilo fora feito?

Isso ela achava que sabia: cavalos, é claro. Eram demasiados na Baixa. E os rancheiros — Lengyll, Croydon, Renfrew — estavam mentindo sobre a precária qualidade das linhagens. Assim como Henry Wertner, o homem que tinha sucedido ao pai naquele trabalho.

Se meu pai estivesse aqui...

Mas não está. Está morto.

Dissera a Roland que não podia acreditar que Fran Lengyll tivesse mentido sobre a morte do pai... mas agora já achava possível.

Que os deuses a ajudassem, ela agora já achava possível.

— O que está fazendo aí?

Susan deu um pequeno grito, largou o livro e se virou. Cordelia estava ali parada, usando um de seus desbotados vestidos pretos. Os três botões de cima haviam caído e Susan podia ver as clavículas despontando sobre o algodão branco e liso da blusa. Foi ao ver aqueles ossos salientes que Susan percebeu quanto peso tia Cord perdera nos últimos três meses. Podia ver a marca vermelha do travesseiro na face esquerda da tia, como a marca de um tapa. Os olhos brilhavam das cavidades escuras na pele do rosto, que lembravam contusões.

— Tia Cord! Você me assustou! Você...

— O que está fazendo aí? — tia Cord repetiu. Susan se curvou e pegou o livro de trabalho.

— Vim recordar meu pai — disse, repondo o livro na prateleira. Quem havia rasgado aquelas páginas? Lengyll? Rimer? Ela duvidava. Achava provável que tivesse sido a mulher que estava de pé atrás dela. Talvez em troca de uma simples moeda de ouro avermelhado. *Nada perguntado, nada dito, e tudo está bem*, ela teria pensado ao atirar a moeda em sua caixa de dinheiro depois de morder a beirada para ter certeza de que era verdadeira.

— Veio se recordar dele? Devia ter vindo pedir perdão, isso sim. Pois você esqueceu o rosto de seu pai, assim foi. Esqueceu-se atrozmente do rosto dele, Sue.

Susan limitou-se a olhar para ela.

— Esteve com *ele* hoje? — Cordelia perguntou com uma risada aguda. Sua mão subiu para a marca vermelha do travesseiro na face e começou a esfregá-la. Tia Cordelia vinha piorando gradualmente, Susan percebeu, mas a coisa ficara muito pior desde que haviam começado o falatório sobre o envolvimento de Jonas com Coral Thorin. — Esteve com sai Dearborn? Sua fenda ainda está molhada com o que ele soltou? Aqui, que eu mesma quero ver!

A tia deslizou para a frente — espectral no vestido preto, o corpete aberto, os pés se projetando dos chinelos —, e Susan a empurrou. Em seu horror e aversão acabou empurrando com força. Cordelia bateu na parede ao lado de uma janela coberta de teias de aranha.

— Você é que devia pedir perdão — disse Susan. — Em falar assim com a filha dele neste lugar. *Neste lugar*. — Deixou os olhos se voltarem para a prateleira com os livros de trabalho, depois retornou à tia. O ar calculista de medo que viu no rosto de Cordelia Delgado lhe contou tudo que queria ou precisava saber. Cordelia não participara do assassinato do irmão, isto Susan não podia acreditar, mas soubera de alguma coisa. Sim, alguma coisa.

— Sua puta, sua falsa — Cordelia sussurrou.

— Não — disse Susan —, tenho sido verdadeira.

E isso, ela percebeu, era verdade. Um grande peso pareceu sair de seus ombros com a ideia. Susan caminhou para a porta do escritório e tornou a se virar para a tia.

— Esta foi minha última noite aqui — disse ela. — Não vou mais ouvir esse tipo de coisa. Nem olhar para você como está agora. Fere meu coração e rouba o amor que tive por você desde que eu era pequena, quando fez o melhor que pôde para ser minha mãe.

Cordelia fez as mãos estalarem na própria face, como se olhar para Susan a machucasse.

— Saia então! — ela gritou. — *Volte para Seafront ou para onde quer que roles com aquele rapaz! Se eu nunca mais voltar a ver tua cara de prostituta, vou me considerar uma mulher abençoada!*

Susan tirou Pilão do estábulo. Quando entrou com ele no pátio, soluçava tanto que quase não conseguiu montar. Mas montou e não pôde negar que em seu coração havia tanto alívio quanto pesar. Quando virou na rua Alta e colocou Pilão a galope, não olhou para trás.

9

Numa hora escura da manhã seguinte, Olive Thorin se arrastou do quarto onde agora dormia para o que compartilhara por quase quarenta anos com o marido. O assoalho era frio sob seus pés descalços e, ao atingir a cama, ela estava tremendo... embora o chão frio não fosse a única razão do seu tremor. Olive deslizou para o lado do homem magro que roncava com seu gorro de dormir e, quando o homem se afastou (os joelhos e costas estalando alto durante o movimento), ela se apertou contra ele e abraçou-o com força. Não havia paixão naquilo, apenas a necessidade de compartilhar um pouco do calor dele. O peito do homem — estreito, mas que Olive conhecia quase tão bem quanto seu próprio corpo — subia e descia sob suas mãos e ela começou a se tranquilizar um pouco. Ele se mexeu, e Olive chegou a pensar que seria naquele momento que ia acordar e encontrá-la ali, em sua cama, pela primeira vez em só os deuses sabiam quanto tempo.

Sim, faça isso, Olive pensou, *acorde*. Ela não se atreveria a tomar a iniciativa de acordá-lo — toda a sua coragem conseguia no máximo fazê-la se arrastar no escuro após um dos piores pesadelos que já tivera em toda a sua vida —, mas se ele acordasse sozinho, Olive tomaria isto como um sinal e lhe diria que havia sonhado com um grande pássaro, um animal cruel de olho dourado que voava sobre o Baronato com asas que gotejavam sangue.

Onde quer que sua sombra passasse, havia sangue, ia lhe dizer, e sua sombra passava por toda parte. O Baronato passava com ele, de Hambry até o Parafuso. E senti o cheiro de muito fogo no vento. Corri para lhe contar e você estava morto em seu gabinete, sentado perto da lareira com os olhos arrancados e uma caveira no colo.

Mas, em vez de acordar, Hart apenas pegou sua mão, como costumava fazer antes de ter começado a olhar para as garotas novas (incluindo as criadas que serviam na casa) que via passar, e Olive achou que era melhor se limitar a ficar deitada ali, quieta, deixando que ele segurasse a sua mão. Deixando que a coisa fosse um pouco como nos bons tempos, quando tudo ia bem entre os dois.

Ela dormiu um pouco. Quando acordou, a primeira luz cinzenta da aurora avançava através das janelas. Ele havia largado sua mão — tinha, de fato, se afastado inteiramente de seu corpo para a ponta da cama. Não seria bom que ele acordasse e a encontrasse ali, Olive concluiu, e a tensão do pesadelo já se fora. Chegando as cobertas para o lado, ela pôs os pés fora da cama e olhou-o mais uma vez. O gorro de dormir estava de lado. Ela o endireitou, as mãos alisando o pano e a testa ossuda. Hart tornou a se mexer. Olive esperou até que ele se aquietasse e se levantou. Logo estava deslizando para o seu próprio quarto como um fantasma.

10

As barracas do meio foram abertas no Coração Verde dois dias antes da Feira da Colheita e as primeiras pessoas chegaram para tentar a sorte na roda da fortuna, no boliche e no jogo de argolas. Havia também um trenzinho puxado por um pônei… um vagão cheio de crianças rindo, que seguia por trilhos de bitola estreita num trajeto em forma de oito.

(— O pônei se chamava Charlie? — Eddie Dean perguntou a Roland.

(— Improvável— disse Roland. — Temos uma palavra um tanto desagradável que soa mais ou menos assim na Língua Superior.

(— Que palavra é? — Jake perguntou.

(— A palavra — disse o pistoleiro — que significa morte.)

Roy Depape estava parado observando o pônei completar as voltas do percurso em duas viagens. Lembrava com certa nostalgia dos passeios que fizera quando criança num trenzinho como aquele. Evidente que fizera a maior parte deles como clandestino.

Quando se cansou de apreciar aquilo, Depape caminhou até o gabinete do xerife e entrou. Herk Avery, Dave e Frank Claypool estavam limpando um curioso e impressionante sortimento de armas. Avery inclinou a cabeça para Depape e continuou o que estava fazendo. Havia algo estranho com o homem e, após um momento ou dois, Depape entendeu o que era: o xerife não estava comendo. Era a primeira vez que entrava ali sem ver o xerife com um prato de alguma coisa ao alcance da mão.

— Tudo pronto para amanhã? — Depape perguntou.

Avery dispensou-lhe um olhar meio sorridente, meio irritado.

— Que pergunta exatamente está querendo fazer?

— A pergunta que Jonas me mandou fazer — disse Depape, e nesse momento o sorriso nervoso, estranho, de Avery fraquejou um pouco.

— Ié, estamos prontos. — Avery fez flutuar um braço carnudo sobre as armas. — Não vê que estamos?

Depape podia ter citado o velho ditado segundo o qual a prova do pudim está em comê-lo, mas qual era o xis do problema? As coisas funcionariam se os três garotos fossem tolos como Jonas achava que eram; se não fossem, provavelmente iriam tirar o traseiro do gordo Herk Avery do alto de suas pernas e alimentar com ele o mais próximo bando de cachorros selvagens. De qualquer maneira que fosse o desfecho, Roy Depape não se importava muito.

— Jonas também me pediu para lembrar-lhe que começa cedo.

— Ié, ié, chegaremos cedo lá — Avery concordou. — Esses dois aqui e mais seis bons homens. Fran Lengyll pediu para ir também e ele tem uma metralhadora. — Avery falou isto com ostensivo orgulho, como se fosse o próprio inventor da metralhadora. Depois olhou com ar manhoso para Depape. — E você, mão de caixão? Não quer ir? Só preciso de um piscar de olhos para transformá-lo em meu agente.

— Tenho outra tarefa. Reynolds também. — Depape sorriu. — Há trabalho suficiente para todos nós, xerife... Afinal, é a Colheita.

11

Naquela tarde, Susan e Roland se encontraram na cabana do pasto Ruim. Ela falou sobre o livro com as páginas rasgadas e Roland mostrou os revólveres que deixara num canto de trás da cabana, escondidos sob uma pilha de peles de animais.

Ela olhou primeiro para as armas, depois para ele com olhos arregalados e assustados.

— O que há de errado? O que tu suspeitas que esteja errado?

Ele balançou a cabeça. Não havia *nada* de errado... pelo menos achava que não. E no entanto sentira uma forte necessidade de pegar suas armas, trazê-las para lá. Não era o toque, nada do gênero, mas pura intuição.

— Acho que tudo está bem... ou bem como podem estar as coisas quando se tem uns cinquenta porcento de possibilidades de acertar. Susan, nossa única chance é pegá-los de surpresa. Você não vai correr esse risco, vai? Não está planejando ir até Lengyll, agitando o livro de trabalho de seu pai...

Ela balançou a cabeça. Se Lengyll tivesse feito o que ela agora suspeitava, receberia seu troco daí a dois dias. A colheita seria feita, sem dúvida. Abundante colheita. Mas os revólveres... os revólveres a assustavam, e ela disse isso.

— Escute. — Roland pegou seu rosto com as mãos e olhou-a nos olhos. — Só estou tentando ser cuidadoso. Se as coisas forem mal, o que pode acontecer, você é a pessoa que tem mais possibilidades de se safar. Você e Sheemie. Se isso acontecer, Susan, você... *tu*... deves vir até aqui e pegar meus revólveres. Leve-os para oeste, para Gilead. Encontre meu pai. Ele acreditará que és quem dizes que és pelo que mostrares a ele. Conte o que aconteceu aqui. Só isso.

— Se alguma coisa te acontecer, Roland, não serei capaz de fazer nada. A não ser morrer.

As mãos dele continuavam no rosto dela. Agora ele as usava para fazer sua cabeça balançar devagar, de lado a lado.

— Você não vai morrer — disse. Havia uma frieza em sua voz e seus olhos que não lhe transmitia medo, mas maravilhamento. Susan pensou no sangue dele… em como devia ser antigo e com que frieza devia às vezes fluir. — Não sem concluir esta tarefa. Prometa.

— Eu… prometo, Roland. Prometo.

— Me diga em voz alta o que está prometendo.

— Virei até aqui. Apanharei os revólveres. Levarei-os para seu pai. Contarei a ele o que aconteceu.

Roland assentiu e se afastou do rosto dela. A forma de suas mãos ficou levemente marcada nas faces de Susan.

— Você me assustou — disse Susan, balançando a cabeça. Aquilo não estava certo. — Você *realmente* me assustou.

— Não posso mudar meu jeito de ser.

— E eu não gostaria de mudá-lo. — Ela o beijou na face esquerda, na face direita, na boca. Pôs a mão dentro de sua camisa e acariciou seu mamilo, que ficou imediatamente duro sob a ponta do dedo. — Pássaro e urso e lebre e peixe — disse ela, dando agora macios beijos suaves de borboleta por todo o seu rosto. — Deem ao meu amor o que ele mais quer.

Depois, os dois se cobriram com a pele de urso que Roland puxara da pilha e ficaram escutando o vento correr pela relva.

— Adoro esse som — disse ela. — Ele sempre me faz desejar ser parte do vento… ir para onde ele vai, ver o que ele vê.

— Este ano, se o ka permitir, você fará isso.

— Ié. E contigo. — Apoiada num cotovelo, Susan virou-se para ele. A luz passava pelo telhado em ruínas e salpicava o rosto dela. — Roland, eu te amo. — Ela o beijou… e depois começou a chorar.

Ele a abraçou, preocupado.

— O que há? Sue, o que está te perturbando?

— Não sei — disse ela, chorando ainda mais. —Sei apenas que sinto um aperto no meu coração. — Ela o encarou com lágrimas ainda escorrendo dos olhos. — Não vai me deixar, não é, querido? Não seguirás sem a Sue, não é?

— Não.

— Pois dei tudo que tinha para você, assim foi. E minha virgindade foi o menor de tudo, tu sabes.

— Eu nunca a deixaria. — Mas ele sentiu frio a despeito da pele do urso, e o vento lá fora (tão confortador um momento atrás) passou a soar como a respiração de um animal. — Nunca, eu juro.

— Mas estou assustada. Estou mesmo.

— Não precisa estar — disse ele, falando devagar e com cuidado... pois de repente todas as palavras erradas pareciam querer jorrar aos trambolhões de sua boca. *Vamos deixar tudo isto, Susan... não depois de amanhã, na Colheita, mas agora, neste instante. Vista-se e vamos tomar o rumo do vento; vamos seguir para o sul sem jamais olhar para trás. Seremos...*

... assombrados.

É o que aconteceria. Seriam assombrados pelos rostos de Alain e Cuthbert, assombrados pelos rostos de todos os homens que viessem a morrer nas montanhas Shavéd; massacrados por armas arrancadas das criptas onde deviam ter ficado guardadas. Assombrados principalmente pelos rostos de seus pais, para todo o resto de suas vidas. Nem mesmo o polo Sul ficaria longe o bastante para deixá-los escapar daqueles rostos.

— Só o que precisa fazer depois de amanhã é se mostrar indisposta na hora do almoço. — Tudo já tinha sido combinado antes, mas, naquele momento, ante aquele pavor repentino, despropositado, isso foi tudo em que ele conseguiu pensar para dizer. — Vá para seu quarto, depois saia como na noite em que nos encontramos no cemitério. Esconda-se um pouco. Depois, quando forem três da manhã, venha até aqui e olhe debaixo das peles naquele canto. Se meus revólveres não estiverem lá... e não estarão, juro que não... tudo estará bem. Continue seguindo ao nosso encontro. Vá até o lugar sobre o desfiladeiro, aquele de que falamos. Estaremos...

— Ié, sei tudo isso, mas alguma coisa está errada. — Susan olhou para ele, tocou o lado de seu rosto. — Temo por ti e por mim, Roland, e não sei por quê.

— Tudo vai dar certo — ele disse. — Ka...

— Não me fale do ka! — ela pediu. — Ah, por favor! O ka é como um vento, meu pai dizia, leva o que quer, sem se importar com a apelo de nenhum homem ou mulher. Um velho ganancioso, o ka, como o detesto!

— Susan...

— Não, não diga mais nada. — Ela se recostou e empurrou a pele de urso até os joelhos, expondo um corpo que homens muito mais importantes que Hart Thorin poderiam ter dado reinos para conseguir. Pontinhos de sol corriam pela sua pele nua como chuva. Ela estendeu os braços para Roland, que jamais a achara tão bonita, o cabelo espalhado sobre os ombros e aquele olhar assombrado no rosto. Ele pensaria mais tarde: *Ela sabia. Uma parte dela sabia.*

— Chega de conversa — disse Susan. — A conversa está encerrada. Se me ama, então me ame.

E, pela última vez, Roland a amou. Mexeram-se juntos, pele contra pele, respirações coladas, enquanto lá fora o vento roncava no oeste como uma grande onda do mar.

12

No início daquela noite, quando o Demônio de dentes arreganhados se levantou no céu, Cordelia saiu de casa e atravessou devagar o gramado até o jardim, desviando-se da pilha de folhas que se acumulara naquela tarde. Em seus braços havia uma trouxa de roupas. Ela a jogou na frente do mastro onde seu espantalho estava amarrado, depois ergueu extasiada os olhos para a lua crescente: o familiar piscar de olho, o sorriso do espectro; dourada como osso era aquela lua, botão branco contra seda violeta.

A lua sorria para ela; Cordelia devolvia o sorriso. Por fim, com a expressão de uma mulher despertando de um transe, avançou e puxou o espantalho do mastro. A cabeça caiu molemente sobre o ombro, como a cabeça de um homem que se descobrisse embriagado demais para dançar. As mãos vermelhas bamboleavam.

Ela tirou a roupa do espantalho, revelando uma forma abaulada, vagamente humanóide, ainda com o suspensório do irmão morto. Cordelia pegou uma das coisas que trouxera da casa e suspendeu-a contra o luar. Era uma camisa de cavalgar de seda vermelha, um dos presentes que o prefeito Thorin dera à Dona Ah-Tão-Jovem-e-Bela. Uma das coisas que ela se recusara a usar. Roupas de puta, Susan tinha dito. E o que isso fazia de Cordelia Delgado, que tomara conta de Susan mesmo após o cabeça-dura do pai ter decidido ir contra as vontades de Fran Lengyll e John Croydon? Transformara-se numa cafetina, então.

Aquela ideia levou a uma imagem de Eldred Jonas e Coral Thorin, nus e engalfinhados enquanto, no andar de baixo, num piano vagabundo alguém martelava "Red Dirt Boogie". Cordelia gemeu como um cão.

Fez passar a camisa de seda sobre a cabeça do espantalho. Em seguida veio uma das saias abertas do lado que Susan usava para cavalgar. Depois da saia, os chinelos da garota. E por fim, substituindo o *sombrero*, um dos gorros coloridos de Susan.

Pronto! O espantalho tinha virado uma espantalha.

— E as mãos vermelhas vão combinar — ela murmurou. — Eu sei. Ah, sim, eu sei. Não nasci ontem.

Carregou o espantalho do jardim para a pilha de folhas no gramado. Deitou-o ao lado da pilha, pegou algumas folhas e colocou-as na frente da blusa de cavalgada, simulando seios rudimentares. Isto feito, tirou um fósforo do bolso e riscou.

O vento, como se ávido em cooperar, abrandou. Cordelia levou o fósforo às folhas secas. Logo toda a pilha estava em chamas. Ela pegou o espantalho-moça nos braços e parou com ele diante do fogo. Não ouviu o estrépito dos fogos na cidade, o chiado dos tubos do órgão no Coração Verde ou a banda de mariachis tocando no Baixo Mercado; quando uma folha se ergueu e passou em chamas por seu cabelo, ameaçando incendiá-lo, ela nem pareceu reparar. Seus olhos estavam arregalados e vazios.

Quando o fogo estava em seu auge, Cordelia se aproximou da beirada das folhas e atirou o espantalho. As labaredas se elevaram em brilhantes rajadas alaranjadas; faíscas e folhas queimando giravam para cima num funil.

— Então que seja! — Cordelia gritou. A luz do fogo em seu rosto convertia as lágrimas em sangue. — *Árvore de chariou!* Ié, assim mesmo!

A coisa nas roupas de cavalgada foi apanhada pelo fogo, a face começou a arder, as mãos vermelhas ficaram em brasa e os olhos costurados em cruz ficaram pretos. As chamas tomaram conta do gorro; o rosto começou a queimar.

Cordelia continuou parada, contemplando, os punhos se fechando e se abrindo, desatenta às faíscas que iluminavam sua pele, desatenta às folhas ardendo que rodopiavam em direção à casa. Se a casa tivesse pegado fogo, provavelmente ela teria ignorado da mesma maneira.

Ficou vendo aquilo até que o espantalho vestido com as roupas da sobrinha se transformou em nada mais que cinzas caídas em cima de mais cinzas. Então, lentamente como um robô com ferrugem nas juntas, caminhou de volta à casa, esticou-se no sofá e dormiu como morta.

13

Eram três e meia da manhã do dia antes da Colheita e Stanley Ruiz achou que finalmente podia dar a noite por encerrada. O último músico saíra há vinte minutos — Sheb tinha aguentado por quase uma hora mais do que os mariachis e agora roncava com a cara na serragem. Sai Thorin estava no andar de cima e não havia sinal dos Grandes Caçadores de Caixões; Stanley desconfiava que iam passar a noite em Seafront. Também desconfiava que havia trabalho sujo em andamento, embora não tivesse certeza disso. Ergueu os olhos para o olhar vidrado das duas cabeças do Transão.

— Estou fora disso, velho amigo — disse. — Tudo que eu quero é umas nove horas de sono... Amanhã é o dia da verdadeira festa e não nos deixarão antes do amanhecer. Portanto...

Um grito estridente veio de algum lugar atrás do prédio. Stanley recuou bruscamente, chocando-se contra o balcão. Ao lado do piano, Sheb levantou por um momento a cabeça, murmurou "O que foi?", e deixou-a cair de novo com um baque abafado.

Stanley não sentia a menor vontade de investigar a fonte do grito, mas achou que iria, de qualquer maneira. Parecia a voz daquela triste e velha prostituta Pettie, a Trotadora.

— Gostaria que fosse trotar com sua bunda velha e caída bem longe da cidade — murmurou, curvando-se para olhar embaixo do balcão. Havia dois corpulentos atiçadores de cinzas, o Tranquilizador e o Matador.

O Tranquilizador era madeira lisa de lei, capaz de apagar por duas horas as luzes de qualquer cabeça tempestuosa que ele acertasse no lugar certo.

Stanley avaliou seu estado de espírito e pegou o outro cacete. Era mais curto que o Tranquilizador e mais largo no topo. E a ponta atacante do Matador era guarnecida de pregos.

Stanley foi até a ponta do balcão, abriu a porta e atravessou um depósito escuro, cheio de barris com cheiro de graf e uísque. Nos fundos havia a porta que dava para o pátio de trás. Stanley foi até lá, respirou fundo e destrancou-a. Continuou esperando que Pettie soltasse outro grito de explodir os miolos, mas nenhum foi ouvido. Havia apenas o barulho do vento.

Talvez você deu sorte e ela esteja morta, Stanley pensou abrindo a porta, recuando um passo e levantando o cacete guarnecido de pregos.

Pettie não estava morta. Vestindo uma espécie de tanga estampada (ou uma de suas saias típicas, diriam alguns), a prostituta estava parada na trilha que levava ao banheiro dos fundos, as mãos entrelaçadas sobre a curva dos seios e embaixo das papadas caídas do pescoço. Olhava para o céu.

— O que foi? — Stanley perguntou, correndo para ela. — Seu grito me tirou dez anos de vida, sério mesmo.

— A lua, Stanley! — ela sussurrou. — Ah, dê uma olhada na lua, veja!

Stanley ergueu a cabeça e o que viu deixou seu coração martelando, mas ele tentou falar de modo razoável e calmo.

— Vamos lá, Pettie, é poeira, só isso. Seja razoável, querida, você sabe como tem ventado nestes últimos dias. E não tem chovido para fazer baixar o que o vento carrega; é poeira, só isso.

Mas não parecia poeira.

— Sei o que estou vendo — murmurou Pettie.

Acima deles, a Lua do Demônio sorria e piscava um olho através do que parecia ser uma ondulante membrana de sangue.

7. PEGANDO A BOLA

1

Enquanto uma certa prostituta e um certo barman continuavam de boca aberta para a lua sangrenta, Kimba Rimer acordava espirrando.

Maldição, um resfriado na Colheita, ele pensou. *Levando-se em conta o que vou precisar fazer nos próximos dois dias, vou dar sorte se ele não se transformar numa...*

Alguma coisa mexeu na ponta de seu nariz e ele tornou a espirrar. A coisa que parecia ter saído de seu peito estreito ou da fenda seca da boca parecia como um tiro de uma pistola de pequeno calibre.

— Quem está aí? — ele gritou.

Nenhuma resposta. Rimer de repente imaginou um pássaro, alguma coisa repelente e de mau temperamento, um bicho que tivesse entrado ali durante o dia e estivesse agora esvoaçando na escuridão, esbarrando em seu rosto enquanto ele dormia. A pele formigou (aves, insetos, morcegos, odiava tudo isso), e ele se atirou com tanta força para o lampião a gás na mesinha ao lado da cama que quase o derrubou no chão.

Enquanto puxava o lampião para perto de si, repetiu-se aquela agitação no ar. Desta vez um sopro em seu rosto. Rimer gritou e encolheu-se contra os travesseiros, agarrando o lampião no peito. Virou o botão do lado, ouviu o silvo do gás, por fim empurrou o pavio. O lampião acendeu e, no fino círculo de seu brilho, ele viu não um pássaro esvoaçante, mas Clay Reynolds sentado na beira da cama. Numa das mãos Reynolds segurava a pena com que estivera fazendo cócegas no chanceler de Mejis. A outra estava escondida na capa deitada em seu colo.

Reynolds antipatizara com Rimer desde o primeiro encontro dos dois nos bosques no extremo oeste da cidade — aqueles mesmos bosques, além da garganta do Parafuso, onde Latigo, o homem de Farson, agora mantinha o principal contingente de suas tropas. Era uma de vento, e quando ele e os outros Caçadores de Caixões entraram na pequena clareira, onde Rimer, acompanhado de Lengyll e Croydon, estava sentado junto a uma pequena fogueira, a capa de Reynolds chicoteava em volta dele.

— *Sai Manto* — Rimer tinha dito e os outros dois riram. Foi apenas uma piadinha inofensiva, mas Reynolds não enxergou assim. Em muitas terras por onde tinha viajado, manto não significava "capa", mas "enrustido". Era, de fato, um termo de gíria para homossexual. Que Rimer (um homem provinciano sob um verniz de cínica sofisticação) não soubesse disto nem passou pela mente de Reynolds. Sabia quando as pessoas estavam zombando dele e se pudesse fazer alguém pagar ele o faria.

Para Kimba Rimer, o dia do pagamento chegara.

— Reynolds? O que está fazendo? Como entrou n…

— Você deve estar pensando no caubói errado — respondeu o homem sentado na cama. — Nenhum Reynolds aqui. Apenas *Señor Manto*.

Ele tirou a mão que estava sob a capa, onde havia um *cuchillo* extremamente afiado. Reynolds o comprara no Baixo Mercado com aquele objetivo em mente. Ele agora o levantava e enfiava a lâmina de trinta centímetros no peito de Rimer. A lâmina continuou avançando, picando como um inseto. *Um percevejo*, Reynolds pensou.

O lampião escapou das mãos de Rimer e rolou da cama. Caiu no pequeno tapete, mas não quebrou. Na parede oposta surgia a sombra distorcida, convulsa de Kimba Rimer. A sombra do outro homem curvava-se sobre ela como um abutre faminto.

Reynolds ergueu a mão que tinha segurado a faca. Virou-a para que o pequeno caixão azul tatuado entre o polegar e o indicador ficasse de frente para os olhos de Rimer. Queria que aquilo fosse a última coisa que Rimer visse daquele lado da clareira.

— Vamos ver se você agora debocha de mim — disse Reynolds. Ele sorriu. — Vamos lá. Só quero ouvir.

2

Pouco antes das cinco, o prefeito Thorin acordou de um terrível sonho. Nele, um pássaro de olhos rosados ficava cruzando devagar o Baronato, de um lado para o outro. Por onde quer que sua sombra passasse, a grama amarelava, as folhas caíam das árvores e as colheitas secavam. A sombra estava transformando seu verde e agradável Baronato numa terra devastada. *Pode ser meu Baronato, mas é meu pássaro, também*, ele pensou pouco antes de acordar, encolhido e trêmulo em um dos lados da cama. *Meu pássaro, eu o trouxe para cá, eu o deixei sair da gaiola.*

Não haveria mais descanso para ele naquela noite e Thorin sabia disso. Ele se serviu de um copo de água, tomou-a, depois foi para seu gabinete, procurando distraidamente tirar, enquanto andava, a camisola de dormir da fenda do traseiro ossudo e velho. O pompom na ponta do gorro de dormir balançava entre as omoplatas; os joelhos estalavam a cada passo.

Quanto aos sentimentos de culpa expressos pelo sonho... bem, o que estava feito estava feito. Jonas e seus amigos teriam aquilo pelo que tinham vindo ali (e pelo qual tinham sido pagos tão generosamente) no dia seguinte; no dia depois desse já teriam ido embora. Que voasse para longe o pássaro de olhos rosados e sombra peçonhenta; que voasse para o lugar de onde tinha vindo e que levasse com ele os rapazes do Grande Caixão. Thorin acreditava que no Fim do Ano estaria ocupado demais trabalhando com seu pavio para pensar muito sobre essas coisas. Ou para sonhar esses sonhos.

Além disso, sonhos sem sinais visíveis eram apenas sonhos, não presságios.

O sinal visível podia ter sido as botas sob as cortinas do gabinete — só as pontas arranhadas aparecendo —, mas Thorin não olhou naquela direção. Seus olhos estavam fixados na garrafa ao lado de sua poltrona favorita. Beber clarete às cinco da manhã não era o tipo de coisa que devesse se tornar um hábito, mas só uma vez não faria mal. Tivera um sonho terrível, pelo amor de Deus, e afinal...

— Amanhã é a Colheita — ele disse sentando-se na poltrona de encosto alto na ponta da lareira. — Acho que um homem pode quebrar algumas regras quando chega a colheita.

Serviu-se da bebida, a última que tomaria neste mundo, e tossiu quando o calor lhe atingiu a barriga e subiu de novo para a garganta, aquecendo-o. Melhor assim, ié, muito melhor. Mais nenhum pássaro gigante, nenhuma sombra pestilenta. Esticou os braços, juntou os dedos compridos, ossudos, e estalou-os morbidamente.

— *Detesto* quando faz isso, sujeitinho magrela — disse uma voz diretamente para o ouvido esquerdo de Thorin.

Thorin pulou. Seu coração deu seu próprio e tremendo salto no peito. O copo vazio voou de sua mão e não havia tapete para amortecer a aterrissagem. O vidro se espatifou na beira da lareira.

Antes que Thorin pudesse gritar, Roy Depape empurrou o gorro do prefeito, apoderou-se dos restos vaporosos da cabeleira do prefeito e virou a cabeça do prefeito para trás. A faca que Depape segurava em sua outra mão era muito mais modesta do que aquela que Reynolds tinha usado, mas cortou a garganta do velho com bastante eficiência. O sangue jorrou escarlate na obscuridade do quarto. Depape largou o cabelo de Thorin, voltou para as cortinas atrás das quais se escondera e pegou alguma coisa no chão. Era o vigia de Cuthbert. Depape levou-o de volta para a poltrona e colocou-o no colo do prefeito moribundo.

— Pássaro... — Thorin gargarejou por uma boca cheia de sangue.

— Pássaro!

— Sim, velho, e que sagaz da sua parte em reparar nisso numa hora dessas. — Depape puxou de novo a cabeça de Thorin para trás e arrancou os olhos do homem com dois golpes rápidos da faca. Um foi parar na lareira apagada; o outro bateu na parede e deslizou para trás da cesta dos atiçadores. O pé direito de Thorin tremeu brevemente e ficou imóvel.

Faltava ainda uma tarefa.

Depape olhou em volta, viu o gorro de Thorin e concluiu que o pompom na ponta ia servir. Ele o pegou, mergulhou-o na poça de sangue que havia no colo do prefeito e desenhou o *sigul* do Bom Homem Bom...

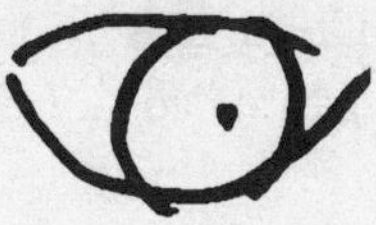

... na parede.

— Aí está — ele murmurou, recuando. — Se isto não acabar com eles, nada sobre a face da Terra acabará.

Realmente verdade. A única pergunta restando era se o ka-tet de Roland poderia ou não ser apanhado vivo.

3

Jonas dissera a Fran Lengyll exatamente onde colocar seus homens, dois no interior do estábulo e seis do lado de fora, três dos quais escondidos atrás de velhos e enferrujados instrumentos de lavoura, dois escondidos nos restos carbonizados da antiga casa-sede, um — Dave Hollis — agachado em cima do próprio estábulo, espreitando do ponto mais alto do telhado. Lengyll estava satisfeito em ver que os homens levavam a sério seu trabalho. Eram apenas garotos, sem dúvida, mas garotos que tinham, certa vez, se saído melhor do que os Grandes Caçadores de Caixões.

O xerife Avery deu uma razoável impressão de estar encarregado das coisas até ficarem todos ao alcance de um bom grito saído do Barra K. Então Lengyll, metralhadora posta no ombro (e com as costas retas na sela, como aos vinte anos), assumiu o comando. Nervoso e um tanto sem fôlego, Avery pareceu antes aliviado que ofendido.

— Vou dizer a vocês aonde ir, assim como disseram a mim — Lengyll dissera a seu destacamento. — É um bom plano e não tive problemas em aceitá-lo. — No escuro, os rostos dos homens eram pouco mais que manchas indistintas. — Só uma coisa vou dizer por conta própria. Não precisamos deles vivos, mas é melhor que os tenhamos assim... É o Baronato que deve ajustar as contas com eles, as pessoas comuns. Acertar com eles e com toda essa história. Pôr uma pá de cal no assunto, se preferirem. Então ouçam: se houver motivo para atirar, atirem. Mas vou tirar a pele da cara de qualquer um que atirar sem motivo. Estão entendendo?

Nenhuma reação. Pareciam ter entendido.

— Está bem — dissera Lengyll. Tinha uma expressão impassível. — Vou lhes dar um minuto para se certificarem de que estão com todo o equipamento em ordem e então vamos. Não falem mais nada daqui em diante.

4

Roland, Cuthbert e Alain saíram do barracão às 6h15 daquela manhã e pararam em fila indiana na varanda. Alain estava acabando seu café. Cuthbert bocejava e se espreguiçava. Roland abotoava a camisa e olhava para sudoeste, para o pasto Ruim. Não estava pensando em emboscadas, mas em Susan. Nas lágrimas dela. *Um velho ganancioso, o ka, como o detesto*, ela havia dito.

Os instintos dele não despertaram; o toque de Alain, que sentira Jonas no dia em que Jonas matara os pombos, não chegou sequer a estremecer. Quanto a Cuthbert...

— Mais um dia de tranquilidade! — foi o que ele exclamou para o céu da aurora. — Mais um dia de graça! Mais um dia de silêncio, quebrado apenas pelo suspiro do amante e a batida dos cascos dos cavalos!

— Mais um dia ouvindo suas besteiras! — disse Alain. — Vamos.

Deixaram a varanda, sem sentir absolutamente os oito pares de olhos fixados neles. Entraram no estábulo passando pelos dois homens que flanqueavam a porta, um escondido atrás de uma velha grade de arado, o outro enfiado atrás de um feixe espigado de forragem, ambos com revólveres nas mãos.

Só Rusher sentiu que havia alguma coisa errada. Batia com a pata, agitava os olhos e, quando Roland começou a puxá-lo de sua baia, quis empinar.

— Ei, garoto — disse ele, olhando em volta. — Aranhas, eu acho. Ele não as suporta.

Do lado de fora, Lengyll se levantou e fez sinal com ambas as mãos. Os homens moveram-se silenciosamente para a frente do estábulo. No telhado, Dave Hollis também sacara o revólver. Seu monóculo estava enfiado no bolso do colete, assim não haveria o risco de deixar escapar algum reflexo num momento inoportuno.

Cuthbert levou sua montaria para fora do estábulo. Alain foi atrás. Roland veio por fim, trazendo em rédea curta o nervoso garanhão, ainda querendo empinar.

— Olhe — disse Cuthbert num tom animado, ainda inconsciente dos homens postados bem atrás dele e de seus amigos. Estava apontando para o norte. — Uma nuvem no formato de um urso! Sinal de boa sorte para...

— Não se movam, moleques — gritou Fran Lengyll. — Nem um passo que seja.

Alain começou *de fato* a se virar — em sobressalto mais que qualquer outra coisa — e houve uma ondulação de pequenos cliques, como muitos galhos secos estalando todos ao mesmo tempo. O som de pistolas e mosquetões sendo engatilhados.

— Não, Al! — disse Roland. — Não se mexa! Não! — Em sua garganta o desespero crescia como veneno, e lágrimas de raiva arderam nos cantos dos olhos... contudo, ele permaneceu imóvel. Cuthbert e Alain também precisavam ficar parados. Se eles se mexessem, seriam mortos. — Não se mexam! — Roland tornou a mandar. — Nenhum de vocês!

— Moleque esperto. — A voz de Lengyll estava mais perto agora e foi acompanhada por vários pares de pisadas. — Coloque as mãos atrás das costas.

Duas sombras ladearam Roland, compridas à primeira luz do dia. Julgando pelo volume da sombra à sua esquerda, imaginou estar sendo emboscado pelo xerife Avery. Provavelmente Avery não ia lhes oferecer chá naquele dia. Lengyll pertenceria à outra sombra.

— Depressa, Dearborn, ou seja lá qual for o seu nome. Coloque-as atrás de você. Bem atrás. Há armas apontadas para seus parceiros, e se acabarmos levando somente dois de vocês em vez dos três, não será o fim do mundo.

Não está correndo nenhum risco com a gente, Roland pensou, experimentando um momento de orgulho perverso. Com ele veio o gosto de alguma coisa que era quase diversão. Mas ainda amargo; o gosto continuava bastante amargo.

— Roland! — Agora era Cuthbert, e havia angústia em sua voz. — Roland, não!

Mas não havia opção. Roland colocou as mãos atrás das costas. Rusher deixou escapar um pequeno relincho reprovador — como a dizer que tudo aquilo era extremamente impróprio — e se afastou a trote até o lado da varanda do barracão.

— Vocês vão sentir o metal nos pulsos — disse Lengyll. — *Esposas.*

Dois círculos frios escorregaram para as mãos de Roland. Houve um clique e de repente os arcos das algemas se apertavam em seus pulsos.

— Tudo bem — disse outra voz. — Agora você, meu filho.

— Quero ver se consegue! — A voz de Cuthbert beirava a histeria.

Houve um baque e um grito abafado de dor. Roland se virou e viu Alain caído sobre um joelho, as costas da mão esquerda apoiadas contra a testa. O sangue corria pelo rosto.

— Vai querer que eu lhe dê mais uma? — Jake White perguntou. Segurava uma velha pistola com a coronha para a frente. — É fácil, você sabe; meu braço está se sentindo muito ágil neste início do dia.

— Não! — Cuthbert se contorcia com horror e alguma coisa semelhante a remorso. Alinhados atrás dele estavam três homens armados, vendo a cena com ansiosa avidez.

— Então seja um bom garoto e fique com as mãos atrás das costas.

Cuthbert, ainda lutando para segurar as lágrimas, fez o que lhe mandavam. *Esposas* foram colocadas nele pelo agente Bridger. Os outros dois homens puseram Alain de pé. Ele cambaleou um pouco, mas quando foi algemado já estava firme. Seus olhos encontraram os de Roland, e Al tentou sorrir. De certa forma, aquele foi o pior momento da terrível emboscada daquela manhã. Roland assentiu e fez a si próprio uma promessa: nunca mais seria surpreendido daquele jeito, mesmo que vivesse mil anos.

Lengyll estava usando um lenço de pescoço naquela manhã, não uma gravata sem laço, mas Roland achou que ele estava usando o mesmo casaco de corte reto que usara na festa de boas-vindas do prefeito, tantas semanas atrás. De pé ao lado dele, inchado de entusiasmo, ansiedade e autoimportância, estava o xerife Avery.

— Rapazes — disse o xerife —, estão detidos por transgredir as normas do Baronato. As acusações são traição e assassinato.

— Quem matamos? — Alain perguntou em voz baixa e um dos milicianos deixou escapar um riso chocado ou cínico, Roland não saberia dizer com certeza.

— O prefeito e seu chanceler, como sabem muito bem — disse Avery. — Agora...

— Como pode estar fazendo isto? — Roland perguntou com curiosidade, dirigindo-se a Lengyll. — Mejis é sua terra natal; vi os túmulos de seus descendentes no cemitério da cidade. Como pode estar fazendo isto com sua terra natal, sai Lengyll?

— Não pretendo ficar parado aqui confabulando com você — disse Lengyll olhando pelo ombro de Roland. — Alvarez! Pegue o cavalo dele! Garotos tão espertinhos como estes não vão ter dificuldade em cavalgar com as mãos atrás das...

— Não, me diga — Roland interveio. — Não saia pela tangente, sai Lengyll... Está junto de seus amigos, não há um que não esteja dentro de seu círculo. Como tem coragem? Seria capaz de estuprar a própria mãe se a pegasse dormindo com a saia levantada?

A boca de Lengyll se contorceu... não de vergonha ou embaraço, mas com uma repugnância momentaneamente virtuosa. De repente o velho rancheiro estava se virando para Avery.

— Aprendem a falar bonito em Gilead, não é?

Avery tinha um rifle. Ele avançou para o pistoleiro algemado com a coronha erguida.

— Vou ensiná-lo a falar direito com um homem bem-nascido, ah, isso vou! Tiro os dentes da cabeça dele, é só mandar, Fran!

Com ar cansado, Lengyll o conteve.

— Não fale bobagem. Não quero eva-lo de volta estendido sobre uma sela, a não ser que esteja morto.

Avery baixou a arma. Lengyll voltou a se concentrar em Roland.

— Não vai viver tempo suficiente para tirar proveito de um conselho meu, Dearborn — disse —, mas de qualquer modo vou dar: junte-se aos vencedores neste mundo; e fique atento ao sopro do vento, para que possa sentir quando ele for mudar de direção.

— Esqueceu o rosto de seu pai, seu verme escroto — disse claramente Cuthbert.

Isto atingiu Lengyll de um modo que a observação sobre sua mãe não fora capaz... Foi evidente no repentino aflorar de cor em seu rosto abatido.

— Façam com que montem! — disse. — Quero todos de boca bem fechada pela próxima hora!

5

Roland foi jogado com tanta força na sela de Rusher que quase caiu do outro lado... teria caído se Dave Hollis não estivesse lá para firmá-lo e encaixar sua bota no estribo. Dave concedeu ao pistoleiro um sorriso nervoso, meio sem jeito.

— Lamento vê-lo aqui — disse Roland gravemente.

— Lamento estar aqui — disse o agente do xerife. — Se assassinato era o que tinha em mente, preferia que tivesse feito logo. E seu amigo não deveria ter tido a arrogância de deixar um cartão de visita. — Fez um gesto de cabeça para Cuthbert.

Roland não fazia a menor ideia a que o agente Dave estava se referindo, mas não importava. Era apenas parte do plano e nenhum daqueles homens acreditava muito nisso, Dave provavelmente incluído. Embora, Roland supôs, fossem começar a acreditar naquilo em seus últimos anos de vida, quando passariam a transmitir a história aos filhos e netos como um evangelho. O glorioso dia em que tinham cavalgado com a milícia e capturado os traidores.

O pistoleiro usou os joelhos para virar Rusher... e ali, parado ao lado do portão entre a entrada do Barra K e a trilha que levava à Grande Estrada, estava o próprio Jonas. Bem montado num cavalo de pelo castanho e peito muito curvo, usando um chapéu de vaqueiro de feltro verde e um velho cinturão cinzento. Havia um rifle no estojo ao lado de seu joelho direito. O lado esquerdo do cinturão estava puxado para mostrar a coronha do revólver. O cabelo branco de Jonas, solto naquele dia, caía sobre os ombros.

Ele tirou o chapéu e estendeu-o para Roland num cumprimento elegante.

— Uma boa partida — disse. — Joga muito bem para um garoto que não há muito tempo ainda puxava leite de uma teta.

— Meu velho — disse Roland —, você já viveu demais.

Jonas sorriu.

— Se pudesse você resolveria esse problema, não é? Ié, eu acho. — Piscou os olhos para Lengyll. — Pegue os brinquedos deles, Fran. Esteja especialmente atento às facas. Possuem revólveres, mas não os trouxeram. Mas sei muito mais do que eles podem imaginar sobre os trabucos que guardam. E sobre a atiradeira daquele garoto engraçadinho. Não se esqueça da atiradeira, pelo amor dos deuses. Não há muito tempo o garoto quis arrancar a cabeça de Roy com ela.

— Está falando do cabeça de cenoura? — Cuthbert perguntou. O cavalo dançava embaixo dele; Bert se sacudia para a frente e para trás e de um lado para o outro, como um cavaleiro de circo, para não cair. — Ele nem teria sentido falta da cabeça. Das bolas, talvez, mas não da cabeça.

— Provavelmente é verdade — Jonas concordou, vendo as esporas e um boné de Roland sendo apreendidos. A atiradeira estava atrás do cinto de Cuthbert, enfiada no coldre que ele próprio fizera. Roy Depape tinha muita sorte de não ter ameaçado Bert, Roland sabia... Bert podia acertar a asa de um pássaro a sessenta metros. Uma cartucheira com bolinhas de aço pendia do lado esquerdo do rapaz. Bridger pegou-a também.

Enquanto aquilo acontecia, Jonas encarou Roland com um sorriso amistoso.

— Qual é seu verdadeiro nome, moleque? Relaxe... não faz mal nos dizer agora; você vai viajar para a clareira e nós dois sabemos disso.

Roland não disse nada. Lengyll olhou para Jonas, sobrancelhas erguidas. Jonas deu de ombros, depois sacudiu a cabeça na direção da cidade. Lengyll assentiu e cutucou Roland com um dedo duro, áspero.

— Vamos, garoto. Vamos cavalgar.

Roland apertou os lados do lombo de Rusher; o cavalo trotou para Jonas. E de repente Roland percebeu uma coisa. Como todas as suas melhores e mais verdadeiras intuições, ela vinha de toda parte e de parte alguma — ausente num instante, ali presente e completa no instante seguinte.

— Quem o mandou para oeste, verme? — ele perguntou ao passar por Jonas. — Não pode ter sido Cort... você é velho demais. Foi o pai dele?

O ar de satisfação levemente entediada saiu do rosto de Jonas... *voou* da cara dele, como se esbofeteado. Por uma surpreendente fração de tempo, o homem de cabelo branco virara criança: chocado, envergonhado e ferido.

— Sim, o pai de Cort... Estou vendo isto em seus olhos. E agora você está aqui, no mar Claro... só que na verdade está no oeste. A alma de um homem como você nunca pode deixar o oeste.

O revólver de Jonas apareceu engatilhado na mão dele com tamanha rapidez que só os olhos extraordinários de Roland foram capazes de perceber o movimento. Os homens atrás deles soltaram murmúrios: parcialmente chocados, mas muito mais maravilhados.

— Jonas, não seja tolo! — Lengyll falou com rispidez. — Não vai matá-los depois de tanto tempo e risco para agarrá-los e amarrar suas presas, não é?

Jonas parecia nem estar ouvindo. Tinha os olhos arregalados; os cantos marcados da boca tremiam.

— Cuidado com o que diz, Will Dearborn — ele falou baixo, num tom rouco. — Não imagina a força que as palavras podem desencadear. São novecentas gramas de pressão num gatilho com a força de um quilo e meio, coisa de segundo.

— Ótimo, atire em mim — disse Roland erguendo a cabeça e olhando para Jonas. — Atire, exilado. Atire, verme. Atire, fracassado. Viverá no exílio e morrerá como viveu.

Por um momento ele teve certeza de que Jonas *ia* atirar e nesse momento Roland sentiu que a morte seria o suficiente, um final aceitável após a vergonha de ser capturado tão facilmente. Nesse momento Susan esteve ausente de sua cabeça. Nada respirou, nada chamou, nada se moveu. As sombras dos homens que assistiam ao confronto, tanto a pé quanto a cavalo, estavam profundamente marcadas no chão.

Então Jonas soltou o gatilho e deixou o revólver escorregar para o coldre.

— Levem os três para a cidade e os prendam — ele disse a Lengyll. — E quando eu voltar, não quero ver um único fio de cabelo danificado numa só cabeça. Se consegui me conter e não matar este aqui, vocês também podem se conter e não ferir os outros. Agora vão.

— Mexam-se — disse Lengyll. Sua voz tinha perdido um pouco do tom de autoridade. Agora era a voz de um homem percebendo (muito tarde) que comprara fichas num jogo onde as apostas seriam provavelmente altas demais.

Partiram, e Roland olhou pela última vez para trás. O desprezo que Jonas viu naqueles olhos jovens e frios afetou-o mais do que as chicotadas que tinham lhe enchido as costas de cicatrizes em Garlan, anos atrás.

6

Quando o grupo saiu de vista, Jonas entrou no barracão, levantou a tábua que escondia o pequeno arsenal e só encontrou dois revólveres. O par de revólveres de seis tiros com cabos pretos (armas de Dearborn, com certeza) tinha desaparecido.

Você está no oeste. A alma de um homem como você nunca pode deixar o oeste. Viverá *no exílio e morrerá como viveu.*

As mãos de Jonas começaram a trabalhar, desmontando os revólveres que Cuthbert e Alain tinham trazido para o oeste. O de Alain jamais fora usado, salvo nos exercícios de tiro. Do lado de fora, Jonas atirou longe os pedaços, espalhando-os por todo lado. Usou toda a sua força, tentando se livrar daquele frio olhar azulado e do choque de ouvir o que acreditava que nenhum homem sabia. Roy e Clay suspeitavam, mas mesmo eles nunca tiveram certeza.

Antes de o sol se pôr, todos em Mejis saberiam que Eldred Jonas, o chefe de segurança de cabelo branco, que tinha a tatuagem do caixão na mão, não passava de um pistoleiro fracassado.

Viverá no exílio e morrerá como viveu.

— Talvez — disse ele, contemplando a antiga casa queimada do rancho sem realmente enxergá-la. — Mas vou viver mais que do você, jovem Dearborn, e morrer muito depois de seus ossos terem apodrecido na terra.

Montou no cavalo e fez o animal dar a volta, batendo violentamente com as rédeas. Foi para a Citgo, onde Roy e Clay estariam à sua espera, e foi com pressa. Os olhos de Roland, no entanto, foram com ele.

7

— Acorde! Acorde, sai! Acorde! Acorde!

De início as palavras pareceram estar vindo de muito longe, flutuando por alguma mágica para o lugar escuro onde ela estava deitada. Mesmo quando a voz se uniu à mão que a sacudia com força e Susan percebeu que precisava acordar, foi uma longa e dura batalha.

Há semanas não tinha uma noite de sono decente e tinha esperado dormir um pouco mais na última noite... *especialmente* na última noite.

Deitada no seu luxuoso quarto de dormir em Seafront, revirando-se de um lado para o outro, via as possibilidades — nenhuma boa — se acumulando em sua mente. A camisola que usava desceu para seus quadris e acabou se amontoando embaixo das costas. Ao se levantar para usar o aparelho sanitário, puxou a peça detestável de roupa, atirou-a num canto e voltou nua para a cama.

Sentir-se fora da pesada camisola de seda dera conta do recado. Ela afundou quase de imediato... e, neste caso, *afundar* era a palavra exata: foi mais intenso que cair no sono; foi cair numa espécie de fenda da terra, sem pensamentos e sem sonhos.

Agora aquela voz se intrometendo. Aquele braço se intrometendo, sacudindo-a com tanta força que a cabeça rolou de um lado para o outro no travesseiro. Susan tentou se esquivar erguendo os joelhos para o peito e proferindo vagos protestos, mas o braço continuava. As sacudidas recomeçavam; a voz irritante, urgente, nunca parava.

— Acorde, sai! Acorde! Em nome da Tartaruga e do Urso, acorde!

A voz de Maria. De início Susan não a reconhecera porque Maria estava muito transtornada. Susan nunca a vira daquele jeito, nem imaginara que pudesse ficar assim. Porém *era* verdade; a camareira parecia à beira da histeria.

Susan sentou-se na cama. Por um momento, tantos estímulos — todos estranhos — a atingiram de tal forma que ela ficou incapaz de se mexer. A camisola sob a qual tinha dormido rolou para seu colo, revelando os seios, e ela conseguiu apenas puxá-la fracamente com as pontas dos dedos.

A primeira coisa errada era a luminosidade. Fluía pela janela mais fortemente que nunca... porque, ela percebeu, jamais ficara até tão tarde naquele quarto. Deus, deviam ser umas dez horas, talvez mais.

A segunda coisa errada foram os ruídos que vinham de baixo. A Casa do Prefeito costumava ser um lugar sossegado de manhã; até o meio-dia pouco se ouvia além do barulho dos *vaqueros* tirando os cavalos da cocheira para os exercícios matinais, o chá-chá-chá da vassoura de Miguel varrendo o pátio e o barulho incessante do avanço e do quebrar das ondas. Naquela manhã, porém, havia gritos, palavrões, cavalos galopando e a ocasional explosão de uma risada estranha, histérica. Em algum lugar fora do quarto — talvez não naquela ala, mas perto —, Susan ouvia o estrépito de botas correndo.

A coisa mais errada de todas era a própria Maria, as bochechas muito pálidas sob o tom marrom da pele e o cabelo sempre bem arrumado agora despenteado, emaranhado. Susan acharia que talvez nem um terremoto fosse capaz de deixá-la com aquela aparência.

— Maria, o que foi?

— Tem de ir embora, sai. Talvez Seafront não seja mais um lugar seguro para a senhora. Sua própria casa pode ser melhor. Quando não a vi mais cedo, achei que já tinha ido. Escolheu um dia péssimo para dormir até tarde.

— Ir embora? — Susan perguntou. Devagar, ela puxou a camisola até o nariz e encarou Maria sobre a beirada, olhos arregalados, inchados.

— O que quer dizer com ir embora?

— Pelos fundos. — Maria tornou a puxar a camisola das mãos dormentes de Susan e desta vez levou-a até os tornozelos. — Como já fez antes. Agora, mocinha, agora! Vista-se e vá! Aqueles rapazes foram presos, ié, mas e se tiverem amigos? E se voltarem para matar também a senhora?

Susan começara a se levantar. Agora, toda a energia deixava suas pernas e ela tornava a se recostar na cama.

— Rapazes? — murmurou. — Rapazes matam quem? Rapazes matam quem?

Foi uma pergunta bastante confusa, mas o significado foi óbvio para Maria.

— Dearborn e sua gangue — disse ela.

— Quem acham que eles mataram?

— O prefeito e o chanceler. — Ela encarou Susan com uma espécie abstração. — Agora levante-se, estou lhe pedindo. E vá. Este lugar ficou *loco*.

— Eles não fizeram uma coisa dessas — disse Susan, e se segurou para não acrescentar: *O plano não era esse.*

— O fato é que sai Thorin e sai Rimer estão mortos, não importa quem tenha feito. — Houve novos gritos no andar de baixo e uma pequena e forte explosão que não parecia um estalar de fogos. Maria olhou naquela direção e começou a atirar as roupas a Susan. — Os olhos do prefeito... foram arrancados da cabeça.

— Eles não podem ter feito isso! Maria, eu os conheço...

— Quanto a mim, não sei nada acerca deles e pouco me importa... mas me importo com a senhora. Vista-se e saia, estou lhe dizendo. O mais depressa que puder!

— O que aconteceu a eles? — Um pensamento terrível ocorreu a Susan e ela pulou em pé, as peças de roupa caindo ao seu redor. Agarrou Maria pelos ombros. — Foram mortos? — Susan a sacudiu. — Diga que não foram mortos!

— Acho que não. Tenho ouvido muita gritaria e milhares de rumores, mas acho que só foram presos. Só que...

Não houve necessidade de terminar a frase; os olhos de Maria escaparam dos de Susan, e esse movimento involuntário (juntamente com os confusos gritos vindos de baixo) disse todo o resto. Não mortos ainda, mas Hart Thorin era extremamente estimado e vinha de uma antiga família das redondezas. Roland, Cuthbert e Alain eram forasteiros.

Não mortos ainda... mas no dia seguinte era a Colheita, e na noite do dia seguinte havia a Fogueira da Colheita.

Susan começou a se vestir o mais depressa que pôde.

8

Reynolds, que estava com Jonas há mais tempo que Depape, deu uma olhada no vulto que galopava para eles por entre os esqueletos das torres de perfuração e se virou para o parceiro.

— Não lhe faça perguntas... Esta manhã ele não está no clima para perguntas tolas.

— Como sabe disso?

— Não interessa. Basta manter a porra da sua matraca fechada.

Jonas puxou as rédeas diante deles. Estava cabisbaixo na sela, pálido, pensativo. O olhar fez Roy Depape fazer uma pergunta, apesar do aviso de Reynolds.

— Eldred, você está bem?

— Alguém está? — Jonas respondeu, caindo outra vez em silêncio. Atrás deles, as poucas bombas que funcionavam na Citgo guinchavam cansadas.

Por fim, Jonas levantou a cabeça e sentou-se um pouco mais empertigado na sela.

— Os moleques já devem estar presos. Mandei que Lengyll e Avery usassem uma carga dupla de tiros de pistolas se alguma coisa desse errado, e não ouvi nada parecido.

— Também não ouvimos nada, Eldred — disse Depape avidamente. — Nada semelhante a isso.

Jonas fez uma careta.

— E como escutariam? Com esta barulheira toda. Imbecil!

Depape mordeu o lábio, viu alguma coisa perto do seu estribo esquerdo que precisava de ajuste e se curvou.

— Alguém viu vocês dois fazendo os seus serviços? — Jonas perguntou. — Estou me referindo a hoje de manhã, quando mataram Rimer e Thorin... Existe alguma chance, mesmo a menor, de algum de vocês ter sido visto?

Reynolds balançou a cabeça pelos dois.

— Como era de esperar, tudo estava deserto.

Jonas assentiu como se o assunto tivesse apenas um interesse passageiro, depois se virou para a reserva de petróleo e as torres enferrujadas.

— Talvez as pessoas tenham razão — disse com uma voz quase baixa demais para ser ouvida. — Talvez o Povo Antigo fosse um povo de demônios. — Voltou a eles. — Bem, agora os demônios somos nós. Não é verdade, Clay?

— O que você pensar está certo, Eldred — disse Reynolds.

— Eu disse o que eu penso. Agora *nós* somos os demônios e, por Deus, é como vamos nos comportar. O que me diz de Quint e daquele pessoal lá embaixo? — Indicou com a cabeça para a encosta arborizada onde a emboscada tinha sido preparada.

— Continuam lá, esperando uma ordem sua — disse Reynolds.

— Não precisamos deles agora. — Concedeu a Reynolds um olhar sério. — Esse Dearborn é um fedelho nojento. Quero estar amanhã à noite em Hambry para jogar uma tocha entre seus pés. Quase deixei-o frio e morto no Barra K. Teria feito isso se Lengyll não me impedisse. É um fedelhinho realmente sujo.

Falava curvando a postura, o rosto ficando cada vez mais sombrio, como nuvens de tempestade passando pelo sol. Depape, o estribo reparado, atirou um olhar nervoso para Reynolds, que não respondeu. Responder o quê? Se Eldred estivesse surtando (e Reynolds já vira isto acontecer antes), não haveria meio de tirá-lo rapidamente daquela disposição homicida.

— Eldred, temos realmente mais uma tarefa a fazer.

Reynolds falou com calma, mas foi escutado. Jonas se endireitou no cavalo, tirou o chapéu, pendurou-o na sela como se o arção fosse um cabideiro e passou distraído os dedos pelo cabelo.

— Sim... Mais uma tarefa, é verdade. Cavalgue até lá. Diga a Quint para mandar os bois puxarem aqueles dois últimos caminhões cheios de óleo até a rocha Pendurada. Quint deve levar quatro homens para engancharem os bois e levarem a mercadoria para Latigo. O resto do pessoal pode seguir em frente.

Reynolds agora julgou seguro fazer uma pergunta.

— Quando o resto dos homens de Latigo chegam lá?

— Homens? — Jonas rosnou. — Quem dera! O resto dos *garotos* de Latigo partirão para a rocha Pendurada sob o luar, bandeiras sem dúvida esvoaçando para serem vistas e reverenciadas por todos os coiotes e outros cachorros do deserto. Estarão prontos para cumprir seus deveres de escoteiros amanhã por volta das dez, eu acho... Embora, se forem o tipo de rapazes que estou esperando que sejam, a norma do dia possa ser coçarem o saco. A boa notícia é que sem dúvida não vamos precisar muito deles. As coisas parecem bastante bem encaminhadas. Agora vão até lá, instruam os rapazes sobre suas obrigações e voltem para cá o mais depressa que puderem.

Jonas se virou e olhou para o contorno ondulado das colinas a noroeste.

— Temos nossos próprios assuntos — disse ele. — Quanto mais cedo começarmos, mais cedo estarão feitos. Quero tirar o pó da porra de Mejis do meu chapéu e das minhas botas o mais depressa possível. Não gosto mais da sensação que deixa. Nem um pouco.

9

A mulher, Theresa Maria Dolores O'Shyven, tinha quarenta anos; era gorda, bonita, mãe de quatro filhos, esposa de Peter, um *vaquero* de temperamento risonho. Era também uma vendedora de tapetes e cortinas no Mercado Superior; muitos dos mais bonitos e delicados objetos de decoração de Seafront tinham passado pelas mãos de Theresa O'Shyven e sua família estava realmente bem de vida. Embora o marido tivesse sido peão, o clã O'Shyven era o que, em outro tempo e lugar, teria sido chamado de classe média. Os dois filhos mais velhos, adultos, tinham ido embora, um deles para longe do Baronato. O terceiro mais velho estava namorando e esperando para desposar sua amada no Final do Ano. Só a filha mais nova suspeitava que alguma coisa ia errado com a mãe, embora não fizesse ideia de como Theresa estava perto da completa loucura obsessiva.

Logo, Rhea pensou contemplando avidamente Theresa na bola de cristal. *Logo ela começará a fazer a coisa, mas primeiro tem de se livrar da pirralha.*

Não havia aulas durante o tempo de Colheita e as barracas só se abriam algumas horas de tarde, então Theresa despachou a filha mais nova com uma torta. Um presente de Colheita para um vizinho, Rhea conjecturou, embora não pudesse ouvir as instruções silenciosas que a mulher dava à filha enquanto ajustava um gorro de tricô sobre as orelhas da garota. E não seria um vizinho tão próximo; Theresa Maria Dolores O'Shyven precisava de tempo para realizar uma tarefa doméstica. Era uma casa de bom tamanho e havia muitos cantos que precisavam ser limpos.

Rhea deu uma risada; o riso virou um abafado acesso de tosse. Num canto, Musty contemplava com ar assombrado a velha mulher. Embora longe do macilento esqueleto em que sua dona se transformara, Musty não tinha em absoluto uma aparência boa.

A garota era mostrada com a torta debaixo do braço; fez uma pausa para conceder à mãe um olhar meio confuso e, então, a porta foi fechada em seu rosto.

— Agora! — Rhea crocitou. — Os cantos estão esperando! De joehos, mulher, e ao trabalho!

Primeiro Theresa foi até a janela. Quando se deu por satisfeita com o que viu (a filha do outro lado do portão, descendo a rua Alta), virou-se para sua cozinha. Caminhou até a mesa e parou, olhando sonhadora para o vazio.

— Não, nada disso, agora! — Rhea gritou impaciente. Rhea não via mais a sua própria cabana imunda, não sentia mais o cheiro dos repulsivos aromas. Entrara no Arco-íris do Mago. Estava com Theresa O'Shyven, cujo chalé tinha os cantos mais limpos de toda a Mejis. Talvez de todo o Mundo Médio.

— Depressa, mulher! — Rhea quase gritara. — Cumpra sua tarefa doméstica!

Como se tivesse ouvido, Theresa desabotou o vestido caseiro, saiu de dentro dele e estendeu-o cuidadosamente numa cadeira. Puxou a bainha da bermuda que usava, enrolou-a sobre os joelhos, foi para um canto e se colocou de quatro.

— Assim, meu *corazón*! — Rhea gritou, quase sufocando com uma singela mistura de tosse e riso. — Faça agora suas tarefas e faça-as com muito zelo!

Theresa O'Shyven esticou a cabeça para a frente em toda a extensão do pescoço, abriu a boca, pôs a língua de fora e começou a lamber o canto. Lambia o canto como Musty lambia seu leite. Rhea contemplava aquilo, batendo no joelho e dando gritos de comando, o rosto ficando cada vez mais vermelho enquanto balançava de um lado para o outro. Ah, Theresa era sua favorita, ié! Sem dúvida! Ficaria horas rastejando com mãos e joelhos, a bunda no ar, lambendo os cantos da casa, rezando para algum deus obscuro (que não era sequer aquele Homem Jesus) aplacar quem soubesse o que ela fazia, como cumpria sua penitência. Às vezes ficava com cacos de vidro na língua e tinha de fazer uma pausa para cuspir o sangue na pia da cozinha. De repente, algum sexto sentido se manifestava, ela ficava de pé e colocava o vestido caseiro antes que alguém da família voltasse, mas Rhea sabia que mais cedo ou mais tarde a obsessão da mulher a levaria longe demais e ela seria surpreendida. Talvez aquele fosse o dia — a menina voltaria cedo, talvez em busca de uma moeda para gastar na cidade, e veria a mãe de quatro, lambendo os cantos da casa. Ah, que coisa fascinante e rara! Como Rhea queria ver aquilo! Como ansiava por...

De repente Theresa O'Shyven se fora. O interior do pequeno e asseado chalé se fora. *Tudo* se fora, perdido nas cortinas da oscilante luminosidade rosa. Pela primeira vez em semanas, a bola de cristal do mago ficara opaca.

Rhea pegou a bola com os dedos esquálidos, de unhas compridas, e sacudiu-a.

— Qual é o problema com você, coisa miserável? *Qual é o problema?*

A bola era pesada e as forças de Rhea estavam no fim. Após duas ou três fortes sacudidelas, ela escapou de seus dedos. Mas a bruxa conseguiu aninhá-la contra os restos mirrados de seus seios, tremendo.

— Não, não, querida — cantarolou. — Volte quando estiver disposta, ié. Rhea perdeu um pouco a paciência mas ela já foi recuperada, na realidade ela nunca quis sacudi-la e nunca, *jamais*, a deixaria cair, assim foi só...

Interrompeu-se e ergueu a cabeça, atenta. Cavalos se aproximando. Não, não se aproximando: já ali. Três cavaleiros, a julgar pelo som. Tinham avançado pela colina enquanto ela estava distraída.

Os garotos? Os malditos garotos?

Rhea prendia a bola contra o seio, olhos arregalados, lábios secos. Suas mãos estavam agora tão magras que o clarão rosado da bola brilhava através delas, iluminando vagamente os caniços escuros que eram os ossos.

— Rhea! Rhea da colina Cöos!

Não, não eram os garotos.

— Venha até aqui e entregue o que lhe foi confiado!

Pior.

— Farson quer de volta o que lhe pertence! Viemos pegar!

Não os garotos, mas os Grandes Caçadores de Caixões.

— Jamais, seu imbecil de cabelo branco — ela sussurrou. — Jamais vão pegá-la. — Seus olhos moveram-se de um lado para o outro, olhando sempre de soslaio. De cabeça torta e boca trêmula, ela parecia um coiote doente tentando beber sua última água no arroio.

Baixou a cabeça para a bola de cristal e uma espécie de ganido começou a escapar de sua boca. Agora até o clarão rosado sumira. A esfera estava escura como as órbitas de um cadáver.

10

Veio um grito da cabana.

Depape se virou para Jonas com olhos arregalados, a pele se arrepiando. A coisa que proferira aquele grito não parecia humana.

— Rhea! — Jonas tornou o falar. — Traga isso aqui agora, mulher, e me entregue! Não tenho tempo para brincadeiras!

A porta da cabana se escancarou. Depape e Reynolds puxaram os revólveres quando a velha deu um passo para fora, piscando contra o sol como alguma coisa que tivesse passado a vida inteira numa caverna. Segurava o brinquedo favorito de John Farson bem acima da cabeça. Havia muitas pedras no vão da porta contra as quais a bola poderia ser atirada; mesmo se sua pontaria fosse má e ela errasse as pedras, a bola poderia se partir simplesmente batendo no chão.

Aquilo não era nada bom, e Jonas sabia disso... Havia certas pessoas que simplesmente não podiam ser ameaçadas. Concentrara tanta atenção nos fedelhos (que, por ironia do destino, tinham sido apanhados com tanta facilidade) que jamais lhe ocorrera se preocupar com aquela parte da história. E Kimba Rimer, o homem que sugerira Rhea como a perfeita guardiã do Arco-íris de Maerlyn, estava morto. A culpa não podia ser jogada na conta de Rimer se as coisas dessem errado, não era?

Então, só para piorar um pouco o cenário, quando achava que tinha chegado ao limite das coisas que poderiam dar errado, ouviu o estalo de Depape puxando o gatilho do revólver.

— Abaixe isso, seu idiota! — ele rosnou.

— Mas olhe para ela! — Depape quase gemeu. — *Olhe* para ela, Eldred!

Jonas olhou. A coisa dentro do vestido preto parecia estar usando o cadáver apodrecido de uma cobra em volta do pescoço como colar. Estava tão magra que não parecia mais que um esqueleto ambulante. O crânio, cheio de cascas, tinha apenas um tufo de cabelos; o resto havia caído. Feridas se agrupavam nas faces e na testa, e uma marca no lado esquerdo da boca lembrava uma mordida de aranha. Jonas achou que essa última podia ser uma cicatriz de escorbuto, mas ele realmente não se importava que fosse isso ou aquilo. Toda a sua atenção se voltava para a bola erguida pelas compridas e trêmulas garras da moribunda.

11

O sol ofuscava de tal forma os olhos de Rhea que não viu o revólver apontado para ela e, quando sua visão clareou, Depape já baixara a arma. Rhea contemplou os homens postados na sua frente — o cabeça ruiva de óculos, metido naquela capa, e Jonas, o Velho Cabeça Branca — e deixou escapar um grasnido seco de riso. Tivera medo deles, daqueles poderosos Caçadores de Caixões?

Achava que sim, mas pelo amor dos deuses, por quê? Eram homens, só isso, só mais homens, e passara toda a sua vida lutando contra eles. Ah, eles achavam que governavam o galinheiro, tudo bem (ninguém no Mundo Médio acusava ninguém de ter esquecido o rosto de sua *mãe*), mas no fundo eram coisas miseráveis, capazes de derramar lágrimas com uma música triste e se descontrolarem por completo ante a visão de um seio nu. O próprio fato de se julgarem tão fortes, resistentes e sábios os tornava muito mais facilmente manipuláveis.

A bola de cristal estava escura e, por mais que odiasse aquela escuridão, ela havia clareado a sua mente.

— Jonas! — gritou. — Eldred Jonas!

— Estou aqui, velha mãe — disse ele. — Longos dias e belas noites.

— Esqueça as cerimônias, não temos tempo para elas. — Rhea avançou quatro passos e parou com a bola ainda suspensa sobre a cabeça. Perto dela, um pedaço de pedra cinzenta brotava da relva do chão. Rhea olhou para a pedra, depois voltou a olhar para Jonas. O significado do gesto silencioso era inequívoco.

— O que você quer? — Jonas perguntou.

— A bola ficou preta — disse ela, respondendo de lado. — Por todo tempo em que ficou sob minha guarda se manteve viva... sim, mesmo quando a bola não mostrava nada que eu pudesse ver, tinha um brilho radiante e rosa... Mas ela escureceu quase no segundo exato em que ouviu sua voz. Não quer ir com você.

— Mesmo assim, tenho ordens para levá-la. — A voz de Jonas tornou-se suave e conciliatória. Não era o tom que usava quando estava na cama com Coral, mas era quase. — Pense um instante e vai entender minha situação. Farson quer a bola e quem sou eu para me opor à vontade de um homem que será o mais poderoso do Mundo Médio quando a Lua do Demônio se levantar no próximo ano. Se eu voltar sem ela e dizer que Rhea da colina Cöos se recusou a me entregar, serei morto.

— Se voltar e disser a ele que quebrei a bola em sua cara velha e feia, também será morto — disse Rhea. Estava suficientemente perto de Jonas para ele cheirar os estragos que as doenças tinham feito nela. Sobre os tufos que restaram de seu cabelo, a infeliz bola oscilava de um lado para o outro. Rhea não seria capaz de segurá-la por muito mais tempo. Um minuto seria o máximo. Jonas sentiu um início de suor brotando na testa.

— Ié, mãe. Mas, sabe, dada uma escolha de mortes, eu preferia que a causa de meu problema fosse para a cova comigo. Você entra aí, querida.

Ela tornou a resmungar (aquela seca imitação de riso) e assentiu com ar pensativo.

— Seja como for, ela não prestará qualquer serviço a Farson sem mim — disse Rhea. — A bola encontrou sua senhora, acredite... Foi por isso que escureceu ouvindo o som de sua voz.

Jonas se perguntou quantos outros haviam acreditado que a bola era só para eles. Queria limpar o suor da testa antes que escorresse para os olhos, mas manteve as mãos na frente do corpo, calmamente dobradas diante da sela. Não se arriscava a olhar para Reynolds ou Depape e só podia torcer para que não resolvessem tomar nenhuma iniciativa. Rhea se equilibrava num fio de navalha físico e mental; o menor movimento a faria pender para um lado ou para o outro.

— Acha que a bola encontrou sua dona, é isso? — Jonas estava vendo um meio de sair daquela situação. Se tivesse sorte. O que seria uma sorte também para ela. — Mas, então, o que devíamos fazer?

— Leve-me com você. — Sua face se contorceu numa expressão de horripilante avidez; parecia um cadáver tentando espirrar. *Ela não percebe que está morrendo*, Jonas pensou. *Graças aos deuses por isso*. — Pegue a bola, mas me leve também. Vou com você até Farson. Serei sua adivinha e nada fará frente a nós, não comigo para ler o que diz a bola. Leve-me com você!

— Tudo bem — disse Jonas. Era o que ele estava esperando. — Mas não posso dar garantias sobre o que Farson vai decidir, entende isso?

— Ié.

— Bom. Agora me dê a bola. Posso devolvê-la à sua guarda, se você quiser, mas preciso ter certeza de que está inteira.

Ela baixou lentamente a bola. Jonas não achou que estivesse inteiramente segura mesmo aninhada em seus braços, mas não deixou de respirar um pouco mais tranquilo quando a viu ali. Rhea se arrastou para ele e Jonas teve de conter o impulso de fazer o cavalo recuar.

Ele se curvou na sela, estendendo as mãos para o vidro. Rhea ergueu a cabeça, os olhos velhos ainda astutos atrás das pálpebras enrugadas. Um deles chegou a dar uma piscadela conspiratória.

— Sei o que está pensando, Jonas. Você pensa: "Depois de pegar a bola, saco meu revólver e a mato, algum problema com isso?". Não é verdade? Contudo *haveria* problema, e ele cairia sobre você e seus rapazes. Mate-me e a bola jamais brilhará para Farson. Para alguma outra pessoa, talvez um dia, mas não para ele... e será que ele o deixará vivo se você lhe entregar seu brinquedo e ele descobrir que o brinquedo está quebrado?

Jonas já tinha pensado naquilo.

— Temos um trato, velha mãe. Você chegará ao oeste com o vidro... a não ser que morra alguma noite na beira da estrada. Perdoe-me por dizer isto, mas não parece estar muito bem.

— Estou melhor do que pareço, ah, ié! — Ela deu uma risadinha. — Passarão anos antes que meu velho relógio pare de funcionar!

Acho que pode estar enganada a este respeito, velha mãe, Jonas pensou. Mas ficou em silêncio e limitou-se a estender as mãos para a bola.

Por mais um momento ela a reteve. O trato estava feito e ambos os lados concordavam, mas ela não conseguia obrigar-se a soltar a bola. A avidez brilhava em seus olhos como o luar através da neblina.

Jonas estendia pacientemente as mãos, não dizendo nada, esperando que a mente de Rhea aceitasse a realidade... Se ela soltasse a bola, havia alguma chance. Se a prendesse, muito provavelmente todos naquela área cheia de pedras e mato acabariam em breve cavalgando o último cavalo... ela incluída.

Com um suspiro de lamento, Rhea finalmente pôs a bola nas mãos dele. No instante em que o globo passou de um para outro, um lampejo de luz rosada pulsou nas suas profundezas. Um latejar de dor atingiu a cabeça de Jonas... e um lampejo de luxúria se enroscou em seus testículos.

Como de uma grande distância, ele ouviu Depape e Reynolds engatilhando as pistolas.

— Abaixem isso — disse Jonas.

— Mas... — Reynolds parecia confuso.

— Eles acharam que você estava enrolando Rhea — disse a velha mulher, rindo. — Bom que o comando do grupo esteja com você, Jonas... Talvez saiba de coisas que eles não sabem.

Ele sabia de alguma coisa, sem dúvida: como a bola lisa de vidro que estava em suas mãos era perigosa. Se quisesse poderia enfeitiçá-lo num piscar de olhos. E num mês ele estaria como a bruxa: esquelético, coberto de feridas e obcecado demais para ter consciência ou se importar com isso.

— *Abaixem essas armas!* — ele gritou.

Reynolds e Depape trocaram um olhar e devolveram os revólveres aos coldres.

— Havia uma sacola para esta coisa — disse Jonas. — Uma bolsa de corda. Vá pegá-la.

— Ié — disse Rhea, mostrando um sorriso maligno. — Mas ela não impedirá a bola de arrebatá-lo, se quiser. Fique certo de que não. — Ela observou os outros dois e seu olho parou em Reynolds. — Há uma carroça em meu galpão e uma dupla de bons bodes pardos para puxá-la. — Dirigia-se a Reynolds, mas os olhos continuavam voltando à bola, Jonas reparou... e agora os malditos olhos *dele* também queriam ir para lá.

— Não me dê ordens — disse Reynolds.

— Ela não, mas eu dou — disse Jonas. Seus olhos caíram sobre a bola, ao mesmo tempo querendo e temendo ver aquela centelha rosada de vida no fundo do vidro. Nada. Fria e escura. Ele arrastou o olhar de volta a Reynolds.

— Pegue a carroça.

12

Reynolds ouviu o zumbido das moscas antes mesmo de cruzar a porta arqueada do galpão e percebeu de imediato que os bodes nunca mais puxariam nada. Estavam inchados e mortos no cercado, pernas esticadas e as órbitas dos olhos repletas de vermes. Era impossível saber há quanto tempo Rhea não alimentava nem dava água aos animais, mas pelo cheiro Reynolds calculou que no mínimo há uma semana.

Ocupada demais com o que acontecia naquela bola de vidro para se preocupar com essas coisas, ele pensou. *E por que está usando aquela cobra morta em volta do pescoço?*

— Prefiro não saber — murmurou atrás de seu lenço de pescoço puxado até o nariz. A única coisa que realmente queria era sair sem demora daquele maldito lugar.

Deu uma espiada na carroça, pintada de preto e coberta com desenhos cabalísticos em dourado. Reynolds achou aquilo parecido com as paredes de um vagão de circo; também lembrava um pouco um carro fúnebre. Ele a pegou pelos puxadores e tirou-a do galpão o mais depressa que pôde. Depape podia fazer o resto, pelos deuses. Engatar seu cavalo no carro e levar a carga fedorenta da velha para... para onde? Quem sabia? Eldred, talvez.

Rhea saiu cambaleando da cabana com a bolsa de corda onde a bola viera, mas parou, cabeça empinada, ouvindo, enquanto Reynolds fazia a pergunta ao chefe.

Jonas pensou e respondeu:

— Seafront, para começar, eu acho. Sim, será adequado para ela e para esta bugiganga de vidro até a conclusão da festa amanhã.

— Ié, Seafront, eu nunca estive lá — disse Rhea, tornando a se mover para a frente. Quando chegou ao cavalo de Jonas (que tentava se esquivar dela), abriu a bolsa. Após mais um momento de consideração, Jonas colocou a bola dentro da bolsa. Ela se acomodou bem no fundo, abaulando-se como uma lágrima. Rhea mostrou um sorriso malicioso.

— Talvez encontremos Thorin. E acho que posso mostrar alguma coisa no brinquedo do Bom Homem que vai interessá-lo tremendamente.

— Se o encontrar — disse Jonas pulando do cavalo para ajudar a engatar o cavalo de Depape na carroça preta —, será num lugar onde não se precisa mais de nenhuma mágica para ver o além.

Ela o encarou, franziu a testa e o sorriso malicioso lentamente ressurgiu.

— Ora, acredito que nosso prefeito teve um pequeno acidente!

— Talvez — Jonas concordou.

Ela riu e logo o riso se transformou numa gargalhada. Ela ainda ria quando saíram do pátio, ria sentada na pequena carroça preta com suas decorações cabalísticas, como a rainha dos Cantos Sombrios em seu trono.

8. AS CINZAS

1

O pânico é altamente contagioso, especialmente em situações em que nada é conhecido e tudo está em movimento. Foi a visão de Miguel, o velho *mozo*, que fez Susan começar a descer sua encosta escorregadia. Ele estava no meio do pátio de Seafront, agarrando a vassoura de galhos contra o peito e contemplando os cavaleiros que passavam de um lado para o outro com uma expressão de angústia e perplexidade. Tinha o *sombrero* torto nas costas e Susan observou, com uma sensação próxima do horror, que Miguel — normalmente escovado, limpo e arrumado — estava usando o poncho pelo avesso. Havia lágrimas em seu rosto e, ao vê-lo virar a cabeça de um lado para o outro, acompanhando os cavaleiros que passavam, procurando acenar para os que reconhecia, ela se lembrou de uma criança que vira um dia entrando na frente de uma diligência que se aproximava. A criança fora puxada a tempo pelo pai; mas quem puxaria Miguel?

Começou a caminhar para ele e um *vaquero* montado num cavalo ruão malhado, de olhos arregalados, passou a galope tão perto dela que um estribo chegou a esbarrar em seu quadril. A cauda do animal bateu em seu braço. Ela deixou escapar um risinho que pareceu muito estranho. Estava preocupada com Miguel e ela é que fora quase atropelada! Engraçado!

Agora olhou para baixo e para cima, avançou e tornou a recuar quando uma carroça carregada dobrou em velocidade a esquina, completando a curva sobre duas rodas. Não deu para ver qual era a carga (o teto da carroça estava coberto por uma lona), mas viu Miguel se mover para ela, sempre agarrado à vassoura. Susan pensou de novo na criança na frente da diligência e soltou um grito inarticulado de alarme. Miguel se encolheu no último segundo e a carroça passou voando por ele, balançando e saltitando pelo pátio, passando pelo arco e desaparecendo.

Miguel derrubou a vassoura, levou as duas mãos ao rosto, caiu de joelhos e começou a rezar numa voz alta e lamentosa. Susan contemplou-o um instante, a boca se movendo, e então correu para os estábulos, não mais tomando cuidado em se manter contra a parede do prédio. Pegara a doença que tomaria conta de quase todos em Hambry por volta do meio-dia e embora tenha conseguido cumprir com razoável competência a tarefa de selar o Pilão (em qualquer outro dia teria havido ali três peões disputando a honra de ajudar a bela sai), qualquer capacidade de pensar já a abandonara quando seus calcanhares incitaram o cavalo assustado a sair em disparada pela porta do estábulo.

Quando passou por Miguel, que continuava de joelhos, rezando para o céu ensolarado com as mãos erguidas, reparou nele não mais do que qualquer outro cavaleiro que tivesse passado antes.

2

Ela desceu direto a rua Alta, batendo com os calcanhares sem esporas no lombo de Pilão até o grande cavalo estar praticamente voando. Pensamentos, perguntas, possíveis planos de ação… nada encontrava lugar em sua cabeça enquanto cavalgava. Tinha apenas uma vaga consciência das pessoas se amontoando na rua, obrigando Pilão a um trajeto sinuoso. A única coisa de que tinha consciência era do nome dele — *Roland, Roland, Roland!* — ecoando na sua cabeça como um grito. Tudo ficara de cabeça para baixo. O valente e pequeno ka-tet que tinham formado naquela noite no cemitério estava quebrado, com três dos participantes presos, sem muito tempo de vida (se é que ainda estavam vivos), e o último membro perdido e confuso, enlouquecido de terror como um pássaro num celeiro.

Se o pânico tivesse se mantido, as coisas podiam ter ocorrido de modo muito diferente. Mas ao cruzar a cavalo a cidade e atingir o outro lado, seu caminho levou-a para a casa que compartilhara com o pai e a tia. E aquela senhora estava à espera da amazona que agora se aproximava.

Quando Susan chegou, a porta se escancarou e Cordelia, vestida de preto da cabeça aos pés, desceu correndo a calçada da frente até a rua, soltando um grito que poderia ser tanto de horror ou de. E que talvez fosse ambos. A visão da tia atravessou a névoa de pânico que tomara a frente da mente de Susan… mas Susan não a reconheceu de imediato.

— *Rhea!* — gritou a garota, puxando as rédeas com tanta violência que o cavalo derrapou, empinou e quase caiu com ela para trás. Provavelmente aquilo tiraria a vida de sua senhora, mas Pilão conseguiu manter a firmeza pelo menos nas patas traseiras enquanto relinchava alto e as patas dianteiras dançavam no ar. Susan agarrou-se a seu pescoço e lutou pela sua vida.

Cordelia Delgado, usando seu melhor vestido preto e uma mantilha de renda sobre o cabelo, parou na frente do cavalo como se estivesse em sua sala de visitas. Não tomou conhecimento dos cascos cortando o ar a meio metro de seu nariz. Na mão enluvada segurava uma caixa de madeira.

Susan percebeu então que não era Rhea, mas o equívoco tinha uma certa lógica. Tia Cord não estava tão magra quanto Rhea (pelo menos ainda não) e estava mais bem-vestida (excluindo-se as luvas sujas — Susan aliás não sabia por que a tia usava luvas, muito menos por que estavam tão encardidas), mas o olhar de insanidade em seus olhos era horrivelmente parecido.

— Bom dia para você, Dona Ah-Tão-Jovem-e-Bela! — tia Cord cumprimentou com uma voz cristalina, muito viva, que fez o coração de Susan estremecer. Usando uma das mãos, tia Cord se curvou numa mesura, apertando com a outra a caixinha contra o peito. — Aonde está indo neste belo dia de outono? Aonde está indo com tanta pressa? Não para os braços de algum amante, isto é certo, pois um está morto e o outro vai estar!

Cordelia tornou a rir, lábios finos recuando dos grandes dentes brancos. Quase dentes de cavalo. Os olhos cintilavam no sol.

Sua mente entrou em colapso, Susan pensou. *Pobre coitada. Pobre, pobre coitada.*

— Não foste tu que meteste Dearborn nesta coisa? — perguntou tia Cord chegando mais perto de Pilão e erguendo para Susan os olhos brilhantes, luminosos. — Tu o fizeste, não foi? Ié! Quem sabe não lhe deste a faca que foi usada depois de plantar nos lábios dele um beijo de boa sorte. Estão nisso juntos... por que não admitir? Pelo menos admita que dormiste com aquele garoto, pois sei que é verdade. Vi o modo como te olhava no dia em que parou à janela e vi o modo como devolveste o olhar dele!

— Se quer mesmo a verdade — disse Susan —, eu me deitei com ele. Somos amantes. E seremos marido e mulher no Final do Ano.

Cordelia levantou uma luva suja para o céu azul e agitou-a como se dizendo alô para os deuses. E, enquanto acenava, gritou com uma mistura de triunfo e riso.

— E estarão *casados*, ela pensa! Aaaaah! E sem dúvida beberiam o sangue de suas vítimas no altar do casamento, não é verdade? Ah, perversa! Isso me faz chorar! — Mas em vez de chorar, ela riu de novo, um uivo de júbilo diante da indistinta face azul do céu.

— Não planejamos assassinatos — disse Susan, traçando, mesmo que só em sua própria mente, uma linha divisória entre os crimes na Casa do Prefeito e a armadilha que tinham pretendido montar contra os soldados de Farson. — E ele não matou ninguém. Não, esse é o negócio de seu amigo Jonas, pode crer. Foi o plano dele, o trabalho sujo dele.

Cordelia enfiou a mão na caixa que segurava, e Susan compreendeu de imediato por que as luvas estavam sujas: ela estivera raspando o fogão.

— *Eu te amaldiçôo com as cinzas!* — Cordelia gritou, atirando um punhado preto e arenoso delas contra a perna de Susan e a mão que segurava as rédeas de Pilão. — *Que sejam mandados para a escuridão, vocês dois! E que sejam ser felizes lá, gente sem fé! Assassinos! Impostores! Mentirosos! Fornicadores! Sua perdida e renegada!*

A cada grito Cordelia Delgado atirava outro punhado de cinzas. E a cada grito a mente de Susan se tornava mais clara, mais fria. Ela se manteve firme e deixou a tia fustigá-la; de fato, quando Pilão, sentindo a chuva áspera contra seu lombo, tentou se afastar um pouco, Susan o manteve no lugar. Agora havia espectadores, assistindo com avidez àquele antigo ritual de renegar uma mulher (Sheemie estava entre eles, olhos arregalados e boca tremendo), mas Susan mal reparava. Sua mente estava novamente centrada, ela sabia o que ia fazer e só por isso achou que devia à tia alguma espécie de agradecimento.

— Eu a perdôo, tia — disse.

A caixa de cinzas do fogão, agora quase vazia, caiu das mãos de Cordelia como se Susan a tivesse esbofeteado.

— O quê? — Cordelia sussurrou. — O que estás dizendo?

— Perdôo o que fizeste a teu irmão e meu pai — disse Susan. — Pela trama de que participaste.

Esfregou a mão na perna e se curvou com a mão estendida. Antes que a tia pudesse recuar, Susan tinha passado cinzas por uma das faces da tia. A mancha ficou parecida com uma grande cicatriz escura.

— Mas mesmo assim fique com isso — disse Susan. — Passe água se quiser, mas acho que a marca vai perdurar algum tempo em teu coração. — Fez uma pausa. — Acho que a marca já estava lá. Adeus.

— Aonde pensas que vais? — Tia Cord tateava pela marca de fuligem no rosto com a mão enluvada e, quando se atirou para a frente numa tentativa de pegar as rédeas de Pilão, tropeçou sobre a caixa e quase caiu. Foi Susan, ainda curvada sobre a tia, que a agarrou pelo ombro e a fez manter o equilíbrio. Cordelia recuou como se tivesse sido tocada por uma serpente. — Não para ele! Não é para os braços dele que vais agora, sua louca!

Susan virou o cavalo.

— Isso não é de sua conta, tia. Este é o fim da relação entre nós. Mas anote o que estou dizendo: estaremos casados no Final do Ano. E nosso primeiro filho já está concebido.

— Estarão unidos amanhã à noite se chegares perto dele! Unidos na fumaça, casados no fogo, deitados nas cinzas! Deitados nas cinzas, está me ouvindo?

A mulher insana avançou sobre ela agitando os punhos, mas Susan não tinha mais tempo de ficar ouvindo aquilo. O dia estava voando. Haveria tempo de fazer as coisas que precisavam ser feitas, mas só se agisse rápido.

— Adeus — disse ela e saiu a galope. As últimas palavras da tia a perseguiram: *Nas cinzas, está me ouvindo?*

3

Saindo da cidade pela Grande Estrada, Susan viu os cavaleiros vindo em sua direção e saiu do caminho deles. Aquela sem dúvida não era uma boa hora para um encontro com desconhecidos. Havia um velho celeiro ao lado da estrada; ela levou Pilão para trás dele, alisou seu pescoço, murmurou alguma coisa para ele se aquietar.

Os cavaleiros demoraram mais para alcançar aquele ponto da estrada do que ela havia previsto e, quando finalmente lá chegaram, Susan entendeu o motivo. Rhea vinha com eles, sentada numa carroça preta coberta de símbolos mágicos. A feiticeira era assustadora quando Susan a encontrara na noite da Lua do Beijo, mas ainda era nitidamente humana; agora, o que a moça via passar diante dela, balançando de um lado para o outro na carroça preta e agarrada a uma bolsa, era uma criatura sem gênero, toda coberta de feridas que lembrava antes um duende do que um ser humano. Com ela iam os Grandes Caçadores de Caixões.

— Para Seafront! — gritava a coisa na carroça. — Sigam em frente e a toda a pressa! Vou dormir esta noite na cama de Thorin e saber como é! Dormir ali e mijar na cama, se tiver vontade! Avante, rapazes!

Depape (era a seu cavalo que a carroça fora atrelada) virou a cabeça e olhou-a com aversão e medo.

— Cale essa boca.

A resposta foi uma nova rajada de riso. Rhea oscilava de um lado para o outro, segurando uma bolsa com uma das mãos e apontando Depape com o indicador retorcido, de unha muito comprida, da outra. Olhá-la fez Susan sentir um frio de terror pelo corpo e ela percebeu que era o pânico ameaçando voltar a dominá-la, como algum fluido escuro que rapidamente afogaria seu cérebro se tivesse a menor oportunidade.

Lutou o mais que pôde contra esta sensação, tentando manter a mente centrada, recusando-se a se transformar no que fora antes e seria de novo se abrisse a guarda: um pássaro desmiolado encurralado num celeiro, batendo nas paredes e ignorando a janela aberta através da qual adentrara.

Mesmo quando a carroça sumiu depois da lombada e nada sobrava do grupo além de uma nuvem de poeira flutuando no ar, ela podia ouvir a risada selvagem de Rhea.

4

Alcançou a cabana no pasto Ruim à uma hora. Por um momento continuou simplesmente montada em Pilão, contemplando a cábana. Teria mesmo estado ali com Roland há menos de vinte e quatro horas? Fazendo amor e fazendo planos? Era difícil de acreditar, mas quando desmontou e caminhou para lá, a cesta de vime onde levara um lanche para os dois o confirmou. Ela continuava pousada sobre a mesinha bamba.

Olhando para a tampa da cesta, percebeu que não comia desde a noite anterior, quando tivera um jantar miserável com Hart Thorin, em que não comera quase nada, incomodada demais com o passeio dos olhos dele pelo seu corpo. Bem, aqueles olhos tinham feito sua última jornada, não era? E nunca mais teria de descer outro corredor de Seafront se perguntando de que porta Thorin ia surgir do nada, agarrando-a e com o pau a postos.

Cinzas, ela pensou. *Cinzas e cinzas. Mas não para nós, Roland. Eu juro, meu querido, não para nós.*

Susan estava assustada e tensa, tentando pôr em ordem tudo que agora tinha de fazer — um processo a ser seguido exatamente como havia um processo a ser seguido quando se tratava de selar um cavalo —, mas era uma moça de dezesseis anos, saudável. Uma olhada na cesta e já estava faminta.

Abriu-a, viu que havia formigas nos dois sanduíches de carne assada que haviam sobrado, sacudiu-as e devorou os sanduíches. O pão tinha ficado meio duro, mas ela mal reparou. Havia meia jarra de refresco de sidra e um pedaço de bolo.

Depois que comeu tudo, foi para o canto de trás da cabana e remexeu nas peles que alguém começara a secar ao sol, mas logo perdeu o interesse nisso. Havia um volume embaixo de tudo. Dentro dele, embrulhado em couro macio, estavam os revólveres de Roland.

Se as coisas correrem mal, deves vir até aqui e pegar meus revólveres. Leve-os para oeste, para Gilead. Encontre meu pai.

Com uma leve mas genuína curiosidade, Susan se perguntou se Roland tinha realmente acreditado que ela cavalgaria sem pensar duas vezes para Gilead com uma criança na barriga enquanto ele e seus amigos seriam torrados aos gritos na fogueira da Noite da Colheita.

Tirou um dos revólveres do coldre. Levou um ou dois segundos para entender como abrir a arma, mas logo o cilindro rolava diante de seus olhos e ela via que cada câmara estava carregada. Guardou rapidamente este primeiro revólver e verificou o outro.

Escondeu-os na manta enrolada atrás da sela, exatamente como fazia Roland; depois montou e tomou novamente o rumo do leste. Mas não para a cidade. Não ainda. Tinha mais uma parada a fazer.

5

Por volta das duas horas, a notícia de que Fran Lengyll ia falar na Assembleia da Cidade começou a se espalhar pela cidade de Mejis. Ninguém poderia dizer onde aquela notícia (constante e específica demais para ser apenas um rumor) começara e ninguém se importava muito; as pessoas simplesmente passavam a notícia à frente.

Às três horas, a Assembleia da Cidade estava cheia e pelo menos duzentos habitantes tiveram de ficar do lado de fora, ouvindo a breve comunicação de Lengyll chegar até eles através de sussurros. Coral Thorin, que começara a transmitir a notícia do iminente aparecimento de Lengyll no Repouso dos Viajantes, não estava lá. Sabia o que Lengyll ia dizer; tinha, na realidade, concordado com Jonas de que deveria ser o mais simples e direto possível. Não havia necessidade de um grande discurso. No pôr do sol do Dia da Colheita, os habitantes da cidade já seriam uma turba. Uma turba sempre escolhe seus próprios líderes e sempre escolhe os líderes certos.

Lengyll falou com o chapéu seguro numa das mãos e um pé de coelho de prata pendendo do bolso da frente do colete. Foi breve, foi duro e foi convincente. A maioria das pessoas na multidão o conhecia desde sempre e não duvidou de uma só palavra do que dizia.

Hart Thorin e Kimba Rimer haviam sido assassinados por Dearborn, Heath e Stockworth, disse Lengyll à multidão de homens de calças jeans e mulheres com roupas de tecido riscado. Os autores tinham sido descobertos por causa de um certo item (uma caveira de pássaro) esquecida no colo do prefeito Thorin.

Murmúrios se seguiram a isso. Muitos dos ouvintes de Lengyll haviam visto a caveira, ou na frente da sela do cavalo de Cuthbert ou usada espalhafatosamente em volta de seu pescoço. Tinham achado o garoto engraçado. Agora imaginavam o garoto rindo nas suas costas e percebiam que deveria ter estado rindo de uma piada completamente diferente da deles. Os rostos ficaram sombrios.

A arma usada para cortar a garganta do chanceler, Lengyll continuou, era de Dearborn. Os três jovens tinham sido apanhados naquela manhã, quando se preparavam para fugir de Mejis. Suas motivações não pareciam de todo claras, mas provavelmente estavam atrás de cavalos. E sem dúvida os cavalos seriam para John Farson, que era conhecido por pagar bem pelas novas montarias, e em dinheiro vivo. Eram, em outras palavras, traidores de sua própria terra natal e da causa da Confederação.

Lengyll tinha plantado Rufus, o filho de Brian Hookey, três fileiras atrás.

— Eles confessaram? — gritava agora Rufus Hookey, na hora combinada.

— Ié — disse Lengyll. — Confessaram os dois crimes e falaram com o maior orgulho, assim foi.

Um murmúrio alto, quase um ronco. Ele foi sendo passado para trás de boca a boca, como uma onda: com o maior orgulho, com o maior orgulho, tinham assassinado os dois no meio da noite e confessado isso com o maior orgulho.

Bocas formavam esgares. Punhos se cerraram.

— Dearborn disse que Jonas e seus amigos tinham percebido o que eles pretendiam fazer e comunicaram o fato a Rimer. Mataram o chanceler Rimer para deixá-lo de boca fechada e mataram Thorin no caso de Rimer tê-lo avisado de alguma coisa.

Isso fazia pouco sentido, Latigo argumentara. Jonas sorrira e aquiescera. "Sim", dissera, "não faz nenhum sentido, mas não tem importância."

Lengyll estava preparado para responder a perguntas, mas nenhuma foi feita. Havia apenas o murmúrio, os olhares sombrios, o abafado retinir dos pés de coelho usados em cordões ou pulseiras quando as pessoas mudavam de posição.

Os rapazes estavam na cadeia. Lengyll não fez declarações sobre o que aconteceria com eles agora e mais uma vez ninguém perguntou. Ele disse que algumas das atividades programadas para o dia seguinte (jogos, cavalgadas, corrida de perus, o concurso de entalhes nas morangas, o certame dos porcos, a competição das adivinhações e o baile) tinham sido canceladas em virtude da tragédia. As coisas que realmente importavam teriam prosseguimento, é claro (fora sempre assim, continuaria sendo): as avaliações das criações e dos cavalos, o torneio de saltos, a tosquia das ovelhas, a apresentação dos puros-sangues e os leilões: cavalos, porcos, vacas, ovelhas. E a fogueira ao subir da lua. A fogueira e a queima dos rapazes. *Árvore de chariou* era o final do Dia da

Feira da Colheita e fora assim desde tempos imemoriais. Nada poderia detê-la salvo o fim do mundo.

— A fogueira queimará e os espantalhos queimarão nela — Eldred Jonas dissera a Lengyll. — É tudo que vai dizer. É tudo que você *precisa* dizer.

E Lengyll percebia que ele tinha razão. Estava em cada rosto. Não só a determinação de agir como era devido, mas uma espécie de desagradável avidez. Eram práticas antigas, ritos antigos dos quais os espantalhos de mãos vermelhas permaneciam como remanescentes. Era os *los ceremoniosos: árvore de chariou*. Eram feitas dessa maneira havia gerações (exceto, de vez em quando, em locais secretos das colinas), mas às vezes, enquanto seguia adiante, o mundo voltava a pontos onde já tinha estado.

Seja sucinto, Jonas dissera e fora um bom conselho, sem dúvida um bom conselho. Jonas não era um homem que Lengyll teria gostado de ver por perto em tempos mais pacíficos, mas era útil numa época como aquela.

— Que os deuses lhes deem a paz — dizia agora Lengyll, recuando e cruzando os braços com as mãos nos ombros para mostrar que tinha terminado. — Que os deuses deem paz a todos nós.

— Longos dias e belas noites — as pessoas responderam num coro baixo, automático. Depois simplesmente viraram as costas e saíram, indo para onde quer que fossem as pessoas na tarde antes da Colheita. Muitas, Lengyll sabia, iriam para o Repouso dos Viajantes ou o Bayview Hotel. Ele ergueu a mão e enxugou a testa. Detestava parecer exausto na frente das pessoas e nunca tanto quanto naquele dia, mas achava que tinha se saído bem. Muito bem, sem dúvida.

6

A multidão se dispersava sem falar. A maioria, como Lengyll tinha previsto, se encaminhava para os saloons. O caminho passava pela cadeia, mas poucos olhavam para ela... e os poucos que o faziam se limitavam a olhares furtivos. O pórtico estava vazio (salvo por um espantalho gordo de mãos vermelhas esparramado na cadeira de balanço do xerife Avery), e a porta permanecia entreaberta, como geralmente acontecia nas tardes quentes e ensolaradas. Os rapazes estavam lá dentro, sobre isso não havia dúvida, mas nenhum indício de que estivessem sendo vigiados com qualquer zelo especial.

Se os homens que desciam a colina em direção ao Repouso e ao Bayview se reunissem num grupo, poderiam pegar Roland e seus amigos sem nenhuma dificuldade. Em vez disso, seguiam de cabeça baixa, caminhando impassíveis, sem conversas, para onde as bebidas estavam à espera. Aquele dia não era o dia. Nem aquela noite.

O dia seguinte, no entanto...

7

Não muito longe do Barra K, Susan viu uma coisa na vasta encosta de pastagens do Baronato que a fez puxar a rédea e ficar imóvel na sela com a boca aberta. Abaixo dela e à direita de onde estava, mas bem à frente, a uns cinco quilômetros no mínimo, um grupo de uma dúzia de caubóis havia reunido o maior rebanho de cavalos de corrida que ela já vira: talvez umas quatrocentas cabeças. Corriam sem pressa, indo tranquilos para onde os *vaqs* os mandavam ir.

Provavelmente pensam que estão sendo recolhidos para o inverno, Susan pensou.

Mas os cavalos que corriam pela crista da Baixa não estavam sendo encaminhados para os ranchos; o rebanho, tão grande que fluía sobre o capim como a sombra de uma nuvem, tomava o rumo oeste, o rumo da rocha Pendurada

Susan tinha acreditado em tudo que Roland dizia, mas aquilo tornava a coisa verdadeira de um modo pessoal, algo que podia ser relacionado diretamente com a morte de seu pai.

Cavalos, é claro.

— Seus desgraçados — murmurou. — Seus ladrões desgraçados de cavalos.

Ela deu a volta no Pilão e rumou para o rancho incendiado. À direita, sua sombra ia se alongando. No alto, a Lua do Demônio brilhava fantasmagoricamente no céu diurno.

8

Ela teve receio de que Jonas tivesse deixado homens no Barra K — embora não pudesse imaginar por que ele agiria assim; e seu temor acabou se mostrando realmente sem fundamento. O rancho estava tão vazio quanto ficara nos cinco ou seis anos entre o fogo que o devastara e a chegada dos rapazes do Mundo Interior. Ela pôde, no entanto, ver sinais do confronto daquela manhã e, ao entrar no barracão onde os três tinham dormido, Susan viu de imediato o imenso buraco nas tábuas do assoalho. Jonas não se dera ao trabalho de fechá-lo de novo depois de pegar os revólveres de Alain e Cuthbert.

Susan desceu o corredor entre os beliches, abaixou-se apoiada num joelho e deu uma olhada no buraco. Nada. Mas duvidava de que o que a trouxera até ali estivera em algum momento guardado ali — o buraco não era grande o bastante.

Fez uma pausa contemplando os três catres. Qual era o de Roland? Achava que podia descobrir... seu nariz lhe diria, conhecia muito bem o cheiro do cabelo e da pele dele. Achou, no entanto, que seria melhor deixar para trás aqueles suaves impulsos. Agora precisava ser decidida e rápida — mexer-se sem parar e sem olhar para trás.

Cinzas, tia Cord murmurava em sua mente, num tom quase fraco demais para ser ouvido. Susan balançou impaciente a cabeça, como se quisesse dissipar aquela voz, e saiu da casa.

Não havia nada atrás do barracão, nada atrás ou dos lados do banheiro. Ela avançou para o fundo do velho fogão de lenha e lá encontrou o que estivera procurando, colocado despretensiosamente e sem nenhuma tentativa de esconder: os dois pequenos barris que vira pela última vez amarrados nas costas de Caprichoso.

Pensar no jumento trouxe a lembrança de Sheemie, olhando para ela de sua altura de homem e com sua ingênua cara de garoto. *Gostaria que me desse um beijo de* fin de año, *é, gostaria mesmo.*

Sheemie, cuja vida fora salva pelo "sr. Arthur Heath". Sheemie, que se expusera à ira da feiticeira ao entregar a Cuthbert o bilhete destinado a sua tia. Sheemie, que levara aquelas barricas até ali. Elas tinham sido lambuzadas com fuligem numa camuflagem parcial e um pouco dessa fuligem se grudou nas mãos de Susan e nas mangas de sua blusa quando ela tirou as tampas — mais cinzas. Os fogos de artifício, no entanto, continuavam lá dentro: os big-bangers redondos, do tamanho de um punho fechado, e os pequenos fogos conhecidos como "dedos-de-moça".

Pegou uma boa quantidade de ambos, enfiou-os nos bolsos o mais que pôde e carregou ainda mais nos braços. Guardou-os em suas bolsas de sela e ergueu os olhos para o céu. Três e meia. Não queria estar de volta a Hambry antes do crepúsculo, o que significava que tinha pelo menos uma hora de espera. Bom, havia afinal um tempinho momentos mais suaves.

Susan tornou a entrar no barracão e encontrou com bastante facilidade a cama que fora de Roland. Ajoelhou-se ao lado dela como uma criança rezando na hora de dormir, colocou o rosto contra o travesseiro e inalou profundamente.

— Roland — disse ela, a voz abafada. — Como eu te amo. Como eu te amo, querido.

Deitou-se na cama dele e olhou para a janela, contemplando a luz cair. De repente pôs as mãos diante dos olhos, examinando a fuligem que passara da barrica para seus dedos. Pensou em ir até a bomba na frente da cozinha e se lavar, mas desistiu da ideia. Que ficassem assim. Eles eram ka-tet, um feito de muitos; forte no propósito e forte no amor.

Deixe as cinzas ficarem e fazerem sua parte.

9

Minha Susie tem seus defeitos, mas chega sempre na hora, Pat Delgado costumava dizer. *Extremamente pontual, essa menina.*

Isso foi verdade na noite antes da Colheita. Ela contornou sua própria casa e atingiu o Repouso dos Viajantes nem dez minutos depois de o sol ter finalmente caído atrás das colinas, o que encheu a rua Alta de sombras densas e arroxeadas.

A rua estava estranhamente deserta, considerando-se que era a noite anterior à Colheita; a banda que há uma semana vinha tocando toda noite no Coração Verde estava em silêncio; de vez em quando havia estampidos de fogos, mas sem gritaria nem risos de crianças; só algumas das muitas lanternas coloridas tinham sido acesas.

Espantalhos pareciam espreitar das sombras espessas de cada pórtico. Susan estremeceu ao ver os olhos vazios, costurados em cruz.

O que acontecia no Repouso era igualmente estranho. Havia cavalos amarrados por todo o parapeito do alpendre (ainda mais cavalos tinham sido amarrados nos parapeitos do mercado, do outro lado da rua) e luzes brilhavam de cada janela — tantas janelas e tantas luzes que o bar ficava parecido com um grande navio num mar escuro —, mas não havia a balbúrdia e o contentamento habitual, acompanhados das melodias do piano de Sheb.

Ela achou que podia imaginar muito bem os fregueses lá dentro — uma centena de homens, talvez mais. Estariam simplesmente parados aqui e ali, bebendo. Sem conversar, sem rir, sem atirar os dados pela Passagem de Satã, aplaudindo ou lamentando o resultado. Nenhuma bunda alisada ou beliscada; nenhum beijo de Colheita roubado; nenhuma briga começando por causa de línguas soltas e terminando na ponta dos punhos. Só homens bebendo, a menos de trezentos metros do ponto onde seu amado e os amigos dele estavam trancafiados. Os homens que estavam ali não fariam nada naquela noite além de beber. E se ela tivesse sorte... se tivesse coragem e sorte...

Enquanto detinha Pilão na frente do saloon com o murmurar de uma palavra, uma forma irrompeu das sombras. Susan ficou tensa, mas logo o primeiro raio alaranjado da lua que se erguia no céu captou o rosto de Sheemie. Ela tornou a relaxar... chegou até a rir um pouco, principalmente para si mesma. Sheemie era parte do ka-tet deles; Susan sentia isso. Seria de espantar que ele também tivesse consciência disso?

— Susan — o rapaz murmurou, tirando seu *sombrero* e segurando-o contra o peito. — Estava esperando você.

— Por quê? — ela perguntou.

— Porque eu sabia que você viria. — Sheemie se virou e olhou pelo ombro para o Repouso, um vulto escuro derramando luz intensa para cada ponto da área do alpendre. — Vamos libertar Arthur e os outros, não é?

— Espero que sim — disse ela.

— Precisamos. O pessoal ali dentro... Eles não falam, mas não *precisam* falar. Eu sei, Susan, filha de Pat. *Eu sei.*

Achava que ele realmente sabia.

— Coral está lá dentro?

Sheemie balançou a cabeça.

— Foi até a Casa do Prefeito — ele respondeu. — Disse a Stanley que ia ajudar a arrumar os corpos para o funeral depois de amanhã, mas acho que ela não vai estar aqui no dia do funeral. Acho que os Grandes Caçadores de Caixões estão indo embora e ela vai com eles. — Sheemie ergueu a mão e passou-a com força nos olhos lacrimejantes.

— Seu jumento, Sheemie...

— Todo selado e tenho o cabresto comprido.

— Como soube... — Ela o olhava de boca aberta.

— Do mesmo modo como soube que você estava vindo, Susan-sai. Eu simplesmente soube. — Depois de dar de ombros, apontou vagamente. — Capi está ali atrás. Deixei-o amarrado na bomba da cozinha.

— Ótimo. — Ela remexeu na bolsa da sela onde guardara os fogos mais fracos. — Veja. Pegue alguns desses. Tem um fósforo ou dois?

— Ié. — Sem fazer perguntas, ele se limitou a enfiar os fogos em seu bolso da frente. Ela, porém, que em toda a sua vida jamais atravessara as portas de vaivém do Repouso dos Viajantes, tinha outra pergunta.

— O que as pessoas fazem com casacos, chapéus e ponchos quando entram aí, Sheemie? Devem tirá-los; beber é coisa que esquenta.

— Ah, ié. Colocam tudo numa mesa comprida logo depois da porta. Na hora de ir embora, alguns brigam sobre o que é de quem.

Susan assentiu, pensando com atenção e rapidez. Sheemie continuava parado na frente dela, ainda segurando o *sombrero* contra o peito, deixando-a raciocinar como ele não conseguia raciocinar... pelo menos não da maneira convencional. Por fim ela tornou a levantar a cabeça.

— Sheemie, se me ajudar, não terá mais lugar em Hambry... não terá mais lugar em Mejis... não terá mais lugar no Arco Exterior. Precisará ir conosco se conseguirmos escapar. Tem de compreender isso. Compreende?

Susan viu que ele compreendia; o rosto de Sheemie chegava a brilhar com a ideia.

— Ié, Susan! Vou com você, Will Dearborn, Richard Stockworth e meu melhor amigo, o sr. Arthur Heath! Vou para o Mundo Interior! Veremos prédios, estátuas e mulheres em vestidos como princesas de contos de fadas e...

— Se formos pegos, seremos mortos.

Ele parou de sorrir, mas os olhos não vacilaram.

— Ié, então seremos mortos, é mais que provável.

— Ainda vai me ajudar?

— Capi está todo selado — ele repetiu. Susan achou que aquela resposta era suficiente. Ela pegou na mão com que Sheemie apertava o *sombrero* contra o peito (o alto do chapéu estava bastante amassado, e não pela primeira vez). Susan se curvou, agarrando os dedos de Sheemie com uma das mãos, o arção da sela com a outra e beijou o rosto dele. Sheemie ergueu os olhos sorrindo.

— Vamos fazer o nosso melhor, não é? — ela perguntou.

— Ié, Susan filha de Pat. Vamos fazer o nosso melhor por nossos amigos. O melhor.

— Sim. Agora escute, Sheemie. Com muito cuidado.

Começou a falar e Sheemie escutou.

10

Vinte minutos depois, quando a inchada lua laranja lutava sobre os prédios da cidade como uma grávida escalando uma lombada íngreme, um *vaquero* solitário conduzia um jumento pela rua do Monte em direção ao escritório do xerife. Aquele final da rua do Monte era uma cova de sombras. Havia uma luz fraca ao redor do Coração Verde, mas mesmo o parque (que estaria cheio de gente, barulhento e intensamente iluminado em qualquer outro ano) estava praticamente deserto. Quase todas as barracas estavam fechadas e das poucas que permaneciam abertas só a da cartomante tinha algum movimento.

Naquela noite todos os presságios seriam maus, mas ainda assim alguns queriam ouvir... não é sempre assim?

O *vaquero* estava usando um poncho pesado; se aquele particular caubói tivesse seios, eles estariam escondidos. O *vaq* usava também um *sombrero* grande, manchado de suor; se aquele caubói tivesse o rosto de uma mulher, ele também ficaria escondido. Baixo, debaixo daquela enorme aba, vinha uma voz cantando "Amor descuidado".

A pequena sela do jumento estava enterrada sob a grande trouxa que fora amarrada a ela... roupa ou roupas de algum tipo, talvez, embora as sombras cada vez mais escuras tornassem impossível afirmar com certeza. O mais divertido de tudo era o que ia pendurado no pescoço do jumento como um estranho amuleto: dois *sombreros* e um chapéu de vaqueiro amarrados num pedaço de corda.

Quando o *vaq* se aproximou do escritório do xerife, o canto cessou. Só a fraca luz que aparecia numa janela indicava que o lugar não estava deserto. Na cadeira de balanço do pórtico havia um cômico espantalho usando um dos coletes ataviados de Herk Avery e uma estrela de lata. Não havia guardas; absolutamente nenhum sinal de que os três homens mais odiados de Mejis estivessem presos lá dentro. E agora, muito fracamente, o vaquero pôde ouvir o arranhar de um violão.

Quase de todo abafado por um fino chocalhar de fogos de artifício. O *vaq* olhou pelo ombro e viu um contorno vago. Que acenou. O *vaquero* assentiu, devolveu o aceno, amarrou o jumento no poste — o mesmo onde Roland e seus amigos tinham amarrado os cavalos quando foram se apresentar ao xerife, num dia de verão tanto tempo atrás.

11

A porta se abriu — ninguém se dera ao trabalho de trancá-la — quando Dave Hollis estava tentando, mais ou menos pela ducentésima vez, tocar o refrão de "Comandante Mills, seu Desgraçado". Na frente dele, o xerife Avery balançava na cadeira de sua escrivaninha com as mãos entrelaçadas na pança. O aposento bruxuleava com a suave luminosidade laranja.

— Continue assim, agente Dave, e não precisará haver qualquer execução — disse Cuthbert Allgood. Ele estava de pé junto à porta de uma das celas com as mãos em volta das grades. — Vamos nos matar. Em autodefesa.

— Cale a boca, verme — disse o xerife Avery ainda quase cochilando após um jantar com quatro costeletas. Pensava no irmão (e na esposa do irmão, belíssima) que vivia no Baronato vizinho e no relato que faria a eles daquele dia heroico. Seria modesto, mas não deixaria de transmitir a ideia de que desempenhara um papel central na coisa; se não fosse por ele, aqueles três jovens *ladrones* podiam ter...

— Pelo menos não cante — disse Cuthbert a Dave. — Confesso tudo, até o assassinato de Arthur Eld, se parar de canta.

À esquerda de Bert, Alain estava sentado de pernas cruzadas em seu catre. Roland estava deitado no dele com as mãos atrás da cabeça, olhando para o teto. No momento, porém, em que o trinco da porta estalou, ele rapidamente se sentou. Como se estivesse apenas esperando.

— Deve ser o chefe do turno — disse o agente Dave, colocando com prazer o violão de lado. Detestava aquele plantão e não via a hora de ser substituído. As piadas de Heath eram o pior de tudo. Que o rapaz continuasse a brincar diante do que ia acontecer no dia seguinte...

— Acho que provavelmente é um *deles* — disse o xerife Avery, referindo-se aos Grandes Caçadores de Caixões.

Na verdade, terminou não sendo nem um nem outro. Era um caubói quase enterrado num poncho que parecia grande demais para ele (as pontas chegaram a arrastar nas tábuas do chão quando ele entrou e fechou a porta). O homem usava um chapéu que lhe tapava os olhos. Herk Avery achou que o sujeito correspondia à ideia que alguém poderia fazer de um espantalho caubói.

— Fale, estranho! — disse ele, começando a sorrir... pois aquilo era certamente alguma piada e Herk Avery, como qualquer outro homem, sabia aceitar uma brincadeira. Especialmente após quatro costeletas e uma tonelada de cerveja. — Como vai? O que veio fazer...

A mão que não havia fechado a porta ficara sob o poncho. Quando saiu lá de baixo, segurava desajeitadamente um revólver que todos os três prisioneiros reconheceram de imediato. Avery fitou aquilo, o sorriso sumindo devagar. Suas mãos se soltaram uma da outra. Os pés, que estavam apoiados na tampa da escrivaninha, desceram para o chão.

— Calma, parceiro — ele disse lentamente. — Vamos conversar um pouco.

— Tire as chaves da parede e destranque as celas — disse o *vaq* com uma voz rouca, artificialmente profunda. Lá fora, passando despercebido por todos menos Roland, mais fogos soaram numa sequência breve e barulhenta.

— Não posso fazer isso — disse Avery abrindo com o pé a última gaveta da escrivaninha, onde, de manhã, ele havia guardado várias armas. — Não sei se esta sua coisa está carregada, mas não acho que uma figura como você...

O recém-chegado apontou o revólver para a escrivaninha e puxou o gatilho. O estampido foi ensurdecedor no pequeno aposento, mas Roland achou (esperou) que com a porta trancada a coisa soasse apenas como mais um foguete. Maior que alguns, menor que outros.

Boa garota, ele pensou. *Ah, boa garota... mas tenha cuidado. Pelo amor dos deuses, Sue, tenha cuidado.*

Todos os três estavam agora de pé, enfileirados nas portas da cela, olhos arregalados e bocas apertadas.

A bala atingiu o canto da escrivaninha de tampo de correr e arrancou uma enorme lasca de madeira. Avery gritou, tornou a se inclinar na cadeira e levou um tombo. Seus pés tinham ficado presos sob o puxador da gaveta; a gaveta saiu e caiu, derrubando três armas antigas pelas tábuas do assoalho.

— Susan, cuidado! — Cuthbert gritou, e então: — Não, Dave!

No final de sua vida, foi o dever e não o medo dos Grandes Caçadores de Caixões o que motivou Dave Hollis, que esperava se tornar xerife de Mejis quando Avery se aposentasse (e, ele às vezes dizia a Judy, sua esposa, um xerife melhor do que Avery jamais sonhara ser). Dave esqueceu que tinha sérias dúvidas sobre o jeito como os rapazes tinham sido presos e sobre o que poderiam ter feito ou não. Tudo que lhe passou pela cabeça era que se tratava de prisioneiros do Baronato e ninguém os tiraria da cadeia se ele pudesse impedir.

Lançou-se contra o caubói com roupas grandes demais, querendo arrancar o revólver de suas mãos. E alvejá-lo com ele, se fosse preciso.

12

Susan contemplava a labareda amarela na madeira da quina da escrivaninha do xerife, esquecendo de tudo em seu assombro — tanto dano infligido pelo simples puxar de um dedo! —, quando o grito desesperado de Cuthbert tornou a despertá-la para o que estava acontecendo.

Ela se encolheu contra a parede, se esquivando do primeiro golpe de Dave contra o superfolgado poncho e, sem pensar, tornou a puxar o gatilho. Houve outro estampido forte e Dave Hollis — um rapaz só dois anos mais velho que ela — foi atirado para trás com um buraco enfumaçado na camisa entre duas pontas da estrela que usava. Tinha os olhos arregalados e perplexos. Seu monóculo foi jogado pela mão estendida na extremidade da fita de seda preta. Um dos pés atingiu o violão e o derrubou no chão com um baque quase tão musical quanto os acordes que estivera tentando tocar.

— Dave — ela sussurrou. — Ah, Dave, sinto muito, o que eu fui fazer?

Dave tentou se levantar outra vez, mas acabou caindo de bruços no chão. O buraco na frente de seu corpo era pequeno, mas o que ela estava vendo agora, a saída do buraco por trás era enorme, horrorosa, toda preta, vermelha e cheia de pontas chamuscadas de tecido... como se ela o tivesse atingido com um atiçador incandescente, não com um tiro de revólver, que deveria ser misericordioso e civilizado, mas que sem dúvida não era nenhuma dessas duas coisas.

— Dave — ela sussurrou. — Dave, eu...

— *Susan, cuidado!* — Roland gritou.

Era Avery. Lançando-se para a frente com as mãos e os joelhos, agarrou-a pela barriga das pernas e tirou-lhe os pés do chão. Ela bateu caiu no chão com um barulho de fazer ranger os dentes e ficou cara a cara com ele — com seu olhar de sapo, seu rosto de poros muito abertos e o buraco de uma boca com cheiro de alho.

— Deuses, você é uma *garota* — ele dizia, estendendo a mão para ela. Susan tornou a puxar o gatilho do revólver de Roland, colocando a frente de seu poncho em chamas e abrindo um buraco no teto. Poeira do reboco caiu. As mãos de Avery, do tamanho de um pernil, agarravam-se em sua garganta, impedindo-a de respirar. Em algum lugar muito longe, Roland berrava seu nome.

Ela teria mais uma chance.

Talvez.

Uma é o bastante, Sue, o pai falou dentro de sua cabeça. *Uma chance é tudo que você precisa, minha querida.*

Virou o revólver de Roland com o lado do polegar, enfiando profundamente o cano numa ponta da parte de baixo da cabeça do xerife Herk Avery e puxou o gatilho.

O estrago foi considerável.

13

A cabeça de Avery caiu em seu colo, pesada e úmida como um pedaço de carne crua. Sobre ela, Susan podia sentir o calor crescendo. No limite de seu campo visual, havia o tremor amarelado do fogo.

— Em cima da escrivaninha! — Roland gritou, puxando com tanta força a porta da cela que ela chegava a ranger nas dobradiças. — Susan, o jarro de água! Pelo amor de seu pai!

Ela fez a cabeça de Avery rolar para longe de seu colo, ficou em pé e cambaleou para a escrivaninha com a frente do poncho ardendo. Podia sentir o cheiro de coisa queimada e em algum canto remoto da mente agradeceu ter tido tempo, enquanto esperava pelo crepúsculo, de amarrar o cabelo.

O jarro estava quase cheio, mas não de água; ela pôde sentir o cheiro simultaneamente amargo e doce do graf. Encharcou-se com ele e houve um forte assobio quando o líquido atingiu as chamas. Tirou o poncho (o também enorme *sombrero* veio junto) e jogou-o no chão. Tornou a olhar para Dave, um garoto com quem crescera, que podia inclusive ter beijado atrás da porta do Hookey's, uma vez, há muito tempo.

— Susan! — Era a voz de Roland, áspera, urgente. — As chaves! Rápido!

Susan tirou a argola das chaves do prego na parede. Foi primeiro para a cela de Roland e jogou indistintamente a argola pelas grades. O ar estava impregnado com os cheiros de fumaça de revólver, lã queimada, sangue. O estômago dela se contraía incontrolavelmente a cada respiração.

Roland pegou a chave certa, estendeu a mão pelas grades e enfiou-a na fechadura. Pouco depois estava do lado de fora, abraçando-a com força enquanto as lágrimas escorriam. Um momento a mais e Cuthbert e Alain também estavam do lado de fora.

— Você é um anjo! — disse Alain, também a abraçando.

— Não eu — disse Susan, começando a chorar ainda mais e empurrando o revólver para Roland. Sentia-o como uma coisa suja na mão; jamais queria voltar a encostar a mão num revólver. — Eu e ele brincávamos juntos quando éramos crianças. Ele era um dos bons garotos... nunca puxando a trança, nunca implicando... e cresceu como um bom garoto. Agora acabei com ele, e quem vai contar à sua esposa?

Roland tornou a pegá-la nos braços e a manteve lá por um instante.

— Você fez o que tinha de fazer — disse. — Seria ele ou nós. Não vê isso?

Susan assentiu contra o peito dele.

— Avery, com Avery eu não me importo tanto, mas Dave...

— Vamos — disse Roland. — Alguém pode identificar o barulho como sendo de tiros.

Sheemie está soltando fogos lá fora?

Ela assentiu.

— Trouxe roupas para vocês. Chapéus e ponchos.

Susan correu até a porta, abriu-a, espreitou para um lado e para o outro, e se esgueirou pela escuridão crescente.

Cuthbert apanhou o poncho queimado e colocou-o sobre o rosto do agente Dave.

— Sorte cruel, parceiro — disse. — Foi pego no meio disso, não foi? Acho que você não era dos piores.

Susan tornou a entrar, carregada com o equipamento roubado que fora amarrado à sela de Capi. Sheemie já estava envolvido com sua próxima tarefa sem ter de ser mandado por ninguém. Se ele era de mente fraca, então sem dúvida muitos naquela cidade eram de mente nenhuma.

— Onde pegou tudo isso? — Alain perguntou.

— No Repouso dos Viajantes. E não fui eu. Sheemie pegou. — Ela estendeu os chapéus. — Vamos lá, rápido.

Cuthbert pegou o primeiro chapéu e passou os outros adiante. Roland e Alain já tinham vestido seus ponchos; com os chapéus acrescentados e bem enfiados nos rostos, podiam ser confundidos com qualquer *vaq* da Baixa andando pelo Baronato.

— Para onde vamos? — Alain perguntou quando chegaram ao pórtico. Aquele trecho de rua continuava escuro e deserto; os tiros não tinham atraído atenção.

— Ao Hookey's, para começar — disse Susan. — É onde estão seus cavalos.

Desceram a rua juntos num pequeno grupo de quatro. Capi se fora; Sheemie levara o jumento com ele. O coração de Susan batia rápido e ela sentia o suor brotando na testa, mas ainda sentia frio. De um modo ou de outro, praticara crimes, dera fim a duas vidas naquela noite, cruzando uma linha que jamais poderia tornar a cruzar na outra direção. Fizera aquilo por Roland, por seu amor, e saber que não poderia ter agido de modo diferente não deixava de oferecer algum consolo.

E que sejam felizes juntos, gente sem fé! Assassino! Impostores!.

Susan agarrou a mão de Roland e, quando ele a apertou, ela apertou de volta. Ao erguer os olhos para a Lua do Demônio, a face perversa passando de um colérico laranja-avermelhado para o prateado, Susan refletiu que, ao puxar o gatilho diante do pobre e sério Dave Hollis, pagara pelo seu amor com a mais cara de todas as moedas: pagara com a sua alma. Se agora ele a deixasse, a maldição da tia se cumpriria, pois apenas cinzas iam restar.

9. COLHEITA

1

Quando entraram no estábulo, que estava iluminado por uma pálida lamparina a gás, saiu uma sombra de uma das baias. Roland, que tinha colocado os dois revólveres no cinto, agora os puxava. Sheemie olhou para ele com um sorriso incerto, segurando um estribo numa das mãos. Então o sorriso se ampliou, os olhos faiscaram de felicidade e Sheemie correu para eles.

Roland devolveu seus revólveres aos coldres e fez um gesto para abraçar o rapaz, mas Sheemie passou rápido por ele e atirou-se nos braços de Cuthbert.

— Ô, ô — disse Cuthbert, primeiro cambaleando para trás e depois levantando Sheemie do chão. — Quer me jogar no chão, garoto!

— Ela o tirou de lá! — Sheemie gritou. — Sabia que ia conseguir, sabia mesmo! Boa e velha Susan! — Sheemie se virou para Susan, que permanecia ao lado de Roland. Ainda estava pálida, mas já parecia composta. Sheemie voltou a Cuthbert e plantou um beijo bem no centro da testa dele.

— Ô! — Bert tornou a dizer. — Pra que isso?

— Porque amo você, bom e velho Arthur Heath! Você salvou minha vida!

— Bem, talvez sim — disse Cuthbert rindo com um ar embaraçado (seu *sombrero* emprestado, sem dúvida grande demais, estava comicamente de lado na cabeça) —, mas se não continuarmos a nos mexer, não o terei salvado por muito tempo.

— Os cavalos estão todos selados — disse Sheemie. — Susan me mandou fazer isto e foi o que fiz. E fiz corretamente. E tenho de pôr este estribo no cavalo do sr. Richard Stockworth, porque o que havia lá estava quase arrebentando.

— É uma tarefa para mais tarde — disse Alain, pegando o estribo. Ele se virou para Roland. — Para onde vamos?

O primeiro pensamento de Roland foi que deviam voltar ao mausoléu de Thorin.

Sheemie reagiu com imediato horror.

— O cemitério? E com a Lua do Demônio toda cheia? — Balançou a cabeça com tanta violência que o *sombrero* caiu e o cabelo esvoaçou de um lado para o outro. — Eles estão mortos lá, sai Dearborn, mas se forem incomodados durante a fase do Demônio, podem se levantar e sair andando!

— De qualquer modo, não é uma boa ideia — disse Susan. — As mulheres da cidade vão enfeitar com flores o caminho de Seafront até lá e vão ir também até o mausoléu. Olive será a encarregada, se ela estiver bem, mas minha tia e Coral são bem capazes de estar no grupo. Não são mulheres que seria bom encontrarmos.

— Tudo bem — disse Roland. — Vamos montar e partir. Pense, Susan. Você também, Sheemie. Queremos um lugar onde possamos nos esconder pelo menos até o dia clarear e precisa ser um lugar onde possamos chegar em menos de uma hora. Perto da Grande Estrada, e em qualquer direção que parta de Hambry, menos noroeste.

— Por que não noroeste? — Alain perguntou.

— Porque é para onde estamos indo agora. Temos um trabalho a fazer... e vamos deixá-los ciente deo que estamos fazendo. Vamos informar principalmente Eldred Jonas. — Ele mostrou um vago indício de sorriso. — Quero que ele saiba que o jogo está acabado. Chega de Castelos. Os *verdadeiros* pistoleiros chegaram. Vamos ver se Jonas pode lidar com eles.

2

Uma hora mais tarde, com a lua bem acima das árvores, o ka-tet de Roland chegou ao reservatório da Citgo. Cavalgavam paralelamente à Grande Estrada por questão de segurança, mas, sem dúvida, o cuidado se mostrou ser excessivo: não viram um só cavaleiro na estrada, vindo de qualquer direção. *É como se este ano a Colheita tivesse sido cancelada,* Susan pensou... Então ela se lembrou dos espantalhos de mãos vermelhas e estremeceu. Iam pintar de vermelho as mãos de Roland na noite do dia seguinte, e ainda pintariam, se fossem apanhados. *Não só ele, aliás. Todos nós. Sheemie incluído.*

Deixaram os cavalos (e Caprichoso, que tinha trotado irritadiço mas ligeiro atrás deles) amarrados num há muito inativo equipamento de bombeamento da extremidade sudeste da reserva e seguiram devagar para as bombas em atividade, que se amontoavam na mesma área. O pouco que falavam era em sussurros. Roland duvidava que isso fosse necessário, mas sussurrar ali parecia algo natural. Para Roland, a Citgo era muito mais fantasmagórica do que o cemitério e, embora ele duvidasse que os mortos despertassem quando a lua do Velho Demônio estivesse cheia, havia ali alguns cadáveres *muito* inquietos, rangentes e enferrujados que pareciam muito estranhos sob o luar, os pistões subindo e descendo como pés marchando.

Roland conduziu o grupo para a parte ativa da reserva, passando por uma placa que dizia ONDE ESTÁ SEU CAPACETE?, e outra dizendo PRODUZIMOS ÓLEO, REFINAMOS SEGURANÇA. Pararam embaixo de uma torre de perfuração. A torre soltava guinchos tão altos que Roland precisou gritar para poder ser ouvido.

— *Sheemie! Me passe dois daqueles rojões!*

Sheemie enchera um bolso com o que tirara da sacola de sela de Susan e logo entregou um par de rojões. Roland pegou Bert pelo braço e puxou-o para a frente. Havia um quadrado de cerca enferrujada ao redor da bomba e, quando os garotos tentaram escalá-la, os moirões rangeram como ossos antigos. Eles se entreolharam, nervosos e achando graça, sob o correr combinado das sombras da maquinaria e do luar.

Susan puxou o braço de Roland.

— *Tenha cuidado!* — ela gritou sobre o ritmado *rampi-rampi-rampi* do mecanismo de bombeamento. Não parecia assustada, Roland percebeu, apenas ansiosa e alerta.

Ele sorriu, puxou-a para a frente e beijando o lóbulo de sua orelha.

— Prepare-se para correr — sussurrou. — Se fizermos isto direito, vai haver outra vela aqui na Citgo. Uma do tamanho do inferno.

Ele e Cuthbert mergulharam sob a longarina mais baixa da enferrujada torre de perfuração e pararam ao lado do equipamento, tremendo com a cacofonia. Roland se perguntou se aquela coisa já não devia ter quebrado anos atrás. A maior parte do que ela produzia passava por enferrujados cilindros de metal e ele também podia ver um gigantesco eixo giratório. O óleo que fazia as paredes do eixo brilharem tinha de ser fornecido por jatos automáticos e os jatos traziam um cheiro gasoso, lembrando o jato que brilhava ritmadamente do outro lado da reserva.

— *Peidos de gigante!* — Cuthbert gritou.

— *O quê?*

— *Eu disse que cheira como... ei, não importa! Vamos fazer isso se pudermos... podemos?*

Roland não sabia. Caminhou para a maquinaria que rangia sob carcaças de metal, carcaças que enferrujavam e cuja pintura verde desbotava. Bert seguiu-o com alguma relutância. Os dois deslizaram para uma galeria curta, fedorenta e extremamente quente, que os colocava quase diretamente sob a bomba. À frente deles, o eixo na ponta do pistão girava sem parar, coberto pelas gotas de óleo que corriam pelas paredes lisas. Ao lado do eixo havia um cano curvo... quase certamente um cano transbordando, Roland pensou. De vez em quando uma gota de óleo cru saía da ponta do cano e havia uma poça escura no chão logo abaixo. Ele apontou e Cuthbert assentiu.

Seria inútil gritar ali; a massa de roncos e guinchos fazia um barulho gigantesco. Roland curvou uma das mãos em volta do pescoço do amigo e puxou a orelha de Cuthbert para seus lábios; a outra mão ficou sacudindo na frente dos olhos do amigo.

— Acenda isto e corra — disse. — Vou segurar, te dar o máximo possível de tempo. É para o seu e para o meu bem. Quero um caminho livre passando por essa maquinaria, está entendendo?

Depois de assentir contra os lábios de Roland, Cuthbert virou a cabeça do pistoleiro para poder falar com ele da mesma maneira.

— E se houver uma quantidade de gás suficiente para queimar todo o ar quando eu acender uma faísca?

Roland recuou. Levantou as palmas das mãos num gesto tipo "Como eu vou saber"? Cuthbert riu e abriu a caixa de fósforos de enxofre que tinha pegado na escrivaninha de Avery antes de deixar o prédio da cadeia.

Perguntou com as sobrancelhas erguidas se Roland estava pronto. Roland assentiu.

O vento soprava com força, mas o acúmulo de maquinaria sob a torre o bloqueava e a chama do fósforo subiu firme. Roland estendeu o rojão e teve uma momentânea, dolorosa lembrança da mãe: como ela odiara aquelas coisas, como sempre tivera certeza de que o filho ia perder um olho ou um dedo com aquilo.

Cuthbert bateu no peito sobre o coração e beijou a palma da mão no gesto universal de boa sorte. Então fez a chama encostar no pavio. Que começou a crepitar. Bert se virou, fingindo voltar o fósforo para um cilindro da bomba (aquele era Bert, Roland pensou; brincaria até na forca), e então se arremessou pela curta galeria que os levara até lá.

Roland continuou segurando o rojão pelo tempo máximo que pôde, então o atirou no cano que vazava. Estremeceu quando começou a correr, também esperando o que Bert temia: que o próprio ar pudesse explodir. Não aconteceu. Ele disparou pela pequena galeria, saiu no ar livre e viu Cuthbert parado do outro lado do trecho quebrado de cerca. Roland agitou as mãos para ele (*Corra, seu idiota, corra!*) e então o mundo explodiu atrás dele.

O barulho foi um profundo, impetuoso baque que pareceu empurrar seus tímpanos para dentro e roubar o ar de sua garganta. O solo rolou sob seus pés como uma onda sob um barco e uma grande mão quente plantou-se no centro de suas costas, impelindo-o para a frente. Ele achou que corria a um passo (talvez a dois ou três passos) do fogo e então foi erguido do chão e arremessado contra a cerca, onde Cuthbert não estava mais parado; Cuthbert estava caído de costas, encarando alguma coisa atrás de Roland. Os olhos do rapaz estavam arregalados de espanto; a boca aberta. Roland podia ver tudo aquilo muito bem, pois a Citgo se iluminara como se fosse dia claro. Haviam colocado fogo em sua própria fogueira da Colheita, uma noite mais cedo. E era uma fogueira muito mais brilhante do que aquela que seria acesa na cidade.

Roland foi avançando de joelhos para onde Cuthbert se achava e agarrou-o com um dos braços. De trás deles veio um imenso barulho de rasgar e pedaços de metal começaram a cair por todo lado. Levantaram-se e correram para perto de Alain, que estava parado na frente de Susan e Sheemie, tentando proteger os dois.

Roland se virou e deu uma rápida olhada pelo ombro, vendo que os restos da torre — cerca de metade dela ainda permanecia de pé — adquiriam um brilho vermelho-escuro, como uma ferradura aquecida, no meio da flamejante tocha amarela que subia talvez uns cinquenta metros para o céu. Era um começo. Ele não sabia quantas outras torres poderiam incendiar antes de as pessoas começarem a chegar da cidade, mas estava determinado a acabar com tantas quanto fosse possível, não importa os riscos. Explodir os caminhões-tanques na rocha Pendurada era só metade do trabalho. A *fonte* de Farson tinha de ser eliminada.

Mas não seria preciso haver novos fogos caindo em outros canos vazando. Havia uma rede de canos interligados sob a reserva, cheia principalmente do gás natural que pontos de vedação antigos e defeituosos tinham deixado vazar para lá. Roland e Cuthbert mal tinham alcançado o resto do grupo quando ocorreu uma nova explosão e uma nova coluna de chamas irrompeu de uma torre à direita da que tinham incendiado. Um momento mais tarde, uma terceira torre (esta já a sessenta metros das duas primeiras duas) explodiu com um ronco de dragão. A estrutura de ferro se soltou dos pilares de concreto que a ancorava como dente puxado de uma gengiva deteriorada. Subiu numa espiral de chamas azuis e amarelas, atingiu uma altura de mais de vinte metros, caiu para trás e veio baixando estrepitosamente, espalhando centelhas em todas as direções.

Outra. Outra. E mais outra.

Os cinco jovens ficaram parados em seu canto, atônitos, elevando as mãos para proteger os olhos do clarão. Agora a reserva flamejava como um bolo de aniversário e o calor que chegava até eles era enorme.

— Que os deuses tenham piedade — Alain murmurou.

Se eles se demorassem ali, Roland percebeu, iam estalar como milho. Havia também os cavalos a considerar; estavam bem distantes do principal foco das explosões, mas não havia garantias de que o fogo permanecesse onde estava; Roland viu duas das torres que não funcionavam engolfadas pelas chamas. Os cavalos deviam estar apavorados.

Diabo, *ele* estava apavorado.

— Vamos! — gritou.

Correram para os cavalos através da ondulante cintilação amarelo-alaranjada.

3

A princípio Jonas achou que estava acontecendo dentro de sua cabeça... que as explosões eram parte do ato de amor.

Ato de amor, sei. Ato de amor, o caralho. Ele e Coral praticavam tanto um ato de amor quanto jumentos faziam somas. Mas havia *alguma coisa*. Ah, sim, de fato havia.

Já estivera antes com mulheres ardentes, as que levam o sujeito para uma espécie de forno e o conservam lá, olhando-o com ávida intensidade enquanto mexem os quadris, mas até Coral ele nunca estivera com uma mulher que inflamasse dentro dele uma corda tão poderosamente harmônica. Com relação a sexo, sempre fora o tipo de homem que tira bom proveito quando ele chega e se esquece facilmente quando não vem. Mas com Coral só queria mais, mais e mais um pouco. Quando estavam juntos, transavam como gatos ou doninhas, contorcendo-se, silvando e se agarrando com força; mordiam um ao outro, diziam palavrões um para o outro e em nenhum momento aquilo parecia sequer chegar perto de ser o suficiente. Quando estava com ela, Jonas às vezes tinha a sensação de estar sendo fritado em azeite.

Naquela noite tinha havido uma reunião da Associação dos Cavaleiros que praticamente se transformara, naqueles últimos dias, na Associação Farson. Jonas lhes passara as últimas informações, respondera a suas perguntas imbecis e se certificara de que tinham entendido bem o que devia ser feito no dia seguinte. Com isto resolvido, dera uma olhada em Rhea, que fora instalada na velha suíte de Kimba Rimer. Ela nem sequer reparara que Jonas a tinha espreitado. Estava no gabinete de teto alto e cheio de livros de Rimer... Atrás da escrivaninha de madeira de lei de Rimer, na poltrona de encosto alto de Rimer, parecendo tão deslocada quanto a calcinha de uma prostituta num altar de igreja. Sobre a escrivaninha de Rimer estava o Arco-íris do Mago. Ela passava as mãos nele, de um lado para o outro, proferindo palavras rápidas a meia-voz, mas a bola permanecia escura.

Jonas a deixara trancada ali e fora ver Coral. Ela estava à sua espera na sala de visitas onde ocorreria o Colóquio do dia seguinte. Havia muitos quartos naquela ala da casa, mas Coral o levara para o quarto do irmão morto...

Não por acaso, Jonas tinha certeza. Ali transaram na cama com dossel que Hart Thorin jamais iria compartilhar com sua concubina.

Foi ardente, como sempre fora, e Jonas estava se aproximando do orgasmo quando a primeira torre de óleo explodiu. *Cristo, ela é algo diferente*, pensou. *Nunca houve em todo o maldito planeta uma mulher como...*

Então mais duas explosões, em rápida sucessão, e Coral ficou um instante paralisada embaixo dele antes de recomeçar a mexer os quadris.

— Citgo — ela disse com uma voz rouca, arquejante.

— Ié — ele resmungou, começando a se mover com ela. Jonas tinha perdido todo o interesse no sexo, mas haviam atingido o ponto onde era impossível parar, mesmo sob ameaça de morte ou desmembramento. Dois minutos mais tarde ele avançava, sem roupa, para a sacada em miniatura de Thorin, o pênis semi-ereto oscilando de um lado para o outro como imagem meio tosca de uma varinha mágica. Coral estava um passo atrás, também nua.

— Por que agora? — ela protestou quando Jonas empurrou a porta da sacada. — Eu ainda podia ter gozado mais três vezes!

Jonas a ignorou. O panorama que se abria a noroeste era uma escuridão emoldurada pela lua... exceto onde se encontrava a reserva de petróleo. Ali havia um febril núcleo amarelo de luz. Que ia se espalhando e ficando cada vez mais brilhante; as poderosas explosões se sucediam martelando um espaço de muitos quilômetros.

Jonas sentiu um estranho escurecimento em sua mente — aquela sensação tinha aparecido desde que o fedelho Dearborn, por algum frenético salto intuitivo, o reconhecera pelo que e por quem ele era. Transar com a fascinante e energética Coral derretera um pouco a sensação, mas agora, olhando para o ardente emaranhado de fogo onde ainda há cinco minutos ficavam as reservas de óleo do Bom Homem, a coisa voltava com debilitante intensidade, como uma febre que às vezes deixa a carne mas se esconde nos ossos e nunca realmente vai embora. *Você está no oeste*, Dearborn dissera. *A alma de um homem como você nunca pode deixar o oeste.* Claro que era verdade e não precisava que um desgraçado como Will Dearborn para lhe dizer isso... mas depois que ele o dissera, uma parte de sua mente simplesmente não conseguia parar de pensar no assunto.

A porra do Will Dearborn. Onde, exatamente, estava ele agora, ele e seus amigos? No *calabozo* de Avery? Jonas achava que não. Não mais.

Novas explosões cortavam a noite. Lá embaixo, homens que tinham corrido aos gritos no início da manhã, com as primeiras notícias dos assassinatos, estavam correndo e gritando de novo.

— É a maior fogueira da Colheita que jamais se viu — disse Coral em voz baixa.

Antes que Jonas pudesse responder, houve uma forte batida na porta do quarto. Um segundo mais tarde ela estava escancarada e Clay Reynolds atravessava o quarto com passo pesado. Vestia uma calça jeans e mais nada. Os cabelos estavam revoltos; os olhos mais revoltos ainda.

— Más notícias da cidade, Eldred — disse ele. — Dearborn e os outros dois garotos do Mundo Interior...

Três novas explosões, uma quase sobre a outra. Da incandescente reserva da Citgo uma grande bola de fogo laranja-avermelhado foi subindo preguiçosamente para a escuridão do céu. Depois desbotou, desapareceu. Reynolds saiu na sacada e parou entre eles e o parapeito, indiferente ao vento no peito nu. Contemplou a bola de fogo com olhos arregalados, maravilhados, até ver a bola sumir. Sumir como os fedelhos. Jonas sentiu aquele curioso, debilitante desânimo tentando tomar conta de si.

— Como escaparam? — perguntou. — Você sabe? Avery sabe?

— Avery está morto. O agente que estava com ele também. Foi outro agente quem encontrou os dois, Todd Bridger... Eldred, o que está acontecendo? O que aconteceu ali?

— Ah, aqueles garotos! — disse Coral. — Não demoraram para começar sua própria festa da Colheita, não foi?

Até onde podem chegar?, Jonas se perguntou. Era uma boa pergunta... talvez a única que realmente importava. Será que agora iam parar de criar problemas... ou será que estavam apenas começando?

De novo teve vontade de estar longe de lá... longe de Seafront, longe de Hambry, longe de Mejis. De repente, o que ele mais queria era estar a quilômetros, rodas e léguas de distância. Mas tinha contornado sua Hillock, era tarde demais para voltar e se sentia extremamente exposto.

— Clay?

— Sim, Eldred?

Mas os olhos do homem — e sua mente — continuavam na conflagração da Citgo. Jonas segurou o ombro de Reynolds e virou o comparsa para ele. Jonas sentia a mente começando a ganhar velocidade, superando detalhes e coisas passadas. Ele abraçou a sensação. O estranho, sombrio senso de fatalidade se dissolvia, sumia.

— Quantos homens temos aqui? — perguntou. Reynolds franziu a testa, pensou um pouco.

— Trinta e cinco — disse. — Talvez.

— Quantos armados?

— Com revólveres?

— Não, com colheres de pau, seu maldito idiota!

— Provavelmente... — Reynolds deixou cair o lábio inferior, franziu a testa mais febrilmente que nunca. — Provavelmente uma dúzia. Com os revólveres que talvez funcionem, entende.

— E os rapazes da Associação dos Cavaleiros? Ainda estão todos aqui?

— Acho que sim.

— Pegue Lengyll e Renfrew. Pelo menos não precisará acordá-los; todos deverão estar despertos. — Jonas sacudiu um polegar para o pátio. — Mande Renfrew reunir um grupo para sair. Homens armados. Eu gostaria de contar com oito ou dez, mas posso me contentar com cinco. Ponha a carroça daquela velha amarrada no pônei mais forte, mais resistente que houver por aqui. Diga à porra do Miguel que se o pônei que ele escolher morrer no caminho para a rocha Pendurada, ele em breve vai usar suas bolas velhas e enrugadas como abafadores de som.

Coral Thorin soltou uma risada breve, áspera. Reynolds a olhou de relance, deu uma espiada em seus seios e tornou a olhar para Jonas com um certo esforço.

— Onde está Roy? — Jonas perguntou.

Reynolds ergueu os olhos.

— No terceiro andar. Com alguma criada do bar.

— Chute-o de lá — disse Jonas. — É trabalho dele deixar a velha megera pronta para viajar.

— Vamos partir?

— O mais breve que pudermos. Você e eu primeiro, com os rapazes de Renfrew e Lengyll atrás, junto ao resto dos homens. Faça com que Hash Renfrew venha conosco, Clay; ele tem a língua solta demais.

— E os cavalos que estão na Baixa?

— Não importa a porra dos cavalos. — Houve outra explosão na Citgo; outra bola de fogo flutuou para cima. Jonas não pôde ver as escuras nuvens de fumaça que tinham de estar sendo jogadas para o céu nem pôde sentir o cheiro de óleo; o vento, correndo do leste para oeste, estaria carregando nuvens e cheiro para fora da cidade.

— Mas...

— Simplesmente faça o que eu mandei. — Jonas agora via as suas prioridades numa ordem clara e ascendente. Os cavalos estavam no fim... Farson podia encontrar cavalos perto de qualquer lugar. Antes deles havia os caminhões-tanques reunidos em rocha Pendurada. Que agora eram mais importantes do que tudo, porque as fontes de combustível não existiam mais. Se os caminhões-tanques se perdessem, os Grandes Caçadores de Caixões poderiam esquecer de vez a volta para casa.

No entanto, mais importante que tudo era a pequena peça do Arco-íris do Mago que Farson possuía. Era o único item realmente insubstituível. Se a coisa tivesse de se quebrar, que quebrasse aos cuidados de George Latigo, não de Eldred Jonas.

— Mexa-se — ele disse a Reynolds. — Depape vai depois, com os homens de Lengyll. Você vai comigo. Vamos. Mãos à obra.

— E eu? — Coral perguntou. Jonas estendeu a mão e puxou-a.

— Não me esqueci de você, querida.

Coral assentiu e pôs a mão entre as pernas dele, indiferente ao olhar de Clay Reynolds.

— Ié — disse ela. — Também não me esqueci de você.

4

Escaparam da Citgo com os ouvidos tinindo e levemente chamuscados nas beiradas, mas não feridos, Sheemie seguindo a pé logo depois de Cuthbert e Caprichoso trotando atrás de toda a fileira.

Foi Susan que falou do lugar aonde deviam ir, e como a maioria das soluções, a coisa parecia óbvia... depois que alguém se lembrava dela. E assim, não muito tempo depois de a Véspera da Colheita ter se transformado na Alvorada da Colheita, os cinco chegaram à cabana do pasto Ruim, onde Susan e Roland tinham em várias ocasiões se encontrado para se amarem.

Cuthbert e Alain desenrolaram mantas e sentaram-se nelas para examinar as armas que tinham trazido do escritório do xerife. Também haviam achado o estilingue de Bert.

— São armas de grosso calibre — disse Alain, segurando uma delas com o cilindro puxado e espiando com um olho pelos tambores. — Se não atirarem fazendo barulho demais, Roland, ou se a pontaria não for excessivamente má, acho que podem nos ser úteis.

— Gostaria que tivéssemos a metralhadora daquele rancheiro — disse Cuthbert num tom melancólico.

— Sabe o que Cort diria sobre uma arma como essa? — Roland perguntou, e Curthbert explodiu numa risada. O mesmo fez Alain.

— Quem é Cort? — Susan perguntou.

— O sujeito durão que Eldred Jonas julga erradamente ser — disse Alain. — Era nosso professor.

Roland sugeriu que tirassem uma ou duas horas de sono… o dia seguinte provavelmente seria difícil. Que pudesse também ser o último deles era algo que não achou preciso dizer.

— Alain, está ouvindo?

Alain, que sabia perfeitamente bem que Roland não estava falando de sua capacidade de ouvir ou de prestar atenção, assentiu.

— Está ouvindo alguma coisa?

— Ainda não.

— Fique atento.

— Vou ficar… mas não posso prometer nada. O toque é instável. Você sabe disso tão bem quanto eu.

— Mas continue tentando.

Sheemie tinha espalhado cuidadosamente duas mantas no canto onde seu proclamado melhor amigo ia ficar.

— Ele é Roland… e *ele* é Alain… quem é você, meu bom e velho Arthur Heath? Quem é você de verdade?

— Meu nome é Cuthbert. — Ele estendeu a mão. — Cuthbert Allgood. É um prazer conhecê-lo, e é um prazer conhecê-lo e mais uma vez é um prazer conhecê-lo.

Sheemie apertou a mão oferecida e deu uma risadinha. Foi um som alegre, inesperado, que fez todos sorrirem. Sorrir incomodou um pouco Roland; ele achou que se pudesse ver o próprio rosto, descobriria uma razoável queimadura por ter ficado tão perto das torres que explodiam.

— Key-youth-bert — disse Sheemie, rindo. — Ah, puxa! Key-youth-bert, é um nome engraçado, não admira que seja um sujeito tão engraçado. Key-youth-bert, ah-ah-ah-ah, essa é ótima, realmente ótima!

Cuthbert sorriu e aquiesceu.

— Se acha que não vamos precisar mais dele, Roland, posso matá-lo agora?

— Espere mais um pouquinho, não acha melhor? — disse Roland, se virando depois para Susan, o sorriso se extinguindo. — Não quer dar um passeio, Sue? Queria conversar com você.

Susan ergueu os olhos para ele, procurando ler a sua expressão.

— Tudo bem. — Ela estendeu a mão. Roland a pegou e saíram juntos para o luar e, sob aquela luz, Susan sentiu o pavor tomar conta de seu coração.

5

Caminharam em silêncio, através do capim cheiroso e de bom sabor para bois e cavalos, que mesmo que só estivesse aumentando suas barrigas, primeiro os deixava inchados, depois os matava. O capim estava muito alto — pelo menos uns trinta centímetros mais alto que a cabeça de Roland — e continuava verde como no verão. As crianças às vezes se perdiam no pasto Ruim e lá morriam, mas Susan não tinha medo de estar ali com Roland, mesmo que não existisse qualquer marco de orientação; o senso de direção de Roland era surpreendentemente perfeito.

— Sue, tu me desobedeceste na questão dos revólveres — ele disse por fim.

Ela o contemplou sorrindo, meio divertida e meio zangada.

— Queres então estar de volta à tua cela, é isso? Tu e teus amigos?

— Não, é claro que não. Quanta coragem! — Roland a puxou e deu-lhe um beijo. Quando ele recuou, os dois estavam respirando acelerado. Ele a pegou nos braços e olhou dentro de seus olhos. — Mas não deves me desobedecer desta vez.

Ela o encarou sem dizer nada.

— Tu sabes — ele disse. — Sabes o que vou te dizer.

— Ié, talvez.

— Diga. Acho melhor que tu mesma digas.

— Devo ficar na cabana enquanto tu e os outros seguem adiante. Sheemie e eu devemos ficar.

Ele assentiu.

— Fará isso? Farás isso?

Ela pensou em como o revólver de Roland parecera pouco familiar, deslocado na sua mão quando o segurou sob o poncho; pensou no arregalado olhar de descrença nos olhos de Dave quando a bala disparada contra seu peito o lançou para trás; pensou em como da primeira vez que tentara alvejar o xerife Avery, a única coisa que a bala fizera fora colocar seu próprio poncho em chamas, embora Avery estivesse bem na sua frente. Eles não tinham um revólver para lhe dar (a não ser que ela pegasse um dos dois revólveres de Roland), e, de qualquer maneira, não sabia usar muito bem uma arma... e, mais importante, não queria usar uma. Em tais circunstâncias, e devendo também pensar em Sheemie, era realmente melhor que ficasse fora do caminho.

Roland esperava pacientemente. Ela assentiu.

— Eu e Sheemie ficaremos esperando por ti. É minha promessa.

Ele sorriu, aliviado.

— Agora me recompense com a sinceridade, Roland.

— Vou tentar.

Ela ergueu os olhos para a lua, estremeceu ante a face de mau augúrio que viu e voltou a olhar para Roland.

— Que chances terás de voltar para mim?

Roland pensou com muito cuidado, sempre segurando os braços dela.

— São muito maiores do que Jonas imagina — disse por fim. — Vamos esperar na orla do pasto Ruim e conseguiremos ver sem problemas a chegada dele.

— Ié, o bando de cavalos que vi...

— Ele pode vir sem os cavalos — disse Roland, sem saber o quanto chegara perto da estratégia de Jonas —, mas seu pessoal fará barulho mesmo sem os cavalos. Se forem em grande número, também os veremos... provocarão um corte no capim como uma risca num cabelo.

Susan assentiu. Já vira aquilo muitas vezes da Baixa... o misterioso corte do pasto Ruim quando grupos de homens o atravessavam.

— Se estiverem procurando exatamente por ti, Roland? Se Jonas mandar batedores na frente?

— Duvido que faça isso. — Roland deu de ombros. — Se isso acontecer, ora, nós os mataremos. Em silêncio, se pudermos. Matar é o que fomos treinados a fazer; e o faremos.

Susan virou as mãos e agora era ela quem segurava os braços de Roland. Parecia impaciente e assustada.

— Não respondeste à minha pergunta. Que chances terei de encontrar-te de novo?

Ele refletiu.

— As chances de jogar uma moeda — disse por fim.

Susan fechou os olhos como se atingida por um golpe, prendeu a respiração, deixou-a sair, tornou a abrir os olhos.

— Ruim — disse —, mas talvez não tanto quanto pensei. E se não voltares? Vou para leste com Sheemie, como disseste antes?

— Ié, para Gilead. Lá haverá um lugar de segurança e respeito para você, querida, não importa o que... Mas é especialmente importante que vá se *não* ouvir os caminhões-tanques explodirem. Você sabe disso, não é?

— Para advertir teu pessoal... teu ka-tet em Gilead.

Roland aquiesceu e ela continuou:

— Eu os avisarei, não temas. E também manterei Sheemie a salvo. Se eu tivesse agido sozinha não teríamos conseguido chegar até aqui.

Roland estava contando com Sheemie para mais do que ela imaginava. Se ele, Bert e Alain *fossem* mortos, era Sheemie quem deveria ser a sua âncora, dar a ela uma razão para continuar.

— Quando partirás? — Susan perguntou. — Temos tempo para nos amarmos?

— Temos tempo, mas talvez seja melhor não fazermos nada — disse ele. — Já vai ser bastante difícil deixá-la sem isso. A menos que você realmente queira... — Os olhos quase imploraram para que dissesse sim.

— Vamos apenas voltar e deitar um pouco — disse ela, pegando sua mão. Por um momento os lábios de Susan tremeram e quase contaram que ela já estava carregando o filho dele, mas no último momento ela se calou. Talvez Roland já tivesse muito em que pensar sem aquilo... e ela não queria transmitir uma notícia tão feliz sob uma lua tão feia. Certamente não traria boa sorte.

Voltaram por entre o mato alto que continuava se inclinando ao longo da trilha dos dois. Na frente da cabana, Roland a virou para si, pôs as mãos em seu rosto e de novo a beijou levemente.

— Vou amá-la para sempre, Susan — disse. — Venha o que vier.

Ela sorriu. O movimento ascendente do rosto fez cair duas lágrimas dos olhos.

— Venha o que vier — Susan concordou. Ela o beijou e os dois entraram.

6

A lua tinha começado a descer quando um grupo de oito passou sob o arco com O VENHA EM PAZ gravado nas Grandes Letras. Jonas e Reynolds iam na frente. Atrás seguia a carroça preta de Rhea, puxada por um pônei trotador que parecia forte o bastante para viajar a noite inteira e metade do dia seguinte. Jonas quis dar um cocheiro a Rhea, mas ela recusou.

— Nunca houve um animal que eu não conseguisse domar melhor do que qualquer homem — ela lhe dissera e isso parecia verdade. As rédeas jaziam soltas em seu colo; o pônei trabalhava muito bem sem elas. Os outros cinco homens consistiam em Hash Renfrew, Quint e três dos melhores *vaqueros* de Renfrew.

Coral quisera ir também, mas Jonas tinha outras ideias.

— Se formos mortos, você pode continuar mais ou menos como antes — ele dissera. — Não haverá nada para ligá-la a nós.

— Sem você, não tenho certeza se haveria alguma razão para continuar — disse ela.

— Ah, para com essa coisa juvenil, não cai bem em você. Encontraria muitas razões para continuar seguindo em frente, se assim quiser. Se tudo correr bem… como espero que aconteça… e você ainda quiser ficar comigo, parta daqui assim que ficar sabendo de nosso sucesso. Há uma cidade a oeste, nas montanhas Vi Castis. Ritzy. Vá para lá no cavalo mais rápido em que conseguir montar. Chegará dias à nossa frente, por mais que sejamos capazes de acelerar as tarefas que temos por aqui. Encontre uma taberna respeitável que aceite uma mulher sozinha… se houver uma coisa dessas em Ritzy. Espere. Quando chegarmos lá com os caminhões-tanques, entre simplesmente na coluna e siga do meu lado. Você entendeu?

Ela entendera. Só uma mulher em mil era como Coral Thorin — astuta como Lorde Satã e capaz de foder como a rameira favorita de Satã. Só esperava que as coisas fossem de fato tão simples quanto Jonas as fizera parecer.

Jonas recuou até seu cavalo emparelhar com a carroça preta. A bola estava fora da bolsa, no colo de Rhea.

— Alguma coisa? — ele perguntou. Jonas ao mesmo tempo queria e temia ver de novo aquele pulsar rosado no fundo da bola.

— Naum. Mas a bola falará sozinha quando for preciso… Confie nisso.

— Então de que serve você, velha?

— Saberá quando chegar a hora — disse Rhea, contemplando-o com arrogância (e algum medo também, ele ficou satisfeito ao perceber).

Jonas esporeou de novo o cavalo para a frente da pequena coluna. Decidira tirar a bola de Rhea ao menor sinal de encrenca. Na realidade, a bola já transmitira o estranho, perigoso fascínio para a sua cabeça; ele já estava pensando demais no singular pulso de luz rosada que tinha visto.

Bobagem, disse a si mesmo. *Estou apenas abalado com a perspectiva da luta. Assim que esta história acabar, voltarei a ser a mesma pessoa de sempre.*

Bom se fosse verdade, mas…

… mas ele tinha, é verdade, começado a duvidar.

Renfrew estava agora cavalgando com Clay. Jonas introduziu seu cavalo entre eles. A perna doente doía como uma danação; outro mau sinal.

— Lengyll? — perguntou a Renfrew.

— Reunindo um belo grupo — disse Renfrew —, não se preocupe com Fran Lengyll. Trinta homens.

— Trinta! Pelo amor dos deuses, eu disse a você que queria quarenta! Pelo menos quarenta!

Renfrew o avaliou com uma olhada sem brilho, depois estremeceu com a rajada particularmente forte de vento que começara a soprar. Ele puxou o lenço do pescoço para cobrir a boca e o nariz. Os *vaqs* que seguiam atrás já tinham feito isso.

— Até que ponto está com medo dos três garotos, Jonas?

—Medo o suficiente por nós dois, eu acho, pois você é estúpido demais para saber quem são eles ou o que são capazes de fazer. — Ele levantou seu próprio lenço de pescoço, depois forçou a voz a assumir um timbre mais razoável. Era melhor assim; ia precisar um pouco mais daqueles caipiras. Assim que a bola de cristal tivesse passado a Latigo, tudo podia mudar.

— Embora talvez jamais tornemos a encontrá-los.

— É provável que já estejam a cinquenta quilômetros daqui, seguindo para oeste o mais depressa que os cavalos possam levá-los — Renfrew concordou. — Eu daria uma coroa a quem me dissesse como eles se soltaram.

O que isso interessa, seu imbecil?, Jonas pensou, mas não disse nada.

— Quanto aos homens de Lengyll, são os caras mais durões que ele conseguiu achar... Se houver luta, aqueles trinta vão lutar como sessenta.

Os olhos de Jonas encontraram brevemente os de Clay. *Acreditarei nisso quando puder ver*, disse o breve olhar de Clay, e Jonas tornou a se lembrar de por que sempre havia gostado mais daquele sujeito do que de Roy Depape.

— Quantos armados?

— Com revólveres? Talvez a metade. Não estarão mais que uma hora atrás de nós.

— Bom. — Pelo menos a porta dos fundos estava coberta. Teria de servir. E ele não podia esperar a hora de se ver livre daquela maldita bola de cristal.

Ah?, sussurrou uma voz manhosa, quase insana, vinda de um lugar muito mais fundo que seu coração. *Ah, não pode?*

Jonas ignorou a voz até que ela se calou. Meia hora mais tarde, deixaram a estrada e entraram na Baixa. Vários quilômetros à frente, ondulando no vento como um mar prateado, estava o pasto Ruim.

7

Aproximadamente quando Jonas e seu grupo cavalgavam pela Baixa, Roland, Cuthbert e Alain pulavam para suas selas. Susan e Sheemie permaneciam junto da entrada da cabana, de mãos dadas e contemplando-os com ar solene.

— Ouvirás as explosões quando os caminhões-tanques voarem e sentirás o cheiro da fumaça — disse Roland. — Mesmo com o vento para o outro lado, acho que até a fumaça sentirás. Então, não mais que uma hora depois, mais fumaça. Lá. — Ele apontou. — Será a galharia empilhada na boca do desfiladeiro.

— E se não virmos essas coisas?

— Vão para leste. Mas verás, Sue. Juro que verás.

Susan deu um passo à frente, pôs as mãos na coxa de Roland e ergueu os olhos sob o luar que já enfraquecia. Ele se curvou; pôs levemente a mão na nuca de Susan; pôs a boca na boca de Susan.

— Siga teu caminho em segurança — disse Susan ao se afastar dele.

— Ié — Sheemie acrescentou de repente. — Resistam e sejam verdadeiros, os três. — Ele também avançou e encostou timidamente a mão na bota de Cuthbert.

Cuthbert estendeu o braço, pegou a mão de Sheemie e sacudiu-a.

— Cuide dela, meu velho.

— Vou cuidar — disse Sheemie assentindo com ar sério.

— Vamos — disse Roland. Ele achou que, se tornasse a ver a expressão grave do rosto de Susan a olhá-lo, ia chorar. — Vamos embora.

Afastaram-se devagar da cabana. Antes que o capim se fechasse tirando-a de vista, Roland se virou para trás uma última vez.

— Sue, eu te amo.

Ela sorriu. Foi um belo sorriso.

— Pássaro e urso e lebre e peixe — disse Susan.

Da próxima vez que Roland a visse, ela estaria encerrada na bola de cristal do Mago.

8

O que Roland e seus amigos viram a oeste do pasto Ruim tinha uma beleza áspera, solitária. O vento levantava grandes nuvens de areia do pedregoso chão de deserto; o luar as transformava em fantasmas esfarrapados. Logo rocha Pendurada ficava visível a umas duas rodas de distância e a boca da garganta do Parafuso duas rodas além. Às vezes os dois pontos sumiam, escondidos pela poeira. Atrás deles, o capinzal alto fazia um ruído suspirante, melodioso.

— Como estão se sentindo, rapazes? — Roland perguntou. — Está tudo bem?

Eles assentiram.

— Vai haver bastante tiroteio, eu acho.

— Vamos lembrar dos rostos de nossos pais — disse Cuthbert.

— Sim — Roland concordou, quase distraidamente. — Vamos lembrá-los muito bem. — Ele se empertigou na sela. — O vento está a nosso favor, não a favor deles... essa é uma boa coisa. Vamos ouvi-los chegar. Temos de avaliar o tamanho do grupo. Tudo bem?

Os outros dois assentiram.

— Se Jonas ainda não perdeu sua autoconfiança, virá em breve, num pequeno grupo... dependendo das armas que possa conseguir num curto espaço de tempo... e a bola de cristal vai estar com ele. Nesse caso, vamos emboscá-los, matá-los e pegar o Arco-íris do Mago.

Alain e Cuthbert se mantiveram em silêncio, ouvindo com atenção. O vento soprou e Roland bateu com a mão no chapéu para impedi-lo de voar.

— Se ele achar que vamos continuar causando problemas, é capaz de vir mais tarde, com um grupo maior de cavaleiros. Se isso acontecer, vamos deixá-los passar... então, se o vento for nosso amigo e continuar assim, vamos pegá-los por trás.

Cuthbert sorriu.

— Ah, Roland — disse. — Seu pai ficaria orgulhoso. Só catorze, mas astucioso como o diabo!

— Quinze na próxima lua — disse Roland seriamente. — Se fizermos a coisa deste jeito, podemos precisar matar a cambada de seus cavaleiros. Prestem atenção nos meus sinais, está bem?

— Vamos atravessar para a rocha Pendurada como parte do grupo deles? — Alain perguntou. Estava sempre um passo ou dois atrás de Cuthbert, mas Roland não se importava; às vezes a confiabilidade valia mais que a rapidez. — É isso?

— Se as cartas saírem desse jeito, sim.

— Se têm a bola rosada com eles, é melhor torcer para que ela não nos denuncie — disse Alain.

Cuthbert pareceu surpreso. Roland mordeu o lábio, pensando que às vezes Alain era bastante rápido. Certamente tinha alcançado aquela desagradável ideiazinha na frente de Bert... na sua frente, também.

— Precisamos torcer por muita coisa esta manhã, mas vamos jogar nossas cartas à medida que elas forem aparecendo no alto do baralho.

Desmontaram e ficaram sentados ao lado dos cavalos, ali na orla do pasto, falando pouco. Roland contemplava as nuvens prateadas de poeira correndo uma atrás da outra pelo chão de deserto e pensou em Susan. Imaginou-se casado com ela, morando num sítio em algum lugar ao sul de Gilead. Já então Farson teria sido derrotado, o estranho declínio do mundo teria sido revertido (sua parte infantil simplesmente presumia que dar um fim a John Farson levaria de alguma maneira a isso) e seus dias como pistoleiro estariam encerrados. Menos de um ano se passara desde que conquistara o direito de carregar os revólveres de seis tiros que trazia na cintura — assim como de carregar os grandes revólveres do pai quando Steven Deschain decidisse passá-los adiante — e já estava cansado deles. Os beijos de Susan tinham amolecido seu coração e apressado as coisas de alguma maneira; tinham tornado outra vida possível. Uma vida melhor, talvez. Uma vida com uma casa, crianças e...

— Estão vindo — disse Alain, arrancando Roland do devaneio.

O pistoleiro se levantou, a rédea de Rusher num punho. Cuthbert estava tenso ao lado dele.

— Grupo grande ou pequeno? Tu... você sabe?

Alain permanecia olhando para sudeste, mãos estendidas com as palmas para cima. Além de seu ombro, Roland viu a Velha Estrela prestes a resvalar para baixo do horizonte. Só uma hora até o amanhecer, então.

— Ainda não consigo dizer — disse Alain.

— Pode ao menos dizer se a bola...

— Não. Cale a boca, Roland, me deixe ouvir!

Roland e Cuthbert ficaram imóveis olhando ansiosamente para Alain e se preparando para ouvir os cascos dos cavalos, o rangido das rodas ou o murmúrio dos homens no vento que passava. O tempo se arrastava. O vento, em vez de cair enquanto a Velha Estrela desaparecia e a aurora se aproximava, soprava mais febrilmente do que nunca. Roland olhou para Cuthbert, que pegara seu estilingue e estava brincando nervosamente com o elástico. Bert deu de ombros.

— É um grupo pequeno — Alain disse de repente. — Algum de vocês consegue percebê-los?

Eles balançaram as cabeça.

— Não mais que dez, talvez só uns seis.

— Deuses! — Roland murmurou e agitou um punho para o céu. Não pôde evitar o gesto. — E a bola?

— Não posso percebê-la — disse Alain. Soava quase como se estivesse dormindo. — Mas está com eles, não acha?

Roland achava. Um pequeno grupo de seis ou oito, provavelmente viajando com a bola. Era perfeito.

— Estejam prontos, rapazes — ele disse. — Vamos pegá-los.

9

O grupo de Jonas seguiu sem problemas pela Baixa e pelo pasto Ruim. As estrelas-guias brilhavam no céu de outono e Renfrew conhecia todas elas. Tinha um fio para medir a distância entre as duas chamadas de Gêmeas e parava brevemente o grupo mais ou menos a cada vinte minutos para usá-lo. Jonas não tinha a menor dúvida de que o velho caubói os tiraria da relva alta bem na frente da rocha Pendurada.

Então, cerca de uma hora após terem entrado no pasto Ruim, Quint emparelhou com ele.

— Aquela velha está querendo falar com você, sai. Diz que é importante.

— Quer falar comigo agora? — Jonas perguntou.

— Ié. — Quint baixou a voz. — A bola que ela tem no colo está brilhando muito.

— É mesmo? Escute aqui, Quint... Fique no meu lugar puxando a tropa enquanto eu vejo o que ela quer. — Foi fazendo o cavalo recuar até emparelhar com a carroça preta. Rhea ergueu o rosto para ele. Lívido sob a luminosidade rosada, o rosto pareceu por um momento ser a face de uma jovem.

— Então — disse Rhea. — Aqui está você, garotão. Achei que ia chegar muito depressa. — Ela deu uma risada e, quando o rosto se decompôs nas amargas rugas do riso, Jonas tornou a vê-la como ela realmente era: uma velha sugada quase até os ossos pela coisa que tinha no colo. Então ele próprio baixou os olhos... e ficou perdido. Pôde sentir o clarão rosado se irradiando para todas as passagens e cavidades mais profundas de sua mente, iluminando-as como nunca tinham sido iluminadas antes. Mesmo Coral, em seus momentos de maior inspiração, não conseguia iluminá-las daquele jeito.

— Gosta da bola, não é? — Rhea quase cantarolou e quase riu. — Ié, gosta, e quem não gostaria? É uma coisa tão fascinante! Mas o que está *vendo*, sai Jonas?

Inclinando-se sobre a bola, segurando o cabo da sela com uma das mãos, o cabelo comprido caindo em cachos, Jonas olhou intensamente para a bola. A princípio viu apenas aquele exuberante tom rosado de língua e então a coisa começou a se abrir. Agora via uma cabana cercada por mato alto. O tipo de cabana de que só um eremita poderia gostar. A porta (pintada de um vermelho forte que já tinha começado a descascar) estava aberta. E sentada ali no degrau de entrada, com as mãos no colo, cobertores no chão a seus pés e o cabelo solto caindo em volta dos ombros, estava...

— Não acredito! — Jonas sussurrou. Ele agora se inclinara tanto na sela que parecia um cavaleiro acrobata num show de circo e os olhos pareciam ter desaparecido; em seu lugar havia apenas órbitas de luz rosada. Rhea ria deliciada.

— Ié, é aquela que seria mas não foi concubina de Thorin! A amante de Dearborn! — O riso parou abruptamente. — Amante do jovem arrogante que matou minha Ermot. E ele pagará por isso, ié, ele pagará. Olhe mais perto, sai Jonas! Olhe mais perto!

Jonas olhou. Tudo estava nítido agora e ele achou que devia ter visto aquilo mais cedo. Tudo que a tia daquela moça temera era verdade. Rhea descobrira, embora Jonas não entendesse por que a bruxa não contara a ninguém que a moça estava trepando com um dos garotos do Mundo Interior. E Susan tinha feito mais do que apenas trepar com Will Dearborn; ela o ajudara a escapar, a ele e a seus companheiros, e para isso podia muito bem ter matado dois agentes da lei.

A figura na bola chegava mais perto. Ver aquilo fazia Jonas se sentir um tanto atordoado, mas era um atordoamento agradável. Atrás da moça ficava a cabana, fracamente iluminada por uma lamparina cujo pavio fora abaixado até o limite mínimo da chama. A princípio Jonas achou que havia alguém dormindo num canto, mas olhando de novo viu que era apenas um monte de peles que parecia vagamente humano.

— Consegue espiar os garotos? — Rhea perguntou, aparentemente de uma grande distância. — Consegue espiá-los, meu lorde sai?

— Não — disse ele, sua própria voz parecendo vir daquele mesmo lugar distante. Os olhos estavam cravados na bola. Jonas podia sentir a luz entrando cada vez mais fundo em seu cérebro. Era uma boa sensação, como fogo quente numa noite fria.

— Está sozinha. Parece que está esperando.

— Ié. — Rhea gesticulou sobre a bola (um breve movimento das mãos, como que tirando a poeira) e a luz rosada se foi. Jonas proferiu um resmungo baixo de protesto, mas foi inútil; a bola estava novamente escura. Ele teve vontade de estender as mãos e pedir que Rhea fizesse a luz retornar (implorar a ela, se fosse preciso) e só conseguiu se controlar por pura força de vontade. Foi recompensado por um lento retorno de seu bom senso. Isso o ajudou a se lembrar que os gestos de Rhea eram tão sem significado quanto os gestos dos fantoches num teatro de marionetes. A bola fazia o que *ela* queria, não o que *Rhea* queria.

Nesse meio-tempo, a feia e velha mulher ficou a encará-lo com olhos que eram perversamente astutos e nítidos.

— Esperando o quê, faz ideia? — ela perguntou.

Só havia uma coisa que Susan *podia* estar esperando, Jonas pensou com crescente alarme. Os garotos. Os três filhos da puta de cara lisa do Mundo Interior. E se não estavam com ela, podiam estar bem à frente, também esperando.

Esperando por ele. Possivelmente esperando até…

— Preste atenção — disse Jonas. — Só vou falar uma vez e é melhor me responder a verdade. Eles sabem sobre essa coisa? *Aqueles três garotos sabem do Arco-íris?*

Os olhos de Rhea desviaram dos dele. Era resposta suficiente num sentido, mas não em outro. Durante muito tempo Rhea fizera tudo próprio jeito no alto da colina; agora precisava descobrir quem mandava ali embaixo. Jonas se inclinou de novo e agarrou-a pelo ombro. Foi horrível — como agarrar um osso descarnado que de alguma forma ainda vivia —, mas ele se obrigou a segurá-lo. E a apertá-lo. Ela gemeu e se contorceu, mas ele insistiu.

— Me diga, sua puta velha! Ponha a porra da matraca para funcionar!

— Talvez eles saibam — ela gemeu. — A garota pode ter visto alguma coisa na noite em que me procurou para... arrr, solte, está me matando!

— Se eu quisesse matá-la, já estaria morta. — Jonas dispensou outro olhar prolongado à bola; depois se firmou na sela, pôs as mãos em concha ao redor da boca e gritou: — Clay! Pare! — Quando Reynolds e Renfrew puxaram as rédeas, Jonas ergueu a mão para deter os *vaqs* atrás dele.

O vento murmurava através do capim, vergando-o, fazendo-o ondular, formando redemoinhos de cheiro agradável. Jonas olhou para a frente no escuro, embora soubesse que era inútil procurá-los. Podiam estar em qualquer lugar e Jonas não gostava dos riscos de uma emboscada. Nem um pouco.

Avançou para onde Clay e Renfrew estavam esperando. Renfrew parecia impaciente.

— Qual é o problema? Logo vai estar amanhecendo. Devíamos ir tomando posição.

— Conhece as cabanas no pasto Ruim?

— Sim, a maioria delas. Por que...?

— Conhece uma com a porta vermelha?

Renfrew assentiu e apontou para o norte.

— A casa do Velho Soony. Ele passou por uma espécie de conversão religiosa... Teve um sonho, uma visão, algo parecido. Foi quando pintou de vermelho a porta da cabana. Durante os últimos cinco anos tem convivido com o povo *manni*. — Renfrew não perguntou mais a Jonas por que ele queria saber da cabana; tinha visto alguma coisa no rosto do outro que o silenciou.

Jonas ergueu a mão, olhou por um segundo para o caixão azul tatuado ali, depois se virou e chamou por Quint.

— Você está no comando — Jonas lhe disse.

As sobrancelhas revoltas de Quint se levantaram.

— *Eu?*

— Ié. Mas não vai continuar avançando conosco... Houve uma mudança de planos.

— O que...?

— Escute, e só torne a abrir a boca se houver alguma coisa que você não entenda. Faça aquela maldita carroça preta dar a volta. Coloque seus homens ao redor dela e retorne pelo mesmo caminho que viemos. Encontre-se com Lengyll e a turma dele e diga que todos devem parar e ficar esperando que eu chegue com Reynolds e Renfrew. Está claro?

Quint assentiu. Parecia confuso, mas não disse nada.

— Bom. Agora faça o que eu disse. E mande a bruxa guardar aquele brinquedo na bolsa. — Jonas passou a mão na testa. Dedos que raramente haviam tremido antes agora tremiam. — Ele distrai as pessoas.

Quint se pôs a caminho, mas virou para trás quando Jonas gritou o seu nome.

— Acho que aqueles garotos do Mundo Interior estão por aqui, Quint. Provavelmente à frente de onde estamos agora, mas na hipótese de terem ficado para trás, é possível que caiam sobre você.

Quint olhou nervoso para o capim ao redor, que se erguia mais alto que sua cabeça. Então seus lábios se apertaram e ele voltou a se concentrar em Jonas, que continuava:

— Se atacarem, vão tentar pegar a bola. E sai, anote bem: qualquer homem se arrependerá de não ter morrido protegendo a bola. — Ergueu o queixo para os *vaqs*, montados em seus cavalos na fila que começava atrás da carroça preta. — Diga isso a eles.

— Ié, chefe — disse Quint.

— Quando alcançarem o grupo de Lengyll, estarão seguros.

— Quanto tempo devemos esperar se o senhor não chegar?

— Até o inferno se congelar sobre vocês. Agora vá. — Quando Quint partiu, Jonas se virou para Reynolds e Renfrew. — Vamos fazer uma pequena excursão particular, rapazes — disse ele.

10

— Roland. — A voz de Alain era baixa e urgente. — Deram a volta.

— Tem certeza?

— Sim. E havia outro grupo vindo atrás deles. Um grupo muito maior. Um vai logo se encontrar com o outro.

— Juntaram uma boa galera, não há dúvida — disse Cuthbert.

— Eles têm a bola? — Roland perguntou. — Já consegue senti-la?

— Sim, eles têm. E a bola torna fácil senti-los mesmo quando mudam de lado. Assim que você a toca, ela brilha como um lampião numa galeria de mina.

— Rhea está com a bola?

— Acho que sim. É horrível tocar a bruxa.

— Jonas está com medo de nós — disse Roland. — Quer ter mais homens ao seu redor quando nos encontrar. É o que o movimento significa, tem de ser isso. — Inconsciente de que estava ao mesmo tempo certo e errado em sua avaliação. Inconsciente de que, por uma das poucas vezes desde que tinham saído de Gilead, estava se deixando levar por uma desastrosa certeza de adolescente.

— O que fazemos? — Alain perguntou.

— Vamos nos manter aqui. Ficar atentos. Esperar. Vão trazer de novo a bola por este caminho se forem para a rocha Pendurada. Terão de passar por aqui.

— Susan? — Cuthbert perguntou. — Susan e Sheemie? O que me diz deles? Como podemos saber se estão bem?

— Acho que não podemos. — Roland sentou-se de pernas cruzadas, as rédeas de Rusher no colo. — Mas Jonas e seus homens logo estarão de volta. E quando chegarem, faremos o que temos de fazer.

11

Susan não quis dormir do lado de dentro... algo na cabana parecia errado sem Roland. Deixara Sheemie aconchegado sob as velhas peles no canto e levara suas próprias mantas para fora. Sentara-se por algum tempo na soleira da porta, contemplando as estrelas e rezando, à sua própria maneira, para Roland. Quando começou a se sentir um pouco melhor, estendeu-se numa da mantas e puxou a outra sobre si. Parecia ter se passado uma eternidade desde que Maria a sacudira do sono pesado, e os roncos de boca aberta, guturais, que se derramavam da cabana não a incomodavam muito. Dormiu com a cabeça apoiada num braço e não acordou quando, vinte minutos mais tarde, Sheemie foi até a soleira, piscou sonolentamente para ela e saiu da casa para urinar no capim. Só quem reparou nele foi Caprichoso, que estendeu o focinho comprido e deu uma pequena mordida no traseiro de Sheemie quando o rapaz passou por ele. Sheemie, ainda praticamente adormecido, estendeu a mão e empurrou o focinho. Conhecia muito bem os truques de Capi, não havia dúvida.

Susan sonhou com o bosque de salgueiros — pássaro e urso e lebre e peixe — e o que a acordou não foi o retorno de Sheemie depois da necessidade física, mas um frio cano de aço pressionando sua nuca. Houve um clique alto que ela reconheceu de imediato do gabinete do xerife: um revólver sendo engatilhado. O bosque de salgueiros se extinguiu do olho de sua mente.

— Brilhe, raiozinho de sol — disse uma voz. Por um momento sua mente confusa, ainda meio adormecida, tentou acreditar que fosse o dia anterior, que Maria pedia que levantasse e saísse de Seafront antes que os assassinos do prefeito Thorin e do chanceler Rimer voltassem e acabassem com ela também.

Não adiantou. Seus olhos não se abriram para a forte luminosidade da manhã, mas para o clarão mortiço como cinza das cinco horas. Não era uma voz feminina, mas de homem. E não era a mão de alguém lhe sacudindo o ombro, mas o cano de um revólver contra a sua nuca.

Ela ergueu os olhos e viu um rosto enrugado, estreito, emoldurado por cabelo branco. Lábios não maiores que uma cicatriz. Olhos do mesmo azul desbotado que os de Roland. Eldred Jonas. O homem de pé atrás dele já oferecera drinques a seu pai num tempo mais feliz: Hash Renfrew.

Um terceiro homem, outro participante do ka-tet de Jonas, introduziu-se rapidamente na cabana. Um terror paralisante dominou o seu estômago — parte por ela, parte por Sheemie. Não tinha certeza sequer se o rapaz chegaria mesmo a compreender o que estava acontecendo. *Aí estão dois dos três homens que o tentaram matar,* ela pensou. *Isso ele vai compreender.*

— Aqui está você, Raio de Sol, para cá você veio — disse Jonas num tom amistoso, vendo Susan piscar, libertar-se da névoa do sono. — Bom! Não devia estar cochilando sozinha aqui fora, não uma sai bonita como você. Mas não se preocupe, farei com que volte ao lugar a que pertence.

Ele ergueu o olhar quando o ruivo de capa saiu da cabana.

Sozinho.

— O que ela tem lá dentro, Clay? Alguma coisa?

Reynolds balançou a cabeça.

— Só um monte de peles, eu acho.

Sheemie, Susan pensou. *Onde você está, Sheemie?*

Jonas estendeu a mão e acariciou brevemente um dos seios dela.

— Bom — disse. — Doce e macio. Não é de admirar que Dearborn goste de você.

— Tire essa mão suja, marcada de azul, de cima de mim, seu desgraçado!

Sorrindo, Jonas fez o que ela pediu. Virando a cabeça, viu o jumento.

— Conheço este animal; pertence à minha boa amiga Coral. Além de tudo o mais, você se tornou uma ladra de gado. Vergonha, vergonha esta nova geração! Não concorda, sai Renfrew?

Mas o velho sócio do pai não disse nada. O rosto dele estava cuidadosamente vazio, embora Susan não visse ali o menor remorso. Jonas se virou para ela, os lábios finos se curvando no arremedo de um sorriso benevolente.

— Bem, depois de assassinatos, acho que roubar um jumento não é muito difícil, certo?

Susan não disse nada, apenas ficou observando Jonas alisar o focinho de Capi.

— O que esses garotos traziam de tão pesado que precisaram de um jumento para carregar?

— Mortalhas — disse ela por entre os lábios entorpecidos. — Para você e todos os seus amigos. Foi uma enorme carga, sem dúvida... quase quebrou as costas do pobre animal.

— Há um ditado na terra de onde eu vim — disse Jonas, ainda sorrindo. — Garotas espertas vão para o inferno. Já ouviu isto? — Ele continuou alisando o nariz de Capi. O jumento estava gostando; esticava o pescoço em toda a sua extensão, os olhinhos semicerrados de prazer. — Já passou pela sua cabeça que sujeitos que descarregam os animais de carga e depois dividem e levam o que foi carregado geralmente não voltam?

Susan não disse nada, e Jonas continuou:

— Você foi deixada sem abrigo e proteção, Raio de Sol. Foda rápida costuma ser esquecida depressa, é triste dizer. Sabe para onde eles foram?

— Sim — disse ela. A voz era baixa, quase mais baixa que um sussurro.

Jonas pareceu satisfeito.

— Se me disser, as coisas podem ficar melhores para o seu lado. Concorda, Renfrew?

— Ié — disse Renfrew. — Eles são traidores, Susan... para o Bom Homem. Se souber onde estão ou o que estão aprontando, diga.

— Chegue mais perto — respondeu Susan mantendo os olhos fixos em Jonas. Seus lábios entorpecidos não queriam se mexer e a frase saiu parecida com *Chegue mais certo*, mas Jonas compreendeu e se inclinou para a frente, esticando o pescoço de um modo que o deixava absurdamente parecido com Caprichoso. Nesse momento, Susan cuspiu na cara dele.

Jonas se retraiu, os lábios se contorcendo de espanto e repugnância.

— Arrr! PUTA! — ele gritou e executou um rápido golpe de mão aberta que a jogou no chão. Ela bateu em cheio com o lado do corpo e estrelas escuras explodiram no seu campo de visão. Susan já podia sentir a face direita inchando como um balão e pensou: *Se ele acertasse três ou quatros centímetros mais embaixo, podia ter quebrado meu pescoço. Talvez fosse para o melhor*. Ela levou a mão ao nariz e enxugou o sangue da narina direita.

Jonas se virou para Renfrew, que tinha dado um passo à frente, mas se interrompera.

— Coloque a garota no cavalo e amarre as mãos dela na frente do corpo. Apertado. — Jonas baixou os olhos para Susan e chutou-a no ombro com força suficiente para fazê-la ir rolando em direção à cabana. — Cuspir em mim, é? Cuspir em Eldred Jonas, é, sua puta?

Reynolds estava lhe dando seu lenço de pescoço. Jonas pegou-o, limpou o cuspe do rosto, depois o deixou cair num pedregulho ao lado dela. Pegando um punhado do cabelo de Susan, enxugou cuidadosamente o lenço com ele. Então a puxou, obrigando-a a ficar de pé. Lágrimas de dor agora brotavam dos cantos dos olhos de Susan, mas ela continuou em silêncio.

— Talvez eu jamais torne a ver seu amigo, doce Sue com as tetinhas macias, mas tenho você, não é? Ié. E se Dearborn nos causar problemas, eu causarei o dobro a você. E vou me certificar de que Dearborn saiba disso. Pode contar com isso.

O sorriso de Jonas se apagou e ele aplicou-lhe um súbito, amargo empurrão que quase voltou a esparramá-la no chão.

— Agora monte, e rápido, antes que eu decida alterar um pouco sua cara com minha faca.

12

Observando do capim, apavorado e chorando em silêncio, Sheemie viu quando Susan cuspiu na cara do mau Caçador de Caixões e foi jogada no chão, onde bateu com tanta força que podia ter morrido. Naquele momento ele quase correu, mas alguma coisa (podia ter sido a voz do amigo Arthur na sua cabeça) lhe disse que o único resultado disso seria *ele* próprio ser morto.

Sheemie viu Susan montar no cavalo. Um dos outros homens (não um Caçador de Caixões, mas um rancheiro grande que Sheemie via de vez em quando no Repouso) tentou ajudar, mas Susan o empurrou com a sola da bota. O homem recuou com o rosto vermelho.

Não os irrite, Susan, Sheemie pensou. *Ah, deuses, não faça isso, eles vão bater mais em você! Ah, sua pobre cara! E já tem um nariz sangrando, já tem!*

— Última chance — disse Jonas. — Onde estão eles e o que pretendem fazer?

— Vá pro inferno — disse ela.

Jonas sorriu… um sorriso fino, magoado.

— Provavelmente vou encontrar você por lá quando chegar — disse ele. Então, para o outro Caçador de Caixões: — Deu uma boa olhada no lugar?

— O que quer que houvesse aí, eles já levaram — respondeu o ruivo. — A única coisa que deixaram foi o pé de coelho de Dearborn.

Isso fez Jonas rir, um riso mau e mesquinho, enquanto subia no lombo de seu próprio cavalo.

— Vamos — disse ele —, vamos em frente.

Voltaram para o pasto Ruim, que se fechou em torno deles, e foi como se nunca tivessem estado na cabana… só que Susan ia junto, e Capi também. O rancheiro grande que cavalgava ao lado de Susan puxava o jumento.

Quando teve certeza de que não iam voltar, Sheemie saiu lentamente para o espaço aberto, abotoando a calça. Comparou a trilha que Roland tinha seguido com os amigos com a trilha por onde Susan fora levada. Qual delas seguir?

Um momento de reflexão o fez compreender que não havia escolha. O capim era alto e muito viçoso. As marcas que Roland, Alain e o bom e velho Arthur Heath (assim Sheemie continuava se lembrando dele, e sempre se lembraria) pudessem ter deixado já tinham sumido. Por outro lado, a trilha aberta por Susan e seu captores ainda estava nítida. E talvez, se a seguisse, Sheemie conseguisse fazer algo por ela. Algo para ajudá-la.

A princípio andando, depois em passo acelerado, quando o medo de que eles pudessem dar meia-volta para pegá-lo se dissipou de todo, Sheemie foi na direção em que tinham levado Susan. Ia segui-la a maior parte daquele dia.

13

Cuthbert, jamais a mais tranquila das pessoas em qualquer situação que fosse, foi ficando cada vez mais impaciente à medida que o brilho da madrugada foi se transformando no amanhecer. *É a Colheita*, pensou. *Finalmente a Colheita e aqui estamos nós sentados com nossas facas afiadas e absolutamente nada para cortar.*

Duas vezes perguntou o que Alain estava "ouvindo". Da primeira Alain só resmungou. Da segunda perguntou o que Bert *esperava* que ele ouvisse com uma pessoa martelando no seu ouvido daquele jeito. Cuthbert, que não considerava duas perguntas, quinze minutos distantes uma da outra, como "martelando no ouvido", avançou um passo e sentou-se mal-humorado na frente de seu cavalo. Pouco depois, Roland se aproximou e sentou ao lado dele.

— Esperar — disse Cuthbert. — Foi o que fizemos na maior parte do tempo que passamos em Mejis e é a coisa que faço pior.

— Não terá de fazê-la por muito mais tempo — disse Roland.

14

A companhia de Jonas atingiu o lugar onde o grupo de Fran Lengyll montara um acampamento provisório mais ou menos uma hora após o sol ter despontado no horizonte. Quint, Rhea e os *vaqs* de Renfrew já estavam lá, tomando café, e Jonas gostou disso.

Lengyll deu um passo à frente, viu Susan cavalgando com as mãos amarradas e recuou ostensivamente o passo que tinha dado, como se quisesse achar um canto para se esconder. Ali, no entanto, não havia cantos, e ele teve de se conformar. Mas não parecia estar gostando da situação.

Com os joelhos, Susan continuou fazendo seu cavalo avançar e, quando Reynolds tentou agarrar-lhe o ombro, ela o sacudiu para o lado, esquivando-se temporariamente.

— Ora, Francis Lengyll! Que incrível encontrá-lo aqui!

— Susan, sinto muito vê-la assim — disse Lengyll. O vermelho do rosto se aproximava cada vez mais da testa, como uma onda avançando para um quebra-mar. — Caiu em más companhias, moça... e más companhias acabam sempre levando a pessoa a enfrentar a situação sozinha.

Susan riu abertamente.

— Más companhias! — disse. — Ié, sabemos do que estamos falando, não sabemos, Fran?

Ele se virou desajeitado e com o corpo rígido em seu constrangimento. Ela levantou uma bota e, antes que alguém pudesse detê-la, chutou-o com força entre as omoplatas. O homem caiu de barriga, todo o seu rosto se contraindo de choque e espanto.

— Não faça isso, sua grande puta! — Renfrew gritou e lhe deu uma pancada ao lado da cabeça... Foi à esquerda e, pelo menos, empatou um pouco as coisas, ela pensaria mais tarde, quando a mente clareasse e fosse capaz de pensar. Susan oscilou na sela, mas manteve o equilíbrio. E não olhou um só momento para Renfrew, só olhava para Lengyll, que já conseguira se apoiar nas mãos e nos joelhos. Ele mostrava uma expressão de completo atordoamento.

— *Você matou meu pai!* — Susan gritou com ele. — *Matou meu pai, seu covarde, seu projeto de homem!* — Olhou para o grupo de rancheiros e *vaqs*, todos agora concentrados nela. — *Aí está ele, Fran Lengyll, chefe da Associação de Cavaleiros, mais baixo do que qualquer serpente! Baixo como bosta de coiote! Baixo como...*

— Já basta — disse Jonas, observando com algum interesse Lengyll caminhar apressadamente para perto de seus homens (e sim, Susan ficou realmente deliciada em apreciar, foi uma retirada total) com os ombros caídos. Rhea dava risadas balançando de um lado para o outro e produzindo um som que lembrava unhas raspando num pedaço de ardósia. O ruído chocou Susan, mas ela não ficou nem um pouco surpresa pela presença de Rhea naquele grupo.

— Nunca poderia bastar — disse ela, olhando de Jonas para Lengyll com um ar de desprezo tão intenso que parecia não ter fim. — Para ele, nunca poderia bastar.

— Bem, talvez, mas você fez bastante no tempo que teve, senhora-sai — disse Jonas. — Poucas pessoas poderiam ter feito melhor. E olhe como a bruxa ri! Você é como sal nas feridas dele, eu acho... mas vamos calá-la muito em breve. — Então, virando a cabeça: — Clay!

Reynolds emparelhou.

— Acha que consegue levar Raio de Sol de volta a Seafront?

— Acho que sim. — Reynolds tentou não deixar transparecer o alívio que sentia em ser mandado para leste em vez do oeste. Começara a ter um mau pressentimento sobre a rocha Pendurada, Latigo, os caminhões-tanques... na realidade, sobre tudo que acontecia. Deus sabia por quê. — Agora?

— Só mais um minuto — disse Jonas. — Talvez ocorra um pouco de matança por aqui. Quem sabe? De qualquer modo, são as perguntas sem resposta que fazem valer a pena acordar de manhã, mesmo quando a perna de um homem dói como dente esburacado. Não concorda com isso?

— Não sei, Eldred.

— Sai Renfrew, tome conta um instante de nossa bela Raio de Sol. Tenho de pegar de volta uma coisa que é minha.

Sua voz foi alta , como pretendera que fosse, e as gargalhadas de Rhea pararam de repente, como se tivessem sido seccionadas de sua garganta por uma faca de ponta curvada. Sorrindo, Jonas fez o cavalo trotar até a carroça preta com os espalhafatosos símbolos em dourado. Reynolds seguia à sua esquerda e Jonas sentiu antes que viu Depape entrar à sua direita. Roy não deixava de ser um bom garoto, era verdade; tinha a cabeça um tanto mole, mas o coração estava no lugar certo e não era preciso lhe dizer *tudo*.

A cada passo à frente que dava o cavalo de Jonas, Rhea se encolhia um pouco na carroça. Seus olhos se deslocavam de um lado para o outro no fundo das órbitas, procurando uma saída que não existia.

— Fique longe de mim, seu maldito! — Rhea gritou, erguendo uma das mãos para ele. A outra mão agarrava ainda com mais força a bolsa com a bola dentro dela. — Fique longe ou trarei o relâmpago para fulminá-lo onde tiver parado o cavalo! E fulminar seus amigos, também!

Jonas viu que Roy hesitou um instante com estas palavras, mas não Clay nem o próprio Jonas. Ele achava que Rhea podia fazer muita coisa... ou pudera, em determinado período. Antes, é claro, de a faminta bola de cristal ter entrado em sua vida.

— Entregue o globo — disse ele se aproximando pelo lado da carroça e estendendo a mão para a bolsa. — Não é sua nem nunca foi. Sem dúvida um dia receberá os agradecimentos do Bom Homem por tê-la guardado com tanto cuidado, mas agora precisa devolvê-la.

Ela gritou... um som de tão penetrante intensidade que muitos *vaqueros* largaram as xícaras de latão onde tomavam café e chaparam as mãos nos ouvidos. Ao mesmo tempo, Rhea agarrou o cordão da bolsa e levantou-a sobre a cabeça. No fundo da bolsa, a forma curva da bola oscilava de um lado para o outro como um pêndulo.

— *Não dou!* — ela uivou. — *Prefiro despedaçá-la no chão a entregá-la a alguém como você!*

Jonas duvidava que a bola quebrasse se os braços fracos dela a atirassem no solo relvado e úmido do pasto Ruim, mas, de qualquer maneira, achava que não teria oportunidade de descobrir.

— Clay — disse. — Pegue seu revólver.

Não precisou se virar para ver que Clay já o fizera; notara o modo frenético como os olhos de Rhea tinham se deslocado para a esquerda, onde Clay parara o cavalo.

— Vou fazer uma contagem — disse Jonas. — Uma pequena contagem; se eu chegar a três e ela não tiver entregado a bola, exploda de vez essa cabeça feia.

— Ié.

— Um — disse Jonas, observando o movimento pendular da bola no fundo da bolsa levantada, de um lado para o outro. Estava brilhando; ele via o rosa mortiço mesmo através do pano. — Dois. Divirta-se no inferno, Rhea, adeus. Tr...

— *Aqui!* — ela gritou, inclinando-se para ele e protegendo o rosto com o gancho formado pelas costas da mão livre. — *Aqui, pegue! E que ela o amaldiçoe do modo como amaldiçoou a mim!*

— Obrigado-sai.

Jonas agarrou a bolsa logo abaixo do cordão e puxou. Rhea gritou de novo quando o cordão esfolou os nós de seus dedos e arrancou uma unha. Jonas mal ouviu. Sua mente era uma vívida explosão de contentamento. Pela primeira vez, numa longa vida profissional, esquecia seu trabalho, o que estava à sua volta e as seis mil coisas que poderiam matá-lo a qualquer momento. A bola estava com ele; estava com ele; por todos os túmulos de todos os deuses, a porra da coisa estava com ele!

Minha!, ele pensou, e isso foi tudo. Mas conseguiu conter o ímpeto de abrir a bolsa e enfiar a cabeça lá dentro, como um cavalo enfiando a cabeça num saco de aveia, e enrolou duas vezes o cordão no arção da sela. Respirou o mais fundo que os pulmões suportaram e soltou o ar. Melhor. Um pouco.

— Roy.

— Ié, Jonas.

Seria bom ir embora daquele lugar, Jonas pensou, e não pela primeira vez. Ficar longe daqueles caipiras. Estava cansado de *ié*, *pois é* e *assim é*, cansado até os ossos.

— Roy, desta vez daremos à puta uma contagem de um a dez. Se nesse prazo ela não conseguir sair da minha frente, tem minha permissão para lhe dar um tiro no cu. Agora vamos ver se consegue fazer a contagem. Vou estar ouvindo com atenção, portanto tome cuidado para não pular nenhum número!

— Um — disse avidamente Depape. — Dois. Três. Quatro.

Cuspindo pragas, Rhea sacudiu as rédeas da carroça e chicoteou o lombo do pônei. O pônei esticou as orelhas para trás e arrancou tão bruscamente que Rhea foi aos trambolhões para o fundo da carroça, os pés para cima, as canelas brancas e ossudas aparecendo acima dos sapatos pretos de cano meio alto e das meias de lã que não combinavam. Os *vaqueros* riram. O próprio Jonas riu. Era muito engraçado, sem dúvida, vê-la de costas com aqueles caniços no ar.

— Ah-ah-cinco — disse Depape, rindo tanto que chegava a soluçar.

— Ah-ah-*seis*!

Rhea voltou a se equilibrar, instalou-se outra vez no banco com a graça de um peixe moribundo e encarou-os com olhos vidrados e um sorriso de escárnio.

— *Amaldiçoo todos vocês!* — ela gritou. O grito cortou o grupo, silenciando os risos enquanto a carroça saltava para a borda da clareira de mato baixo. — *Cada um que ainda reste de vocês! Você... e você... e você!* — Jonas foi o último a ser apontado pelo seu dedo curvado. — Ladrão! Ladrão miserável!

Como se a bola fosse sua, Jonas exclamou mentalmente (apesar de "Minha!" ter sido a primeira palavra que lhe ocorreu quando se apossou da bola).

Como se uma maravilha daquelas pudesse pertencer a uma caipira que tira a sorte com entranhas de galinha!

A carroça disparou a caminho do pasto Ruim, o pônei colocando as orelhas para trás e puxando com força, os gritos da velha servindo para conduzi-lo melhor do que qualquer chicote. O preto da carroça penetrou no verde. Viram o carro cintilar mais um minuto, como a varinha de um bruxo, e desaparecer. Mas continuaram por um longo tempo ouvindo-a gritar suas pragas, prometendo a morte para todos eles sob a Lua do Demônio.

15

— Vá — disse Jonas a Clay Reynolds. — Leve nosso Raio de Sol. E se quiser parar no caminho e tirar algum proveito, ora, fique à vontade. — Olhou para Susan ao dizer isto. Queria ver o efeito, mas ficou desapontado. Susan parecia atordoada, como se o golpe que Renfrew lhe aplicara tivesse afetado seu cérebro, ao menos temporariamente. — Cuide para que ela chegue a Coral quando a brincadeira acabar.

— Vou cuidar. Alguma mensagem para sai Thorin?

— Mande que conserve a garota em lugar seguro até receber notícias minhas. E... por que não fica com ela, Clay? Quero dizer, com Coral... Acho que não teremos mais de nos preocupar com isso, mas Coral... Vá junto com ela para Ritzy quando for a hora. Seja o seu segurança.

Reynolds assentiu. As coisas estavam cada vez melhores. Seafront seria ótimo, assim como tudo que viria depois. Talvez tirasse uma casquinha da moça assim que chegassem lá, não no caminho. Não sob a Lua do Demônio, fantasmagoricamente cheia durante o dia.

— Pode ir. Pé na estrada.

Reynolds atravessou a clareira com Susan, dirigindo-se para um ponto bem distante da trilha de mato amassado por onde Rhea fizera sua retirada. Susan cavalgava em silêncio, olhos baixos, fixos nos pulsos amarrados.

Jonas se virou para seus homens.

— Os três moleques do Mundo Interior conseguiram sair do xadrez com a ajuda desta putinha insolente — disse ele apontando para as costas de Susan, que se distanciava.

Houve um murmúrio baixo, raivoso, dos homens. Que "Will Dearborn" e seus amigos estavam soltos eles sabiam, mas que sai Delgado os ajudara a escapar era novidade... Talvez fosse para o próprio bem da garota que Reynolds estava naquele momento levando-a pelo pasto Ruim, tirando-a de vista.

— Mas não importa! — Jonas gritou, atraindo de novo a atenção dos homens. Estendendo furtivamente a mão, alisou a curva no fundo da bolsa de corda. O simples fato de tocar a bola o deixava se sentindo capaz de fazer qualquer coisa, mesmo se lhe amarrassem as mãos atrás das costas.

— Nem ela nem os garotos têm importância!

Seus olhos passaram de Lengyll a Wertner, Croydon, Brian Hookey e Roy Depape.

— Somos quase quarenta homens — acrescentou — e logo vamos ganhar o reforço de outros cento e cinquenta. Eles são três e nenhum tem mais um dia que dezesseis anos. Estão com medo desses três garotinhos?

— *Não!* — gritaram todos.

— Se esbarrarmos neles, rapazes, o que vamos fazer?

— *MATÁ-LOS!* — O grito foi tão alto que fez as gralhas voarem para o sol da manhã, grasnando de desprazer e iniciando a busca de um local mais tranquilo.

Jonas estava satisfeito. Sua mão continuava na doce curvatura da bola e ele podia sentir a energia que ela lhe transmitia. *Energia rosa*, pensou e sorriu.

— Vamos lá, rapazes. Quero aqueles caminhões-tanques nos bosques a oeste do Parafuso antes que os habitantes deste lugar acendam a fogueira da Noite da Colheita.

16

Sheemie, agachado na relva e espreitando a clareira, foi quase atropelado pela carroça preta de Rhea; gritando palavras sem sentido, a feiticeira passou tão perto que ele pôde sentir o cheiro azedo da pele e do cabelo sujo. Se Rhea tivesse olhado para baixo, teria o avistado e sem a menor dúvida o teria transformado num passarinho, num papagaio ou até num mosquito.

Ao ver Jonas deixar Susan sob a custódia do sujeito da capa, Sheemie tinha começado a abrir caminho pela borda da clareira. Ouvira Jonas falando aos homens (muitos deles seus conhecidos; era uma vergonha ver quantos caubóis de Mejis estavam fazendo o jogo daquele mau Caçador de Caixões), mas não tinha prestado atenção às palavras. Ficara totalmente imóvel quando montaram, por um momento temendo que fossem em sua direção, mas eles saíram pelo outro lado, o lado oeste. A clareira ficou deserta como num passe de mágica... só que não ficou *inteiramente* vazia. Caprichoso fora deixado para trás, a correia arrastando no mato baixo. Capi assistira à partida dos homens, dera um bom zurro (como dizendo que podiam ir todos para o inferno) e agora se virava, fazendo contato visual com Sheemie, que continuava espreitando a clareira. O jumento sacudiu as orelhas para o rapaz e tentou pastar alguma coisa. Mas depois de puxar uma única vez a relva do pasto Ruim, ergueu a cabeça e zurrou para Sheemie, como se quisesse dizer que tudo aquilo era culpa dele.

Sheemie observava Caprichoso com ar pensativo, imaginando que seria mais fácil cavalgar do que andar. Deuses, claro... mas o segundo zurro o fizera afastar a ideia. O jumento podia dar um daqueles gritos de irritação na hora errada e alertar o homem que levava Susan.

— Você vai achar o caminho de casa, não é? — disse Sheemie. — Até a vista, parceiro. Até a vista, bom e velho Capi. Vejo você mais no final do caminho.

Encontrando a trilha deixada por Susan e Reynolds, Sheemie se pôs mais uma vez atrás deles.

17

— Estão vindo de novo — disse Alain um momento antes que o próprio Roland sentisse a coisa... um breve lampejo na cabeça, como um relâmpago rosado. — Todos eles.

Roland se agachou na frente de Cuthbert. O garoto olhou para ele sem a menor sugestão de seu habitual bom humor descontraído.

— A maior parte disso é por sua culpa — disse Roland, batendo de leve no estilingue. — E por culpa dessa coisa.

— Eu sei.

— Quanto você tem no seu arsenal?

— Quase quatro dúzias de bolas de aço. — Bert pegou um saquinho de algodão que, em tempos mais tranquilos, havia servido para guardar o fumo do pai. — Além de fogos de artifício na sacola da sela.

— Quantos rojões?

— O suficiente, Roland. — Sem sorrir. Os olhos, sem o riso neles, eram os olhos fundos de mais um matador. — Suficiente.

Roland passou a mão pela frente do poncho que usava, deixando a palma se reaquecer com a aspereza do tecido. Olhou para Cuthbert, depois para Alain, dizendo de novo a si mesmo que podia funcionar, sim, desde que conservassem o sangue-frio e não começassem a pensar na coisa em termos de três contra quarenta ou cinquenta. Podia funcionar.

— Os que estão em rocha Pendurada vão ouvir o tiroteio assim que ele começar, não vão? — Al perguntou.

Roland assentiu.

— Com o vento soprando de nós para eles, não há dúvida disso.

— Então precisamos nos mover depressa.

— Vamos fazer o melhor que pudermos. — Roland se lembrou de quando estava parado entre o emaranhado de cercas vivas atrás do Grande Salão, David, o falcão, em seu braço e um suor de terror escorrendo pelas costas. "Acho que você vai morrer hoje", dissera ao falcão, o que de fato aconteceria. Mas ele, Roland, sobrevivera, passara no teste, saíra do corredor de testes na direção do leste. Naquele dia era a vez de Alain e Cuthbert serem testados, não em Gilead, no tradicional local de provas atrás do Grande Salão, mas ali em Mejis, na orla do pasto Ruim, no deserto e no canyon. Na garganta do Parafuso.

— Passe na prova ou morra — disse Alain, como se acompanhasse o movimento dos pensamentos do pistoleiro. — Se resume a isso.

— Sim. No final é sempre assim a isso que se resume. Quanto tempo acha que vão demorar para chegar aqui?

— Eu diria que pelo menos uma hora. Provavelmente duas.

— Vão ter batedores.

— Também acho — disse Alain assentindo.

— Isso não é bom — disse Cuthbert.

— Jonas está com medo de ser emboscado no mato — disse Roland. — Talvez com medo de que incendiemos o mato em volta dele. Vão relaxar quando entrarem em campo aberto.

— É o que você torce para que que aconteça — disse Cuthbert.

— Sim — Roland assentiu com ar grave. — É o que eu torço.

18

A princípio Reynolds se contentou em conduzir a moça pela trilha rudimentar em passo rápido, mas cerca de trinta minutos após deixar Jonas, Lengyll e os outros, irrompeu num trote. Pilão acompanhou facilmente o cavalo de Reynolds e continuou a acompanhá-lo, com a mesma facilidade, dez minutos mais tarde, quando Reynolds elevou o ritmo da marcha para uma corrida ligeira, mas firme. Susan segurava no arção da sela com as mãos amarradas e cavalgava facilmente à direita de Reynolds, o cabelo flutuando atrás dela. Ela pensou em como seu rosto estaria agora; a pele das faces parecia no mínimo cinco centímetros mais inchada que o habitual, contundida e sensível. Mesmo o vento que passava fazia arder um pouco.

Onde o pasto Ruim cedia lugar à Baixa, Reynolds parou para deixar os cavalos respirarem. Ele desmontou, ficou de costas para Susan e deu uma mijada. Susan deixou os olhos correrem pela crista de terra e viu o grande rebanho correndo solto e livre junto às bordas. Tinham conseguido que os cavalos fossem mantidos em liberdade e isso já era alguma coisa.

— Precisa fazer as suas necessidades? — Reynolds perguntou. — Se quiser eu a ajudo a descer, mas não vá dizer agora que não e começar a se queixar mais tarde.

— Você está com medo. Você, o grande e valente lugar-tenente, está morrendo de medo, não é? Ié, com tatuagem de caixão e tudo.

Reynolds tentou mostrar um sorriso de desprezo. Que naquela manhã não se ajustou muito bem a seu rosto.

— Deve deixar a leitura das mãos com quem é bom nisso, senhorita. Precisa ou não descer para fazer as suas necessidades?

— Não. E você *está* com medo. De quê?

Reynolds, que só sabia que o mau pressentimento não o abandonara quando deixou Jonas, como esperava que acontecesse, mostrou a Susan os dentes manchados de nicotina.

— Se não pode falar nada sensato, cale a boca.

— Por que não me solta? Talvez meus amigos façam o mesmo por você quando nos encontrarem.

Desta vez Reynolds deixou escapar um riso quase sincero. Subiu na sua sela, tossiu, cuspiu. Sobre suas cabeças, a Lua do Demônio era uma bola inchada e esbranquiçada no céu.

— Pode sonhar, dona sai — disse ele —, sonhar não custa nada. Mas nunca voltará a ver aqueles três. Vão mandá-los para junto das minhocas, assim é. Agora vamos.

Seguiram.

19

Cordelia nem chegou a se deitar na véspera da Colheita. Passou a noite na poltrona da sala de visitas e, embora houvesse costura em seu colo, não enfiara nem puxara uma única vez a agulha. Agora, enquanto a luz da manhã se aproximava do brilho das dez horas, continuava sentada na mesma poltrona, olhando para o vazio. Afinal, o que havia para olhar? Tudo tinha se desmoronado — todas as suas esperanças sobre a fortuna que Thorin concederia a Susan e ao filho de Susan, talvez ainda em vida e certamente no testamento, todas as suas esperanças de ascender ao lugar que merecia ocupar na comunidade, todos os seus planos para o futuro. Varridos por duas crianças voluntariosas que não conseguiam manter a roupa no corpo. Sentada na velha poltrona com o tricô no colo e as cinzas com que Susan manchara seu rosto despontando como marca registrada, ela pensou: *Um dia vão me encontrar morta nesta poltrona... Velha, pobre e esquecida.*

Criança ingrata! Depois de tudo que fiz por ela!

O que a despertou foi um fraco arranhar na janela. Não fazia ideia de quanto tempo se passou antes que aquilo finalmente conseguisse se introduzir em sua consciência, mas quando aconteceu, ela deixou o tricô de lado e se levantou para ver. Um pássaro, talvez. Ou crianças fazendo brincadeiras da Colheita, sem saber que o mundo chegara ao fim. Fosse o que fosse, ela ia enxotar.

A princípio Cordelia não viu nada. Então, quando ia virar as costas, vislumbrou um pônei e uma carroça na orla do pátio. A carroça era um pouco preocupante... preta, com símbolos dourados pintados nela... e o pônei permanecia de cabeça baixa nos arreios, sem pastar, como se o tivessem feito correr quase até a morte.

Ela continuava franzindo a testa quando a mão torta, suja, se ergueu no ar bem na sua frente e começou novamente a arranhar o vidro. Cordelia arfou e levou as duas mãos ao seio enquanto o coração dava um pulo no peito. Ela recuou um passo e deu um pequeno grito quando a barriga da perna roçou na porta do fogão.

As unhas compridas e sujas arranharam mais duas vezes, depois desceram.

Por um momento, Cordelia permaneceu onde estava, sem saber o que fazer. Depois foi até a porta, parando junto à caixa de lenha para pegar o primeiro pedaço de pau em que sua mão tocou. Por via das dúvidas. Depois escancarou a porta, foi para o canto da casa, respirou profunda e fortemente, levantou o pedaço de pau e avançou para o lado do jardim.

— Saia, quem quer que você seja! Suma antes que eu...

A voz foi apaziguada pelo que ela viu: uma mulher incrivelmente velha se arrastando pelo canteiro ao lado da casa, um canteiro onde as flores tinham morrido por causa do frio... Arrastando-se em sua direção. O cabelo branco da velha (o que sobrava do cabelo comprido e fino) caía em seu rosto. Feridas infeccionavam na testa e nas faces. Os lábios tinham se dividido e gotejavam sangue pelo queixo verrugoso, pontudo. As córneas dos olhos tinham adquirido um sujo tom cinza-amarelado e as arfadas que a mulher dava ao avançar eram como gritos abafados.

— Boa mulher, me ajude — arquejou o espectro. — Me ajude por favor, porque estou quase acabada.

A mão que segurava o pedaço de pau oscilou. Cordelia mal pôde acreditar no que estava vendo.

— Rhea? — murmurou. — É Rhea?

— Ié — Rhea sussurrou, sem parar de rastejar pela camada de flores mortas, arrastando as mãos pela terra fria. — Me ajude.

Cordelia recuou um passo, a arma improvisada agora pendendo de sua mão.

— Não... não posso ter uma pessoa como tu em minha casa... Lamento ver-te assim, mas... mas tenho uma reputação, tu sabes... As pessoas observam tudo que faço, assim é...

Deu uma olhada na rua Alta, como se esperasse ver uma fileira de gente da cidade diante de seu portão, gente espreitando com avidez, ansiosa para fofocar; mas não havia ninguém. Hambry estava tranquila, as calçadas e vielas desertas, o habitual barulho de festa da Feira da Colheita silenciado. Ela se virou e contemplou a coisa parada em suas flores mortas.

— Sua sobrinha... fez isto... — murmurou a coisa na terra. — Tudo... culpa dela...

Cordelia deixou cair o pedaço de pau. Ele chegou a bater no lado de seu tornozelo, mas mal se deu conta. Suas mãos se fecharam em punhos.

— Me ajude — Rhea sussurrou. — Sei... onde ela está... nós... duas... mulheres... temos de trabalhar... juntas...

Depois de um instante de hesitação, Cordelia se aproximou da mulher ajoelhada, pôs um braço à sua volta e conseguiu colocá-la de pé. O cheiro que vinha dela era forte e nauseante... cheiro de carne em decomposição. Os dedos ossudos acariciaram o rosto de Cordelia e o lado de seu pescoço enquanto ela ajudava a bruxa a entrar na casa. A carne de Cordelia se contraiu, mas ela só se afastou quando Rhea desabou numa poltrona, ofegando por uma ponta e peidando pela outra.

— Preste atenção — sibilou a velha.

— Estou prestando — disse Cordelia, puxando uma cadeira e sentando-se ao lado da outra. Talvez Rhea estivesse às portas da morte, mas quando seu olho caía sobre a pessoa, ficava estranhamente difícil desviar o olhar. De repente os dedos de Rhea afundaram no interior do corpete do vestido imundo, puxaram uma espécie de talismã prateado e começaram a se mover rapidamente de um lado para o outro, como se estivessem correndo pelas contas de um rosário. Cordelia, que passara a noite inteira sem ter sono, começava a senti-lo agora.

— Os outros estão além de nosso alcance — disse Rhea — e a bola me escapou. Mas *ela*...! Foi levada de volta à Casa do Prefeito e talvez possamos dar um jeito nela... isso podemos fazer, ié.

— Você não pode dar jeito em coisa alguma — disse Cordelia num tom distante. — Está morrendo.

Rhea sibilou uma risada e deixou escorrer um filete de baba amarelada.

— Morrendo? Naum! Apenas muito cansada, precisando recuperar minhas forças. Agora me escute, Cordelia, filha de Hiram e irmã de Pat!

Rhea passou um braço ossudo (mas surpreendentemente forte) em volta do pescoço de Cordelia e puxou-a para si. Ao mesmo tempo ergueu a outra mão, balançando o medalhão de prata na frente dos olhos arregalados de Cordelia. A megera sussurrou um comando e, pouco depois, Cordelia começou a assentir que entendera.

— Faça isso — disse a velha, soltando a outra e se deixando cair para trás na poltrona, exausta. — Agora, pois não vou chegar muito longe se continuar assim. E é preciso um certo tempo para reviver.

Cordelia atravessou a sala na direção da cozinha. Ali, no balcão ao lado da bomba manual, havia um cepo de madeira onde estavam fincadas as duas facas afiadas da casa. Cordelia pegou uma delas e voltou. Seus olhos estavam esbranquiçados e distantes, como tinham ficado os de Susan, quando ela e Rhea ficaram no umbral da porta aberta da cabana da bruxa sob a luz da Lua do Beijo.

— Não vai querer dar o troco nela? — Rhea perguntou. — Foi por isso que vim procurá-la.

— Dona Ah-Tão-Jovem-e-Bela... — Cordelia murmurou com uma voz quase inaudível. A mão que não estava segurando a faca flutuou para o rosto e tocou a face manchada de cinzas. — Sim. Quero dar o troco nela, queria sim.

— Até a morte?

— Ié. A minha ou a dela.

— Será a dela — disse Rhea —, não tenha a menor dúvida. Agora devolva minhas forças, Cordelia. Me dê o que estou precisando!

Cordelia desabotoou a frente do vestido, revelando seios nada generosos e uma cintura que tinha começado a crescer mais ou menos no último ano, formando uma barriga pequena, mas bastante óbvia. Ainda havia, no entanto, o vestígio de uma cintura, e foi aí que ela usou a faca, cortando a pele e as camadas superiores da carne que havia por baixo. Na região do corte, o vermelho começou de imediato a brotar sobre o algodão branco.

— Ié — Rhea murmurou. — Como rosas. Sonho muito com elas, rosas em botão, e com o que permanece negro entre elas no final do mundo. Chegue mais perto! — Pôs a mão nas costas de Cordelia, impelindo-a para a frente.

Ergueu os olhos para o rosto de Cordelia, depois sorriu e lambeu os lábios. — Bom. Muito bom.

Cordelia olhava para o vazio sobre o alto da cabeça da velha mulher quando Rhea, da colina Cöos, enterrou o rosto no corte vermelho da barriga e começou a beber.

20

A primeira reação de Roland foi de satisfação quando o retinir abafado de arreios e fivelas foi se aproximando do lugar onde os três tinham se agachado no mato alto, mas quando os sons chegaram mais perto — perto o bastante para ouvirem o murmúrio de vozes e a marcha suave dos cascos — ele começou a ficar com medo. Se os cavaleiros passassem perto não havia problema, mas se, por um golpe de má sorte, saíssem do matagal bem diante deles, os três provavelmente seriam liquidados como um ninho de toupeiras descoberto por uma lâmina de arado.

Certamente o ka não os teria levado tão longe para submetê-los a isso, não é? Com tantos quilômetros de pasto Ruim, seria concebível que aquele grupo de cavaleiros aparecesse exatamente no ponto onde Roland e seus amigos haviam parado? Sem dúvida, no entanto, estavam chegando muito perto; o som de arreios e fivelas e as vozes dos homens ficando cada vez mais altos.

Alain se virou para Roland com um olhar desanimado e apontou para a esquerda. Roland balançou a cabeça e fez um gesto para que ficassem quietos. Precisavam ficar quietos; era tarde demais para se moverem sem serem ouvidos.

Roland puxou seus revólveres. Cuthbert e Alain fizeram o mesmo.

No final, o arado passou vinte metros ao largo das toupeiras. Os rapazes viram os cavalos e os cavaleiros cintilando pela relva densa; Roland logo viu que o grupo era conduzido por Jonas, Depape e Lengyll, que avançavam ombro a ombro. Eram seguidos por pelo menos três dúzias de outros homens, vistos de relance como clarões através do mato, com seus cavalos e o verde e vermelho fortes dos ponchos. Estavam muito bem enfileirados e Roland achou razoável supor que ficassem ainda mais bem articulados quando atingissem o deserto aberto.

Os rapazes esperaram que o grupo passasse, segurando o focinho dos cavalos para que nenhum se lembrasse de relinchar para saudar os parceiros que avançavam tão perto. Quando os homens se foram, Roland virou o rosto pálido e sério para os amigos.

— Montem — disse. — A Colheita chegou.

21

Levaram os cavalos para a borda do pasto Ruim, encontrando a trilha do grupo de Jonas onde o mato dava lugar primeiro a uma área de arbustos mirrados e depois ao próprio deserto.

O vento gemia alto e triste, carregando grandes torrentes de poeira arenosa sob um céu azul-escuro e sem nuvens. A Lua do Demônio os contemplava como o olho vidrado de um cadáver. Duzentos metros à frente, os recrutas de última hora que davam apoio ao grupo de Jonas estavam espalhados em fileiras de três, os *sombreros* bem enfiados nas cabeças, os ombros curvados, os ponchos esvoaçando com o vento.

Roland mudou de lugar para que Cuthbert ficasse no meio do trio. Segurando o estilingue, Bert entregou a Alain meia dúzia de bolas de aço e a Roland outra meia dúzia. Depois ergueu as sobrancelhas com ar indagador. Roland assentiu e começaram a cavalgar.

A poeira soprava em camadas que faziam barulho de chocalho, às vezes transformando os recrutas de Jonas em fantasmas, às vezes os ocultando completamente, mas os garotos se aproximavam. Roland seguia tenso, esperando que um dos recrutas se virasse na sela e os visse, mas nenhum fez isso... nenhum deles queria expor o rosto ao vento cortante, cheio de cascalho. Eles também não percebiam qualquer ruído diferente que viesse por trás e chamasse atenção; agora havia uma camada compacta de areia sob os cascos dos cavalos e nada fazia muito barulho.

Quando estavam uns vinte metros atrás dos recrutas, Cuthbert assentiu... Era perto o bastante para ele agir. Alain entregou-lhe uma bola. Bert, sentado extremamente reto na sela, deixou a bola cair no elástico do estilingue, puxou, esperou que o vento diminuísse e soltou. O cavaleiro que ia na sua frente à esquerda deu um solavanco como se tivesse sido mordido, começou a levantar uma das mãos, mas logo caiu da sela. Incrivelmente, nenhum de seus dois *compañeros* pareceu reparar. Roland viu o que achou que fosse o início de uma reação do homem que estava à direita, mas nesse momento Bert atirou de novo. O cavaleiro desabou para a frente, caindo sobre o pescoço do cavalo. Sobressaltado, o cavalo empinou. O cavaleiro tombou para trás como um saco vazio, o *sombrero* oscilando e também caindo. O vento diminuíra o suficiente para Roland ouvir um estalo de joelho quando o pé do homem ficou preso num dos estribos.

Agora o terceiro cavaleiro começava a se virar. Roland viu de relance um rosto barbado (com um cigarro pendendo da boca, apagado por causa do vento, um olho espantado) e então a atiradeira de Cuthbert fulminou de novo. O olho espantado foi substituído por uma órbita vermelha. O cavaleiro escorregou da sela, tateando pelo arção, mas sem encontrá-lo.

Menos três, Roland pensou.

Atiçou Rusher para um galope. Cuthbert e Alain fizeram o mesmo com seus cavalos e, separados uns dos outros pela largura de um estribo, se lançaram em conjunto na nuvem de pó. Os cavalos dos recrutas eliminados guinaram em grupo para o sul, o que foi bom. Cavalos sem cavaleiros não costumam causar surpresa em Mejis, mas quando aparecem selados...

Mais cavaleiros à frente: um sozinho, depois dois lado a lado, depois outro sozinho.

Roland puxou a faca e emparelhou com o sujeito que agora estava morto e não sabia disso.

— Alguma novidade? — Roland perguntou num tom descontraído. Quando o homem se virou, ele enterrou a faca em seu peito. Os olhos castanhos do *vaq* se arregalaram sobre a bandana que, no melhor estilo fora da lei, havia sido colocada tapando a boca e o nariz. O homem logo caiu da sela.

Cuthbert e Alain passaram em velocidade por ele e Bert, sem diminuir a marcha, acertou os dois que cavalgavam à frente com o estilingue. Apesar do vento, o sujeito que ia a seguir ouviu alguma coisa e girou na sela. Alain puxara sua própria faca e agora a segurava pela ponta da lâmina. Atirou-a com força, com o expansivo movimento de braço inteiro que lhe tinham ensinado. Embora a distância fosse longa para o arremesso (pelo menos seis metros, e com vento), a pontaria foi precisa. O cabo da faca parou no centro da bandana do homem. O *vaq* tateou para tirar a faca, produzindo ruídos de gargarejo e sufocamento na garganta, mas logo também caiu da sela.

Sete agora.

Como a história do sapateiro e das moscas, Roland pensou. Seu coração estava batendo devagar mas com força quando ele emparelhou com Alain e Cuthbert. O vento soprou um gemido solitário. Poeira voou, rodopiou, depois caiu com o vento. À frente deles havia mais três cavaleiros e à frente dos três o grupo principal.

Roland apontou para os próximos três e imitou o gesto com a atiradeira. Apontou para além dos três e imitou o gesto de atirar com um revólver. Cuthbert e Alain assentiram. Cavalgaram para a frente, de novo estribo a estribo, fechando o cerco.

22

Bert se livrou fácil de dois dos que iam logo à frente, mas o terceiro se virou na hora errada e a bola de aço que devia atingir sua nuca apenas raspou na orelha. A essa altura, no entanto, Roland já puxara o revólver e pusera uma bala na testa do homem. Isso totalizou dez, toda uma quarta parte do batalhão de Jonas. E os homens ainda nem haviam percebido que os problemas tinham começado. Roland não sabia se isto representaria alguma vantagem decisiva, mas sem dúvida a primeira parte do trabalho estava concluída. Não era mais hora para discrição; agora era uma questão de matança.

— *Salve! Salve!* — gritou num tom sonoro, arrebatador. — *Comigo, pistoleiros! Comigo! Acabem com eles! Não façam prisioneiros!*

Lançaram-se para o grupo principal, entrando em batalha pela primeira vez, fechando o cerco como lobos caçando ovelhas, atirando antes que os homens à frente tivessem a menor ideia de quem estava lá atrás ou o que estava acontecendo. Os três garotos tinham sido treinados como pistoleiros e o que lhes faltava em experiência era compensado com olhos muito alertas e os reflexos da juventude. Sob suas armas, o deserto a leste de rocha Pendurada transformou-se num campo de morte.

Gritando, inteiramente concentrados no poder de suas mãos mortais, lançaram-se contra o despreparado contingente de Mejis como lâmina de vários gumes, sempre atirando. Nem todo tiro matou, mas nenhum foi inteiramente inofensivo. Alguns caíam das selas e eram arrastados por botas presas em estribos quando os cavalos disparavam, outros, mortos ou apenas feridos, eram jogados aos pés de suas montarias, que empinavam em pânico.

Roland seguia com os dois revólveres sacados, sem parar de atirar, as rédeas de Rusher presas em seus dentes para não caírem, fazendo o cavalo tropeçar. Dois homens caíram sob seu fogo à esquerda, outros dois à direita. À frente deles, Brian Hookey virou-se na sela, o rosto de barba por fazer atônito. Em volta de seu pescoço, um talismã da Colheita na forma de sino balançou e tilintou quando ele estendeu a mão para a espingarda guardada num estojo sobre seu forte ombro de ferreiro. Antes que ele pudesse fazer mais do que colocar a mão na coronha, Roland acertou o sino de prata em seu peito e explodiu o coração que havia por baixo. Hookey foi atirado com um grunhido para fora da sela.

Cuthbert emparelhou com Roland do lado direito, disparou e tirou mais dois homens dos cavalos. Então dispensou a Roland um sorriso ardente, febril.

— *Al tinha razão!* — gritou. — *São calibres grossos!*

Os talentosos dedos de Roland faziam seu trabalho, rolando os cilindros dos revólveres, recarregando em pleno galope (fazendo isso com assustadora, sobrenatural velocidade) e recomeçando a atirar. Agora já tinha realmente entrado no meio do grupo, cavalgando forte, derrubando homens de um lado e de outro, ou bem à frente. Alain recuou um pouco e deu uma guinada no cavalo, cobrindo Roland e Cuthbert por trás.

Roland viu Jonas, Depape e Lengyll dando voltas nos cavalos para encarar os atacantes. Lengyll estava agarrado à metralhadora, mas a correia da arma tinha se emaranhado no largo colarinho do poncho que usava e cada vez que ele tentava agarrar a coronha, a arma escapava de seu alcance. Embaixo do espesso bigode louro-acinzentado, a boca de Lengyll se contorcia de fúria.

Agora, cavalgando entre Roland, Cuthbert e esses três, segurando uma enorme espingarda de cinco tiros e cano azulado com uma das mãos, chegava Hash Renfrew.

— Que os deuses os amaldiçoem! — Renfrew gritava. — Ah, seus filhos da puta do caralho! — Deixou cair as rédeas e encaixou a espingarda de cinco tiros no gancho de um cotovelo para firmá-la. O vento soprava ferozmente, envolvendo-o num invólucro de rodopiante cascalho cinzento.

Roland não tinha intenção de se retirar nem de avançar para um lado ou para o outro. Sua mente, na realidade, estava sem pensamentos. A febre a envolvera e ele queimava com ela, como tocha dentro de uma redoma de vidro. Gritando através das rédeas presas nos dentes, Roland galopou em direção a Hash Renfrew e aos três homens atrás dele.

23

Jonas não tinha ideia do que estava acontecendo até ouvir Will Dearborn gritando

(*Salve! Comigo! Não façam prisioneiros!*)

um grito de batalha que há muito ele conhecia. Então a coisa se encaixou e o barulhos dos tiros fez sentido. Deu a volta no cavalo, consciente de Roy fazendo o mesmo a seu lado... mas principalmente consciente da bola em sua bolsa, uma coisa ao mesmo tempo poderosa e frágil, balançando de um lado para o outro no pescoço do cavalo.

— São os moleques! — Roy exclamou. Seu choque o deixou com uma aparência mais estúpida do que nunca.

— Dearborn, seu filho da puta! — bradou Hash Renfrew e o revólver em sua mão trovejou uma vez.

Jonas viu o *sombrero* de Dearborn saltar de sua cabeça, a aba muito amassada. Então, de repente, o moleque estava atirando e era bom... melhor do que qualquer outro atirador que Jonas já vira. Renfrew foi jogado para trás da sela com ambas as pernas se debatendo no ar. Ainda agarrado a seu monstruoso revólver, disparou dois tiros para o céu meio nublado antes de bater de costas no chão e rolar, morto, para o lado.

A mão de Lengyll caiu da linha de mira de sua metralhadora. Ele se limitou a olhar, incapaz de acreditar naquela aparição que saltara da poeira para atacá-lo.

— Recue! — gritou. — Em nome da Associação dos Cavaleiros, estou mandando que você...

Então um grande buraco apareceu no centro de sua testa, logo acima do lugar onde as sobrancelhas se juntavam. As mãos dele subiram para a altura dos ombros, palmas para cima, como se estivessem declarando rendição. Foi assim que morreu.

— Filho da puta, ah seu filho da puta escroto! — Depape berrou. Ele tentava atirar, mas o revólver estava preso no poncho. Ainda tentava soltá-lo quando uma bala do revólver de Roland transformou sua boca num grito vermelho que chegava ao pomo de adão.

Isto não pode estar acontecendo, Jonas pensou estupidamente. *Não pode, nós somos muitos.*

Mas estava acontecendo. Os garotos do Mundo Interior tinham executado um ataque certeiro a partir da retaguarda; fora um desempenho absolutamente exemplar de como os pistoleiros deviam atacar quando as chances eram muito ruins. E a coalizão de rancheiros, caubóis e valentões da cidade de Jonas tinha se despedaçado. Os que não tinham morrido fugiam para cada extremidade do compasso, esporeando os cavalos como se uma centena de demônios saídos do inferno os perseguisse. Os moleques estavam longe de ser uma centena, mas *lutavam* como se fossem. Havia corpos espalhados por toda parte na poeira e de repente Jonas viu aquele que servia como o apoio tático dos três (Stockworth) atingir outro homem a cavalo, derrubá-lo da sela e meter uma bala em sua cabeça. *Deuses da terra*, ele pensou, *era Croydon, dono do rancho Piano!*

Só que não era mais dono de nada.

E agora Dearborn investia contra Jonas com o revólver na mão.

Jonas pegou o cordão enrolado no arção da sela e desenrolou-o com dois rápidos, duros golpes do pulso. Manteve a bolsa levantada na corrente de vento, os dentes arreganhados e o comprido cabelo branco esvoaçando.

— Se chegar mais perto, quebro isto! Não estou brincando, seu fedelho maldito! Fique onde está!

Roland não hesitou um só momento no galope impetuoso, nenhuma pausa para pensar; agora eram as mãos que pensavam por ele e, quando mais tarde ele se lembrou de tudo aquilo, foi como algo distante, silencioso e estranhamente deformado, como algo visto em um espelho defeituoso... ou na bola de cristal de um mago.

Jonas pensou: *Deuses, é ele! É o próprio Arthur Eld que veio para me pegar!*

E quando o cano do revólver de Roland se tornou visível como se tivesse explodido a entrada de um túnel ou uma galeria de mina, Jonas se lembrou do que lhe dissera o fedelho na porta suja daquele rancho queimado: A alma de um homem como você nunca pode deixar o oeste.

Eu sabia, Jonas pensou. *Já naquele momento eu sabia que meu ka já tinha acabado. Mas certamente o moleque não vai colocar a bola de cristal em risco... Não pode colocar a bola em risco, ele é o* dinh *de seu ka-tet e não pode colocar...*

— *Comigo!* — Jonas gritava. — *Comigo, homens! Eles são apenas três, pelo amor de Deus! Comigo, seus covardes!*

Mas estava sozinho... Lengyll morto ao lado da metralhadora imbecil, Roy um cadáver de olho arregalado para a aspereza do céu, Quint fugido, Hookey morto, os rancheiros que tinham cavalgado com ele sumidos. Só Clay ainda vivia, e estava a quilômetros dali.

— *Quebro isto!* — ele gritava para o garoto de olhar frio, o garoto que avançava sobre ele como a mais letal máquina de morte. — *Diante de todos os deuses, vou...*

O polegar de Roland puxou o gatilho do revólver e atirou. A bala atingiu o centro da mão tatuada, a mesma que segurava o cordão da bolsa, e vaporizou a palma. Só sobraram dedos se contorcendo para sair de uma esponjosa massa vermelha. Roland ainda continuou vendo por alguns segundos o caixão azul, mas logo ele também ficou coberto pelo sangue que escorria.

A bolsa caiu. E, enquanto Rusher colidia com o cavalo de Jonas e o empurrava para o lado, Roland pegou habilmente a bolsa com o gancho de um braço. Jonas, gritando de tristeza quando o seu prêmio o deixou, agarrou-se a Roland, pegou-lhe o ombro e quase conseguiu tirar o pistoleiro da sela. O sangue de Jonas escorreu pelo rosto de Roland em gotas quentes.

— *Devolva isso, moleque!* — Jonas enfiou a mão sob o poncho e puxou outro revólver. — *Devolva, é meu!*

— Não é mais — disse Roland. E, enquanto Rusher dançava de um lado para o outro, rápido e delicado para um animal de seu porte, Roland acertou duas balas direto na cara de Jonas. O cavalo de Jonas deslizou sob ele e o homem de cabelo branco aterrissou de costas, com braços e pernas abertos e um baque. Os braços e pernas tiveram espasmos, sacudidelas, tremores e ficaram imóveis.

Roland enrolou o cordão da bolsa no ombro e voltou para perto de Alain e Cuthbert, pronto para prestar ajuda... mas não era preciso. Pararam os cavalos lado a lado na corrente de poeira, no fim de uma estrada salpicada de corpos mortos, todos de olhos vidrados e arregalados — olhos de garotos que tinham enfrentado a primeira prova de fogo e não conseguiam acreditar que não tivessem se queimado. Só Alain fora ferido; uma bala abrira sua face esquerda. A ferida ia cicatrizar, mas lhe deixaria uma marca pelo resto da vida. Alain não conseguia lembrar de quem o acertara, disse mais tarde, ou em que momento da batalha. Sentira-se desligado do próprio corpo durante o tiroteio e só tinha vagas lembranças do que acontecera após o início das escargas. Cuthbert teve a mesma sensação.

— Roland... — dizia agora Cuthbert, passando a mão trêmula pelo rosto. — Salve, pistoleiro.

— Salve.

Os olhos de Cuthbert estavam vermelhos e irritados por causa da areia, como se tivesse estado chorando. Pegou de volta as bolas metálicas que Roland lhe passava, e que não tinham sido usadas no estilingue, como se não soubesse o que era aquilo.

— Roland, estamos vivos.

— Sim.

Alain olhava em volta meio atordoado.

— Para onde foram os outros?

— Eu diria que pelo menos vinte e cinco deles estão aqui — disse Roland, fazendo um gesto para a esteira de corpos mortos. — O resto... — Moveu a mão, ainda segurando um revólver, desenhando um amplo semicírculo. — O resto se foi. Acho que já tiveram uma boa experiência das guerras do Mundo Médio.

Roland tirou a bolsa de corda do ombro, pousou-a um instante na frente da sela e em seguida a abriu. Por um momento a boca da bolsa ficou escura, depois foi tomada pelo pulsar irregular de uma fascinante luminosidade rosa.

A luz deslizou como dedinhos pelas faces suaves do pistoleiro e mergulhou em seus olhos.

— Roland — disse Cuthbert, subitamente nervoso. — Acho que não devia brincar com isso. Especialmente não agora. Devem ter ouvido o tiroteio em rocha Pendurada. Se queremos terminar o que começamos, não temos tempo para...

Roland o ignorou. Introduziu as duas mãos na bolsa e tirou de lá a bola de cristal do mago. Suspendeu-a diante dos olhos, sem perceber que a estava salpicando com gotas do sangue de Jonas. Não parecendo se importar (não era a primeira vez que era tocada por sangue), a bola cintilou e rodopiou sem forma por um instante e então seus vapores rosados se abriram como cortinas. Roland viu o que estava ali e se perdeu na imagem.

10. SOB A LUA DO DEMÔNIO (II)

1

O aperto de Coral no braço de Susan era firme, mas não doloroso. Não houve nada de particularmente cruel no jeito como conduziu Susan pelos corredores do andar de baixo, mas havia em tudo aquilo uma frieza implacável que a desanimava. Susan não tentou protestar; teria sido inútil. Atrás das duas mulheres havia uma dupla de *vaqueros* (armados antes com facas e chicotes do que com revólveres; os revólveres disponíveis tinham ido todos para oeste com Jonas). Atrás dos *vaqs*, andando furtivo como um fantasma sombrio ao qual faltasse a necessária energia psíquica para se materializar plenamente, vinha Laslo, irmão mais velho do chanceler falecido. Reynolds, o gosto por um estupro ao fim da jornada superado pela crescente sensação de nervosismo, tinha ou permanecido no andar de cima ou ido para a cidade.

— Vou deixá-la na despensa até descobrir o que fazer com você, querida — disse Coral. — Ali estaremos bem seguras... e quentes. Que bom que esteja usando um poncho. Depois... quando Jonas voltar...

— Nunca voltará a ver sai Jonas — disse Susan. — Ele jamais...

Uma pontada de dor estourou no rosto sensível. Por um instante, pareceu que o mundo inteiro tinha explodido. Susan bateu no muro de pedra trabalhada do corredor do andar de baixo, a visão inicialmente borrada, depois clareando aos poucos. Pôde sentir o sangue escorrer pelo rosto: quando Coral a esbofeteara, a pedra do anel da mulher abrira uma ferida. E o nariz. *Essa* coisinha infernal também estava sangrando de novo.

Coral a olhava com ar pouco cordial de isso-para-mim-não-passa-de-rotina, mas Susan achou que estava vendo alguma coisa de diferente nos olhos da mulher. Medo, talvez.

— Não fale assim comigo de Eldred, mocinha. Ele foi encarregado de pegar os garotos que mataram meu irmão. Os garotos que *você* tirou da cadeia.

— Pare com isso. — Susan enxugou o nariz, fez uma careta para o sangue acumulado na palma da mão e limpou-o na perna da calça. — Sei quem matou Hart tão bem quanto você, portanto não finja comigo que eu não fingirei com você. — Ela viu a mão de Coral se erguer, pronta para dar outro tapa, e conseguiu deixar escapar um riso seco. — Vai. Se quiser, abra o outro lado do meu rosto. Isso muda o fato de que vai dormir esta noite sem nenhum homem para esquentar o outro lado da cama?

A mão de Coral desceu rápida e forte, mas em vez de esbofetear, tornou a agarrar o braço de Susan. Foi forte o bastante para machucar desta vez, mas Susan mal sentiu. Já fora machucada por peritos naquele dia e sofreria mais contusões com prazer se isso apressasse o momento em que pudesse novamente ficar junto de Roland.

Coral arrastou-a pelo resto do caminho, descendo o corredor, atravessando a cozinha (aquele grande cômodo, cheio de vapor e agitação em qualquer outro Dia da Colheita, mas agora sinistramente deserto) e a porta com molduras de ferro no lado oposto. Ela abriu a porta. Um odor de batatas, abóboras e chicória saiu de lá.

— Entre aí. Fique quietinha, antes que eu decida dar um belo chute no seu traseiro.

Susan encarou-a, sorrindo.

— Eu a amaldiçoaria como a puta de um assassino, sai Thorin, mas acho que você já se danou sozinha. Sabe disso. Seu azar está escrito na sua cara, pois é. Então vou te fazer uma reverência... — Sempre sorrindo, Susan uniu os gestos às palavras. — E te desejar um ótimo dia.

— *Entre e feche sua boca insolente!* — Coral gritou, empurrando Susan para a despensa fria. Bateu a porta, fez o trinco correr e voltou os olhos febris para os *vaqs*, que se mantinham prudentemente longe dela.

— Tratem bem da garota, *muchachos*. Vejam lá o que vão fazer.

Coral passou entre eles, indiferente às suas respostas, e subiu para a suíte do falecido irmão, onde esperaria Jonas ou algum recado dele. A putinha de cara de criança sentada lá atrás entre cenouras e batatas não sabia de nada, mas suas palavras

(*nunca voltará a ver sai Jonas*)

estavam agora na cabeça de Coral; ecoavam e não iam embora.

2

Soaram as doze horas na atarracada torre do sino no alto da Assembleia da Cidade. E se o inabitual silêncio que pairava sobre o resto de Hambry parecia cada vez mais estranho à medida que a manhã daquela Colheita entrava pela tarde, o silêncio no Repouso dos Viajantes era sem a menor dúvida lúgubre. Mais de duzentas almas se apinhavam sob o olhar morto do Transão, todas bebendo muito. Mal se ouvia, contudo, um ruído entre elas, salvo o arrastar de pés e as impacientes pancadas de copos no bar, indicando o pedido de outra dose.

Sheb ensaiara uma hesitante melodia no piano — "Big Bottle Boogie", todos gostavam dessa —, mas um caubói com cicatriz num lado do rosto colocara a ponta de uma faca em sua orelha e o mandara parar com aquele barulho, se quisesse manter o que confundia com um cérebro no estibordo do tímpano. Sheb, que gostaria de continuar respirando por outros mil anos se os deuses assim permitissem, deixou de imediato seu banco de piano e foi ajudar Stanley e Pettie, a Trotadora, a servir as bebidas no balcão.

O humor dos bebedores estava confuso, taciturno. A Feira da Colheita fora roubada deles e ninguém sabia muito bem o que fazer. Haveria ainda uma fogueira e muitos espantalhos a serem queimados, mas não haveria beijos da Colheita naquele dia nem danças naquela noite; nenhuma adivinhação, nenhum certame, nenhuma briga de porcos, nenhuma piada... nada para animar, diabo! Nenhum adeus divertido ao último dia do ano! A jovialidade cedera lugar ao assassinato nas sombras e à fuga dos culpados. Agora, só lhes restava esperança da punição, ao invés da certeza dela. Aquelas pessoas bêbadas, mal-humoradas e tão potencialmente perigosas como nuvens de tempestade cheias de relâmpagos, queriam alguém para colocar em foco, alguém para lhes dizer o que fazer.

E, naturalmente, alguém para atirar no fogo, como nos tempos do Eld.

Foi neste ponto, não muito depois de a última fatia da lua ter desbotado no ar frio, que as portas de vaivém se abriram e duas mulheres entraram. Muitos reconheceram a megera que ia na frente e muitos fizeram, diante dos olhos, uma cruz com os polegares, como providência contra o mau-olhado. Um murmúrio correu pelo salão. Era a velha bruxa da colina Cöos, e embora seu rosto estivesse coberto de feridas e os olhos mergulhados tão profundamente nas órbitas que mal podiam ser vistos, ela transmitia um peculiar senso de vitalidade. Os lábios estavam vermelhos, como se Rhea andasse comendo framboesas.

A mulher que ia atrás caminhava devagar e empertigada, com uma das mãos apertando o meio da barriga. O rosto parecia tão branco quanto era vermelha a boca da feiticeira.

Rhea avançou para o meio do salão, passando pelo amontoado de paspalhos reunidos nas mesas de Olho Vivo sem dispensar-lhes sequer um olhar. Ao atingir o centro do balcão, colocando-se diretamente sob o olhar do Transão, ela se virou para o pessoal da cidade e os tropeiros silenciosos.

— A maioria de vocês me conhece! — ela gritou com uma voz esganiçada que se detinha pouco abaixo da estridência. — Àqueles que nunca quiseram uma poção do amor, nunca ansiaram pela volta do fogo às suas varas nem se cansaram dos resmungos da língua de uma sogra... Sou Rhea, a feiticeira da colina Cöos, e esta senhora que está do meu lado é tia da garota que ontem à noite pôs três assassinos em liberdade... A mesma garota que assassinou o xerife e um bom rapaz de sua cidade, um rapaz casado, com um filho a caminho. Ele ficou diante dela erguendo as mãos indefesas, pedindo pela vida em nome da esposa e do bebê que ia nascer, e ainda assim ela o alvejou! Cruel ela é! Cruel e fria!

Um murmúrio correu pela multidão. Quando Rhea ergueu as garras velhas e tortas, ele cessou de imediato. A bruxa olhou lentamente para os lados, a observá-los, mãos ainda erguidas, parecendo o mais velho e feio boxeador do mundo.

— Os forasteiros chegaram e vocês deram as boas-vindas! — ela gritou na rouca voz de gralha. — Deram as boas-vindas, pão para comer, mas é ruína o alimento que retribuíram a vocês! Foi a mortes daqueles que vocês amam e de quem dependem, tiraram as festas da colheita e só os deuses sabem quantas pragas invocaram no período que se segue ao *fin de año*!

Novos murmúrios, agora mais altos. Ela tocara em seus medos mais profundos: que o mal daquele ano se espalhasse, que pudesse deformar inclusive as melhores e mais recentes ninhadas, que tão lenta e esperançosamente tinham começado a surgir no Arco Exterior.

— Mas eles se foram e provavelmente não voltarão! — Rhea continuou. — E talvez seja para o melhor... Por que deveria um sangue estranho contaminar a nossa terra? Uma, no entanto, permanece entre nós... uma criada entre nós... uma jovem que se tornou traidora de sua cidade e pária dentre seu próprio povo.

Na última frase, sua voz se transformara num murmúrio áspero; os ouvintes precisaram se inclinar para ouvir, rostos severos, olhos arregalados. E agora Rhea puxava a mulher pálida, esquelética no surrado vestido preto. Fez Cordelia parar na sua frente como uma boneca ou o fantoche de um ventríloquo, e sussurrou em seu ouvido... mas o sussurro de alguma maneira escapou; todos ouviram.

— Vamos lá, querida. Conte a eles o que me contou.

Cordelia obedeceu num tom mortiço, mas envolvente:

— Ela disse que não seria a concubina do prefeito. Ele não era bom o bastante para uma pessoa como ela. E então seduziu Will Dearborn. O preço de seu corpo era uma boa posição em Gilead como sua consorte... e o assassinato de Hart Thorin. Dearborn pagou o preço. Ávido que estava por ela, pagou com satisfação. Os amigos o ajudaram; pelo que sei, parece que também se serviram dela. O chanceler Rimer deve ter atrapalhado seus planos. Ou talvez apenas tenham esbarrado com ele e sentido vontade de liquidá-lo também.

— Desgraçados! — Pettie gritou. — Cobras, esses fedelhos!

— Agora diga a eles o que é preciso para limpar a nova estação antes que ela se estrague, querida — disse Rhea num aparente tom de murmúrio.

Cordelia Delgado ergueu a cabeça e olhou ao redor. Respirou fundo, puxando os cheiros amargos e misturados de *graf*, cerveja, fumaça de cigarro e uísque para seus pulmões de solteirona.

— Peguem-na. Precisam pegá-la. Digo isso com pena e amor, assim é.

Silêncio. Olhares.

— Pintem as mãos dela.

O olhar vidrado da coisa na parede lançava seu julgamento empalhado sobre o salão em expectativa.

— *Árvore de chariou* — Cordelia sussurrou.

As pessoas não gritaram estar de acordo, mas deram um suspiro significativo, como o vento de outono passando por árvores descarnadas.

3

Sheemie foi atrás do mau Caçador de Caixões e de Susan-sai até literalmente não conseguiu mais correr — seus pulmões estavam em fogo e as pontadas que começara a sentir do lado do corpo se converteram em cãibras. Ele se deixou cair na relva da Baixa, a mão esquerda agarrando a axila direita, o rosto em uma careta de dor.

Ficou algum tempo ali com o rosto enterrado na relva cheirosa, sabendo que eles estavam se distanciando cada vez mais, mas também sabendo que seria inútil querer se levantar e recomeçar a correr antes que a cãibra passasse de todo. Se tentasse acelerar o processo, a coisa simplesmente ia voltar e derrubá-lo de novo. Então ficou onde estava, apenas erguendo a cabeça para observar as marcas deixadas por Susan-sai e o mau Caçador de Caixões. Estava quase pronto para tentar ficar de pé quando Caprichoso o mordeu. Não uma mordidinha, sem dúvida, mas uma boa e saudável mastigada. Capi tivera umas vinte e quatro horas difíceis e não parecia exatamente estar gostando de ver o culpado por toda a sua aflição deitado na relva, aparentemente tirando uma soneca.

— *Iééé-UUUUU-maldito!* — Sheemie gritou pulando em pé. Não havia nada tão mágico quanto uma boa mordida no traseiro, poderia ter ponderado um homem de maior inclinação filosófica; ela fazia todas as outras preocupações, por mais graves ou dolorosas que fossem, desaparecerem como por encanto.

Ele rodopiou.

— Por que fez isso, sua velha cobra mesquinha de um jumento? — Sheemie estava esfregando a nádega vigorosamente e grandes lágrimas de dor saltavam de seus olhos. — Doeu como... como a mordida de um grande filho da puta!

Caprichoso estendeu o pescoço até seu comprimento máximo, arreganhou os dentes naquele sorriso satânico que só os jumentos e os dromedários podem mostrar e zurrou. Para Sheemie, o zurro soou exatamente como um riso.

A trela do jumento tinha caído entre os pequenos cascos afiados. Sheemie agarrou-a e, quando Capi arriou a cabeça para aplicar outra mordida, o garoto aplicou-lhe um bom e duro golpe no lado do focinho estreito. Capi bufou e piscou.

— Você ia me dar outra, seu jumento mesquinho — disse Sheemie. — Mais uma e eu teria de passar uma semana cagando de cócoras, pois é. Não ia conseguir sentar nas malditas tampas dos vasos. — Ele enrolou a trela no pulso e montou no jumento. Capi não tentou derrubá-lo, mas Sheemie estremeceu quando sua parte contundida se acomodou no alto da espinha do jumento. Se qualquer maneira, dera sorte, pensou enquanto fazia o animal se mexer. O traseiro doía, mas pelo menos não precisaria andar... ou tentar correr sentindo pontadas do lado.

— Vamos, estúpido! — disse ele. — Rápido! O mais rápido que puder, seu grande filho da puta!

No decurso da hora seguinte, Sheemie não perdeu qualquer oportunidade de chamar Capi de "grande filho da puta" — tinha descoberto, como muitos antes dele, que só o primeiro palavrão é difícil de falar; depois não há nada tão capaz de dar vazão às sensações de uma pessoa.

4

O rastro de Susan cortava em diagonal a Baixa na direção da costa e da antiga e grandiosa casa de adobe que se erguia ali. Quando Sheemie alcançou Seafront, desmontou do lado de fora do arco e ficou parado, sem saber o que fazer. Que tinham ido para lá, não havia dúvida — o cavalo de Susan, Pilão, e o cavalo do mau Caçador de Caixões estavam amarrados lado a lado no galpão, vez por outra arriando os focinhos e resfolegando na pedra rosa que calçava o lado do pátio voltado para o oceano.

O que fazer? Os cavaleiros que se aproximavam e passavam sob o arco (em geral *vaqs* de cabelos brancos, considerados velhos demais para participar do grupo de Lengyll) não davam atenção ao garoto do bar com seu jumento, mas talvez Miguel já fosse outra história. O velho *mozo* nunca tinha gostado dele, agia como se achasse que Sheemie, assim que tivesse a menor oportunidade, viraria ladrão. Se Miguel visse o faz-tudo de Coral rondando pelo pátio, muito provavelmente o enxotaria de lá.

Não, não vai me enxotar, Sheemie pensou gravemente. *Não hoje, hoje não posso deixar que ele me comande. Não saio mesmo se gritar comigo.*

Mas, e se o velho chegasse a gritar de verdade e fizesse soar um alarme, e aí? O mau Caçador de Caixões poderia vir para matá-lo. Sheemie atingira um ponto onde estava disposto a morrer por seus amigos, mas apenas se isso servisse a algum objetivo.

Então continuou na fria luz do sol, deslocando-se de um pé para o outro, sem tomar qualquer decisão, desejando ser mais inteligente do que era, capaz de pensar num plano. Uma hora se passou, depois duas. Um tempo que andava devagar e onde cada momento era uma experiência de frustração. Sentiu que qualquer oportunidade de ajudar Susan-sai ia se esvaindo, mas não sabia que providência tomar. A certa altura, ouviu um barulho vindo do oeste que parecia trovão... embora um dia de outono ensolarado como aquele não parecesse lá muito adequado para trovões.

Estava à beira de optar por tentar entrar pelo pátio (que naquele momento parecia deserto; talvez ele conseguisse atravessá-lo até a casa), quando o homem que temia saiu cambaleando dos estábulos.

Miguel Torres tinha no pescoço uma grinalda de talismãs da colheita e parecia muito embriagado. Ele se aproximou do centro do pátio executando semicírculos de um lado para o outro, o cordão do *sombrero* embaraçado no pescoço magrela, o cabelo comprido e branco esvoaçando. A frente da *chibosa* estava molhada, como se ele tivesse tentado dar uma mijada sem antes se lembrar de que precisava soltar a sua coisa. Tinha um pequeno jarro de cerâmica numa das mãos. Os olhos estavam febris e desnorteados.

— Quem fez isto? — Miguel gritou. Erguia os olhos para o céu do início da tarde e viu a Lua do Demônio ainda flutuando. Por menos que Sheemie gostasse do velho, seu coração se contraiu. Dava má sorte olhar diretamente para o velho Demônio, não havia dúvida. — Quem fez esta coisa? Peço que me diga, *señor*! Por favor! — Uma pausa, depois um grito tão forte que Miguel trocou os pés e quase caiu. Ele ergueu os punhos, como se desafiasse a face que pestanejava na lua a responder, mas logo os arriou sem energia. Licor de malte se derramou do gargalo do jarro e molhou-o ainda mais. — *Maricon* — murmurou. Cambaleou para o muro (quase tropeçando nas patas traseiras do cavalo do mau Caçador de Caixões) e sentou-se com as costas contra o muro de tijolo cru. Tomou uma boa dose pelo gargalo do jarro, pegou o *sombrero* e abaixou-o sobre os olhos. O braço começou a virar o jarro, mas logo desistiu, como se o jarro tivesse se tornado muito pesado. Sheemie esperou até que o polegar do velho desfizesse seu gancho e saísse da alça do jarro e a mão se apoiasse nas pedras do muro. Depois de dar um passo à frente, Sheemie achou melhor esperar um pouco mais. Miguel era velho, mas Miguel era ruim, e Sheemie achava que ele também podia ser traiçoeiro. Muita gente era, ainda mais os ruins.

Sheemie esperou até ouvir os roncos secos de Miguel, depois entrou com Capi no pátio, estremecendo a cada batida dos cascos do jumento. Miguel, no entanto, não se mexeu. Sheemie amarrou Capi na ponta da balaustrada (tornando a estremecer quando Caprichoso zurrou um cumprimento desafinado para os cavalos ali amarrados) e se aproximou rapidamente da porta principal, através da qual jamais na vida esperara passar. Pôs a mão na grande tranca de ferro, olhou uma última vez para o velho dormindo lá atrás, encostado no muro, depois abriu a porta e entrou na ponta dos pés.

Ficou parado um instante no raio de sol que a porta aberta deixava entrar, os ombros se curvando até as orelhas, esperando que, a qualquer momento, a mão de alguém o pegasse pelo cangote (um cangote que gente de natureza ruim parecia sempre capaz de descobrir, por mais alto que a pessoa levasse a curvatura dos ombros); uma voz irada se seguiria, perguntando o que ele estava fazendo ali.

O vestíbulo permanecia deserto e silencioso. Na parede oposta, uma tapeçaria mostrava *vaqueros* cuidando de cavalos na Baixa; encostada nela havia um violão com uma corda arrebentada. Os pés de Sheemie produziam ecos por mais leve que andasse. Ele tremia. Aquela era agora uma casa de assassinatos, um mau lugar. Provavelmente haveria fantasmas.

Contudo, Susan estava lá. Em alguma parte.

Atravessou as portas duplas na extremidade do vestíbulo e entrou no salão de recepções. Sob o teto alto, suas pisadas ecoavam mais altas que nunca. Prefeitos há muito falecidos o contemplavam das paredes; a maioria com olhos fantasmagóricos que pareciam segui-lo enquanto ele andava, marcando-o como um intruso. Sabia que os olhos eram apenas de tinta, mas mesmo assim...

Um quadro em particular o perturbava: o de um homem gordo com fiapos de cabelo ruivo, boca de buldogue e um olhar irônico e velhaco, como se quisesse perguntar o que o garoto imbecil do bar estava fazendo no Grande Salão da Casa do Prefeito.

— Pare de me olhar desse jeito, seu grandissíssimo filho da puta — Sheemie sussurrou, sentindo-se um pouco melhor. Pelo menos temporariamente.

Em seguida vinha a sala de jantar, também deserta, com as compridas mesas de cavalete empurradas contra a parede. Numa delas havia sobras de uma refeição — um prato com galinha, pedaços de pão e meia caneca de cerveja. Contemplar aqueles poucos restos de comida numa mesa onde já tinham sido servidas dezenas de banquetes em inúmeras feiras e festivais (que naquele mesmo dia deveria estar acomodando bastante gente) trouxe a enormidade do que acontecera à consciência de Sheemie. E a tristeza por isso, também. As coisas tinham mudado em Hambry e provavelmente jamais voltariam a ser as mesmas.

Esses pensamentos melancólicos não o impediram de devorar o resto de galinha e pão, nem de verificar o que sobrara da cerveja. Fora um longo dia sem qualquer alimentação.

Ele arrotou, bateu na boca com as duas mãos, os olhos fazendo rápidos e culpados movimentos de lado a lado sobre os dedos sujos, e se afastou da mesa.

A porta na extremidade do aposento estava fechada, mas sem o trinco. Sheemie a abriu e enfiou a cabeça no corredor que corria por todo o comprimento da Casa do Prefeito. A passagem era iluminada por candelabros a gás e era larga como uma avenida. Estava deserta (pelo menos naquele momento), mas ele podia ouvir vozes murmurando nos outros cômodos e talvez também nos outros andares. Achou que deviam pertencer às camareiras e aos demais criados que pudessem ter permanecido ali naquela tarde, mas mesmo assim lhe soavam bastante fantasmagóricas. Talvez uma delas pertencesse ao prefeito Thorin, perambulando pelo corredor bem na sua frente (se Sheemie pudesse vê-lo... mas felizmente Sheemie não podia vê-lo). O prefeito Thorin perambulando e querendo saber o que lhe acontecera, o que era aquela coisa fria, tipo geleia, que ensopava sua roupa de dormir, quem...

A mão agarrou o braço de Sheemie logo acima do cotovelo. Ele quase gritou.

— Não! — uma mulher cochichou. — Pelo amor de seu pai!

Sheemie de alguma maneira conseguiu sufocar o grito. Virou a cabeça. E ali, usando uma calça jeans e uma camisa xadrez de rancheiro, o cabelo amarrado atrás da cabeça, o rosto pálido e sério, os olhos escuros brilhando, estava a viúva do prefeito.

— S-S-Sai Thorin... Eu... Eu... Eu...

Não conseguiu pensar em nada para dizer. *Agora ela vai chamar os Guardas da Vigília, se tiver sobrado algum por aqui*, pensou. De certa maneira, seria até um alívio.

— Veio procurar pela garota? A garota Delgado?

O luto fora bom para Olive num sentido terrível... fazendo o rosto parecer estranhamente jovem. Os olhos escuros não desviaram dos dele e não deixavam qualquer brecha para uma mentira. Sheemie assentiu.

— Ótimo. Você pode me ajudar, rapaz. Ela está lá embaixo, na despensa, e está sendo vigiada.

Sheemie abriu a boca, mal acreditando no que estava ouvindo.

— Você acha que penso que Susan tenha tido alguma coisa a ver com o assassinato de Hart? — Olive perguntou, como se Sheemie fizesse objeções àquela ideia. — Posso estar gorda e minhas pernas podem estar menos ágeis, mas não sou uma idiota. Venha comigo, agora. Nesse momento Seafront não é um bom lugar para sai Delgado ficar… Gente demais da cidade sabe onde ela está.

5

— Roland.

Ele ouvirá aquela voz em sonhos inquietos pelo resto da vida, nunca se lembrando inteiramente o que sonhou, sabendo apenas que os sonhos o farão se sentir mal de alguma forma… Vai caminhar agitado, endireitar quadros em quartos sem amor, ouvindo a chamada para o muzzein em praças de cidades estranhas.

— Roland de Gilead.

Aquela voz, que ele quase reconhece; uma voz tão parecida com a sua que um psiquiatra do onde-e-quando de Eddie, Susannah ou Jake diria que era a voz dele, a voz de seu subconsciente, mas Roland sabe que não é bem assim; Roland sabe que com frequência as vozes que costumam soar como nossas e que falam em nossa cabeça são as vozes dos mais terríveis forasteiros, os intrusos mais perigosos.

— Roland, filho de Steven.

A bola o levara primeiro a Hambry e à Casa do Prefeito, onde ele viu boa parte do que estava acontecendo lá, mas agora ela o leva para outro lugar… o atrai *com aquela voz estranhamente familiar e ele precisa ir. Não há opção porque, ao contrário de Rhea ou Jonas, não está meramente observando a bola e as criaturas que falam silenciosamente dentro dela; está dentro da bola, como parte de sua interminável tormenta rosada.*

— Roland, venha. Roland, veja.

E assim a tempestade o atira primeiro para cima, depois para longe. Ele voa pela Baixa, subindo e subindo por camadas de ar primeiro quente, depois frio, e não está sozinho na tormenta rosada que o leva para oeste ao longo do Caminho do Feixe. Sheb passa voando, o chapéu inclinado para trás; canta "Hey Jude" com toda a força de seus pulmões enquanto os dedos manchados de nicotina fazem tilintar teclas que não estão ali… Transportado por sua música, Sheb nem parece perceber que a tormenta lhe despedaçou o piano.

— Roland, venha.

— diz a voz... a voz da tormenta, a voz do vidro... e Roland vai. O Transão passa voando por ele, olhos vidrados brilhando com uma luminosidade rosa. Um homem magricela com macacão de fazendeiro passa voando, o cabelo comprido e ruivo ondeando para trás. "Vida para você e para sua colheita", diz ele — ou algo parecido com isso —, e desaparece. Em seguida, rodopiando como um estranho cata-vento, vem uma cadeira de ferro (para Roland parece um instrumento de tortura), equipada com rodas, e o pistoleiro-garoto pensa A Dama das Sombras *sem saber por que, ou o que aquilo significa.*

Agora a tormenta rosa o está carregando sobre montanhas marcadas pela erosão, agora sobre um fértil delta verde onde um grande rio escorre como veia pelas contorções de seus cotovelos. O rio reflete um plácido céu azul que ganha o rosa das flores selvagens quando a tormenta passa. À frente, Roland vê uma coluna de escuridão avançando e seu coração aperta, mas é para lá que a tormenta rosa o está carregando, e é para lá que ele precisa ir.

Quero sair, *ele pensa, mas não é tolo e percebe a verdade: não poderá jamais sair. A bola de cristal do mago o engoliu. Roland continuará na tempestade dela, para sempre atordoado.*

Se for preciso, uso meus revólveres para sair, *ele pensa, mas não... não tem revólveres. Está nu na tempestade, correndo assim para aquela virulenta infecção azul-arroxeada que enterrou toda a paisagem.*

E contudo ouve um canto.

Fraco mas belo... um som harmonioso e doce que o faz estremecer e pensar em Susan: pássaro e urso e lebre e peixe.

De repente o jumento de Sheemie (Caprichoso, *pensa Roland, um belo nome) passa galopando no ar rarefeito, olhos brilhando como relâmpagos no* fuego *da tempestade. Atrás dele, usando um* sombrero *e cavalgando uma vassoura enfeitada com talismãs da colheita que se agitam no vento, vem Rhea, da colina Cöos. "Vou pegar você, queridinho!", grita ela para o jumento que corre, e então, dando risadas, some zumbindo na vassoura.*

Roland mergulha no escuro e de repente fica sem fôlego. O mundo ao seu redor é nocivamente sombrio; o ar parece rastejar por sua pele como uma nuvem de insetos. Está encurralado, socado de um lado para o outro por punhos invisíveis e agora impelido para baixo num mergulho tão violento que ele fica com medo de se quebrar contra o solo: assim sucumbiu Lorde Perth.

Campos mortos e aldeias desertas passam brotando da escuridão; ele vê árvores secas que não darão mais sombra... ah, mas ali tudo é sombra, ali tudo é morte, aquela é a borda do Fim do Mundo para onde, num dia escuro, ele irá, e ali tudo é morte.

— Pistoleiro, isto é o Trovão.

— Trovão — ele diz.

— Aqui estão os sem-fôlego; os rostos brancos.

— Os sem-fôlego. Os rostos brancos.

Sim. Seja como for, ele sabe disso. Aquele é o lugar de soldados chacinados, do elmo fendido, da alabarda enferrujada; de lá vêm os guerreiros pálidos. Aquele é o Trovão, onde os relógios correm para trás e os cemitérios vomitam seus mortos.

À frente existe uma árvore como mão torta agarrando alguma coisa; um malhado fora empalado no galho mais alto. Deveria estar morto, mas quando a tempestade rosa faz Roland passar por lá, ele levanta a cabeça e o contempla com indizível dor e fraqueza. "Oi!", grita o animal, e então também ele desaparece e não será lembrado por muitos anos.

— Olhe adiante, Roland... Veja seu destino.

Então, de repente, ele reconhece aquela voz... é a voz da Tartaruga.

Olha e vê um forte clarão azul-dourado penetrando a suja escuridão do Trovão. E antes que possa fazer mais do que registrar aquilo, sai da escuridão e entra na luz como alguma coisa saindo de um ovo, uma criatura finalmente sendo dada à luz.

— Luz! Que haja luz!

— grita a voz da Tartaruga e Roland precisa colocar as mãos nos olhos e espreitar através dos dedos para evitar ficar cego. Abaixo dele há um campo de sangue... ou assim pensa ele, um garoto de catorze anos que naquele dia matou pela primeira vez. Este é o sangue que correu do Trovão e ameaça afogar nosso lado do mundo, *ele pensa, e só infinitos anos depois descobrirá, por fim, aquele tempo dentro da bola. Juntará esta memória com o sonho de Eddie e contará a seus* compadres, *sentados na pista da autoestrada no final da noite, que estava errado, que fora enganado pelo brilho que se aproximava, um brilho tão forte, logo atrás das sombras do Trovão. "Não era sangue, mas rosas", ele diz a Eddie, Susannah e Jake.*

— Pistoleiro, olhe... Olhe ali.

Sim, lá está, uma poeirenta coluna se erguendo no horizonte: a Torre Negra, o lugar para onde todos os Feixes, todas as linhas de força convergem. Nas janelas subindo em espiral ele vê ocasionais fogos elétricos azuis e ouve os gritos de todos que estão presos lá dentro; sente tanto a energia do lugar quanto sua inadequação; pode sentir a Torre como uma espécie de erro se entrelaçando a tudo, afinando as divisões entre os mundos, pode sentir como seu potencial para o mal está ficando mais forte, mesmo quando a enfermidade enfraquece sua verdade e coerência, como um corpo sofrendo de câncer; aquele braço projetado de escura pedra cinza é o grande mistério do mundo e a última terrível adivinhação.

É a Torre, a Torre Negra se erguendo para o céu e, enquanto avança na tormenta rosada, Roland pensa: Vou adentrá-la, eu e meus amigos, se for esta a vontade do ka; vamos adentrar você e subjugar o que tem de errado. Pode demorar anos, mas juro pelo pássaro e urso e lebre e peixe, por tudo que amo que...

Mas agora o céu se enche de nuvens roxas que fluem do Trovão e o mundo começa a escurecer; a luminosidade azul das ascendentes janelas da Torre cintila como olhos ensandecidos e Roland ouve milhares de vozes gritando, gemendo.

— Você vai matar tudo e todos que ama

— diz a voz da Tartaruga, e agora é uma voz cruel, dura e cruel.

— E no entanto a Torre permanecerá fechada diante de você.

O pistoleiro respira o mais fundo que pode e reúne toda a sua força; quando grita uma resposta para a Tartaruga, ele o faz por todas as gerações de seu sangue: NÃO! ISTO NÃO FICARÁ ASSIM! QUANDO EU VOLTAR PARA O MEU CORPO, ISTO NÃO FICARÁ ASSIM! JURO EM NOME DE MEU PAI, ISTO NÃO FICARÁ ASSIM!

— Então morra

— diz a voz, e Roland é arremessado contra o flanco de pedra cinzenta e preta da Torre, para ser esmagado como um inseto numa rocha. Mas antes que isso possa acontecer...

6

Cuthbert e Alain observavam Roland com crescente preocupação. Ele segurava o pedaço do Arco-íris de Maerlyn na frente do rosto, envolvendo a bola com as mãos como um homem poderia envolver uma taça cerimonial antes de fazer um brinde. A bolsa de corda estava caída nos bicos empoeirados de suas botas; a face e a testa de Roland pareciam banhadas por um clarão rosado que não agradava a nenhum dos dois garotos. O clarão parecia uma coisa viva, e faminta.

Como se tivessem uma única mente, os dois pensavam: *Não posso ver os olhos dele. Onde estão seus olhos?*

— Roland? — Cuthbert tornou a chamar. — Se quisermos chegar à rocha Pendurada antes que estejam preparados para nos receber, você precisa largar essa coisa.

Roland não fez qualquer movimento para baixar a bola. Mas disse algo a meia-voz; mais tarde, quando Cuthbert e Alain tiveram oportunidade de comparar suas impressões, os dois concordaram que tinha sido *trovão*.

— Roland? — Alain disse, dando um passo à frente. Com a cautela de um cirurgião aproximando um bisturi do corpo de um paciente, introduziu sua mão direita entre o contorno da bola e a face atenta e curvada de Roland. Não houve resposta. Alain retrocedeu e se virou para Cuthbert.

— Consegue tocá-lo? — Bert perguntou.

Alain balançou a cabeça.

— Nada. É como se ele tivesse ido para algum lugar muito distante.

— Precisamos acordá-lo. — A voz de Cuthbert, embora seca, tremia um pouco.

— Vannay nos ensinou que se você tira muito bruscamente uma pessoa de um transe hipnótico profundo, ela pode enlouquecer — disse Alain. — Está lembrado? Eu não sei se teria coragem...

Roland se mexeu. As órbitas rosadas dos olhos pareceram crescer. A boca se contraiu no desenho daquela amarga determinação que ambos conheciam tão bem.

— *Não! Isto não ficará assim!* — ele gritou numa voz que fez um arrepio encrespar a pele dos outros dois rapazes; aquela não parecia em absoluto a voz de Roland, pelo menos não como Roland era naquele momento; aquela era a voz de um homem feito.

— Não... — comentou Alain muito mais tarde, quando Roland estava dormindo e ele e Cuthbert sentaram-se diante da fogueira. — Aquela era a voz de um rei.

Agora, contudo, os dois se limitavam a observar o amigo de olhar ausente e respiração acelerada. Estavam paralisados de medo.

— *Quando eu voltar para meu corpo, isto não ficará assim! Juro em nome de meu pai, ISTO NÃO FICARÁ ASSIM!*

Então, quando o rosto artificialmente rosado de Roland se contorceu, como a face de um homem que se defronta com algum horror inimaginável, Cuthbert e Alain se atiraram para a frente. Não se tratava mais do risco de destruí-lo num esforço para salvá-lo; se não fizessem alguma coisa, aquele globo de vidro o mataria diante de seus olhos.

No umbral da porta do Barra K fora Cuthbert quem esmurrara Roland; desta vez Alain fazia as honras da casa, administrando um forte direito contra o centro da testa do pistoleiro. Roland tombou para trás, a bola escapando de suas mãos e a terrível luminosidade rosada deixando seu rosto. Cuthbert pegou o amigo e Alain pegou a bola. O forte clarão rosado era sinistramente insistente, batendo em seus olhos, fazendo pressão em sua mente, mas Alain tornou a enfiar a bola, sem olhá-la, na bolsa de corda... e quando puxou o cordão, fechando a boca da bolsa, viu a luz rosa enfraquecer, como se soubesse que tinha perdido. Ao menos por ora.

Ele se virou e estremeceu ao ver a contusão que brotava no meio da testa de Roland.

— Ele está...

— Apagado — disse Cuthbert.

— Melhor que acorde logo.

Cuthbert olhou-o severamente, sem o menor traço de sua habitual cordialidade.

— Sim — disse ele —, nisso você está certíssimo.

7

Sheemie permaneceu embaixo dos degraus que levavam para a área da cozinha, trocando inquieto o apoio de um pé para o outro e esperando que sai Thorin voltasse ou o chamasse. Não sabia há quanto tempo ela estava na cozinha, mas sentia como se já tivesse se passado uma eternidade. Queria que ela voltasse e, mais do que isso (mais do que tudo), queria que trouxesse Susan-sai. Sheemie estava com uma impressão terrivelmente ruim daquele lugar e daquele dia; uma impressão sombria como o céu, agora todo obscurecido com a fumaça no oeste. Sheemie não sabia o que estava acontecendo ali, e se tinha alguma relação com os sons de trovão que ouvira mais cedo, mas queria estar fora daquela casa antes que o sol tapado pela fumaça caísse e a *verdadeira* Lua do Demônio, não aquele pálido fantasma diurno, subisse no céu.

Uma das portas de vaivém entre o corredor e a cozinha foi escancarada e Olive veio correndo. Estava sozinha.

— Está mesmo na despensa — disse Olive passando os dedos pelo cabelo grisalho. — Foi o que consegui saber daqueles dois *pupuras*, mas só isso. Soube que não ia conseguir mais nada quando eles começaram a falar naquela maldita mastigação.

Não havia uma palavra específica para o dialeto dos *vaqueros* de Mejis, mas "mastigação" era o termo usado entre os cidadãos mais bem-nascidos do Baronato. Olive conhecia os dois *vaqs* que guardavam a despensa, pelo menos à maneira vaga de alguém que já cavalgara bastante, jogara muita conversa fora com os cavaleiros da Baixa e sabia muito bem que aqueles rapazes podiam fazer melhor do que mastigar. Tinham falado assim para fingir que não conseguiam entendê-la, poupando aos dois e também a ela o embaraço de uma recusa direta. Ela concordara em participar da farsa pela mesma razão, embora pudesse ter muito bem respondido com sua própria mastigação… e os xingado com alguns palavrões que suas mães jamais teriam usado.

— Disse a eles que havia homens lá em cima — disse Olive —, talvez dispostos a roubar a prataria. Disse que queria os *maloficios* fora de lá e mesmo assim se fizeram de surdos. — *No habla, sai. Merda. Merda!*

Sheemie pensou em chamá-los de uma dupla de grandíssimos filhos da puta, mas decidiu ficar calado. Olive estava andando de um lado para o outro na frente dele e, de vez em quando, atirando olhares intensos para as portas fechadas da cozinha. Por fim tornou a parar diante de Sheemie.

— Vire seus bolsos — disse. — Vamos ver se têm alguma coisa que possa nos ajudar.

Sheemie fez o que ela pediu, tirando de um dos bolsos um pequeno canivete (presente de Stanley Ruiz) e um biscoito meio comido. De outro tirou três bombinhas, um rojão e alguns fósforos de enxofre.

Os olhos de Olive brilharam quando ela viu essas coisas.

— Preste atenção, Sheemie… — Olive começou.

8

Cuthbert deu tapinhas no rosto de Roland sem nenhum resultado. Alain empurrou o pistoleiro para o lado, ajoelhou-se e pegou suas mãos. Nunca usara o toque daquela maneira, mas fora informado de que era possível… de que uma pessoa poderia atingir a mente de alguém, pelo menos em alguns casos.

Roland! Roland, acorde! Por favor! Precisamos de você!

A princípio nada aconteceu. Então Roland se mexeu, murmurou alguma coisa e tirou as mãos do meio das mãos de Alain. Um instante antes de seus olhos se abrirem, os dois outros garotos foram atingidos pelo mesmo medo do que poderiam ver: não olhos, apenas uma frenética luz rosada.

Mas lá estavam os olhos de Roland, sem dúvida — aquele azulado frio de olhos de atirador.

Ele tentou se levantar e da primeira vez não conseguiu. Estendeu as mãos. Cuthbert pegou uma, Alain a outra. Quando o colocaram de pé, Bert viu algo assustador e estranho: havia fios brancos no cabelo de Roland. De manhã, no entanto, não havia nenhum; ele seria capaz de jurar. Só que a manhã já acontecera há muito tempo.

— Fiquei muito tempo desacordado? — Roland tocou a contusão no meio da testa com a ponta dos dedos e estremeceu.

— Não muito — disse Alain. — Cinco minutos, talvez. Roland, sinto muito ter batido em você, mas fui obrigado. A coisa estava... Achei que estava matando você.

— Talvez estivesse. Está segura?

Sem dizer nada, Alain apontou para a bolsa de corda.

— Bom. É melhor um de vocês ficar algum tempo com ela. Posso ficar... — Ele procurou a palavra certa e, quando a encontrou, um pequeno, sombrio sorriso tocou os cantos de sua boca — ... tentado — concluiu. — Vamos cavalgar até a rocha Pendurada. Ainda temos trabalho a terminar.

— Roland... — Cuthbert começou.

Roland se virou, uma das mãos no arção da sela de seu cavalo.

Cuthbert lambeu os lábios e, por um momento, Alain não achou que ele fosse capaz de perguntar. *Se você não perguntar, eu pergunto*, Alain pensou... mas Bert conseguiu, soltando as palavras num fluxo.

— O que você viu?

— Muita coisa — disse Roland. — Vi muita coisa, mas a maior parte já está se esvaindo da minha mente, da maneira como os sonhos se esvaem quando a pessoa acorda. O que de fato me lembro vou contar durante a viagem. Vocês precisam saber, porque isso muda tudo. Vamos voltar para Gilead, mas não ficaremos muito tempo lá.

— E para onde vamos depois? — Alain perguntou, montando no cavalo.

— Para oeste. Em busca da Torre Negra. Quer dizer, se sobrevivermos ao dia de hoje. Vamos. Vamos pegar aqueles caminhões-tanques.

9

Os dois *vaqs* enrolavam cigarros quando houve uma pancada alta no andar de cima. Ambos se sobressaltaram, se entreolharam e o tabaco que enrolavam acabou peneirado no chão em pequenas rajadas marrons. Uma mulher gritou. As portas se escancararam. Era de novo a viúva do prefeito, desta vez acompanhada por uma criada. Os *vaqs* a conheciam bem... Maria Tomas, filha de um velho *compadre* do rancho Piano.

— Os malditos ladrões botaram fogo no lugar em fogo! — gritou Maria, falando com eles em mastigado. — Venham ajudar!

— Maria, sai, temos ordens para guardar...

— Uma *putina* trancada na despensa? — Maria gritou, os olhos ardendo. — Venham, seus asnos estúpidos, antes que tudo aqui pegue fogo! Ou será que vão preferir explicar ao *señor* Lengyll por que ficaram usando os polegares para tirar rolhas de garrafas enquanto Seafront ardia ao redor de suas orelhas?

— Vamos! — Olive gritou. — São covardes?

Houve vários estampidos pequenos quando, no andar de cima, na grande sala de estar, Sheemie soltou alguns fogos. Usara o mesmo fósforo para incendiar as cortinas.

Os dois *viejos* trocaram um olhar.

— *Andelay* — disse o mais velho dos dois, se virando depois para Maria. — Vigie esta porta — ele mandou, sem usar mais com a fala mastigada.

— Como um falcão — ela concordou.

Os dois saíram apressados, um agarrando a ponta de um pequeno chicote, o outro tirando uma faca comprida de uma bainha no cinto.

Assim que começaram a descer a escada no final do corredor, Olive fez sinal para Maria e as duas avançaram para a despensa. Maria puxou os trincos; Olive abriu a porta. Susan saiu de imediato, olhando de um lado para o outro, depois sorrindo com ar hesitante. Maria soltou um arquejo chocado ao ver a cara inchada de sua senhora e as crostas de sangue no nariz.

Susan pegou a mão de Maria antes que a criada pudesse tocar em seu rosto e apertou-lhe carinhosamente os dedos.

— Acha que Thorin ia me querer agora? — ela perguntou, mas então pareceu perceber quem era a outra mulher que a resgatara. — Olive... sai Thorin... desculpe. Não quis ser cruel. Mas tenha certeza que Roland, que a senhora conhece como Will Dearborn, jamais...

— Sei muito bem — disse Olive —, mas agora não há tempo para isto. Vamos.

Ela e Maria tiraram Susan da cozinha, contornaram a escada que levava à casa principal e tomaram o rumo dos depósitos na ponta norte do andar mais baixo. No depósito de roupas e tecidos, Olive mandou que as outras duas esperassem. Ela ficou fora por talvez uns cinco minutos, que pareceram uma eternidade a Susan e Maria.

Ao voltar, Olive estava usando um poncho muito colorido e grande demais para ela — devia ter sido do marido, mas Susan achou que parecia grande demais até mesmo para o falecido prefeito. Olive enfiara uma ponta do poncho na cintura da calça jeans para não tropeçar sobre ele. Jogados como cobertores nos braços, Olive tinha mais dois ponchos, ambos menores e mais leves.

— Vistam esses — disse ela. — Vai esfriar.

Deixando o depósito de tecidos, as duas desceram um estreito corredor de serviço em direção ao pátio dos fundos. Ali, se dessem sorte (e se Miguel ainda estivesse inconsciente), Sheemie estaria à espera com cavalos. Olive torcia de todo o coração para terem sorte. Queria ver Susan em segurança, longe de Hambry antes do pôr do sol.

E antes da subida da lua.

10

— Susan foi feita prisioneira — Roland disse aos outros quando seguiam para oeste, na direção do rocha Pendurada. — Foi a primeira coisa que vi na bola de cristal.

Falou com tamanho distanciamento que Cuthbert quase parou o cavalo. Aquele não era o amante apaixonado dos últimos meses. Era como se Roland tivesse entrado num sonho onde cavalgava o ar cor-de-rosa com uma bola de cristal e parte dele ainda estivesse cavalgando. *Ou sendo cavalgada?*, Cuthbert se perguntava.

— O quê? — Alain perguntou. — Susan levada? Como? Por quem? Está tudo bem com ela?

— Levada por Jonas. Ele a machucou um pouco, mas não em excesso. Vai ficar bem... e vai viver. Eu daria imediatamente meia-volta se achasse que a vida de Susan estivesse correndo perigo real.

À frente deles, aparecendo e desaparecendo como miragem na poeira, estava a rocha Pendurada. Cuthbert podia ver o sol lançando raios enevoados sobre os caminhões-tanques e podia ver homens. Muitos. E também muitos cavalos. Acariciou o pescoço de sua própria montaria, depois olhou para o lado, para se certificar de que Alain tinha mesmo a metralhadora de Lengyll. Tinha. Cuthbert pôs a mão do lado do corpo, conferindo o estilingue. Estava lá. Assim como a sacola de couro de veado com munição, que agora continha uma quantidade de rojões que Sheemie havia roubado, assim como bolas de aço.

Sem dúvida, ele está usando cada grama de sua força de vontade para não dar meia-volta, pensou Cuthbert. Achou isso confortador — às vezes Roland o assustava. Havia alguma coisa nele pior que o aço. Uma espécie de loucura. Já que a coisa estava lá, era bom ter ao seu lado... Mas talvez fosse melhor que ela não existisse em absoluto. Do lado de *ninguém*.

— Onde Susan está? — Alain perguntou.

— Reynolds levou-a para Seafront. Está trancada na despensa... ou *estava* trancada lá. Não sei dizer qual... — Roland fez uma pausa, pensando. — A bola vê longe, mas às vezes vê mais que isso. Às vezes vê um futuro que já está acontecendo.

— Como pode o futuro já estar acontecendo? — Alain perguntou.

— Não sei e não acho que seja sempre desse jeito. E creio que tem mais a ver com o mundo do que com o Arco-íris de Maerlyn. O tempo está estranho. Sabemos disso, não é? Sabemos como as coisas às vezes parecem... escapulir. É mais ou menos como se houvesse uma lúmina por toda parte, demolindo tudo. Mas Susan está em segurança. Sei disso e para mim isso basta. Sheemie vai ajudá-la... ou já *está* a ajudando. De alguma forma Jonas deixou Sheemie escapar, e Sheemie foi atrás de Susan.

— Ponto para Sheemie! — disse Alain, dando um soco no ar. — Urra! — E então: — E sobre nós? Você nos viu nesse futuro?

— Não. Essa parte passou rápido demais... Só pude ter um relance da coisa antes que a bola me levasse. Me fizesse voar com ela, foi a sensação. Mas... vi fumaça no horizonte. Me lembro disso. Podia ser a fumaça de caminhões-tanques ardendo, do mato empilhado na frente do Parafuso ou das duas coisas. Acho que vamos ser bem-sucedidos.

Cuthbert estava olhando para seu amigo de longa data de um modo estranhamente inquieto. O amigo tão profundamente apaixonado que Bert fora obrigado a dar-lhe um soco e derrubá-lo no chão do pátio, a fim de despertá-lo para as suas responsabilidades... Onde, exatamente, estava aquele garoto? O que havia mudado, o que havia lhe dado aqueles perturbadores fios de cabelo branco?

— Se sobrevivermos ao que está à frente — disse Cuthbert, observando atentamente o pistoleiro —, ela nos encontrará na estrada. Não é isso, Roland?

Ele viu a dor no rosto de Roland e compreendeu: o apaixonado estava ali, mas a bola de cristal levara sua alegria, deixando apenas o pesar. Isso, e algum novo propósito — sim, Cuthbert percebia muito bem — que ainda não fora declarado.

— Não sei — disse Roland. — Quase espero que não, porque não podemos mais ser como éramos.

— *O quê?* — Desta vez Cuthbert *realmente* parou o cavalo.

Roland olhou-o com bastante calma, mas agora havia lágrimas em seus olhos.

— Estamos à mercê do ka — disse o pistoleiro. — O ka como um vento, Susan dizia. — Olhou primeiro para Cuthbert à sua esquerda, depois para Alain à direita. — A Torre é nosso ka; especialmente o meu. Mas não é o dela. Assim como John Farson não faz parte do nosso ka. Não vamos investir contra seus homens para derrotá-lo, mas simplesmente porque estão em nosso caminho. — Ergueu as mãos, mas deixou-as novamente cair, como a dizer: *O que mais precisa que eu fale?*

— Não existe Torre, Roland — disse Cuthbert num tom paciente. — Não sei o que viu naquela bola de vidro, mas não existe Torre. Talvez exista como símbolo, eu acho… como a taça de Arthur ou a cruz de Jesus… mas não como uma coisa real, uma construção de verdade…

— Não — disse Roland. — É real.

Olharam-no com ar incerto e não viram dúvida em seu rosto.

— É real e nossos pais sabem disso. Além da terra negra… não consigo lembrar de seu nome agora, é uma das coisas que me escapou… fica o Fim do Mundo, e no Fim do Mundo se ergue a Torre Negra. Sua existência é o grande segredo guardado por nossos pais; é o que os manteve como ka-tet por todos os anos de declínio do mundo. Quando voltarmos a Gilead… *se* voltarmos, e agora acho que voltaremos… contarei a eles o que vi e eles vão confirmar o que estou dizendo.

— Viu tudo isso na bola de cristal? — Alain perguntou num tom de reverência e temor.

— Vi muita coisa.

— Mas não Susan Delgado — disse Cuthbert.

— Não. Quando acabarmos com os homens lá embaixo e ela terminar sua vida em Mejis, sua parte em nosso ka-tet termina. Dentro da bola me foi dada uma escolha: Susan e minha vida como seu marido e pai da criança que ela agora carrega… ou a Torre. — Roland limpou o rosto com a mão trêmula. — Eu escolheria Susan na mesma hora, se não fosse por uma coisa: a Torre está desmoronando e se ela cair tudo que conhecemos será levado de roldão. Haverá um caos além de nossa imaginação. Precisamos seguir em frente… *e seguiremos.*

No rosto jovem e liso, de Roland, embaixo da testa sem rugas, estavam olhos arcaicos de matador, os mesmos que Eddie Dean vira de relance no espelho do banheiro de um avião. Mas agora eles se inundavam com lágrimas de criança.

Não havia, contudo, nada de infantil na voz dele.

— Escolho a Torre. Preciso escolher. Que Susan tenha uma boa e longa vida com outra pessoa… Ela terá, no momento certo. Quanto a mim, escolho a Torre.

11

Susan montou em Pilão, que Sheemie conduzira para a parte de trás do pátio depois de colocar fogo nas cortinas da grande sala de estar. Olive Thorin foi num dos garanhões do Baronato com Sheemie montado atrás dela, segurando a trela de Capi. Maria abriu o portão dos fundos, desejou-lhes boa sorte e os três partiram. O sol tomava o caminho do oeste e o vento limpara a maior parte da fumaça que se elevara mais cedo. O que quer que tivesse acontecido no deserto, estava agora terminado... ou estava acontecendo em alguma outra camada do mesmo tempo presente.

Que estejas bem, Roland, Susan pensou. *Te verei em breve, querido... assim que eu puder.*

— Por que estamos indo para o norte? — ela perguntou após meia hora de cavalgada silenciosa.

— Porque a estrada de Seacoast é melhor.

— Mas...

— Silêncio! Quando descobrirem que fugiu vão dar uma busca na casa... se não tiver queimada por inteiro, é claro. Não a encontrando lá, vão procurá-la a oeste, ao longo da Grande Estrada. — Ela lançou um olhar a Susan quenão batia com a Olive Thorin trêmula, de conversa superficial, que as pessoas de Hambry conheciam... ou achavam que conheciam. — Se até eu sei que seria esta a direção que você ia escolher, sem dúvida faremos muito bem em evitá-la.

Susan ficou em silêncio. Estava confusa demais para falar, mas Olive parecia saber o que estava fazendo e Susan dava graças aos céus por isso.

— Quando acabarem de farejar no oeste, vai estar escuro. Passaremos esta noite numa das cavernas dos rochedos do litoral a uns oito quilômetros daqui. Fui filha de pescador e conheço muito bem todas aquelas cavernas. — A lembrança das cavernas onde brincava quando menina pareceu animá-la. — Amanhã sairemos para oeste, como você queria. Acho que vai ter durante um tempinho uma viúva velha e gorda como companhia. Melhor ir se acostumando com a ideia.

— És muito bondosa — disse Susan. — Devias ter deixado que eu e Sheemie fôssemos sozinhos, sai.

— E eu voltaria para onde? Ora, não consigo nem fazer duas duas copeiras me escutarem. E agora a gangue de Fran Lengyll está mandando e não tenhor a menor disposição para ver como ficarão as coisas. Além disso, Lengyll poderia achar conveniente dizer que sou louca e me pôr a salvo numa *haci* com grades nas janelas. Ou será que eu deveria ficar para ver como Hash Renfrew está se virando como prefeito, com as botas em cima das minhas mesas? — Olive riu com vontade.

— Sai, sinto muito.

— Todos nós sentiremos muito mais tarde — disse Olive, parecendo incrivelmente alegre. — Por ora, a coisa mais importante é alcançar aquelas cavernas mais escondidas. Vão achar que desaparecemos em pleno ar. Vamos em frente.

Olive parou subitamente o cavalo, ficou de pé nos estribos, olhou ao redor para ter certeza de sua posição, balançou a cabeça e se contorceu na sela para poder falar com Sheemie.

— Jovem, está na hora de você montar seu confiável jumento e voltar para Seafront. Se houver cavaleiros vindo atrás de nós, procure desviá-los do caminho com algumas palavras bem escolhidas. Faria isso?

Sheemie pareceu chocado.

— Não tenho palavras bem escolhidas, sai Thorin, pois é. Praticamente não tenho palavra nenhuma.

— Bobagem — disse Olive, beijando a testa de Sheemie. — Volte num trote bom. Se não encontrar ninguém vindo atrás de nós quando o sol tocar as colinas, torne a virar para o norte e vá em frente. Vamos esperar por você na placa de sinalização. Conhece a placa?

Sheemie achava que sim, embora ela indicasse a fronteira setentrional mais distante que conhecia em sua parca geografia.

— A placa vermelha? Com o *sombrero* e a seta apontando para a cidade?

— A própria. Só chegará lá depois de escurecer, mas hoje à noite vai haver um bom luar. Se não estiver lá, nós esperaremos. Mas agora você precisa voltar e despistar qualquer homem que possa estar seguindo o nosso rastro. Está compreendendo?

Sheemie compreendia. Desceu do cavalo de Olive, estalou a língua para fazer Caprichoso avançar e montou nele, estremecendo quando o lugar onde o jumento mordera tocou.

— Estamos combinados, Olive-sai.

— Bom, Sheemie. Bom. Estão vamos.

— Sheemie? — Susan chamou. — Venha até aqui um momento, por favor.

Sheemie obedeceu, segurando o chapéu na frente do peito e erguendo cheio de reverência os olhos para ela. Susan se curvou e beijou-o não na testa, mas firmemente na boca. Sheemie quase desmaiou.

— Obrigado-sai — disse Susan. — Por tudo.

Sheemie aquiesceu. Quando falou, não conseguiu mais que sussurrar.

— Foi apenas o ka — disse ele. — Sei disso... mas amo você, Susan-sai. Vá em paz. Logo tornarei a vê-la.

— Vou aguardar ansiosa.

Mas não houve um logo, nem um mais tarde para eles. Sheemie deu um olhar para trás quando começou a tocar o jumento para o sul e acenou. Susan ergueu a mão e respondeu. Foi a última coisa que Sheemie jamais veria dela e, sob certos aspectos, isso foi uma bênção.

12

Latigo tinha colocado batedores a um quilômetro e meio de rocha Pendurada, mas o garoto loiro que Roland, Cuthbert e Alain encontraram ao se aproximarem dos caminhões-tanques parecia confuso e inseguro, sem representar nenhum tipo de perigo. Tinha feridas purulentas em volta da boca e do nariz, sugerindo que os homens que Farson colocara a seu serviço haviam cavalgado muito e muito rápido, com pouca coisa em termos de suprimentos frescos.

Quando Cuthbert fez o *sigul* do Bom Homem (mãos apertadas contra o peito, a esquerda sobre a direita, depois ambas estendidas para a pessoa que estava sendo saudada), o batedor loiro fez o mesmo, e com um sorriso de alívio.

— O que andou acontecendo por ali? — ele perguntou, falando com um forte sotaque do Mundo Interior; para Roland ele soava como um nórdito.

— Três garotos mataram alguns peixes graúdos e depois fugiram para as colinas — Cuthbert respondeu devolvendo ao rapaz, de modo impecável, seu próprio sotaque. — Houve luta. Já deve estar terminada, mas foi realmente uma luta terrível.

— O que...

— Não temos tempo — disse Roland bruscamente. — Há missões a cumprir. — Ele cruzou as mãos sobre o peito, depois as estendeu: — Salve Farson!

— Bom Homem! — disse o louro. O sorriso com que devolvia a saudação sugeriu que teria perguntado a Cuthbert de onde ele era e a quem estava subordinado se tivesse havido tempo. Então os rapazes passaram por ele, penetrando no perímetro de Latigo. Fácil assim.

— Lembrem que fazer e se mandar — disse Roland. — Não parem por nada. O que não conseguirmos de imediato deve ser largado... Não haverá segunda chance.

— Deuses, nem insinue uma coisa dessas — disse Cuthbert, mas estava sorrindo. Tirou o estilingue do coldre rudimentar e testou a força do elástico com um polegar. Então lambeu o polegar e ergueu-o para o vento. Sem grande problema se entrassem naquela posição; o vento era forte, mas estava nas suas costas.

Alain tirou a metralhadora de Lengyll do ombro, contemplou-a com ar de dúvida e puxou o gatilho lateral.

— Não conheço nada disto, Roland. Está carregada e acho que sei como usá-la, mas...

— Então use — disse Roland. Os três iam ganhando velocidade, os cascos dos cavalos batendo na terra dura. O vento soprava, agitando as frentes dos ponchos. — É para isso que ela serve. Se emperrar, jogue-a no chão e use o revólver. Estão prontos?

— Sim, Roland.

— Bert.

— Ié — disse Cuthbert reproduzindo de forma extremamente exagerada o sotaque de Hambry —, assim é, assim é.

À frente deles, a poeira subia com os grupos de cavaleiros que passavam na frente e atrás dos tanques, preparando alguma coluna para a partida. Homens a pé olharam com curiosiade para os recém-chegados, mas com uma fatal ausência de alarme.

Roland puxou os dois revólveres.

— *Por Gilead!* — ele gritou. — *Salve Gilead!*

Pôs Rusher a galope. Os outros dois garotos fizeram o mesmo. Cuthbert estava outra vez no meio, sentado na rédea, estilingue na mão, palitos de fósforos brotando dos lábios extremamente apertados.

Os pistoleiros entravam na rocha Pendurada com fúria.

13

Vinte minutos após mandar Sheemie de volta para o sul, Susan e Olive chegaram a uma curva fechada e viram-se face a face com três homens a cavalo no meio da estrada. Sob o último sol da tarde, Susan reparou que o que ia no meio tinha um caixão azul tatuado na mão. Era Reynolds. O coração de Susan afundou.

O que ia à esquerda de Reynolds (usando um boné de cocheiro branco e manchado e com um olho preguiçosamente virado para cima) Susan não conhecia, mas o que estava à direita, lembrando um pastor fanático, era Laslo Rimer. Foi Rimer que Reynolds olhou de relance, após sorrir para Susan.

— Ora, Las e eu não pudemos sequer conseguir uma bebida para nos despedirmos de seu falecido irmão, chanceler de Seja Lá o que For e ministro do Obrigado, Muito Obrigado com uma última saudação — disse Reynolds. — Mal tínhamos chegado na cidade quando nos persuadiram a sair de lá. Eu não queria ir embora, mas... droga! Aquela velha senhora é uma coisa! Pode convencer um cadáver a dar um peido sonoro, se me perdoa a crueza. E quanto à sua tia, acho que ela pode ter perdido um parafuso ou dois, sai Delgado. Ela...

— Seus amigos estão mortos — Susan disse a ele. Reynolds fez uma pausa, deu de ombros.

— Bem. Talvez sim e talvez não. Quanto a mim, acho que decidi viajar mesmo sem eles. Mas posso ficar por aqui mais uma noite. Essa história da Colheita... Ouvi falar tanto do que as pessoas fazem nos Exteriores. Especialmente na hora da fogueira.

O homem de olho virado riu.

— Deixem-nos passar — disse Olive. — Esta garota não fez nada e eu também não.

— Ela ajudou Dearborn a fugir — disse Rimer —, o mesmo que matou seu marido e meu irmão. Chama isso de nada?

— Os deuses podem ajudar Kimba Rimer na clareira — disse Olive —, mas a verdade é que ele pilhou metade do tesouro desta cidade e o que não entregou a John Farson guardou para si próprio.

Rimer recuou como se tivesse levado um tapa.

— Achava que eu não sabia? Às vezes, Laslo, eu me irritava vendo como vocês pensavam pouco de mim... mas por que eu iria querer que gente como vocês pensassem em mim? Eu sabia o bastante para ficar enojada, digamos assim. Sei que o homem ao lado de quem você está...

— Cale a boca — Rimer murmurou.

— ... foi provavelmente o mesmo que deixou exposto o coração sombrio de seu irmão; viram sai Reynolds de manhã cedo naquela área da casa, foi o que me informaram...

— Cale a boca, sua puta!

— ... e acredito nisso.

— Melhor fazer o que ele está mandando, sai, e segurar essa língua — disse Reynolds. Um pouco do seu bom humor deixara seu rosto. Susan pensou: *Não gosta que as pessoas saibam o que ele fez. Nem quando está por cima e não pode ser atingido pelo que elas sabem. Mas é menos poderoso sem Jonas. Muito menos. Também sabe disso.*

— Deixe-nos passar — disse Olive.

— Não, sai, não posso fazer isso.

— Vou ajudá-lo, então, está bem?

Durante a discussão, a mão de Olive se introduzira sob o poncho absurdamente largo e agora puxava uma enorme e antiga pistola. O cabo amarelado era de marfim e o cano de velha e escura prata com filigranas. No alto do cano havia uma mira metálica.

Olive não deveria ter tentando puxar aquela coisa — a pistola prendeu em seu poncho e ela teve de fazer força para soltá-la. Não pretendera apontar a arma, um processo no qual teve de usar os dois polegares e que só completou numa segunda tentativa. Mas os três homens ficaram absolutamente atônitos com a visão do antigo bacamarte nas mãos dela, Reynolds tanto quanto os outros dois; olhava de cima do cavalo com o queixo caído. Jonas teria chorado.

— *Peguem-na!* — uma velha voz rachada gritou atrás do homem que bloqueava a estrada. — *O que está havendo com vocês, seus palermas estúpidos?* PEGUEM-NA!

Reynolds se mexeu e estendeu a mão para o revólver. Foi rápido, mas dera a Olive uma inevitável vantagem e já estava derrotado, realmente derrotado. Quando conseguiu tirar o cano do revólver do coldre, a mulher do prefeito já segurava a velha pistola com ambas as mãos e, contraindo os olhos como uma menininha forçada a comer uma coisa que acha nojenta, puxou o gatilho.

O tiro cintilou, mas a pólvora úmida se limitou a produzir um fraco som de *flope* e desapareceu numa nuvem de fumaça azul. A bala — grande o bastante para ter separado a cabeça de Clay Reynolds do nariz — havia parado no cano.

No instante seguinte foi o revólver de Reynolds que roncou no punho dele. O cavalo de Olive recuou, relinchando, e ela, atrás da cabeça do animal, acabou com um buraco na faixa laranja do poncho — a faixa que ficava sobre seu coração.

Susan se ouviu gritando. O som pareceu estar vindo realmente de muito longe. Podia ter continuado a gritar por algum tempo, mas então ouviu os cascos do pônei que se aproximavam por trás dos homens na estrada... Então ela soube. Antes mesmo que o homem com o olho preguiçoso se pusesse de lado para mostrar-lhe, ela soube, e os gritos pararam.

O pônei que levara a bruxa para Hambry, esgotado pelo galope, fora substituído por um animal descansado, mas era a mesma carroça preta, os mesmos símbolos cabalísticos em dourado, a mesma condutora. Rhea segurava as rédeas com garras lívidas e a cabeça oscilava de um lado para o outro como a cabeça de um velho e enferrujado robô. Sorria sem humor para Susan. Sorria como um cadáver sorria.

— Alô, meu docinho — disse, chamando a moça como há tantas semanas e meses atrás, na noite em que Susan fora à sua cabana para fazer a prova de castidade. Na noite em que Susan fora correndo a maior parte do caminho por simples animação. Chegara sob a luz da Lua do Beijo, o sangue agitado pelo exercício, a pele corada; estivera cantando "Amor descuidado".

Agora Rhea fazia o pônei parar alguns passos à frente dos cavaleiros.

— Seu comparsas e parceiros de cama levaram a minha bola de cristal, você sabe — disse ela a Susan e até Reynolds olhou-a com um certo mal-estar.

— Levaram meu belo brilho, foi o que fizeram aqueles maus rapazes. Maus, maus rapazes. Mas a bola me mostrou muita coisa quando esteve comigo, ié. Ela enxerga longe e não de apenas uma maneira. Muito do que vi esqueci... mas não de onde você viria, docinho. Nem do caminho de por onde aquela escrota morta ali traria você. E agora você deve ir para a cidade. — O seu sorriso se ampliou, virando ma coisa indescritível. — É a hora da feira, você sabe.

— Me deixem passar — disse Susan. — Me deixem passar, se não querem responder a Roland de Gilead!

Rhea a ignorou e dirigiu-se a Reynolds.

— Amarrem as mãos dela na frente do corpo e coloquem a garota na traseira da carroça. Há gente que vai querer vê-la. Uma boa olhada é o que vão querer e uma boa olhada é exatamente o que terão. Se a tia fez um bom trabalho, haverá muita gente na cidade. Peguem-na agora e cuidado com ela.

14

Alain teve tempo para um pensamento nítido: *Podíamos ter passado ao largo deles... Se o que Roland disse é verdade, então só o vidro do mago importa, e ele está conosco. Podíamos ter passado ao largo deles.*

Exceto, é claro, que era impossível. O sangue de uma centena de gerações de pistoleiros ia contra isso. Com Torre ou sem Torre, não se podia permitir que os ladrões ganhassem. Não se pudessem ser detidos.

Alain se inclinou para a frente e falou diretamente no ouvido de seu cavalo.

— Empine ou recue quando eu começar a atirar e arrancarei a porra dos seus miolos da cabeça.

Roland liderou, ultrapassando os dois amigos em seu cavalo mais forte. O aglomerado de homens (cinco ou seis montados, uma dúzia ou mais a pé, examinando uma dupla de bois que tinham arrastado os caminhões-tanques até ali) ficou a olhá-lo estupidamente até ele começar a atirar. Aí debandaram como codornas. Roland conseguiu acertar cada um dos cavaleiros e os cavalos fugiram numa ampla formação em leque, arrastando as rédeas (e um deles um soldado morto). Em algum lugar alguém estava gritando:

— Invasores! Invasores! Montem, idiotas!

— *Alain!* — Roland gritou quando eles revidaram. Na frente dos caminhões-tanques, alguns cavaleiros e homens armados tentavam chegar juntos, se *aglomerando*, para formar uma desajeitada linha defensiva. — *Agora! Agora!*

Alain ergueu a metralhadora, apoiou a coronha enferrujada na cavidade do ombro e se lembrou do pouco que sabia sobre armas de fogo rápido: mira baixa, balanço rápido e suave.

Ele encostou no gatilho e a arma de velocidade soprou sua carga no ar poeirento, escoiceando no ombro de Alain numa série de pancadas rápidas, disparando um fogo brilhante pela ponta do cano perfurado. Alain movia a arma da esquerda para a direita, correndo os olhos pelos defensores que debandavam aos gritos e pelas altas carrocerias dos caminhões-tanques.

O terceiro caminhão na realidade explodiu sozinho. O barulho não foi como qualquer explosão que Alain já tivesse ouvido: foi um som gutural, de músculo rasgando acompanhado por um brilhante clarão de fogo vermelho-alaranjado. O baú de aço subiu em duas metades. Uma delas avançou trinta metros rodopiando no ar e aterrissou no chão do deserto. Era uma massa que ardia com fúria. A outra metade se elevou verticalmente numa coluna de oleosa fumaça preta. Um volante de madeira ardendo cruzou o céu e caiu espalhando centelhas e lascas em chamas.

Homens fugiam, gritando... Alguns a pé, outros se estendendo nos pescoços das montarias, olhos arregalados e em pânico.

Quando Alain atingiu o final da linha de caminhões-tanques, reverteu a trajetória das balas. Agora a metralhadora estava quente em suas mãos, mas ele mantinha o dedo apertando o gatilho. Neste mundo, a pessoa tinha que usar o que podia enquanto ainda funcionava. Debaixo dele, o cavalo corria como se tivesse entendido cada palavra que Alain sussurrara em sua orelha.

Outro! Quero outro!

Mas antes que pudesse explodir outro caminhão-tanque, a arma cessou sua matraca — talvez emperrada, provavelmente vazia. Alain jogou-a no chão e puxou o revólver. Do lado dele veio o *tupe!* do estilingue de Cuthbert, audível mesmo sobre os gritos dos homens, as batidas dos cascos dos cavalos, o *uuuchchch!* dos caminhões pegando fogo. Alain viu um arco de rojão crepitando no céu e caindo exatamente onde Cuthbert queria: na poça de óleo ao redor das rodas de um caminhão-tanque com a inscrição sunoco. Por um momento Alain pôde ver claramente a série de nove ou doze buracos na brilhante carroceria do caminhão-tanque — buracos que ele pusera ali com a arma de tiro rápido de Lengyll — e então houve um estalo e um clarão quando o rojão explodiu. Um instante depois, os buracos que se sucediam na brilhante carroceria do caminhão-tanque começaram a cintilar. O óleo que havia lá dentro estava ardendo.

— *Saiam!* — gritou um homem com um chapéu desbotado. — *Ele vai explodir! Eles todos vão ex...*

Alain atirou nele, destroçando o lado de seu rosto e fazendo-o pular como uma mola sobre as velhas botas. Um momento depois, explodiu o segundo caminhão. Uma ardente carcaça de aço foi atirada para o lado, aterrissou na poça crescente de óleo cru sob um terceiro caminhão e então esse também explodiu. Fumaça preta se ergueu no ar como os rolos de uma pira funerária; ela escureceu o dia, lançando um véu oleoso contra o sol.

15

Todos os seis principais lugares-tenentes de Farson tinham sido cuidadosamente descritos para Roland (para todos os catorze pistoleiros durante o treinamento) e ele reconheceu de imediato o homem que corria para os cavalos: George Latigo. Roland podia ter atirado nele naquele momento, mas isso, ironicamente, teria lhe possibilitado uma rota de fuga mais ampla do que ele queria.

Em vez disso, atirou no homem que corria ao encontro de Latigo.

Latigo girou o corpo e olhou para Roland com olhos chamejantes, cheios de ódio. Então continuou a correr, chamando outro homem, gritando para os cavaleiros que se apinhavam além da área do fogo. Mais dois caminhões explodiram, atingindo os tímpanos de Roland como rombudos punhos de ferro, parecendo sugar o ar de seus pulmões com a força de um recuo de onda. O plano fora para Alain perfurar os tanques e Cuthbert atirar um fluxo contínuo, em forma de arco, de rojões, ateando fogo no óleo derramado. O único rojão que ele disparara parecia confirmar que o plano seria praticável, mas foi o último trabalho de atiradeira que Cuthbert fez naquele dia. A facilidade com que os pistoleiros tinham entrado no perímetro do inimigo e a confusão que resultou de sua primeira carga poderiam ser atribuídas à inexperiência e exaustão, mas a colocação dos caminhões fora erro de Latigo, e só dele. Ele os colocara juntos um do outro sem nem parar para pensar, e agora eles explodiam em sucessão, um depois do outro. Uma vez iniciada a conflagração, não havia possibilidade de detê-la. Antes mesmo de Roland levantar o braço esquerdo e fazer um círculo no ar, mandando que Alain e Cuthbert parassem, o trabalho estava concluído. O acampamento de Latigo se transformara num inferno oleoso e os planos de John Farson para um assalto motorizado tinham virado fumaça preta esgarçada pelo vento de *fin de año*.

— *Vamos!* — Roland gritou. — *Vamos, vamos, vamos!*

Tocaram os cavalos para oeste, para a garganta do Parafuso. Roland ainda sentiu uma bala passar zumbindo ao lado da sua orelha esquerda. Foi, pelo que sabia, o único tiro disparado contra qualquer um deles durante o assalto aos caminhões-tanques.

16

Latigo estava em um frenesi de fúria, com uma raiva absoluta e total, o que foi provavelmente misericordioso — isso o impedia de pensar no que o Bom Homem faria quando ficasse sabendo daquele fiasco. Por ora, tudo que importava a Latigo era pegar os homens que o tinham emboscado... se é que era possível falar em emboscada numa área desértica.

Homens? Não.

Os *garotos* que tinham feito aquilo.

Latigo sabia quem eram eles, sabia bem; não sabia era como tinham chegado até lá, mas os conhecia e a carreira acabaria aqui mesmo, a leste dos bosques e das encostas das colinas.

— *Hendricks!* — ele berrou. Hendricks tinha pelo menos conseguido manter seus homens (meia dúzia deles, todos montados) perto da *remuda* de cavalos. — *Hendricks, comigo!*

Quando Hendricks avançou para ele, Latigo girou para o outro lado e viu um ajuntamento de homens parados, observando os caminhões-tanques. Suas bocas abertas e caras estúpidas o deixaram com vontade de gritar e pular, mas ele se recusou a ceder a esses impulsos. Manteve a concentração num foco preciso, voltada diretamente para os atacantes, que não poderia em nenhuma circunstância deixar escapar.

— *Você!* — ele gritou para os homens. Um deles se virou, os outros não. Latigo avançou puxando a pistola. Bateu na mão do homem que tinha se virado para o som de sua voz e apontou ao acaso para um dos que não tinham. — Atire naquele tolo.

Atordoado, com a expressão de alguém que julga estar sonhando, o soldado ergueu a pistola e atirou no homem para quem Latigo havia apontado. O infeliz sujeito caiu num entrelaçar de joelhos, cotovelos e mãos contorcidas. Os outros se viraram.

— Ótimo — disse Latigo, pegando o revólver de volta.

— *Senhor!* — Hendricks gritou. — *Estou os vendo, senhor! Estou com uma visão clara do inimigo!*

Mais dois caminhões explodiram. Alguns fragmentos rangentes de aço voaram. Homens se abaixaram depressa; Latigo não fez um único movimento.

Nem Hendricks. Um dos bons. Graças a Deus pelo fato de existir pelo menos um dos bons naquele pesadelo.

— Devo correr atrás deles, senhor?

— Vou pegar seus homens e correr eu mesmo atrás deles, Hendricks. Ponha em movimento esses pangarés que estão na nossa frente — disse estendendo um braço para os homens parados, cuja atenção imbecil fora desviada dos caminhões em chamas para seus companheiros mortos. — E consiga outros homens, tantos quanto puder. Tem um corneteiro?

— Sim, senhor. Raines, senhor! — Hendricks olhou ao redor, acenou e um garoto cheio de espinhas e de ar assustado deu um passo à frente. Uma corneta amassada, numa correia puída, pendia de lado na frente de sua camisa.

— Raines — disse Latigo —, você fica com Hendricks.

— Sim senhor.

— Pegue quantos homens puder, Hendricks, mas não demore. Eles estão rumando para aquela garganta e alguém me disse que é um desfiladeiro muito fechado. Se assim for, vamos convertê-la numa galeria de tiro.

Os lábios de Hendricks se abriram num sorriso maligno.

— Sim, senhor.

Atrás deles, o caminhões continuavam a explodir.

17

Roland olhou para trás e ficou espantado com o tamanho da coluna de fumaça preta se elevando no ar. À frente, podia ver claramente o mato que bloqueava a maior parte da boca do desfiladeiro. E embora o vento estivesse soprando para o lado errado, ele agora podia ouvir o enlouquecedor zumbido de mosquito da lúmina.

Agitou as mãos estendidas no ar, fazendo sinal para Cuthbert e Alain diminuírem a marcha. Enquanto ambos ainda o olhavam, ele tirou a bandana, torceu-a e amarrou-a para que ela cobrisse suas orelhas. Eles o copiaram. Era melhor que nada.

Os pistoleiros continuaram para oeste, suas sombras correndo agora atrás deles como ganchos compridos no chão do deserto. Olhando para trás, Roland pôde ver dois grupos de cavaleiros saindo em perseguição.

Latigo vinha liderando o primeiro e estava propositalmente atrasando um pouco seus homens, de modo que os dois grupos pudessem se encontrar e atacar em conjunto.

Ótimo, ele pensou.

Os três rapazes avançaram para o Parafuso em formação compacta, continuando a conter os cavalos, permitindo que seus perseguidores diminuíssem a distância. De vez em quando outro estrondo enchia o ar e tremia através do solo quando um dos caminhões restantes explodia. Roland estava impressionado em como fora fácil — mesmo levando em conta que a batalha contra Jonas e Lengyll havia melhorado o moral dos três, fora fácil. Isso o fez lembrar de um dia de Colheita muito tempo atrás, ele e Cuthbert não deviam ter mais do que sete anos e corriam ao longo de uma fileira de espantalhos com bastões, batendo neles um após o outro, pam-pam-bangue-pam.

O zumbido da lúmina fazia os olhos lacrimejarem e ia abrindo caminho para o cérebro deles apesar da bandana nos ouvidos. Roland ouvia nas suas costas o falatório e os gritos dos homens que os perseguiam. Estava em êxtase. Os homens de Latigo tinham feito a conta — umas duas dúzias contra três e com um efetivo muito maior cavalgando à toda para se juntar à batalha. Mais uma vez levavam boa vantagem.

Roland olhava bem à frente, encaminhando Rusher para a fenda no mato que marcava a entrada da garganta do Parafuso.

18

Hendricks chegou perto de Latigo, respirando forte, com as faces muito coradas.

— Senhor! Autorização para informar!

— Então faça.

— Tenho vinte homens e há talvez três vezes esse número cavalgando rápido para juntar-se a nós.

Latigo ignorou tudo aquilo. Seus olhos eram brilhantes salpicos azuis de gelo. Sob o bigode havia um sorriso pequeno, ansioso.

— Rodney — disse ele, falando o primeiro nome de Hendricks quase com um carinho de amante.

— Senhor?

— Acho que estão entrando, Rodney. Sim... olhe. Tenho certeza disso. Mais dois minutos e será tarde demais para retrocederem. — Ele ergueu o revólver, apoiou o cano no braço e, buscando a mira precisa, atirou nos três cavaleiros à frente.

— Sim, senhor, muito bom, senhor. — Hendricks se virou e acenou energicamente para seus homens chegarem mais perto, mais perto.

19

— *Desmontem!* — Roland gritou quando atingiram o mato empilhado. O mato tinha um cheiro ao mesmo tempo seco e oleoso, como um fogo esperando ser aceso. Não sabia se o fato de não entrarem com os cavalos no desfiladeiro chamaria a atenção de Latigo, e não se importava. Tinham boas montarias, ótimos cavalos de Gilead, e nos últimos meses Rusher se tornara seu amigo. Não levaria Rusher ou qualquer um dos cavalos para o desfiladeiro, onde ficariam encurralados entre o fogo e a lúmina.

Numa fração de segundo os garotos tinham descido dos cavalos, Alain desamarrando a bolsa de corda do arção da sela e passando-a pelo ombro. Os cavalos de Alain e Cuthbert partiram de imediato, relinchando, correndo paralelamente ao mato, mas Rusher se demorou um instante, olhando para Roland.

— Vá — disse Roland batendo em seu lombo. — Corra!

Rusher correu, a cauda flutuando. Alain e Cuthbert se introduziram pela fenda no mato. Roland foi atrás, olhando de relance para baixo e investigando se a trilha de pólvora continuava lá. Estava lá e continuava seca — não caíra uma gota de chuva desde o dia em que fora instalada.

— Cuthbert — disse Roland. — Fósforos.

Cuthbert lhe deu alguns. Estava sorrindo tanto que foi um milagre os fósforos não caírem de sua boca.

— Já começamos a esquentar o dia deles, não foi, Roland? Ié!

— É verdade — disse Roland, também sorrindo. — Agora você continua com Alain. De volta a essa chaminé furada.

— Me deixe fazer isso — disse Cuthbert. — Por favor, Roland, você vai com Alain e eu fico aqui. Sou um incendiário convicto, sempre fui.

— Não — disse Roland. — Esta parte é minha. Não discuta comigo. Vá. E diga a Alain para não esquecer, em nenhuma hipótese, da bola de cristal do mago.

Cuthbert contemplou-o por mais um momento e assentiu.

— Não espere demais.

— Não vou esperar.

— Que brilhe sua sorte, Roland.

— Que brilhe a sua em dobro.

Cuthbert correu, as botas raspando nas pedras soltas que cobriam o solo do desfiladeiro. Alcançou Alain, que acenou para Roland. O garoto respondeu ao gesto, depois mergulhou quando uma bala passou suficientemente perto de sua testa para dar um piparote na aba do chapéu. Ele se agachou à esquerda da abertura no mato e espreitou ao redor, o vento agora batendo em cheio no seu rosto. Os homens de Latigo estavam se aproximando rapidamente. Mais depressa do que ele havia esperado. Se o vento apagasse os fósforos Lúcifer...

Não importa os ses. Fique firme, Roland... fique firme... espere por eles...

Ele esperou, abaixando-se com um fósforo apagado em cada mão, agora espreitando através de um emaranhado de ramos entrelaçados. O cheiro das algarobeiras era forte em suas narinas. Não muito atrás da galharia havia o fedor do óleo queimando. O zumbido da lúmina enchia sua cabeça, deixando-o meio tonto, um estranho para si próprio. Pensou em como fora dentro da tormenta rosa, voando pelo ar... como ele fora enxotado de sua visão de Susan. *Graças a Deus por Sheemie estar lá*, ele pensou distantemente. *Sheemie conseguirá fazer com que Susan termine o dia em algum lugar seguro.* Mas o suplicante ganido da lúmina parecia de alguma forma zombar dele e perguntar-lhe se tivera mais para ser visto.

Agora Latigo e seus homens estavam cruzando os últimos trezentos metros para a boca do desfiladeiro num galope furioso, os que iam atrás alcançando os da frente. Seria difícil para os que lideravam a marcha parar de repente sem serem atropelados.

Estava na hora. Roland enfiou um dos fósforos Lúcifer entre os dentes da frente e riscou. Ele acendeu, atirando um fragmento da faísca amarga e quente na camada úmida de sua língua. Antes que a cabeça do Lúcifer acabasse de queimar, Roland encostou-a na pólvora da vala. Ela acendeu de imediato, correndo para a esquerda sob a ponta norte da pilha de mato numa brilhante fileira amarela.

Ele se apressou pela abertura, que era quase larga o bastante para dois cavalos passarem correndo lado a lado, com o segundo Lúcifer já posicionado entre os dentes. Riscou-o assim que se sentiu minimamente protegido do vento, jogou-o na pólvora, ouviu o assobio crepitar, se virou e correu.

20

A mãe e o pai, foi o primeiro pensamento chocante de Roland — recordação tão profunda e inesperada que foi como um tapa. *No lago Saroni.*

Quando tinham estado lá, no bonito lago Saroni na parte norte do Baronato de Gilead? Disso Roland não se lembrava. Só sabia que ele era muito pequeno e que havia um belo trecho de praia de areia onde brincar, perfeita para um jovem aspirante a construtor de castelos como ele. Fora isso o que estivera fazendo num certo dia daquela

(daquelas férias? tinham sido férias? será que meus pais algum dia realmente tiraram férias?)

viagem e ele tinha olhado para cima, alguma coisa — talvez só os gritos dos pássaros fazendo círculos sobre o lago — o fizera olhar para cima, e lá estavam sua mãe e seu pai, Steven e Gabrielle Deschain, na beira da água, parados de costas para ele e com os braços passados na cintura um do outro. Contemplavam a água azul sob um céu azul de verão. Como seu coração se enchera de amor por eles! Como o amor era infinito, desfiando-se dos fortes trançados da esperança e da memória e pairando como a torre brilhante de cada vida e cada alma humanas.

Mas naquele momento não era amor o que sentia, era terror. As figuras paradas na sua frente enquanto voltava correndo para onde o desfiladeiro terminava (para onde a parte *racional* do desfiladeiro terminava) não eram Steven de Gilead e Gabrielle de Arten, mas seus companheiros, Cuthbert e Alain. Não estavam abraçados, mas um segurava com força a mão do outro, como aquelas crianças dos contos de fada perdidas num bosque ameaçador. Pássaros voavam em círculos, mas eram abutres, não gaivotas, e a coisa bruxuleante, coberta de névoa diante dos dois rapazes, não era água.

Era a lúmina e, enquanto Roland observava, Cuthbert e Alain começaram a caminhar para ela.

— *Parem!* — ele gritou. — *Pelo amor de seus pais, parem!*

Eles não pararam. Caminhavam de mãos dadas para a orla esbranquiçada de cintilação enfumaçada e verde. A lúmina gemia seu prazer, murmurava convites, prometia recompensas. Deixava os nervos entorpecidos e dominava o cérebro.

Como não havia tempo para alcançá-los, Roland fez a única coisa em que conseguiu pensar: apontou um de seus revólveres e atirou sobre a cabeça deles. O estampido foi um golpe de martelo na estreiteza do desfiladeiro e, por um momento, o zumbido do ricochete foi mais alto que o da lúmina. Os dois garotos pararam a centímetros da mórbida cintilação. Roland achou que ainda poderia alcançá-los e agarrá-los, como havia agarrado o pássaro voando baixo quando tinham estado ali na noite da Lua do Mascate.

Deu mais dois tiros para o alto, as balas atingindo as encostas e ricocheteando.

— *Pistoleiros!* — gritou. — *Comigo! Comigo!*

Foi Alain quem primeiro se virou para ele, os olhos atordoados parecendo flutuar no rosto com marcas de poeira. Cuthbert ainda deu outro passo à frente, os bicos das botas desaparecendo no espumar verde-prateado da orla da lúmina (o ronco de lamento da coisa subindo meia nota, como se em antecipação) e então Alain puxou-o para trás pelo cordão do *sombrero*. Cuthbert tropeçou num pedaço de rocha de tamanho considerável e bateu com força no chão. Quando olhou para o alto, seus olhos tinham clareado.

— Deuses! — ele murmurou e, quando conseguiu ficar de pé, Roland viu que as pontas de suas botas tinham realmente sumido; estavam nitidamente cortadas, como que aparadas por tesouras de jardim. Seus dedões se projetavam do que restara do calçado. — Roland — disse Cuthbert num tom ofegante, cambaleando com Alain na direção dele. — Roland, quase estivemos perdidos. Isso *fala*!

— Sim. Eu ouvi. Vamos. Não há tempo a perder.

Ele os conduziu para a fenda na encosta do desfiladeiro, rezando para que pudessem subir rápido o bastante para não serem crivados de balas — como certamente aconteceria se Latigo chegasse antes que pudessem cumprir pelo menos parte do trajeto.

Um cheiro, penetrante e amargo, começou a encher o ar... Como o odor de bagas de zimbro fervendo. E os primeiros rolos de fumaça cinza-esbranquiçada passaram por eles.

— Cuthbert, você primeiro. Alain, você depois. Eu vou por último. Subam depressa, rapazes! Subam, por suas vidas.

21

Os homens de Latigo surgiram pela fenda na barreira de mato como água se derramando por um funil, gradualmente alargando a passagem à medida que entravam. A camada mais profunda de vegetação morta já estava em chamas, mas, na correria, nenhum deles viu aquelas primeiras e pequenas chamas, ou, se viu, não deu importância a elas. A fumaça penetrante também passou despercebida; os narizes tinham sido entorpecidos pelo fedor colossal do óleo queimando. O próprio Latigo, liderando o grupo com Hendricks logo atrás, tinha apenas um pensamento fixo; duas palavras que martelavam em seu cérebro numa espécie de mórbido triunfo: *Desfiladeiro estreito! Desfiladeiro estreito! Desfiladeiro estreito!*

Algo no entanto começou a se introduzir naquele mantra à medida que ele ia entrando a galope no Parafuso, os cascos de seu cavalo estalando ligeiros pelo solo forrado de pedras e

(*ossos*)

pilhas esbranquiçadas de crânios e costelas de bois. Era uma espécie de zumbido baixo, um enlouquecedor gemido de inseto, pastoso, insistente.

Fazia os olhos lacrimejarem. Contudo, por mais forte que fosse aquele som (se *era* um som; parecia quase estar vindo de *dentro* dele), ele o afastou, conseguindo agarrar-se

(*desfiladeiro estreito desfiladeiro estreito pegá-los num desfiladeiro estreito*)

ao mantra. Precisaria encarar Walter quando aquilo acabasse, talvez o próprio Farson, e não fazia ideia de qual seria sua punição por perder os caminhões... mas tudo isso ficava para depois. Naquele momento só queria matar os desgraçados intrometidos.

Logo à frente, o desfiladeiro dava uma guinada para o norte. Eles estariam depois daquele ponto, provavelmente não muito depois. Espremidos contra a última escarpa da garganta, tentando se proteger atrás das rochas caídas que pudessem existir ali. Latigo usaria seus revólveres e o ricochete dos tiros os faria sair para um espaço aberto. Sairiam provavelmente com as mãos para o alto, pedindo misericórdia. Pediriam em vão. Depois do que tinham feito, de todo problema que haviam causado...

Quando Latigo ultrapassou a saliência na parede do desfiladeiro, já apontando a pistola, seu cavalo gritou e empinou. Latigo agarrou a frente da sela e conseguiu manter o equilíbrio, mas os cascos traseiros do cavalo derraparam no solo de pedra e fizeram o animal cair. Latigo se livrou da sela e atirou-se para o lado, já consciente de que o som que penetrara nos seus ouvidos tinha ficado de repente dez vezes maior, zumbindo alto o bastante para fazer os globos oculares pulsarem nas órbitas, alto o bastante para fazer suas bolas formigarem de maneira incômoda, alto o bastante para expelirem o mantra que ficara martelando com tanta insistência em sua cabeça.

A insistência da lúmina era muito, muito maior do que qualquer mantra que George Latigo pudesse ter conseguido criar.

Cavalos faiscaram ao redor quando ele caiu numa espécie de posição acocorada, cavalos que eram obrigados a avançar pela pressão feita por trás, pelos cavaleiros que tinham se espremido através da fenda em pares (ou em trios quando o buraco no mato, que agora ardia em toda a sua extensão, se alargou) e depois, uma vez cruzada a passagem estreita, se espalhado de novo, nenhum deles percebendo claramente que o desfiladeiro inteiro era uma passagem estreita.

Latigo teve uma confusa visão de caudas pretas, patas cinzentas e ferraduras manchadas; viu caras, calças jeans e botas se apertando em estribos. Tentou se levantar e uma ferradura retiniu atrás de sua cabeça. O chapéu salvou-o da inconsciência, mas ele caiu pesadamente de joelhos e cabeça arriada, como um homem com a intenção de rezar, a visão se enchendo de estrelas e a nuca instantaneamente ensopada com o sangue jorrando do corte que a ferradura fizera em seu crânio.

Agora ouvia mais cavalos gritando. Homens gritando também. Tornou a ficar de pé, tossindo a poeira levantada pelos cavalos (uma poeira também muito ácida, que se agarrava como fumaça em sua garganta) e viu Hendricks impelindo seu cavalo para a direita, tentando se proteger da onda de cavaleiros que vinham atrás dele. Não conseguiu. O fundo do desfiladeiro era uma espécie de pântano, cheio de uma água esverdeada que soltava vapor e onde devia haver areia movediça, pois o cavalo de Hendricks pareceu atolar. O animal relinchou de novo e tentou empinar. A garupa guinou para os lados. Hendricks enfiava repetidamente as botas no lombo do cavalo, tentando colocá-lo em movimento, mas o animal não quis — ou não pôde mais — se mover. Aquele zumbido faminto enchia os ouvidos de Latigo e parecia encher o mundo.

— Para trás! Recuem!

Tentou gritar as palavras, mas elas saíram no que foi pouco mais que um grasnido. Os cavaleiros, no entanto, passavam com fúria por ele, levantando uma poeira espessa demais para ser apenas poeira. Latigo respirou fundo para conseguir gritar mais alto — eles tinham de voltar, havia algo de tremendamente errado na garganta do Parafuso — e abriu a boca sem conseguir dizer nada.

Cavalos gritando.

Cheiro de fumaça.

E por todos os lados, como uma insensatez tomando conta do mundo, aquele zumbido que gemia, instigava, seduzia.

O cavalo de Hendricks arriou, olhos se revirando, dentes se abrindo e batendo no ar enfumaçado, bolas de espuma escorrendo dos lábios. Hendricks caiu na água estagnada e fumegante, que não era absolutamente água. Ela se tornou uma espécie de coisa viva quando Hendricks a tocou; brotaram mãos verdes e uma boca também verde e ávida; pegaram seu rosto e derreteram a carne, pegaram o nariz e o rasgaram, pegaram os olhos e os arrancaram das órbitas. A coisa puxou Hendricks para baixo, mas antes que isso acontecesse, Latigo viu seu maxilar descarnado, um sangrento pistão impulsionando o grito que saía dos dentes.

Outros homens viram aquilo e tentaram se esquivar do alçapão verde. Os que conseguiram fazê-lo a tempo apenas abriram espaço para a próxima onda de cavaleiros — alguns, bizarramente, ainda soltando exclamações ou gritos de batalha a plenos pulmões. Novos cavalos e homens eram impelidos para a cintilação verde, que os aceitava faminta. Latigo, atônito e sangrando como um homem no meio de um estouro de boiada (que era exatamente o que estava acontecendo), viu o soldado a quem dera seu revólver. O sujeito, que tinha obedecido à ordem de Latigo e atirado num de seus *compadres* para despertar os outros, jogou-se urrando da sela e rastejou tentando fugir da coisa verde onde o cavalo mergulhava. Tentou ficar de pé, viu dois cavaleiros vindo em sua direção e tapou o rosto com as mãos. Um segundo mais tarde estava sendo atropelado.

Os gritos dos feridos e dos que morriam ecoavam no desfiladeiro enfumaçado, mas Latigo mal os ouvia. O que ouvia era principalmente aquele zumbido, um som que era quase uma voz. Convidando-o a mergulhar. A terminar ali. Por que não? Estava acabado, não estava? Tudo acabado.

Lutou contra isso e foi capaz de fazer algum avanço; a torrente de cavaleiros entulhando seu caminho pelo desfiladeiro foi diminuindo. Alguns, a cinquenta ou sessenta metros da saliência, tinham conseguido virar os cavalos. Agora, no entanto, se agitavam como fantasmas na fumaça cada vez mais densa.

Os filhos da puta espertos colocaram fogo no mato atrás de nós. Deuses do céu, deuses da terra, acho que estamos encurralados aqui!

Não conseguia dar nenhum comando — cada vez que respirava fundo e tentava, sua boca aberta só fazia movimentos silenciosos. Mas conseguiu agarrar um cavaleiro que parecia ter uns dezessete anos e puxá-lo da sela. O rapaz caiu de cabeça e esmagou a testa num pedaço saliente de rocha. Latigo estava montado no lugar dele antes que os pés do rapaz parassem de se contorcer.

Fazendo o focinho do cavalo dar meia-volta, disparou para a entrada do desfiladeiro, mas a fumaça se transformou numa nuvem branca sufocante antes de ele completar vinte metros. O vento a soprava contra ele. Latigo pôde perceber — vagamente — o oscilante clarão laranja do mato ardendo na ponta do deserto.

Tornou a virar seu novo cavalo para o caminho por onde tinha vindo. Mais cavalos despontavam da névoa. Latigo bateu num deles e, pela segunda vez num espaço de cinco minutos, foi derrubado da sela. Caiu de joelhos, conseguiu outra vez ficar de pé e saiu cambaleando com o vento, tossindo e com ânsias de vômito, olhos vermelhos, lacrimejando.

A atmosfera parecia um pouco melhor além da saliência do desfiladeiro que apontava para o norte, mas não ficaria assim por muito tempo. A orla da lúmina era um emaranhado de cavalos empilhados, muitos com pernas quebradas, e homens rastejando, gritando. Latigo viu chapéus flutuando na superfície esverdeada do organismo que gemia e ocupava o fundo da garganta. Viu botas, viu punhos, viu lenços de pescoço, viu o instrumento amassado do corneteiro, ainda arrastando sua correia puída.

Venha, convidava a cintilação verde e Latigo começou a achar aquele zumbido estranhamente sedutor... quase íntimo. *Venha me visitar, se agache, se abaixe, fique tranquilo, fique em paz, fique uno.*

Latigo ergueu o revólver com intenções de atirar. Não acreditava que a coisa pudesse ser morta, mas ainda assim não esqueceria o rosto de seu pai e morreria atirando.

Só que não atirou. O revólver caiu dos dedos cada vez mais fracos e ele caminhou (outros ao seu redor estavam agora fazendo o mesmo) para a lúmina. O zumbido não parou de aumentar, enchendo seus ouvidos até não sobrar mais nada.

Absolutamente nada.

22

Roland e seus amigos viram tudo da fenda na rocha, onde haviam parado em fila indiana cerca de seis metros abaixo do topo. Viram a confusão de gritos, o pânico da correria, os homens encurralados, os homens e os cavalos sendo empurrados para a lúmina… e os homens que, no final, caminhavam voluntariamente para ela.

Cuthbert era o mais próximo do cume da parede do desfiladeiro, depois vinha Alain, depois Roland, parado numa plataforma de uns quinze centímetros de rocha e segurando uma saliência logo acima dele. Daquele ponto privilegiado podiam ver o que os homens lutando naquele inferno enfumaçado lá embaixo não podiam: que a lúmina estava crescendo, se estendendo, deslizando avidamente para eles como a maré.

Roland, o impulso de batalha acalmado, não queria ver o que estava acontecendo lá embaixo, mas não conseguiu desviar a cabeça. O gemido da lúmina — simultaneamente covarde e triunfante, ao mesmo tempo feliz e triste, ao mesmo tempo perdido e centrado — prendeu-o como uma corda doce e pegajosa. Ele ficou parado onde estava, hipnotizado, assim como os amigos acima dele, mesmo quando a fumaça começou a subir e o cheiro penetrante e forte o fez começar a soltar uma tosse seca.

Homens gritavam e perdiam a vida na fumaça cada vez mais densa lá embaixo. Lutavam dentro dela como fantasmas. Iam desbotando enquanto a fumaça engrossava e avançava como água pelas paredes do desfiladeiro. Cavalos relinchavam desesperados embaixo daquela morte ácida e branca. O vento fazia a superfície da fumaça rodopiar em redemoinhos sem direção. A lúmina zumbia e, acima dela, a fumaça ganhava um místico tom verde pastel.

Então, depois de um longo tempo, os homens de John Farson pararam de gritar.

Nós os matamos, Roland pensou com uma espécie de horror perverso e fascinado. Então: *Não, não nós. Eu. Eu os matei.*

Roland não fazia ideia de quanto tempo poderia ter ficado ali — talvez até a fumaça crescente começar a engolfá-lo, mas então Cuthbert, que começara novamente a subir, disse três palavras:

— Roland! *A lua!* — Era um tom de surpresa e abatimento.

Roland olhou para cima, sobressaltado, e viu que o céu tinha escurecido e se transformado num roxo aveludado. O amigo estava desenhado contra ele e olhava para leste, a face manchada de um alaranjado febril sob o brilho da lua crescente.

Sim, laranja, zumbiu a lúmina dentro de sua cabeça. Rindo dentro de sua cabeça. *Laranja como a lua estava ao subir na noite em que você veio aqui para me ver e me contar. Laranja como um incêndio. Laranja como uma fogueira.*

Como pode estar quase escuro?, ele gritou dentro de si mesmo, mas sabia... sim, sabia muito bem. O tempo tinha voltado a andar, como as camadas de solo se abraçando mais uma vez após a discussão de um terremoto.

O crepúsculo chegara.

O *nascer da lua* chegara.

O terror tomou conta de Roland como um punho fechado apontado para o coração, fazendo-o dar um solavanco para trás na pequena plataforma de rocha. Ele tateou pela saliência em forma de chifre acima de sua cabeça, mas essa tentativa de recuperar o equilíbrio não deu certo; a maior parte dele estava de novo no interior da tempestade rosa, antes que o arrebatassem e lhe mostrassem metade do cosmo. Talvez o vidro do mago tivesse apenas lhe mostrado o que estava a mundos de distância para não revelar o que logo poderia estar acontecendo tão perto de casa.

Eu daria meia-volta imediatamente se achasse que a vida de Susan estivesse correndo um perigo real, ele pensara. *Num segundo.*

E se a bola soubesse de mais alguma coisa? Não podia mentir, mas não poderia orientá-lo errado? Levando-o para longe, mostrando uma terra negra e uma torre mais negra ainda? Sem dúvida ela havia mostrado mais alguma coisa, algo que só agora lhe voltava à memória: um homem esquelético num macacão de fazendeiro que tinha dito... o quê? Não exatamente o que Roland pensava que tinha ouvido, não o que se acostumara a ouvir sua vida inteira; não *Vida para você e vida para sua colheita*, mas...

— Morte — ele suspirou para as pedras que o cercavam. — Morte para você, vida para minha colheita. *Árvore de chariou*. Foi isso que ele disse, *árvore de chariou*. Venha, Colheita.

Laranja, pistoleiro, riu uma velha voz de cana rachada dentro de sua cabeça. A voz da colina Cöos. *A cor das fogueiras*. Árvores de chariou, fin de año, *são estes as antigas tradições costumes dos quais só os espantalhos com suas mãos vermelhas sobravam... até hoje à noite. Hoje à noite as antigas tradições serão revigoradas, como deve acontecer de vez em quando com as antigas tradições*. Árvore de chariou, *sua maldita garota*, árvore de chariou: *hoje à noite você paga por minha doce Ermot. Hoje à noite você paga por tudo. Venha, Colheita.*

— Suba! — ele gritou, esticando a mão e batendo no traseiro de Alain. — Suba, suba! Pelo amor de seu pai, *suba*!

— Roland, o quê...? — A voz de Alain tinha um tom confuso, mas ele começou realmente a subir, indo de apoio de mão a apoio de mão e deixando cair pequenos seixos no rosto de Roland. Apertando os olhos contra as pedrinhas, Roland estendeu a mão e bateu de novo no traseiro de Al, atiçando-o como um cavalo.

— *Suba*, maldito! — gritou. — Talvez ainda não seja tarde demais!

Mas ele sabia que não era bem assim. A Lua do Demônio tinha se erguido. Roland vira a luz alaranjada brilhando no rosto de Cuthbert como um delírio e sabia que não era bem assim. Em sua cabeça, o zumbido lunático da lúmina, aquela ferida podre comendo na carne da realidade, juntou-se ao riso lunático da feiticeira, e ele sabia que não era bem assim.

Morte para você, vida para a colheita. Árvore de chariou.

Ah, Susan...

23

Nada estava claro para Susan até ela ver o homem de cabelo ruivo, comprido, e o chapéu de palha que não ocultava de todo seus olhos de carrasco de matadouro; o homem com as espigas de milho nas mãos. Foi o primeiro, só um agricultor (já o vira de relance no Baixo Mercado, Susan pensou; inclusive já acenara para ele, como faziam as pessoas que vivem no campo, e ele devolvera o aceno). Estava de pé, sozinho, não muito longe do lugar onde a estrada do Rancho da Seda cruzava com a Grande Estrada; de pé sob o clarão da lua crescente. Até passarem por ele nada estava claro, até o homem arremessar sua trouxa de espigas de milho quando Susan passou na carreta que rodava devagar; Susan de pé, as mãos amarradas na frente do corpo, a cabeça baixa e uma corda em volta do pescoço. A partir daí tudo ficou claro.

— *Árvore de chariou* — ele gritou, pronunciando quase docemente as palavras do Povo Antigo, como Susan não ouvia desde a infância. Palavras que significavam "Venha, colheita"... e mais alguma coisa. Uma coisa oculta, uma coisa secreta, uma coisa que tinha a ver com aquela palavra sombria, *char*, aquela palavra que significava apenas a morte. Enquanto as espigas secas flutuavam ao redor de suas botas, Susan compreendeu muito bem o segredo; também compreendeu que para ela não haveria bebê nem casamento, na distante terra encantada de Gilead, nem salão onde ela e Roland seriam unidos e depois saudados sob luzes elétricas. Nenhum marido, nenhuma outra noite passada com a doçura do amor; tudo isso estava acabado. O mundo seguira adiante e tudo estava acabado, consumado antes mesmo de ter se iniciado de verdade.

Sabia que fora colocada na traseira da carroça, exposta na traseira da carroça, e que o Caçador de Caixões sobrevivente tinha enrolado um laço no seu pescoço.

— Não tente se sentar — ele dissera, quase num tom de desculpas. — Não quero sufocá-la, garota. Se a carroça sacudir e você cair, tentarei manter o laço frouxo, mas se tentar se sentar, teria de lhe dar um aperto. Ordens *dela*. — Ele apontou para Rhea, sentada reta no banco da carroça, as rédeas nas mãos deformadas. — Agora *ela* está encarregada.

E era verdade; e Rhea continuou no comando enquanto se aproximavam da cidade. A despeito do que a posse da bola tivesse feito a seu corpo, a despeito do que a perda da bola tivesse feito à sua mente, o poder de Rhea não fora quebrado. Parecia inclusive ter aumentado, como se tivesse encontrado alguma outra fonte da qual pudesse se alimentar, ao menos por algum tempo. Homens que poderiam vergá-la como um graveto seguiam suas ordens tão sem questionamento quanto crianças.

Surgiram mais e mais homens quando a tarde da Colheita foi se transformando em noite: meia dúzia à frente do carro, cavalgando com Rimer e o homem de olho virado, uma dúzia viajando atrás com Reynolds, que trazia enrolada na mão com tatuagem a corda que saía do pescoço de Susan. Ela não sabia quem eram esses homens ou como tinham sido convocados.

Rhea levou aquele grupo que tão depressa aumentava um pouco mais para o norte, depois fez os homens virarem para sudoeste entrando na velha estrada do Rancho da Seda, que serpenteava para a cidade. Na ponta leste de Hambry, ela se unia à Grande Estrada. Mesmo em seu estado de atordoamento, Susan tinha percebido que a megera estava se movendo devagar, avaliando a progressão da queda do sol, não estimulando o pônei a correr, mas, ao contrário, procurando contê-lo, pelo menos até o dourado da tarde desaparecer. Quando passaram pelo agricultor, de rosto sombrio e sozinho, um bom homem, sem dúvida, com a posse de um sítio onde trabalhava duro do primeiro raio de sol ao último clarão do dia, e com uma família que amava (mas, ah, havia aqueles olhos de carniceiro sob a aba do chapéu amassado), ela também compreendeu aquele curso descansado da viagem. Rhea estava esperando pela lua.

Sem deuses a quem rezar, Susan rezou para o pai.

Pai? Se você está aí, ajude-me a ser o mais forte que eu possa ser e a manter-me fiel a ele, à recordação dele. Ajude-me também a manter-me fiel a mim mesma. Não espero resgate, não espero ser salva, mas simplesmente não quero dar a essa gente a satisfação de perceber minha dor e meu medo. E Roland, ajude-o também...

— Ajude-o a manter-se a salvo — ela sussurrou. — Mantenha meu amor a salvo; que ele fique seguro não importa para onde vá. Faça com que as pessoas lhe deem alegria e faça com que ele seja causa de alegria para quem o vir.

— Rezando, querida? — a velha perguntou sem se virar no banco. A voz esganiçada destilava falsa compaixão. — Ié, faz muito bem em acertar as coisas com os Poderes enquanto pode... Antes que a saliva saia ardente da tua garganta! — Ela atirou a cabeça para trás e riu, os restos dispersos do cabelo, um cabelo duro como piaçava, voando alaranjados na luz de uma lua inchada.

24

Liderados por Rusher, os cavalos tinham retornado ao som do grito angustiado de Roland. Pararam não muito longe, as crinas ondulando no vento, a cabeça deles balançando, o descontentamento se revelando por um relincho sempre que o vento diminuía o suficiente para eles absorverem um sopro da densa fumaça branca que se elevava do desfiladeiro.

Roland não prestava atenção aos cavalos nem à fumaça. Tinha os olhos fixos na bolsa de corda que pendia do ombro de Alain. A bola em seu interior ganhara novamente vida; na escuridão crescente a bolsa parecia pulsar como um estranho vaga-lume rosa. Ele estendeu as mãos.

— Me dê isso!

— Roland, não sei se...

— *Me dê isso e vá se danar!*

Alain olhou para Cuthbert, que assentiu... Depois ergueu as mãos para o céu num gesto de impotência e aflição.

Roland arrebatou a bolsa antes que Alain pudesse fazer mais do que começar a tirá-la do ombro. O pistoleiro enfiou a mão dentro dela e puxou a bola de vidro. Ela brilhava febrilmente como uma Lua do Demônio, mas uma lua rosada, não laranja.

Atrás e abaixo deles, o irritante gemido da lúmina subia e descia, subia e descia.

— Não olhe diretamente para essa coisa — Cuthbert murmurou para Alain. — Não olhe, pelo amor de seu pai.

Roland curvou o rosto sobre a bola pulsante, a luz correndo como um líquido por sua face e sua testa, afogando os olhos em seu fascínio.

No Arco-íris de Maerlyn, ele a viu... Susan, filha do criador de cavalos, a bela moça à janela. Ele a viu de pé na traseira de uma carroça preta decorada com símbolos dourados, a carroça da velha bruxa. Reynolds cavalgava atrás, segurando a ponta da corda que estava enrolada em seu pescoço. A carroça rolava para o Coração Verde, avançando num ritmo de procissão. A rua do Monte estava cheia de gente; o agricultor com olhos de carniceiro fora apenas o primeiro. Todas as pessoas de Hambry e Mejis, privadas de sua feira, ganhavam agora, para compensar, uma antiga e sombria atração: *árvore de chariou.* Venha, Colheita, morte para você, vida para nossas colheitas.

Um murmúrio abafado correu pela multidão, como um início de onda, e coisas começaram a ser atiradas: primeiro espigas de milho, depois tomates podres, depois batatas e maçãs. Uma das maçãs atingiu-a no rosto. Ela cambaleou, quase caiu, mas conseguiu se endireitar, erguer o rosto inchado, mas ainda belo, sob o luar. Olhava diretamente à frente.

— *Árvore de chariou* — sussurravam. Roland não podia ouvi-los, mas podia ler as palavras em seus lábios. Stanley Ruiz estava lá, assim como Pettie, Gert Moggins, Frank Claypool, o agente de polícia com a perna quebrada, Jamie McCann, que ia ser o Moço da Colheita daquele ano. Roland viu uma centena de pessoas que conhecera (e gostara da maioria delas) durante seu tempo em Mejis. Agora aquelas pessoas cobriam sua amada de espigas e vegetais enquanto ela passava na carroça de Rhea com as mãos amarradas na frente do corpo.

A vagarosa carroça atingiu o Coração Verde, com suas coloridas lanternas de papel e seu carrossel silencioso onde não havia crianças sorridentes... não, não naquele ano. A multidão, sempre repetindo aquelas três palavras — começando de repente a *entoá-las* —, se dividiu. Roland viu a pirâmide de lenha empilhada que era a fogueira apagada. Em volta dela, com as costas apoiadas na coluna central, as pernas encaroçadas estendidas, havia um círculo de espantalhos de mãos vermelhas. No círculo, uma única falha, um único lugar vago.

E agora uma mulher emergia da multidão. Usava um surrado vestido preto e levava um balde numa das mãos. Uma mancha de cinzas despontava num dos lados de seu rosto como uma marca. Ela...

Roland começou a gritar. Era uma única palavra, várias vezes repetida: *Não, não, não, não, não, não!* A luz rosada da bola ficava mais brilhante a cada repetição, como se o horror de Roland revigorasse, fortalecesse a imagem. E agora, a cada um daqueles pulsos, Cuthbert e Alain podiam ver a forma do crânio do pistoleiro sob a pele.

— Precisamos tirar essa bola dele — disse Alain. — Precisamos. Ela o está secando. Ela o está matando!

Cuthbert assentiu e deu um passo à frente. Agarrou a bola, mas não conseguiu tirá-la das mãos de Roland. Os dedos do pistoleiro pareciam colados a ela.

— Bata nele! — disse a Alain. — Bata outra vez nele, tem de fazer isto!

Mas se Alain batesse num poste teria dado no mesmo. Os saltos das botas de Roland nem sequer oscilaram. Ele continuou a gritar aquela mesma negativa (*Não!*, *Não!*, *Não!*, *Não!*) e a bola piscava cada vez mais rápido, comendo um caminho para dentro dele através da ferida que abrira, sugando sua dor como sangue.

25

— *Árvore de chariou!* — Cordelia Delgado gritou, saindo do lugar onde estivera esperando, adiantando-se. A multidão a encorajava e atrás de seu ombro esquerdo piscava a Lua do Demônio, como se em cumplicidade. — *Árvore de chariou*, sua puta infiel! *Árvore de chariou!*

Arremessou o balde de tinta na sobrinha, borrifando sua calça e envolvendo suas mãos amarradas num par de molhadas luvas vermelhas. Sorria para Susan enquanto a carroça passava. A mancha de cinza se destacava em seu rosto; no centro da testa pálida, uma veia pulsava como um verme.

— Puta! — Cordelia gritou. Tinha os punhos fechados e fazia uma espécie de dança ensandecida, os pés pulando, os joelhos ossudos saltando sob a saia: — *Vida para as colheitas! Morte para a puta!* Árvore de chariou! *Venha, Colheita!*

A carroça passou por ela. Cordelia sumiu da visão de Susan; apenas mais um fantasma cruel num sonho que logo ia terminar. *Pássaro e urso e lebre e peixe*, ela pensou. *Se cuide, Roland; fique com meu amor. É o meu maior desejo.*

— Peguem-na! — Rhea gritou. — Peguem a puta assassina e cozinhem suas mãos vermelhas! *Árvore de chariou!*

— *Árvore de chariou!* — a multidão respondeu. Uma floresta de mãos ansiosas se ergueram na atmosfera iluminada pela lua; em algum lugar estouraram fogos e crianças riram agitadas.

Susan foi tirada da carroça e levada para a pilha de lenha que se elevava acima das cabeças da multidão. Passou por mãos erguidas como uma heroína que voltasse triunfantemente para casa depois de muitas guerras. As mãos de Susan deixaram cair gotas vermelhas de tinta sobre rostos tensos, ávidos. A lua acompanhava tudo aquilo, obscurecendo o brilho das lanternas de papel.

— Pássaro e urso e lebre e peixe — ela murmurou quando foi primeiro agarrada, depois empurrada para a pirâmide de madeira seca e posta no lugar que fora deixado vago.

— *ÁRVORE de chariou! ÁRVORE de chariou! ÁRVORE de chariou!* — a multidão inteira entoava agora em uníssono.

— Pássaro e urso e lebre e peixe.

Tentava lembrar como Roland dançara com ela naquela noite. Tentava lembrar como ele a amara no bosque de salgueiros. Tentava lembrar daquele primeiro encontro à noite na estrada: *Obrigado-sai, que o nosso encontro seja feliz*, ele tinha dito e, sim, apesar de tudo, apesar daquele miserável fim com as pessoas que tinham sido suas vizinhas convertidas em duendes sob o luar, a despeito da dor, da deslealdade e do que ia acontecer, Roland tinha dito a verdade: foi um encontro feliz, sem dúvida tinha sido um encontro muito feliz.

— *ÁRVORE de chariou! ÁRVORE de chariou! ÁRVORE de chariou!*

Mulheres se aproximaram e empilharam espigas secas em volta de seus pés. Diversas a esbofetearam (aquilo não importava; o rosto inchado e contundido parecia ter ficado insensível) e uma — Misha Alvarez, cuja filha Susan ensinara a montar — cuspiu em seus olhos e foi embora saltando com ar travesso, agitando as mãos para o céu, rindo. Por um momento Susan viu Coral Thorin, enfeitada com talismãs da colheita, os braços cheios de folhas secas que atirou em Susan; as folhas flutuaram em volta da garota como chuva passageira e perfumada.

E agora vinha de novo a tia, com Rhea atrás. Cada uma levava uma tocha. Colocaram-se diante de Susan, que pôde sentir o cheiro e a crepitação do piche.

Rhea ergueu a tocha para a lua.

— *ÁRVORE DE CHARIOU!* — gritou na velha voz esganiçada e a multidão respondeu: — *ÁRVORE DE CHARIOU!*

Cordelia ergueu sua própria tocha.

— *VENHA, COLHEITA!*

— *VENHA, COLHEITA!* — gritaram de volta.

— Agora, sua puta — Rhea murmurou. — Agora vêm os beijos mais quentes que qualquer um que seu amor jamais lhe deu.

— Morra, infiel — Cordelia sussurrou. — Vida para as colheitas, morte para você.

Foi ela quem primeiro atirou sua tocha nas espigas que estavam empilhadas até os joelhos de Susan; Rhea atirou a sua menos de um segundo depois. As espigas queimaram logo, ofuscando Susan com a luz amarela.

Ela inspirou um último sopro de ar frio, aqueceu-o com o coração e deixou-o sair num grito desafiante:

— *ROLAND, EU TE AMO!*

A multidão recuou, murmurando, como se inquieta pelo que tinha feito, agora que era tarde demais para voltar atrás. Ali estava não um espantalho, mas uma garota alegre que todos conheciam, um dos seus, por alguma louca razão posta na fogueira da Noite da Colheita com as mãos pintadas de vermelho. Podiam tê-la salvado, se tivessem mais um momento — pelo menos alguns podiam —, mas era tarde demais. A madeira seca se incendiou, a calça se incendiou, a camisa se incendiou, o comprido cabelo loiro se inflamou em sua cabeça como uma coroa.

— *ROLAND, EU TE AMO!*

No final de sua vida ela teve consciência do calor, mas não da dor. Teve tempo de pensar nos olhos dele, olhos daquele azul desbotado que é a cor do céu sob a primeira luz da manhã. Teve tempo de pensar nele na Baixa, cavalgando Rusher, o cabelo preto voando da testa e o lenço de pescoço ondulando. Teve tempo de vê-lo rindo com uma leveza, uma liberdade que Roland jamais tornaria a encontrar na longa vida que se estendia para ele além da dela. E foi a sua risada que Susan levou quando se foi, fugindo da luz e do calor para a escuridão suave, reconfortante, chamando repetidamente o nome dele, chamando pássaro e urso e lebre e peixe.

26

Não houve palavras, nem mesmo *não*, nos gritos dele no final: Roland gritou como um animal esfaqueado, as mãos grudadas na bola, que pulsava como um coração descontrolado. Ele contemplava a bola vendo Susan arder.

Cuthbert tentou de novo tirar-lhe a maldita coisa e não conseguiu. Tomou então a única outra providência em que pôde pensar... tirou-lhe o revólver, apontou para a bola e o polegar engatilhou. Provavelmente machucaria Roland, os cacos de vidro poderiam inclusive cegá-lo, mas não havia outra opção. Se não fizessem alguma coisa, aquele vidro ia matá-lo.

Mas não foi preciso. Como se tivesse visto o revólver de Cuthbert e compreendido o que ele significava, a bola ficou instantaneamente escura e morta nas mãos de Roland. O corpo rígido de Roland, cada traço e músculo tremendo de horror e raiva, perdeu a energia. Ele desabou como pedra, os dedos soltando finalmente a bola. O estômago amorteceu a batida no solo; a bola rolou para longe dele e acabou parando junto a uma de suas mãos estendidas, flácidas. Nada queimava agora em sua escuridão exceto um funesto brilho alaranjado — o diminuto reflexo da Lua do Demônio se elevando no céu.

Alain olhava para a bola com uma espécie de temor enojado e fascinado; olhava como alguém poderia contemplar um animal feroz que estivesse dormindo... mas que logo fosse acordar e morder.

Deu um passo à frente, pretendendo reduzir a bola a cinzas sob sua bota.

— Não se atreva — disse Cuthbert com a voz rouca. Estava ajoelhado ao lado do corpo em colapso de Roland, mas olhava para Alain. A lua crescente estava em seus olhos, duas pedrinhas brilhantes de luz. — Não se atreva, depois das mortes e do desespero que tivemos de enfrentar para pegá-la. Nem sequer *pense* nisso!

Alain olhou-o em dúvida por um momento, pensando que deveria destruir a maldita coisa de qualquer maneira — a desgraça sofrida não era justificativa para desgraças futuras e enquanto a coisa caída ali no chão permanecesse inteira, não traria senão desgraças. Era uma *máquina de desgraças*, era isso que era, e matara Susan Delgado. Ele não vira o que Roland tinha visto no vidro, mas observara o rosto do amigo, e isso fora o bastante. A bola matara Susan e mataria mais gente se ficasse inteira.

Mas então ele pensou no ka e recuou. Mais tarde lamentaria amargamente essa decisão.

— Coloque de novo na bolsa — disse Cuthbert — e venha me ajudar com Roland. Precisamos sair daqui.

A bolsa de corda estava jogada no chão perto deles, tremendo no vento. Alain pegou a bola, odiando sentir a superfície lisa, curva, esperando que voltasse à vida sob seu toque. Mas não voltou. Ele a colocou na bolsa, que tornou a jogar no ombro. Então se ajoelhou ao lado de Roland.

Não sabia quanto tempo tentaram inutilmente persuadi-lo a voltar a si... Até a lua ter se elevado suficientemente no céu para tornar a ficar prateada e a fumaça que saía do desfiladeiro ter começado a se dissipar, isso era tudo que sabia. Mas Cuthbert lhe disse não podiam mais esperar; teriam de jogar Roland na sela de Rusher e seguir com ele assim. Se conseguissem atingir as terras densamente arborizadas a oeste do Baronato antes do amanhecer, disse Cuthbert, provavelmente estariam a salvo... mas precisavam chegar pelo menos até lá. Tinham liquidado os efetivos de Farson com uma facilidade chocante, mas os outros provavelmente tornariam a se agrupar no dia seguinte. Melhor ir embora antes que isso acontecesse.

E foi assim que deixaram a garganta do Parafuso e o litoral de Mejis, viajando para oeste sob a Lua do Demônio, com Roland jogado em sua sela como um cadáver.

27

Passaram o dia seguinte no Il Bosque, na floresta a oeste de Mejis, esperando que Roland despertasse. Quando a tarde chegou e ele continuou inconsciente, Cuthbert disse:

— Veja se consegue tocá-lo.

Alain pôs as mãos de Roland dentro das suas, mobilizou toda a sua concentração, curvou-se sobre o rosto pálido, adormecido, do amigo, e assim permaneceu por quase meia hora. Finalmente sacudiu a cabeça, soltou as mãos de Roland e se levantou.

— Nada? — Cuthbert perguntou.

Alain suspirou e balançou a cabeça.

Fizeram um carrinho com galhos de pinheiro para Roland não ter de passar outra noite viajando sobre a sela (nem que fosse pela reação de Rusher, que parecia estar ficando nervoso por estar carregando o dono daquela maneira) e continuaram, não seguindo pela Grande Estrada — o que teria sido perigoso demais — mas paralelamente a ela. Quando Roland continuou inconsciente no dia seguinte (Mejis agora já ficando para trás, e Alain e Cuthbert experimentavam uma profunda sensação de saudade do que tinham deixado, inexplicável, mas real como as marés), sentaram de ambos os lados dele, entreolhando-se ante o lento sobe e desce de seu peito.

— Uma pessoa inconsciente pode morrer de fome ou de sede? — Cuthbert perguntou. — Não pode, não é?

— Sim — disse Alain. — Acho que pode.

Fora uma noite de viagem longa, de acabar com os nervos. Nenhum dos dois dormira bem no dia anterior, mas naquele dormiram como mortos, com cobertores sobre as cabeças para bloquear o sol. Acordaram com diferença de minutos um do outro quando o sol estava se pondo e a Lua do Demônio, agora duas noites depois da lua cheia, se elevava através de uma conturbada formação de nuvens que pressagiavam a primeira das grandes tempestades de outono.

Roland tinha se levantado e tirado a bola de vidro da bolsa de corda. Estava sentado com ela aninhada nos braços, uma escurecida peça mágica, morta como os olhos vidrados do Transão. Os olhos de Roland, também mortos, olhavam com indiferença para os espaços da floresta iluminados pelo luar. Ele ia comer, mas não dormir. Ia beber dos regatos por onde passassem, mas não falar. E não se afastaria do pedaço do Arco-íris de Maerlyn que tinham trazido de Mejis a um custo tão alto. A bola, contudo, não ia brilhou para ele.

Pelo menos não, pensou Cuthbert a certa altura, *enquanto eu e Al estamos acordados para vê-la.*

Alain não conseguiu tirar as mãos de Roland da bola e assim pousou as suas nas faces de Roland, tocando-o dessa maneira. Só que nada havia para tocar, nada ali. A coisa que viajava com eles em direção a Gilead não era Roland, nem mesmo um fantasma de Roland. Como a lua no fechamento de seu ciclo, Roland se fora.

PARTE QUATRO

TODAS AS CRIATURAS DE DEUS USAM SAPATOS

1. KANSAS DE MANHÃ

1

Pela primeira vez em

(*horas? dias?*)

o pistoleiro ficou em silêncio. Sentou-se um momento olhando para a construção à direita deles (com o sol por trás, o palácio de vidro era uma forma preta cercada por uma auréola dourada), os braços apoiados nos joelhos. Depois pegou o cantil caído no pavimento a seu lado, suspendeu-o na frente do rosto, abriu a boca e virou-o.

Bebeu o que entrou na sua boca — os outros puderam ver o pomo de adão trabalhando enquanto ele se recostava no canteiro central da estrada, sempre bebendo —, mas beber não parecia ser seu principal objetivo. A água se derramava pela testa profundamente enrugada e batia nas pálpebras fechadas. Empoçava-se na cavidade triangular na base da garganta e escorria das têmporas, molhando o cabelo e escurecendo-o.

Por fim, ele colocou de lado o cantil e ficou ali parado, olhos fechados, braços estendidos bem acima da cabeça, como um homem se entregando ao sono. O vapor se elevava em delicados anéis do rosto molhado.

— Ahhh — ele deixou escapar.

— Se sentindo melhor? — Eddie perguntou.

As pálpebras do pistoleiro se ergueram, revelando aqueles desbotados mas um tanto alarmantes olhos azuis.

— Sim. Estou. Não entendo como pode ser, porque tive muito medo de contar tudo isso... mas estou.

— Um ologista-da-psique talvez pudesse explicar para você — disse Susannah —, mas duvido que você fosse lhe dar ouvidos. — Ela pôs as mãos nas costas, se esticou e estremeceu... mas o tremor foi apenas reflexo. A dor e rigidez que esperara não estavam lá e, embora tenha havido um pequeno estalo perto da base da espinha, ela ficou longe da série de guinchos, rangidos e estouros que esperava.

— Vou te dizer uma coisa — disse Eddie —, você colocou em outro patamar a expressão "tirar isso do peito". Há quanto tempo estamos aqui, Roland?

— Só uma noite.

— "Os espíritos fizeram tudo em uma noite" — disse Jake num tom sonhador. Suas pernas estavam cruzadas nos tornozelos; Oi se sentava na forma de diamante feita pelos joelhos curvados do garoto e o contemplava com seus brilhantes olhos dourados e pretos.

Roland se ergueu, enxugou as faces molhadas com o cachecol e olhou atentamente para Jake.

— O que você disse?

— Não fui eu. Um sujeito chamado Charles Dickens escreveu isso. Numa história chamada *Uma canção de Natal*. Tudo numa única noite, hein?

— Alguma parte de seu corpo diz que levou mais tempo?

Jake balançou a cabeça. Ele se sentia exatamente como se sentia em qualquer manhã — melhor do que em algumas. Precisava ir ao banheiro, mas não estava nem morrendo de vontade.

— Eddie? Susannah?

— Eu me sinto bem — disse Susannah. — Com certeza não me sinto como se tivesse ficado acordada a noite inteira, muito menos várias delas.

— Isso me faz lembrar do tempo em que eu era viciado — disse Eddie —, de um modo...

— E não é tudo que te lembra desse tempo? — Roland perguntou secamente.

— Ah, muito engraçado! — disse Eddie. — Uma verdadeira tirada! O próximo trem que surtar pra cima da gente, faz *você* então as perguntas tolas. O que eu quis dizer era que quando se passa muitas noites chapado acaba se acostumando a se sentir como a maior merda do mundo quando acorda de manhã: cabeça pesada, nariz entupido, coração acelerado, dor na coluna. Pode confiar no seu camarada Eddie: só pelo jeito como se sente de manhã já dá pra saber o quanto a droga é boa. De qualquer modo, você fica tão acostumado a isso... pelo menos *eu* fiquei... que quando realmente tira uma noite de folga e acorda bem na manhã seguinte, acaba sentado na beira da cama pensando *Que porra está acontecendo comigo? Estou doente? Me sinto estranho. Será que tive algum ataque de noite?*.

Jake riu, depois bateu com a mão na boca tão violentamente que foi como se quisesse não apenas abafar o som, mas engoli-lo.

— Desculpem — disse ele. — Isso fez com que eu me lembrasse do meu pai.

— Um dos meus, hein? — disse Eddie. — De qualquer modo, hoje eu esperei estar sentindo alguma dor, esperei estar cansado, esperei estalar quando andasse... mas eu realmente acho que tudo de que preciso para ficar de boa é uma mijada rápida no mato.

— E beliscar alguma coisa? — Roland perguntou.

Eddie estivera mostrando um sorriso ligeiro. Que agora se extinguia.

— Não — disse ele. — Depois dessa história não estou assim com tanta fome. Para falar a verdade, estou sem fome nenhuma.

2

Eddie carregou Susannah pela margem da estrada e deixou-a atrás de um canteiro de louros para que fizesse suas necessidades. Jake estava sessenta ou setenta metros à direita, num bosque de bétulas. Roland dissera que ia usar matinho sem espinho para fazer suas necessidades matutinas, erguendo em seguida as sobrancelhas quando seus amigos de Nova York riram.

Susannah não ria quando saiu dos arbustos. Tinha o rosto marcado de lágrimas. Eddie não perguntou nada; já sabia. Ele próprio estivera lutando contra a sensação. Pegou-a gentilmente nos braços e ela pôs o rosto ao lado de seu pescoço. Ficaram assim por algum tempo.

— *Árvore de chariou* — ela disse por fim, pronunciando como Roland: *árvore de char-you*, com uma pequena acentuação no final.

— É isso — disse Eddie, pensando que um Charlie chamado por qualquer outro nome não deixava de ser um Charlie. Como, ele supôs, uma rosa é uma rosa. — Venha, Colheita.

Ela ergueu a cabeça e começou a enxugar os olhos cheios de água.

— Ter passado por tudo isso — disse mantendo a voz baixa... e examinando uma vez as pistas da estrada para ter certeza de que Roland não estava lá, olhando para eles. — E aos *catorze* anos.

— Sim. Isto faz minhas aventuras procurando pelo ilusório saco de moedas em Tompkins Square parecerem bastante monótonas. Se bem que, de certa forma, estou quase aliviado.

— Aliviado? Por quê?

— Porque achei que Roland ia nos dizer que ele próprio a matou. Pela sua maldita Torre.

Susannah olhou-o diretamente.

— Mas ele acha que foi isso o que fez. Você não entendeu isso?

3

Quando voltaram a se reunir e havia realmente comida à vista, todos acharam que, afinal, podiam comer um pouco. Roland compartilhou o último dos burritos (*Talvez mais tarde possamos parar no Boing Boing Burgers mais próximo e ver o que sobrou por lá*, Eddie pensou) e ninguém perdeu tempo. Isto é, ninguém exceto Roland. Ele ergueu seu burrito, olhou e colocou de lado. Eddie viu uma expressão de tristeza no rosto do pistoleiro que o fazia parecer ao mesmo tempo velho e perdido. Aquilo feriu o coração de Eddie, mas ele não foi capaz de pensar em nada que pudesse fazer.

Jake, quase dez anos mais novo, pensou. Ele se levantou, aproximou-se de Roland, ajoelhou-se ao lado dele, colocou os braços em volta de seu pescoço e abraçou-o.

— Sinto muito por ter perdido sua amiga — disse.

O rosto de Roland se contorceu e, por um momento, Eddie teve certeza de que ele ia chorar. Um longo tempo entre abraços, talvez. Extremamente longo. Eddie precisou desviar o olhar um instante. *Kansas de manhã*, disse a si mesmo. *Uma visão que você nunca esperava ter. Fique algum tempo com ela, deixe o homem estar.*

Quando Eddie olhou para trás, Roland estava de novo composto. Jake se sentara a seu lado e Oi pousara o focinho comprido numa das botas do pistoleiro. Roland começara a comer seu burrito. Devagar, sem muito apetite... mas estava comendo.

A mão fria de alguém — de Susannah — deslizou para a de Eddie. Ele a pegou e dobrou os dedos sobre ela.

— Uma noite — disse fascinada.

— Pelo menos nos relógios de nossos corpos — disse Eddie. — Em nossas cabeças...

— Quem sabe? — Roland concordou. — Mas contar histórias sempre altera o tempo. Pelo menos é o que acontece no meu mundo. — Ele sorriu. Foi inesperado, como sempre, e como sempre o sorriso transformou seu rosto em algo quase bonito. Ao contemplá-lo, Eddie refletiu, era possível entender como, um dia, uma garota podia ter se apaixonado por Roland. Antigamente, quando ele já estava alcançando aquela altura, mas talvez ainda não fosse tão feio; antigamente, quando a Torre ainda não o agarrara de todo.

— Acho que é assim em todos os mundos, docinho — disse Susannah.

— Posso lhe fazer duas perguntas, Roland? Antes de seguirmos viagem?

— Se quiser.

— O que aconteceu com você? Quanto tempo ficou... sumido?

— Certamente fiquei sumido, você tem razão quanto a isso. Eu estava viajando. Perambulando. Não exatamente no Arco-íris de Maerlyn... Acho que jamais teria voltado para o mundo real se tivesse entrado na bola enquanto ainda estava... doente... Se bem que todo mundo tem uma bola de cristal, é claro. Aqui. — Com ar grave, ele bateu na testa, logo acima do espaço entre as sobrancelhas. — Foi onde eu me meti. Foi onde viajei enquanto meus amigos viajavam para leste comigo. E aí fui ficando melhor, pouco a pouco. Não larguei a bola, mas viajei dentro da minha cabeça e fiquei melhor. O vidro só brilhou para mim quando as ameias do castelo e as torres da cidade ficaram realmente à vista. Se o vidro tivesse despertado mais cedo...

Ele deu de ombros.

— Se o vidro tivesse despertado antes a energia de minha mente teria começado a se perder, e não acho que ainda estaria aqui agora. Porque qualquer mundo... mesmo um mundo rosado com um céu de vidro... teria sido preferível àquele onde Susan não existia mais. Acho que a força que dá vida ao cristal sabia disso... e esperou.

— Mas então quando a bola finalmente tornou a brilhar pra você, contou-lhe o resto — disse Jake. — Deve ter contado. Contou as partes que você não tinha visto por não estar presente.

— Sim. Sei da história como sei por causa do que vi na bola.

— Você nos disse um dia que John Farson queria ver sua cabeça num poste — disse Eddie. — Pois você roubou alguma coisa dele. Algo que lhe era muito caro. Era a bola de cristal, não era?

— Sim. Ficou mais do que furioso quando descobriu. Teve uma raiva insana. Como diria você, Eddie, ele "surtou".

— Quantas vezes mais ela *voltou* a brilhar para você? — Susannah perguntou.

— E o que aconteceu à bola? — Jake acrescentou.

— Eu vi nela três vezes após sairmos do Baronato de Mejis — disse Roland. — A primeira foi na noite anterior à nossa chegada em casa, à nossa chegada a Gilead. Foi quando viajei mais tempo com ela e ela me mostrou o que contei a vocês. Algumas coisas eu apenas deduzi, mas a maioria vi. A bola me mostrou essas coisas não para servir de lição ou iluminar, mas para ferir e amargurar. As peças remanescentes do Arco-íris do Mago são todas coisas más. A dor consegue de certa forma revigorá-las. Esperei até minha mente estar forte o bastante para compreender e *resistir*... e então a bola me mostrou todas as coisas que eu tinha perdido na minha estúpida arrogância de adolescente. Mostrou o atordoamento da minha paixão. E minha presunção arrogante, assassina.

— Roland, não — disse Susannah. — Não deixe a coisa continuar a feri-lo.

— Mas ela fere. Sempre vai ferir. Não importa. Agora não importa; a história está contada.

"A segunda vez que olhei... que entrei no vidro... foi três dias após ter chegado em casa. Minha mãe não estava lá, embora estivesse para chegar naquela noite. Fora para Debaria, uma espécie de retiro de mulheres, para esperar e rezar pelo meu regresso. Marten também não estava lá. Estava em Cressia, com Farson."

— A bola — disse Eddie. — Seu pai já estava com ela?

— Na-não — Roland respondeu. Ele baixou os olhos para as mãos e Eddie notou um leve rubor subindo em seu rosto. — A princípio não lhe entreguei a bola. Achei... difícil abrir mão dela.

— Imagino — disse Susannah. — Você e todos que chegaram a olhar para a maldita coisa.

— Na terceira tarde, antes de sairmos para o banquete que celebraria nosso feliz retorno...

— Suspeito que você deveria estar num ótimo humor para participar de festas — disse Eddie.

Roland sorriu sem achar graça, ainda olhando para as mãos.

— Por volta das quatro da tarde, Alain e Cuthbert entraram nos meus aposentos. Formávamos um trio digno para uma pintura, imagino... Queimados pelas ventanias, olhos fundos, mãos cobertas de cascas de feridas, esfolados por causa de nossa escalada pelo lado do desfiladeiro, magros como espantalhos. Mesmo Alain, que tinha tendência para engordar, quase desaparecia quando virava de lado. Eles me confrontaram, podemos dizer assim. Tinham mantido o segredo da bola até aquele ponto... por respeito a mim e pela perda que eu sofrera, me disseram, e acreditei neles... mas não continuariam a guardá-lo após a refeição daquela noite. Se eu não cedesse a bola voluntariamente, a questão ficaria para nossos pais decidirem. Estavam horrivelmente constrangidos, Cuthbert em particular, mas estavam determinados.

"Disse a eles que ia entregar a bola a meu pai antes do banquete... antes mesmo de minha mãe chegar de carruagem de Debaria. Deviam chegar mais cedo e ver se eu mantinha minha promessa. Cuthbert começou a se mostrar hesitante, dizendo que não seria necessário comprovar, mas evidentemente era necessário..."

— Sim — disse Eddie. Tinha o olhar de um homem que compreendia perfeitamente aquela parte da história. — Você pode entrar no banheiro sozinho, mas é muito mais fácil dar a descarga de toda a merda no vaso se há alguém por perto.

— Alain, pelo menos, sabia que seria melhor para mim... mais fácil... se eu não tivesse de entregar a bola sozinho. Ele fez Cuthbert se calar e disse que os dois estariam lá. E estavam. E entreguei a bola, por menos que quisesse fazer aquilo. Meu pai ficou pálido como papel quando olhou dentro da bolsa e viu o que havia lá; depois se saiu e levou a bolsa dali. Ao voltar, pegou a taça de vinho e continuou conversando sobre nossas aventuras em Mejis como se nada tivesse acontecido.

— Mas entre a hora em que você e seus amigos conversavam e o momento em que a bola foi entregue, você olhou dentro dela — disse Jake. — *Entrou* nela. Viajou nela. O que a bola mostrou dessa vez?

— Primeiro mostrou novamente a Torre — disse Roland — e o início da jornada para lá. Vi a queda de Gilead e o triunfo do Bom Homem. Atrasamos os acontecimentos no máximo por uns vinte meses destruindo os caminhões-tanques e a reserva de petróleo. Eu nada podia fazer a esse respeito, mas a bola me mostrou uma coisa que eu *podia* fazer. Havia uma certa faca. A lâmina fora embebida com um veneno especialmente potente, algo vindo de um distante reino do Mundo Médio chamado Garlan. Coisa tão forte que mesmo um corte mínimo causaria morte quase instantânea. Um cantor ambulante (na verdade o sobrinho mais velho de John Farson) tinha levado a faca para a corte. O homem a quem ele a deu era o chefe da equipe de criados do castelo. Esse homem passaria a faca para o verdadeiro assassino. Meu pai não deveria ver o sol se levantar na manhã após o banquete. — Ele sorriu severamente. — Devido ao que vi no vidro do mago, a faca jamais chegou à mão de quem ia usá-la e, no fim daquela semana, os criados já tinham um novo chefe. Histórias bonitas que estou contando a vocês, não é? Ié, sem dúvida muito bonitas.

— Chegou a ver a pessoa que devia receber a faca? — Susannah perguntou. — O verdadeiro assassino?

— Sim.

— Mais alguma coisa? Viu mais alguma coisa na bola? — Jake perguntou. O plano para assassinar o pai de Roland não pareceu ter muito interesse para ele.

— Sim. — Roland parecia confuso. — Sapatos. Só por um instante. Sapatos caindo no ar. A princípio achei que fossem folhas de outono. E quando vi o que realmente eram, eles desapareceram, e me vi deitado na cama segurando a bola nos braços... quase exatamente do jeito como eu a trouxera de Mejis. Meu pai... como eu disse, sua surpresa ao olhar dentro da bolsa sem dúvida foi muito grande.

Você contou a ele quem tinha a faca com o veneno especial, Susannah pensou, *Jeeves, o Mordomo, ou seja lá quem for, mas não disse ao pai quem devia realmente usá-la, não foi, docinho? Por que não? Porque você quis cuidar sozinho daquela questão?* Mas antes que Susannah pudesse perguntar, Eddie estava fazendo uma pergunta própria.

— Sapatos? Caindo no ar? Isso agora tem algum significado para você?

Roland balançou a cabeça.

— Fale sobre o que mais viu na bola — Susannah pediu.

Ele atirou-lhe um olhar de dor tão terrível que aquilo de que Susannah apenas suspeitava imediatamente se consolidou em fato na sua mente. Ela desviou o olhar e tateou pela mão de Eddie.

— Peço seu perdão, Susannah, mas não posso contar. Não agora. Por enquanto, contei tudo que podia.

— Tudo bem — disse Eddie. — Tudo bem, Roland, sem problema.

— Blema — Oi concordou.

— Algum dia voltou a ver a bruxa? — Jake perguntou.

Por um longo tempo pareceu que Roland também não ia responder a esta, mas no final ele o fez.

— Sim. Ela ainda não tinha acabado de acertar as contas comigo. Assim como os sonhos com Susan me perseguiam, ela também me seguiu. Por todo o caminho desde Mejis, ela me seguiu.

— O que está querendo dizer? — Jake perguntou numa voz baixa, reverente. — Nossa, Roland, o que está querendo dizer?

— Não agora. — Ele se levantou. — É tempo de estarmos de novo a caminho. — Fez um gesto para a construção que flutuava na frente deles; o sol clareava suas ameias. — Aquele domo brilhante está a uma boa distância, mas acho que podemos alcançá-lo hoje à tarde, se andarmos bem. Seria melhor assim. É um lugar a que eu não gostaria de chegar depois do cair da noite, se isso puder ser evitado.

— Já sabe o que é? — Susannah perguntou.

— É problema — ele repetiu. — E no nosso caminho.

4

Naquela manhã, por algum tempo, a lúmina zumbiu tão alto que nem mesmo as balas nos ouvidos conseguiram bloquear inteiramente o som; no pior momento, Susannah teve a sensação de que o osso do seu nariz havia simplesmente se desintegrado e, ao olhar para Jake, viu que ele estava chorando copiosamente — não da maneira como fazem as pessoas quando estão tristes, mas da maneira como fazem quando as emoções estão em turbilhão. Não conseguia tirar da cabeça o tocador de serra que o garoto havia mencionado. *Parece uma coisa havaiana*, ela não parava de pensar enquanto Eddie a empurrava na nova cadeira de rodas, a todo momento se esquivando dos veículos abandonados. *Parece uma coisa havaiana, né? Essa porra parece muito havaiana, não é, Dona Ah-Tão-Negra-e-Bela?*

De ambos os lados da pista a lúmina avançava sem parar, acompanhada de reflexos tremidos e disformes de árvores ou silos, parecendo observar os viajantes como os animais famintos num zoológico poderiam observar crianças apetitosas. Susannah começava a pensar na lúmina da garganta do Parafuso, se estendendo faminta pela fumaça em direção aos homens encurralados de Latigo, puxando-os para si (e alguns indo por conta própria, caminhando como zumbis num filme de terror). De repente ela pensou de novo no sujeito do Central Park, o maluco com o serrote. *Parece uma coisa havaiana, né? Contando uma lúmina e ela parece uma coisa havaiana, é?*

Quando achou que não poderia suportar aquilo um único segundo a mais, a lúmina começou a recuar da rodovia I-70 e seu zumbido cantante começou por fim a enfraquecer. Só então Susannah tirou as balas dos ouvidos. Com a mão ligeiramente trêmula, ela as enfiou no bolso lateral de sua cadeira.

— Essa foi bem ruim — disse Eddie, um tom pastoso e choroso na voz. Susannah se virou e viu que o rosto dele estava molhado de suor, os olhos vermelhos. — Não se preocupe, Suzie meu bem — disse ele. — Foi só uma sinusite. Aquele som acabou com ela.

— E eu também — disse Susannah.

— Minha sinusite ficou o.k., mas minha cabeça dói — disse Jake. — Roland, você tem mais alguma aspirina?

Roland parou, mexeu na mochila e encontrou o frasco.

— E Clay Reynolds, você voltou a ver? — Jake perguntou, depois de engolir o comprimido com a água do cantil que carregava.

— Não, mas sei o que aconteceu com ele. Reuniu um bando, em parte com desertores do exército de Farson, e começou a roubar bancos... em nossa parte do mundo, mas assaltantes de bancos e diligências já não tinham muito a temer dos pistoleiros.

— Os pistoleiros estavam ocupados com Farson — disse Eddie.

— Sim. Mas Reynolds e seus homens foram apanhados por um xerife esperto que transformou a rua principal de uma cidade chamada Oakley num campo de morte. Seis dos dez da gangue foram mortos na hora. O resto foi enforcado. Reynolds foi um desses. Aconteceu menos de um ano depois, no tempo da Terra Ampla. — Fez uma pausa e acrescentou: — Uma das pessoas baleadas no campo de morte era Coral Thorin. Coral tornou-se mulher de Reynolds; andava e matava com o resto do bando.

Caminharam alguns momentos em silêncio. Na distância, a lúmina ainda zumbia sua interminável canção. De repente Jake correu em direção a um trailer estacionado. Fora deixado um bilhete sob o limpador de para-brisas do lado do motorista. Ficando na ponta do pé, ele conseguiu alcançá-lo. Examinou o bilhete, franzindo a testa.

— O que diz aí? — Eddie perguntou.

Jake entregou-lhe o bilhete. Eddie olhou, passou a Susannah, que por sua vez também leu e passou a Roland. Roland balançou a cabeça

— Só consigo entender algumas palavras... mulher velha, homem sombrio. O que diz o resto? Leiam para mim.

Jake pegou o bilhete.

— "A mulher velha dos sonhos está em Nebraska. Seu nome é Abagail." — Fez uma pausa. — E aqui mais embaixo diz: "O homem sombrio está no oeste. Talvez em Vegas".

Jake ergueu os olhos para o pistoleiro, o bilhete se agitando em sua mão, a expressão confusa e inquieta. Mas Roland estava olhando para o palácio que cintilava no meio da estrada — o palácio que não estava no oeste mas no leste, o palácio que era luminoso, não sombrio.

— No oeste — disse Roland. — Homem sombrio, Torre Negra e sempre no oeste.

— Nebraska também fica a oeste daqui — disse Susannah num tom hesitante. — Não sei se tem importância essa tal de Abagail, mas...

— Acho que ela é parte de outra história — disse Roland.

— Mas uma história próxima desta — Eddie interveio. — Na porta seguinte, talvez. Próxima o bastante para açúcar ser confundido com sal... ou para as brigas começarem.

— Acho que tem razão — disse Roland — e podemos nos encontrar em breve com a "mulher velha" e o "homem sombrio"... mas hoje nosso negócio é com o leste. Vamos.

Começaram de novo a andar.

5

— E Sheemie? — Jake perguntou pouco depois.

Roland riu, em parte pela recordação alegre, em parte pela surpresa com a pergunta.

— Ele nos seguiu. Não deve ter sido fácil para Sheemie. Em certos pontos a jornada deve ter se tornado extremamente assustadora... Foram rodas e rodas de áreas selvagens entre Mejis e Gilead, e de muita gente selvagem também. Talvez coisas piores que gente. Mas o ka estava com Sheemie e ele apareceu a tempo para a Feira do Final do Ano. Ele e aquele maldito jumento.

— Capi — disse Jake.

— Appi — Oi repetiu, seguindo nos calcanhares de Jake.

— Quando fomos em busca da Torre, eu e meus amigos, Sheemie foi conosco. Como uma espécie de escudeiro, acho que se pode dizer assim. Ele... — Mas Roland interrompeu a frase, mordendo o lábio, e não tocaria mais no assunto.

— Cordelia? — Susannah perguntou. — A tia maluca?

— Morta antes que a fogueira ficasse reduzida a cinzas. Pode ter sido um problema cardíaco ou uma convulsão cerebral... as coisas que Eddie chama de ataque.

— Talvez tenha sido vergonha — disse Susannah. — Ou horror ao que fez.

— Pode ter sido — disse Roland. — Acordar para a verdade quando é tarde demais é uma coisa terrível. Sei muito bem disso.

— Alguma coisa ali em cima — disse Jake, apontando para um comprido trecho de estrada de onde os carros haviam sido tirados. — Está vendo?

Roland via (parecia ver tudo com seus olhos), mas demorou cerca de mais quinze minutos para Susannah começar a perceber os pequenos pontinhos pretos na estrada à frente. Estava quase certa de saber o que eram, embora seu pensamento fosse menos fruto da visão que da intuição. Dez minutos a mais e ela teve certeza.

Eram sapatos. Seis pares de sapatos enfileirados cuidadosamente, cruzando as pistas da direita da I-70.

2. SAPATOS NA ESTRADA

1

Alcançaram os sapatos no meio da manhã. Atrás deles, mais nítido agora, ficava o palácio de vidro. Cintilando num delicado matiz esverdeado, como o reflexo das pétalas de um lírio em água parada. Com portões brilhantes na frente e bandeirolas vermelhas se agitando de suas torres sob a brisa leve.

Os sapatos também eram vermelhos.

A impressão de Susannah de que havia seis pares era compreensível, mas errada — eram na realidade quatro pares e um quarteto. Este último — quatro botinhas vermelho-escuras feitas de couro — estava sem a menor dúvida destinado ao membro de quatro patas do ka-tet. Roland pegou uma das botinhas e passou o dedo por dentro. Não sabia quantos malhados tinham usado calçados na história do mundo, mas estava inclinado a supor que nenhum jamais havia sido presenteado com um conjunto de botinhas de couro com forro de seda.

— Bally, Gucci, morram de inveja! — disse Eddie. — É coisa da boa!

Os sapatos de Susannah foram os mais fáceis de reconhecer, e não por causa dos brilhos no lado. Eles não eram realmente sapatos; tinham sido feitos para se ajustar aos cotos de suas pernas, que terminavam logo acima dos joelhos.

— Mas que beleza — disse num tom fascinado, levantando um deles para que o sol pudesse bater nas imitações de diamante com que os sapatos tinham sido decorados... se fossem imitações de diamante. Susannah teve a estranha impressão de que talvez fossem de fato pequenos diamantes. — Capinhas. Após quatro anos lidando com o que minha amiga Cynthia chamou "contratempos de pernas sem comprimento", finalmente consigo um par de capinhas. Olha só isso.

— Capinhas... — Eddie avaliou. — É assim que chamam?

— É assim que chamam, docinho.

Os de Jake eram Oxfords muito vermelhos — não fosse a cor, pareceriam perfeitamente adequados nas salas de aula para a elite do Colégio Piper. Flexionou e virou um deles. A sola brilhava e não tinha riscos. Não havia marca de fabricação, nem ele havia realmente esperado encontrar uma. Seu pai tinha talvez uma dúzia de pares de excelentes calçados feitos a mão e Jake viu de imediato que aqueles eram assim.

Os de Eddie eram botas de cano curto, saltos cubanos (*Talvez naquele mundo fossem chamados saltos de* Mejis, ele pensou) e bicos pontudos... o calçado que, em sua outra vida, tinha sido conhecido como "topada fina". Garotos de meados dos anos 1960 — uma era que Odetta/Detta/Susannah perdera por pouco — talvez os chamassem "botas dos Beatles".

Os de Roland, é claro, eram botas de caubói. Chiques... Eram mais para danças do que para cuidar do gado. Pontos em laço, decorações laterais, arcadas estreitas, salientes. Roland examinou-as sem pegá-las, depois olhou para seus companheiros de viagem e franziu a testa. Os três estavam se entreolhando. Você diria que três pessoas não poderiam se olhar daquele jeito, só uma dupla... Mas você só diria isso se nunca tivesse feito parte de um ka-tet.

Roland ainda compartilhava o *khef* com eles; sentia a poderosa corrente da mescla de pensamentos, mas não conseguia entendê-la. *Porque tem a ver com o mundo deles. Eles vêm de diferentes quandos naquele mundo, mas estão vendo algo aqui que é comum a todos os três.*

— O que é? — Roland perguntou. — O que significam esses sapatos?

— Acho que nenhum de nós saberia responder exatamente a *isso* — disse Susannah.

— Não — disse Jake. — É outra adivinhação. — Olhou com repugnância para o estranho modelo Oxford cor de sangue que tinha nas mãos. — Outra maldita adivinhação.

— Digam o que sabem. — Roland contemplou novamente o palácio de vidro. Talvez agora estivesse a uns vinte e cinco quilômetros, brilhando em pleno dia, delicado como uma miragem, mas real como... bem, real como sapatos. — Por favor, digam o que sabem sobre estes sapatos!

— Eu uso sapatos, *você* usa sapatos, as criaturas de todos os deuses usam sapatos — disse Odetta. — Ao menos é a opinião dominante.

— Bem — disse Eddie —, de qualquer forma *nós* os usamos. E você está pensando o que eu estou pensando, não é?

— Acho que sim.

— E você, Jake?

Em vez de responder com palavras, Jake pegou o outro Oxford (Roland não tinha dúvida de que todos os sapatos, incluindo os de Oi, caberiam perfeitamente) e bateu três vezes um salto contra o outro. Aquilo nada significava para Roland, mas tanto Eddie quanto Susannah reagiram violentamente, olhando em volta, olhando em particular para o céu, como se esperassem que brotasse uma tempestade daquele brilhante sol de outono. Acabaram olhando de novo para o palácio de vidro... e depois um para o outro com aquele jeito perito de bom entendedor que deixou Roland com vontade de sacudi-los até os dentes chocalharem. Mas ele esperou. Às vezes isso era tudo que a pessoa podia fazer.

— Depois que matou Jonas, você deu olhou na bola — disse Eddie, virando-se para ele.

— Sim.

— *Viajou* na bola.

— Sim, mas não quero falar novamente sobre isso; não tem nada a ver com esses...

— Acho que tem — disse Eddie. — Você voou dentro de uma tempestade rosa. Dentro de um *vendaval* rosa, pode-se dizer. Vendaval é uma palavra que se poderia usar em lugar de tempestade, não é? Especialmente se você estiver inventando uma adivinhação.

— Com certeza — disse Jake. Era um tom sonhador, quase como um garoto que falasse dormindo. — Quando Dorothy voou sobre o Arco-íris do Mago? Quando ela era moça.*

— Não estamos mais no Kansas, docinho — disse Susannah, e então deixou escapar um ganido estranho, sem humor, que Roland supôs que fosse uma espécie de riso. — Pode até parecer um pouco, mas Kansas nunca foi... tão *estreita*.

— Não entendo vocês — disse Roland. Ele sentia um frio por dentro e o coração estava batendo depressa demais. Agora havia lúminas por todo lado, não era o que haviam lhe dito? Mundos se dissolvendo um no outro enquanto as forças da Torre enfraqueciam? Enquanto se aproximava o dia em que a rosa seria arrancada pelo arado?

— Você viu coisas quando voou — disse Eddie. — Antes de chegar à terra negra, que você chamou de Trovão, você viu coisas. O pianista, Sheb. Que mais tarde apareceu de novo em sua vida, não foi?

— Sim, em Tull.

— E o colono de cabelo ruivo?

— Ele também. Tem um pássaro chamado Zoltan. Mas quando nos encontramos, ele e eu, dissemos o de sempre: "Vida para você, vida para sua colheita", esse tipo de coisa. Achei que tinha ouvido o mesmo quando ele passou voando por mim na tempestade rosa, mas ele na verdade disse alguma outra coisa. — Olhou de relance para Susannah. — Também vi sua cadeira de rodas. A antiga.

— E viu a bruxa.

— Sim. Eu...

* *Girl* (moça em inglês) tem um som parecido com *gale* (ventania, vendaval). E há uma moça chamada Dorothy Gale em *O mágico de Oz*. Ela é carregada por um vendaval para a Terra de Oz. (N. T.)

Numa risadinha rachada que fez Roland se lembrar perturbadoramente de Rhea, Jake Chambers gritou:

— Vou pegar você, queridinha! E seu cachorrinho também!

Roland o encarou, tentando não parecer espantado.

— Só que no cinema a bruxa não estava cavalgando uma vassoura — disse Jake. — Estava de bicicleta, aquela com a cesta atrás.

— É, e também não trazia talismãs da Colheita — disse Eddie. — Mas teria sido um toque e tanto. Sério, Jake, quando eu era garoto, costumava ter pesadelos com a risada da bruxa.

— Eram os macacos que me deixavam arrepiada — disse Susannah. — Os macacos voadores. Eu ficava pensando neles e aí precisava ir dormir no quarto dos meus pais. Ainda estavam discutindo sobre quem tivera a brilhante ideia de me levar para ver aquela coisa num cinema escuro quando eu pegava no sono entre os dois.

— Eu não me preocupei em bater os saltos — disse Jake. — Nem um pouco. — Era para Susannah e Eddie que ele estava falando; por enquanto, era como se Roland não estivesse sequer ali. — Afinal, eu não os estava usando.

— É verdade — disse Susannah, parecendo severa —, mas você sabe o que meu papai costumava dizer?

— Não, mas tenho a impressão que vamos descobrir — disse Eddie.

Ela deu a Eddie um olhar breve, severo, depois voltou sua atenção para Jake.

— Nunca assobie para o vento, a não ser que queira que ele cresça — disse ela. — E é um bom conselho, não importa o que o Jovem Senhor Bobão aqui possa pensar.

— Ponto de novo — disse Eddie, sorrindo.

— Novo! — disse Oi, observando severamente Eddie.

— Me expliquem isto — disse Roland em seu tom mais suave. — Gostaria de ouvir. Gostaria de compartilhar o *khef* de vocês. E gostaria de compartilhar *agora*.

2

Contaram a ele uma história que quase toda criança americana do século XX conhecia. A história de uma garota chamada Dorothy Gale, que vivia numa fazenda do Kansas e foi carregada por um ciclone e depositada, juntamente com seu cachorro, na Terra de Oz. Não havia I-70 em Oz, mas havia um caminho de tijolos amarelos que servia exatamente ao mesmo propósito. E havia bruxas, tanto boas quanto más. Havia um ka-tet formado por Dorothy, Totó e três amigos que ela encontrou ao longo do caminho: o Leão Covarde, o Homem de Lata e o Espantalho. Cada um deles tinha

(*pássaro e urso e lebre e peixe*)

um grande desejo, mas foi com o desejo de Dorothy que os novos amigos de Roland (e sem dúvida o próprio Roland) mais se identificaram: ela queria encontrar o caminho de casa.

— Os munchkins disseram que ela precisava seguir a estrada de tijolos amarelos até Oz — Jake explicou —, e foi o que ela fez. Encontrou os outros no caminho, mais ou menos como você nos encontrou, Roland...

— Embora você não se pareça muito com Judy Garland — Eddie acrescentou.

— ... e finalmente chegaram lá. A Oz, ao Palácio de Esmeralda e ao sujeito que vivia no Palácio de Esmeralda. — Ele olhou para o palácio de vidro à frente deles, cada vez mais esverdeado sob a luz cada vez mais forte, e voltou a Roland.

— Sim, entendo — disse Roland. — E esse tal sujeito, Oz, era um *dinh* poderoso? Um barão? Talvez um rei?

De novo os três trocaram um olhar do qual Roland estava excluído.

— Isso é complicado — disse Jake. — Era uma espécie de impostor...

— *Embustor*? O que é isso?

— Impostor — disse Jake rindo. — Um tapeador. Só papo furado. Mas talvez a coisa importante é que o mago na realidade veio de...

— Mago? — Roland perguntou num tom muito interessado, agarrando o ombro de Jake com sua mão direita abreviada. — Por que o chamou assim?

— Porque esse era seu título, docinho — disse Susannah. — O mago que era o Mágico de Oz. — Num gesto gentil, mas firme, ela tirou a mão de Roland do ombro de Jake. — Deixe que ele conte. Jake não precisa que você o aperte para as palavras saírem.

— Eu o machuquei? Peço seu perdão, Jake.

— Não, estou bem — disse Jake. — Não se preocupe. De qualquer modo, Dorothy e seus amigos tiveram muitas aventuras antes de descobrir que o mago era um... você sabe... um embustor. — Jake riu disso, colocando as mãos na testa e puxando o cabelo para trás, como um menino de cinco anos. — Ele não pôde dar coragem ao Leão, cérebro ao Espantalho ou coração ao Homem de Lata. Pior, ele não pôde mandar Dorothy de volta para o Kansas. O mago tinha um balão, mas partiu sem a garota. Acho que não fez de propósito, mas fez.

— Pelo que me contou da história, parece... — disse Roland falando muito devagar — ... que os amigos de Dorothy já tinham há muito tempo as coisas que queriam.

— Essa é a moral da história — disse Eddie. — Talvez o que a transformou em um clássico. Mas Dorothy ficou presa em Oz. Então Glinda apareceu. Glinda, a Boa. E, como presente por ter feito uma das bruxas más sumir sob sua casa e dissolver a outra, Glinda ensinou Dorothy a usar os sapatos vermelhos. Os sapatos que Glinda deu a ela.

Eddie levantou as botas vermelhas de cano curto e salto cubano que tinham sido deixadas para ele na linha branca pontilhada da I-70.

— Glinda mandou Dorothy bater os saltos dos sapatos vermelhos três vezes um no outro. Aquilo a levaria de volta ao Kansas, disse Glinda. E foi o que aconteceu.

— E esse é o final da história?

— Bem — disse Jake —, a coisa ficou tão popular que o cara que a escreveu foi em frente e produziu mais umas mil histórias de Oz...

— É — disse Eddie. — Tudo menos o *Guia de Glinda para Coxas Firmes*.

— ... e houve aquela versão maluca chamada *O mágico inesquecível*, estrelada por atores negros...

— Verdade? — Susannah perguntou, perplexa. — Que conceito interessante.

— ... mas a única que realmente tem importância é a primeira, eu acho — concluiu Jake.

Roland se abaixou e pôs as mãos nas botas que tinham sido deixadas para ele. Ergueu-as, olhou para elas, pousou-as de novo.

— Acham que devemos calçar essas coisas? Aqui e agora?

Seus três amigos de Nova York se entreolharam com ar de dúvida. Por fim, Susannah falou por eles... Passou a Roland o *khef* que o pistoleiro conseguia sentir, mas não compartilhar de fato.

— Talvez seja melhor não fazer isto já. Ainda há coisas muito negativas no ar.

— Espíritos *takuro* — Eddie murmurou, mais para si próprio. E então: — Olhem, vamos apenas levá-los conosco. Se foram entregues para que os calçássemos, acho que saberemos quando a hora chegar. Enquanto isso, devemos estar atentos à possibilidade de embustores terem nos trazido presentes.

Jake riu disso, como Eddie sabia que ia acontecer. Às vezes uma palavra ou uma imagem penetram nos neurônios como um vírus e ficam um certo tempo vivendo ali. No dia seguinte a palavra "embustor" poderia não significar mais nada para o garoto, mas pelo resto daquele dia ele ia rir cada vez que a ouvisse. Eddie pretendia usá-la bastante, especialmente quando o velho Jake não estivesse esperando.

Pegaram os calçados vermelhos que tinham sido deixados para eles na pista da direita (Jake pegou os de Oi) e seguiram de novo adiante, rumo ao cintilante castelo de vidro.

Oz, Roland pensou. Revirou a memória, mas não achou que já tivesse ouvido aquele nome antes, nem mesmo um nome da Língua Superior que o reproduzisse de forma disfarçada, como *char* tinha vindo disfarçado de Charlie. Contudo, era um som que parecia próximo; um som mais de seu mundo que do de Jake, Susannah e Eddie, de onde a história viera.

3

Jake continuou esperando que o Palácio Verde começasse a parecer normal à medida que eles fossem se aproximando, do modo como as atrações na Disney começam a ficar quando você se aproxima delas — não necessariamente *comuns*, mas *normais*, coisas fazendo tanto parte do mundo quanto o ponto de ônibus da esquina, a caixa de correio ou o banco do parque, coisas que você pode tocar, coisas onde pode escrever FODA-SE se tiver vontade.

Mas isso não aconteceu, não *ia* acontecer e, quando eles se aproximaram do Palácio Verde, Jake percebeu algo mais: era a coisa mais bela, mais radiante que já vira na vida. Achar que não era confiável — e ele achava que não era — não alterava o fato. Era como um desenho num livro de contos de fadas, um desenho tão bom que, de alguma forma, se tornara real. E, como a lúmina, zumbia... Só que era um som muito mais fraco, e não desagradável.

Muros verde-claros se elevavam até ameias que se projetavam para o céu e torres que pareciam quase tocar as nuvens pairando sobre as planícies do Kansas. Essas torres acabavam em agulhas de um verde mais escuro, tom de esmeralda; era dessas que as bandeirolas vermelhas se agitavam. Sobre cada bandeirola, o símbolo do olho aberto

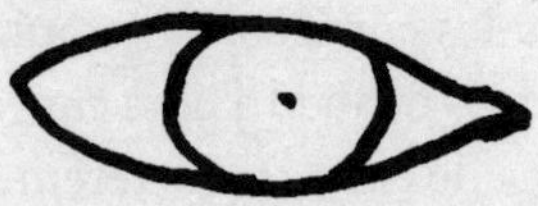

fora traçado em amarelo.

É a marca do Rei Rubro, Jake pensou. *É realmente* sua *sigul, não a de John Farson.* Não sabia como sabia disto (como podia ser, quando o time do

Alabama's Crimson Tide, A Onda Rubra do Alabama, era a *única* coisa Rubra que ele conhecia?), mas sabia.

— Tão bonito — Susannah murmurou e Jake, ao olhá-la de relance, achou que ela estava quase chorando. — Mas por alguma razão não é uma coisa boa. Não é certa. Talvez não seja exatamente uma coisa *má*, tipo lúmina, mas...

— Mas não é uma coisa boa — disse Eddie. — Sim. É por aí. Não chega a acender uma luz vermelha, mas tem pelo menos um amarelo forte. — Ele esfregou o lado do rosto (um gesto que pegara de Roland, sem se dar conta) e pareceu confuso. — Isto quase nem parece sério... Como se fosse uma piada.

— Duvido que seja piada — disse Roland. — Acha que é uma cópia do lugar onde Dorothy e seu ka-tet encontraram o falso mago?

De novo os três ex-nova-iorquinos pareceram trocar um rápido olhar de consulta. Em seguida, Eddie falou por todos eles.

— Sim. Sim, provavelmente. Não o mesmo castelo que aparece no filme, mas se for uma coisa saída de nossas mentes não poderia mesmo ser. Porque também se parece com o castelo do livro de L. Frank Baum. Com o que está nas ilustrações do livro...

— E com os das nossas imaginações — acrescentou Jake.

— Mas aí está — disse Susannah. — E eu diria que estamos realmente indo nos encontrar com o mago.

— Pode crer — disse Eddie. — Por causa-por causa-por causa-por causa-*por causa*...

— Por causa das coisas maravilhosas que ele faz! — Jake e Susannah concluíram em uníssono, depois riram, se divertindo, enquanto Roland franzia a testa, parecendo confuso e se sentindo deixado de fora.

— Mas acreditem, gente — disse Eddie —, só preciso de mais uma coisinha incrível para aterrissar na face escura da Lua Pinel. Com altas chances de ser pra sempre.

4

Ao se aproximarem, puderam ver a I-70 se estendendo para as profundezas verde-claras da muralha levemente arredondada do castelo; a muralha flutuava como uma ilusão de ótica. Um pouco mais perto e puderam ouvir as bandeirolas chicoteando na brisa e ver seus próprios reflexos ondulantes, como pessoas que se afogaram de alguma maneira caminhando nas funduras de alagadas sepulturas tropicais.

Havia uma redoma interior de vidro azul-escuro — era a cor que Jake associava com os vidros de onde vinha a tinta das canetas-tinteiro — e um muro tom de ferrugem entre a redoma e a muralha, onde se podia caminhar em cima. O tom fez Susannah se lembrar das garrafas de cerveja preta Hires, de quando era menina.

O caminho para dentro do castelo era bloqueado por um portão com grades, ao mesmo tempo imenso e etéreo: como se o ferro trabalhado tivesse se transformado em vidro. Cada grade, habilidosamente forjada, tinha uma cor diferente, e essas cores pareciam estar vindo de *dentro*, como se as grades estivessem cheias de algum gás ou líquido brilhante.

Os viajantes pararam diante delas. Não havia sinal de estrada além delas; em vez de asfalto viram um pátio de vidro prateado — na realidade, um enorme espelho plano. Nuvens flutuavam serenamente por suas profundezas, assim como a imagem de um ou outro pássaro mergulhando. O sol refletia-se neste pátio de vidro e corria pelos muros do castelo verde em ondulações. Na ponta do pátio, a parede da ala interna do palácio se erguia como um rochedo cintilantemente verde, quebrado por estreitas janelas com seteiras de vidro escurecido. Nessa parede havia também uma entrada em arco, que fez Jake pensar na catedral de St. Patrick.

À esquerda dessa entrada principal havia uma guarita para a sentinela. Era feita com um vidro de aspecto nebuloso misturado com vagos filetes alaranjados. A porta da guarita, pintada em listas vermelhas, estava aberta. O espaço da cabine estava vazio, embora houvesse algo no chão que pareceu a Jake um jornal.

Sobre o arco de entrada, ladeando sua escuridão, havia duas gárgulas agachadas, fazendo caretas. Eram de um vidro violeta muito escuro. As línguas pontudas saíam das bocas como feridas.

As bandeirolas no alto das torres batiam no vento como bandeiras de pátio de escola.

Ao longe, corvos grasnavam sobre milharais vazios, uma semana após a Colheita.

Distante, a lúmina gemia e zumbia.

— Vejam as grades deste portão — disse Susannah, que parecia sem fôlego e muito impressionada. — Olhem bem de perto.

Jake se curvou para as grades amarelas quase até encostar o nariz numa delas e uma leve tira amarela correu pelo meio de seu rosto. A princípio ele não viu nada e depois suspirou. O que tomara por reflexos ou sombras eram criaturas — criaturas vivas — aprisionadas dentro da grade, nadando em pequenos cardumes. Lembravam peixes num aquário, mas também (*as cabeças,*

Jake disse a si mesmo, *acho que é mais por causa das cabeças*) pareciam estranhamente, inquietantemente humanas. Como se, Jake pensou, ele estivesse olhando para um mar dourado vertical, todo o oceano contido numa coluna de vidro — e mitos vivos, não maiores que grãos de poeira, nadando dentro dela. Uma mulher minúscula, com cauda de peixe e um comprido cabelo loiro, veio nadando de longe para seu lado do vidro, aparentemente para espreitar o garoto gigante (a mulher tinha olhos grandes, espantados e belos) e logo se afastou nadando rápido.

Jake se sentiu de repente meio tonto, sem forças. Fechou os olhos até a sensação de vertigem passar, depois tornou a abri-los e olhou para seus amigos.

— Nossa! Será que são todas iguais?

— São todas diferentes, eu acho — disse Eddie, que já tinha dado uma espiada em duas ou três criaturas. Ele se debruçou sobre a coluna roxa e seu rosto se iluminou como se estivesse sob o clarão de um antiquado fluoroscópio. — Esses caras aqui parecem pássaros... pássaros minúsculos.

Jake olhou e viu que Eddie estava certo: dentro da coluna roxa do portão havia bandos de pássaros não maiores que andorinhas de verão. Esvoaçavam vertiginosamente num eterno crepúsculo, dando voltas por cima e por baixo uns dos outros, as asas deixando diminutas trilhas prateadas.

— Estão realmente aí? — Jake perguntou agitado. — Estão, Roland, ou são apenas a nossa imaginação?

— Não sei. Mas sei com o que quiseram que este portão se parecesse.

— Eu também sei — disse Eddie, examinando as grades brilhantes, cada uma com sua própria coluna de luz e vida aprisionada. Cada parte do portão era constituída por seis grades coloridas. A que ficava no centro (larga e chata em vez de redonda, e feita para se dividir em duas quando o portão fosse aberto) era a décima terceira. Esta era completamente preta e nela nada se movia.

Ah, talvez não dessas coisas que você pode ver, mas há coisas se movendo ali, pode crer, Jake pensou. *Há vida ali, vida* terrível. *E talvez haja rosas também. Rosas afogadas.*

— É o Portão do Mago — disse Eddie. — Cada grade foi feita para se parecer como uma das bolas no Arco-íris de Maerlyn. Olhe, ali está a rosada.

Jake se inclinou para ela, as mãos apoiadas nas coxas. Ele sabia que estariam lá dentro antes mesmo de os ver: cavalos de corrida. Minúsculos bandos galopando por aquela estranha coisa rosada, que não era líquida nem luminosa. Cavalos correndo atrás de uma Baixa que talvez jamais fossem encontrar.

Eddie estendeu as mãos para tocar as paredes da coluna central, a preta.

— Não! — Susannah gritou asperamente.

Eddie a ignorou, mas Jake viu o peito dele ficar um instante imóvel e os lábios se contraírem quando ele rodeou com as mãos a grade preta e ficou esperando alguma coisa (talvez alguma força mandada por Sedex da própria Torre Negra), algo para afetá-lo ou para golpeá-lo fatalmente. Quando nada aconteceu, Eddie voltou a respirar fundo e arriscou um sorriso.

— Sem eletricidade, mas... — Ele puxou; o portão se manteve firme. — Também não cede. Vejo a fenda do meio, mas está difícil. Quer tentar, Roland?

Roland deu um passo para o portão, mas Jake pôs a mão em seu braço e deteve o pistoleiro antes que ele pudesse fazer mais do que ensaiar uma sacudida inicial nas grades.

— Não se dê ao trabalho — disse Jake. — O caminho não é esse.

— Então qual é?

Em vez de responder, Jake sentou-se na frente do portão, perto do lugar onde terminava a estranha versão da I-70, e começou a calçar os sapatos que tinham sido deixados para ele. Eddie observou um momento, depois se sentou do seu lado.

— Acho que devíamos tentar — ele disse a Jake —, embora provavelmente a coisa vá se revelar apenas como outro embustor.

Jake riu, balançou a cabeça e começou a amarrar os laços dos Oxfords vermelho-sangue. Mas ambos, ele e Eddie, sabiam que aquilo não era nenhuma embustura. Não daquela vez.

5

— Tudo bem — disse Jake quando todos tinham calçado os sapatos vermelhos (ele achou que os pares pareciam extraordinariamente tolos, especialmente o de Eddie). — Vou contar até três e aí vou bater com os saltos um no outro. Assim. — Ele bateu uma vez os saltos dos Oxfords, com força... e o portão estremeceu como persiana mal fechada atingida por um vento forte. Susannah gritou. Seguiu-se então um trepidar baixo, suave, vindo do Palácio Verde, como se as próprias paredes tivessem vibrado.

— Acho que assim vai rolar — disse Eddie. — Mas fiquem sabendo desde já que não vou cantar "Somewhere Over the Rainbow". Não consta no meu contrato.

— O arco-íris é aqui — disse em voz baixa o pistoleiro, estendendo a mão mutilada para o portão.

Isso fez sumir o sorriso do rosto de Eddie.

— Sim, eu sei — disse ele. — Estou um pouco assustado, Roland.

— Eu também — disse o pistoleiro e, de fato, Jake achou que ele estava pálido e angustiado.

— Continue, docinho — disse Susannah. — Conte antes que todos nós percamos a coragem.

— Um... dois... *três*.

Bateram os calcanhares solenemente e em uníssono: toque, toque, toque. Desta vez o portão tremeu com mais força e as colorações das colunas nas grades ficaram muito nítidas. A trepidação que se seguiu foi mais alta, mas muito suave — o som de fino cristal sendo atingido pelo cabo de uma faca ecoou em acordes fantásticos que fizeram Jake estremecer, metade de prazer e metade de aflição.

Mas o portão não se abriu.

— O quê... — Eddie começou.

— Já sei — disse Jake. — Esquecemos do Oi.

— Ah, Cristo — disse Eddie. — Deixei o mundo normal que eu conhecia para ficar vendo um garoto calçando botas na porra de um fuinha. Atire em mim, Roland, antes que eu procrie.

Roland ignorou-o e ficou observando atentamente Jake. Sentado no leito da estrada, o garoto chamou:

— Oi! Venha cá!

O malhado atendeu de bom grado e, embora tivesse sido uma criatura selvagem antes de ser encontrado por eles no Caminho do Feixe, deixou que Jake colocasse as botinhas de couro vermelho em suas patas sem criar problema: na realidade, entendeu logo a ideia e pulou sozinho nas últimas duas. Quando os quatro sapatinhos vermelhos estavam no lugar (de fato se pareciam bastante com os sapatos vermelhos de Dorothy), Oi cheirou um deles e voltou a olhar atentamente para Jake.

Jake bateu três vezes os saltos, sempre contemplando o malhado, ignorando o tremor do portão e a trepidação suave nas paredes do Palácio Verde.

— Você, Oi!

— Oi!

Ele rolou de costas como um cachorro se fingindo de morto, depois se limitou a olhar para as patas com uma espécie de espanto e desgosto. Observando-o, Jake teve uma nítida lembrança: um dia tentara dar tapinhas na barriga e esfregar a cabeça ao mesmo tempo, e o pai zombando dele por não conseguir fazer direito de cara.

— Roland, me ajude. Ele sabe o que deve fazer, mas não sabe como. — Jake olhou de relance para Eddie. — E não faça qualquer comentário engraçadinho, o.k.?

— Não — disse Eddie. — Sem comentários engraçadinhos, Jake. Acha que agora a coisa só depende do Oi? Ou será que precisaremos fazer como um grupo?

— Só depende dele, eu acho.

— Mas acho que não faria mal dar uma mãozinha mais direta ao parça — disse Susannah.

— Parça? — disse Eddie, como se não entendesse.

— Não importa. Vamos lá, Jake, Roland. Façam a contagem de novo.

Eddie agarrou as patas dianteiras de Oi. Roland pegou suavemente as patas traseiras do malhado. Oi pareceu nervoso (como se tivesse medo de ser jogado com força demais para cima e acabasse desaparecendo no céu), mas não opôs resistência.

— Um, dois, *três*.

Eddie e Roland bateram gentilmente, em uníssono, as patas dianteiras e traseiras de Oi. Ao mesmo tempo fizeram clicar os saltos de seus próprios calçados. Jake e Susannah fizeram o mesmo.

Desta vez o acorde foi um profundo e doce tinido, como um sino de igreja de vidro. A grade de vidro preto que marcava o centro do portão não se abriu, mas se estilhaçou, borrifando cacos de obsidiana em todas as direções. Alguns rasparam no lombo de Oi, que se virou com rapidez, escapando das mãos de Eddie e Roland e se afastando uma pequena distância. Ele se sentou na linha branca tracejada entre a pista de asfalto e o acostamento da autoestrada. Com as orelhas puxadas para trás, olhava para o portão e ofegava.

— Vamos — disse Roland, aproximando-se da parte esquerda do portão e abrindo-a devagar. Ele ficou parado na orla do pátio espelhado, um homem alto, mago, usando uma calça jeans surrada, uma camisa velha de nenhuma cor determinada e bizarras botas de caubói vermelhas. — Vamos entrar e ver o que o Mago de Oz tem a dizer.

— Se ele ainda estiver lá — disse Eddie.

— Ah, acho que está — Roland murmurou. — Sim, acho que está lá.

Ele caminhou com cuidado para a porta principal ao lado da guarita de sentinela vazia. Os outros foram atrás, como duplas de gêmeos siameses, interessados em seus próprios reflexos no chão de vidro, ao lado dos sapatos vermelhos.

Oi veio por fim, deslizando nas botinhas vermelhas, parando uma vez para farejar o focinho refletido.

— Oi! — ele gritou para a imagem do malhado pairando abaixo dele e depois foi correndo atrás de Jake.

3. O MAGO

1

Roland parou na guarita da sentinela, deu uma olhada em seu interior, depois pegou a coisa que estava caída no chão. Os outros se aproximaram, se agrupando ao seu redor. Parecia ser um jornal e era justamente isso… ainda que um jornal muitíssimo estranho. Não era nenhum grande noticiário de Topeka nem trazia informações sobre qualquer epidemia que estivesse atingindo toda a população.

Zum-Zum Diário de Oz

"Zum-Zum Diário, Zum-Zum Diário, o Belo Oz pelo Belo Ozzzz"

Vol. MDLXVIII, nº 96 — Tempo: Hoje aqui, amanhã lá

Números da Sorte: Nenhum — Previsão: Má

Blá blá blá blá blá blá blá blá blá blá blá blá blá blá blá blá blá blá blá blá blá blá blá blá blá blá blá blá blá blá blá blá blá blá blá blá aí aí aí aí aí aí aí aí aí aí aí aí aí aí aí aí aí aí aí aí aí aí aí aí aí aí aí aí blá blá blá bom é mau mau é bom toda a coisa é o mesmo bom é mau mau é bom toda a coisa é o mesmo ir devagar passando o estreito toda a coisa é o mesmo blá blá blá blá blá blá blá blá Blaine é um saco toda a coisa é o mesmo aí aí aí aí aí aí aí aí aí aí aí aí árvore de chariou toda a coisa é o mesmo blá aí blá blá aí aí blá blá blá aí aí aí trincado privado meio trincado toda a coisa é o mesmo blá blá aí aí ande num trem morra na dor toda a coisa é o mesmo blá blá blá blá blá blá blá blá blá blá blá blá blá culpa culpa culpa culpa culpa culpa blá blá blá blá blá blá blá aí aí blá blá blá blá blá blá blá blá blá blá blá. (Reportagem completa na pág. 6)

Embaixo disto havia uma foto de Roland, Eddie, Susannah e Jake cruzando o pátio espelhado, como se aquilo tivesse acontecido no dia anterior em vez de apenas minutos atrás. Sob a foto, uma legenda dizia:

Tragédia em Oz: Viajantes Chegam em Busca de Fama e Fortuna; Só Encontram a Morte.

— Mas que beleza — disse Eddie, ajustando o revólver de Roland no coldre que usava baixo na cintura. — Consolo e encorajamento após dias de confusão. Como uma bebida quente numa porra de noite de inverno.

— Não tenha medo — disse Roland. — Isto *é* uma piada.

— Não estou com medo — disse Eddie —, mas é um pouco mais que uma piada. Morei muitos anos com Henry Dean e sei quando há uma trama para me tirar do sério. Conheço a coisa muito bem. — Olhou curioso para Roland. — Espero que não se importe por eu estar dizendo isto, mas quem parece assustado é você, Roland.

— Estou apavorado — Roland se limitou a dizer.

2

A entrada em forma de arco fez Susannah se lembrar de uma canção muito popular cerca de dez anos antes de ela ser arrancada de seu mundo para cair no de Roland. *Vi um olho me espiando por entre uma nuvem enfumaçada atrás da Porta Verde*, dizia a letra. *Quando eu disse "Joe me mandou", alguém riu alto atrás da Porta Verde*. Havia realmente duas portas ali em vez de uma e nenhum buraco de fechadura através do qual olhar. Nem Susannah tentou aquela velha conversa furada sobre como Joe a teria mandado. Ela apenas se curvou para a frente e leu a placa pendurada numa das maçanetas redondas de vidro. CAMPAINHA ENGUIÇADA, POR FAVOR BATA, estava escrito.

— Não se dê ao trabalho — ela disse a Roland, que tinha curvado o punho para fazer o que a placa mandava. — É da história, só isso.

Eddie puxou a cadeira de Susannah um pouco para trás, tomou a frente e virou as maçanetas redondas. As portas se abriram facilmente, as dobradiças girando em silêncio. Ele deu um passo para o que parecia ser uma sombria gruta esverdeada, levou as mãos em concha para os lados da boca e gritou:

— *Ei!*

O som de sua voz ganhou distância e voltou alterado... pequeno, com eco, perdido. Sumindo, assim parecia.

— Jesus — disse Eddie. — Precisamos fazer isto?

— Se quisermos voltar para o Feixe, acho que sim. — Roland parecia mais pálido do que nunca, mas os fez entrar. Jake ajudou Eddie a levantar a cadeira de Susannah na soleira (um bloco leitoso de vidro tom de jade) e a entrar com ela. Os pequenos sapatos de Oi cintilavam vagamente vermelhos no assoalho de vidro verde. Não tinham avançado mais de dez passos quando as portas bateram e se trancaram atrás deles. O estrondo, tipo nem-pergunte-sobre-isso, passou por eles e foi ecoando para as profundezas do Palácio Verde.

3

Não havia salão de recepções, só um corredor abobadado, cavernoso, que parecia avançar eternamente. As paredes estavam iluminadas por um fraco brilho verde. *É exatamente como o corredor no filme*, Jake pensou, *aquele onde o Leão Covarde fica tão assustado quando pisa em sua própria cauda*. E acrescentando um toque extra de verossimilhança que Jake podia ter dispensado, Eddie falou numa tremida (e mais do que passável) imitação de Bert Lahr:

— Esperem um minuto, gente, eu só estava aqui pensando... Realmente não quero ver tanto assim esse Mago. Acho melhor esperar por vocês lá fora!

— Pare — Jake disse asperamente.

— Pá! — Oi concordou. Ele caminhava bem grudado no calcanhar de Jake, balançando vigilante a cabeça de um lado para o outro. Jake nada ouvia além dos ruídos que eles mesmos faziam... contudo sentia alguma coisa: um som que não combinava com os outros. Era, ele pensou, como estar perto de um sino dos ventos, que só precisa do mais leve sopro de brisa para começar a tilintar.

— Desculpe — disse Eddie. — Sério. — E apontou: — Olhem ali.

Cerca de quarenta metros à frente deles, o corredor verde *realmente* acabava numa estreita porta verde de incrível altura — talvez uns dez metros do chão até o cume pontudo. E atrás dela Jake pôde ouvir um ruído constante de batidas. Quando chegaram mais perto e o barulho ficou mais alto, seu terror cresceu. Ele precisou fazer um esforço consciente para dar a última dúzia de passos até a porta. Conhecia aquele som; conhecia-o desde a corrida com Gasher sob Lud e desde a corrida que fizera com seus amigos a bordo de Blaine, o Monotrem. Era o contínuo *pam-pam-pam* dos motores de propulsão do trem.

— É como um pesadelo — disse em voz baixa, próxima das lágrimas. — Voltamos exatamente ao ponto de partida.

— Não, Jake — disse o pistoleiro, tocando seu cabelo. — Nunca pense assim. O que você está sentindo é uma ilusão. Continue firme e essa é a verdade.

A placa na porta não vinha do filme e só Susannah sabia que vinha era de Dante:

ABANDONEM A ESPERANÇA TODOS
QUE ENTRAREM AQUI

dizia ela.

Roland estendeu o braço com a mão direita de dois dedos e abriu com um puxão a porta de dez metros.

4

O que havia atrás dela era, aos olhos de Jake, Susannah e Eddie, uma estranha combinação de *O mágico de Oz* com Blaine, o Monotrem. No chão, um tapete grosso (azul-claro, como o que havia no Vagão do Baronato). A câmara era como a nave de uma catedral, atingindo alturas impenetráveis de uma escuridão esverdeada. As colunas que escoravam as paredes brilhantes eram grandes vigas de vidro de um tom que alternava entre o verde e o rosa; o rosa sendo o tom exato do casco de Blaine. Jake viu que, nessas colunas de sustentação, tinham sido gravadas um bilhão de imagens diferentes, nenhuma delas confortadora; eram difíceis de serem olhadas e deixavam o coração inquieto. Parecia haver uma preponderância de rostos gritando.

À frente deles, parecendo diminuir o tamanho dos visitantes, parecendo transformá-los em criaturas não maiores que formigas, ficava o único móvel da câmara: um enorme trono de vidro verde. Jake tentou avaliar seu tamanho e não conseguiu — não tinha pontos de referência para ajudar. Achou que o encosto do trono podia atingir uns quinze metros de altura, mas não era impossível que tivesse vinte ou trinta. Estava marcado com o símbolo do olho aberto, agora desenhado em vermelho em vez de amarelo. A ritmada agitação da luz fazia o olho parecer vivo; e estar batendo como um coração. Acima do trono, elevando-se como os foles de um potente órgão medieval, havia treze grandes tubos, cada qual pulsando com uma cor diferente.

Salvo pelo tubo que descia diretamente para o centro do trono. Esse era preto como a meia-noite e inerte como a morte.

— Ei! — Susannah gritou de sua cadeira de rodas. — Alguém aqui?

Ao som de sua voz, os tubos se iluminaram tão intensamente que Jake precisou proteger os olhos. Por um momento toda a sala do trono brilhou como um arco-íris explodindo. Então os tubos se apagaram, ficaram escuros e inertes, exatamente como acontecia com a bola de cristal na história de Roland, quando o vidro (ou a força que habitava o vidro) decidia ficar um tempo apagado. Agora havia apenas uma coluna de escuridão e a firme pulsação verde do trono vazio.

Em seguida, um zumbido um tanto cansado começou adentrar na cabeça deles, como um servomecanismo muito antigo sendo posto em funcionamento pela última vez. Placas, cada qual com pelo menos dois metros de comprimento e meio metro de largura, deslizaram nos braços do trono. Das fendas pretas que elas destamparam, saiu uma fumaça cor-de-rosa que começou a flutuar. Ao subir, a fumaça foi escurecendo, adquirindo um forte tom vermelho. E nela apareceu o zigue-zague de uma frase terrivelmente familiar. Jake soube o que era antes mesmo que as palavras

(*Lud Candleton Rilea Cataratas do Cão Dasherville Topeka*)

aparecessem, brilhando enfumaçadas.

Era o mapa da rota de Blaine.

Roland podia repetir o quanto quisesse que as coisas tinham mudado, que a sensação que Jake tivera de ter caído num pesadelo

(*este é o pior pesadelo de minha vida, e essa é a verdade*)

era apenas uma ilusão criada por sua mente confusa e coração assustado, mas Jake sabia que não era bem assim. Aquele lugar podia se parecer um pouquinho com a sala do trono de Oz, o Grande e Terrível, mas era na verdade a câmara do Mono Blaine. Estavam novamente a bordo de Blaine e logo a disputa de adivinhações ia recomeçar.

Jake teve vontade de berrar.

5

Eddie reconheceu a voz que ribombou do enfumaçado mapa do trajeto pendurado sobre o trono verde, mas acreditou que fosse Blaine, o Mono, tanto quanto acreditou que fosse o Mago de Oz. *Algum* mago, talvez, mas aquela não era a Cidade das Esmeraldas e Blaine estava tão morto quanto um cocô de cachorro. Eddie o mandara para casa com a porra de um rompimento.

— ALÔ AÍ DE NOVO, PEQUENOS PIONEIROS!

O enfumaçado mapa da rota pulsou, mas Eddie não o associava mais com a voz, embora achasse que isso ainda teria alguma lógica. Mas, não, a voz vinha dos tubos.

Olhou para baixo, viu o rosto de Jake branco como folha de papel e se ajoelhou ao lado dele.

— É enrolação, garoto — disse.

— N-Não... É Blaine... Não está morto...

— Está morto, pode crer. Isto não passa de uma versão ampliada dos comunicados depois da aula... Quem vai ficar detido, quem deve se encaminhar à sala seis para sessão de Fono. Não sacou?

— O quê? — Jack levantou a cabeça, a boca úmida, tremendo, o olhar tonto. — O que você...

— Aqueles tubos são *alto-falantes*. Mesmo um moleque pode parecer grande com uma caixa doze de um Dolby sound-system; não se lembra do filme? Ele precisava parecer grande porque era um embustor, Jake... só um embustor.

— O QUE ESTÁ DIZENDO A ELE, EDDIE DE NOVA YORK? É UMA DAS PIADINHAS ESTÚPIDAS DA SUA MENTE SUJA? UMA DAS SUAS ADIVINHAÇÕES SEM PÉ NEM CABEÇA?

— É — disse Eddie. — Aquela que diz: "Quantos computadores dipolares são necessários para atarraxar uma lâmpada?". Quem é você, cara? Sei muito bem que não é Blaine, o Mono, então, quem é você?

— EU... SOU... OZ! — a voz trovejou. As colunas de vidro faiscaram; assim como os tubos atrás do trono. — OZ, O GRANDE! OZ, O PODEROSO! QUEM SÃO VOCÊS?

Susannah avançou com a cadeira de rodas até a base dos opacos degraus verdes que levavam a um trono capaz de transformar o próprio Lorde Perth num anão.

— Sou Susannah Dean, pequena e deficiente — disse ela —, e fui criada para ser educada, mas não para ouvir besteiras e não falar nada. Estamos aqui porque tínhamos mesmo de estar aqui... Por que, afinal, aqueles sapatos teriam sido deixados para nós?

— O QUE VOCÊ QUER DE MIM, SUSANNAH? O QUE POSSO LHE DAR, PEQUENA VAQUEIRA?

— Você sabe — disse ela. — Queremos o que todo mundo quer, imagino eu... Voltar para casa... Porque não há lugar no mundo como o nosso lar. Nós...

— Você não pode voltar para casa — disse Jake num murmúrio rápido e assustado. — Você não pode voltar para casa, Thomas Wolfe disse isso, e essa é a verdade.

— É uma *mentira*, docinho — disse Susannah. — Uma tremenda mentira. Você pode voltar para casa. Tudo que tem a fazer é achar o arco-íris certo e caminhar sob ele. Nós já o encontramos; o resto, você sabe, é pura rotina.

— VOLTARIA PARA NOVA YORK, SUSANNAH DEAN? EDDIE DEAN? JAKE CHAMBERS? É O QUE PEDEM DE OZ, O SUPREMO E PODEROSO?

— Nova York não é mais nossa casa — disse Susannah, parecendo muito pequena mas muito destemida sentada ali, na nova cadeira de rodas, aos pés do enorme trono pulsante. — Assim como Gilead não é mais a casa de Roland. Leve-nos de volta ao Caminho do Feixe. É para onde queremos ir, porque é o nosso verdadeiro caminho de casa. O único caminho de casa que temos.

— VÃO EMBORA! — gritou a voz dos tubos. — VÃO EMBORA E VOLTEM AMANHÃ! ENTÃO DISCUTIREMOS SOBRE O FEIXE! COMO DIZIA SCAR-

LETT: BOBAGEM, FALAREMOS SOBRE O FEIXE AMANHÃ, POIS AMANHÃ É OUTRO DIA!

— Não — disse Eddie. — Vamos falar disso agora.

— NÃO DESPERTEM A IRA DO GRANDE E PODEROSO OZ! — a voz gritou e os tubos faiscaram furiosos a cada palavra. Susannah tinha certeza que aquilo tinha a intenção de ser assustador, mas lhe pareceu quase engraçado. Era como ver um camelô mostrar como funcionava um brinquedo de criança. *Ei, molecada! Quando vocês falam, os tubos brilham com cores diferentes! Experimentem para ver!*

— Docinho, escute com atenção agora — disse Susannah. — O que você não quer é despertar a ira de gente armada de revólveres. O que é compreensível quando se mora numa casa de vidro.

— EU DISSE VOLTEM AMANHÃ!

Mais uma vez começou a transbordar fumaça vermelha das fendas nos braços do trono. Estava mais densa agora. Os contornos do mapa de rota de Blaine se dissolveram e juntaram-se a ela. Desta vez um rosto se formou da fumaça. Era estreito, severo e atento, emoldurado por um longo cabelo.

É o homem que Roland matou no deserto, Susannah pensou com ar de espanto. *É aquele tal de Jonas. Sei que é.*

Agora Oz falou com uma voz ligeiramente trêmula:

— PRETENDEM DESAFIAR O GRANDE OZ? — Os lábios da enorme face enfumaçada pairando sobre o assento do trono se separaram num esgar, onde se misturavam ameaça e desprezo. — CRIATURAS INGRATAS! AH, SUAS CRIATURAS INGRATAS!

Eddie, que conhecia bem uma ilusão quando a via, olhara de relance em outra direção. Seus olhos se arregalaram e ele agarrou o braço de Susannah acima do cotovelo.

— Olhe — sussurrou. — Jesus, Suze, olhe para o Oi!

O billy-malhado não tinha interesse em fantasmas de fumaça, fossem eles mapas com rotas de monotrilhos, Caçadores de Caixões falecidos ou reles efeitos especiais de Hollywood como existiam antes da Segunda Guerra. Tinha visto (ou cheirado) algo mais interessante.

Susannah agarrou Jake, virou a cabeça dele e apontou para o malhado. Viu os olhos do garoto se arregalarem com a compreensão de que, um momento antes, Oi atingira a pequena alcova na parece esquerda. Estava separada da câmara principal por uma cortina verde que combinava com as paredes de vidro. Oi esticava o pescoço comprido, agarrava o tecido da cortina com os dentes e puxava para trás.

6

Atrás da cortina verde e vermelha piscavam luzes; cilindros giravam dentro de caixas de vidro; agulhas moviam-se de um lado para o outro dentro de extensas fileiras de mostradores iluminados. Jake, no entanto, mal reparou nessas coisas. Foi o homem que chamou toda a sua atenção, o homem sentado no console, de costas para eles. O cabelo pastoso, manchado de sangue e sujeira, caía até os ombros em cachos emaranhados. Estava usando uma espécie de fone de ouvido e falando no minúsculo microfone que pairava na frente de sua boca. Estava de costas para eles e a princípio não se deu conta de que Oi o farejara e descobrira o esconderijo.

— VÃO! — trovejava a voz pelos tubos... Só que agora Jake entendeu de onde ela *realmente* estava vindo. — VOLTEM AMANHÃ SE QUISEREM, MAS VÃO AGORA! ESTOU AVISANDO!

— *É* Jonas. Roland não deve tê-lo matado afinal de contas — Eddie murmurou, mas Jake sabia que não era bem assim. Tinha reconhecido a voz. Mesmo com a voz distorcida pela amplificação dos tubos coloridos, ele a reconhecera. Como poderia ter achado que fosse a voz de Blaine?

— ESTOU AVISANDO, SE RECUSAREM...

Oi latiu, um latido agudo e um tanto ameaçador. O homem na alcova dos equipamentos começou a se virar.

Primeiro, companheirinho, Jake se lembrou daquela voz falando antes que seu dono descobrisse os dúbios encantos da amplificação. *Me conte o que sabe de computadores dipolares e circuitos transitivos. Me conte e lhe dou uma água.*

Não era Jonas e não era o Mago de coisa nenhuma. Era o neto de David Quick. Era o Homem do Tique-taque.

7

Jake o encarou, horrorizado. A serpenteante, perigosa criatura que vivera sob Lud com seus companheiros (Gasher, Hoots, Brandon e Tilly) se fora. Aquela poderia ser a carcaça do pai... ou do avô daquele monstro. O olho esquerdo — aquele que Oi perfurara com suas garras — se projetava branco e disforme, parcialmente na órbita e parcialmente na face por barbear. O lado direito da cabeça parecia meio escalpelado e o interior do crânio aparecia dentro de uma longa fenda triangular. Jake teve uma recordação distante e obscurecida pelo pânico de uma aba de pele caindo do lado da cara de Tique-taque. Foi um momento em que se sentira à beira da histeria... como agora se sentia novamente.

Oi também havia reconhecido o homem que tentara matá-lo e latia furiosamente, focinho baixo, dentes à mostra, lombo em arco. Tique-taque encarou-o com olhos arregalados, assombrados.

— Não deem atenção a esse homem atrás da cortina — disse uma voz atrás deles, sufocando um riso. — Meu amigo Andrew está tendo outro dia ruim numa longa sucessão de dias ruins. Pobre rapaz. Acho que fiz mal em trazê-lo de Lud, mas ele parecia tão *perdido*... — O dono da voz sufocou novamente o riso.

Jake se virou e viu que agora havia um homem sentado no meio do grande trono, as pernas cruzadas com descontração. Usava uma calça jeans, uma jaqueta escura que tinha uma correia na cintura e velhas e gastas botas de caubói. Na jaqueta havia um broche mostrando um focinho de porco com um buraco de bala entre os olhos. O recém-chegado trazia no colo uma bolsa de barbante. Ele se levantou, ficou de pé no assento do trono, como uma criança subindo na cadeira do pi, e o sorriso escorreu de seu rosto como pele solta. Agora os olhos chamejavam e os lábios se entreabriram diante de dentes grandes e famintos.

— *Pegue-os, Andrew! Pegue todos! Mate todos eles! Cada um desses escrotos!*

— *Minha vida por você!* — gritou o homem na alcova e, pela primeira vez, Jake viu a metralhadora no canto. Tique-taque saltou para ela e arrebatou-a. — *Minha vida por você!*

Quando Tique-taque se virou, Oi estava mais uma vez em cima dele, pulando de um lado para o outro, enfiando com força os dentes na sua coxa esquerda, logo abaixo do meio das pernas.

Eddie e Susannah sacaram ao mesmo tempo, cada um apontando um dos grandes revólveres de Roland. Atiraram coordenados, um concerto de dois tiros absolutamente ritmado. Uma das balas rasgou o topo da miserável cabeça de Tique-taque e depois se enterrou no equipamento de som, gerando um alto mas felizmente breve ronco de feedback. A outra acertou Tique-taque na garganta.

Ele cambaleou um passo para a frente, depois dois. Oi se jogou no chão e fugiu dele, rosnando. Um terceiro passo introduziu Tique-taque na sala do trono propriamente dita. Ele ergueu os braços para Jake e o garoto enxergou o ódio de Ticky no que restava de seu olho verde; Jake achou que podia ouvir o último, raivoso pensamento do homem: *Ah, seu pirralho de merda...*

Então Tique-taque desabou para a frente, como já tinha desabado no Berço dos Grays... Só que desta vez não se levantaria mais.

— Assim caiu Lorde Perth e a terra tremeu com o estrondo — disse o homem no trono.

Só que ele não é um homem, Jake pensou. *Não é absolutamente um homem. Acho que finalmente encontramos o Mago. E tenho certeza quase absoluta de que sei o que há na bolsa que ele tem.*

— Marten — disse Roland. Ele estendeu a mão esquerda, a que continuava inteira. — Marten Broadcloak. Após todos esses anos. Após todos esses *séculos*.

— Quer isto, Roland?

Eddie passou para Roland o revólver que usara para matar o Homem do Tique-taque. Ainda estava saindo um rolo de fumaça azul do cano. Roland contemplou o velho revólver como se jamais o tivesse visto, depois o ergueu devagar e apontou para o vulto sorridente, de faces coradas, sentado de pernas cruzadas no trono do Palácio Verde.

— Finalmente — Roland respirou, o polegar engatilhando. — Finalmente na minha mira.

8

— Essa coisa de seis tiros não lhe servirá de nada, como acho que você sabe — disse o homem no trono. — Não contra mim. Só tiros falhos contra *mim*, Roland, velho amigo. Aliás, como vai a família? Perdi o contato com eles de uns anos para cá. Eu sempre fui *péssimo* em mandar cartas. Alguém devia ter me dado uma surra de chicote, ié, devia sim!

Ele atirou a cabeça para trás e riu. Roland puxou o gatilho do revólver, mas quando o cão arriou houve apenas um clique seco.

— Te falei — disse o homem no trono. — Acho que, sem querer, você deve ter colocado uma daquelas balas molhadas no tambor, não é? Aquelas com a pólvora sem força. Boas para bloquear o som da lúmina, mas não tão boas para acertar velhos magos, certo? Muito ruins. E sua mão, Roland, olhe para sua *mão*! Dá pra ver que faltam alguns dedos. Rapaz, isto *tem* sido duro para você, não tem? Mas as coisas podiam ficar mais fáceis. Você e seus amigos poderiam ter uma vida ótima, tranquila... e, como diria Jake, essa é a verdade. Não mais lagostrosidades, não mais trens malucos, não mais inquietantes... para não dizer perigosas... viagens a outros mundos. Tudo que precisam fazer é desistir desta estúpida e inútil jornada pela Torre.

— Não — disse Eddie.

— Não — disse Susannah.

— Não — disse Jake.

— Não! — disse Oi, acrescentando um latido.

O homem sombrio no trono verde continuou a sorrir, impassível.

— Roland? — perguntou. — Quanto a você? — Lentamente ele ergueu a bolsa de corda, que parecia velha e empoeirada. Pendia do punho do mago como lágrima e agora a coisa lá dentro começava a pulsar com uma luminosidade rosa. — Volte atrás e eles jamais precisarão ver o que está aqui... Jamais precisarão ver a última cena deste triste e tão antigo espetáculo. Volte atrás. Afaste-se da Torre e siga seu caminho.

— Não — disse Roland, começando a sorrir. E quando seu sorriso se ampliou, o do homem sentado no trono começou a fraquejar. — Você consegue enfeitiçar meus revólveres, os deste mundo, eu acho.

— Roland, não sei o que está pensando, garoto, mas estou avisando-o para não...

— Não desafiar Oz, o Grande? Oz, o Poderoso? Mas acho que vou fazer isso, Marten... ou Maerlyn... ou como seja que agora se chame...

— Flagg, para dizer a verdade — disse o homem no trono. — E já nos encontramos antes. Ele sorriu. Em vez de o sorriso ampliar seu rosto, como costumam fazer os sorrisos, contraiu as feições de Flagg, reduzindo-as a uma careta estreita e rancorosa. — Nas ruínas de Gilead. Você e seus companheiros que sobreviveram... aquele asno sorridente, Cuthbert Allgood, era um de seu grupo, eu me lembro, e DeCurry, o sujeito com o sinal de nascença, era outro... você e eles estavam indo para oeste, à procura da Torre. Ora, no modo de falar do mundo de Jake, você estava indo encontrar o Mago. Sei que você me viu, mas duvido que tenha percebido que eu também vi você.

— E me verá de novo, eu acho — disse Roland. — A não ser, é claro, que eu o mate agora e coloque um ponto final em sua interferência.

Ainda segurando o revólver na mão esquerda, Roland buscou com a direita o que estava enfiado na cintura da calça jeans... o Ruger de Jake, um revólver de outro mundo, talvez imune aos encantamentos daquela criatura. E foi rápido como sempre fora, de velocidade ofuscante.

O homem no trono gritou e se retraiu. A bolsa caiu de seu colo e a bola de vidro — um dia sob a guarda de Rhea, um dia sob a guarda de Jonas, um dia sob a guarda do próprio Roland — escapuliu pela abertura. Fumaça, agora verde em vez de vermelha, transbordou das fendas nos braços do trono, elevando-se em espirais cada vez mais escuras. Roland, no entanto, ainda podia ter acertado a figura que desaparecia na fumaça se estivesse realmente disposto. Mas não estava; o Ruger escorregou do aperto da mão abreviada, o cano se desviou. A mira quase prendeu na fivela do cinto. Ele só levou um quarto de segundo para endireitar o cano, mas foi o quarto de segundo de que precisava. Roland disparou três tiros para as espirais de fumaça, depois correu para a frente, indiferente aos gritos dos outros.

Sacudiu a fumaça para os lados com as mãos. Seus tiros tinham estilhaçado o encosto do trono, transformando-o em grossos cacos de vidro verde, mas a criatura em forma de homem, a criatura que se autodenominara Flagg, havia sumido. Roland percebeu que já começava a duvidar se ele — ou a coisa — estivera realmente ali.

A bola, no entanto, continuava lá, sem ter sofrido dano, irradiando o mesmo brilho sedutoramente rosa, o brilho que ele se recordava de ter visto tanto tempo atrás... em Mejis, quando era jovem e estava apaixonado. Aquele vidro sobrevivente do Arco-íris de Maerlyn tinha rolado até a beira do assento do trono; cinco centímetros a mais e teria caído, se espatifado no chão. Mas isso não acontecera; a bola permanecia lá, aquela coisa encantada que Susan Delgado avistara pela primeira vez através da janela da cabana de Rhea, sob o brilho da Lua do Beijo.

Roland pegou a bola — como ela se ajustava bem à sua mão, como se acomodava com naturalidade na palma, mesmo após todos aqueles anos — e olhou para as profundezas agitadas, enevoadas.

— Você sempre teve uma vida encantada — ele sussurrou. E pensou em Rhea, como a tinha visto naquela bola... os olhos arcaicos, que riam. Pensou nas chamas da fogueira na Noite da Colheita se elevando ao redor de Susan, fazendo sua beleza bruxulear no calor, fazendo-a estremecer como uma miragem.

Maldito brilho!, pensou. *Se eu a atirasse no chão, íamos nos afogar no mar de lágrimas que vazaria de sua barriga quebrada... as lágrimas de todos aqueles que você levou à ruína.*

E por que não fazer isso? Deixada inteira, a coisa ruim podia ser capaz de ajudá-lo a voltar ao Caminho do Feixe, mas Roland não acreditava que eles realmente *precisassem* dela. Achava que Tique-taque e a criatura que dizia chamar-se Flagg tinham sido o último desafio a esse respeito. O Palácio Verde era a porta para o Mundo Médio... e era deles agora. Tinham-no conquistado pela força das armas.

Mas você ainda não pode ir, pistoleiro. Não antes de acabar sua história, de contar a última cena.

De quem era essa voz? De Vannay? Não. De Cort? Não. Nem era a voz de seu pai, que um dia o tirara nu da cama de uma prostituta. A voz do pai era a mais severa das vozes, a voz que frequentemente ouvia em sonhos agitados, a voz que queria tanto agradar e tão raramente conseguia. Não, não era essa voz, não desta vez.

Desta vez o que ele ouvia era a voz do ka... do ka como um vento. Contara muito dos seus horríveis catorze anos... mas não terminara a história.

Como acontecera com Detta Walker e o prato muito especial da Dama Azul, havia mais uma coisa. Uma coisa escondida. A questão não era, ele percebia, se os cinco conseguiriam ou não achar um jeito de sair do Palácio Verde e voltar ao Caminho do Feixe; a questão era se podiam ou não continuar como ka-tet. Se isto fosse possível, não podia haver nenhum segredo; Roland teria de falar a eles da última vez em que olhara no cristal do mago, tanto tempo atrás. Acontecera três noites depois do banquete de boas-vindas. Precisaria contar a eles...

Não, Roland, a voz murmurou. *Não apenas contar. Não desta vez. Você sabe que não é bem assim.*

Sim. Ele sabia.

— Venham — disse, virando-se para o grupo.

Todos foram se colocando devagar em volta dele, olhos arregalados e cheios da cintilante luz rosada da bola. Logo estavam meio hipnotizados por ela, inclusive Oi.

— Somos ka-tet — disse Roland, segurando a bola diante deles. — Somos um, um composto de muitos. Perdi meu único amor verdadeiro no início da minha jornada pela Torre Negra. Agora, se puderem, olhem nesta maldita coisa e vejam o que perdi não muito tempo depois. Vejam de uma vez por todas; vejam muito bem.

Eles olharam. A bola, acomodada nas mãos erguidas de Roland, começou a pulsar mais depressa. Ela os arrebatou e levou-os de roldão. Capturados e rodopiando na garra da tempestade rosa, voaram sobre o Arco-íris do Mago para a Gilead que tinha existido.

4. O VIDRO

Jake de Nova York encontra-se num corredor em cima do Grande Salão de Gilead — um castelo, ali na terra verde, bem superior à Casa do Prefeito. Olha ao redor e vê Susannah e Eddie ao lado de uma tapeçaria, olhos arregalados, mãos entrelaçadas com força. E Susannah está de pé; teve suas pernas devolvidas, ao menos por algum tempo, e o que ela chamou de "capinhas" tinham sido substituídas por um par de sapatos muito vermelhos, exatamente como os que Dorothy usava ao pisar em sua versão da Grande Estrada para ir atrás do Mágico de Oz, aquele embustor.

Ela tem as pernas porque isto é um sonho, *Jake pensa, mas sabe que não é sonho. Olha para baixo e vê Oi a observá-lo com olhos ansiosos, inteligentes e rodeados de dourado. Ainda está usando as botinhas vermelhas. Jake se abaixa e afaga a cabeça de Oi. A sensação do pelo do malhado embaixo de sua mão é nítida e real. Não, aquilo não é sonho.*

Contudo Roland não está lá, ele percebe; eles são agora quatro em vez de cinco. Jake também percebe outra coisa: a atmosfera do corredor é ligeiramente rosa e pequenos halos rosados giram ao redor das engraçadas, antiquadas lâmpadas elétricas que o iluminam. Alguma coisa vai acontecer; alguma história vai se desenrolar na frente de seus olhos. E agora, como se a própria ideia os tivesse convocado, o garoto ouve o estalar de passos se aproximando.

É uma história que eu conheço, *pensa Jake.* Uma história que já me contaram antes.

Quando Roland aparece na entrada do corredor, ele percebe que história é: aquela onde Marten Broadcloak detém Roland quando Roland passa por ele a caminho do terraço, onde talvez estivesse mais fresco. "Ei, garoto", Marten vai dizer. "Entre! Não fique parado aí no corredor! Sua mãe quer falar com você." Mas é claro que não era verdade, nunca foi verdade, nunca será verdade, não importa quantas voltas o tempo dê. O que Marten quer é que o garoto veja a mãe e compreenda que Gabrielle Deschain se tornou amante do mago de seu pai. Marten quer induzir o garoto a participar de um teste prematuro de maturidade enquanto o pai está ausente e não pode impedir que isso aconteça; quer tirar o fedelho do caminho antes que seus dentes cresçam o suficiente para morder.

Agora vão ver tudo; o triste espetáculo seguirá, diante dos olhos deles, seu curso triste e programado. Sou novo demais, *Jake pensa, mas é claro que não é novo demais; Roland será apenas três anos mais velho quando chegar a Mejis com os amigos e encontrar Susan na Grande Estrada. Só três anos mais velho quando começar a amá-la; só três anos mais velho quando a perder.*

Não me interessa, não quero ver isto…

E não vai ver, ele percebe, quando Roland se aproxima; tudo aquilo já aconteceu. Pois não estão em agosto, tempo da Terra Plena, mas no final do outono ou início do inverno. Ele pode dizer pelo poncho que Roland está usando, uma lembrança da viagem ao Arco Exterior, e pelo vapor que sai de sua boca e nariz cada vez que ele solta o ar: não existe aquecimento central em Gilead e está frio ali.

Há outras mudanças também: Roland está agora usando os revólveres que são seus por direito de nascimento, os grandes com os cabos de sândalo. O pai passou-os a ele no banquete, *Jake pensa. Ele não sabe como sabe disto, mas sabe. E o rosto de Roland, embora continue sendo o rosto de um garoto, não é mais a face tranquila, inexperiente do garoto que seguira por aquele mesmo corredor cinco meses atrás; o garoto que foi objeto da cilada de Marten passou por muita coisa desde então, e a batalha com Cort foi a menor delas.*

Jake também vê outra coisa: o garoto pistoleiro está usando as botas vermelhas de caubói. Mas ele não sabe. Porque isto não está realmente acontecendo.

Contudo, de certa forma está. Eles estão dentro da bola de cristal do mago, estão dentro da tempestade rosa (os halos cor-de-rosa girando ao redor do encaixe das lâmpadas fizeram Jake se lembrar das Cataratas do Cão e dos arcos de lua girando na névoa) e aquilo está realmente acontecendo de novo.

— *Roland!* — *Eddie chama de onde ele e Susannah se encontram, ao lado da tapeçaria. Susannah respira fundo e aperta o ombro dele, querendo que fique calado, mas Eddie não dá importância.* — *Não, Roland! Não faça! Não é uma boa ideia!*

— *Não! Olan!* — *diz Oi num ganido.*

Roland ignora os dois e passa a um palmo de Jake, mas sem vê-lo. Para Roland, eles não estão ali; apesar das botas vermelhas, aquele ka-tet ainda está num futuro distante.

Ele para numa porta perto do final do corredor, hesita, depois ergue o punho e bate. Eddie começa a descer o corredor em sua direção, ainda segurando a mão de Susannah... que agora parece estar quase sendo arrastada.

— *Vamos entrar, Jake* — *diz Eddie.*

— *Não, não quero.*

— *Não se trata do que você quer e você sabe disso. Nós devemos ver. Se não podemos detê-lo, podemos ao menos fazer aquilo que viemos fazer aqui. Agora vamos!*

Com o coração pesado de pavor, o estômago dando um nó, Jake avança. Quando todos se aproximam (os revólveres parecendo enormes nos quadris estreitos de Roland e o rosto sem rugas, mas já cansado, deixando Jake com vontade de chorar), o pistoleiro torna a bater.

— *Ela não está aí, docinho!* — *grita Susannah.* — *Não está aí ou não quer atender a quem bate. E pouco importa saber se é uma coisa ou outra! Saia daí!*

Deixe-a! *Ela não vale tudo isso! O fato de ser sua mãe não torna isso menos verdadeiro. Vá embora!*

Mas Roland não a ouve e não vai embora. Com Jake, Eddie, Susannah e Oi reunidos invisivelmente atrás dele, Roland tenta forçar a porta do quarto da mãe e descobre que não está trancada. Ele a abre, revelando uma câmara sombria decorada com tapeçarias de seda. No chão há um tapete que lembra um dos tapetes persas tão estimados pela mãe de Jake... só que aquele tapete, Jake sabe, vem da província de Kashamin.

Na extremidade do vestíbulo, junto a uma janela de persianas fechadas para proteger o quarto dos ventos do inverno, Jake vê uma cadeira de encosto baixo e sabe que é aquela onde ela estava no dia do teste de maturidade de Roland; é onde estava sentada quando o filho vê a marca de amor em seu pescoço.

A cadeira está vazia agora, mas quando o pistoleiro dá outro passo para o interior do aposento e se vira para o quarto propriamente dito, Jake observa um par de sapatos — pretos, não vermelhos — sob as cortinas que cercam a janela fechada.

— Roland! — ele grita. — Roland, atrás das cortinas! Alguém atrás das cortinas! Cuidado!

Mas Roland não ouve.

— Mãe? — ele chama e, embora sua voz seja a mesma, a voz que Jake reconheceria em qualquer lugar, é também uma versão extremamente revigorada dela! Jovem e sem o traço rouco de tantos anos de poeira, vento e fumaça de cigarro. — Mãe, é Roland! Quero conversar com você!

Ainda nenhuma resposta. Ele cruza o pequeno corredor que leva ao quarto. Parte de Jake quer ficar ali no vestíbulo, ir até aquela cortina e puxá-la, mas Jake sabe que não é assim que as coisas devem acontecer. E acha que uma atitude daquelas de nada serviria; provavelmente sua mão apenas atravessaria o tecido, como a mão de um fantasma.

— Vamos — diz Eddie. — Vamos ficar com ele.

Entram formando um grupo que poderia ser cômico em outras circunstâncias, mas não naquela. Agora são três pessoas desesperadas pelo que possa acontecer a um amigo.

Roland para, olhando para a cama encostada na parede esquerda do quarto. Contempla-a como se estivesse hipnotizado. Talvez esteja tentando imaginar Marten com sua mãe ali; talvez esteja se lembrando de Susan, com quem nunca dormiu numa cama de verdade, muito menos numa luxuosa cama com dossel como era aquela. Jake pode ver o pálido perfil do pistoleiro num espelho triplo no meio do quarto, instalado numa alcova. O espelho triplo fica atrás de uma pequena mesa de um tipo que o garoto conheceu no lado ocupado por sua mãe no quarto dos pais; é um toucador.

O pistoleiro estremece e abandona os pensamentos que possam ter se apoderado de sua mente. Nos seus pés aquelas terríveis botas; naquela luz mortiça parecem as botas de um homem que tivesse caminhado por um riacho de sangue.

— Mãe!

Roland dá um passo na direção da cama e chega a se abaixar um pouco, como se achasse que a mãe pudesse estar escondida embaixo dela. Mas se ela está escondida, não seria ali; os sapatos que Jake viu na barra da cortina eram sapatos femininos e a forma que agora está parada na ponta do pequeno corredor, bem na entrada do quarto, está usando um vestido. Jake pode ver a bainha.

E vê mais do que isso. Jake compreende a conturbada relação de Roland com a mãe e o pai melhor do que Eddie ou Susannah jamais poderiam compreender, pois os pais do próprio Jake são muito parecidos com os de Roland: Elmer Chambers é um pistoleiro da mídia e Megan Chambers tem um longo histórico de dormir com amigos necessitados. Nada disso foi contado a Jake, mas de alguma forma ele sabe; tem compartilhado khef *com a mãe e o pai, e por isso sabe o que sabe.*

Sabe também uma coisa acerca de Roland: sabe que ele viu a mãe na bola de cristal do mago. Era Gabrielle Deschain, logo após seu retorno do retiro em Debaria, Gabrielle que confessaria ao marido após o banquete os erros de suas atitudes e de seu modo de pensar, implorando seu perdão e pedindo para ser novamente aceita em sua cama... E, quando Steven cochilasse após ficarem juntos, ela enterraria a faca no peito dele... ou talvez só arranhasse de leve seu braço, sem ao menos acordá-lo. Com aquela faca, o efeito, de um modo ou de outro, daria no mesmo.

Roland vira tudo isso na bola antes de finalmente entregar a maldita coisa a seu pai e Roland precisava pôr um ponto final naquilo. Para salvar a vida de Steven Deschain, Eddie e Susannah teriam dito, se soubessem das coisas até aquele ponto, mas Jake tem a infeliz sabedoria das crianças infelizes e vê mais longe. Para salvar também a vida de sua mãe. Para lhe dar uma última chance de recuperar a sanidade, uma última chance de ficar ao lado do esposo e ser honesta. Uma última chance para se afastar de Marten Broadcloak.

Certamente ela ia aproveitá-la, certamente tinha de aproveitá-la! Roland viu sua expressão naquele dia, como estava infeliz e como não poderia estar? Certamente não podia ter escolhido o mago! Se ao menos Roland pudesse fazê-la ver...

Assim, inconsciente de que mais uma vez se deixava iludir pela falta de experiência dos muito jovens — Roland não compreende que infelicidade e vergonha frequentemente não são páreos para o desejo —, ele vem até aqui para falar com a mãe, para implorar que volte para o marido antes que seja tarde demais. Salvou-a de si mesma uma vez, ele vai lhe dizer, mas não pode fazer isso de novo.

E se ela ainda assim não ceder, *pensa Jake*, ou quiser disfarçar, fingindo que não sabe do que ele está falando, Roland vai lhe dar uma opção: deixar

Gilead com sua ajuda — já, naquela noite — ou ser colocada em correntes na manhã seguinte, acusada de uma traição tão chocante que será quase certamente enforcada como Hax, o cozinheiro, foi enforcado.

— *Mãe?* — *ele chama, ainda inconsciente da forma parada na sombra às suas costas. Dá mais um passo para o interior do quarto e agora a forma se move. A forma ergue as mãos. Há alguma coisa em suas mãos. Não um revólver, Jake pode ver que não, mas tem uma aparência letal, de certa forma a aparência de uma serpente...*

— Roland, cuidado! — *grita Susannah, e sua voz é como um eco mágico. Há alguma coisa na penteadeira... a bola, é claro; Gabrielle a roubou, é o que levará para o amante como prêmio de consolação pelo assassinato que o filho impediu. A bola agora cintila como se respondesse à voz de Susannah. Borrifa uma brilhante luz rosa sobre o espelho triplo e deixa que seu clarão se espalhe pelo quarto. Naquela luz, naquele espelho triplo, Roland finalmente vê a figura atrás dele.*

— Meu Deus! — *grita Eddie Dean, horrorizado.* — Ah, meu Deus, Roland! Aquela não é sua mãe! É...

Não é sequer uma mulher, não de verdade, não é mais; é uma espécie de cadáver vivo num vestido preto coberto de poeira da estrada. Sobram apenas tufos dispersos de cabelo na cabeça e há um buraco onde o nariz costumava ficar. Os olhos, no entanto, ainda brilham e a cobra que se contorce entre suas mãos está bem viva. Apesar de seu horror, Jake consegue se perguntar se ela não teria achado aquela cobra debaixo da mesma pedra onde havia encontrado a que Roland matou.

É Rhea quem está esperando pelo pistoleiro nos aposentos de sua mãe; é a Cöos, disposta não apenas a recuperar seu globo de cristal, mas a dar um fim no garoto que lhe causou tantos problemas.

— *Agora, rebento de puta!* — *ela grita estridente, esganiçada.* — *Agora você vai pagar!*

Mas Roland a viu, viu-a no espelho. Rhea traída pela própria bola que veio pegar de volta, e agora ele está girando, as mãos caindo para os novos revólveres com toda aquela velocidade letal. Tem catorze anos, seus reflexos nunca serão melhores, mais rápidos, e ele vai puxar o gatilho, usar sua pólvora.

— Não, Roland, não! — *grita Susannah.* — É um truque, é um feitiço!

Jake só tem tempo de olhar do espelho para a mulher que está realmente parada no umbral da porta; tem apenas tempo de perceber, ele também, que foi enganado.

Talvez Roland também tenha compreendido a verdade na última fração de segundo... A mulher na porta realmente é sua mãe, a coisa nas mãos dela não é uma cobra, mas um cinto, algo que fez para ele, uma oferenda de paz, talvez. O espelho mentiu da única maneira que lhe era possível... pelo reflexo.

Não importa, é tarde demais. Os revólveres estão apontados, trovejando, o brilhante faiscar amarelo iluminando o quarto. Roland puxa duas vezes o gatilho de cada revólver antes de conseguir parar e as quatro balas jogam Gabrielle Deschain no corredor. No rosto, o esperançoso sorriso de podemos-fazer-as-pazes.

Ela morre assim, sorrindo.

Roland fica parado onde está, os revólveres enfumaçados nas mãos, o rosto contraído numa careta de surpresa e horror. Já começando a apreender a verdade que terá de carregar pelo resto da vida: usou os revólveres do pai para matar a mãe.

Agora um riso esganiçado enche o quarto. Roland não se vira; está paralisado pela visão da mulher de vestido azul e sapatos pretos que jaz sangrando no corredor de seus aposentos; a mulher que ele veio salvar e que acabou matando. Está caída, o cinto que trazia na mão dobrado sobre o estômago ensanguentado.

Jake se vira e não se surpreende ao ver uma mulher de rosto esverdeado e um chapéu preto pontudo nadando dentro da bola. É a Bruxa Má do Leste, também conhecida, ele sabe, como Rhea da colina Cöos. Ela encara o rapaz com os revólveres nas mãos e arreganha os dentes no sorriso mais terrível que Jake já viu na vida.

— Queimei a garota estúpida que você amava... ié, queimei-a viva, foi isso... e agora o transformei num matricida. Será que já se arrependeu de ter matado minha serpente, pistoleiro? Minha pobre e doce Ermot? Não lamenta ter entrado num jogo perigoso com alguém com mais esperteza do que você jamais conseguirá ter em toda a sua miserável vida?

Ele não dá mostras de estar ouvindo, apenas contempla a mãe. Logo vai se aproximar, ajoelhar-se ao lado dela, mas ainda não; ainda não.

O rosto na bola agora se volta para os três viajantes e se altera ao fazê-lo. Torna-se velha, calva e rubra — torna-se, em suma, o rosto que Roland viu no espelho mentiroso. O pistoleiro não é capaz de ver seus futuros amigos, mas Rhea os vê; ié, ela os vê muito bem.

— Saiam daqui! — ela diz. É o grasnido de um corvo num galho sem folhas, debaixo de um escuro céu de inverno. — Saiam daqui! Renunciem à Torre!

— Jamais, sua puta — diz Eddie.

— Estão vendo quem ele é! O monstro que é! E isto é apenas o começo, sabiam? Perguntem o que aconteceu a Cuthbert! A Alain... O toque de Alain, por melhor que fosse, acabou por não lhe servir de nada, assim foi! Perguntem a ele o que aconteceu com Jamie DeCurry! Ele nunca teve um amigo que não acabasse matando, nunca teve uma amante que não virasse poeira no vento!

— Siga o seu caminho — diz Susannah — e nos deixe em paz.

Os lábios rachados e verdes de Rhea se contorcem num tenebroso sorriso de escárnio.

— Ele matou a própria mãe! O que acha que fará com você, sua estúpida puta negra?

— Ele não a matou — disse Jake. — Você a matou. Agora vá!

Jake dá um passo em direção à bola com a intenção de pegá-la e jogá-la no chão... Pode fazer isso, ele percebe, pois a bola é real. É a única coisa real naquela visão. Mas antes que consiga colocar as mãos nela, o cristal emite uma explosão silenciosa de luz rosada. Jake atira as mãos para cima, protegendo os olhos para não ficar cego, e logo ele está

(derretendo estou derretendo que mundo ah que mundo)

caindo, está rodopiando para baixo através da tempestade rosa, rodopiando para fora de Oz e de volta ao Kansas, para fora de Oz e de volta ao Kansas, para fora de Oz e de volta a...

5. O CAMINHO DO FEIXE

1

— ... casa — Eddie murmurou. A voz soou pastosa e meio embriagada aos seus próprios ouvidos. — De volta para casa, porque não há lugar como o nosso lar, não há mesmo.

Tentou abrir olhos e durante algum tempo não conseguiu. Era como se estivessem colados. Pôs na testa a parte de baixo da palma da mão e fez pressão, comprimindo a pele contra o osso. Deu certo; os olhos se abriram de estalo. Não viu nem a sala do trono do Palácio Verde (e isto era o que ele havia realmente esperado) nem o quarto ricamente decorado, mas um tanto claustrofóbico, onde acabara de estar.

Encontrava-se do lado de fora, deitado numa pequena clareira de grama esbranquiçada pelo inverno. Nas proximidades havia um pequeno aglomerado de árvores, algumas com as últimas folhas escuras ainda agarradas nos galhos. E um galho com uma estranha folha branca, uma folha albina. Havia um bom filete de água correndo no interior do bosque. Abandonada na grama alta estava a nova e melhorada cadeira de rodas de Susannah. Havia lama nos pneus, Eddie reparou, e algumas daquelas folhas, crispadas e escuras, presas nos raios das rodas. Ao lado de alguns torrões de grama. No alto havia um céu com uma camada de névoa branca e uniforme, cada fragmento tão interessante quanto uma cesta de roupa suja cheia de lençóis.

O céu estava claro quando entramos no Palácio, ele pensou, e percebeu que o tempo resvalara de novo. Muito ou pouco, ele não tinha certeza se queria mesmo saber... O mundo de Roland era como uma transmissão com os dentes do câmbio quase lisos; a pessoa nunca sabia quando o tempo ia encaixá-lo em ponto morto ou colocá-lo na última marcha.

Mas aquele *era* o mundo de Roland? E se fosse, como tinham voltado para ele?

— Como eu vou saber? — Eddie resmungou e se pôs lentamente em pé, estremecendo um pouco. Não sentia como se estivesse de ressaca, mas as pernas estavam dormentes e ele se sentia como se tivesse acabado de tirar o mais profundo cochilo de sua vida numa tarde de domingo.

Roland e Susannah estavam no chão sob as árvores. O pistoleiro se mexia, mas Susannah permanecia imóvel, de costas, os braços extravagantemente espalhados, roncando de um jeito que fez Eddie sorrir. Jake estava perto, com Oi dormindo a seu lado, junto a um de seus joelhos. Quando Eddie se virou para eles, Jake abriu os olhos e se sentou. Olhos arregalados, mas sem foco; estava acordado, mas dormira tão profundamente que ainda não se dera conta de que acordara.

— Rapaz — disse Jake, e bocejou.

— É — disse Eddie —, falou tudo.

Virou-se num círculo lento e já completara três quartos do caminho de volta ao ponto onde adormecera quando viu o Palácio Verde no horizonte. De onde estavam parecia agora muito pequeno e seu brilho fora eliminado pelo dia sem sol. Eddie achou que poderia estar a cinquenta quilômetros de distância. Vindo de lá em direção a eles, estava a trilha da cadeira de rodas de Susannah.

Ele podia ouvir a lúmina, mas fraco. Achou que também podia vê-la... uma cintilação prata-mercúrio, como de água estagnada, estendendo-se pelo campo aberto, plano... e finalmente secando a uns oito quilômetros dali. Oito quilômetros a oeste dali? Dada a localização do Palácio Verde e o fato de que estavam viajando para leste na I-70, era a suposição natural, mas quem realmente podia ter certeza, ainda mais sem qualquer sol visível para usar como orientação?

— Onde está a estrada? — Jake perguntou. Sua voz soou embargada, pastosa. Oi juntou-se a ele, esticando primeiro uma perna traseira, depois a outra. Eddie reparou que Oi tinha perdido uma das botinhas.

— Talvez tenha sido cancelada por falta de interesse.

— Acho que não estamos mais no Kansas — disse Jake. Eddie olhou-o atentamente, mas não acreditou que o garoto estivesse conscientemente tirando palavras de *O mágico de Oz*. — Não aquele Kansas onde jogam os Kansas City Royals, nem aquele onde jogam os Monarcas.

— O que te faz achar isso?

Jake levantou um polegar para o céu e quando Eddie olhou para cima viu que estava errado: nem tudo estava nublado e esbranquiçado, insípido como uma cesta de papéis. Diretamente sobre suas cabeças, um grupo de nuvens avançava para o horizonte com tanta firmeza quanto uma esteira transportadora.

Estavam de volta ao Caminho do Feixe.

2

— Eddie? Onde está você, docinho?

Eddie baixou os olhos da faixa de nuvens no céu e viu Susannah se sentando e esfregando a nuca. Parecia não saber muito bem onde estava. Ou talvez até quem era. As capinhas vermelhas que usava pareciam estranhamente sombrias sob aquela luz, mas ainda eram as coisas mais brilhantes na visão de Eddie... até ele baixar os olhos para seus próprios pés e ver as botas de cano curto com saltos cubanos. Contudo também elas se revelaram sombrias e Eddie já não achava que fosse apenas a atmosfera nublada do dia que as deixava com aquela aparência. Olhou para os sapatos de Jake, as três botinhas restantes de Oi, as botas de caubói de Roland (o pistoleiro estava sentado agora, braços cruzados em volta dos joelhos, olhando sem foco para o nada). Tudo o mesmo vermelho forte, mas de alguma forma um vermelho *sem vida*. Como se alguma mágica essencial a eles tivesse se esgotado.

De repente, Eddie quis ver aquelas botas fora de seus pés. Ele se sentou ao lado de Susannah e lhe deu um beijo.

— Bom dia, Bela Adormecida. Ou boa tarde, se for o caso. — Então, rapidamente, quase as tocando com raiva (de certa forma era como tocar pele morta), Eddie arrancou as botas de cano curto. Ao fazê-lo, viu que estavam muito arranhadas nas pontas e com lama nos saltos, não mais com aquela aparência de calçado novo. Tinha se perguntado como haviam chegado ali; agora, sentindo a dor nos músculos das pernas e recordando o rastro da cadeira de rodas, ele descobriu. Tinham andado, por Deus! Andado dormindo.

— Essa — disse Susannah — é a melhor ideia que você teve desde... bem, desde muito tempo. — Ela tirou as capinhas. Ao lado, Eddie viu Jake tirando as botinhas de Oi. — Estivemos lá? — Susannah perguntou. — Eddie, estávamos realmente lá quando ele...

— Quando matei minha mãe — disse Roland. — Sim, vocês estiveram lá. Assim como eu. Que os deuses me ajudem, eu estive lá. Fiz aquilo. — Cobriu o rosto com as mãos e deixou escapar uma série amarga de soluços.

Susannah se arrastou para ele daquele modo ágil que era quase uma versão de andar. Pôs um braço em volta dele e usou a outra mão para lhe tirar as mãos do rosto. A princípio Roland não quis deixá-la fazer isso, mas ela foi persistente e por fim as mãos dele — aquelas mãos de matador — desceram, revelando olhos obcecados que nadavam em lágrimas.

Susannah trouxe seu rosto para o ombro dela.

— Fique tranquilo, Roland — disse. — Fique tranquilo e deixe isso para trás. Esta parte está encerrada agora. Você a ultrapassou.

— Ninguém ultrapassa uma coisa dessas — disse Roland. — Não, acho que não. Jamais.

— Você não a matou — disse Eddie.

— É muito fácil dizer isso. — O rosto do pistoleiro continuava afundado no ombro de Susannah, mas suas palavras foram bastante claras. — Não podemos nos esquivar de certas responsabilidades. Não podemos nos esquivar de certos pecados. Sim, Rhea esteve lá... pelo menos de alguma maneira... mas não posso jogar toda a culpa em cima da Cöos, por mais que gostasse de fazê-lo.

— O problema também não foi ela — disse Eddie. — Não foi o que eu quis dizer.

Roland ergueu a cabeça.

— Aonde, pelos demônios, está querendo chegar?

— Ka — disse Eddie. — Ka como um vento

3

Em suas bolsas havia comida que nenhum deles havia colocado ali: biscoitos com gravuras de duendes nas sacolas, sanduíches naturais em papel laminado — parecidos com os que você pode comprar (se estiver morrendo de fome, é claro) nas máquinas automáticas em pontos de parada na estrada — e uma marca de coca-cola que nem Eddie, nem Susannah, nem Jake conheciam. Tinha mesmo sabor de coca e vinha numa lata vermelha e branca, mas a marca era Nar-izz-Cola.

Comeram de costas para o bosque, de frente para o distante fascínio-feitiço do Palácio Verde e chamaram a coisa de almoço. *Se começar a escurecer daqui a mais ou menos uma hora, podemos transformá-la em jantar por voto nominal*, Eddie pensou, mas não achava que seria necessário. Agora seu relógio interior voltara a funcionar e esse misterioso, mas geralmente preciso, dispositivo sugeria que era início de tarde.

A certa altura ele se levantou e ergueu o refrigerante, sorrindo para uma câmera invisível.

— Quando estou viajando pela Terra de Oz em meu novo Takuro Spirit, bebo Nar-izz-Cola! — proclamou. — Ela me dá prazer e nunca me satisfaz! Ela me deixa feliz por ser homem! Ela me faz conhecer a Deus! Me dá uma visão de anjo e uma coragem de tigre! Quando bebo Nar-izz-Cola, digo: "Deus! Estou feliz por estar vivo!". Digo...

— Sente-se, seu embustor — disse Jake rindo.

— Tor — Oi concordou. Seu focinho estava no tornozelo de Jake e ele observava o sanduíche do garoto com grande interesse.

Eddie começou a se sentar e então aquela estranha folha albina atraiu de novo a sua atenção. Isso não é uma folha, Eddie pensou caminhando para ela. Não, não era folha mas um pedaço de papel. Eddie o virou e viu colunas de "blá-blá-blá", "ié, ié" e "tudo é a mesma coisa". Jornais não costumavam ser brancos de um dos lados, mas Eddie não se surpreendeu ao descobrir que aquele era — o *Zum-Zum Diário de Oz*, afinal, era apenas um projeto de diagramação.

E o lado branco não era branco. Nele, escrita numa caligrafia clara, caprichada, havia esta mensagem:

> Da próxima vez eu não irei embora.
> Renuncie à Torre.
> Esta é sua última oportunidade.
> E tenha um ótimo dia!
> R. F.

Embaixo disso, um pequeno desenho:

Eddie levou o bilhete para onde os outros estavam comendo. Cada um deles deu uma olhada. Finalmente Roland pegou o bilhete, passou pensativamente o polegar por ele, sentindo a textura do papel, e o devolveu a Eddie.

— R. F. — disse Eddie. — O homem que estava comandando Tique-taque. É dele, não é?

— Sim. Deve ter trazido o Homem do Tique-taque de Lud.

— Com certeza — disse Jake num tom sombrio. — Aquele tal de Flagg parecia alguém que reconheceria um embustor de primeira linha quando encontrasse um. Mas como chegaram aqui antes de nós? Como conseguiram ser mais rápidos que o Mono Blaine, pelo amor de Deus?

— Uma porta — disse Eddie. — Talvez tenham atravessado uma daquelas portas especiais.

— Bingo — disse Susannah. Ela estendeu a mão, palma para cima, e Eddie deu um tapinha.

— Seja como for, o que ele sugere não é um conselho ruim — disse Roland. — Por favor, pensem nisso com o maior cuidado. E se quiserem voltar para seu mundo, deixarei que voltem.

— Roland, não posso acreditar no que está dizendo — falou Eddie. — Depois de me arrastar com Suze para cá aos pontapés e aos gritos? Sabe o que meu irmão ia dizer de você? Ia te achar contraditório como um porco patinando no gelo.

— Fiz o que fiz antes de considerar vocês como amigos — disse Roland. — Antes de começar a gostar de vocês como gostei de Alain e Cuthbert. E antes de ser forçado a... a revisitar certas cenas. Fazer isso foi... — Fez uma pausa, olhando para seus pés (já tornara a calçar as velhas botas) e parecendo muito concentrado. Por fim ergueu de novo os olhos. — Havia uma parte de mim que não se mexia nem falava há um bom número de anos. Achei que estava morta. Não está. Aprendi a amar de novo e estou consciente de que esta é provavelmente minha última chance de amar. Penso devagar... Vannay e Cort sabiam disso, assim como meu pai... mas não sou estúpido.

— Então não se comporte como se fosse — disse Eddie. — Nem nos trate como se os estúpidos fôssemos nós.

— O que você chama de "final das contas", Eddie, é isto: provoco a morte de meus amigos. E não tenho certeza se consigo arriscar fazer isso de novo. Jake em particular... eu... Não importa. Não tenho as palavras. Pela primeira vez desde que entrei num quarto escuro e matei minha mãe, posso ter encontrado algo mais importante que a Torre. Isso basta.

— Tudo bem, acho que posso respeitar isso.

— Eu também — disse Susannah —, mas Eddie tem razão acerca do ka. — Ela pegou o bilhete e passou um dedo por ele pensativamente.

— Roland, você não pode falar sobre isso... quero dizer, sobre o ka... depois virar as costas e descartá-lo, só porque sua força de vontade e dedicação caíram um pouco.

— Força de vontade e dedicação são boas palavras — Roland comentou. — Há, no entanto, uma ruim, que significa a mesma coisa... *Obsessão*.

Ela se mexeu com um impaciente dar de ombros.

— Docinho, ou todo esse negócio tem a ver com o ka ou nenhuma parte dele tem. E por mais assustador que o ka possa parecer... a ideia de destino com olhos de águia e nariz de sabujo... acho a ideia de nenhum ka ainda pior. — Ela atirou o bilhete de R. F. na grama.

— Não importa como o chame, você está acabada se ele corre contra você — disse Roland. — Rimer... Thorin... Jonas... minha mãe... Cuthbert... Susan. Basta perguntar a eles. A qualquer um deles. Se apenas fosse possível.

— Não está enxergando o mais importante aqui — disse Eddie. — Você não pode nos mandar de volta. Será que não percebe isso, seu grande tolo? Mesmo se houvesse uma porta, não iríamos atravessá-la. Estou errado?

Ele olhou para Jake e Susannah, que balançaram as cabeças. Até Oi balançou a cabeça. Não, não estava errado.

— Nós mudamos — disse Eddie. — Nós... — Agora era ele quem não sabia como continuar. Como expressar sua necessidade de ver a Torre... e sua outra necessidade, igualmente forte, de continuar carregando o revólver com o cabo trabalhado em madeira de sândalo. *O grande cano de ferro*, como começara a pensar nele. Lembrava aquela velha canção de Marty Robbins sobre o homem com o grande cano de ferro no quadril. — É o ka — disse ele. Era tudo que conseguia pensar que fosse grande o bastante para dar conta da ideia.

— Kaka — Roland respondeu, após um momento de consideração. Os três o olharam, bocas abertas.

Roland de Gilead tinha feito uma piada.

4

— Há uma coisa que não entendo acerca do que vimos — disse Susannah num tom hesitante. — Por que sua mãe se escondeu atrás daquela cortina quando você entrou, Roland? Será que ela pretendia... — Mordeu o lábio, mas acabou soltando. — Será que ela pretendia matá-lo?

— Se pretendesse me matar, não teria escolhido um cinto como arma. O próprio fato de ter feito um presente para mim... e era do que se tratava, tinha minhas iniciais gravadas... sugere que ela pretendia pedir perdão. Que mudara.

É o que você sabe ou só aquilo em que quer acreditar?, Eddie pensou. Era uma pergunta que jamais faria. Roland já fora suficientemente testado e conquistara o direito de voltar ao Caminho do Feixe ao reviver aquela terrível visita aos aposentos de sua mãe. Isso era o bastante.

— Acho que se escondeu porque estava envergonhada — continuou o pistoleiro. — Ou porque precisava pensar um pouco no que ia me dizer. Em como ia explicar.

— E a bola? — Susannah perguntou suavemente. — Estava mesmo no toucador, onde nós a vimos? E ela a roubou de seu pai?

— Sim às duas perguntas — disse Roland. — Só que... *será* que a roubou mesmo? — Parecia estar perguntando aquilo a si próprio. — Meu pai sabia realmente de muita coisa, mas às vezes guardava o que sabia para si mesmo.

— Como o conhecimento de que sua mãe e Marten estavam se encontrando — disse Susannah.

— Sim.

— Mas, Roland... Você sem dúvida não acredita que seu pai tivesse intencionalmente permitido que *você*...

Roland se virou para ela com olhos arregalados, muito espantados. As lágrimas tinham parado, mas ele tentou sorrir e não conseguiu.

— Permitido que seu filho matasse sua esposa? — perguntou. — Não, eu diria que não. Por mais que eu gostaria que tivesse sido assim, não. Que ele tivesse provocado uma coisa daquelas, que a tivesse intencionalmente posto em movimento, como um homem jogando Castelos... nisso eu não posso acreditar. Mas será que ele permitiria que o ka seguisse seu curso? Sim, com toda a certeza.

— O que aconteceu com a bola? — Jake perguntou.

— Não sei. Desmaiei. Quando recuperei os sentidos, eu e minha mãe ainda estávamos sozinhos, um morto e outro vivo. Ninguém vindo ver o motivo dos tiros... As paredes do quarto eram de pedra maciça e aquela ala era bastante deserta. O sangue de minha mãe havia coagulado. O cinto que fizera para mim estava coberto de sangue, mas eu o peguei e pus na cintura. Usei por muitos anos o presente manchado de sangue e como o perdi é uma história que fica para outro dia... Mas vou contá-la a vocês antes de concluirmos a jornada, pois ela é relacionada à minha busca da Torre.

"Embora ninguém tenha ido investigar os tiros, alguém esteve lá por outra razão. Enquanto eu jazia desacordado perto do cadáver de minha mãe, essa pessoa entrou e levou a bola de cristal do mago."

— Rhea? — Eddie perguntou.

— Duvido que estivesse tão perto, pelo menos em seu próprio corpo... Mas ela tinha o seu jeito de fazer amigos. Ié, um jeito de fazer amigos. Vi-a novamente, você sabe... — Roland não deu mais explicações, mas um brilho duro despontou em seus olhos. Eddie já o vira antes e sabia que significava morte.

Jake tinha pegado a nota de R. F. e agora apontava para o pequeno desenho sob a mensagem.

— Sabe o que isto significa?

— Acho que é o *sigul* de um lugar que vi quando viajei pela primeira vez na bola de cristal do mago. A terra chamada Trovão. — Ele olhou para o grupo ao redor, um por um. — Acho que é aí que vamos encontrar novamente este homem... esta *coisa*... chamada Flagg.

Roland se virou e contemplou o caminho que haviam seguido até ali — andando dormindo com seus finos calçados vermelhos.

— O Kansas que atravessamos era o Kansas dele e a praga que esvaziou essa terra era a praga *dele*. Pelo menos é no que acredito.

— Mas talvez a bola não continue nas terras de Flagg — disse Susannah.

— Ela pode ter viajado — disse Eddie.

— Para o *nosso* mundo — disse Jake.

Ainda olhando para trás, para o Palácio Verde, Roland acrescentou:

— Para o mundo de vocês ou para qualquer outro.

— Quem é o Rei Rubro? — Susannah perguntou de repente.

— Susannah, eu não sei.

Então se calaram, vendo Roland contemplar o palácio onde enfrentara um falso mago e uma verdadeira memória. Ao fazê-lo, conseguira de certa forma abrir a porta que o levava de volta a seu próprio mundo.

Nosso mundo, Eddie pensou, colocando um braço em volta de Susannah. Nosso mundo agora. *Se voltarmos à América, e talvez tenhamos de voltar antes mesmo que isto acabe, chegaremos como estrangeiros numa terra estranha, não importa de que quando se trate. Este é nosso mundo agora. O mundo dos Feixes, dos Guardiões e da Torre Negra.*

— Ainda temos um pouco de luz do dia — ele disse a Roland, colocando a mão hesitante no ombro do pistoleiro. Quando Roland imediatamente a cobriu com a própria mão, Eddie sorriu. — Quer aproveitá-la ou não?

— Sim — disse Roland. — Vamos aproveitá-la. — Ele se abaixou, pegou a mochila e a pôs no ombro.

— E quanto aos sapatos? — Susannah perguntou, contemplando com ar de dúvida a pequena pilha vermelha que eles tinham formado.

— Vamos deixá-los aí — disse Eddie. — Já serviram ao seu propósito. Para a cadeira de rodas, garota! — Eddie pôs o braço em volta dela e a ajudou a se sentar.

— Todos os filhos de Deus usam sapatos — disse Roland com ar pensativo. — Não foi isso que você disse, Susannah?

— Bem — disse ela se acomodando —, o sotaque correto acrescenta um traço de tempero, mas você pegou a essência, querido, sim.

— Então, sem a menor dúvida, vamos encontrar mais sapatos, se Deus assim quiser — disse Roland.

Jake estava olhando em sua mochila, fazendo um inventário da comida que fora acrescentada por alguma mão desconhecida. Suspendeu uma coxa de galinha num saco plástico, examinou-a e se virou para Eddie.

— Quem você acha que colocou esta coisa aqui?

Eddie ergueu as sobrancelhas, como se perguntasse a Jake como ele conseguia ser tão estúpido.

— Os duendes da sacola de biscoitos — disse. — Quem mais poderia ser? Venham, vamos.

5

Agruparam-se perto do bosque, cinco viajantes diante de uma terra deserta. À frente deles, correndo pela planície, um traçado na grama correspondia exatamente à faixa de nuvens que corriam no céu. O traçado não chegava a ser uma trilha... mas para o olho atento, o modo como tudo se curvava na mesma direção era tão nítido quanto uma faixa pintada.

O Caminho do Feixe. Em algum lugar à frente, onde este caminho entrava em interseção com todos os outros, ficava a Torre Negra. Eddie achava que, se o vento estivesse na direção certa, ele seria quase capaz de sentir o cheiro de suas pedras sombrias.

E rosas... o mortiço aroma de rosas.

Eddie pegou a mão de Susannah quando ela se sentou na cadeira; Susannah pegou a mão de Roland; Roland a de Jake. Oi ficou dois passos diante deles, cabeça em pé, cheirando o ar de outono que penteava seu pelo com dedos invisíveis, os olhos debruados de dourado arregalados.

— Nós somos ka-tet — disse Eddie. Cruzou em sua mente a curiosidade de saber até que ponto ele havia mudado; como se tornara um estranho, até para si mesmo. — Somos um, um composto de muitos.

— Ka-tet — disse Susannah. — Somos um composto de muitos.

— Um de muitos — disse Jake. — Venham, vamos.

Pássaro e urso e lebre e peixe, Eddie pensou.

Com Oi na frente, partiram mais uma vez para a Torre Negra, seguindo o Caminho do Feixe.

POSFÁCIO

A cena em que Roland supera seu velho professor, Cort, e sai para aventuras na área menos divertida de Gilead foi escrita na primavera de 1970. Aquela em que o pai de Roland aparece na manhã seguinte foi escrita no verão de 1996. Embora se passem dezesseis horas entre as duas ocorrências no mundo da história, vinte e seis *anos* se passaram na vida do contador da história. Contudo, a hora finalmente chegou e acabei me confrontando comigo mesmo com a cama de uma prostituta de separação — o estudante desempregado de cabelo preto comprido e barba de um lado, o bem-sucedido e popular escritor ("o mestre do pior da América", como sou afetuosamente conhecido por minhas legiões de críticos admiradores) de outro.

Só faço menção a isto porque resume a estranheza essencial da experiência da Torre Negra para mim. Escrevi uma quantidade de romances e contos suficiente para preencher um sistema solar da imaginação, mas a história de Roland é meu Júpiter — um planeta que transforma todos os outros em anões (pelo menos de minha própria perspectiva), um lugar de atmosfera estranha, paisagem maluca e selvagem força gravitacional. Transforma os outros em anões, foi o que eu disse? Na realidade, acho que é mais que isso. Estou começando a entender que o mundo (ou mundos) de Roland na realidade contém todos os outros que imaginei; há um lugar no Mundo Médio para Randall Flagg, Ralph Roberts, os garotos errantes de *Os olhos do dragão* e até para o padre Callahan, o padre amaldiçoado de *'Salem*, que saiu da Nova Inglaterra num ônibus da Greyhound e acabou se fixando na fronteira de uma terra terrível do Mundo Médio chamada Trovão. Parece ser aí que todos eles terminam, e por que não? O Mundo Médio estava aqui primeiro, antes de todos, dormindo sob o foco azul dos olhos de artilheiro de Roland.

Este livro demorou muito a sair — muitos leitores que gostaram das aventuras de Roland quase gritaram de frustração — e me desculpo por isso. A razão é mais bem resumida pelo pensamento de Susannah quando ela se prepara para lançar contra Blaine a primeira adivinhação de sua disputa: *É difícil começar.* Não há nada nestas páginas com que eu concorde mais.

Eu sabia que *Mago e vidro* significava voltar aos dias de juventude de Roland e a seu primeiro amor, e eu estava com um medo terrível dessa história. Fazer suspense é relativamente fácil, ao menos para mim; falar de amor é difícil. Consequentemente, eu fazia corpo mole, arranjava justificativas, adiava e continuava sem escrever o livro.

Por fim comecei, trabalhando em quartos de motel no meu Macintosh PowerBook, enquanto cruzava o país dirigindo do Colorado ao Maine após concluir meu trabalho na versão de *O iluminado* para uma minissérie. Ocorreu-me, enquanto eu dirigia para o norte atravessando os quilômetros desertos do oeste de Nebraska (onde por acaso eu também passara, voltando do Colorado, quando tive a ideia de escrever uma história chamada *Colheita maldita*), que se eu não começasse logo, acabaria jamais escrevendo o livro.

Só que eu não sei mais nada sobre a força do amor romântico, disse a mim mesmo. *Sei alguma coisa sobre casamento e amor maduro, mas aos quarenta e oito anos a pessoa esquece o ardor e a paixão dos dezessete.*

Vou ajudá-lo nessa parte, veio a resposta. Eu não sabia a quem aquela voz pertencia naquele dia nos arredores de Thetford, Nebraska, mas sei agora, porque tenho olhado dentro de seus olhos, através da cama de uma prostituta, numa terra que existe com muita nitidez em minha imaginação. O amor de Roland por Susan Delgado (e dela por ele) me foi contado pelo rapaz que começou a escrever esta história. Se foi contado corretamente, agradeço a ele. Se não, jogo a culpa no que possa ter se perdido na passagem dele para mim.

Também agradeço ao meu amigo Chuck Verrill, que editou o livro e me deu força em cada passo do caminho. Seu encorajamento e ajuda foram inestimáveis, assim como o encorajamento de Elaine Koster, que tem publicado tantas histórias de caubói em brochura.

Os maiores agradecimentos, no entanto, vão para minha esposa, que me dá o máximo possível de apoio nesta loucura e me ajudou neste livro de um modo que nem mesmo ela imagina. Um dia, numa época difícil, ela me deu uma engraçada figurinha de borracha que me fez sorrir. Era Rocket J. Squirrel, usando seu chapéu azul de aviador e com os braços bravamente estendidos. Coloque essa figura no manuscrito que começava a aumentar (e aumentar... e aumentar), esperando que o amor que vinha com ela conseguisse fertilizar a obra. E a coisa funcionou, pelo menos até certo ponto; afinal, o livro está aqui. Não sei se é bom ou ruim — perdi todo o senso de perspectiva por volta da página seiscentos —, mas está aqui. Só isso já parece um milagre. E comecei a acreditar que talvez vivesse o bastante para completar este ciclo de histórias (batida na madeira).

Há pelo menos mais três a serem contadas, eu acho, duas ambientadas principalmente no Mundo Médio e uma quase que por completa em nosso mundo — a que trata do terreno baldio na esquina da Segunda Avenida com a rua 46 e da rosa que floresce ali. Essa rosa, tenho de dizer a vocês, está em terrível perigo.

No final, o ka-tet de Roland chegará à paisagem noturna do Trovão... e ao que jaz além dela. Talvez nem todos vivam o suficiente para alcançar a Torre, mas creio que aqueles que conseguirem vão resistir e se conservarão fiéis à prova.

Stephen King Lovell, Maine
27 de outubro de 1996

1ª edição [2005] 17 reimpressões
2ª edição [2025]

ESTA OBRA FOI COMPOSTA PELA ABREU'S SYSTEM EM WHITMAN
E IMPRESSA EM OFSETE PELA GRÁFICA SANTA MARTA SOBRE PAPEL PÓLEN NATURAL
DA SUZANO S.A. PARA A EDITORA SCHWARCZ EM SETEMBRO DE 2025

FSC
www.fsc.org
MISTO
Papel | Apoiando o manejo florestal responsável
FSC® C005648

A marca FSC® é a garantia de que a madeira utilizada na fabricação do papel deste livro provém de florestas que foram gerenciadas de maneira ambientalmente correta, socialmente justa e economicamente viável, além de outras fontes de origem controlada.